© Seux Paule/hemis.fr

Le Routard

Cambodge, Laos

Cofondateurs : Philippe GLOAGUEN et Michel DUVAL

Directeur de collection et auteur
Philippe GLOAGUEN

Rédacteurs en chef adjoints
**Amanda KERAVEL
et Benoît LUCCHINI**

Directrice de la coordination
Florence CHARMETANT

Directrice administrative
Bénédicte GLOAGUEN

Directeur du développement
Gavin's CLEMENTE-RUIZ

Conseiller à la rédaction
Pierre JOSSE

Direction éditoriale
Hélène FIRQUET

Rédaction
**Isabelle AL SUBAIHI
Emmanuelle BAUQUIS
Mathilde de BOISGROLLIER
Thierry BROUARD
Marie BURIN des ROZIERS
Véronique de CHARDON
Fiona DEBRABANDER
Anne-Caroline DUMAS
Éléonore FRIESS
Géraldine LEMAUF-BEAUVOIS
Olivier PAGE
Alain PALLIER
Anne POINSOT
André PONCELET
Alizée TROTIN**

Responsable voyages
Carole BORDES

2019

hachette

TABLE DES MATIÈRES

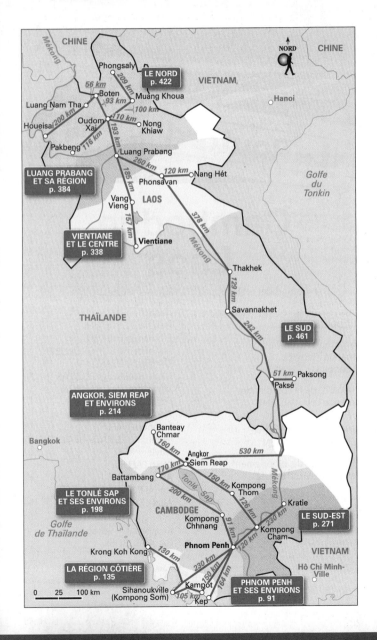

LE NORD
p. 422

LUANG PRABANG
ET SA RÉGION
p. 384

VIENTIANE
ET LE CENTRE
p. 338

LE SUD
p. 461

ANGKOR, SIEM REAP
ET ENVIRONS
p. 214

LE TONLÉ SAP
ET SES ENVIRONS
p. 198

LE SUD-EST
p. 271

LA RÉGION CÔTIÈRE
p. 135

PHNOM PENH
ET SES ENVIRONS
p. 91

PRÉAMBULE

• La rédaction du *Routard* 6
• Introduction 13
• Nos coups de cœur 14
• Itinéraires conseillés 28

• Lu sur routard.com 33
• Les questions qu'on se pose
  avant le départ 34

ARRIVER – QUITTER 37

• En provenance d'Europe 37
• Les organismes de voyages 38
• En provenance de Thaïlande 50

• Quitter le Cambodge 52
• Quitter le Laos 58

LE CAMBODGE

CAMBODGE UTILE 64

• Abc du Cambodge 64
• Avant le départ 64
• Argent, banques, change 68
• Achats 70
• Budget 70
• Climat 71
• Dangers et enquiquinements 73
• Électricité 73
• Fêtes et jours fériés 73
• Hébergement 74

• Langue 75
• Livres de route 77
• Photos 81
• Poste 82
• Santé 82
• Sites internet 85
• Téléphone, Internet 85
• Transports 87
• Urgences 89

PHNOM PENH ET SES ENVIRONS 91

• Phnom Penh 91

LA RÉGION CÔTIÈRE 135

• Kep 135
• Sur la route de Kampot 142
• Kampot 143
• Sihanoukville (Kompong Som) 155

• Koh Rong et
  Koh Rong Samloem 171
• Koh Kong 178
• L'île de Phú Quôc (Vietnam) 183

LE TONLÉ SAP ET SES ENVIRONS 198

À l'ouest **200**
• Battambang 200
Au sud **210**
• Kompong Chhnang .... 210 | • Sur la route de Battambang 211
À l'est **211**
• Kompong Thom 211

ANGKOR, SIEM REAP ET ENVIRONS 214

• Siem Reap .... 214 | • Angkor… et toujours 242

LE SUD-EST **271**

• Kompong Cham .... 271 | • Kratie 276

CAMBODGE : HOMMES, CULTURE, ENVIRONNEMENT **282**

• Aide humanitaire 282
• Boissons 285
• Cuisine 286
• Curieux, non ? 287
• Droits de l'homme 287
• Économie 288
• Environnement 290
• Géographie 291
• Histoire 292
• Médias 302

• Mines 304
• Offrandes et dons 304
• Patrimoine culturel 305
• Personnages 307
• Population 307
• Religions et croyances 309
• Savoir-vivre et coutumes 310
• Sexe 311
• Sites inscrits au Patrimoine
  mondial de l'Unesco 312

LE LAOS

LAOS UTILE **313**

• Abc du Laos 313
• Avant le départ 313
• Argent, banques, change 314
• Achats 315
• Budget 316
• Climat 317
• Dangers et enquiquinements ... 319
• Électricité 320
• Hébergement 320

• Langues 321
• Livres de route 325
• Photos, vidéo 326
• Poste 326
• Santé 327
• Sites internet 328
• Téléphone, Internet 329
• Transports 330
• Urgences 336

VIENTIANE ET LE CENTRE **338**

• Vientiane 338
• Vang Vieng 365

• Phonsavan et
  la plaine des Jarres 376

LUANG PRABANG ET SA RÉGION **384**

• Luang Prabang 385

LE NORD **422**

Navigation sur le Mékong **422**

• Pakbeng 423
• Houeisai (province de Bokéo) 430
• Luang Nam Tha 435
• Boten 441

• Oudom Xai (Muang Sai) 442
• Nong Khiaw 446
• Muang Ngoi 450

La province de Phongsaly **453**

• Muang Khoua 453
• Boun Tai 456

• Phongsaly 456

LE SUD 461

• Thakhek 462	• Champasak 487
• Savannakhet 472	• Vat Phou 494
• Paksé 477	• Le plateau des Bolavens 498

Le district de Siphandone (les 4 000 îles) 506

• L'île de Khong (Don Khong et Muang Khong) 508	• L'île de Khône (Don Khône) et l'île de Det (Don Det) 512

LAOS : HOMMES, CULTURE, ENVIRONNEMENT 519

• Boissons 519	• Médias 534
• Cuisine 519	• Patrimoine culturel 537
• Curieux, non ? 522	• Population 538
• Droits de l'homme 522	• Religions et croyances 539
• Économie 523	• Savoir-vivre et coutumes 541
• Environnement 526	• Sexe 544
• Fêtes et jours fériés 528	• Sites inscrits au Patrimoine mondial de l'Unesco 545
• Géographie 530	• Sports et loisirs 545
• Histoire 531	

Index général 555

Liste des cartes et plans 559

Important : dernière minute

Sauf rare exception, le *Routard* bénéficie d'une parution annuelle à date fixe. Entre deux dates, des événements fortuits (formalités, taux de change, catastrophes naturelles, conditions d'accès aux sites, fermetures inopinées, etc.) peuvent modifier vos projets de voyage. Pour éviter les déconvenues, nous vous recommandons de consulter la rubrique « Guide » par pays de notre site • routard.com • et plus particulièrement les dernières *Actus voyageurs.*

Repiquage du riz à Battambang, Cambodge

© Ian Taylor/AgStock/Design Pics/Photononstop

LA RÉDACTION DU ROUTARD

(sans oublier nos 50 enquêteurs, aussi sur le terrain)

© R. Delalande et E. Dessons

Thierry, Anne-Caroline, Éléonore, Olivier, Alizée, Pierre, Benoît, Alain, Fiona, Emmanuelle, Gavin's, André, Véronique, Bénédicte, Jean-Sébastien, Mathilde, Amanda, Isabelle, Géraldine, Marie, Carole, Philippe, Florence, Anne.

La saga du *Routard* : en 1971, deux étudiants, Philippe et Michel, avaient une furieuse envie de découvrir le monde. De retour du Népal germe l'idée d'un guide différent qui regrouperait tuyaux malins et itinéraires sympas, destiné aux jeunes fauchés en quête de liberté. 1973. Après 19 refus d'éditeurs et la faillite de leur première maison d'édition, l'aventure commence vraiment avec Hachette. Aujourd'hui, Le *Routard*, c'est plus d'une cinquantaine d'enquêteurs impliqués et sincères. Ils parcourent le monde toute l'année dans l'anonymat et s'acharnent à restituer leurs coups de cœur avec passion.

Merci à tous les Routards qui partagent nos convictions : liberté et indépendance d'esprit ; découverte et partage ; sincérité, tolérance et respect des autres.

NOS SPÉCIALISTES CAMBODGE ET LAOS

Isabelle Al Subaihi : une émigration outre-Manche à l'âge de 4 mois, forcément, ça laisse des traces : un goût prononcé pour l'exotisme ! Depuis, elle cherche à transmettre sa passion du voyage. Ce qu'elle aime partager : un bon plat, des éclats de rire, l'émotion d'un paysage qui bouleverse. Et surtout, une vision décalée grâce à des rencontres surprenantes.

Marie Burin des Roziers : un aveu : le voyage est presque une boulimie. Aux quatre coins de la France ou dans des contrées lointaines, c'est en allant voir comment vivent les voisins ou les copains qu'elle se sent vivante. Avec, au fond des tripes, l'envie de bouger et de dégoter les meilleurs coins pour les faire partager.

Thomas Rivallain : transbahuté dès l'enfance dans le combi familial, les sens affutés en tournée musicale ou louvoyant sur les itinéraires bis. Tout est prétexte aux carnets de route pour cet admirateur de fleuves. Souvent parti là où on ne l'attend pas, il travaille ses guides en Anjou, auprès de l'indomptable Loire. En bon apôtre du voyage, Thomas ne croit que ce qu'il voit.

UN GRAND MERCI À NOS AMI(E)S SUR PLACE ET EN FRANCE

Pour cette nouvelle édition, nous remercions particulièrement :

Au Cambodge :

- L'**équipe du cirque PHARE** à Battambang et Siem Reap ; **Olivier,** pour son endurance sur les routes et les pistes du Cambodge. **Mr Long** pour sa logistique à Koh Kong ; **Eugénie, Alexandre** et **Mathilde** pour leur tuyaux sur Sihanoukville et sa région ; **Sarah** à Kampot pour sa vigilance ; **Bernard Hilaire, Jacques Bacon** et **Jean-Jacques Bordier-Chêne,** grands routards pourvoyeurs d'infos et d'idées. Ainsi qu' Anijo pour son courage lors de traversées épiques.

Au Laos :

- **Ghislaine, Noé, Vincent, Jacques, Yves** et **Jean-Louis** pour avoir été des mines d'infos précieuses. **Christophe** pour sa disponibilité et son coup de main à Vientiane, et **Virginie** pour son enthousiasme au quotidien.
- **Charly et Bruno** – à Luang Prabang – pour leur disponibilité et leur grande connaissance du pays.

Sans oublier :

- **Daniel Bastard** de Reporters Sans Frontières et **Gaël Grilhot** pour la FIDH.
- Et un grand merci **à tous les voyageurs rencontrés sur place** pour leurs commentaires, suggestions et bons plans partagés.

Pictogrammes du Routard

Établissements

- 🏠 Hôtel, auberge, chambre d'hôtes
- ⛺ Camping
- 🍴 Restaurant
- ☂ Terrasse
- 🥖 Boulangerie, sandwicherie
- 🍰 Pâtisserie
- 🍦 Glacier
- ☕ Café, salon de thé
- 🍸 Café, bar
- 🎵 Bar musical
- 💃 Club, boîte de nuit
- 🎭 Salle de spectacle
- 🛍 Boutique, magasin, marché

Infos pratiques

- ℹ Office de tourisme
- ✉ Poste
- @ Accès Internet
- ➕ Hôpital, urgences
- ♿ Adapté aux personnes handicapées

Sites

- 🎿 Présente un intérêt touristique
- ⇐ Point de vue
- 🏖 Plage
- 🏄 Spot de surf
- 🤿 Site de plongée
- 👪 Recommandé pour les enfants
- Ⓤ Inscrit au Patrimoine mondial de l'Unesco

Transports

- ✈ Aéroport
- 🚂 Gare ferroviaire
- 🚌 Gare routière, arrêt de bus
- Ⓜ Station de métro
- Ⓣ Station de tramway
- 🅿 Parking
- 🚕 Taxi
- 🚐 Taxi collectif
- 🚤 Bateau
- ⛴ Bateau fluvial
- 🚲 Piste cyclable, parcours à vélo

Tout au long de ce guide, découvrez toutes les photos de la destination sur • *routard.com* • Attention au coût de connexion à l'étranger, assurez-vous d'être en wifi !

© HACHETTE LIVRE (Hachette Tourisme), 2018
Le *Routard* est imprimé sur un papier issu de forêts gérées.

Tous droits de traduction, de reproduction et d'adaptation réservés pour tous pays.
© Cartographie Hachette Tourisme
I.S.B.N. 978-2-01-626705-9

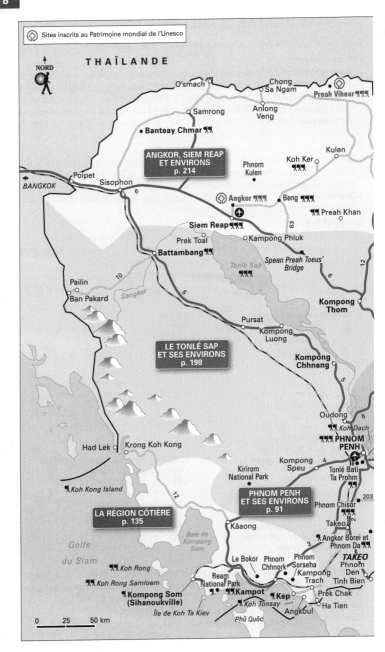

8

Sites inscrits au Patrimoine mondial de l'Unesco

NORD

THAÏLANDE

O'smach

Chong
Sa Ngam

Preah Vihear

Samrong

Anlong
Veng

Banteay Chmar

Kulen

ANGKOR, SIEM REAP
ET ENVIRONS
p. 214

Phnom
Kulen

Koh Ker

Poipet

Sisophon

6

Angkor

Beng

Preah Khan

BANGKOK

Siem Reap

63

Prek Toal

Kampong Phluk

Battambang

Tonlé Sap

Spean Preah Toeus'
Bridge

Pailin

10

Sangker

Kompong
Thom

Ban Pakard

5

12

6

Pursat

Kompong
Luong

LE TONLÉ SAP
ET SES ENVIRONS
p. 198

Kompong
Chhnang

5

Oudong

6

Koh Dach

Had Lek

Krong Koh Kong

PHNOM
PENH

Kompong
Speu

4

Tonlé Bati
Ta Prohm

Koh Kong Island

Kirirom
National Park

12

203

Phnom Chisor

LA RÉGION CÔTIÈRE
p. 135

PHNOM PENH
ET SES ENVIRONS
p. 91

Takeo

Golfe

Baie de
Kompong
Som

Kâaong

Angkor Borei et
Phnom Da

du Siam

3

TAKEO

Le Bokor

Phnom
Chhnork

Phnom
Sorseha

Phnom
Den

Koh Rong

Kampong
Trach

Tinh Bien

Koh Rong Samloem

Ream
National Park

Kampot

Kep

Prêk Chak

Kompong Som
(Sihanoukville)

Koh Tonsay

Angkoul

Ha Tien

Île de Koh Ta Kiev

Phú Quôc

0   25   50 km

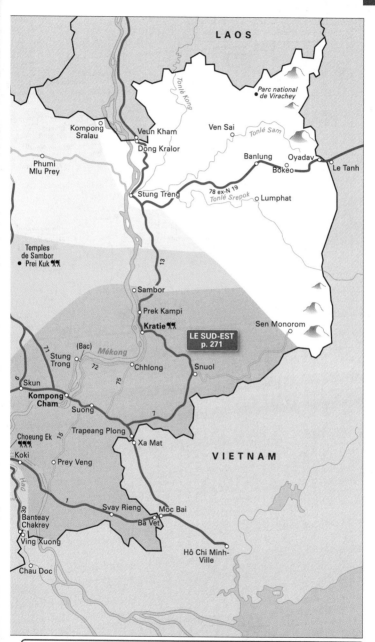

LAOS

Tonlé Kong

Parc national
de Virachey

Kompong
Sralau

Veun Kham

Ven Sai

Tonlé Sam

Dong Kralor

Phumi
Mlu Prey

Banlung   Oyadav

Bokeo   Le Tanh

Stung Treng

78 ex-N 19
Tonlé Srepok   Lumphat

Temples
de Sambor
● Prei Kuk

Sambor

Prek Kampi

Kratie

Sen Monorom

LE SUD-EST
p. 271

(Bac)   Mékong

71

Stung
Trong   72

Chhlong   Snuol

75

Skun   6

Kompong
Cham

Suong   7

Trapeang Plong

Choeung Ek

Xa Mat   VIETNAM

Koki

Prey Veng

15

1

Svay Rieng   Mộc Bai

30

Banteay
Chakrey   Ba Vet

Ving Xuong

Hô Chi Minh-
Ville

Chau Doc

LE CAMBODGE

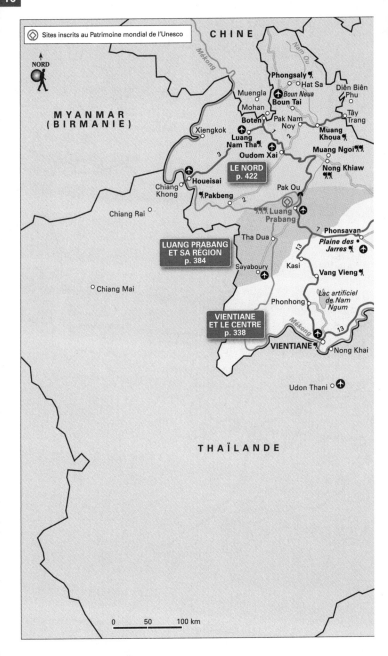

Sites inscrits au Patrimoine mondial de l'Unesco

NORD

CHINE

MYANMAR
(BIRMANIE)

Mékong

Nam Ou

Phongsaly
Hat Sa
Boun Neua
Muengla
Boun Tai
Diên Biên
Phu
Mohan
Pak Nam
Noy
Boten
Tây
Trang
Xiengkok
Muang
Khoua
Luang
Nam Tha
Muang Ngoi
Oudom Xai

LE NORD
p. 422

Nong Khiaw

Houeisai
Chiang
Khong
Pakbeng
Pak Ou
Chiang Rai

Luang
Prabang

Phonsavan
Tha Dua
Plaine des
Jarres

LUANG PRABANG
ET SA RÉGION
p. 384

Sayaboury
Kasi
Vang Vieng

Chiang Mai

Lac artificiel
de Nam
Ngum
Phonhong

VIENTIANE
ET LE CENTRE
p. 338

Mékong

VIENTIANE
Nong Khai

Udon Thani

THAÏLANDE

0   50   100 km

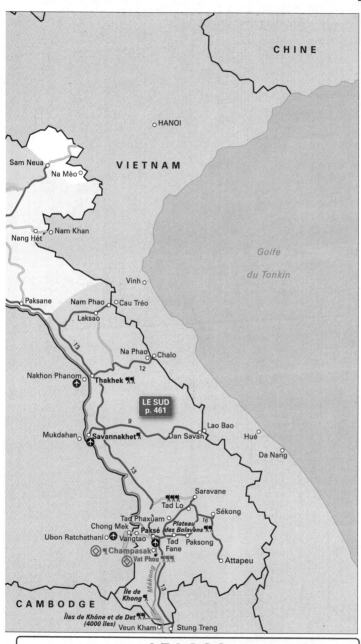

LE LAOS

Bas-reliefs dans le temple Banteay Srei

« Quand les éléphants se battent, ce sont les fourmis qui meurent. »
Proverbe laotien

Le paradoxe du Cambodge, c'est d'être médiatisé au travers de ce qu'il a donné de plus grandiose, Angkor, et de pire, les Khmers rouges. Désormais, le calme règne sur tout le territoire et l'amélioration des infrastructures permet de chercher ce pays au-delà du seul et fabuleux Angkor. C'est le moment d'aller s'enivrer de **la magie** bien actuelle **des campagnes khmères.** Bourgs et villages parsèment des paysages, non pas impressionnants, mais authentiques et générateurs d'atmosphères. Les étendues régulières plantées de rangées de cocotiers et de palmiers à sucre qui marquent à perte de vue le tapis des rizières, dominées au loin par quelques collines incongrues et esseulées, exercent un **indicible pouvoir hypnotique.** Beaucoup de voyageurs tombent alors amoureux du Cambodge et de sa population si attachante, au sourire contagieux. Si vous y allez pour Angkor, on vous le garantit, vous en reviendrez **conquis par les Cambodgiens** et leur pays !

Le Laos cultive, quant à lui, une tranquille nonchalance, rythmée par le cours du Mékong, véritable colonne vertébrale du pays. **Un pays d'eau,** de plaines fertiles, **de paysages** tantôt montagneux, tantôt **karstiques,** mais aussi de temples, témoins de la splendeur passée. Sans oublier des petites touches qui rappellent la présence française, comme **l'odeur de la baguette** sortant des boulangeries ou le choc des boules sur **les terrains de pétanque.** L'occasion de se mesurer à des joueurs souvent excellents et de faire connaissance avec une population la plupart du temps discrète. L'ancien « **royaume du million d'éléphants** », aujourd'hui l'un des plus pauvres de la planète, est à la recherche d'une voie qui lui permette à la fois de préserver son identité et de consolider son développement économique. Pas toujours simple quand on est entouré de voisins aussi dynamiques qu'envahissants.

Pétanque au (eh oui !) Laos

© Guiziou Franck/hemis.fr

NOS COUPS DE CŒUR

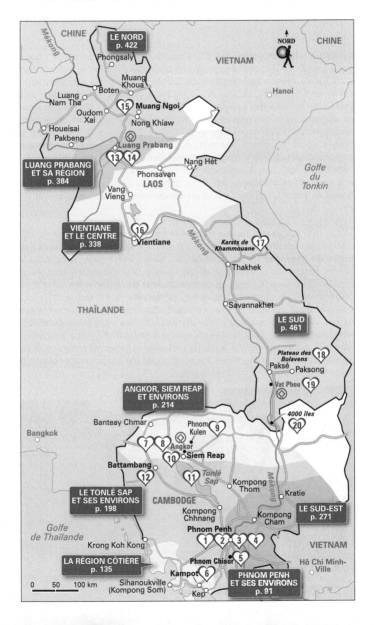

AU CAMBODGE

♡ 1 **Partir du Palais royal pour se balader en fin de journée sur le Tonlé Sap, à Phnom Penh.**

La capitale du Cambodge fut surnommée « la perle de l'Asie du Sud-Est » à l'époque coloniale. Le long du fleuve Tonlé Sap, admirez le Palais royal et les façades coloniales qui rivalisent d'élégance. À la tombée de la nuit, rejoignez la longue promenade bien proprette du quai, arpentée par ses badauds, vendeurs et bateleurs, tous au rendez-vous. Et embarquez pour un coucher de soleil d'anthologie à bord d'un bateau qui peut même vous conduire sur certaines îles à quelques encablures de la capitale. *p. 120*

© Guiziou Franck/hemis.fr

♡ 2 **Rejoindre une des terrasses du quai Sisowath, la Croisette de la capitale.**

Parmi les nombreux et confortables cafés du quai Sisowath, la « promenade des Anglais » de Phnom Penh, la terrasse du *FCC* est idéalement située. Dominant le fleuve d'un côté et le Palais royal de l'autre, l'ancien repaire des correspondants de guerre est un lieu de choix pour siroter un cocktail, tranquillement installé dans un fauteuil avec vue ou perché au comptoir de son célèbre bar en fer à cheval. *p. 234*
Bon à savoir : *boire un verre au* FCC *n'est pas donné (on paie le cadre !) ; du coup, on profite des* happy hours *(de 17h à 19h).*

© Body Philippe/hemis.fr

© Gardel Bertrand/hemis.fr

♡ ③ **Arpenter le marché russe à Phnom Penh, pour les emplettes et pour tester ses talents de négociateur.**

Parmi les marchés grouillants de vie de Phnom Penh, le marché russe (appelé ainsi car les Russes le fréquentaient beaucoup pendant la période vietnamienne) est notre préféré. Excentré, vieillot et bondé, c'est le plus typique, celui où vous trouverez le plus de souvenirs à rapporter. En général, les prix restent raisonnables, même s'il est pas mal prisé par les touristes. *p. 127*

Bon à savoir : *nombreuses gargotes à l'intérieur et à l'extérieur (sur le parking à partir de 16h).*

4 **Coup au cœur plutôt que coup de cœur : visiter Tuol Sleng (le camp S-21), ancienne prison des Khmers rouges à Phnom Penh.**

Cet ancien lycée fut, d'avril 1975 à janvier 1979, la prison la plus terrifiante du Cambodge des Khmers rouges. Environ 20 000 personnes y subirent les pires tortures avant d'être achevées dans le camp de Choeung Ek, à quelques kilomètres de la capitale. Baptisé S-21 par les hommes de Pol Pot, ce lieu n'est pas sans rappeler certains camps de concentration nazis. Une visite cauchemardesque mais indispensable pour vraiment saisir l'ampleur du traumatisme subi par le peuple cambodgien. *p. 124*

Bon à savoir : • *tuolslenggenocidemuseum.com* •

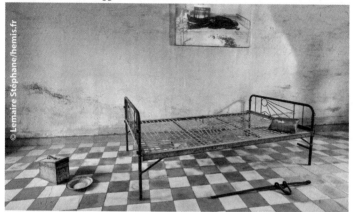

© Lemaire Stéphane/hemis.fr

5 **Escalader les 413 marches du Phnom Chisor et être récompensé par le mystère des vieilles pierres et la vue, d'une sérénité absolue.**

Le temple de Phnom Chisor, au sud de Phnom Penh, fut construit au XIᵉ s sous le règne de Suryavarman Iᵉʳ. Le site, assez ruiné, possède néanmoins une forte identité et de beaux restes, en particulier de superbes linteaux. Un centre bouddhique s'est installé à côté. Il faut dire que l'endroit incite particulièrement à la méditation… *p. 131*

Bon à savoir : *ne pas arriver trop tôt dans l'après-midi, sinon il fera trop chaud pour grimper au sommet de la colline-temple.*

© Jack Malipan Travel Photography/Alamy/Hemis

⑥ Se pourlécher les babines en se régalant du célèbre crabe au poivre vert de Kampot.

Déjà récolté par les Chinois dans la région au XIIIe s, ce sont les Français qui, au XIXe s, ont introduit la culture intensive de ce fameux poivre de Kampot, qui rivalise avec les meilleurs du monde. On dénombre près de 300 plantations réparties de Kampot à Kampong Trach, près de la frontière vietnamienne. Si la vedette locale accommode de nombreux plats, le crabe au poivre frais est une merveille ! *p. 143*

Bon à savoir : *parce qu'il est impossible de différencier visuellement le poivre de Kampot de celui du Vietnam voisin, le « Kampot Pepper » bénéficie désormais du label Indication géographique protégée (IGP) reconnu par l'Union européenne.*

© Sarramon Christian/hemis.fr

© Body Philippe/hemis.fr

7 ♡ **Seul ou presque,** se laisser gagner par le mystère d'Angkor au lever et coucher du soleil.

Pour éviter le plus gros des foules à Angkor, pas de vrai remède, mais quelques palliatifs possibles : admirer Angkor Wat, le plus connu, le plus majestueux des temples, aux premières heures du jour ; tenter de percer le mystère du Bayon et sa forêt de têtes gigantesques durant l'après-midi ; ressentir la magie du Ta Prohm quand les derniers rayons inondent ce temple dévoré par la jungle… *p. 242*

Bon à savoir : *acheter les billets la veille au soir, à partir de 17h, pour pouvoir accéder au site le soir même au coucher du soleil et le lendemain dès l'ouverture… à 5h du matin.*

© Jon Arnold Images/hemis.fr

8 ♡ **Espérer croiser Angelina Jolie** dans les ruines romantiques et mythiques du Ta Prohm à Angkor.

Vous en pincez pour Lara Croft, l'archéologue aventurière de *Tomb Raider* ? Vous aurez alors reconnu le Ta Prohm, ce temple livré à la jungle, qui fut le théâtre de scènes du film… Angelina Jolie, tombée amoureuse du Cambodge lors du tournage, y serait retournée plusieurs fois. Si aucune rencontre ne se produit, rattrapez-vous en admirant la lumière rasante du soir, entre la pierre et le végétal conquérant… *p. 262*

⑨ Vivre sa découverte d'un site archéologique isolé. Votre choix sera le bon.

S'il faut bien reconnaître qu'Angkor connaît une explosion touristique exponentielle, le site a de quoi exciter encore l'imagination et favoriser l'inspiration. Pensez donc, plus de 280 temples ont été recensés dans la région ! Inclure la visite d'un site isolé reste le moyen le plus sûr d'étancher les soifs d'explorateur des petits et des grands. *p. 265*

© Lemaire Stéphane/hemis.fr

⑩ Déjeuner à l'école *Sala Baï* à Siem Reap.

Sala Baï est une école hôtelière gratuite réservée aux jeunes issus de familles extrêmement défavorisées. Le restaurant d'application est ouvert à tous. L'accueil y est chaleureux, et l'excellente cuisine propose saveurs khmères ou occidentales. Alliant l'agréable à l'utile, votre repas servira à financer les étudiants et à contribuer au succès de cette formidable initiative. *p. 226*

Bon à savoir : *le resto est ouvert de mi-octobre à mi-juillet, pour le petit déj et le déjeuner seulement.* • *salabai.com* •

© Régis Binard/École SalaBaï

© Culture/hemis.fr

(11) **Découvrir les richesses du monde lacustre du Tonlé Sap et ses villages flottants.**

Plus grand lac d'Asie du Sud-Est, organe vital du Cambodge, le Tonlé Sap se remplit et se vide au rythme des moussons. Près de 3 millions de personnes vivent autour du lac et dans ses villages lacustres. L'ONG *Osmose* propose aux touristes d'être, ici, les témoins d'une nature et d'une population essayant de vivre en osmose. Le bénéfice des visites permet de contribuer au développement des communautés locales en les aidant à prendre en main leur destinée tout en les sensibilisant à la valeur de leur environnement. Remarquable ! *p. 198*

Bon à savoir : *pour plus d'infos,* • *osmosetonlesap.net* • *Y aller d'octobre à mars (en avril-juin, niveau du lac trop bas, et en été, les oiseaux se dispersent vers d'autres cieux).*

© Guiziou Franck/hemis.fr

(12) **S'offrir une petite parenthèse à Battambang, ancienne ville coloniale.**

Entourée de plaines considérées comme le grenier du Cambodge, la 2e ville du pays occupe une place importante dans l'économie nationale. Quelques éléments d'architecture coloniale, un marché incontournable, le cirque PHARE devenu une référence et de très beaux alentours font le charme de Battambang. On y mange aussi très bien : y goûter le riz cultivé dans les plaines, le plus parfumé qui soit. *p. 200*

AU LAOS

⒀ Admirer le panorama depuis le mont Phousi à Luang Prabang dans l'atmosphère pleine de spiritualité du *wat* Chomsi.

On conseille de commencer la visite de Luang Prabang par l'ascension du mont Phousi. À son sommet, le *wat* Chomsi, stûpa de 20 m de hauteur érigé sur une pyramide à trois gradins. Y monter à la tombée de la nuit, lorsque le ciel rougeoie et que résonnent les cloches des monastères. La ville apparaît alors baignée par une lumière dorée… *p. 409*

© Paul Brown/Alamy/Hemis

⒁ À Luang Prabang, visiter l'ancien Palais royal et son musée.

Pour les Laotiens, l'ancien Palais royal est moins important que la précieuse relique qui s'y trouve, le bouddha d'Or, sous la protection duquel le Laos est encore aujourd'hui officiellement placé. La statue, visible à travers une grille, pèse 50 kg et mesure 83 cm de hauteur. Au fil des salles du palais, on admire de superbes peintures de style Art déco, de vénérables tambours de bronze, de magnifiques fresques en verre coloré… Incontournable. *p. 410*

© Hughes Hervé/hemis.fr

© Nicolas Jouhet/Sime/Photononstop

15 **Depuis Nong Khiaw, rejoindre le site exceptionnel de Muang Ngoi en 1h de bateau sur la Nam Ou, au milieu de paysages superbes.**
Poursuivre l'exploration grâce à une balade fluviale entre villages, grottes et cascades. La vie au bord de l'eau défile, paisible : pêcheurs, jeunes filles qui ramassent les algues, buffles se rafraîchissant… À l'aube, sur les berges de la rivière… c'est *Tous les matins du monde* ! *p. 450*

© Jon Arnold Images/hemis.fr

16 **À Vientiane, visiter l'incontournable Wat Sisaket, le temple le plus ancien de la ville (1818).**
C'est en fait le seul à avoir échappé au pillage des Siamois en 1827. Situé en face du palais présidentiel et à 2 encablures du Mékong, il se dégage une atmosphère apaisante dans ce sanctuaire entouré d'un cloître dans l'enceinte duquel sont nichées de multiples statuettes du Bouddha. *p. 358*
Bon à savoir : *prévoir un répulsif antimoustiques, même en saison sèche, surtout si l'on traîne un peu au bord de l'eau.*

17 S'émerveiller en détaillant les paysages karstiques de Khammouane.
Ses grottes sont traversées par des rivières souterraines dans lesquelles se reflètent les formations calcaires dans un silence presque absolu. Ne pas manquer la plus célèbre de toutes : la grotte de Kong Lor, une merveille de la nature de plus de 7 km de long que l'on visite en pirogue. *p. 468*
Bon à savoir : *le site étant assez excentré, il peut être intéressant de loger sur place.*

© Philippe Crochet/Photononstop

© John Warburton-Lee/hemis.fr

(18) **Partir à la découverte des Bolavens, une région parmi les plus mystérieuses du pays.**

Plantée de rizières et d'hévéas, elle est aussi et surtout connue pour ses théiers et caféiers. Ne pas manquer de goûter à ces breuvages particulièrement fameux. Se baigner ensuite au pied d'une des innombrables cascades qui arrosent le plateau. Un coin pour amoureux de sites grandeur nature et de petits villages aux habitants authentiques et attachants. *p. 498*

Bon à savoir : *compter 2 jours pour la petite boucle des Bolavens, 4 jours pour la grande.*

19 Gravir les marches du site archéologique de Vat Phou, bordées par les frangipaniers à l'odeur enivrante.

Aboutir au sanctuaire adossé à la montagne que vénéraient à la fois les hindouistes et les bouddhistes. Méditer alors tout son soûl devant un panorama grandiose qui embrasse la vallée avant de redescendre empreint d'une belle sérénité. *p. 494*
Bon à savoir : *démarrer tôt pour éviter l'ascension sous la canicule.*

20 Filer vers les 4 000 îles, à l'extrême sud du pays, delta intérieur du Mékong.

Les chaos rocheux à l'approche de la frontière cambodgienne forment des chutes à la puissance vertigineuse. On s'étourdit devant le cadre sauvagement beau des chutes de Li Phi (« le gouffre aux mauvais esprits »), avant d'opter pour l'effet brumisateur des chutes de Phapeng, les plus grandes d'Asie (15 m de haut), d'ailleurs surnommées le « Niagara du Mékong ». *p. 506*

La grotte aux milliers de statuettes, à Pak Ou, Laos

ITINÉRAIRES CONSEILLÉS

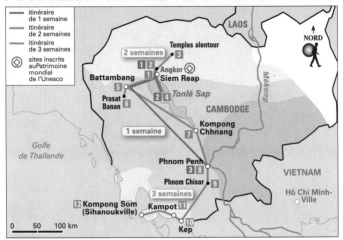

AU CAMBODGE

Une semaine

• **Du 1er au 3e jour : Angkor (1).** On atterrit, on dîne et on loge à Siem Reap pour visiter en journée Angkor. Prévoir au moins 3 jours pour appréhender ce site grandiose, inscrit au Patrimoine mondial de l'Unesco.

• **4e jour :** rejoindre Phnom Penh en bus, ou mieux en bateau le long du **Tonlé Sap (2).**

• **Du 5e au 7e jour : Phnom Penh (3).** Entre vestiges coloniaux, marchés animés, architecture moderne et musées mémoriaux, la capitale se révèle une étape incontournable.

Deux semaines

• **1er jour : Siem Reap (1).** Porte d'entrée du célèbre site, cette petite ville devenue grande a su attirer les visiteurs grâce à ses nombreux marchés et son très beau musée pour aborder Angkor. De plus, le soir, animation garantie dans *Pub Street* et *The Lane.*

• **Du 2e au 4e jour : Angkor (2).** 3 jours pour appréhender au mieux le site en parcourant le petit circuit d'**Angkor Wat à Angkor Thom** et le grand circuit **Preah Khan, Neak Pean, Ta Som,** le **Mébon oriental** et **Pre Rup.**

• **5e et 6e jours,** les **temples alentour (3) :** le **Banteay Srei,** le **Beng Mealea** ou le **Kbal Spean,** et d'autres encore qu'on ne cesse de découvrir dans la jungle…

• **7e jour :** le **Tonlé Sap (4).** Une journée de navigation sur ce lac unique aux multiples villages flottants.

• **8e et 9e jours :** par la route ou en bateau, poursuivre jusqu'à **Battambang (5),** et passer au moins un jour dans cette ancienne capitale, 2e ville du pays, entourée de plaines considérées comme « le bol de riz » du Cambodge. On en profite pour voir dans les environs les ruines du temple wat Ek Phnom, prasat Banan (6), un très bel ensemble de tours au sommet d'une colline, ou les sinistres grottes de Phnom Sampeu utilisées par les Khmers rouges et connues sous le nom de « Killing Caves ».

• **Du 10e au 13e jour :** rejoindre, en longeant le Tonlé Sap, Kompong Chhnang (7), avec son village de pêcheurs et ses potiers, juste le temps d'une pause avant de poursuivre vers Phnom Penh (8), où l'on peut facilement passer 3 jours. L'ancienne « perle de l'Asie du Sud-Est », à l'époque coloniale, est aujourd'hui une capitale à taille humaine, où l'on s'attarde pour ses marchés, son Palais royal, sa pagode d'Argent et autres temples, son Musée national et ses musées-mémoriaux Tuol Sleng et Choeung Ek…

• **14e jour :** ceux qui ont le temps pousseront au sud vers Tonlé Bati et Ta Prohm, voire jusqu'à Phnom Chisor (9). Bel environnement pour le premier temple, non loin d'un lac, et le charme d'un site sauvage qui recèle encore de beaux vestiges pour le second, plus éloigné.

Trois semaines

En continuité de l'itinéraire de 2 semaines, cap au sud :

• **15e et 16e jours :** Kep et ses environs (10). Dans cette petite ville de bord de mer, tranquille et charmante, on regarde le temps s'écouler, entre la visite d'une plantation de poivre (plus proche de Kep que de Kampot), la visite de la grotte-temple Kirisela et une excursion (ou un séjour pour un farniente total) sur l'île de Tonsay qui accueille quelques bungalows sur la plage.

• **17e et 18e jours :** Kampot (11) pour son célèbre poivre, ses bons restos, ses soirées épicées et sa jolie campagne alentour (grottes, lac secret…) à parcourir à vélo, en *tuk-tuk* ou à moto.

• **Du 19e au 21e jour :** Sihanoukville (12) retient les voyageurs fatigués. C'est de là qu'on embarque vers ses îles (la festive Koh Rong ou la plus tranquille Koh Rong Samloem) : un peu de plongée par-ci, un peu de farniente par-là pour conclure un voyage en douceur.

SI VOUS ÊTES...

Culture, tendance vieilles pierres : Siem Reap pour visiter **Angkor** et tous les temples alentour. Arpentez ensuite la capitale **Phnom Penh,** une ville quadrillée de larges avenues pour mettre en valeur les trésors architecturaux khmers (pagodes, Palais royal).

Plages : Kep, petite station balnéaire tranquille par rapport à sa grande sœur, Sihanoukville, d'où l'on part pour les séduisantes **îles de Koh Ta Tiev, Koh Rong** et **Koh Rong Samloem.**

Gastronomie : Kampot et **Kep** pour le sublime crabe au poivre vert, **Siem Reap** pour ses gâteaux à la noix de coco et pour le restaurant-école *Sala Baï,* **Phnom Penh** pour ses délicieux restaurants d'ONG et leurs spécialités khmères, **Battambang** pour son riz très parfumé, ses noix de coco et ses oranges.

Mémoire : visite et recueillement au musée du Crime génocidaire Tuol Sleng et à Choeung Ek (Killing Fields), à **Phnom Penh.** Dans les environs de **Battambang,** faites halte aux sinistres grottes de Phnom Sampeu, aussi appelées « Killing Caves ».

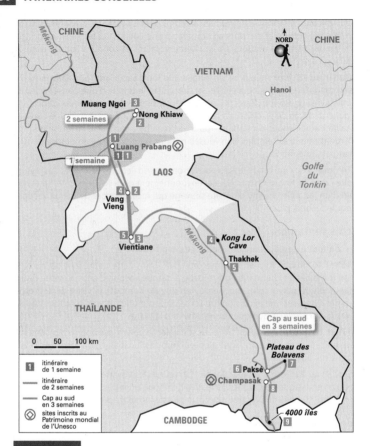

AU LAOS

Une semaine

Elle peut largement être consacrée à **Luang Prabang (1) et ses environs.** La plus jolie ville du pays est édifiée dans un site exceptionnel. Ville royale à taille humaine et classée au Patrimoine mondial de l'humanité de l'Unesco ! Vraiment attachante avec son charmant Palais royal, ses superbes temples, ses balades bucoliques et de belles étapes gastronomiques. Aux alentours, les grottes de Pak Ou, quelques villages et une série de belles cascades... En prime, une vie nocturne assez courte, mais intense (ah, les soirées à l'*Utopia* !)...

Deux semaines dans le Nord

• **Du 1er au 4e jour :** Luang Prabang (1), reprendre le descriptif pour une semaine en privilégiant aux alentours les grottes de Pak Ou et la cascade de Kouang Si.

• **5e et 6e jours :** rejoindre Nong Khiaw (2) en bus, et se poser dans ce gros village au bord de la rivière Nam Ou, cerné de monts rocheux recouverts d'une végétation luxuriante.

• **7e et 8e jours :** relier ensuite Muang Ngoi (3), de préférence en bateau (1h). Un bout du monde enchanteur.

• **Du 9e au 12e jour :** revenir sur Nong Khiaw et Luang Prabang et poursuivre sa route vers Vang Vieng (4). Autrefois lieu de tous les excès, Vang Vieng s'est assagi. On en profite pour explorer cette magnifique région karstique à la découverte de villages, grottes, lagons et autres cascades.

• **13e et 14e jours :** continuer jusqu'à Vientiane (5), capitale-village, pour l'animation de ses rues et de ses marchés, ses quelques guinguettes au bord du Mékong, bars et restos.

Cap au sud en trois semaines

• **Du 1er au 4e jour :** Luang Prabang (1). Reprendre les visites de l'itinéraire de 2 semaines.

• **Du 5e au 7e jour :** enchaîner vers le sud en direction de Vang Vieng (2) et de ses environs.

• **Du 8e au 11e jour :** se poser 2 jours à Vientiane (3), puis filer en bus (environ 8h de trajet) vers la grotte de Kong Lor (4), que l'on traverse en pirogue grâce à sa rivière souterraine. Dormir dans le village.

• **12e et 13e jours :** Thakhek (5), que l'on rejoint soit par Nakai, en faisant la boucle des karsts de Khammouane aux impressionnants panoramas (mieux vaut être véhiculé), soit plus directement par la route 13. La ville possède un charmant vieux centre d'époque coloniale, adossé au Mékong.

• **14e jour :** Paksé (6), après quelques bonnes heures de bus.

• **15e et 16e jours :** Paksé est un point de départ vers le plateau des Bolavens (7) célèbre pour son café et son thé, sa fraîcheur, ses cascades et ses nombreuses ethnies (compter 2 j. pour la petite boucle, 3-4 j. pour la grande).

• **17e et 18e jours :** au sud, ne pas manquer la douceur de vivre de Champasak (8), bonne base pour explorer le site pré-angkorien du Vat Phou, les villages aux éléphants, ou tout simplement se poser au bord du Mékong.

• **Du 19e au 21e jour :** enfin, à la frontière cambodgienne, voici les 4 000 îles (9), où le fil du Mékong s'entortille autour d'une myriade d'îles luxuriantes avant de se heurter au chaos rocheux dans un fracas assourdissant. C'est à Don Khong, ou plus souvent à Don Khône et Don Det, que les voyageurs font une pause, suspendus à un hamac qui se balance au-dessus du fleuve, avant de rentrer ou de continuer vers le Cambodge.

SI VOUS ÊTES...

Fan de temples et de pagodes : Luang Prabang pour ses merveilleux temples et ses grottes sacrées, dans le séduisant environnement d'une vieille ville pleine de charme ; le **wat Sisaket** à **Vientiane,** pour ses milliers de statuettes du Bouddha, et le **wat That Luang** aux abords de la capitale, le monument religieux le plus important du Laos, un peu austère mais non moins particulier.

Fou de nature et de villages ethniques : les **environs de Luang Prabang** et de **Luang Nam Tha,** la **réserve naturelle de Nam Tha ; Muang Sing** ; les environs de **Nong Khiaw-Muang Ngoi** (l'un de nos coins routards préférés) ; les sauvages **collines de Phongsaly** à l'extrême nord du pays et la région du **plateau des Bolavens** au sud.

Amateur de paysages étonnants : les régions karstiques (massifs calcaires dits aussi « pains de sucre ») de **Vang Vieng** et de **Khammouane** ; le monde étonnant et submersible au gré des saisons des **4 000 îles.**

Le Tonlé Sap, Cambodge

LU SUR routard.com

Laos du Sud, au pays du *slow travel*
(tiré du reportage de Dominique Roland)

Tel David contre Goliath, le Laos résiste héroïquement à l'emballement contemporain de nos existences. S'y presser serait gâcher une précieuse opportunité : profiter d'un pays naturellement *slow travel*, ce style de voyage lent aux idéaux éco et solidaires. Entre la capitale Vientiane et le Cambodge, la partie méridionale du pays s'avère un terrain idéal pour booster l'effet d'une « cure Laos ». En bus, en triporteur, à moto, voire à vélo pour les plus courageux, cap vers les dentelles et moutonnements de pierre à l'infini, les falaises couvertes de jungle d'où explosent les cascades, les villages ethniques encerclant les maisons des esprits.

Voie de ravitaillement Viêt-cong, la **piste Hô Chí Minh** (plutôt un réseau qu'une seule voie) filait nord-sud à travers les terres montagneuses du Sud-Est laotien. Pour la couper, les Américains larguèrent autant de bombes que les Alliés sur l'Europe pendant la Seconde Guerre mondiale. Sans succès ! Cet axe n'étant pas encore réhabilité, il faut réaliser des itinéraires circulaires depuis la plaine. Ample et exaltante, la **boucle de Thakhek** (450 km moins les digressions) est très populaire. Les tuyaux s'échangent entre voyageurs, les plans sont fiévreusement annotés. Synonyme de liberté, la location de petites motos ne contredit pas le *slow travel* (terrain, monture et prudence de rigueur n'incitent guère aux excès de vitesse), mais compense la quasi-absence de transports publics.

Dans le sens des aiguilles d'une montre, une longue remontée de la route 13 vers Vieng Kham précède la bifurcation vers l'intérieur. Rapidement, une spectaculaire forêt de pierres se referme sur les lacets. Plus loin, l'aller-retour de 80 km vers la **grotte de Kong Lor** est impératif. Les pirogues glissent sur une rivière souterraine avant d'émerger dans une vallée perdue. Un tour de passe-passe dont la piste Hô Chí Minh sut tirer profit... Protégée par ses murailles calcaires, la campagne reste verte toute l'année. De dépaysantes pensions familiales invitent à prolonger le plaisir.

De Paksé, il ne faut guère plus de 40 mn pour rejoindre le Wat Phu par la rive droite du Mékong. Les visiteurs qui prennent le temps de s'arrêter à **Champasak,** à seulement 12 km du sanctuaire, s'imprègnent de cette région si « mékongienne », où le Laos méridional enjambe le fleuve et repousse la frontière thaïlandaise à 50 km. Dissous dans le ciel blanchi par le soleil, noirci par une pluie de mousson et le métronome des nuits tropicales, le Mékong coule-t-il encore ? Oui, mais il flirte avec l'immobile, comme s'il voulait faire durer le plaisir. Le présent n'a pas chamboulé Champasak. Un embryon de rond-point pour toute complication, des écoliers à vélo, deux demeures coloniale-royales rougies par la poussière, un verre en terrasse sur le fleuve, la gaieté communicative d'un *boun* (fête lao) de mamies déchaînées.

Retrouvez l'intégralité de cet article sur

Et découvrez plein d'autres récits et infos

LES QUESTIONS QU'ON SE POSE AVANT LE DÉPART

➤ Quels sont les documents nécessaires pour entrer au Cambodge et au Laos ?

Pour les deux pays, chaque voyageur doit être muni d'un *passeport* valable encore au moins 6 mois après le retour et d'un *visa* (sauf pour les ressortissants suisses qui restent au Laos moins de 15 jours). Ce dernier s'obtient aisément à l'arrivée, dans les aéroports internationaux et à certaines frontières terrestres ou par Internet (e-visa) pour le Cambodge. Il est valable 3 mois à partir de la date d'émission, pour un séjour de 30 jours maximum.

➤ Quelle est la meilleure période pour y aller ?

De novembre à mars, car d'avril à octobre, c'est la mousson d'été : pluie et touffeur au programme.

➤ Quel budget prévoir ?

La vie est bon marché. Meilleur au Laos qu'au Cambodge. On peut voyager à la routarde dans des hôtels petit budget (autour de 20 €) le plus souvent bien tenus ; pour 30 €, on trouve des établissements très propres et de bon standing. On mange correctement pour 3-5 €. Les transports (taxis, bus) sont à prix modérés. L'addition a toutefois tendance à grimper dans les villes les plus touristiques : Siem Reap (en plus du prix d'entrée à Angkor), Sihanoukville et Phnom Penh, au Cambodge ; Vientiane et Luang Prabang, au Laos. L'aérien local reste à des prix « internationaux ».

➤ Comment se déplacer ?

Dans les deux pays, le bus est bon marché et le réseau dense, mais compte tenu de l'état des routes au Laos, on déconseille les trajets de nuit : nuit blanche assurée, et c'est dangereux. Idem en voiture, que vous en louiez une avec ou sans chauffeur. Au Laos, certaines liaisons peuvent encore se faire en bateau, notamment sur le magnifique Mékong. Au Cambodge, on peut rallier Siem Reap à Battambang (probablement le plus beau trajet) et Phnom Penh via le Tonlé Sap, et profiter ainsi des célèbres villages flottants.

➤ Y a-t-il des problèmes de sécurité en général ?

Non, les deux pays connaissent une vraie situation de sécurité civile. Demeurent parfois les pickpockets sur les marchés et dans les bus, et quelques vols à l'arraché, mais c'est le lot de tous les pays du monde ! Et aussi, comme partout, ne pas toucher aux drogues.

➤ Quel est le décalage horaire ?

Au Cambodge, comme au Laos : 5h de plus qu'en France (6h en hiver). Quand il est 12h à Paris, il est 17h à Phnom Penh et Vientiane, en été. Voir également le site ● horlogeparlante.com ●

➤ Quel est le temps de vol ?

Il n'existe pas encore de vol direct entre l'Europe et le Cambodge ou le Laos. La durée du voyage dépend donc de l'escale. Au départ de Paris, compter au minimum 14h de vol pour Phnom Penh et 16h pour Vientiane.

➤ Côté santé, quelles précautions ?

Vérifiez avant de partir vos vaccinations traditionnelles (polio, tétanos, etc.), les vaccins contre l'hépatite A et la typhoïde sont indispensables, celui contre la rage est fortement recommandé ; l'encéphalite japonaise sévit surtout pendant la mousson, la vaccination est recommandée pour les séjours ruraux. Plus d'infos à la rubrique « Santé » dans « Cambodge utile » et « Laos utile ». Par ailleurs, ne buvez que de l'eau en bouteille capsulée ; choisissez vos gargotes avec discernement. ***Remarque particulière concernant le Laos :*** si on trouve des cliniques privées dans les grandes villes du Cambodge, au Laos, les conditions sanitaires étant particulièrement précaires, ne pas y voyager si l'on n'est pas en bonne santé. En cas de nécessité, même pour un problème bénin, on réalisera vite que l'on est bien seul, d'autant si l'on se trouve dans la campagne. **Partir impérativement avec une bonne assurance** pour être transporté dans un hôpital thaïlandais ou rapatrié dans son pays d'origine si besoin.

➢ Y a-t-il des risques de paludisme ?

Hélas oui, spécialement pendant la saison des pluies. Même si certaines régions (comme Vientiane, Phnom Penh et Siem Reap intra-muros) sont sûres. Dès le coucher du soleil, porter des vêtements longs associés à un répulsif antimoustiques efficace. Attention, la dengue, également présente dans les deux pays, est aussi transmise par les moustiques.

➢ Peut-on y aller avec des enfants ?

Au Cambodge, les enfants aimeront découvrir quelques temples du merveilleux site d'Angkor, avant de se rafraîchir dans la piscine (nombreux sont désormais les hôtels avec une petite piscine, dès les premières catégories de prix) et découvrir les villages flottants du Tonlé Sap. À Kratie, les dauphins d'eau douce de l'Irrawaddy devraient aussi figurer au programme. Quant aux modes de déplacement, ils peuvent être ludiques : la circulation en *tuk-tuk,* ou un trajet en bateau (Siem Reap-Battambang, par exemple). On peut aussi opter pour quelques jours de baignade sur la côte ou une des îles voisines.
Au Laos, il est déconseillé de partir avec des enfants en bas âge en raison du manque d'infrastructures sanitaires. Mais les plus grands apprécieront les parcs équipés de tyroliennes dans les environs de Luang Prabang, ainsi que les cascades, qu'on trouve aussi en nombre sur le plateau des Bolavens et aux 4 000 îles, les balades en bateau sur le Mékong ou ses affluents, l'observation des éléphants, une sortie en kayak aux 4 000 îles... S'ils sont marcheurs et prêts à sacrifier leur confort, ils crapahuteront jusque dans des villages isolés à la rencontre des habitants très attachés à leur identité ethnique.

➢ Quel est le taux de change ? Comment payer sur place ?

Au Cambodge, la monnaie locale est le riel, mais le dollar américain est roi. Il est accepté partout. *Grosso modo* 1 $ équivaut environ à 4 000 riels.
Au Laos, le kip s'obtient facilement dans les banques et les bureaux de change contre des euros dans les villes touristiques, mais il arrive qu'on ne puisse changer que des dollars dans certains coins plus isolés (prévoir de changer ses euros avant ou emporter quelques dollars par sécurité). 1 € correspond à environ 8 500 kips (on devient vite millionnaire !). Il existe des distributeurs dans toutes les grandes villes.

➢ Quelles langues parle-t-on ?

Dans les deux pays, l'anglais est la langue favorite des jeunes, des affaires et du tourisme. Au Cambodge (et dans une moindre mesure au Laos), les textes et panneaux administratifs sont traduits en français, et certains étudiants ou personnes âgées parlent la langue de Molière, héritée de la période coloniale, mais pas seulement : toute une diaspora cambodgienne s'est constituée à l'étranger, en France notamment, pour fuir le régime génocidaire des Khmers rouges ; et aujourd'hui, une partie de ces émigrés sont rentrés au Cambodge. Connaître quelques mots de la langue locale (« bonjour », « merci », « au revoir ») est évidemment toujours bienvenu.

➢ Y a-t-il encore des problèmes de mines ?

Un énorme travail de déminage a été effectué au **Cambodge** ces dernières années. L'ensemble des sites touristiques a été nettoyé et ne présente plus de danger. Au **Laos,** il reste encore beaucoup à faire. Dans tous les cas, il est important de ne pas sortir des sentiers balisés, surtout dans le nord et l'est du Laos, les régions les plus touchées.

ARRIVER – QUITTER

EN PROVENANCE D'EUROPE

▲ AIR FRANCE

Rens et résas au ☎ 36-54 (0,35 €/mn ; tlj 6h30-22h), sur ● airfrance.fr ●, dans les agences Air France et dans ttes les agences de voyages (fermées dim).

➢ Au départ de Paris-Charles-de-Gaulle, Air France dessert Phnom Penh à raison de 3 vols/j. avec ses partenaires : 1 vol/j. via Bangkok en partage de code avec *Bangkok Airways,* 1 vol/j. via Guangzhou (Canton) avec *China Southern Airlines* et 1 vol/j. via Hanoï avec *Vietnam Airlines.*
Air France propose à tous des tarifs attractifs toute l'année. Pour consulter les meilleures offres du moment, allez directement sur la page « Nos meilleurs tarifs » sur ● airfrance.fr ● *Flying Blue,* le programme de fidélité gratuit d'Air France-KLM, permet de gagner des miles en voyageant sur les vols Air France, KLM, Hop et les compagnies membres de *Skyteam,* mais aussi auprès des nombreux partenaires non aériens *Flying Blue...* Les *Miles* peuvent ensuite être échangés contre des billets d'avion ou des services (surclassement, bagage supplémentaire, accès salon...), ainsi qu'auprès des partenaires. Pour en savoir plus, rendez-vous sur ● flyingblue.com ●

▲ CATHAY PACIFIC

☎ *0805-542-941 (prix d'un appel local).* ● *cathaypacific.com/fr ●*
➢ Cathay Pacific assure 11 vols directs/sem Paris-Hong Kong, et sa filiale Cathay Dragon propose 14 vols/sem vers Phnom Penh et 4 vols/sem vers Siem Reap (enregistrement de bout en bout).
Cathay Pacific permet de programmer son voyage dans la région en arrivant par le Cambodge et en repartant du Vietnam (Hanoi, Da Nang ou Hô Chi Minh-Ville) ou vice versa. À noter aussi, selon le billet, possibilité de visiter sans frais Hong Kong lors du transit aller ou retour (« *stopover* gratuit »).

▲ KLM

Rens et résas : ☎ 0892-70-26-08 (service 0,35 €/mn + prix appel). ● *klm. fr ● Résas par tél, Internet, dans les agences Air France et les agences de voyages.*
KLM propose 1 vol/j. sur Phnom Penh via Amsterdam et Bangkok en partage de code avec *Bangkok Airways.*

▲ QATAR AIRWAYS

– Paris : 19, rue de Ponthieu, 75008. ☎ *01-43-12-84-40.* ● *qatarairways. com ●* ⓜ *Franklin-D.-Roosevelt. Lun-ven 9h-17h ; par tél tlj 9h (10h dim)-18h.*
➢ Qatar Airways propose 1 vols/j. de Roissy-CDG à destination de Phnom Penh (avec changement d'appareil à Doha et un stop technique en principe à Singapour). Ces vols sont également disponibles de 19 villes en France, grâce à l'accord TGV Air.

▲ THAI

– Paris : Tour Opus 12, 77, esplanade du Général-de-Gaulle, 92914 La Défense Cedex. ☎ *01-55-68-80-70.* ● *thaiairways.fr ●* ⓜ *La Défense (Grande-Arche). Lun-ven 9h-12h30, 13h30-17h30 (17h ven).*
➢ THAI propose 1 vol/j. sans escale de Paris vers Bangkok en A 380, puis relie le Laos avec 2 vols/j. vers Vientiane (THAI et THAI Smile) et 2 vols/j. vers Luang Prabang (en *code share* avec *Bangkok Airways*), et le Cambodge avec 2 vols/j. vers Phnom Penh opérés par THAI. Également 2 vols/j. avec *THAI Smile,* plus 5 vols/j. en *code share* avec *Bangkok Airways* à destination de Siem Reap.

▲ VIETNAM AIRLINES

– Paris : 49-53, av. des Champs-Élysées, 75008. ☎ *01-44-55-39-90.* ● *vietnamairlines.com ●* ⓜ *Franklin-D.-Roosevelt. Lun-ven 9h30-13h, 14h-17h30.*
➢ Vietnam Airlines propose au départ de Roissy-CDG et sans escale, jusqu'à

13 vols/sem à destination de Hanoi et Hô Chi Minh-Ville, à bord de l'A 350. Correspondances quasi immédiates et quotidiennes pour Phnom Penh, Siem Reap, Vientiane et Luang Prabang. Grâce à l'accord TGV Air, départs possibles depuis 19 villes de France.

LES ORGANISMES DE VOYAGES

EN FRANCE

▲ ALTIPLANO VOYAGE

– *Annecy (Metz-Tessy) : Park Nord, Les Pléiades Nº 35, 74370.* ☎ 04-57-09-80-00. ● *altiplano-voyage.com* ● *Lun-ven 9h-13h, 14h-18h.*

Osez l'inédit ! Telle est la devise d'Altiplano Voyage, agence spécialiste des voyages sur mesure au Cambodge et au Laos. Expert en circuits multidestinations ou thématiques, Altiplano Voyage offre des prestations originales. À votre écoute, la spécialiste du Cambodge et du Laos partage avec vous ses conseils et astuces afin de créer le voyage qui vous ressemble avec le degré d'autonomie souhaité (en liberté ou avec guide et visites). Ainsi, lors d'un circuit entièrement personnalisé, vous découvrez le Cambodge, ancien royaume khmer et/ou le Laos, un pays lové au bord du Mékong.

▲ ASIA

– *Paris : 1, rue Dante, 75005.* ☎ 01-44-41-50-10. ● *asia.fr* ● Ⓜ *Maubert-Mutualité. Lun-ven 9h-18h30 ; sam 10h-13h, 14h-17h.*
– *Agences également à Lyon, Nice, Marseille et Toulouse.*

Asia est leader des voyages sur l'Asie et propose des voyages personnalisés en individuel ou en petits groupes sur l'ensemble de la zone Asie-Pacifique. Au Cambodge et au Laos, Asia met son expertise au service de ses clients pour réaliser le voyage de leurs envies. Connaissance du terrain et du patrimoine culturel, respect de l'environnement et authenticité, c'est au plus près des populations et toujours dans l'esprit des lieux qu'Asia fait partager ses créations « maison » : au Laos, le *Luangsay Lodge,* écolodge sur pilotis sur les rives du Mékong où l'on accède par bateau, et le *Vat Phou,* bateau-hôtel de charme pour caboter sur le Mékong, et encore, au cœur de Luang Prabang, la *Luang Say Residence,* une adresse luxueuse de style colonial. De plus, Asia a sélectionné des adresses idylliques et des spas raffinés pour des séjours bien-être.

▲ ASIE INFINY

– *Paris : 5 bis, rue de l'Asile-Popincourt, 75011.* ☎ 01-53-70-23-45. ● *asieinfiny.com* ● *Lun-ven 9h30-19h ; sam 10h-13h, 14h-18h.*

Créée en 2015, Asie Infiny promet une « Asie pour chacun », déclinant ses formules à l'infini pour combler toutes les envies des voyageurs. En circuits individuels ou accompagnés, découvrez les merveilles de l'Inde, du Sri Lanka et des Maldives, en passant par Bali la belle indonésienne et l'Asie du Sud-Est (Thaïlande, Birmanie, Laos, Cambodge et Vietnam). De nouvelles formules vous proposent de faire escale quelques jours dans les métropoles vivantes et dynamiques de Singapour, Hong Kong, Dubaï, ou Abu Dhabi.

▲ CERCLE DES VACANCES / ASIE

– *Paris : 4, rue Gomboust (angle 31, av. de l'Opéra), 75001.* ☎ 01-40-15-15-18. ● *cercledesvacances.com* ● Ⓜ *Pyramides ou Opéra. Lun-ven 9h-20h, sam 10h-18h30.*

Le vrai voyage sur mesure à destination des pays d'Asie, dont le Cambodge et le Laos.

Cercle des Vacances propose un large choix de voyages adaptés à chaque client : circuits avec guide et chauffeur, voyages en groupe, croisière, combinés de plusieurs pays, voyages de noces... Les experts Cercle des Vacances partagent leurs conseils et leurs petits secrets pour faire de chaque voyage une expérience inoubliable. Cercle des Vacances offre également un service liste de mariage gratuit. Les petits plus qui font la différence : cours de cuisine, rencontre avec les

OSEZ L'INÉDIT !

éléphants, balade en train local, tour en pirogue...

▲ COMPTOIR DES VOYAGES

● comptoir.fr ●
– Paris : 2-18, rue Saint-Victor, 75005. ☎ 01-53-10-30-15. Ⓜ Maubert-Mutualité. Lun-ven 9h30-18h30, sam 10h-18h30.
– Bordeaux : 26, cours du Chapeau-Rouge, 33800. ☎ 05-35-54-31-40. Lun-sam 9h30-18h30.
– Lille : 76, rue Nationale, 59160. ☎ 03-28-34-68-20. Ⓜ Rihour. Lun-sam 9h30-18h30.
– Lyon : 10, quai Tilsitt, 69002. ☎ 04-72-44-13-40. Ⓜ Bellecour. Lun-sam 9h30-18h30.
– Marseille : 12, rue Breteuil, 13001. ☎ 04-84-25-21-80. Ⓜ Estrangin. Lun-sam 9h30-18h30.
– Toulouse : 43, rue Peyrolières, 31000. ☎ 05-62-30-15-00. Ⓜ Esquirol. Lun-sam 9h30-18h30.

Comptoir des Voyages s'impose comme une référence incontournable dans le voyage sur mesure, avec 80 destinations couvrant les 5 continents. Ses voyages s'adressent à tous ceux qui souhaitent vivre un pays de façon simple en s'y sentant accueilli. Les conseillers privilégient des hébergements typiques, des moyens de transport locaux et des expériences authentiques pour favoriser l'immersion dans la vie locale. Comptoir vous offre aussi la possibilité de rencontrer des francophones habitant dans le monde entier, des *greeters,* qui vous donneront, le temps d'un café, les clés de leur ville ou de leur pays. Comptoir des Voyages propose aussi une large gamme de services : échanges par visioconférence, devis web et carnet de voyage personnalisés, assistance téléphonique 24h/24 et tous les jours pendant votre voyage...

▲ LES COMPTOIRS DU MONDE

☎ 09-80-08-02-00. ● comptoirsdumonde.fr ●
– Paris : 19, av. d'Italie, 75013. ☎ 09-80-08-02-25. Sur rdv, lun-ven 10h-13h, 14h30-18h30.
– Lyon : Parc Technoland, 3, allée du Lazio, 69800 Saint-Priest. ☎ 09-80-08-02-15. Sur rdv, lun-ven 9h-12h30, 14h30-18h.

Que vous souhaitiez voyager seul, en couple, en famille ou entre amis, les Comptoirs du monde sont à votre écoute pour vous offrir des voyages personnalisés de qualité et vous proposer des prestations qui répondent véritablement à vos attentes. Globe-trotters, passionnés d'histoire, amoureux de la nature, ayant une connaissance approfondie des pays, leur équipe de spécialistes peut satisfaire vos demandes les plus diverses tout en respectant votre budget.

▲ MONDE AUTHENTIQUE

– Paris : 5, rue Thorel, 75002. ☎ 01-53-34-92-71. ● monde-authentique.com ● Ⓜ Bonne-Nouvelle. Lun-ven 9h30-19h, sam sur rdv ou à domicile à Paris et dans la région parisienne (moyennant participation).

Envie de sortir des sentiers battus, de découvrir ce qu'un pays peut offrir de meilleur ? Depuis 2003, Monde Authentique propose des itinéraires individuels à l'écart des sentiers battus sur des destinations originales. En parfaits artisans, les créateurs de voyages de Monde Authentique maîtrisent à la perfection les destinations sur lesquelles ils travaillent.
Monde Authentique s'adresse à des clients exigeants, désireux de faire de beaux voyages.

▲ NOMADE AVENTURE

☎ 0825-701-702 (service 0,15 €/mn + prix appel). ● nomade-aventure.com ● Lun-sam 9h30-18h30.
– Paris : 40, rue de la Montagne-Sainte-Geneviève, 75005. ☎ 01-46-33-71-71. Ⓜ Maubert-Mutualité.
– Lyon : 10, quai Tilsitt, 69002. ☎ 04-72-44-13-50.
– Marseille : 12, rue Breteuil, 13001. ☎ 04-84-25-21-86.
– Toulouse : 43, rue Peyrolières, 31000. ☎ 05-62-30-10-77.

Nomade Aventure propose des circuits inédits partout dans le monde, à réaliser en famille, entre amis, avec ou sans guide. Également hors de groupes constitués, ils organisent des séjours libres en toute autonomie et sur mesure. Spécialiste de l'aventure avec plus de 600 itinéraires (de niveau tranquille, dynamique, sportif ou sportif +)

ASIA

INVENTEUR DE VOYAGES EN ASIE ET DANS LE PACIFIQUE

Avec Asia, voyagez selon vos envies, dans des conditions exceptionnelles et au rythme qui vous convient !

N° 01 56 88 66 75

faits d'échanges et de rencontres avec les habitants, Nomade Aventure donne la priorité aux expériences authentiques à pied, à VTT, à cheval, à dos de chameau, en bateau...

▲ NOSTALASIE

– *Paris : 19, rue Damesme, 75013.* ☎ *01-43-13-29-29.* ● *ann.fr* ● Ⓜ *Tolbiac. Lun-ven 10h-13h, 15h-18h.*
Parce qu'il n'est pas toujours aisé de partir seul, NostalAsie, un touropérateur indépendant, propose de véritables voyages sur mesure en Asie, notamment au Cambodge et au Laos, des lieux les plus connus jusqu'aux contrées les plus reculées, en individuel ou en groupe déjà constitué. Deux formules au choix : *Les Estampes* avec billets d'avion, logements, transferts entre les étapes, ou *Les Aquarelles* avec en plus un guide et une voiture privée à chaque étape.

▲ ROOTS TRAVEL

– *Paris : 17, rue de l'Arsenal, 75004.* ☎ *01-42-74-07-07.* ● *rootstravel.com* ● *M. Bastille : lun-ven 10h-13h et 14h-18h ; sam sur rdv.*
Une équipe de passionnés de l'Asie du Sud propose des séjours individuels sur mesure au Cambodge et au Laos, modifiables et modulables à souhait avant le départ. L'accent est mis sur les petites structures hôtelières, maisons d'hôtes et lodges. Roots Travel propose de multiples parcours de Luang Prabang jusqu'aux chutes du Mékong.

▲ LA ROUTE DES INDES ET DE L'ASIE

– *Paris : 7, rue d'Argenteuil, 75001.* ☎ *01-42-60-60-90.* ● *laroutedesindes. com* ● Ⓜ *Palais-Royal ou Pyramides. Lun-jeu 10h-19h, ven 10h-18h, sam sur rdv.*
La Route des Indes et de l'Asie s'adresse aux voyageurs indépendants et propose des voyages individuels organisés, sur mesure, à travers l'Asie du Sud-Est et l'Extrême-Orient, adaptés au goût et au budget de chaque voyageur. Les itinéraires sont construits par des spécialistes après un entretien approfondi. La librairie offre un large choix de guides, de cartes et de littérature consacrée à l'Asie du Sud-Est et à l'Extrême-Orient. Des expositions sont régulièrement organisées dans la galerie photo et des écrivains sont invités à venir signer leurs ouvrages.

▲ ROUTE DES VOYAGES

– *Paris : 10, rue Choron, 75009.* ☎ *01-55-31-98-80.* Ⓜ *Notre-Dame de Lorette.*
– *Angers : 6, rue Corneille, 49000.* ☎ *02-41-43-26-65.*
– *Annecy : 4 bis, av. d'Aléry, 74000.* ☎ *04-50-45-60-20.*
– *Bordeaux : 19, rue des Frères Bonie, 33000.* ☎ *05-56-90-11-20.*
– *Lyon : 59, rue Franklin, 69002.* ☎ *04-78-42-53-58.*
– *Toulouse : 9, rue Saint-Antoine-du-T, 31000.* ☎ *05-62-27-00-68.*
Agences ouvertes lun-jeu 9h-19h, ven 18h. Rdv conseillé. ● *route-voyages.com* ●
23 ans d'expérience de voyage sur mesure sur les 5 continents ! 15 pays en Europe complètent à présent leur offre. Cette équipe de voyageurs passionnés a développé un vrai savoir-faire du voyage personnalisé : écoute, conseils, voyages de repérage réguliers et des correspondants sur place avec qui ils travaillent en direct. Son engagement à promouvoir un tourisme responsable se traduit par des possibilités de séjours solidaires à insérer dans les itinéraires de découverte individuelle. Elle a aussi créé un programme de compensation solidaire qui permet de financer des projets de développement locaux.

▲ ROUTES DU CAMBODGE

● *routes-du-cambodge.com* ●
Contactez Routes du Cambodge, une agence locale de confiance, pour organiser votre voyage sur mesure au Cambodge. Leurs conseillers, fins connaisseurs du terrain et de la réalité du pays, vous accompagnent dans la préparation de votre voyage, en couple, en famille ou en groupe d'amis. Vous avez ainsi accès à un service personnalisé en bénéficiant d'un prix accessible. Membre de la communauté bynativ, la communauté des agences de voyages locales, Routes du Cambodge vous propose

7 CONSEILS POUR VOYAGER CHILDSAFE

7 Façons d'aider les enfants pendant votre Voyage

1 Les enfants ne sont pas des attractions touristiques ; réfléchissez avant de visiter une école ou un orphelinat.

2 Être volontaire auprès d'enfants part d'un bon sentiment mais peut leur nuire ; impliquez-vous différemment.

3 Les enfants paient le prix de votre générosité ; ne donnez pas aux enfants qui mendient.

4 Les professionnels sont les mieux à même d'aider un enfant ; appelez-les si un enfant a besoin d'aide.

5 Avoir des rapports sexuels avec des enfants est un crime ; signalez le tourisme sexuel impliquant des enfants.

6 Les enfants ne devraient pas travailler au lieu d'aller à l'école ; signalez le travail des enfants.

7 Protégez les enfants ; soyez un Voyageur ChildSafe.

MOUVEMENT ChildSafe

Découvrez plus d'informations sur ChildSafe et les actions que vous pouvez réaliser sur
www.thinkchildsafe.org

REJOIGNEZ LE MOUVEMENT !

Espace offert par le Routard

un maximum de garanties et de services : règlement de votre voyage en ligne de façon sécurisée, possibilité de souscrire à une assurance de voyage et de bénéficier de garanties solides en cas d'imprévu. De quoi voyager de façon authentique et en toute tranquillité !

▲ ROUTES DU LAOS
● *routes-du-laos.com* ●
Contactez Routes du Laos, une agence locale de confiance, pour organiser votre voyage sur mesure au Laos. Leurs conseillers, fins connaisseurs du terrain et de la réalité du pays, vous accompagnent dans la préparation de votre voyage, en couple, en famille ou en groupe d'amis. Vous avez ainsi accès à un service personnalisé en bénéficiant d'un prix accessible. Membre de bynativ, la communauté des agences de voyages locales, Routes du Laos vous propose un maximum de garanties et de services : règlement de votre voyage en ligne et ce de façon sécurisée, possibilité de souscrire à une assurance de voyage et de bénéficier de garanties solides en cas d'imprévu. De quoi voyager de façon authentique et en toute tranquillité !

▲ TERRE INDOCHINE
– *Paris :* 28, bd de la Bastille, 75012. ☎ 01-44-32-12-82. ● *terre-indochine. com* ● Ⓜ *Bastille. Lun-ven 9h-18h30, sam 10h-18h.*
Combinant le Laos, le Cambodge, le Vietnam et aussi la Thaïlande, l'équipe de Terre Indochine a la passion du voyage innovant. Ce spécialiste de la destination assure sa logistique avec des partenaires, experts et amis, réunis par les mêmes expériences et dans le respect des traditions locales et du tourisme responsable. Avec souplesse, précision et diversité, ses séjours et circuits, à la carte ou organisés pour les groupes et les individuels, alternent les modes de transport (4x4, à pied, à vélo, à moto, en bateau) et multiplient les rencontres jusque dans les terres les plus reculées de l'Indochine.

▲ TERRES D'AVENTURE
☎ 0825-700-825 (service 0,15 €/ mn + prix appel). ● *terdav.com* ●

– *Paris :* 30, rue Saint-Augustin, 75002. ☎ 01-70-82-90-00. Ⓜ *Opéra ou Quatre-Septembre. Lun-sam 9h30-19h.*
– *Agences également à Bordeaux, Grenoble, Lille, Lyon, Marseille, Nantes, Rennes, Rouen, Strasbourg et Toulouse.*
Depuis 1976, Terres d'Aventure, spécialiste du voyage à pied, propose aux voyageurs passionnés de marche et de rencontres des randonnées hors des sentiers battus à la découverte des grands espaces de notre planète. Voyages à pied, à cheval, en bateau... Sur tous les continents, des aventures en petits groupes ou en individuel encadrés par des professionnels expérimentés sont proposées. Les hébergements dépendent des sites explorés. Les voyages sont conçus par niveaux de difficulté : de la simple balade en plaine à l'expédition sportive.
En province, certaines de leurs agences sont de véritables *Cités des Voyageurs* dédiées au voyage. Consulter le programme des manifestations sur leur site internet.

▲ TERRES DE CHARME & ILES DU MONDE
☎ 01.55.42.74.10. ● *terresdecharme. com* ●
– *Paris :* 5 bis, rue de l'Asile Popincourt, 75011. *Lun, mer, jeu, ven 9h30-18h30, mar 14h-18h30.*
– 68, rue de Miromesnil, 75008. *Lun, mer, jeu, ven 9h30-18-30, mar 14h-18h30, sam 10h30-13h et 14h-17h.*
Artisans du voyage individuel sur mesure depuis plus de 20 ans, leurs scénaristes du voyage ont à cœur de faire partager leurs passions en concevant des séjours authentiques, inoubliables et singuliers aux quatre coins du monde. C'est la rareté et le charme raffiné savamment dosés qui animent l'équipe pour créer des voyages placés sous le signe d'émotions intenses et rares. Sandals privés glissant le long du Nil, camp privatif au cœur du Masaï Mara, îles exclusives de l'Océan Indien, décors magiques des Caraïbes, sites cachés en Asie, trains de luxe et de légende...Telles sont quelques-unes des créations de Terre de Charme

Paradis oublié. Daniel Gilbert

Espace offert par le Guide du Routard

Un don, un sourire

Pour faire vos dons :

Association «Les Médecins de Chinguetti Pakbeng» au Laos
9 avenue Charles Binder
95290 L'Isle Adam
www. medecinsdechinguettipakbeng.com

Les Médecins de
CHINGUETTI PAKBENG

Conception / Rédaction : Amélie BARBOSA et Roland INAN

& Îles du Monde pour faire de votre voyage une expérience unique.

▲ VOYAGEURS DU MONDE (VOYAGEURS EN ASIE DU SUD-EST)

● *voyageursdumonde.fr* ●
– *Paris : La Cité des Voyageurs, 55, rue Sainte-Anne, 75002.* ☎ *01-42-86-16-88.* Ⓜ *Opéra ou Pyramides. Lun-sam 9h30-19h. Librairie spécialisée dans les voyages.*
– *Également des agences à Bordeaux, Grenoble, Lille, Lyon, Marseille, Montpellier, Nantes, Nice, Rennes, Rouen, Strasbourg et Toulouse. Ainsi qu'à Bruxelles et à Genève.*

Parce que chaque voyageur est différent, que chacun a ses rêves et ses idées pour les réaliser, Voyageurs du Monde conçoit, depuis plus de 30 ans, des projets sur mesure. Les séjours proposés sur 120 destinations sont élaborés par leurs 180 conseillers voyageurs. Spécialistes par pays et même par région, ils vous aideront à personnaliser les voyages présentés à travers une trentaine de brochures d'un nouveau type et sur le site internet où vous pourrez également découvrir les hébergements exclusifs et consulter votre espace personnalisé. Au cours de votre séjour, vous bénéficiez des services personnalisés Voyageurs du Monde, dont la possibilité de modifier à tout moment votre voyage, l'assistance d'un concierge local, la mise en place de rencontres et de visites privées et l'accès à votre carnet de voyage via une application iPhone et Android.

Voyageurs du Monde est membre de l'association ATR (Agir pour un tourisme responsable) et a obtenu sa certification Tourisme responsable AFAQ AFNOR.

> Voir aussi, au sein de chaque ville, les agences locales que nous avons sélectionnées.

Comment aller à Roissy et à Orly ?

Toutes les infos sur le site ● *routard. com* ●, à l'adresse suivante : ● *bit.ly/ aeroports-routard* ●

Conservez dans votre bagage cabine vos médicaments, vos divers chargeurs et appareils ainsi que vos objets de valeur (clés et bijoux). Et on ne sait jamais, ajoutez-y de quoi vous changer si vos bagages n'arrivaient pas à bon port avec vous.

EN BELGIQUE

▲ CONTINENTS INSOLITES

– *Bruxelles : 44A, rue César-Franck, 1050.* ☎ *02-218-24-84.* ● *continents-insolites.com* ● *Lun-ven 10h-18h, sam sur rdv 10h-16h30.*
Continents Insolites, organisateur de voyages lointains sans intermédiaire, propose une gamme étendue de formules de voyages détaillées sur leur site Internet.
– *Voyages découverte sur mesure :* à partir de 2 personnes. Un grand choix d'hébergements soigneusement sélectionnés : du petit hôtel simple à l'établissement luxueux et de charme.
– *Circuits découverte en minigroupes :* de la grande expédition au circuit accessible à tous. Des circuits à dates fixes dans plus de 60 pays en petits groupes francophones de 7 à 12 personnes. Avant chaque départ, une réunion est organisée. Voyages encadrés par des guides francophones, spécialistes des régions visitées.

▲ ROUTE DES VOYAGES

● *ch.route-voyages.com* ● *geneve@ route-voyages.com* ● ☎ *022-552-34-46.*
Voir texte en France.

▲ TERRES D'AVENTURE

– *Bruxelles : 23, chaussée de Charleroi, 1060.* ☎ *02-543-95-60.* ● *terdav.com* ● *Lun-sam 10h-19h.*
Voir texte dans la partie « En France ».

▲ VOYAGEURS DU MONDE

– *Bruxelles : 23, chaussée de Charleroi, 1060.* ☎ *02-543-95-50.* ● *voyageurs dumonde.com* ●
Le spécialiste du voyage en individuel sur mesure. Voir texte dans la partie « En France ».

Sopeap, cambodgien, 8 ans
Futur ingénieur automobile
Grâce à votre parrainage

*L'enfant que nous aidons aujourd'hui
sauvera son pays demain*

EN SUISSE

▲ ALTIPLANO VOYAGE
– *Genève : pl. du Temple 3, 1227 Carouge.* ☎ 022-342-49-49. ● *altiplano-voyage.ch* ● *Agence ouv lun, mar, jeu, ven (sur rdv).*
Voir texte dans la partie « En France ».

▲ ASIA
– *C/o Fert et Cie voyages : rue Barton, 7, Case postale 2364, CH-1211 Genève 2.* ☎ *022-839-43-92.* Voir texte « en France ».

▲ ÈRE DU VOYAGE (L')
– *Nyon : 21, Grand-Rue, 1260.* ☎ *022-365-15-65.* ● *ereduvoyage.ch* ● *Mar-ven 8h30-12h30, 13h30-18h ; sur rdv en dehors de ces heures.*
Agence fondée par quatre professionnelles qui ont la passion du voyage. Elles pourront vous conseiller et vous faire part de leur expérience notamment en Asie. Des itinéraires originaux, testés par l'équipe de l'agence : voyages sur mesure pour découvrir un pays en toute liberté en voiture privée avec ou sans chauffeur, guide local et logements de charme, petites escapades pour un week-end prolongé et voyages en famille.

▲ HORIZONS NOUVEAUX
– *Verbier : 6, rue de Medran, CP 196, 1936.* ☎ *027-761-71-71.* ● *horizonsnouveaux.com* ● *Lun-ven 9h-17h ; sam sur rdv.*
Horizons Nouveaux est le tour-opérateur suisse spécialisé dans les régions qui vont de l'Asie centrale à l'Asie du Sud en passant par le Cambodge et le Laos. Horizons Nouveaux organise principalement des voyages à la carte, des voyages culturels à thème, des trekkings souvent inédits et des expéditions.

▲ HUWANS-CLUB AVENTURE
– *Genève : 51, rue Prévost-Martin, 1205.* ● *huwans-clubaventure.fr* ●

Voir texte dans la partie « En France ».

▲ JERRYCAN VOYAGES
– *Genève : 11, rue Sautter, 1205.* ☎ *022-346-92-82.* ● *jerrycan-voyages.ch* ● *Lun-ven 9h-12h30, 13h30-18h.*
Tour-opérateur de la Suisse francophone spécialisé dans l'Afrique, l'Asie et l'Amérique latine. Trois belles brochures proposent des circuits individuels et sur mesure. L'équipe connaît bien son sujet et peut construire un voyage à la carte.

▲ TERRES D'AVENTURE
– *Genève : 19, rue de la Rôtisserie, 1204.* ☎ *022-518-05-13.* ● *geneve@terdav.com* ● *Lun-ven 10h-19h, sam 9h30-18h30.*
Voir texte dans la partie « En France ».

AU QUÉBEC

▲ EXOTIK TOURS
Rens sur ● *exotiktours.com* ●
Exotik Tours offre en hiver des séjours en Asie (combiné Vietnam-Cambodge). Durant cette saison, on peut également opter pour des combinés plage + circuit.

▲ EXPÉDITIONS MONDE
● *expeditionsmonde.com* ●
Expéditions Monde est à l'avant-garde du voyage d'aventure, de découverte, de trekking, de vélo et d'alpinisme sur tous les continents. Les voyages en petits groupes facilitent les déplacements dans les régions les plus reculées et favorisent l'interaction avec les peuples locaux pour vivre une expérience authentique.

▲ TOURS CHANTECLERC
● *tourschanteclerc.com* ●
Tours Chanteclerc est un tour-opérateur qui publie différentes brochures de voyages, dont une sur l'Asie en circuits ou en séjours. Il s'adresse aux voyageurs indépendants qui réservent un billet d'avion, des excursions ou une location de voiture.

EN PROVENANCE DE THAÏLANDE

Nous donnons ici **quelques conseils spécifiques** liés à la particularité de certains passages effectués depuis la Thaïlande. Notez que passer par la Thaïlande avant de rejoindre le Cambodge ou le Laos quand on vient d'Europe ou d'un autre pays asiatique peut être bien plus économique, notamment par voie aérienne, grâce aux compagnies locales *low-cost*.

MONDE AUTHENTIQUE

Créateur de voyages sur mesure au Laos et au Cambodge

spécialiste des itinéraires hors des sentiers battus

hébergements de charme, lieux secrets et atypiques

nous vous aidons à concrétiser vos rêves de découverte

crédit photo : F.Hérault

Tél : (+33) 01 53 34 92 71
5, rue Thorel - 75002 Paris

Découvrez notre esprit du voyage
http://www.monde-authentique.com/destination

Monde Authentique est une marque de GLOBALTOURS (SARL).
Immatriculation agence de voyages IM 075120078
Assurance RCP : Hiscox HA RCP 0239435 - Garantie financière : Groupama

Vers le Cambodge

Bangkok est la porte d'entrée la plus utilisée pour le Cambodge. On y trouve d'ailleurs des vols secs et des circuits sur le Cambodge nettement moins chers qu'en Europe.

Il existe six points de passage entre les deux pays. Les plus utilisés sont Aranyapratet/Poipet et Hat Lek/Koh Kong. Pour les autres points de passage, transport parfois galère, se renseigner : à l'est, Ban Pakard/Pailin (relativement fréquenté) et Ban Laem/Duan Laem ; au nord, Chong Jom/O'Smach (région de Surin) – un poste-frontière « aventure » à seulement 150 km d'Angkor – et Chong Sa Ngam/Anlong Veng.

Le *visa on arrival* peut être obtenu à toutes les frontières terrestres (35-37 $ en principe, mais il est souvent majoré ; à négocier, mais pas simple).

– ***Attention aux arnaques au point de passage Aranyapratet-Poipet*** (ouv 7h-20h). Les formules de bus Bangkok-Siem Reap, achetées notamment dans les petites agences de Khao San Road, affichent un prix intéressant, mais le bus traîne énormément ou emprunte la frontière Ban Pakard/Pailin pour débarquer dans une nuit à Siem Reap, dans une *guesthouse* « amie ». Jusqu'à 8h de retard sur un trajet normal ! ***Il est donc conseillé de se débrouiller seul.*** De Bangkok, prendre un bus avt 9h (c'est mieux) à la station de Mo Chit (env 5h de route) ou un train depuis la gare de Hualamphong (2 départs/j. en principe, 6h de voyage) jusqu'à Aranyapratet. Puis *tuk-tuk* ou un peu de marche jusqu'à la frontière (les bus locaux s'arrêtent à 1 km) et passage de celle-ci à pied. Rejoindre ensuite la gare routière à 2 km (à pied, en moto ou *tuk-tuk*). Attention aux rabatteurs qui essaieront de vous diriger vers un autre bus.

– Que ce soit au poste-frontière de ***Aranyapratet/Poipet*** ou à celui de ***Hat Lek/Koh Kong*** (ouvert 6h-22h), on paie en baths, mais après négociation, les dollars sont aussi acceptés... en principe (plus avantageux). Compter 1 600 Bts (vraiment pas intéressant) ou 35 $ (37 $ sans photo), ou se procurer un *e-visa* avant le départ. Présenter le document de sortie du territoire remis à l'arrivée en Thaïlande. Toujours vérifier que le tampon du visa a bien été apposé. Sachez aussi que la « visite médicale » n'est absolument pas obligatoire.

Pas mal de rabatteurs également, assez pénibles. Refuser poliment mais fermement leur aide. Même attitude à adopter vis-à-vis des bus qui assurent le passage des frontières et qui vous proposeront sans doute leur « aide » pour faire tamponner votre visa, moyennant un supplément de 1 à... 15 $!

– De l'autre côté, à Poipet, ne pas suivre un rabatteur, mais prendre la navette gratuite jusqu'à la gare routière ou marcher jusqu'au sens giratoire pour trouver bus ou taxis collectifs rejoignant Siem Reap.

Vers le Laos

On peut acheter un *visa on arrival* (validité 30 j.) aux postes-frontières laotiens avec la Thaïlande (ainsi qu'avec le Vietnam, le Cambodge et la Chine). Se renseigner quand même avant le départ, les choses peuvent évoluer. Pour plus d'infos, se reporter aux formalités d'entrée dans le chapitre « Laos utile » rubrique « Avant le départ ».

– ***Conseil pour les petits budgets : rejoindre Nong Khai*** depuis Bangkok via Udon Thani (dans le nord de la Thaïlande). Nong Khai se situe au bord du Mékong, à la frontière avec le Laos. Après le passage du pont de l'Amitié, Vientiane n'est plus qu'à une vingtaine de kilomètres au nord-ouest (facilement accessible en *tuk-tuk* ou taxi).

D'Udon Thani et Nong Khai à la station Talat Sao de Vientiane, le plus pratique et économique consiste à emprunter le Thai-Lao International Bus.

En train

➤ ***Ligne Bangkok-Nong Khai :*** c'est sans doute le moyen le plus confortable, mais les trains sont souvent complets. 3 trains/j. au départ des gares de Hualamphong (Bangkok), pour environ 11h de voyage. Un peu plus cher, le train de nuit permet d'économiser du temps et l'hôtel (2e classe, wagon femmes ou 1re classe). Infos horaires et confort sur ● *thairailways.com* ●

En bus

➤ La plupart des agences de voyages de Bangkok vendent des billets de bus pour la ville de **Nong Khai**. Mais il est préférable d'acheter son billet directement à la gare routière du Nord (près de Chatuchak Market), car les agences vous vendent le billet plusieurs heures à l'avance et vous font poireauter jusqu'au départ. Le voyage se fait en général en bus de nuit, avec sièges inclinables, clim et w-c. Compter 11h de voyage.

➤ **Chiang Khong-Houeisai** (au nord-ouest du Laos) **:** désormais, les touristes étrangers doivent passer par le pont de l'Amitié qui débouche à 8 km au sud de Houeisai. 2 bus/j. assurent la liaison entre Chiang Mai ou Chiang Rai et la gare routière Aloun de Houeisai (hors plan de Houeisai par A2, 4). Trajet : env 3h. Ces bus s'arrêtent à la gare routière de Chiang Khong, puis vous déposent avant chaque poste-frontière pour le passage de la douane et vous reprennent juste après.

➤ Il est également possible de passer la frontière par ses propres moyens, par une succession de tuk-tuk : depuis Chiang Khong jusqu'à la frontière thaïlandaise (cher !) ; un second tuk-tuk assure la traversée du pont entre les 2 postes-frontières ; un troisième relie la frontière laotienne à la gare de Houeisai (soit au bourg, soit aux embarcadères). Côté thaïlandais, des minivans relient régulièrement la frontière à Chiang-Rai, voire Chiang-Mai. Le poste-frontière est, en principe, ouvert tous les jours 6h-22h (se présenter au plus tard avt 21h). Possibilité d'obtenir le visa laotien sur place. Bureaux de change et distributeur.

En avion

➤ **Bangkok-Udon Thani :** 4 vols/j. avec THAI Smile. Durée : 1h05. À l'aéroport d'Udon Thani, départs de bus synchronisés avec les vols en direction du pont de l'Amitié.

QUITTER LE CAMBODGE

En dehors de la sortie du territoire par avion, mieux vaut se renseigner sur les pratiques frontalières, d'autant plus si l'on envisage un passage peu fréquenté. On tombe parfois sur des petites (ou grosses !) arnaques liées au tarif des visas ou au déroulement du voyage.

– **Taxes de sortie :** pas de taxe de sortie par voie terrestre, maritime ou aérienne.

Vers le Laos

En avion

➤ Au départ de Phnom Penh :
■ **Vietnam Airlines :** ☎ 023-990-840. ● vietnamairlines.com ●
■ **Lao Airlines :** ☎ 023-222-956. ● laoairlines.com ●
■ **Cambodia Angkor Air :** ☎ 023-666-67-86. ● cambodiaangkorair.com ● Plusieurs vols/j. pour **Vientiane** avec Vietnam Airlines, Cambodia Angkor Air et Lao Airlines.
➤ Au départ de Siem Reap :

Plusieurs vols/sem pour **Luang Prabang** avec Vietnam Airlines, Cambodia Angkor Air et Lao Airlines.
Également 2-3 vols/j. pour **Vientiane** avec escale à **Paksé** (Lao Airlines).

Par la route

Un seul passage tout près du Mékong : Dong Kralor (Cambodge)/Veun Kham (Laos). Dong Kralor est situé à 70 km au nord de Stung Streng.
➤ **Phnom Penh et Siem Reap-Paksé :** avec la compagnie Sorya, 1 bus/j. tôt le mat. Compter 10h de route (481 km).
➤ **Siem Reap-4 000 îles :** départ le mat en minibus. Compter 8h30-9h de route.

Vers la Thaïlande

Pour la Thaïlande, visa à l'aéroport (valable 30 j.) ou aux frontières terrestres (15 j.).

En avion

➤ Au départ de Phnom Penh :

ROUTES du Laos | ROUTES du Cambodge

© Ariane Citron | M075120377

Qui de mieux qu'un conseiller local basé au Laos et au Cambodge pour organiser votre voyage sur-mesure ?

Nos agents locaux francophones connaissent le Laos et le Cambodge comme leur poche pour les avoir sillonnés de long en large. Grâce à leurs nombreux bons plans et petites adresses d'initiés, ils peuvent créer votre voyage sur-mesure alliant visites incontournables et découvertes plus confidentielles.

www.routes-du-laos.com

www.routes-du-cambodge.com

 byNativ

En voyageant avec Routes du Laos et Routes du Cambodge, vous bénéficiez des garanties de la communauté des agences locales bynativ

■ *Bangkok Airways (plan couleur A2-3) :* ☎ 023-971-771. ● *bangkokair.com* ● Pour *Bangkok,* 4 liaisons/j. Durée : 1h.
■ *THAI :* ☎ 023-214-359. ● *thaiairways.com* ● Avec *Bangkok,* 2 vols/j.
■ *Air Asia :* à l'aéroport. ☎ 023-666-65-55. ● *airasia.com* ● 1 liaison/j. avec *Bangkok.*
➢ Au départ de Siem Reap :
■ *Bangkok Airways :* ☎ 063-965-423. ● *bangkokair.com* ● Tlj 8h-20h. Pour *Bangkok,* 5 liaisons/j. (1h de vol).
■ Également 1 liaison/j. vers *Bangkok* avec *Cambodia Bangkok Air.*

Par la route

➢ *Poipet-Aranyapratet :* ouv en principe 7h-20h. Pour aller à Poipet, voir « Arriver – Quitter » à Siem Reap et à Battambang. Depuis ces villes, les compagnies vendent des billets combinés jusqu'à Bangkok. Un correspondant attend à la frontière (changement de bus). Économie (1-2 $), mais du temps perdu (env 2h). Pour attraper le dernier train Aranyapratet-Bangkok, partir le plus tôt possible. Formalités sans problème (30 mn-2h selon le monde), pas de harcèlement, en principe, dans ce sens. Côté thaï, prendre un *tuk-tuk* (80 Bts) ou marcher un peu jusqu'à la station de bus d'Aranyapratet (à env 1 km).
➢ *Koh Kong-Had Lek :* ouv en principe 7h-20h. Rejoindre Koh Kong par la route ou par bateau. De là, *moto-dop* ou *tuk-tuk* sur 10 km jusqu'à Had Lek. Pont à péage après Koh Kong.

Liaisons en bus

Pour les coordonnées des compagnies, se reporter à la rubrique « Arriver – Quitter » à Phnom Penh. Certaines liaisons ne sont pas mentionnées, notamment à Sihanoukville, car opérées par des compagnies que nous ne souhaitons pas recommander.
➢ *Phnom Penh-Bangkok :* au départ de Phnom Penh, 2 bus/j. (le mat) avec *Giant Ibis* et 1 bus/j. avec la compagnie *Sorya.* Prévoir un trajet de 16h avec les formalités frontalières.
➢ *Phnom Penh-Poipet (frontière) :* de Phnom Penh, plusieurs bus/j. Trajet : env 6h30.

➢ *Phnom Penh-Koh Kong (frontière) :* bus le mat avec la compagnie *Sorya.* Trajet : 5h.
➢ *Siem Reap-Poipet (frontière) :* 1 bus/j. avec *Capitol Tour.* Durée : 3h.
➢ *Battambang-Poipet (frontière) :* env 2 bus/j. avec *Capitol Tour.*

Vers le Vietnam

Pour un séjour au Vietnam n'excédant pas 15 jours, un visa n'est actuellement pas nécessaire pour les ressortissants français et suisses (il l'est pour les Belges). Mais les formalités pouvant évoluer, mieux vaut se renseigner préalablement auprès d'un consulat de ce pays.

En avion

➢ Au départ de Phnom Penh :
1 vol/j. pour *Hanoi* et 5 vols/j. pour *Hô Chi Minh-Ville* avec *Vietnam Airlines.*
➢ Au départ de Siem Reap :
Nombreux vols directs/j. pour *Hô Chi Minh-Ville* avec *Cambodia Angkor Air* et *Vietnam Airlines.*
(1h15 de vol) et 3 vols/j. avec *Hanoi* (1h30 de vol). Vols quotidiens aussi vers *Da Nang* (1h50 de vol) avec *Vietnam Airlines* et *Silk Air.*

■ *Vietjet :* la compagnie *low-cost* assure des liaisons avec Hanoi.

➢ Au départ de Sihanoukville :
3 liaisons/sem à destination de *Hô Chi Minh-Ville* avec *Vietnam Airlines.*

Par la route

Compter 150 km de Phnom Penh à la frontière, puis 75 km jusqu'à Hô Chi Minh-Ville.
Les *2 postes-frontières principaux* sont :
➢ *Ba Vet/Moc Bai :* point de passage utilisé par les bus (dont des directs jusqu'à Hô Chi Minh-Ville).
➢ *Kaam Samnor/Ving Xuong :* utilisé par les circuits-croisières. Faisable seul, en prenant un ferry côté cambodgien de Neak Loeung à la frontière.
Il existe 6 autres postes-frontières :
➢ *Prek Chak/Ha Tien-Xa Xia :* idéal si vous êtes à Kep, car ça permet de suivre la côte pour rejoindre le delta du Mékong. Poste-frontière ouv, en principe, tlj 7h-18h (mais se renseigner sur place).

Déjeuner à Sala Baï,
c'est donner plus de sens à votre voyage.

Maja Smend - Agir pour le Cambodge

Sala Baï est une école d'hôtellerie restauration destinée aux jeunes cambodgiens défavorisés, située à Siem Reap. Depuis sa création en 2002 par l'association Agir pour le Cambodge, elle a permis à chacun de ses 500 étudiants, dont 70% de jeunes filles, de trouver un emploi pérenne, suite à l'obtention du diplôme qui récompense un an de formation professionnelle.

Déjeuner à Sala Baï = une journée de formation pour un élève.
Séjourner une nuit à Sala Baï = 4 jours de formation pour un étudiant.

Réservations Sala Baï : quartier Wat Svay, Tonle Sap road, Siem Reap / Cambodge Tel : +855 (0)89 590 864 - salabai.com. Vous pouvez aussi envoyer vos dons à Agir pour le Cambodge 14, rue du Dragon 75006 Paris - Tel : 01 47 27 50 03.

Agir Pour Le Cambodge

25 ans d'action au Cambodge
www.salabai.com

➢ **Phnom Den/Tinh Bien :** pour ceux qui sont à Takeo.

➢ **O'Yadav/Le Tanh :** relie le Ratanakiri à la province de Gia Lai (capitale Pleiku, au sud de Da Nang). Service de minivan le mat au marché de Banlung (résa auprès des hôtels). Prévoir 2h de trajet jusqu'au poste-frontière. Puis taxi collectif pour se rendre au Tanh (Vietnam), et enfin bus jusqu'à Pleiku.

➢ **Trapeang Plong/Xa Mat, Banteay Chakrey** (province de Prey Veng)/**Ving Xuong** et, peu fréquenté, **Trapeang Sre** (province de Kratie)/**Hoa Lu**.

Liaisons en bus

Très nombreux départs quotidiens.

➢ **Phnom Penh-Hô Chi Minh-Ville :** plusieurs bus/j. avec les compagnies Sorya (6 bus/j., 6h45-14h30), Giant Ibis (2 bus/j., le mat), Mekong Express (4 bus/j., 6h30-14h) et Capitol Tours (4 bus/j., 6h30-13h30). Voir la rubrique « Arriver – Quitter » à Phnom Penh pour les coordonnées des compagnies.

En bateau

➢ **Phnom Penh-Chau Doc :** bateaux rapides tlj qui partent vers 12h30 de Phnom Penh. Trajet : 5h. Les billets s'achètent directement au port. Prix : env 29 $ au départ de Phnom Penh ; 33 $ depuis le Vietnam (car à contre-courant). Une option qui permet de visiter cette intéressante ville cham avant de poursuivre le voyage dans le delta du Mékong. Rens et résas auprès de la compagnie vietnamienne Chaudoc Travel : bureau au port de Phnom Penh, 103, quai Sisowath. 📱 012-932-346 ; et à Chau Doc, Con Tien Floating Restaurant Tran Hung Dao St, ☎ (00-84-76) 356-27-71. ● chaudoctravel.com ●

➢ **Phnom Penh/Hô Chi Minh-Ville :** trajet en 2 j. + 1 nuit ou 3 j. + 2 nuits (à Chau Doc et Can Tho), petit déj inclus. Compter 3h de navigation jusqu'à la frontière. Toutes les agences de voyages le proposent (voir « Adresses et infos utiles. Agences de voyages » à Phnom Penh).

Autres destinations

En avion

■ **Air France-KLM :** à Phnom Penh. ☎ 023-219-220 ou 023-965-500. Vers **Paris et Amsterdam via Bangkok.**

■ **Malaysia Airlines :** à Phnom Penh. ☎ 023-426-688. 📱 012-868-747. À l'aéroport de Siem Reap : ☎ 063-964-135. ● malaysiaairlines.com ● 2 liaisons/j. **Phnom Penh-Kuala Lumpur.** Également 1 vol/j. **Siem Reap-Kuala Lumpur.**

■ **Air Asia :** bureau à l'aéroport (room T6) de Siem Reap. 📱 023-890-035. ● airasia.com ● À destination de **Kuala Lumpur,** 1 vol/j. de **Siem Reap,** 1 autre de **Sihanoukville.**

■ **Cathay Dragon :** à Phnom Penh. ☎ 1800-209-783 (appel gratuit sur place). ● dragonair.com ● 2 liaisons/j. **Phnom Penh-Hong Kong** et 4 vols/ sem **Siem-Reap-Hong-Kong.**

■ **Silk Air :** à Phnom Penh. ☎ 023-426-808. À l'aéroport de Siem Reap : ☎ 063-964-993. ● silkair.com ● 2 liaisons/j. vers **Singapour** au départ de **Phnom Penh** et de **Siem Reap.**

■ **China Airlines :** à Phnom Penh. ☎ 023-222-056 ou 023-223-525. ● china-airlines.com ● 3 liaisons/sem **Phnom Penh-Pékin** et **Taipei.**

■ **Jet Star Asia :** à Phnom Penh. ☎ 023-220-909. ● jetstar.com ● 5 liaisons/sem **Phnom Penh-Singapour.**

QUITTER LE LAOS

Lire, plus haut, les formalités de sortie et avertissement propres à chaque pays mentionné dans « Quitter le Cambodge ».

– Au Laos, seules les villes de Vientiane, Luang Prabang, Paksé et Savannakhet possèdent des **aéroports internationaux,** avec des vols réguliers pour les principales villes ou capitales du Sud-Est asiatique.

– **Par la route :** avant de se rendre dans un pays limitrophe, mieux vaut connaître les horaires d'ouverture de la frontière et des conditions de transport. Dans le cas des frontières peu fréquentées, il est souvent préférable d'acheter

Voyage aux pays du Mékong

Une délicieuse sensation de paix vous envahit sur un parcours rythmé par le majestueux Mekong... Du Nord Laos et ses villages authentiques, jusqu'au Cambodge, mythe de l'Asie éternelle, laissez-vous bercer par ces terres de contrastes et de sérénité.

Terres de charme & Îles du monde

68, rue de Miromesnil - 75008 Paris
5 bis, rue de l'Asile Popincourt - 75011 Paris
T. 01 55 42 74 10 / www.terresdecharme.com

* Réduction valable pour tout voyage au Laos et/ou au Cambodge, d'un montant minimum de 2 000 € TTC par personne (hors aérien)

un billet de pays à pays, incluant le passage de la frontière. Sinon, on risque de se retrouver planté ou entouré de chauffeurs profitant de la situation pour imposer des tarifs hors de prix. Ne pas hésiter à se renseigner auprès des autres routards que l'on croisera, les choses peuvent toujours changer !

Vers le Cambodge

Un *visa on arrival* valable 30 j. est délivré aux différents postes-frontières terrestres ou aéroportuaires. Lire également plus loin les formalités d'entrée dans la partie « Cambodge utile », « Avant le départ ».

En avion

■ *Lao Airlines* (zoom Vientiane, D3, 8) : à Vientiane. ☎ (021) 21-20-50. ● laoairlines.com ● À l'aéroport, ☎ (021) 51-20-28 ; (021) 51-31-46 (terminal international) et (021) 51-30-32 (terminal domestique).
■ *Vietnam Airlines* (zoom Vientiane, D3, 5) : à Vientiane. ☎ (021) 21-75-62 ou (021) 25-26-18. ● vietnamairlines. com ● À l'aéroport de Luang Prabang : ☎ 21-30-48.
➤ *Vientiane-Phnom Penh :* 1 vol/j. avec *Vietnam Airlines.*
➤ *Vientiane-Siem Reap :* 3 vols/sem, via Paksé, avec *Lao Airlines.* Durée : 3h.
➤ *Luang Prabang-Siem Reap :* 5 vols/sem avec *Vietnam Airlines.*
➤ *Paksé-Siem Reap :* 2 vols/j. avec *Lao Airlines.* Durée 1h.

En bus

➤ *Luang Prabang-Siem Reap :* 1 bus/j. en début de soirée. Trajet : pas moins de 35h.
➤ *Région des 4 000 îles-Siem Reap :* 1 minibus le mat. Durée : env 8h30-9h. Pas mal de rackets au niveau du passage de la frontière, aussi bien côté Laos que côté Cambodge (avec, par exemple, une visite médicale – payante – qu'on n'est absolument pas tenu de faire).
➤ *Paksé-Siem Reap et Phnom Penh :* depuis Paksé (gare du Sud), départs le mat (7h-11h env) avec arrêts aux points d'accès pour les 4 000 îles.

Compter 15h pour Phnom Penh, formalités comprises.

Vers la Thaïlande

En avion

■ *Lao Airlines* (zoom Vientiane, D3, 8) : pour les coordonnées à Vientiane, voir plus haut « Vers le Cambodge ». À Luang Prabang (plan d'ensemble Luang Prabang, C3, 9) : ☎ 21-21-72 ou 21-21-73 (à l'aéroport). ● laoairlines. com ●
■ *THAI* (plan d'ensemble Vientiane, A2, 7) : à Vientiane. ☎ 22-25-27. ● thaiairways.com ●
■ *Bangkok Airways* (zoom Luang Prabang, E2, 10) : à Luang Prabang. ☎ 25-33-34. À l'aéroport : ☎ 25-32-53. ● bangkokair.com ●
➤ *Vientiane-Bangkok :* 3-5 vols/j. avec *Lao Airlines, THAI* et *Bangkok Airways.* Durée : 1h15.
➤ *Luang Prabang-Bangkok :* 1 vol/j. avec *Lao Airlines,* 2 vols/j. avec *Bangkok Airways* et 4 vols/sem avec *THAI.*
➤ *Vientiane-Chiang Mai :* 1 à 2 vols/j. avec *Lao Airlines,* via Luang Prabang.
➤ *Paksé-Bangkok :* env 5 liaisons/ sem avec *Lao Airlines.* Durée : 2h40.
➤ *Savannakhet-Bangkok :* env 4 vols/ sem avec *Lao Airlines.* Durée : 1h30.

En bus

➤ *Luang Prabang-Chiang Mai :* 1 bus/j., en début de soirée. Trajet : env 16h.
➤ *Houeisai-Chiang Khong-Chiang Rai :* 2 bus/j. depuis la gare routière Aloun (hors plan de Houeisai par A2, 4). Trajet : env 3h. Ces bus s'arrêtent à la gare routière de Chiang Khong, en Thaïlande, puis continuent jusqu'à Chiang Rai. On peut aussi franchir la frontière par soi-même et emprunter des minibus reliant la frontière thaïlandaise à Chiang-Rai et Chiang Mai. Pour les conditions de passage, voir plus haut « En provenance de Thaïlande. En bus ».
➤ *Savannakhet-Nakhon Phanom ou Ubon Ratchathani et Bangkok :* via le pont de l'Amitié II. Bus pour la frontière de *Mukdahan* env ttes les heures, 8h15-19h. Durée : 1h.

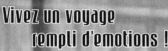

➤ *Paksé-Ubon Ratchathani et Bangkok via le poste-frontière Vangtao-Chong Mek (à 45 km de Paksé) :* 2 liaisons/j. avec le Thai-Lao International Bus. Sinon, une myriade de *songthaew* et taxis collectifs assurent la liaison avec la frontière thaïlandaise (ouv tlj 6h-18h). De Ubon Ratchathani, Bangkok est accessible (du moins cher au plus cher) en bus de nuit, train-couchettes ou vol direct.

➤ *Thakhek-Nakhom Phanom :* par le pont de l'Amitié III, situé à 12 km au nord du centre (ouv 8h-18h). 1 liaison/h Thakhek-Nakhon Phanom, 7h30-16h30 env, avec le Thai-Lao International Bus. Prix modique. De Nakhom Phanom possibilité de rejoindre Bangkok au bus ou en avion.

➤ *Vientiane (Thanaleng)-Nong Khai :* par le fameux et premier pont dit « de l'Amitié ». Premier pont construit entre les 2 pays, il enjambe le Mékong à une vingtaine de kilomètres au sud-est de Vientiane. Le poste-frontière de Thanaleng est le plus utilisé par les routards, car c'est le plus proche de la capitale, et, de plus, les liaisons entre Bangkok, Udon Thani (en avion avec *Nok Air*) et Nong Khai sont commodes et fréquentes, en bus, mais aussi en train (se renseigner auprès des agences de Vientiane). Lire aussi plus haut « En provenance de Thaïlande ».

➤ Vientiane-Bangkok : 1 bus de nuit depuis la gare Talat Sao à Vientiane.

– 2 autres points de passage entre le Laos et la Thaïlande sont autorisés aux étrangers mais rarement utilisés : *Paksan/Bueng Kan* (en bateau-navette) et *Kaenthao-Nakaxeng,* entre les provinces de Loei et de Sayabouri. Attention, pas de *visa on arrival* à priori (peut évoluer, se renseigner).

Vers le Vietnam

Lire l'avertissement au sujet du visa, cité plus haut dans « Quitter le Cambodge ».

En avion

➤ *Paksé-Hô Chi Minh-Ville :* env 3 liaisons/sem avec *Lao Airlines.* Durée : 1h30.

➤ *Vientiane-Hanoi :* 3-4 vols/j. avec *Lao Airlines* et *Vietnam Airlines.* Durée : 1h.

➤ *Vientiane-Hô Chi Minh-Ville :* jusqu'à 2 vols/j. avec *Vietnam Airlines,* un via *Phnom Penh.* Durée : 3h. Et 5 vols/sem avec *Lao Airlines* via *Paksé.*

➤ *Luang Prabang-Hanoi :* 5 vols/sem. avec *Vietnam Airlines.* Durée : 1h.

En bus

➤ *Luang Prabang-Hanoi :* 1 bus/j., en fin d'ap-m. Trajet : 24h min.

➤ *Houeisai-Hanoi :* 2 bus/sem. Départ en milieu d'ap-m. Trajet : près de 24h (1 100 km).

➤ *Houeisai-Diên Biên Phu :* 2 bus VIP/sem par le poste-frontière de Tây Trang. Départ en début de soirée. Trajet : env 14h (510 km).

➤ *Oudom Xai-Diên Biên Phu (Vietnam) :* 1 bus/j., tôt le mat. Trajet : env 7h (210 km).

➤ *Muang Khoua-Diên Biên Phu :* 1 bus tlj en fin de mat, ou minibus ts les 2 j. tôt le mat, via Tây Trang.

➤ *Vientiane-Hanoi :* départs tlj. Trajet : 24h.

➤ *Phonsavan-Vinh :* départ de Phonsavan tôt le mat, tlj sauf sam. Poste-frontière à Nam Khan. Compter env 8h de route jusqu'à Vinh.

➤ Au départ de *Thakhek, Dong Hoi* (compter env 12h de route), *Hué, Vinh* et *Hanoi* sont desservis.

➤ *Savannakhet-Hué :* au moins 1 bus/j. Durée : 9h. Bonne route, pas de galère au passage de la frontière Lao Bao-Dan Savan.

➤ *Savannakhet-Danang :* 1 bus le soir 5 fois/sem, et 1 bus le mat 2 fois/sem. Durée : 14h.

➤ *Savannakhet-Hanoi :* 3 fois/sem. Durée : 24h.

➤ *Savannakhet-Lao Bao (frontière) :* 3 fois/j., 7h-12h. Durée : 5h.

– *Poste-frontière de Bo Y :* le seul passage du Sud-Laos au Vietnam. La route n° 16 Paksé-Attapeu continue jusqu'au poste-frontière de Bo Y (compter 4-5h de trajet). Côté vietnamien, la route débouche sur la piste Hô Chi Minh, à 20 km de la frontière, d'où l'on peut monter vers le nord sur Da Nang (100 km) ou descendre par les hauts plateaux sur Kontum (60 km), Pleiku, Buon Ma Thuot et Dalat.

Vers les autres destinations

En avion

■ **China Eastern Airlines** *(plan d'ensemble Vientiane, A2, 7) : à Vientiane.* ☎ *21-23-00.* ● *flychinaeastern.com* ●

■ **THAI** *(plan d'ensemble Vientiane, A2, 7) : à Vientiane.* ☎ *22-25-27.* ● *thaiairways.com* ●

➢ **Vientiane-Kunming** *(Yunnan/ Chine) :* 2-3 vols/j. avec *China Eastern Airlines* et 1 vol/j. avec *Lao Airlines* (voir coordonnées plus haut « Vers la Thaïlande »). Durée : 3h10.

➢ **Luang Prabang-Jinghong** *(Yunnan/Chine) :* 2 vols/sem avec *Lao Airlines.*

➢ **Vientiane-Yangon et Mandalay** *(Birmanie) :* via Bangkok, 2 vols/j. avec THAI et 1 vol/j. avec *THAI Smile* pour Yangon et 1 vol/j. pour Mandalay avec *THAI Smile* et plusieurs vols quotidiens en *code share* avec *Bangkok Airways.*

➢ **Vientiane-Kuala Lumpur** *(Malaisie) :* 3 vol/sem. avec *Air Asia* (● *airasia. com* ●). Durée : 2h45.

➢ **Luang Prabang-Singapour :** 2 vols/sem avec *Lao Airlines.*

➢ **Vientiane-Singapour :** 1 vol/sem avec *Lao Airlines.*

➢ **Vientiane-Séoul** *(Corée) :* 1 vol/j. avec *Lao Airlines.*

En bus

➢ **Luang Nam Tha-Muengla** *(Chine) :* 1 bus/j., le mat. Trajet : env 3h (125 km).

➢ **Luang Nam Tha-Diên Biên Phu** *(Vietnam) :* 2 bus/j., tôt le mat. Trajet : env 9h.

➢ **Luang Nam Tha-Boten** *(frontière chinoise) :* 6 minibus/j. Trajet : env 1h30 (50 km).

➢ **Oudom Xai-Muengla** *(Chine) :* 1 bus/j., le mat. Trajet : env 6h (160 km).

➢ **Oudom Xai-Boten** *(frontière chinoise) :* 1 bus/j. Trajet : env 4h (100 km).

– Il existe un poste-frontière avec la *Birmanie*, à Ban Meuang Nom, mais il n'est pas ouvert aux touristes étrangers.

NOUVEAUTÉ

PORTO (paru)

Établie sur des rives escarpées à l'embouchure du Douro, cette jolie ville était la «belle endormie» du nord du pays. Elle donna son nom à l'antique Lusitanie. Portugal ! Tout a commencé ici. Les épopées maritimes l'ont ouverte sur le monde. L'or du Brésil l'a enrichie et les fameux vins de Porto de la vallée du Douro assurent encore sa renommée. Le quartier historique de la Ribeira, autrefois délabré, a été classé par l'Unesco. Sous l'effet d'un nouveau souffle urbain, Porto se métamorphose. La 2e ville du Portugal retrouve l'éclat de sa splendeur passée. Vieilles demeures blasonnées sortant de leur décrépitude, façades splendides ornées d'azulejos, églises baroques gardiennes de l'esprit des lieux, tramways jaunes et échoppes anciennes, restaurants et bars branchés, hôtels design ! Déambuler dans ces ruelles tortueuses et populaires est un enchantement. Une virée à Porto passe toujours par Vila Nova de Gaia, le faubourg de la rive gauche du Douro où s'alignent les chais et magasins des grands domaines viticoles (Graham's, Taylor's, Sandeman, Ferreira…). Ici, les grandes épopées se dégustent dans un verre.

CAMBODGE UTILE

ABC du Cambodge

- ❏ *Population :* 15,8 millions d'hab.
- ❏ *Capitale :* Phnom Penh.
- ❏ *Religion :* bouddhisme.
- ❏ *Régime politique :* monarchie constitutionnelle à tendance autoritaire.
- ❏ *Roi :* Norodom Sihamoni (depuis 2005).
- ❏ *Premier ministre :* Hun Sen (depuis 1998, élections en 2018).
- ❏ *Langues :* khmer, français (celle de l'écrit administratif), anglais et vietnamien.
- ❏ *Monnaie :* le riel (et, en pratique, le dollar US).
- ❏ *Signes particuliers :* 70 % de la population a moins de 30 ans ; 1/7e des routes sont goudronnés.
- ❏ *Point culminant :* Phnom Aoral (1 813 m).
- ❏ *Salaire moyen :* 120 $.
- ❏ *Indice de développement humain :* 143e rang (0,563) sur 188 pays.

AVANT LE DÉPART

Adresses utiles

– *Un site officiel :* ● tourismcambodia.org ●

En France

■ *Ambassade et consulat du Cambodge :* 4, rue Adolphe-Yvon, 75116 Paris. ☎ 01-45-03-47-20. ● ambcambodgeparis.info ● Ⓜ *Rue-de-la-Pompe. RER C :* Henri-Martin. Service visas : lun-ven 9h-13h.

En Belgique

■ *Ambassade du Cambodge :* av. de Tervueren, 264A, Bruxelles 1150. ☎ 02-772-03-72. ● amcambel@skynet.be ● camemb.bel@mfaic.gov.kh ● Service visas : lun-ven 9h-12h, 14h-16h. Possibilité de télécharger le formulaire de visa sur le site de l'ambassade du Cambodge à Paris.

En Suisse

■ *Mission permanente du Cambodge auprès des Nations unies* (section consulaire) : 3, chemin Taverney, case postale 213, 1218 Le Grand-Saconnex, Genève. ☎ 022-788-77-73. ● cambodiaembassy.ch ● Service visas : lun-ven 10h-12h, 14h-16h (par tél 17h). Demande de visa par correspondance possible.

Au Canada

■ Les ressortissants canadiens doivent contacter l'ambassade du Cambodge aux États-Unis, *à Washington :* 4530 16th St NW, Washington DC, 20011. ☎ 001-202-726-77-42 ou 001-202-997-70-31 (services consulaires). ● embassyofcambodia.org ● Lun-ven 9h-12h, 14h-17h.

Formalités

Tout voyageur se rendant au Cambodge est tenu de posséder un *passeport* valable encore au moins 6 mois après le retour, et un *visa de tourisme.* Celui-ci est valable 3 mois à partir de la date d'émission, pour un séjour de 30 jours maximum. Les *mineurs* doivent être munis de leur propre pièce d'identité (carte d'identité ou passeport). Pour l'autorisation de sortie de territoire lorsque les enfants ne sont

pas accompagnés par un de leurs parents, chaque pays a mis en place sa propre régulation. Ainsi, pour *les mineurs français,* une loi entrée en vigueur en janvier 2017 a *rétabli l'autorisation de sortie du territoire.* Pour voyager à l'étranger, ils doivent être munis d'une pièce d'identité (carte d'identité ou passeport), d'un formulaire signé par l'un des parents titulaire de l'autorité parentale et de la photocopie de la pièce d'identité du parent signataire. Renseignements auprès des services de votre commune et sur ● *service-public.fr* ●

On peut obtenir le visa :

– *auprès du consulat du Cambodge de son pays d'origine,* en présentant une photo d'identité, le passeport et sa photocopie, un formulaire par personne à remplir (téléchargeable sur le site de l'ambassade, voir plus haut), y compris pour un enfant mineur. Visa par correspondance possible. Prix du visa (toujours susceptibles d'évoluer) : 35 € en France ; 30 € en Belgique, en espèces ; 35 Fs en Suisse. Délai : 48h en France et en Belgique ou en express (supplément à prévoir) ; 3 j. ouvrables en Suisse.

– *À l'arrivée :* le *visa on arrival,* pour les touristes, peut être obtenu à toutes les frontières terrestres et dans les aéroports internationaux. Mieux vaut être en possession d'un billet retour, car certaines compagnies rechignent parfois à embarquer des passagers sans visa ni billet retour. Aux aéroports de Phnom Penh ou de Siem Reap, prévoir une photo d'identité et environ 36 $ (petit supplément si vous arrivez sans photo). Aux frontières terrestres, officiellement, c'est le même tarif. Mais dans la réalité, le prix varie selon le degré de petites entourloupes pratiquées. Ceux qui ne veulent pas y souscrire se muniront préalablement d'un visa. Et, attention, assurez-vous que les frontières sont bien ouvertes.

– *Par Internet :* le ministère cambodgien des Affaires étrangères et de la Coopération internationale propose d'obtenir un *e-visa* touristique sur ● *evisa.gov.kh* ● Il suffit de compléter le formulaire, de télécharger une photo et de régler par carte de paiement (environ 36 $). Vous recevez votre visa par courrier électronique sous 3 jours. Il ne reste plus qu'à l'imprimer en 2 exemplaires (pour le présenter à l'arrivée et au départ). *Mais, attention, le visa électronique n'est pas accepté* aux postes-frontières terrestres et maritimes qui ne sont pas équipés pour lire ce type de visa. Un tableau est disponible sur le site avec les points d'entrée et sorties valides (« Check and change » puis « Name of port »).

Le visa peut être prolongé une seule fois sur place pour 30 jours supplémentaires, auprès du *General Department of Immigration,* situé à Phnom Penh (voir les « Adresses et infos utiles » de cette ville).

– *Visa périmé à la sortie du pays (« overstay ») :* amende de 5 $ par jour dépassé. Toujours conseillé de ne pas accumuler les jours « illégaux » !

> Pensez à scanner passeport, visa, carte de paiement et *vouchers* d'hôtel. Ensuite, adressez-les-vous par mail, en pièces jointes, en même temps que votre billet électronique. En cas de perte ou de vol, rien de plus facile pour les récupérer. Les démarches administratives en seront bien plus rapides.

Avoir un passeport européen, ça peut être utile !

L'Union européenne a organisé une assistance consulaire mutuelle pour les ressortissants de l'UE en cas de problème de voyage. Vous pouvez y faire appel lorsque la France (c'est rare) ou la Belgique (c'est plus fréquent) ne disposent pas d'une représentation dans le pays où vous vous trouvez. Concrètement, cette assistance vous permet de demander de l'aide à l'ambassade ou au consulat (pas à un consulat honoraire) de n'importe quel État membre de l'UE. Leurs services vous indiqueront s'ils peuvent directement vous aider ou vous préciseront ce qu'il faut faire. *Leur assistance est bien entendu limitée aux situations d'urgence :* décès, accident ayant entraîné des blessures ou des lésions, maladie grave, rapatriement

Ariane

pour votre sécurité à l'étranger, restons connectés !

Ariane est un service gratuit mis à disposition par le ministère français des Affaires étrangères pour vous alerter en cas de risque pouvant affecter votre sécurité lors de vos déplacements à l'étranger.

↪ Créez votre compte et inscrivez vos voyages personnels ou professionnels !

↪ Les informations postées sur Ariane seront utilisées uniquement en cas de crise pendant votre séjour.

↪ Quelle que soit votre destination, ayez le réflexe Ariane !

RÉPUBLIQUE FRANÇAISE
MINISTÈRE
DE L'EUROPE ET DES
AFFAIRES ÉTRANGÈRES

Inscrivez-vous sur diplomatie.gouv.fr

NOUVEAUTÉ

COLOMBIE (paru)

Pays d'une étonnante diversité : de l'océan Pacifique à la côte caraïbe, des lacs d'altitude et sommets enneigés en passant par les vastes prairies qui mènent à l'Amazonie, sans oublier, autour de Medellín, cette région fertile qui produit le meilleur café du monde et, cerise(s) sur le gâteau, les îles de San Andrés et Providencia… Une nature qui se prête à l'aventure : rafting et parapente à San Gil, escalade et treks dans le majestueux parc El Cocuy, randonnées en Amazonie et, sur la côte caribéenne, à la découverte de la *Ciudad Perdida*. De quoi en prendre plein les yeux à Villa de Leyva, Barichara et la capitale Bogotá, avec son fameux museo de Oro et le quartier de La Candeleria, aux murs couverts de superbes *murals*. Faire battre son cœur au rythme de la salsa à Calí et à Medellín, s'émerveiller devant les vestiges précolombiens de San Agustín, laisser filer le temps à Salento, adorable bourgade colorée au cœur de la *zona cafetera,* ou encore à Mompox, petite ville coloniale au bord du río Magdalena, qui s'anime pour son festival de jazz. Enfin, parcourir à pied les remparts et ruelles de la mythique Cartagena de Indias… Ce qui unit les Colombiens aujourd'hui ? Un incroyable sens de la fête, qui prouve que la population a su courageusement tourner la page des années noires.

pour raison médicale, arrestation ou détention. En cas de **perte ou de vol de votre passeport,** ils pourront également vous procurer un **document provisoire** de voyage.

Cette entraide consulaire entre les États membres de l'UE ne peut, bien entendu, vous garantir un accueil dans votre langue. En général, une langue européenne courante sera pratiquée.

Ariane : pour votre sécurité, restez connectés

Ariane est un service gratuit mis à disposition par le Centre de crise du ministère français des Affaires étrangères pour vous alerter en cas de risque sécuritaire lors de vos déplacements à l'étranger. Créez votre compte et inscrivez vos voyages personnels ou professionnels. Les informations renseignées sur Ariane seront utilisées uniquement en cas de crise pendant votre séjour et permettent notamment de contacter les proches lors des situations d'urgence. Pour en savoir plus : ● *pastel.diplomatie.gouv.fr/fildariane* ●

Assurances voyage

■ **Assurance Routard par AVI International :** *40, rue Washington, 75008 Paris.* ☎ *01-44-63-51-00.* Ⓜ *George-V.* ● *avi-international. com* ● Enrichie année après année par les retours des lecteurs, *Routard Assurance* est devenue une assurance voyage incontournable. Tout est compris : frais médicaux, assistance rapatriement, bagages, responsabilité civile... Vous avez besoin d'un médecin, d'un conseil médical ou d'une prise en charge dans un hôpital ? Appelez simplement le plateau *AVI Assistance* disponible 24h/24, leur réseau est l'un des plus complets actuellement. Vous avez eu des frais de santé en voyage ? Envoyez les factures à votre retour, *AVI* vous rembourse sous une semaine. Avant votre départ, n'hésitez pas à les appeler pour des conseils personnalisés. Et téléchargez l'appli mobile pour garder le contact avec l'assistance

24h/24 et disposer de l'un des meilleurs réseaux médicaux à travers le monde.

■ **AVA :** *25, rue de Maubeuge, 75009 Paris.* ☎ *01-53-20-44-20.* ● *ava.fr* ● Ⓜ *Cadet.* Un autre courtier fiable pour ceux qui souhaitent s'assurer en cas de décès-invalidité-accident lors d'un voyage à l'étranger, mais surtout pour bénéficier d'une assistance rapatriement, perte de bagages et annulation. Attention, franchises pour leurs contrats d'assurance voyage.

■ **Pixel Assur :** *18, rue des Plantes, BP 35, 78601 Maisons-Laffitte.* ☎ *01-39-62-28-63.* ● *pixel-assur.com* ● *RER A : Maisons-Laffitte.* Assurance de matériel photo et vidéo tous risques (casse, vol, immersion) dans le monde entier. Devis en ligne basé sur le prix d'achat de votre matériel. Avantage : garantie à l'année.

ARGENT, BANQUES, CHANGE

Monnaie et change

– La devise cambodgienne s'appelle le **riel.** Cependant, **c'est le dollar américain** ($) **qui vous sera le plus utile dans le pays** ! Tout le monde l'accepte depuis le passage des contingents de l'ONU qui en ont inondé le pays. On vous rend parfois la petite monnaie en riels, ce qui permet d'avoir toujours des coupures des deux devises sur soi. Le change riels/dollars est à peu près stable et souvent plus intéressant dans les bureaux de change que dans les banques, mais autant garder ses dollars.

– **Change :** à titre indicatif (sous réserve de fluctuations), compter environ 4 000 riels pour 1 $ (environ 0,80 €). Dans les régions frontalières avec la Thaïlande, le *baht* (Bts) thaïlandais est aussi utilisé : 1 $ = 35 Bts = 4 000 riels, soit 1 Bts = environ 115 riels. En général, tout se passe très bien, sans arnaques. Essayer d'avoir un maximum de petites coupures (1 et 5 $) pour les tractations de base (*tuk-tuk*, repas, etc.). Attention aux dollars trop abîmés (les Cambodgiens ne les acceptent pas), aux billets douteux de 50 et 100 $ ou imprimés avant 1990 (même en bon état ; bien le préciser auprès de la banque où est effectué le change) !

– L'*euro* se change sans problème dans les banques et les bureaux de change. Cela dit, vous aurez toujours intérêt, ne serait-ce que pour des raisons pratiques, à changer vos euros en dollars plutôt qu'en riels (bonjour l'épaisseur des liasses sinon). La bonne astuce est de commander vos devises sans commission en ligne, comme le propose Travelex. Il vous suffit de commander et payer vos devises sur le site ● *travelex.fr* ● et de passer les récupérer directement dans l'une des agences Travelex présentes dans la plupart des grands aéroports et gares en France.

Cartes de paiement

Avertissement

Si vous comptez effectuer des retraits d'argent aux distributeurs, il est **très vivement conseillé** d'avertir votre banque avant votre départ (pays visité et dates). En effet, **votre carte peut être bloquée dès le premier retrait** pour suspicion de fraude. C'est de plus en plus fréquent. Bonjour les tracasseries administratives pour faire rentrer les choses dans l'ordre et on se retrouve vite dans l'embarras !

– *Distributeurs automatiques :* dans les grandes villes (Phnom Penh, Siem Reap, Sihanoukville et Battambang, notamment), on trouve des distributeurs automatiques, délivrant des... dollars. Même si le taux de change est meilleur que dans les banques et les *money changers,* la banque locale prélève sa commission (1 à 2 % par retrait, *Maybank* n'en prélève pas) en plus de celle de votre banque, souvent élevée. Alors ne retirez pas de petites sommes. Noter qu'il est également possible d'obtenir directement au guichet des banques une avance en espèces avec votre carte de paiement (même commission ; minimum 5 $) et sur présentation de son passeport.

Petite mesure de précaution : si vous retirez de l'argent dans un distributeur, utilisez de préférence les distributeurs attenants à une agence bancaire. En cas de pépin avec votre carte (carte avalée, erreurs de code secret...), vous aurez un interlocuteur dans l'agence, pendant les heures ouvrables.

– *Règlement par carte de paiement :* de plus en plus utilisé dans les grands hôtels, restaurants haut de gamme, boutiques de luxe, agences de voyages, mais aussi dans de grosses *guesthouses,* certains supermarchés, etc. Comme dans tous les pays asiatiques, une commission supplémentaire (autour de 3 %) est prélevée. Garder donc plutôt l'usage des cartes de paiement pour les grandes occasions.

Pensez à téléphoner à votre banque pour relever le plafond de retrait aux distributeurs et pour les paiements par carte, quitte à le faire rebaisser à votre retour.

Avant de partir, notez donc bien le numéro d'opposition propre à votre banque (il figure souvent au dos des tickets de retrait, sur votre contrat, ou à côté des distributeurs de billets), ainsi que le numéro à 16 chiffres de votre carte. Bien entendu, conserver ces informations en lieu sûr et séparément de votre carte.

N'oubliez pas aussi de VÉRIFIER LA DATE D'EXPIRATION DE VOTRE CARTE DE PAIEMENT avant votre départ !

ACHATS

L'artisanat traditionnel a presque entièrement disparu pendant la guerre, mais certains tentent de le faire revivre. En attendant, il reste pas mal de souvenirs à rapporter, que vous trouverez surtout dans les nombreux marchés de Phnom Penh. Quelques beaux objets un peu anciens, en cherchant bien.

– Le *krama,* très beau foulard à carreaux en soie ou en coton, est une production typiquement cambodgienne, ainsi que le *sampot,* étoffe portée autour de la taille.

– Les *boutiques des ONG,* très nombreuses à Phnom Penh, Siem Reap, et Sihanoukville notamment, vendent souvent de très beaux articles (sacs, vêtements, pochettes, etc.), colorés et créatifs. Pas donnés, mais c'est pour la bonne cause.

– Les *fripes* valent vraiment le coup : on trouve des chemises d'occasion en soie à des prix encore plus bas qu'en Thaïlande.

– Parmi les nombreuses épices, le *poivre de Kampot* est considéré parmi les meilleurs au monde, notamment sur les viandes grillées. Acheter du « Kampot Pepper » certifié pour ne pas se faire refiler du poivre vietnamien... En vente entre Kep et Kampot, dans les plantations et certaines boutiques.

– *À Angkor,* tout le monde vend la même chose : illustrations rudimentaires sur carton, instruments de musique, ainsi que figurines et bijoux en toc qu'on vous vendra au prix de l'or ou de l'argent ! Prenez soin toutefois de vous munir d'un papier délivré par les sculpteurs pour la douane.

– Bien sûr, fréquentez les *marchés,* présents dans tout le pays mais particulièrement nombreux à Phnom Penh, où vous trouverez, entre autres, des boussoles en faux ivoire ou en corne, des objets en bois sculpté, des statuettes en cuivre, des bijoux intéressants, des pierres précieuses (à condition de s'y connaître), etc.

– Important : il est *strictement INTERDIT de sortir du pays des antiquités khmères* – Angkor a été déjà suffisamment pillé ! Ne tentez surtout pas de rapporter le moindre caillou ramassé dans un temple ou une sculpture ancienne achetée sur le site : la douane fouille scrupuleusement les bagages à l'aéroport...

Marchandage

Une vieille tradition asiatique à laquelle vous n'échapperez pas. Tous les prix se discutent, surtout dans les marchés. Certains demandent des tarifs sans commune mesure avec ceux pratiqués auprès des Cambodgiens. Mais sachez aussi que, dans la plupart des cas, le commerçant n'acceptera pas de vous laisser le bien convoité au prix qu'il demande à ses compatriotes, normal puisque vous avez forcément plus d'argent qu'eux... Renseignez-vous sur les prix pratiqués pour savoir sur quelle base négocier et comparez. Ensuite, à vous d'évaluer la juste mesure entre ce que vous êtes prêt à mettre et ce qu'attend le vendeur. Sachez que dans les campagnes et les petites villes, les habitants sont habituellement moins gourmands : il convient donc de ne pas y appliquer tout à fait les mêmes principes. N'oubliez jamais que le marchandage est un art qui demande un peu de patience et beaucoup de sourires et d'humour (très important !). Passé les premières réticences, vous y trouverez même peut-être du plaisir...

BUDGET

Le Cambodge est un pays plutôt bon marché. À 10-15 $, la majorité des chambres sont propres et confortables. Dans les restos, les prix restent abordables. Même remarque pour les moyens de transport. Attention à Siem Reap où les dépenses peuvent vite s'accumuler entre le prix d'entrée élevé à Angkor, les transports pour s'y rendre et des tarifs d'hébergements et de repas plus hauts que dans le reste du pays. Inutile de culpabiliser si le prix d'une course à *moto-dop* vous paraît incroyablement bon marché (1 000 ou 1 500 riels, c'est le prix que paient les Cambodgiens).

En résumé, en adoptant un mode de vie routard normal, on peut visiter le pays avec un budget raisonnable. En prenant du temps, bien sûr, car les transports sont longs. Notez qu'entre Noël et le Jour de l'an, ainsi que pendant le Nouvel An khmer (mi-avril), période de vacances pour les Cambodgiens, les prix ont tendance à grimper.
Attention, les fourchettes de prix ci-dessous correspondent aux prix pratiqués dans les zones les plus touristiques (Siem Reap, Sihanoukville, Phnom Penh...). Les prix sont bien moins élevés dans le reste du pays.

Hébergement

Les prix s'entendent pour deux personnes, sauf pour les dortoirs dans la catégorie « bon marché » où la fourchette vaut pour une personne. À noter que le petit déj est généralement en supplément pour les catégories les plus basses.
– **Bon marché :** moins de 15 $ (12,50 €).
– **Prix moyens :** de 15 à 30 $ (12,50 à 25 €).
– **Chic :** de 30 à 50 $ (25 à 40 €).
– **Plus chic :** de 50 à 80 $ (40 à 64 €).
– **Très chic :** de 80 à 120 $ (64 à 96 €).
– **Spécial folie :** plus de 120 $ (96 €).

Nourriture

Prix d'un plat dans un restaurant :
– **Bon marché :** moins de 4 $ (3,20 €).
– **Prix moyens :** de 4 à 8 $ (3,20 à 6,40 €).
– **Chic :** de 8 à 13 $ (6,40 à 10,40 €).
– **Plus chic :** plus de 13 $ (10,40 €).

Transports

Quelques idées de prix :
– **Bus :** Phnom Penh-Siem Reap, de 7 à 15 $ selon les compagnies. Phnom Penh-Sihanoukville, de 6 à 15 $; Phnom Penh-Hô Chi Minh-Ville, de 10 à 15 $. Un peu plus cher en minibus.
– Un siège en **taxi collectif** : Siem Reap-Battambang, 7 $ environ ; Sihanoukville-Phnom Penh, environ 15 $.
– Location d'un **taxi entier** : multiplier le prix d'un siège par 5 au minimum, générale-ment par 7.
– Une place en **bateau** : de 3 à 6 fois plus cher que le bus.
– **Avion :** pour un vol Phnom Penh-Siem Reap, compter environ 50-120 $, selon les compagnies et les offres.

Pourboires

Ce n'est pas une tradition répandue, mais le personnel de l'ONU a habitué les employés des bars et des restos (surtout à Phnom Penh) à en recevoir. Il est tou-jours apprécié par les gardiens de parking quand le stationnement est « gratuit ». Cela dit, vous ne vexerez personne en ne laissant rien. Pensez aux chauffeurs et aux guides pour lesquels l'habitude du pourboire est généralisée. Un ordre d'idée : de 3 $, pour les premiers, à 5 $, pour les seconds, par jour et par personne, en fonction de la prestation bien sûr.

CLIMAT

Comme tout pays tropical digne de ce nom, le Cambodge connaît deux saisons : la **période d'hiver (de novembre à mars)** et la **mousson d'été (d'avril à octo-bre).** La première est relativement sèche (avec une température autour de 25 à

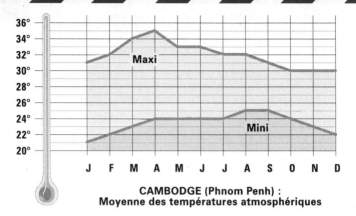

CAMBODGE (Phnom Penh) :
Moyenne des températures atmosphériques

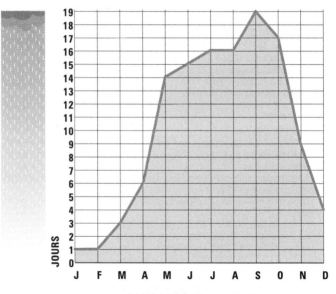

CAMBODGE (Phnom Penh) :
Nombre de jours de pluie

30 °C) ; la seconde est très chaude (jusqu'à 35 °C) et surtout très humide (pluies violentes mais courtes, en fin de journée, et pas mal d'inondations). Avril et mai sont deux mois particulièrement étouffants.

En résumé, il fait (très) chaud toute l'année ! Mais la chaleur est plus facilement supportable en hiver (janvier est idéal), moment où les pluies sont très rares. La meilleure période pour partir est donc de novembre à mars.

À emporter

Toute l'année : vêtements légers en coton. Shorts, chemisettes, tee-shirts, sanda-lettes (chaussures de marche pour Angkor), chapeau ou casquette (indispensable sur les sites), lunettes de soleil, crème solaire, lampe de poche (coupures fré-quentes) et un pull, indispensable pour affronter la climatisation très efficace des bus. Ne pas oublier que le Cambodge est l'un des premiers producteurs de textile au monde et que ce n'est pas la peine de surcharger la valise : vous trouverez sur place tee-shirts, chemisettes, pantalons légers. Peu de grandes tailles toutefois. En été (saison des pluies) : ajouter un parapluie pliable ou un imper léger.

DANGERS ET ENQUIQUINEMENTS

Après des années d'insécurité dues à la guérilla des Khmers rouges, le Cambodge est progressivement rentré, depuis 1998 (année de la fin des combats), dans une période de stabilité et de sécurité civile. **Phnom Penh** a connu une véritable métamorphose et a quitté le cercle des capitales dangereuses. Ce qui n'empêche pas d'être vigilant : le vol à l'arraché (surtout des gars à moto) est en expansion. Alors, tenez bien vos sacs quand vous marchez dans la rue, circulez à bord d'un *tuk-tuk* ou d'un *moto-dop*. La nuit, mieux vaut prendre un *tuk-tuk* qu'un *moto-dop*. Comme il y a moins de circulation, ces derniers ont tendance à rouler nettement plus vite ou carrément en état d'ivresse, quand ce n'est pas les deux...

Siem Reap, la région des temples d'Angkor et les grandes villes sont des desti-nations sûres. Jusqu'aux provinces reculées de *Kratie* et du *Ratanakiri* et, surtout, de *Païlin* (l'ancien fief des Khmers rouges) qui s'ouvrent de façon dynamique au tourisme, preuve s'il en est que le spectre de l'insécurité militaire et civile est désormais bien loin.

On peut donc se balader de façon autonome presque partout. Cela n'empêche pas de se méfier, comme dans n'importe quel autre pays, des pickpockets dans les marchés et les bus, ainsi que des quartiers excentrés un peu trop sombres la nuit. On donne la même consigne qu'en maints autres pays : en cas d'agression armée (ça peut arriver, comme partout), ne tentez pas de résister, donnez sur-le-champ l'argent (ou la montre). Concernant l'argent, ne jamais en emporter beau-coup en balade. Enfin, lorsque vous partez vous promener, laissez votre passeport dans un lieu sûr et ne conservez sur vous qu'une photocopie.

ÉLECTRICITÉ

Pas de problème majeur. Les prises françaises s'adaptent parfaitement aux prises cambodgiennes.

FÊTES ET JOURS FÉRIÉS

Pour les fêtes dont les dates varient selon la lune, renseignez-vous pour connaître les dates précises, nous n'indiquons qu'une période. À noter également que lors-qu'un jour férié à date fixe tombe un samedi ou un dimanche, les administrations ferment le lundi suivant.

– **7 janvier :** fête nationale. Elle commémore la chute du régime de Pol Pot, suite à l'intervention de l'armée vietnamienne.

– **Janvier-février :** fête du Têt. C'est le Nouvel An vietnamien. La plupart des magasins ferment à cette occasion pendant plusieurs jours.

– **Fin février :** course de cyclo-pousse à Phnom Penh, dans le quartier du Palais royal. Le premier rallye eut lieu en 1993, à l'initiative de Serge Chevalier (un bou-langer français) et du ministère du Tourisme.

– **8 mars :** Journée internationale de la femme.

– **Mi-avril :** Nouvel An khmer *(Bon Chaul Chhnam)*, fêté pendant 3 jours. Il marque la fin de la saison sèche. Nombreux jeux dans la rue. Les Cambodgiens passent leur temps à s'asperger les uns les autres. Amusant. Comme c'est une période de congés, il est plus difficile de trouver des restos ouverts, une chambre d'hôtel (penser à réserver) ou une place de bus. Et les prix ont tendance à grimper.

– **Fin avril, début mai :** anniversaire de l'Illumination du Bouddha.

– **1er mai :** fête du Travail, comme partout.

– **9 mai :** jour du Génocide. Un hommage est rendu ce jour-là à la mémoire des (nombreuses) victimes des Khmers rouges. La cérémonie la plus émouvante a lieu au mémorial de Choeung Ek, dans les environs de Phnom Penh.

– **14 mai :** anniversaire du roi Norodom Sihamoni. Le jour chômé ne tombe pas forcément à cette date-là, il peut varier de quelques jours.

– **Mi-mai :** cérémonie du Sillon sacré *(Chat Prea Angkal)*. Cette fête traditionnelle célèbre les premières pluies et donc les premières semailles de riz. Elle a généralement lieu devant le Musée national.

– **1er juin :** Journée internationale de l'enfant.

– **18 juin :** anniversaire de Sa Majesté la reine mère.

– **24 septembre :** Journée de la Constitution.

– **Fin septembre :** fête des Ancêtres *(Phchoum Ben)*. Les Cambodgiens commémorent les esprits des morts. Des offrandes sont faites à cette occasion. La croyance veut que si les âmes des personnes mortes ne voient pas leur famille faire des offrandes dans un *wat,* l'âme sera damnée et viendra importuner sa famille pendant l'année. À l'occasion de cette importante fête, les prix augmentent, et certaines boutiques et restos ferment.

– **Octobre :** autre fête religieuse importante venant après la fête des Ancêtres. Elle dure 29 jours, pendant lesquels les Cambodgiens se rendent en procession au *wat* pour offrir aux moines de nouvelles robes safran.

– **23 octobre :** célébration des accords de Paris de 1991.

– **29 octobre :** jour du couronnement du roi Norodom Sihamoni.

– **Novembre** (renseignez-vous sur la date précise, ça change chaque année) **:** fête des Eaux *(Bon Om Touk)*. Une fête à ne pas manquer !

– **9 novembre :** fête de l'Indépendance. À cette occasion, tous les magasins suspendent le drapeau national devant leur vitrine, improvisant un mât avec un portemanteau, par exemple.

– **10 décembre :** Journée des Droits de l'homme.

HÉBERGEMENT

On trouve de quoi se loger à tous les prix. Pour l'instant, **pas de camping,** bien que certaines adresses (très peu) proposent des tentes à louer ou un bout de pelouse. Pour les fauchés, on trouve souvent des **hamacs** à louer pour deux fois rien (encore faut-il arriver à dormir dans un hamac). Dans la capitale et les endroits touristiques, les **hostels** (AJ privées), **guesthouses** et **petits hôtels** ne manquent pas. Ces établissements proposent souvent des dortoirs. Et, bien sûr, des chambres simples, avec ou sans fenêtre, salle de bains, moustiquaire, ventilo, clim, eau chaude, etc. Noter que de plus en plus d'hôtels de bon standing ont des sections « hostel » pour capter tous les budgets (notamment à Siem Reap). Un petit conseil, n'hésitez pas à vérifier la propreté des draps lorsque vous prenez la chambre.

Une autre option qui tend à se développer, souvent avec l'aide d'ONG : les **homestays,** des chambres bon marché chez l'habitant ou des gîtes gérés par des communautés villageoises, repas compris. Confort souvent sommaire, mais les hébergements sont propres et l'accueil est au rendez-vous. En tout cas, un moyen idéal pour se plonger dans la vie quotidienne des Khmers.

Avec quelques dollars supplémentaires, on pourra loger dans des établissements plus confortables (pas mal d'établissements dans les 20-40 $ offrent de remarquables rapports qualité-prix !). Quelques belles adresses de charme également.

Bon à savoir pour comprendre les tarifs indiqués dans les hôtels : « *single* » dési-gne généralement une chambre avec un lit double et « double » une chambre avec 2 lits simples.

LANGUE

L'idiome officiel est le *khmer,* grammaticalement simple : il n'existe ni conjugaison, ni genre, ni nombre, ni article. Ainsi, pour exprimer une action passée ou future, il suffit d'ajouter des adverbes avant ou après le verbe (hier, aujourd'hui, demain) ou des particules avant le verbe.

C'est avec la prononciation que tout se complique : le « r » est, par exemple, roulé en début et en milieu de mot. Il est, en revanche, à peine audible ou carré-ment guttural quand il est placé à la fin. De même, le « tch » est tout juste esquissé et le « b » final se prononce entre le « b » et le « p ».

Pour ne rien arranger, l'écriture (d'élégantes volutes) est indéchiffrable pour qui n'a pas fait Langues O, l'alphabet étant issu du sanskrit... Rassurez-vous, (presque) tout est traduit en anglais dans les magasins, les restos et les édifices publics. Pas mal de traductions en français également. N'oublions pas que le français, bien que de moins en moins parlé, est la deuxième langue du pays et que tous les textes administratifs sont traduits dans la langue de Rabelais.

Aujourd'hui, les jeunes appren-nent surtout l'anglais. Mais l'Ins-titut français du Cambodge attire tout de même près de 6 000 élè-ves. Il y a également beaucoup de francophones, généralement d'anciens exilés revenus au pays (les « Franco-Khmers »), dans l'administration. Quelques rudi-ments de khmer ne vous seront

COMMENT ÇA VA ?

Les Cambodgiens adorent interpeller les femmes francophones par cette phrase d'apparence anodine. La prononciation est très proche de « Cormon sava », qui signifie en khmer... jeune fille capri-cieuse ! Coquins, ces Cambodgiens !

pas inutiles, surtout en dehors de la capitale. On peut se procurer, dans les librai-ries de Phnom Penh, l'excellent petit lexique français-khmer de Pierre Guynot. Voici quelques mots indispensables, que nous vous conseillons de prononcer de différentes manières tant que vous n'êtes pas compris.

Vocabulaire de base

Expressions courantes

Bonjour	*Suôr sdei*
Bonsoir	*Sa ayan souô sadai*
Pardon	*Somto*
Au revoir	*Léa sen haoy*
Merci (beaucoup)	*Or koun (chœur)*
Oui	*Baat* (par les hommes) ou *chaah* (par les femmes)
Non	*Baat tè* et *chaah tè*
Comment ça va ?	*Sok sa bai ?*
Argent	*Luoy* ; *prakh*
Combien ça coûte ?	*Tlay pon man ?*
Je voudrais	*Khniam chang ban*
S'il vous plaît	*Somtoh*
Cher (C'est trop cher)	*Tlaï (Tlaï nah !)*
Excusez-moi	*Som toh*
Comment t'appelles-tu ?	*Neak tchmo haï ?*
Je m'appelle...	*Khniom tchmo...*

Au resto

Manger	*Gniamiam*
Viande	*Satch*
Boire	*Niam teuk*
Porc	*Satch tchrouk*
Bouteille	*Dâp*
Poulet	*Moan*
Eau (pure)	*Teuk (sot)*
Bœuf	*Satch ko*
Bière	*Biia* (ou *beer* en anglais)
Sel	*Amboel*
Poivre	*M'réét*
Riz que l'on achète	*Baï*
Riz (que l'on mange)	*Angkâr*
Fruit	*Plètcheu*
Soupe	*Sômlâ*
Banane	*Tcheik*
Œuf	*Potear*
Couteau	*Kâmbet*
Fourchette	*Sâm*
Poisson	*Treï*
Lait	*Teuk dâ ko*

À hôtel

Hôtel	*Santhakea*
Douche	*Bantoup teuk*
Chambre	*Bantoup*
Lumière	*Ponlü*
Lit	*Kré*
Moustiquaire	*Mung*
Draps	*Kom ral pouk*
Savon	*Sabou*

Sur la route

Bus	*Lan krong*
Gare routière	*Ben lan*
Vélo	*Kâng*
Moto	*Môtô*
Billet (pour)	*Tinh sâmbot (thœu)*
Petit bateau (pirogue)	*Touk*
Grand bateau	*Kapal*
Quand ?	*Pel na ?* (ou *kal na ?*)
Voiture	*Lan*
À quelle heure ?	*Mâong ponman ?*
Gare	*Sathani*
Où ?	*Ti na ?*

Lieux

Où se trouve ?	*Neuv ai naa ?*
Loin	*Chngaay*
Proche	*Chiet*
Ville	*Ti krong*
Lac	*Boeng*
Pagode	*Wat*
Temple	*Prasat*

Pont	*Spiean*
Colline	*Phnom*
Fleuve	*Tonlé*
Rizière	*Srê*
Port	*Kompong*
Marché	*Psaa(r)*
Banque	*Thoniaki*
W-c	*Bankoune*

En cas de problème

Malade	*Chloen*
Très urgent	*Prognap nah*
Ambulance	*Lan pèt*
Vite	*Poeun*
Médecin	*Krou pèt*
Hôpital	*Monti pèt*
Français	*Barang*
Je suis français	*Kniom chon cheat barang*

Nombres

Un	*Mouï*
Deux	*Pi*
Trois	*Beï*
Quatre	*Boun*
Cinq	*Pram*
Six	*Pram mouoï*
Sept	*Pram pi*
Huit	*Pram beï*
Neuf	*Pram boun*
Dix	*Dâp*
Onze	*Dâp mouï*
Douze	*Dâp pi*, etc.
Seize	*Dâp pram mouï*
Dix-sept	*Dâp pram pi*, etc.
Vingt	*Mapeï*
Vingt et un	*Mapeï mouï*, etc.
Trente	*Samsap*
Quarante	*Sairsap*
Cinquante	*Asap*
Soixante	*Oksap*
Soixante-dix	*Tchetsap*
Quatre-vingt	*Pètsap*
Quatre-vingt-dix	*Kaosap*
Cent	*Mouï roï*, etc.
Mille	*Mouï poan*, etc.

LIVRES DE ROUTE

Romans, récits

– *Un barrage contre le Pacifique,* de Marguerite Duras (Gallimard, coll. « Folio », 1978). Porté à l'écran par René Clément quelques années après sa parution en 1950, puis par le cinéaste franco-cambodgien Rithy Panh en 2008. Dans ce roman autobiographique, Marguerite Duras nous immerge dans l'ambiance du Cambodge de l'époque coloniale en relatant l'histoire d'une famille française marquée par le déclassement social.

– *La Voie royale,* d'André Malraux (Le Livre de Poche, 1976). Quelque part au Cambodge serpentent les restes de ce qui fut la Voie royale, la route mythique et disparue qui reliait, à travers la jungle, Angkor au bassin de la Menam, la route des temples khmers, somptueux et inviolés. Dans cette région sauvage iront se perdre un archéologue et un vieil aventurier unis par leurs quêtes parallèles, à la recherche d'inestimables sculptures de grès. Récit semi-autobiographique fiévreux et sombre, magnifique roman d'aventures.

– *Nos vingt ans* (1962, Grasset, coll. « Les Cahiers Rouges », 2006), de Clara Malraux. Avoir la vingtaine dans les années 1920. L'ex-femme du célèbre ministre de la Culture du grand Charles dédie ses mémoires aux beatniks 2 ans avant Mai 68. Carnet de route d'un jeune écrivain ambitieux et d'une petite (par la taille !) bourgeoise juive, attirés par les voyages et les œuvres d'art. Malraux organise une expédition à Angkor pour aller dérober des statues et les revendre aux antiquaires. Tout ne se passe pas comme prévu. Il manque de croupir dans les geôles de Phnom Penh, mais un manifeste d'intellectuels (Aragon, Mauriac, Breton...) prend fait et cause pour sa libération.

– *Jarai,* de Loup Durand (Kailash, 2006). Heureuse initiative de l'éditeur de Pondichéry que cette réédition d'un roman dont l'action se déroule dans le Cambodge du début des années 1970. On peut à la fois le considérer comme un roman d'aventures et comme un récit initiatique ! Tout premier voyageur au Cambodge se doit de l'avoir lu et tout résident de le relire, car il est à la fiction ce que fut l'essai de Charles Meyer – *Derrière le sourire khmer* (une rareté très recherchée) –, une mine d'informations et de réflexions pour mieux appréhender ce pays mystérieux.

– *Le Roi lépreux,* de Pierre Benoît (1927 ; Le Livre de Poche, 2012). L'auteur de *L'Atlantide* inventait le polar archéologique dans les années 1930 avec ce *road-book* dont le thème se résume à une question : pourquoi la statue de ce roi lépreux présente un visage souriant alors que les peintures le représentent avec un air soucieux ? Un trio composé d'une danseuse apsara, d'un conservateur français et d'une milliardaire américaine s'attache à dénouer cette énigme.

– *L'Archéologue,* de Philippe Beaussant (1987). Mordu par un serpent, un archéologue se meurt sur les berges du Nil. Son passé lui revient, en particulier son itinéraire cambodgien. Dans un long monologue philosophique passionnant et superbement écrit, où il est tout autant question de musique que d'archéologie, le narrateur sonde avec une rare acuité l'âme khmère et l'essence de son expression artistique.

– *Le Saut du varan,* de François Bizot (Gallimard, coll. « Folio », 2008). Un polar historique qui met en scène deux hommes, un inspecteur et un ethnologue, amenés à enquêter sur le meurtre d'une jeune Cambodgienne sur fond de traditions et de terres ancestrales.

– *Kampuchéa,* de Patrick Deville (Points, 2012). L'auteur s'était déjà aventuré au Vietnam avec *Peste et Choléra.* Avec la même précision d'explorateur et de chimiste, il replonge le lecteur dans le tumultueux passé du Cambodge, en faisant revivre avec une densité extraordinaire des histoires individuelles. Depuis la colonisation jusqu'au régime khmer rouge, on est embarqué par le récit de personnages souvent oubliés.

– *Un pèlerin d'Angkor,* de Pierre Loti (1913 ; CreateSpace Independent Publishing Platform, 2018). Quand Pierre Loti découvre Angkor pour la première fois, en 1901, son rêve d'enfant devient réalité. Face à la majestueuse cité khmère, l'écrivain (pourtant grand voyageur) se sent tout petit. De par son humilité, le récit de son pèlerinage nous livre bien des clés de sagesse. Plus qu'un périple, une découverte : sur soi, les autres, le monde. Un siècle après, ce carnet de voyage trépidant résonne toujours avec la même intensité poétique.

Histoire et civilisations

– *Les Khmers,* de Bruno Dagens (Les Belles Lettres, 2003). Un vrai jeu de piste par thèmes dans la culture khmère. Tant d'érudition en si peu de pages et exposée d'une façon aussi simple et ludique mérite le respect. À consulter pour devenir incollable sur les us et coutumes et l'histoire du Cambodge.

– *Cambodge : art, histoire, société,* de Danielle et Dominique Guéret (Actes Sud, Imprimerie Nationale, 2009). Un livre d'art et de référence sur le patrimoine culturel et naturel du royaume. Indispensable à tout amoureux du Cambodge ou tout lecteur désireux de connaître le pays en profondeur.

– *100 questions sur le Cambodge,* de Frédéric Amat et Jérôme Morinière (Gope éd., coll. « Tuk-Tuk », 2013). Les deux journalistes interrogent neuf spécialistes sur l'histoire, les Droits de l'homme, leur vision du pays, leurs souvenirs et anecdotes. Des réponses et récits pour mieux appréhender le Cambodge.

Sur la période khmère rouge et les procès

– *Le Portail,* de François Bizot (Gallimard, coll. « Folio », 2002). Ethnologue, membre de l'École française d'Extrême-Orient, l'auteur est fait prisonnier au Cambodge par la guérilla Khmère rouge, en 1971. Enchaîné, il passe 3 mois dans un camp. Il est interrogé par Duch, le tortionnaire, plus tard directeur de la prison S-21 et responsable de 17 000 morts. À la chute de Phnom Penh, les Khmers rouges le nomment interprète des réfugiés qui se sont retranchés à l'ambassade de France. Il démontre ici les mécanismes de l'épouvante du régime khmer rouge et fait tomber le masque du bourreau monstre qui, grâce à une écriture splendide, redevient presque humain.

– *Le Silence du bourreau,* de François Bizot (Flammarion, 2011), coll. « Folio », 2013). Prolongement du récit *Le Portail,* suite aux retrouvailles de l'auteur et de son ex-geôlier en 2008. À travers le témoignage très personnel et le recueil de la confidence de Duch durant son procès, Bizot s'interroge sur la terrifiante capacité d'un homme à devenir un monstre, tout en restant humain...

– *Le Maître des aveux,* de Thierry Cruvellier (Gallimard, 2011). Spécialisé dans la couverture de procès internationaux (Sierra Leone, Rwanda...) et seul journaliste étranger à avoir suivi de façon continue le procès des hauts dirigeants khmers de 2007 à 2011, Thierry Cruvellier signe ce récit au centre duquel il y a le procès de Duch, en 2009, le bourreau zélé du régime, qui a plaidé coupable.

– *Tu vivras mon fils,* de Pin Yathay (2000 ; Archipel, 2005). Récit autobiographique du passage miraculeux d'un jeune ingénieur à travers les mailles sanglantes de l'univers concentrationnaire des Khmers rouges. De l'évacuation de Phnom Penh jusqu'à la fuite à travers la jungle vers la Thaïlande, l'odyssée tragique d'un homme ordinaire propulsé chef d'un clan familial qui sera entièrement décimé compose un véritable manuel de survie allant jusqu'à traiter les cas de conscience les plus douloureux. Un des meilleurs exemples de cette littérature.

– *Une enfance en enfer, Cambodge 17 avril 1975-8 mars 1980,* de Malay Phcar (Robert Laffont, 2005). L'auteur n'avait que 9 ans quand les Khmers se sont emparés de Phnom Penh en 1975. Une vision de l'intérieur avec les yeux d'un enfant. Le travail forcé et toutes ses horreurs. Émouvant.

– *L'Élimination,* de Rithy Panh, avec Christophe Bataille (2012 ; Le Livre de Poche, 2013). « Oublier est impossible. Comprendre difficile. » C'est pourtant ce que Rithy Panh tente de faire dans ce livre fascinant. Extrêmement sobre et sensible, le récit alterne entre souvenirs bouleversants de l'enfance de l'auteur dans le Kampuchéa démocratique et confidences de Duch, obtenues après des centaines d'heures d'entretien. En donnant ainsi la parole à l'ex-directeur du camp S-21, inventeur d'une véritable mécanique d'élimination, Rithy souhaite exposer la vérité et non juger.

B.D.

– *L'Année du lièvre* (tome I, *Au revoir Phnom Penh*), Gallimard, 2011, par Tian. Cette B.D. nous plonge dans le quotidien d'une famille chassée de Phnom Penh après la prise de la capitale et du pouvoir, le 17 avril 1975, par les Khmers rouges. Angoisse, peur et violence l'accompagnent tout au long de sa fuite, au cours de laquelle elle va découvrir les horreurs de la révolution. Le tome II, *Ne vous inquiétez pas,* et le tome III, *Un nouveau départ,* sont parus en 2013 et 2016 chez le même éditeur.

– En plus des récits des rescapés cités plus haut, il faut lire la trilogie de *Séra,* auteur de B.D. franco-khmer, imprégnée du traumatisme cambodgien et très documentée (cartes, plans, bibliographie). Le style de l'illustrateur inspiré par la photographie, aux tonalités sombres et angoissantes, accentue l'horreur et les tourments, en prenant parfois le pas sur la narration :

– *Impasse et rouge* (Albin Michel, 2003). La chute de la République khmère de Lon Nol.

– *L'Eau et la Terre : Cambodge 1975-1979* (Delcourt, 2005). Le Cambodge durant les années de plomb de l'autogénocide.

– *Lendemains de cendres : Cambodge 1979-1993* (Delcourt, 2007). La fin du régime de Pol Pot et la fuite des premiers réfugiés vers la Thaïlande.

Actualité économique et sociale

– *Cambodge contemporain,* sous la direction d'Alain Forest (Indes Savantes/ Irasec, 2008). Au sein de cette somme pluridisciplinaire, on retiendra, entre autres, le chapitre très instructif « Pour comprendre l'histoire contemporaine du Cambodge », signé Alain Forest, l'un des meilleurs connaisseurs francophones du pays.

Sur Angkor

Quelques ouvrages indispensables pour mieux comprendre le Cambodge, avant et après votre voyage... Cette liste n'inclut pas tous les livres consacrés à Angkor, trop nombreux. Vous en trouverez sur place, la plupart épuisés en France, photocopiés par des revendeurs cambodgiens... L'un des plus réputés est celui de Maurice Glaize, *Les Monuments du groupe d'Angkor* (Adrien Maisonneuve, 2000). Fin 2010, il est ressorti aux éditions Hazan dans le format d'un beau livre d'art, actualisant le texte de Glaize sous la supervision de Gilles Béguin et illustré de photos de Suzanne Held.

– La référence est l'ouvrage de Jean Laur, *Angkor, temples et monuments* (Flammarion, 2002). Ancien conservateur du site, il a répertorié chaque emplacement avec minutie et passion. Un beau livre assez lourd, plutôt à consulter avant ou après le voyage. On trouve cet ouvrage en solde.

– *Angkor, la forêt de pierre,* de Bruno Dagens (Gallimard, coll. « Découvertes », n° 64, 1989). Le plus accessible (financièrement) des livres illustrés consacrés à Angkor. Un panorama complet du site le plus mythique d'Asie du Sud-Est, de sa découverte par un voyageur chinois jusqu'au vandalisme actuel qui le menace. Aucune figure ne manque : archéologues héroïques qui consacrèrent leur vie aux temples, écrivains inspirés par la magie des lieux, grands de ce monde en pèlerinage obligatoire ou simples balayeurs dévoués... Reproductions superbes de cartes et gravures anciennes.

– *Le guide des temples d'Angkor,* de Michel Petrochenko (Michel Petrochenko, 2015). Une approche à la fois très descriptive, complète, et pour autant pas du tout rébarbative. Bien au contraire ! Les nombreuses illustrations et un usage précis des couleurs sur les nombreux plans rendent l'ensemble vivant, simple et très accessible. Probablement le plus pratique de tous les guides. Une réussite.

– *Angkor : gloire et splendeur de l'Empire khmer,* de Marilia Albanese (éd. White Star, 2010). Superbement illustré, cet ouvrage détaille chaque temple avec force plans et itinéraires.

– *Angkor et ses temples,* de Thierry Zéphir (Éd. du Pacifique, 2005). Du fait de son format pratique et léger, de son prix raisonnable, c'est l'une des meilleures ventes sur le site archéologique.

– *Archéologues à Angkor,* de l'EFEO (éd. Paris-Musée, 2010). Illustré d'une sélection de photos tirées des archives de l'EFEO. Un ouvrage incontournable pour tout amateur d'art khmer.

Et, parce que la majesté des sites d'Angkor requiert autant de bases sur la mythologie hindouiste que bouddhiste, voici une petite approche très agréable à parcourir :

– *Promenade avec les dieux de l'Inde,* de Catherine Clément (Points, 2007, 265 p.). Ces pages sont tirées des émissions que l'écrivaine a concoctées pour France Culture. Loin de constituer une introduction traditionnelle à l'hindouisme, elles rendent les frasques et les relations de ces dieux familières. Des connaissances érudites transmises avec la simplicité et le talent d'une conteuse.

Langue

– *Parler le cambodgien, comprendre le Cambodge,* de Pierre-Régis Martin. Disponible uniquement sur place (librairie « Carnets d'Asie », Mekong Libris). En plus de la partie langue pure, permet aussi d'en savoir plus sur les coutumes et la mentalité khmères.

Sur la cuisine cambodgienne

– *La Cuisine du Cambodge avec les apprentis de Sala Baï,* de Joannès Rivière (Philippe Picquier, 2009). Voici le livre de recettes de l'école hôtelière de l'association *Agir pour le Cambodge* (voir plus loin « Aide humanitaire » dans « Cambodge. Hommes, culture, environnement »). Vous pouvez reproduire ce que vous aurez eu la chance de goûter sur place au resto d'application *Sala Baï* (voir également à Siem Reap « Où manger ? »). Les droits d'auteur de l'ouvrage sont intégralement reversés à *Agir pour le Cambodge (14, rue du Dragon, 75006 Paris ;* ● *agirpourle cambodge.org* ●).

– *Le Vrai Goût du Cambodge : une traversée du pays en 50 recettes,* de Céline Anaya Gautier (Aubanel, 2008). Ouvrage très illustré, au titre explicite, puisqu'il s'agit aussi d'un beau livre sur le pays khmer.

Pour les Franciliens, ne pas hésiter à vous rendre dans cette librairie spécialisée :

■ **You Feng :** 45, rue Monsieur-le-Prince, 75006 Paris. ☎ 01-43-25-89-98. ● *you-feng.com* ● ⓜ *Odéon.* Lun-sam 9h30-19h. **Autre adresse :** 66, rue Baudricourt, 75013 Paris.

☎ *01-53-82-16-68.* ⓜ *Tolbiac. Mar-sam 10h-18h30.* Éditeur-libraire très sympa, spécialiste du Cambodge et de l'Extrême-Orient. Tous les ouvrages disponibles (en anglais et en français).

PHOTOS

Par courtoisie, demandez toujours aux gens (y compris aux bonzes et aux vieillards) s'ils vous autorisent à les photographier (un signe et un sourire suffisent). S'ils ont quelque chose à vendre, achetez-leur une babiole pour les remercier de la faveur qu'ils vous font. Quant aux moines, donnez-leur une obole en signifiant bien que c'est pour l'entretien du temple. Par ailleurs, on trouve des cartes mémoire dans certaines boutiques de Phnom Penh ou sur le site d'Angkor à des prix assez intéressants.

POSTE

Les principaux bureaux de poste sont ouverts du lundi au samedi de 8h à 12h et de 14h à 17h. Compter un délai approximatif de 15 jours.

SANTÉ

Dans un pays ruiné comme le Cambodge, la situation sanitaire est évidemment déplorable. La population connaît les ravages du paludisme, de la malnutrition, de la tuberculose, actuellement première cause de mortalité, et de la rage (pays le plus touché par cette maladie). Quant aux voyageurs, les vaccins, les règles élémentaires d'hygiène et les précautions alimentaires habituelles les préserveront dans la plupart des cas.

Vaccinations

Aucune vaccination n'est obligatoire pour les voyageurs en provenance d'Europe. Sont très fortement conseillées :
– *les vaccinations « universelles »,* encore plus utiles là-bas. Diphtérie, tétanos, polio, coqueluche (Repevax ou Boostrixtetra) : un rappel tous les 15 ans pour les personnes qui ont eu un suivi régulier de leurs rappels. Hépatite B : immunité d'autant plus longue que la primovaccination a été faite tôt dans la vie (avant 20 ans, probable immunité à vie).
– *Hépatite A* (par exemple Vaqta) *:* absolument indispensable. Après la première injection (protectrice 15 jours plus tard, à quasi 100 %), une seconde injection faite 6 à 18 mois plus tard entraîne très vraisemblablement une immunité à vie.
– *Typhoïde* (Typhim Vi) *:* indispensable, sauf peut-être pour un très court séjour dans la capitale. Immunité : 3 ans. Il existe également un vaccin combiné hépatite A + typhoïde, le Tyavax.
– *La rage :* attention aux chiens, souvent porteurs de la maladie. Les symptômes n'apparaissent pas avant 10 à 15 jours, mais l'issue est alors toujours fatale. Le vaccin peut être délivré par tout pharmacien et les trois injections (J0, J7, J28) peuvent être réalisées par tout médecin. En cas de morsure, laver immédiatement et abondamment la plaie avec du savon. Puis contacter en urgence le consulat qui doit pouvoir vous délivrer (ou *vous conseiller une pharmacie qui ne vend pas de contrefaçons)* des doses de vaccin ou vous faire rapatrier en urgence. Attention, même lorsqu'on est déjà vacciné, il faut se faire injecter aussi vite que possible le rappel, puis une autre dose 24h après.
– *L'encéphalite japonaise :* elle sévit en permanence. C'est une maladie grave. La vaccination est d'autant plus recommandée que les séjours ruraux seront longs, en particulier dans les zones de rizières. Le vaccin (Ixiaro®) consiste en deux injections (J0, J28), en centre de vaccinations internationales et en pharmacie (sur prescription) : autour de 70-90 € chaque dose ! Plus d'infos sur ● *astrium.com/ encephalite-japonaise.html* ●

Centres de vaccination

Pour les centres de vaccination partout en France, dans les DOM-TOM, en Belgique et en Suisse, consulter le site internet ● *astrium.com/espace-voyageurs/ centres-de-vaccinations-internationales.html* ●

Risques et précautions

– Le *paludisme* est, d'une manière générale, mal connu des médecins européens. Il faut savoir que le paludisme en Asie, certes redoutable, est absent du centre-ville des grandes villes et très restreint en bord de mer. Mais si à Phnom Penh et à Siem Reap il n'y a quasi pas de paludisme intra-muros, les moustiques vecteurs sont bel et bien présents sur le site d'Angkor, d'où il est conseillé de repartir avant le coucher du soleil... l'heure où se réveillent ces « chair» bestioles ! Dans le cas contraire, pour Angkor et les zones rurales, un traitement anti-paludique est fortement conseillé. Ne pas prendre cette maladie à la légère. Utiliser abondamment des répulsifs antimoustiques efficaces (à base de DEET 50 %), s'enduire les parties découvertes du corps et renouveler fréquemment l'application (toutes les 4h). Une moustiquaire imprégnée d'insecticide est utile (moustiquaire souvent fournie dans les

L'ABSINTHE CONTRE LE PALUDISME

En guerre contre les Américains, l'armée du Vietnam dévastée par le paludisme, se tourna vers la Chine, un ancien allié, pour trouver un remède. Sous couvert d'un projet secret nommé « 523 », le Docteur Youyou Tu finit par isoler « la » substance miracle au début des années 1970. Son nom ? L'artémisinine, qui est un dérivé de l'absinthe ! Aujourd'hui encore, l'artémisinine reste le traitement considéré comme le plus efficace pour lutter contre le paludisme. Alors merci, Youyou Tu, trop tardivement récompensée – en 2015 – du prix Nobel de médecine. Et merci l'absinthe. Santé !

hôtels mais rarement imprégnée ; emporter la sienne !). Porter des vêtements couvrants, si possible imprégnés d'insecticides (chemise à manches longues et pantalon), lorsque la nuit est tombée et jusqu'au lever du soleil. Éviter le parfum. NE PAS OUBLIER LES ANTIPALUDIQUES prescrits par un médecin si vous séjournez dans des zones à risques. En cas de fièvre pendant ou après le voyage, consulter d'urgence un spécialiste.

– La ***dengue*** est également transmise par les moustiques, mais de jour. Les symptômes sont sensiblement les mêmes que pour le paludisme (fièvre, migraines, douleurs musculaires, fatigue intense et, en prime, parfois une éruption cutanée), à cette différence près que cette maladie n'est généralement pas mortelle. Heureusement, car on ne lui connaît pas de traitement. Protégez-vous ! Une raison de plus pour éviter de se faire piquer...

– Comme la dengue, le ***zika*** est transmis par un moustique qui pique le jour. Maladie grave pour les femmes enceintes.

– L'***eau*** est le principal vecteur de maladies. On ne le répétera jamais assez, NE JAMAIS BOIRE L'EAU DU ROBINET. Bien vérifier que les bouteilles d'eau (purifiée) que l'on vous propose sont fermées. Si elles ont été décapsulées avant d'être placées sur votre table, les refuser. Il est possible de purifier l'eau suspecte grâce à un procédé individuel et économique : une paille d'ultrafiltration de poche à 0,01 micron, qui, à travers 5 étages de filtration, piège absolument tous les parasites, virus et bactéries avec une capacité de 2 000 l d'eau purifiée. Grande autonomie, donc. Ni pile, ni substance chimique et un embout qui permet de fixer la paille à une bouteille en plastique (type « coca ») transformée alors en gourde, pratique !

– Les ***aliments*** sont l'autre source de ***problèmes intestinaux.*** Le choix des restaurants s'avère donc primordial : si c'est vraiment très sale, fuyez ! Un endroit vide doit être considéré comme louche. À Phnom Penh, les estomacs fragiles préféreront sans doute les restos occidentaux, non par conservatisme mais par mesure d'hygiène. Ne pas exagérer, cependant, on trouve tout plein de bonnes et fiables adresses khmères.

Éviter les crudités et les légumes non bouillis. De même pour les glaces et fruits déjà épluchés. Aujourd'hui, le traitement d'une turista simple de l'adulte repose sur l'association d'un antibiotique en une prise, une seule fois, type azithromycine (Zithromax® ; deux comprimés en une seule prise, une seule fois), allié à un ralentisseur du transit intestinal, tel que l'acécadotril (Tiorfan® ; une gélule d'emblée, puis une gélule trois fois par jour, si possible avant les trois principaux repas ; durée maxi : 7 jours). Se réhydrater fréquemment, manger du riz et boire de l'eau de riz, du thé ou des boissons de préférence sans bulles. La présence de sang ou de pus dans les selles ainsi que la coexistence d'une fièvre imposent une consultation très rapide. Contacter le médecin de l'ambassade qui vous conseillera.

– Le *soleil* tape fort au Cambodge, surtout à Angkor : se couvrir la tête avec un chapeau à larges bords et ne pas oublier sa crème solaire. Boire beaucoup d'eau (purifiée) ou de Coca-Cola pour éviter la déshydratation. En cas de coup de soleil, appliquer la pommade *Biafine*.

– La bilharziose et certaines parasitoses s'attrapent lors des *baignades* sur les bords du Mékong, dans les eaux stagnantes ou à faible débit.

– *Les piqûres et morsures d'animaux :* si vous êtes piqué par de petits insectes, employez de la pommade type *Parfenac* (anti-inflammatoire). Pour les moustiques, on a déjà parlé du paludisme, de la dengue et du zika. Les *piqûres de scorpion* sont douloureuses mais jamais mortelles, sauf exception rarissime. On trouve des scorpions dans les temples, alors mieux vaut ne pas glisser ses mains n'importe où (sous les cailloux notamment) et attention au moment de remettre ses chaussures, prisées par les scorpions. N'oubliez pas de les secouer avant de les remettre. En cas de piqûre, consulter un médecin.

Les *morsures de serpent* peuvent être mortelles, mais là encore, les cas sont rares, car le serpent est un animal craintif. Porter des chaussures montantes et marcher en faisant du bruit. Éviter les sandalettes à Angkor. En cas de morsure, ne pas s'affoler, éviter de courir, poser un bandage serré autour de la plaie et essayer de la refroidir. Ne pas exciser. Le venin met souvent plusieurs heures avant d'agir ; il convient donc de trouver un hôpital au plus vite !

Les sangsues abondent dans les hautes herbes pendant la saison des pluies. Ne jamais tenter de les arracher.

Pour plus d'infos, consulter ● *astrium.com* ●

En cas de pépin

Ne pas trop se fier aux « pharmaciens » du pays (certains vendent des médicaments périmés ou contrefaits et ils ne sont pas plus pharmaciens que vous, bien souvent) ou aux hôpitaux (sous-équipés). Demander conseil à votre ambassade, qui connaît les adresses compétentes. En cas de pépin sérieux, prendre le premier avion pour Bangkok, qui possède les meilleurs hôpitaux de la région. Savoir, enfin, qu'au Cambodge les études de pharmacie (et de médecine) se font en français. Si un médecin ne parle pas le français, dans la plupart des cas, ce n'est pas bon signe...

– *Les pharmacies :* il en existe de deux types, les A et les B. Les premières sont tenues par des pharmaciens diplômés qui proposent théoriquement de vrais médicaments. Le problème, c'est qu'il n'y en a quasiment pas. Voir « Adresses et infos utiles » à Phnom Penh. Les secondes (les B) ne sont que des revendeurs de médicaments. Il faut savoir que la plupart d'entre eux sont des faux souvent fabriqués au Vietnam. Ces *contrefaçons* – sorte de placebos dans le meilleur des cas, toxiques dans le pire – ont la forme, le goût, la couleur et l'emballage des médicaments qu'ils copient. *La prudence certaine est donc de rigueur.* C'est simple, éviter les petites pharmacies de rue, même si les médicaments qu'on y propose semblent familiers. Et surtout, acheter les médicaments avant de partir.

■ Les produits et matériels utiles aux voyageurs, assez difficiles à trouver dans le commerce, peuvent être achetés par correspondance sur le site ● *astrium.com* ● Infos complètes toutes destinations, boutique web, paiement sécurisé, expéditions *Colissimo Expert* ou *Chronopost*. ☎ 01-45-86-41-91 *(lun-ven 14h-19h)*.

SITES INTERNET

Infos pratiques

● *routard.com* ● Le site de voyage n° 1, avec plus de 800 000 membres et plusieurs millions d'internautes chaque mois. Pour s'inspirer et s'organiser, près de 300 guides destinations actualisés, avec les infos pratiques, les incontournables et les dernières actus, ainsi que les reportages terrain et idées week-end de la rédaction. Partagez vos expériences avec la communauté de voyageurs : forums de discussion avec avis et bons plans, carnets de route et photos de voyage. Enfin, vous trouverez tout pour vos vols, hébergements, voitures et activités, sans oublier notre sélection de bons plans, pour réserver votre voyage au meilleur prix.

● *diplomatie.gouv.fr* ● Cliquer sur « Conseils aux voyageurs ». Le site du ministère français des Affaires étrangères, mis à jour régulièrement, répertorie les régions déconseillées et donne aux voyageurs, selon un classement par pays, des conseils généraux de sécurité, les formalités d'entrée et de séjour. Un site à consulter avant votre départ.

● *tourismcambodia.org* ● Site gouvernemental répertoriant de nombreuses infos touristiques. En anglais.

● *tourismcambodia.com* ● Autre site très complet avec infos pratiques et culturelles, par ville (en anglais).

● *canbypublications.com* ● Le site des gratuits *Visitors Guide* (existe pour Phnom Penh, Sihanoukville et Siem Reap). Vivant de la pub, la couverture des adresses n'y est pas neutre. Cela dit, plein d'infos pratiques, notamment sur les transports, le taux de change, etc. En anglais.

● *yp.com.kh* ● Les *Pages jaunes* du Cambodge. Peut s'avérer utile. Lancer une recherche par catégories marche parfois mieux.

Culture et traditions

● *vorasith.online.fr/cambodge* ● De très bonnes pages érudites mais parfaitement lisibles sur la culture khmère et l'histoire du pays. En français.

● *capsurlemonde.org/angkor* ● Les principaux temples d'Angkor (site assez succinct) : photos et histoire... En français.

● *cik.efeo.fr* ● Le site de l'École française d'Extrême-Orient, créée en 1907 pour préserver le site d'Angkor.

Histoire et actualités

● *proceskhmersrouges.net* ● Anne-Laure Porée a été correspondante française de nombreux médias français, à propos du fameux procès. Complet et instructif. Aujourd'hui, elle poursuit son étude de la période en s'attachant au quotidien de S-21, des recherches qu'elle partage sur son blog.

● *cambodiadaily.com* ● Journal cambodgien pour avoir des nouvelles. En anglais.

TÉLÉPHONE, INTERNET

– Pour passer vos coups de fil, achetez une carte SIM locale (lire plus loin) ou dirigez-vous vers les boutiques internet qui proposent des connexions téléphoniques à moindre coût via la Toile, depuis un poste de téléphone à disposition ou à partir d'un ordinateur équipé d'un logiciel du type *Skype*. Compter environ 0,05 $ (ou 200 riels)/mn pour l'Europe. Seul inconvénient, la communication n'est pas toujours très bonne.

– Vous pourrez envoyer un *fax* depuis certains centres internet, les postes des grandes villes ou les grands hôtels.

– *France* ➙ *Cambodge :* 00 + 855 + indicatif de la ville (sans le « 0 ») + numéro du correspondant.

– *Cambodge* ➙ *France :* 001 (ou 007, moins cher) + 33 + numéro du correspondant (9 chiffres : ne pas composer le « 0 » initial).

– *Cambodge* ➙ *Cambodge :* les numéros de postes fixes comportent 9 chiffres et commencent par 023 ou 024 à Phnom Penh, 063 à Siem Reap... (à composer même pour les communications intra-urbaines) ; ceux des mobiles sont constitués de 9 ou 10 chiffres, les 3 premiers variant en fonction des opérateurs (012, 017, 076, 067, etc).

Téléphones portables

Au Cambodge, les portables sont partout, le réseau téléphonique fixe souffrant de grosses faiblesses. D'ailleurs, de nombreux établissements disposent de plusieurs fournisseurs de téléphonie et donc de plusieurs numéro(s). Malheureusement, les gérants d'établissements peuvent changer, et les numéros de téléphone avec.

– *À savoir :* un téléphone tribande ou quadribande n'est, en principe, pas nécessaire au Cambodge, sauf si vous souhaitez bénéficier d'Internet. Pour être sûr que votre appareil soit compatible avec votre destination, renseignez-vous auprès de votre opérateur.

– *Activer l'option « international » ou « monde » :* elle est en général activée par défaut. Pensez sinon à contacter votre opérateur pour souscrire à l'option (gratuite) au moins 48h avant le départ.

– *Le « roaming » ou itinérance :* c'est un système d'accords internationaux entre opérateurs. Concrètement, cela signifie que lorsque vous arrivez dans un pays, le nouveau réseau local s'affiche automatiquement. Vous recevez rapidement un SMS de votre opérateur qui propose un *pack voyageurs* plus ou moins avantageux, incluant un forfait limité de consommations téléphoniques et de connexion internet.

– *Forfaits étranger inclus :* certains opérateurs proposent des forfaits où *35 jours de roaming par an sont offerts* dans le monde entier. On peut donc cumuler plusieurs voyages à l'étranger sans se soucier de la facture au retour. Attention, si SMS, MMS et appels sont souvent illimités, la connexion internet est, elle, limitée. D'autres opérateurs offrent carrément le *roaming toute l'année vers certaines destinations.* Renseignez-vous auprès de votre opérateur.

– *Tarifs :* ils sont propres à chaque opérateur et varient en fonction des pays (le globe est découpé en plusieurs zones tarifaires). N'oubliez pas qu'à l'international vous êtes facturé aussi bien pour les appels sortants que pour les appels entrants (ces derniers étant bien moins chers évidemment), idem pour les textos. Donc quand quelqu'un vous appelle à l'étranger, vous payez aussi. Soyez bref !

– *Acheter une carte SIM/puce sur place :* c'est l'option la plus avantageuse pour appeler dans le pays mais aussi à la maison. Il suffit d'acheter à l'arrivée une carte SIM locale pour 0,50 à 5 $, incluant un petit crédit de communication (certaines sont même gratuites) et la connexion internet. Plusieurs compagnies se partagent le marché et le pays est bien couvert. On conseille en particulier les opérateurs *Smart* et *Cellcard,* qui disposent des meilleurs réseaux et permettent de se connecter à Internet en 2G, 3G, voire en 4G, selon le tarif choisi et la partie du pays où l'on voyage. On trouve des cartes SIM dans les nombreuses petites boutiques de téléphonie mobile ou en supermarché, stations-service, tabac-journaux, etc. Pour les plus pressés, on peut les acheter dès l'aéroport, même si elles sont plus chères Vous disposez alors d'un numéro de téléphone local. Attention, on ne peut plus vous joindre sur votre numéro habituel, mais uniquement sur ce nouveau numéro. Avant de signer le contrat et de payer, essayez donc, si possible, la carte SIM du vendeur dans votre téléphone – préalablement débloqué – afin de vérifier si celui-ci est compatible. C'est pratique et incomparablement moins cher que si vous appeliez avec votre carte SIM personnelle.

La connexion Internet en voyage

– **Se connecter sur les réseaux wifi** est le meilleur moyen d'avoir accès au Web gratuitement, si vous ne disposez pas d'un forfait avec *roaming* offert. Le plus sage consiste à **désactiver la connexion** « Données à l'étranger » (dans « Réseau cellulaire »). On peut aussi mettre le portable **en mode « Avion »** et activer ensuite le wifi. Attention, le mode « Avion » empêche, en revanche, de recevoir appels et messages.
Quasi tous les hôtels, restos et bars des villes touristiques disposent désormais d'un réseau accessible, généralement gratuit (mais pas toujours des plus efficaces dans les hôtels). On trouve même une connexion dans les bus VIP de certaines compagnies !
– Une fois connecté au wifi, vous avez accès à tous les services de la **téléphonie par Internet. WhatsApp, Messenger** (la messagerie de *Facebook*), **Viber, Skype,** permettent d'appeler, d'envoyer des messages, des photos et des vidéos aux quatre coins de la planète, sans frais. Il suffit de télécharger – gratuitement – l'une de ces applis sur son smartphone. Elle détecte automatiquement dans votre liste de contacts ceux qui utilisent la même appli.

Attention piratage !

Les wifi publics sont devenus de véritables passoires ! Il est devenu très facile, même pour un débutant, de s'introduire sur un réseau. La seule parade véritablement fiable est de ne fréquenter que des sites « certifiés ». Ils commencent par « https:// » et affichent souvent un petit cadenas à côté de l'adresse. Dans ce cas, vos transmissions sont cryptées et donc sécurisées. Les sites les plus sensibles et populaires, comme les banques, ont tous une connexion certifiée.
Enfin, si vous utilisez un ordinateur en libre-service, évitez, dans la mesure du possible, d'entrer votre mot de passe ou toute information sensible ! Une quantité phénoménale de ces postes est infectée par des « enregistreurs de frappes », qui peuvent transmettre vos données à un destinataire mal intentionné. Et si, malgré tout, vous utilisez ces postes, pensez à bien vous déconnecter et à ne pas cliquer sur l'option « enregistrer mon mot de passe ».

TRANSPORTS

Train

Une ligne de chemin de fer relie à nouveau depuis avril 2016 Sihanoukville à Phnom Penh, en passant par Kampot et Takeo.

Bus

C'est un moyen de transport économique mais rarement ponctuel et pas toujours sûr. Il y a encore des accidents à cause de véhicules en mauvais état et de conduites irresponsables (alcoolémie, vitesse), en particulier la nuit. Plusieurs compagnies relient quotidiennement la capitale aux principales villes du pays. Nombreux bus également pour le Vietnam et la Thaïlande. *Mekong Express* (● cat mekongexpress.com ●) et *Giant Ibis* (● giantibis.com ●) sont parmi les meilleures compagnies, mais pas les moins chères (un avantage supplémentaire pour les bus *Giant Ibis* : ils sont, en principe, à l'heure). La Compagnie *Sorya* (● ppsorya transport.com.kh ●) est moins fiable (sécurité, ponctualité), mais elle propose un grand nombre de liaisons entre les villes. Certaines sociétés disposent de bus de nuit confortables. Ça peut être intéressant pour le trajet Phnom Penh-Siem Reap.

SIHANOUKVILLE	SIEM REAP	PHNOM PENH	KRATIE	KOMPONG THOM	KOMPONG CHAM	KAMPOT	BATTAMBANG	DISTANCES EN KM
520	170	290 (4/5 h)	640	320	415	440		BATTAMBANG
100	465	150	500	315	265		440	KAMPOT
350	270 (4 h)	120	230	126 (2 h 30)		265	415	KOMPONG CHAM
395	150 (2 h 30)	165	370		126 (2 h 30)	315	320	KOMPONG THOM
579	665	340 (6 h)		370	230	500	640	KRATIE
230	320		340 (6 h)	165	120	150	290 (4/5 h)	PHNOM PENH
545		320	665	150 (2 h 30)	270 (4 h)	465	170	SIEM REAP
	545	230	579	395	350	100	520	SIHANOUKVILLE

REMARQUE : ON PEUT CONSIDÉRER QUE LES BUS FONT UNE MOYENNE DE 50 KM/H

Rouler, un défi permanent

– **Attention :** la circulation urbaine à la mode cambodgienne peut s'avérer particulièrement traumatisante, pas forcément à cause des vitesses atteintes (rarement possible d'aller très vite), mais en raison des trajectoires et modes d'arrêt parfois diamétralement opposés à ceux que nous connaissons. Les feux rouges ne veulent pas dire grand-chose pour l'immense majorité des conducteurs, tout comme le code de la route d'ailleurs. Il faut intégrer quelques règles de base.
– Le trafic arrive dans les deux sens, même sur une bande de circulation apparemment à sens unique : gardez bien les yeux ouverts ; le plus gros ayant toujours raison, cédez-lui donc le passage !
– On double là où il y a de la place et, en général, la droite de la route est réservée aux motos.
– À moto, pour couper un boulevard, conduisez en diagonale en sens opposé tout en agitant votre bras gauche. Le port du casque est obligatoire pour le conducteur et son passager.
– Si vous tournez à droite, le feu rouge ne compte pas.
– Si un type en uniforme bleu agite de loin un bâton en vous pointant du doigt, faites comme si de rien n'était, essayez de tourner à droite ou à gauche avant d'arriver jusqu'à lui, ou faites demi-tour et repartez en sens inverse. Si malgré tout vous êtes

arrêté, gardez le sourire. Être en possession d'un **permis de conduire international** peut éviter les tentatives de racket. Sinon dites que vous n'êtes pas pressé et que vous n'avez qu'un ou deux dollars sur vous. Après quelques conciliabules (vous n'avez en fait commis aucune infraction), il prendra le dollar en détournant les yeux (il en gagne 30 par mois !). Si vous avez passé outre, aucun risque d'être poursuivi, le réservoir des motos de policiers est souvent quasi vide ! À l'extérieur des villes, c'est beaucoup plus gérable, même si ça vaut aussi son pesant de cacahuètes.
– À noter que de nombreux ponts se construisent sur le Mékong. Ils raccourcissent les temps de trajet, mais alourdissent parfois la facture, certains étant à péage.

Les applis de cartes embarquées

Sans connexion, mais à télécharger avt le départ :
– **Maps.me :** itinéraire sur plan (silencieux). Bien aussi pour les randos. Une précieuse aide.

Avec connexion et à télécharger avt le départ :
– **Google Maps/Waze :** indique en temps réel la qualité du réseau, les points radar, les limitations de vitesse et autres incidents sur le réseau routier.

Taxi à deux et quatre roues

Si votre chauffeur est trop kamikaze ou paraît ivre, n'hésitez pas à en changer. Pas mal d'accidents sont à déplorer.
On trouve trois sortes de taxis. Les **motos-taxis** (appelées parfois **motos-dops**) sont le moyen de transport le moins coûteux, même pour sortir de la ville. Tous les jeunes chauffeurs ne conduisent pas comme des kamikazes et on peut se faire prêter un casque. Les **tuk-tuk,** carrioles attelées à des scooters ou à des motos, sont bien plus confortables. On y monte jusqu'à quatre personnes, à l'abri du soleil et rafraîchi par la brise. Les **pick-up** et autres petites berlines servant de taxis collectifs ne sont pas chers. On les trouve près des marchés. Le confort est limité et, à moins d'acheter plusieurs places ou le véhicule entier, il faut attendre qu'ils soient pleins avant de partir.

Avion

Il existe une ligne intérieure opérée par *Cambodia Angkor Air* (● *cambodiaangkorair.com* ●) qui assure des liaisons quotidiennes entre Phnom Penh et Siem Reap, ainsi qu'entre Sihanoukville et Siem Reap.
Voir aussi ● *cambodia-airports.aero* ● pour les liaisons domestiques et internationales.

URGENCES

Attention, les numéros à trois chiffres ne sont joignables que depuis des postes fixes dont l'indicatif est le 023, donc uniquement depuis Phnom Penh.

■ **Police :** ☎ 117 ou 118.
■ **Ambassade et consulat de France à Phnom Penh :** ☎ 430-020.

■ **Centre antirabique :** *le seul du pays est celui de l'**Institut Pasteur,** à Phnom Penh, bien sûr.* ☎ 428-009. ● *pasteur-kh.org* ●

Médicales

■ **SAMU :** ☎ 119 (à Phnom Penh).
✚ **Urgences 24h/24 :** Naga Clinic à Phnom Penh (plan Phnom Penh, A3, **17**). ▤ 011-811-175.

Pour les cartes de paiement

En cas de perte, de vol, ou de fraude, quelle que soit la carte que vous possédez, chaque banque gère elle-même le processus d'opposition et le numéro de téléphone correspondant.

Par ailleurs, l'assistance médicale se limite aux 90 premiers jours du voyage et l'assistance véhicule aux cartes haut de gamme (renseignez-vous auprès de votre banque).

– *Carte Visa :* *numéro d'urgence (Europe Assistance),* ☎ *(00-33) 1-41-85-85-85 (24h/24).* ● *visa.fr* ●
– *Carte MasterCard :* *numéro d'urgence,* ☎ *(00-33) 1-45-16-65-65.* ● *mastercardfrance.com* ●
– *Carte American Express :* *numéro d'urgence,* ☎ *(00-33) 1-47-77-72-00.* ● *americanexpress.com* ●

Il existe aussi un serveur interbancaire d'opposition qui, en cas de perte ou de vol, vous met en contact avec le centre d'opposition de votre banque. *En France :* ☎ *0892-705-705 (service 0,35 €/mn + prix d'un appel) ; depuis l'étranger :* ☎ *+ 33-442-605-303.*

Besoin urgent d'argent liquide

Vous pouvez être dépanné en quelques minutes grâce au système *Western Union Money Transfer.* L'argent vous est transféré en moins de 1h. La commission, assez élevée, est payée par l'expéditeur. Possibilité d'effectuer un transfert auprès d'un des bureaux *Western Union* ou, plus rapide, en ligne, 24h/24 par carte de paiement (*Visa* ou *MasterCard*) : on trouve des bureaux affiliés un peu partout au Cambodge, y compris dans des villes de moyenne importance.

Même principe avec d'autres organismes de transfert d'argent liquide, comme *MoneyGram, PayTop* ou *Azimo.* Transfert sécurisé en ligne en moins de 1h.

Dans tous les cas, se munir d'une pièce d'identité. Toutefois, en cas de perte/vol de papiers, certains organismes permettent de convenir d'une question/réponse-type pour pouvoir récupérer votre argent. Chacun de ces organismes possède aussi des applications disponibles sur téléphone portable. Consulter les sites internet pour connaître les pays concernés, les conditions tarifaires et trouver le correspondant local le plus proche :
● *westernunion.com* ● *moneygram.fr* ● *paytop.com* ● *azimo.com/fr* ●

– Autre solution, envoyer de l'argent par *La Poste* : le bénéficiaire, muni de sa pièce d'identité, peut retirer les fonds dans n'importe quel bureau du réseau local. Le transfert s'effectue avec un mandat ordinaire international (jusqu'à 3 500 €), et la transaction prend 8-10 jours vers l'international. Plus cher, mais plus rapide, le mandat express international permet d'envoyer de l'argent (montant variable selon la destination – 34 au total) sous 2 jours maximum, 24h lorsque la démarche est faite en ligne. *Infos :* ● *labanquepostale. fr* ●

Pour les téléphones portables

Voici les numéros des quatre opérateurs français, accessibles depuis la France et l'étranger.

– *Orange :* *depuis la France,* ☎ *0800-100-740 ; depuis l'étranger,* ☎ *+ 33-969-39-39-00.*
– *Free :* *depuis la France,* ☎ *3244 ; depuis l'étranger,* ☎ *+ 33-1-78-56-95-60.*
– *SFR :* *depuis la France,* ☎ *1023 ; depuis l'étranger,* 🖥 *+ 33-6-1000-1023.*
– *Bouygues Télécom :* *depuis la France comme depuis l'étranger,* ☎ *+ 33-800-29-1000 (service et appel gratuits).*

Vous pouvez aussi demander la suspension de votre ligne depuis le site internet de votre opérateur.

LE CAMBODGE

PHNOM PENH ET SES ENVIRONS 91	**LE TONLÉ SAP ET SES ENVIRONS** 198	**ET ENVIRONS** 214
LA RÉGION CÔTIÈRE 135	**ANGKOR, SIEM REAP**	**LE SUD-EST** 271

PHNOM PENH ET SES ENVIRONS

● **Phnom Penh**...................91 • Koh Dach (l'île de la Soie) • « Killing Fields »	(le camp d'extermination de Choeung Ek) • Koki Beach (Kien Svay) • Tonlé Bati	(le lac Bati) et Ta Prohm • Phnom Chisor • Kirirom National Park • Takeo • Oudong

PHNOM PENH   env 1,6 million d'hab.

● Plan Phnom Penh Nord (plan I) *p. 94-95*
● Plan Phnom Penh Sud (plan II) *p. 98-99*

La capitale du Cambodge était surnommée « la perle de l'Asie du Sud-Est » à l'époque coloniale. Pour mettre en valeur les trésors architecturaux khmers (pagodes, Palais royal), les Français ont conçu une ville quadrillée de larges avenues bordées de luxueux bâtiments. La politique d'embellissement entreprise par Norodom Sihanouk après l'indépendance accentua encore son charme. Quelques grandes trouées vertes et les promenades des berges permettent encore aujourd'hui de respirer, malgré la congestion automobile.

Mais la guerre, bien sûr, a laissé des traces. Les édifices religieux ont le plus souffert, rasés en grande partie par les Khmers rouges. Après une décennie d'immobilisme sous le régime proviétnamien, la ville s'est relevée de ce long cauchemar grâce à l'afflux des capitaux étrangers, toujours croissant. On construit un peu partout, et de plus en plus haut. Au nord de la ville, le lac Boeng Kak a été remblayé en réponse à la pression immobilière, pour laisser la place à de vastes condominiums. Les grands boulevards, comme Monivong, connaissent des embouteillages dignes de Bangkok.

En même temps, les marchés que l'on gagne en *tuk-tuk* réservent plein de surprises et grouillent telle une métropole chinoise. Non loin de là – la ville n'est pas si grande –, la silhouette du Palais royal et les façades coloniales du quai Sisowath se révèlent un enchantement pour les yeux. C'est une allure de petit Paris asiatique qui s'échappe des multiples terrasses peuplées d'une foule cosmopolite. Il faut dire que la communauté francophone y est bien implantée, occupant largement le secteur de l'hôtellerie et de la restauration. À l'aube et au crépuscule, au confluent du Mékong et du Tonlé Sap, des contre-jours puissants et colorés amplifient encore cette atmosphère particulière. Bref, si la ville peut être fatigante, à la longue, et quelque peu polluée, Phnom Penh n'en reste pas moins une capitale à taille humaine et une étape de toute façon quasi incontournable.

UN PEU D'HISTOIRE

Au XVe s, le nom officiel de la ville est un vrai poème : « Capitale des Quatre Bras, heureuse maîtresse du Cambodge, nouvelle Indraprashtha, noble fortunée et frontière du royaume » ! Les quatre bras sont ces cours d'eau qui, en se croisant à cet endroit précis, forment un « X » : le Mékong qui descend du Laos, le Tonlé Sap qui devient un grand lac un peu avant Angkor, le fleuve Antérieur qui n'est autre que la suite du Mékong et le Bassac, sorte d'appendice appelé défluent.

ÇA VALAIT LA PENH !

Le nom de la ville est dû à une certaine Mme Penh. Selon une jolie légende, Mme Penh découvrit quatre statues de bronze dans un tronc d'arbre flottant sur le Mékong. Pour mettre à l'abri son trésor, elle éleva une butte en pierre : le phnom (« colline » en khmer), sur lequel fut ensuite édifié un temple. Phnom Penh, vieux village de pêcheurs, devint la résidence des rois khmers vers le XVe s.

Phnom Penh commence à ressembler à une capitale à partir de 1863, avec le protectorat imposé par la France au roi Norodom. Elle restera florissante, grâce au commerce, durant plus d'un siècle. En 1975, la déportation de ses 2,5 millions d'habitants par les Khmers rouges (voir la rubrique « Histoire » dans « Cambodge : hommes, culture, environnement ») en fait une ville exsangue, livrée à la végétation. Mise à sac par les révolutionnaires, Phnom Penh, en plus de ses trésors, perd la mémoire : les archives disparaissent, les bibliothèques sont brûlées. À partir de 1979, l'armée vietnamienne, après avoir chassé les Khmers rouges, achève le pillage.

Dès lors, l'arrivée des Casques bleus et des ONG insuffle une incroyable dynamique à la capitale meurtrie, qui vivote entre les couvre-feux et les incessantes coupures de courant. Le départ de l'UNTAC (autorités provisoires des Nations unies) en 1993 affaiblit l'économie phnompenhoise. La ville connaît quelques péripéties (attentats, prises d'otages, manifestations violentes, etc.), liées à la lutte pour le pouvoir entre les différentes composantes du gouvernement. Mais depuis l'arrêt des combats et la fin des derniers maquis khmers rouges (1998), l'espoir d'une paix durable s'installe et anime toute la population.

Arriver – Quitter

En avion

✈ **Aéroport international de Pochentong** *(hors plan I par A3) : à 8 km à l'ouest de Phnom Penh, par le bd Pochentong.* ● *cambodia-airports. aero* ● ☎ *023-862-800. La signalétique est traduite en anglais.* Liaisons avec Vientiane, Bangkok, Hanoi, Hô Chi Minh-Ville, Hong Kong, Kuala Lumpur, Singapour, Pékin, Taipei, Doha... Voir le chapitre « Arriver – Quitter », au début du guide, pour les coordonnées des compagnies.

– *Visa à l'arrivée et formalités :* remplir un formulaire de demande de visa, fournir une photo d'identité et environ 36 $ ou 30 € en espèces (somme à vérifier avant le départ). Distributeurs d'argent juste en face du bureau des visas. Remplir également un formulaire « Arrivée-départ ».

■ *Change :* Cambodia Asia Bank *(CAB ; tlj 6h-minuit),* après la douane ; taux assez médiocre (représente aussi *Western Union).* Mieux vaut attendre d'être en ville ou utiliser les *distributeurs automatiques* situés au niveau des visas ou dans le hall des arrivées.

■ *Autres services :* office de tourisme (plan et brochures) et consigne.

Pour rejoindre le centre-ville

Se diriger vers les comptoirs officiels situés à la sortie. Choix entre les *tuk-tuk* (triporteurs pour 4 personnes, tarif officiel dans les 9-10 $), bien si l'on n'a pas de gros bagages ni peur

de la pollution automobile, les taxis (pour 4 personnes également, compter 12-15 $) et le bus n° 3 (moins cher que le *tuk-tuk),* 5h30-20h30, qui va jusqu'au *Night Market (plan B1, 79).* Prévoir de 45 mn à... 2h de trajet selon la circulation.

Vols intérieurs et compagnies domestiques

■ *Cambodia Angkor Air :* 206A, bd *Norodom.* ☎ 666-67-86 ou 88. ● *cambodiaangkorair.com* ● Avec Siem Reap, 4-7 liaisons/j. selon la saison. Durée : 45 mn.

Vols internationaux

Pour les liaisons internationales et les coordonnées des compagnies, se

LE CAMBODGE

■ **Adresses utiles**

🚌 1 Mekong Express (C2)
🚌 2 Giant Ibis (C2-3)
🚌 3 Station de bus du marché central (compagnie Sorya ; B4)
5 Friends Travel & Tours et Parapharmacie U-Care (D4)
6 General Department of Immigration (hors plan par A3)
7 Cathay United Bank, Acleda, Cambodia Asia Bank et Western Union (D4)
8 ANZ Royal Bank et Western Union (D4)
9 Ambassade et consulat de France (B1)
➕ 10 Hôpital Calmette (B1)
➕ 12 Royal Phnom Penh Hospital (hors plan par A3)
➕ 13 Institut Pasteur (B1)
15 Pharmacie de la Gare (B3)
20 Seeing Hands Massage Centre (C2-3)

🛏 **Où dormir ?**

30 One Stop Hostel (C2)
32 Europe Guesthouse (C-D3)
34 Camory Backpackers (D3)
35 Rachana (C4)
36 Amanjaya Pancam Hotel, Cozyna Hotel et Ohana Hotel (D4)
38 La Maison d'Ambre (C3)
50 The Billabong Hotel (B4)
52 Cara Hotel (B1)
53 Raffles Hotel Le Royal (B2)

🍽 **Où manger ?**

7 Khmer Saravan (D4)
60 Friends The Restaurant (D4)
63 Night Market (C3)

66 Scodo (D4)
68 Aroma (D4)
70 Sam Doo Restaurant (B4)
75 Food Centre du centre commercial Sorya (B4)
77 On The Corner et Chiang Mai Riverside (D3)
80 The Blue Pumpkin (D3-4)
85 Pop Café (D4)
87 Au Marché (C4)
91 Chinese House (B1)
92 Restos au-delà du Tonlé Sap (Kado et Heng Lay ; hors plan par B1)

🍵🍽 **Où prendre le petit déj ou un bon goûter ? Où déguster une bonne glace ?**

7 Khmer Saravan (D4)
36 Boulangerie Eric Kayser (D4)
103 Brown Coffee and Bakery (C2)

🍸🎶 **Où boire un verre ? Où sortir ? Où danser ?**

8 La Croisette (D4)
34 River House Lounge et Mekong River (D3)
36 K-West Café, The Riverside Bistro et Le Moon (D4)
52 Doors (B1)
77 Grand Mekong Hotel (D3)
80 The Quay Boutique Hotel (D3-4)
85 Bar du FCC (D4)
111 Dodo Rhum House (D4)
113 Pontoon (C4)

🛍 **Achats**

60 Friends' n' Stuff (D4)
133 Sentosa Silk (D4)

LE CAMBODGE

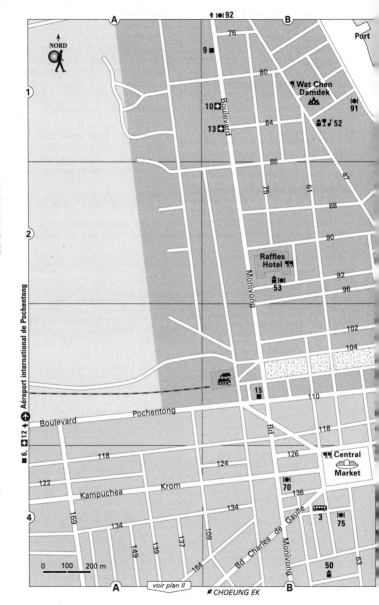

NORD

↑ |○| 92

Port

76

9 ■

80

Wat Chen
Damdek

10 ✚

Boulevard

13 ✚

84

86

75

61

47

|○|
91

52

88

90

Raffles
Hotel

Monivong

53

92

96

102

104

15 ■

110

Pochentong

Boulevard

118

Bd

118

126

Central
Market

122

124

136

Kampuchea   Krom

134

70

169

134

149

139

137

109

164

3

Bd Charles de Gaulle

Monivong

75

50

63

0   100   200 m

voir plan II

↙ CHOEUNG EK

■ 6, ✚ 12 ← ✈ Aéroport international de Pochentong

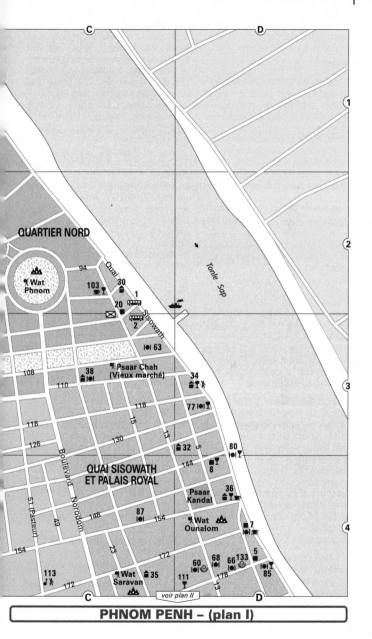

PHNOM PENH – (plan I)

LE CAMBODGE

reporter au chapitre « Arriver – Quitter », au début du guide.

En bus

Il y a encore de nombreux accidents de bus dans le pays. Dans la mesure du possible, privilégier les compagnies *Mekong Express* et *Giant Ibis*, de loin les plus sûres et les plus confortables. Pour les autres, éviter si possible les trajets de nuit, toujours plus dangereux, et vérifier l'état du bus et la conduite du chauffeur, quitte à descendre et à changer de compagnie si vous n'êtes pas rassuré...

Compagnies de bus et destinations

🚌 *Mekong Express (plan I, C2, 1) : quai Sisowath (angle rue 102).* ☎ 99-933-399 (hotline) ou 📱 012-787-839. ● catmekongexpress.com ● Liaisons avec :
➢ *Siem Reap :* 4 bus/j. (7h30-14h25). Trajet : 6h.
➢ *Sihanoukville :* 5 minibus/j. (7h-17h).
➢ *Battambang :* 6 minibus/j. (5h30-23h30).
➢ Également des bus et des minibus pour *Hô Chi Minh-Ville, Poipet* et *Bangkok* ; voir le chapitre « Arriver – Quitter » au début du guide.

🚌 *Giant Ibis (plan I, C2-3, 2) : 3, rue 106.* ☎ 023-999-333. ● giantibis. com ● Bus récents, confortables et ponctuels (ne pas arriver en retard).
➢ *Siem Reap :* 6 départs/j. (3 le mat et 3 tard le soir). Trajet : 5h.
➢ *Sihanoukville :* 3 bus/j. (8h-12h30). Trajet : env 5h.
➢ *Kampot :* 2 départs/j., 1 le mat, l'autre en début d'ap-m. Trajet : 5h.
➢ *Hô Chi Minh-Ville :* 2 bus/j., à 8h (voir le chapitre « Arriver – Quitter » au début du guide).

🚌 *Station de bus du marché central (Central Market ; plan I, B4, 3) :* utilisée par la compagnie *Sorya* (à côté de la station-service), mais aussi par nombre de taxis collectifs.

🚌 *Sorya (plan I, B4, 3) : départ du* marché et également au niveau de River View GH, *quai Sisowath (voisin de* Mekong Express GH). ☎ 023-210-359. 📱 012-631-545. ● ppsoryatransport.

com.kh ● *Résa en ligne possible.* Ce n'est pas la meilleure compagnie en termes de sécurité et de confort, mais c'est celle qui opère le plus de liaisons.
➢ *Siem Reap (via Kompong Thom) :* une dizaine de bus/j. (7h-16h45). Trajet : 5-6h (4h pour Kompong Thom).
➢ *Kompong Chhnang :* 5 bus/j. (7h30-14h30). Trajet : 2h.
➢ *Battambang :* une dizaine de bus/j. (7h-17h30). Trajet : env 6h.
➢ *Kep et Kampot :* 3 bus/j. (7h30-14h30). Respectivement 4h30 et 5h de route.
➢ *Sihanoukville :* une douzaine de bus/j. (7h-17h45). Trajet : 4h.
➢ *Stung Treng et frontière laotienne :* 3 bus/j. (6h45-10h30). Respectivement 7h (372 km) et 10h de route (481 km).
➢ *Kratie :* 3 bus/j. (7h-10h45). Compter 5-6h de trajet.
➢ Également 1 bus/j. (généralement, tôt le mat) pour *Pursat, Preah Vihear,* le *Mondulkiri* et le *Ratanakiri.*
➢ Pour les liaisons vers *Bangkok, Poipet* et *Koh Kong* (2 points de passage vers la Thaïlande), *Paksé* (Laos), la frontière vietnamienne ou *Hô Chi Minh-Ville* (Vietnam), se reporter au chapitre « Arriver – Quitter » au début du guide.

🚌 *Capitol Tours (plan II, B5-6, 4) :* rue 182 (angle rue 107) ; en face du marché Orussey. ☎ 023-217-627 ou 023-724-104. ● capitoltourscambodia. com ● Là encore, jeter un œil aux bus avant de monter. Liaisons avec :
➢ *Sihanoukville :* env 7 bus/j. (7h15-14h30). Trajet : 5h.
➢ *Siem Reap :* 8 bus/j. (6h15-17h30). Trajet : 7h.
➢ *Battambang :* une douzaine de bus/j. (7h-16h). Trajet : 5h.
➢ *Kompong Cham :* 2 bus/j. (à 8h et 14h). Trajet : 3h.
➢ *Kampot :* 2 départs/j. (7h-13h). Trajet : 4h.
➢ Pour *Hô Chi Minh-Ville, Poipet* et *Bangkok,* voir le chapitre « Arriver – Quitter » au début du guide.

En taxi

Les taxis collectifs partent principalement du **grand marché central** (Central

Market ; plan I, B4). Ils embarquent 5 à 6 passagers. Pour voyager plus confortablement ou partir quand on veut, il est toujours possible de chartériser tout ou partie d'un véhicule, en payant grosso modo le nombre de places non occupées. On peut ainsi aller quasi partout, même à Hô Chi Minh-Ville (changer de véhicule à la frontière ; voir le chapitre « Arriver – Quitter » au début du guide).

En bateau

⛴ *Embarcadère (plan I, C-D2-3) :* quai Sisowath, face à la rue 104. Panneau « Bopha, Passenger and Tourist Terminal », mais l'embarcadère est curieusement surnommé « Titanic » (sic !), du nom du resto chic situé à l'arrière. Une demi-douzaine de compagnies sur place.

➤ *Siem Reap :* liaisons en bateau rapide *(Angkor Express boat)* – dépend du niveau d'eau et de la demande. Liaison proposée (pas régulière) de novembre à mars, compter au moins 35 \$ et 5-6h de trajet ; billets en vente dans les agences de voyages et dans certains hébergements. Ça peut être tentant, mais sachez qu'au milieu du lac le voyage devient monotone. Fenêtres fumées, et on ne peut pas monter sur le toit. L'intérêt s'en trouve donc un peu limité. Prévoir une petite laine (clim poussive).

➤ *Pour le Vietnam (Chau Doc et Hô Chi Minh-Ville) :* se reporter au chapitre « Arriver – Quitter » au début du guide.

LE CAMBODGE

■ **Adresses utiles**

🛈 Offices de tourisme (B5 ; B8)
🚌 4 Capitol Tours (B5-6)
➕ 11 Naga Clinic (urgences 24h/24) et Pharmalink (C6)
➕ 14 International SOS (C6)
16 Apsara Tours (C7)
17 Institut français du Cambodge et Carnets d'Asie (B5)
18 Monument Books (C6)
19 Meta House (D7)

⌂ **Où dormir ?**

31 The Share Phnom Penh Hostel (C5)
33 Aura Thematic (C5)
37 Blue Lime et Okay Boutique Hotel (C5)
40 Top Banana (C7)
41 Kha Vi Guest House, Lazy Gecko Café & Guesthouse (D6)
42 The 252 (B7)
43 Tea House Hotel (C6)
44 Villa Langka (C7)
45 Villa Samnang (C7)
46 Tattoo Guesthouse et Narin Guesthouse (A7)
47 Lucky Guesthouse II (A6)
48 Star Wood Inn (A7)
49 Burly Guesthouse (A-B7)
51 Salita Hotel (A7)

|●| **Où manger ?**

61 Romdeng (B5)
62 Le Lotus Blanc (hors plan par A7)
64 Mok Mony (C7)
65 Kravanh (D6)
67 Backyard Café (D6)
69 Chez la Belle-Mère (B6)
71 Tom Yum Kung (C7)
72 Chez Mama (A-B6)
73 Orussey Restaurant (A-B5-6)
74 Tea Club Café Restaurant (B8)

76 Frizz et The Shop Bakery & Bistro (C6)
78 Flavors of India (B7)
79 ARTillery (C-D6)
81 Pho de Paris (B5)
82 Comme à la Maison (B7)
83 Piccola Italia Da Luigi (C7)
84 Bouchon Wine Bar (B5)
86 Maison du Burger (C7)
88 The Lemon Tree (C7)
89 Open Wine (C6)
90 Malis (C7)
93 Bistrot Langka (C7)

☕|●| **Où prendre le petit déj ♦ ou un bon goûter ? Où déguster une bonne glace ?**

76 The Shop Bakery & Bistro (C6)
82 Comme à la Maison (B7)
101 Java Café (C-D7)
102 Le Vôtre (C5)
103 Brown Coffee and Bakery (C6)
104 Toto (C5)

🍸♪ **Où boire un verre ? ☆ Où sortir ? Où danser ?**

19 Meta House (D7)
83 Bars de Bassac Lane (C7)
86 Duplex (C7)
112 Absinthe Bar et Zeppelin (B5)
114 The Groove Music Lounge (C7)

∞| **Spectacles**

120 Sovanna Phum (hors plan par B8)

⌘ **Achats**

76 Boutiques de la rue 240 (C6)
79 Bee Vintage& Crafts (C-D6)
130 Village Works (A8)
131 Tabitha (C8)
132 Hanuman (C8)
134 Espadrilles Amboh (A6)

LE CAMBODGE

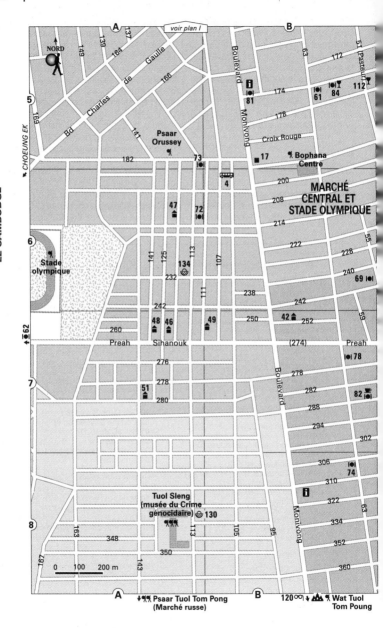

voir plan I

NORD

CHOEUNG EK

Bd Charles de Gaulle

139 137 164 166 149 169

141

182

Boulevard Monivong

63 172 51 Pasteur

174 178

81

61 84 112

Croix Rouge

Psaar Orussey

73

17 Bophana Centre

4

200 208 214

MARCHÉ CENTRAL ET STADE OLYMPIQUE

47 72

222 228

55

Stade olympique

141 125 113 107

134

232 111

69

242 238

242

62

242

260 48 46 49 250

42 252

59

Preah Sihanouk

(274) Preah

276

78

282

82

51 278 280

288 294

302

306 74

310

i 322

Tuol Sleng (musée du Crime génocidaire) 130

334 352

163 348 350

113 105 95 Monivong 63

360

167 143

0 100 200 m

A ↓ Psaar Tuol Tom Pong (Marché russe) B 120 ↓ Wat Tuol Tom Poung

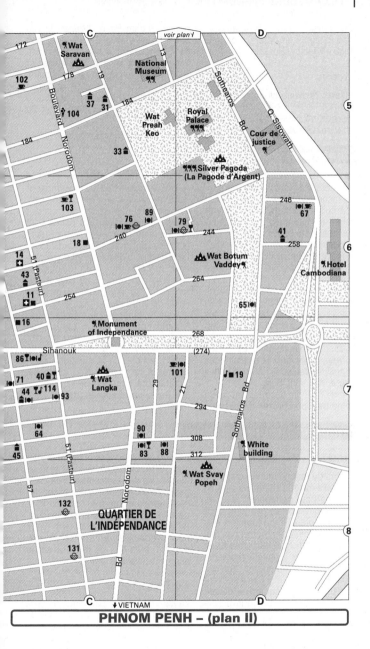

PHNOM PENH – (plan II)

➤ *Croisières :* voir « Promenades et minicroisières en bateau » dans la rubrique « À faire », plus loin.

En train

🚃 *Gare ferroviaire (plan I, B3) :* ☎ 023-992-379. 🖨 078-888-582 ou 583. ● royal-railway.com ●
➤ *Sihanoukville via Takeo et Kampot :*

depuis Phnom Penh, 1 départ le ven ap-m, 1 le sam mat et 2 le dim. Au départ de Sihanoukville, 1 départ sam mat, 2 le dim et 1 le lun mat. Davantage pdt les fêtes locales et, de temps à autre, 1 départ supplémentaire en semaine : se renseigner. Durée : env 7h jusqu'à Sihanoukville, 5h pour Kampot et 2h pour Takeo.

Orientation

Le centre-ville est assez étendu, mais on s'y repère vite grâce à quelques bâtiments incontournables : le wat Phnom (temple colline) au nord ; le stade olympique et le monument de l'Indépendance au sud ; le Palais royal et l'*Hôtel Cambodiana* à l'est. Principaux axes : le boulevard Monivong, longue rue commerçante qui traverse la ville du nord au sud ; et, plus à l'est, le boulevard Norodom, puis le quai Sisowath le long du fleuve Tonlé Sap. Le cœur du centre-ville est délimité au nord par les boulevards Kampuchea Krom et Ang Duong et au sud par le boulevard Sihanouk. Et, à propos de noms de grands axes, vous observerez la diversité des personnalités retenues : Mao, Charles de Gaulle, Kim Yong Sun...
La grande majorité des rues ont perdu leurs noms pour porter de simples numéros. Pratique (sauf pour certains quartiers excentrés) : les rues impaires sont verticales sur le plan (axe nord-sud) et leurs numéros vont croissant d'est en ouest. Les rues paires sont horizontales (axe est-ouest) et leurs numéros vont croissant du nord au sud. Les chauffeurs de *tuk-tuk* et de *motos-dops* ne connaissent pas toujours les numéros des rues et ne savent pas forcément lire. À vous de les guider à l'aide de votre carte ! Donnez-leur un maximum de repères (« marché truc », « grand hôtel Machin », etc.). À cet effet, certains plans gratuits qu'on distribue dans les hôtels sont très utiles. Enfin, sachez que la mention « E0 », ajoutée à de nombreuses adresses, signifie tout simplement « Étage 0 », soit le rez-de-chaussée (donc « E1 », « Étage 1 », etc.).

Comment circuler en ville ?

À pied

En dehors du quartier autour du Palais royal, la ville est très étendue avec peu de moyens pour se repérer : les rues sont numérotées, mais pas forcément dans le bon ordre. Il y a toutefois des plaques aux coins des rues et pas mal de boutiques affichent leur adresse en devanture, ça aide ! Reste le problème des numéros d'immeubles qui ont changé récemment, et il y en a souvent deux. Du coup, on peut arriver devant le bon numéro, mais pas à la bonne adresse, car le nouveau « bon numéro » a été posé à l'autre bout de la rue... Il est prudent de demander entre quelles rues se situe un immeuble.
Enfin, la chaleur et l'humidité en période de mousson, les trottoirs qui servent de parking permanent et obligent à marcher sur le côté de la chaussée ne facilitent pas les déplacements en ville. Sans parler des incessantes sollicitations des *motos-dops* et *tuk-tuk*... qui, au final, peuvent être utiles si vous êtes perdus.
À l'exception des taxis, les tarifs sont négociables à l'avance. Le prix dépend, bien sûr, de la distance et augmente le soir et la nuit.

Le bus

La ligne n° 1 est la plus pratique : elle descend le boulevard Monivong avec des arrêts proches des différents centres d'intérêt. Le bus, confortable et climatisé, passe environ toutes les 15 mn. Les stations les plus utiles du nord au sud : l'Hôpital-Calmette *(plan I, B1, 10)*,

Central-Market, la Rue-214 (permet de rejoindre ensuite Psaar Orussey et, en marchant un peu, le Palais royal), la Rue-Sihanouk, la Rue-294, la Rue-360 (Tuol Sleng) et, enfin, un stop non loin du consulat du Vietnam *(hors plan II, par B8)*.

Les motos-taxis *(motos-dops)*

Le moyen de déplacement le plus pratique et le plus rapide. Ils sont présents à chaque carrefour et sillonnent toutes les rues de la ville. La conduite peut effrayer au premier abord, par la manière de se faufiler dans la circulation. Toutefois, on peut généralement faire confiance aux chauffeurs. Se méfier un peu plus le soir et la nuit, car ils vont plus vite lorsque la circulation est moins dense. En moyenne, compter 0,50 $/pers pour une petite course en centre-ville (1-2 km), 1 $ jusqu'à 4 km et 2 $ jusqu'à 8 km. Plus cher la nuit.

Les *tuk-tuk*

Sortes de scooters tirant une carriole, pouvant contenir jusqu'à 4 personnes. Très bien à plusieurs ou si vous craignez les motos-taxis. Plus lents que ces derniers dans les embouteillages, et plus chers aussi (sauf si l'on est 3 ou 4), mais plus confortables et plus sûrs. Pour une course dans le centre-ville, compter 3 $ mini (4 $ la nuit), quel que soit le nombre de personnes.
À la journée, prévoir environ 15-20 $. Essayer de trouver un chauffeur qui parle l'anglais. Il peut être judicieux de s'adresser à la réception de l'hôtel malgré une petite com' éventuelle. Se mettre bien d'accord sur le prix et les horaires d'utilisation après avoir précisé les lieux à visiter.

Les cyclo-pousse

Plus folkloriques qu'efficaces, vu le trafic très dense. À réserver pour une petite course-promenade. Ceux qui attendent à la sortie des hôtels sont les plus chers. Prévoir le double du prix d'un *moto-dop*.

Les taxis

On les rencontre près des grands hôtels, des sites touristiques et sur les grands axes nord-sud. Ils sont facilement reconnaissables et disposent d'un compteur. En principe, pas de souci, les chauffeurs le mettent en marche sans se faire prier. Prise en charge minimum : 1 $, puis compter environ le même montant au kilomètre. Deux compagnies : *Choice Taxi* (☎ 010-882-882) et *Global Taxi* (☎ 011-311-888 ou 092-889-962).

Les voitures avec chauffeur

En raison des embouteillages, très nombreux, mieux vaut réserver ce mode de transport aux excursions en dehors de la ville. Prévoir min 25 $/j. Se renseigner à son hôtel ou dans les agences de voyages.

Location de vélos

Pourquoi pas, la ville se prête tout à fait au vélo. Pas mal d'agences de location et quelques hôtels en louent, voire en prêtent. Sinon, compter environ 1-3 $/j. selon le modèle et l'état du biclou.

■ *Friends Travel & Tours* (plan I, D4, 5) : 353, quai Sisowath (et rue 178). Tlj 8h-22h. Des vélos tout simples, mais globalement en bon état. Loue aussi des motos.

Adresses et infos utiles

Informations touristiques et administratives

🛈 *Offices de tourisme* (plan II, B5 ; B8) : 262, bd Monivong. ☎ 023-218-585. ☎ 012-980-088. ● tourismcambodia.com ● Tlj sauf dim 8h-17h. Une autre adresse au sud du bd Sihanouk (plan II, B8) : House 621, bd Monivong, entre les rues 310 et 322. ☎ 012-705-705. Cela dit, pas vraiment utiles. Vous en apprendrez plus avec les sites internet cités ci-après...

■ *Sites internet :* ● phnom-penh.biz ●

LE CAMBODGE

Site internet privé et francophone, riche en infos, avec un forum très actif. Également ● *canbypublications.com* ● : pas mal d'infos détaillées et utiles sur la capitale, entre autres.

■ *General Department of Immigration (hors plan I, par A3, 6) : 322, bd Russian, juste en face de l'aéroport.* Lun-ven 8h30-12h, 14h-16h30. Établit les *prolongations de visas. Attention, prévoir un délai d'une semaine.* Applicable une seule fois dans le cas des visas touristiques (30 jours supplémentaires pour 30 $). Se munir d'une photo. Savoir que nombre d'agences (dont celles que nous indiquons) proposent ce service pour un prix parfois inférieur, tout en économisant le déplacement jusqu'à l'aéroport.

Poste, téléphone et Internet

✉ *Poste principale (plan I, C2-3) : rue 13, à l'angle de la rue 102 (est du wat Phnom).* Tlj 7h-18h. Grand bâtiment colonial français restauré, qui a belle allure dans sa livrée jaune. On peut voir des photos anciennes à l'intérieur. C'est aussi le ministère des Communications. Services postaux, Internet, achat de timbres et philatélie, cartes postales, téléphones.

– *Communications nationales :* des minikiosques de trottoirs, aux parois couvertes d'indicatifs (012, 011, etc.), prêtent un portable à un tarif à la minute variant selon l'opérateur, la localisation (fixe) et... la durée de votre appel. Cela dit, si vous avez un portable débloqué et besoin de passer des appels fréquents, investissez dans une carte SIM locale, ça ne vous ruinera pas !

– *Pour l'international :* passer par un centre internet ou, encore une fois, acheter une puce locale. Les tarifs vers l'international sont devenus bon marché.

– *Wifi :* on le trouve partout.

Argent, banques, change

Aucune difficulté pour se réapprovisionner en dollars. Sinon, plusieurs banques et bureaux de change le long du quai Sisowath, mais penser à comparer les taux, le quartier est assez touristique.

■ *Cathay United Bank (plan I, D4, 7) : 327, quai Sisowath.* Lun-sam 8h-17h (12h30 sam). Bon taux de change, en général, mais comparer quand même avec les voisins. Également 2 distributeurs automatiques.

■ *Cambodia Asia Bank (CAB ; plan I, D4, 7) : 349, quai Sisowath (et au 263 également).* Tlj 7h30-21h. Taux de change moyen. Distributeur.

■ *ANZ Royal Bank (plan I, D4, 8) : 265, quai Sisowath.* Lun-ven 8h-16h. Distributeur accessible 24h/24.

■ *Western Union (service de transfert d'argent express) :* service très courant un peu partout en ville, notamment dans le réseau des banques *Acleda* et *Cambodia Asia Bank (CAB ; plan I, D4, 7).* Sur le quai Sisowath, assuré par la *Cathay United Bank (plan I, D4, 7)* ou encore juste à droite de l'*ANZ Royal Bank (plan I, D4, 8).*

Représentations diplomatiques

■ *Ambassade et consulat de France (plan I, B1, 9) :* 1, bd Monivong. ☎ 023-260-010. ● *ambafrance-kh.org* ● Lun-ven 8h30-11h30, l'ap-m sur rdv seulement. Dans un grand édifice tout blanc, plutôt design.

■ *Consulat honoraire de Belgique (hors plan II par B8) :* 404D, bd Monivong. ☎ 214-024. En cas d'urgence : ▤ 012-840-056. ● *belco. ppenh@gmail.com* ● Mar et jeu à partir de 16h. Dépend de l'ambassade de Belgique à Bangkok.

■ *Agence consulaire de Suisse :* 50, rue 334. ☎ 023-218-209 ou 305. ● *pnh. consularagency@eda.admin.ch* ● Lun-ven 9h-11h, l'ap-m sur rdv seulement. Dépend de l'ambassade de Suisse à Bangkok.

■ *Ambassade du Canada :* service consulaire limité et assuré par l'ambassade d'Australie, 16B, rue de l'Assemblée-Nationale, Sangkat Tonle Bassac, Khan Chamkamon. ☎ 023-213-470. ● *australian.embassy. cambodia@dfat.gov.au* ● Sinon, contacter l'ambassade du Canada à Bangkok : 15th floor, Abdulrahim Place,

990 Rama IV, Bangrak. ☎ *(066) 026-46-43-00 ou 45.* ● *bangkok-consul@inter national.gc.ca* ●

■ *Ambassade et consulat du Laos (hors plan II par C8) :* 15-17, bd Mao-Tsé-Toung. ☎ 023-997-931 ou 023-982-632. ● *laoembpp@canintel.com* ● *Lun-ven 8h-11h30, 14h-17h.* On peut s'y faire délivrer un visa de tourisme pour 1 mois. Coût : 40 $. Délai d'obtention : 1 jour. Prévoir 2 photos d'identité. Nécessaire uniquement si vous comptez emprunter la frontière Veun Kham-Dong Kralor (voir « Arriver – Quitter » au début du guide). Par la voie des airs, obtention du visa à l'arrivée à l'aéroport de Vientiane ou de Luang Prabang (30 $; prévoir une photo d'identité).

■ *Consulat du Vietnam (hors plan II par B8) :* 440A, bd Monivong (angle de la rue 436). ☎ 023-726-274. ● *vnembassy-phnompenh.mofa. go.vn* ● *Arrêt de bus ligne 1. Lun-ven 8h-11h30, 14h-16h30.* Pas besoin de visa pour les ressortissants français et suisses pour un séjour au Vietnam de moins de 15 jours (aux dernières nouvelles, les Belges devaient toujours en faire la demande). Toutefois, il n'est possible de bénéficier de ce dispositif qu'une fois tous les 30 jours. Pour un séjour de minimum 15 jours, prévoir une photo, un formulaire à remplir et 40 $ pour un visa à entrée simple permettant de rester 1 mois sur place, 70 $ pour un visa à entrées multiples. Délai d'obtention de 3 jours ouvrables (avec supplément pour un délai plus court). Bien vérifier le numéro de passeport inscrit sur le visa (en cas d'erreur – ça arrive –, la police de la frontière fait payer « une amende »). Attention, les modalités peuvent changer, mieux vaut se les faire confirmer avant le départ.

■ *Ambassade de Thaïlande (hors plan II par C8) :* 196, bd Norodom. ☎ 023-726-306 ou 308. ● *thaiembassy. org/phnompenh* ● *Lun-ven 8h30-11h (bureau des visas).* Rappel : obtention d'un visa gratuit et valable 15 jours directement à toutes les frontières terrestres du pays (visa porté à 30 jours en arrivant par voie aérienne). Se rendre ici pour les autres visas (catégorie, durée).

Hôpitaux

Pour les très gros pépins, mieux vaut se faire rapatrier à Bangkok ou à Singapour.

🔲 *Hôpital Calmette (plan I, B1, 10) :* 2-3, bd Monivong. ☎ 023-426-948 ou 023-723-840. ▯ 011-426-948 (médecin de garde pour les urgences). Consultations lun-ven 7h30-11h30, 14h30-16h30. Le plus connu de Phnom Penh. Les personnels de *Médecins du monde* et de la *Coopération française* y exercent. Ophtalmo, dentiste, etc. Équipé d'une IRM.

🔲 *Naga Clinic (plan II, C6, 11) :* 11, rue 254. ☎ 023-211-300 (standard). Dr Garen : ▯ 012-767-505. ● *nagaclinic. com* ● Clinique dirigée par le Dr Garen (médecin-conseil de l'ambassade de France). Service d'urgences 24h/24. Spécialisée notamment dans les maladies tropicales, la pédiatrie et l'ORL. Gynéco sur rendez-vous. Cher toutefois (compter 35 $ pour un généraliste et 50 $ pour un spécialiste).

🔲 *Royal Phnom Penh Hospital (hors plan I par A3, 12) :* 888, bd de la Confédération-de-Russie. ☎ 023-991-000. ● *royalphnompenhhospital.com* ● Super bien équipé, mais cher.

🔲 *Institut Pasteur (plan I, B1, 13) :* 5, bd Monivong. ☎ 023-426-009 (accueil). ▯ 012-812-003 (analyses et vaccins). ● *pasteur-kh.org* ● À côté de l'hôpital Calmette. *Lun-sam 7h-17h (11h30 sam).* On peut s'y faire vacciner contre le tétanos, la rage, l'hépatite B, l'encéphalite japonaise et la fièvre jaune. À noter que c'est également le seul centre de traitement antirabique du pays.

🔲 *International SOS (plan II, C6, 14) :* 161, rue 51 (rue Pasteur). ☎ 023-216-911 (urgences). ● *internationalsos. com* ● *Consultations lun-sam 8h-17h30 (12h sam).* Médecine générale, dermatologie, pédiatrie et gynécologie. Équipée d'un labo et d'un service de radiologie. Plusieurs médecins francophones. Pas donné.

🔲 *European Dental Clinic :* 160A, bd Norodom. ☎ 023-211-363. ▯ 012-893-174. ● *eurodentalcambodia.com* ● Face à l'école ISPP. *Lun-ven 8h-13h, 14h-17h ; sam 8h-13h ; dim consultation d'urgence.* Un cabinet dentaire, tenu par des Français et des Anglais compétents. Accepte la carte *Visa*.

Pharmacies

Une certaine proportion des médicaments vendus dans les pharmacies « standard » de la ville peut être périmés ou contrefaits. Voici quelques adresses fiables.

■ *Pharmacie de la Gare* (plan I, B3, *15*) *:* 81, bd Monivong (et rue 108). ☎ 093-711-771 (urgences). Tlj 7h30-19h (12h dim). CB acceptées. Très propre et bien fournie. Le patron parle le français.

■ *Pharmalink* (plan II, C6, *11*) *:* à la Naga Clinic (voir plus haut). ☎ 023-214-727. Tlj 24h/24. Bien fournie et service très professionnel.

■ *Parapharmacie U-Care* (plan I, D4, *5*) *:* à l'angle du bd Sothearos et de la rue 178. ☎ 023-222-499. ● uca repharma.com/stores-locator ● Tlj 8h-22h. Moderne, rayons adaptés aux besoins des voyageurs. 3 autres respectivement au : 41-43, bd Norodom (☎ 023-224-299), 39, bd Sihanouk (☎ 023-224-099), et 10, rue Sivutha.

Agences de voyages

■ *Shanti Travel :* ☎ (00-33) 9-70-40-76-17. ● shantitravel.com ● Une agence dynamique créée par des Français installés en Asie depuis de nombreuses années, à contacter avant votre départ pour organiser votre voyage. Spécialiste du voyage sur mesure, l'équipe partage ses conseils du terrain, et crée pour vous des programmes qui correspondent à vos attentes, votre rythme et votre budget. Leur mission ? Vous faire découvrir le Laos et le Cambodge de manière authentique, hors des sentiers battus. Et pour les voyageurs prêts à continuer leur route en Asie du Sud Est, *Shanti Travel* vous emmène aussi en Birmanie, au Vietnam, en Thaïlande ou encore en Indonésie.

■ *Diethelm Travel :* 65, rue 240. ☎ 023-219-151. ● diethelmtravel. com ● L'une des bonnes agences de Phnom Penh. L'équipe est compétente, et l'agence a des succursales dans tout le pays, ainsi qu'au Laos, au Vietnam, en Thaïlande et en Birmanie (Myanmar).

■ *Apsara Tours* (plan II, C6-7, *16*) *:* 8, rue 254, Khan Daun Penh. ☎ 023-212-019. ● apsaratours.com.kh ● L'un des plus grands tour-opérateurs européens. Le patron et les guides parlent le français. On peut y acheter ses billets pour Angkor, louer une voiture avec chauffeur, etc. Leur bureau de Siem Reap est aussi très efficace.

■ *Apple Travel :* 16, rue 13, S/K Wat Phnom. ☎ 023-213-006. 🖥 011-804-688. Près de la poste. Lun-sam 8h-18h, dim 10h-17h. Petite agence efficace pour toute résa de bus, bateau, avion, ou pour obtenir ou renouveler des visas. Pro et fiable.

■ *Tour Asia :* 🖥 012-663-268. ● tou rasia.com.kh ● Branche locale d'une grosse agence singapourienne, elle mérite d'être citée pour le professionnalisme et la qualité d'accueil de son personnel. Toutes prestations à prix concurrentiels.

■ *Compagnie fluviale du Mékong :* ☎ 023-216-070. Résas sur le site ● cfmekong.com ● Propose de superbes itinéraires-croisières pour voyages de noces ou riches routards souhaitant découvrir les mondes du Mékong dans des embarcations traditionnelles en bois, alliant charme et grand confort. Croisières entre Phnom Penh et Siem Reap (3 jours et 2 nuits) ou Hô Chi Minh-Ville (à partir de 4 jours et 3 nuits).

Divers

■ *Institut français du Cambodge* (plan II, B5, *17*) *:* 218, rue 184. ☎ 023-213-124 ou 125. ● institutfrancais-cambodge.com ● Le complexe, sanctuaire bien vivant de la francophonie, est installé de part et d'autre de la rue. D'un côté, la section enseignement, de l'autre, un bureau d'accueil (lun 8h-12h, 14h-18h ; mar-sam 8h-21h), une médiathèque (mar-sam 10h-18h30 ; fermé de mi-juil à mi-août ; consultation libre sur place, inscription payante pour les emprunts), une galerie d'expositions (lun-sam 8h-21h30), un cinéma (ven à 19h, sam à 10h et 14h30 ; tarif : 2 $) et un resto-café, *Le Bistrot (mar-sam 8h-22h).* C'est le bon endroit pour sympathiser avec des Cambodgiens francophones. Panonceau avec des petites annonces diverses et variées (offres d'emploi, etc.).

■ *Carnets d'Asie (plan II, B5, 17) :* dans le complexe de l'Institut français du Cambodge (voir ci-dessus). ☎ 023-210-421. Lun-sam 9h-19h. Librairie francophone qui, en plus d'un bon fonds généraliste, est spécialisée dans l'Asie du Sud-Est et le Cambodge. Propose aussi bien des éditions françaises que cambodgiennes francophones ou bilingues, à peu près introuvables en France. De quoi satisfaire les amateurs comme les érudits. Sélection de périodiques, de cartes postales, de plans, de guides touristiques et culturels. Également une antenne à Siem Reap.

■ *Monument Books (plan II, C6, 18) :* 111, bd Norodom. ☎ 023-223-622. ● monument-books.com ● Tlj 8h-20h30. Librairie essentiellement anglophone, mais également quelques ouvrages, journaux et magazines en français, cartes routières du pays et de ses voisins. Un autre magasin, ultramoderne dans le *mall* près de l'ambassade de Russie *(plan II, B3).*

■ Pour trouver des **bouquins,** on peut aussi aller au *marché central (plan II A2)* ou au *marché Orussey (plan II A2).* On y trouve des livres d'occasion et beaucoup d'éditions « pirates » vendues quelques dollars, sur le Cambodge en général et Angkor en particulier. Les vendeurs des rues en proposent aussi. Quant à la presse française, on l'achète aussi au supermarché *Thai Huot (105, bd Monivong).*

■ *Infos et activités sur la capitale :* The Cambodia Daily propose tous les vendredis le programme des activités de la capitale. Plusieurs gratuits en anglais, dont *Visitors Guide* (bi-annuel de petit format disponible un peu partout ; ● canbypublications. com ●) et *Bayon Pearnik* (mensuel ; ● bayonpearnik.com ●), qui fournissent pas mal d'infos pratiques (transports, visas, banques, excursions, etc.). Pour les francophones, il existe le gratuit

L'Écho du Cambodge. Savoir quand même que, financés par la publicité, ils ne sont pas très objectifs quant aux adresses mentionnées dans leurs colonnes. Également l'hebdomadaire *Advisor* pour piocher des idées branchées d'expos, concerts et sorties (● theadvisorcambodia.com ●) et le mensuel payant *Southeast Asia Globe,* à vocation plus régionale (● sea-globe. com ●).

■ *Meta House (plan II, D7, 19) :* 37, bd Sothearos, Songkhat Tonle Bassak. ☎ 023-224-140. ▤ 010-312-333. ● meta-house.com ● Tlj sauf lun, jusqu'à minuit pour le bar (22h pour les cuisines). Centre culturel allemand *(Goethe Institute)* ouvert à toute forme d'expression, et à la programmation séduisante. Bar et petite restauration sur le charmant toit-terrasse où sont fréquemment projetés des documentaires et des films (gratuits à 16h et 19h). *DJ parties* du jeudi au samedi.

■ *Seeing Hands Massage Centre (plan I, C2-3, 20) :* 12, rue 13. ▤ 016-856-188. En face de la poste. Tlj 8h-21h. Résa conseillée. Les quelques masseurs, tous aveugles et supportés par des organisations caritatives, sont pris d'assaut. Les massages (shiatsu et réflexologie) se font au travers des vêtements par étirements et pressions. Corps sensibles, s'abstenir.

■ *Spas :* voir plus loin *Bliss* dans « Achats. Shopping classique » pour une version raffinée.

■ *Piscines :* possibilité de profiter des piscines des grands hôtels, moyennant d'ordinaire un droit d'entrée d'environ 5 $ par personne (parfois jusqu'à 10 $ le week-end).

■ *CCC (Comité cambodgien de coopération ; hors plan par A3) :* 9-11, rue 476, Toul Tompoung I. ☎ 023-214-152. ● ccc-cambodia. org ● S'occupe de la coordination entre les ONG du Cambodge – et il a donc fort à faire ! Si vous souhaitez donner de votre temps et partager vos compétences, vous pouvez y déposer votre CV, consulter son importante documentation et y être conseillé. Toujours pour les BA, voir aussi la rubrique « Achats. En faveur des ONG » plus loin.

LE CAMBODGE

LE CAMBODGE

Où dormir ?

Nous précisons lorsque les hébergements soutiennent l'action de *Child-Safe*, une ONG qui s'engage à fournir aux enfants un environnement protégé.

Vers le quai Sisowath et le Palais royal *(plan B2)*

Bars et restos alignent leurs terrasses le long du quai, à touche-touche, qui de fait est devenu très touristique. Si bien qu'il est devenu difficile de contempler le Tonlé Sap, tant il y a de voitures. Mieux vaut prendre de la hauteur ou longer le fleuve à pied.

Bon marché (moins de 15 $)

🛏 *One Stop Hostel (plan I, C2, 30)* : 85, quai Sisowath. ☎ 023-992-822. 📱 098-991-184. ● onederz.com ● Cette récente chaîne d'auberges de jeunesse propose des dortoirs impeccables de 4 à 10 lits, dont un réservé aux filles. Tous avec la clim, casiers, loupiotes, prises électriques et literie confortable. Coin salon-télé en mezzanine. Location de serviettes et de vélos. Cuisine. Laverie. Équipe efficace et sympa.

🛏 *The Share Phnom Penh Hostel (plan II, C5, 31)* : 187, rue 19. 📱 096-777-65-57. Dortoirs de 6-8 lits. Ses atouts : l'hôtel est bien placé, récent, plutôt spacieux, intime (rideau individuel) et lit plus grand que la normale. Prise et loupiote, bien sûr, et grand casier à bagages. Une salle de bains par dortoir et une supplémentaire à l'extérieur. Glacier au rez-de-chaussée et bar sur le toit. Bien tenu et service sympa. Pas (encore ?) beaucoup d'ambiance, en revanche, et un poil cher.

🛏 *Europe Guesthouse (plan I, C-D3, 32)* : 51, rue 136. ☎ 023-691-88-83. ● europeguesthousepp.com ● Résa conseillée. Doubles « de bon marché à prix moyens ». Idéalement située, tenue par un charmant couple franco-khmer plein de bons conseils. Le patron, plein d'humour, a vécu en France. Ses employés et lui sont vraiment aux petits soins pour la clientèle. Une bonne

vingtaine de chambres mais, attention, seulement quelques-unes avec fenêtre et lumière du jour. Les moins chères ont une fenêtre sur le couloir, sanitaires communs et ventilo. Également des familiales. Dans l'ensemble, un très bon rapport qualité-prix qui réconfortera les eurosceptiques !

🛏 *Aura Thematic (plan II, C5, 33)* : 205 A, rue 19. ☎ 023-986-211. Dortoirs 4, 6 et 8 places, petit déj inclus. Bien placé, récent et fonctionnel. Dortoirs mixtes ou pas, certains avec lits superposés doubles. Clim, salle de bains attenante. Les points faibles : pas de fenêtre dans les dortoirs et dans certains, les lits sont très rapprochés. En revanche, bar sympa sur le toit, avec des canapés, et pas mal d'animations.

🛏 ↑ *Camory Backpackers (plan I, D3, 34)* : 167, quai Sisowath. 📱 093-734-443. Dortoirs 5, 8 et 12 lits, petit déj un peu cher. Au-dessus du café, dans les étages, 3 dortoirs bien tenus avec clim, ventilo, salle de bains attenante et casiers, mais un peu cher pour le dortoir de 12, au même prix que celui à 5. Jolie terrasse avec vue sur le Tonlé Sap.

Prix moyens (15-30 $)

🛏 *Rachana (plan I, C4, 35)* : 142, rue 19. 📱 077-333-007. ● rachana-hotel.hotel-phnompenh.com/fr ● Petit dortoir ou doubles. Pas de petit déj. Un petit hôtel d'une quinzaine de chambres avec un petit balcon, côté rue (quand même assez bruyante) ou sur l'arrière ; quelques-unes sans fenêtre. Très bien situé. Accueil agréable et bar très sympa sur le toit.

🛏 *Cozyna Hotel (plan I, D4, 36)* : 1A, quai Sisowath (dans le même bloc que l'hôtel Amanjaya). ☎ 023-222-366. 📱 012-662-200. ● cozyna-hotel.com ● Doubles à « prix moyens », limite « chic ». Pas de petit déj. Chambres spacieuses et déco des plus sobre. Beaucoup de 1ers prix sans fenêtre, à l'atmosphère quelque peu monacale, mais rien à dire sur la propreté. Celles disposant d'un balcon privé donnent sur le fleuve ou sur le quai, mais vu l'animation, mieux vaut ne pas se coucher trop tôt. Plus pour sa situation et ses tarifs (d'autant que des réducs sont possibles) que pour le charme.

De chic
à plus chic (30-80 $)

🏠 *Blue Lime* (plan II, C5, *37*) : 42, rue 19Z (l'impasse 19Z donne sur la rue 19, à hauteur du n° 179). ☎ 023-222-260. ● *bluelime.asia* ● *À l'arrière du Musée national. Résa très conseillée. Petit déj inclus.* Le « Citron bleu » est résolument contemporain, béton – l'essentiel du mobilier – et urbain – vue sur les toits « favelesques » de Phnom Penh. Chambres sur 3 étages, avec tout le confort moderne. La belle piscine occupe l'essentiel du jardin, au calme parfait. Original et réussi. Cette adresse soutient l'action de *ChildSafe*.

🏠 *Okay Boutique Hotel* (plan II, C5, *37*) : 174, rue 19Z (l'impasse 19Z donne sur la rue 19, à hauteur du n° 179). ☎ 023-979-666. ● *okayboutiquehotel. com* ● *Ne pas confondre avec la Okay Guesthouse de la rue 258. Doubles « plus chic » et des suites familiales, petit déj inclus.* Très bien situé, dans une impasse, à l'arrière du Palais et du Musée national. En passant devant, on pense d'abord à un temple... Dès l'entrée, étonnante décoration, avec statues bouddhiques et boiseries sculptées à profusion, encens... Au 13e étage, le resto et sa belle terrasse avec vue, plus piscine, lampadaires, et même une statue kitsch de Sihanouk ! Et dans la soixantaine de chambres, confortables et très bien insonorisées, c'est la même chanson.

🏠 ↑ *Ohana Hotel* (plan I, D4, *36*) : 4-6, St. 148. ☎ 023-222-366. ☎ 023-989-671. 📱 012-906-696. ● *ohanahotelpp. com* ● Il vous faudra faire l'ascenseur entre le *roof top* doté d'une piscine à débordement (vue imprenable, géniale au petit dej) et le patio du rez-de-chaussée pour l'autre piscine, plus grande. En passant par votre chambre, bien sûr, sans charme particulier, mais confortable et climatisée. Un havre fort bien situé, au bord de la rivière.

Spécial folie (plus de 120 $)

🏠 I●I *La Maison d'Ambre* (plan I, C3, *38*) : 123, rue 19 (angle rue 110). ☎ 023-222-780 ou 782. ● *lamaison dambre.com* ● *Doubles 130-160 $, familiale 4 pers 230 $, petit déj inclus.* Architecture aux réminiscences Art déco et, à l'intérieur, un superbe décor dans les tons rose, noir et gris, et un mobilier original, reprenant des formes anciennes modernisées. Plein de trouvailles esthétiques et artistiques... Chambres au confort total. Belle et spacieuse terrasse protégée, bar hyper design avec balancelles, bon resto... En bord de fleuve, une *country house* privée, belle piscine arborée... Pas donné, mais un vrai coup de cœur !

🏠 *Amanjaya Pancam Hotel* (plan I, D4, *36*) : 1, rue 154 (à l'angle du quai Sisowath, repérable au K-West Restaurant). ☎ 023-214-747. ● *amanjaya-pancamhotel.com* ● *Compter 120-185 $ selon saison, petit déj compris.* Hyper bien situé, c'est l'un des plus charmants boutiques-hôtels de la ville. Au-dessus de l'élégant lobby boisé, de superbes suites, d'une surface allant de 43 à 91 m², à la décoration raffinée. Certaines donnent sur le Tonlé Sap, d'autres sur le wat Ounalom (et parfois sur les 2). Toutes avec un petit balcon pour le lever de soleil. Très bon petit déj. Encore un coup de cœur ! Seul inconvénient : la circulation sur le quai aux heures de pointe. Au dernier étage, *Le Moon*, bar-terrasse très bien arrangé. Cette adresse soutient l'action de *ChildSafe*.

Vers le monument
de l'Indépendance (plan A-B3)

Quartier plaisant, sillonné de rues tranquilles. La rue 278 attire pas mal de routards grâce à ses hébergements bon marché, ses restos et bars. La rue 258 offre également pas mal de possibilités à tous les prix.

De bon marché à prix
moyens (moins de 30 $)

🏠 ⊥ *Top Banana* (plan II, C7, *40*) : à l'angle des rues 51 (rue Pasteur) *et 278.* 🖩 *012-885-572.* ● *topbanana. biz* ● *Réception au dernier étage. Résa vivement conseillée. Dortoirs (dont un pour filles) avec AC « bon marché », doubles avec sdb, clim ou ventilo à « prix moyens ».* La petite adresse pour routards à l'esprit fêtard. Un genre d'auberge de jeunesse où l'on prolonge les soirées assez tard, en discutant affalé sur les coussins de la terrasse, sur fond de musique *lounge* ou nettement plus pêchue le soir. Amateurs de calme, passez votre chemin ! Cela dit, les chambres les plus chères sont plus éloignées du salon-réception, donc plus calmes. Certaines n'ont pas de fenêtre.

🏠 *Kha Vi Guest House (plan II, D6, 41) :* 7DD1, rue 258. ☎ *023-632-44-66.* 🖩 *090-240-140.* ● *thavi_kh@yahoo. com* ● *Dortoirs et doubles « bon marché ».* Reconnaissable à sa façade jaune et bleu. Chambres correctes, un maximum carrelées. Portes sculptées et vernies, mais décor tout simple et chambres pas bien grandes. Clim, eau chaude, TV satellite... Resto fermant tard. Seul bémol : l'accueil inégal.

🏠 *Lazy Gecko Café & Guesthouse (plan II, D6, 41) :* rue 258. 🖩 *078-786-025.* ● *lazygecko.asia* ● *Dortoirs 4-16 lits et doubles avec ventilo ou clim « bon marché ».* Petites chambres très correctes, plus ou moins grandes. Certaines n'ont qu'une fenêtre donnant sur le couloir. Préférer, pour le même prix, celles qui ont une double orientation. Mais l'entretien reste limite. Côté dortoir, larges lits simples, et un dortoir pour les filles seulement. Bonne ambiance au bar avec une terrasse donnant sur la ruelle, sympa à l'heure de l'apéro, dans une ambiance plutôt anglo-saxonne. Un panier de basket pour s'échauffer pour la soirée.

De chic
à très chic (30-120 $)

Pas mal de villas coloniales restaurées et d'hôtels design, tous dotés d'une piscine...

🏠 *The 252 (plan II, B7, 42) :* 19, rue 252. ☎ *023-998-252.* ● *the-252. com* ● *Doubles « plus chic », petit déj compris.* Dans une rue vraiment calme, un hôtel de facture contemporaine, à la déco sobre et épurée, tendance design-*lounge* et béton coloré. Le parti pris est réussi, le confort au rendez-vous (larges lits, lecteur DVD et haut-parleurs pour écouter sa musique). Et tous les ans, la déco des chambres change. Chouette piscine entourée de *daybeds.* Cours de cuisine. Cette adresse soutient *ChildSafe.*

🏠 *Tea House Hotel (plan II, C6, 43) :* 32, rue 242 (et rue 51). ☎ *023-212-789.* ● *theteahouse.asia* ● *Doubles « de plus chic à très chic », petit déj-buffet inclus.* Boutique-hôtel offrant une superbe réception et de belles chambres au design épuré. Cela dit, prendre plutôt une supérieure, les moins chères étant assez petites, et l'on ne vient pas dans ce genre d'hôtel pour se frustrer. Tout le confort espéré, jolie piscine avec un peu de verdure autour et chaises longues. Il y a même un spa. Expos temporaires.

🏠 |●| *Villa Langka (plan II, C7, 44) :* 14, rue 282. ☎ *023-726-771.* ● *villa langka.com* ● *Doubles « de plus chic à très chic », petit déj-buffet inclus. Plus des suites.* Très bien situé dans le centre-ville et étonnamment au calme, un hôtel de charme à la déco élégante et épurée. Vastes chambres, réparties dans 2 ailes. Charme du vieux carrelage dans l'*Old Building,* qui a notre préférence. Chambres plus modernes, presque design, dans le *New Building* (ascenseur). Toutes très calmes, lumineuses et fonctionnelles. Belle piscine entourée d'un agréable jardin. Et c'est aussi une bonne table, alors n'hésitez pas à y faire escale ! Boutique de joli artisanat, *Khmeritudes,* juste à côté. Accueil sympathique de l'équipe et de la direction française.

🏠 *Villa Samnang (plan II, C7, 45) :* 15, rue 302. ☎ *023-221-644.* ● *villa-samnang.com* ● *Doubles et familiales 4 pers, petit déj inclus. Très bonne connexion internet.* Dans une rue au calme, une jolie villa dotée d'une très agréable piscine entourée de *daybeds* pour se prélasser. Chambres très simples, pour certaines, spacieuses et avec balcon pour d'autres, décorées au goût du jour. Literie neuve, bonne isolation phonique. Bar et resto. L'ensemble est sobre et contemporain. Beaucoup de charme et plein de projets d'amélioration de la part de Léo, le dynamique gérant francophone.

Du marché central au stade olympique *(plan A2-3)*

Quartier populaire et commerçant, où l'on trouve surtout des petits hôtels en béton sans aucun charme, mais corrects et à prix tassés. Attention, accueil et entretien variables... Plutôt un quartier de secours si vous êtes fauché et que tout est plein ailleurs.

De bon marché à prix moyens (jusqu'à 30 $)

🛏 *Tattoo Guesthouse (plan II, A7, 46) :* 52E1 & 62AB, rue 125. 📱 012-921-211 ou 011-801-000. *Doubles « bon marché », familiale 5 pers ; petit déj en plus.* Sans doute l'une des *guesthouses* les plus sympas du quartier (pas très difficile, vu le niveau général !). Chambres carrelées impeccables et vraiment pas chères. Demander plutôt une chambre au 2e ou 3e étage (aucun dégagement devant les fenêtres du 1er). Terrasse sur le toit. Petit déj et repas tout aussi bon marché. Location de vélos et de motos idem. Plein de petits services : vente de tickets de bus... Un bon plan pour les routards.

🛏 *Lucky Guesthouse II (plan II, A6, 47) :* 30, rue 115 (sud du marché Orussey, proche de la rue 214) ; ne pas confondre avec l'établissement Lucky I, situé presque en face, moins bien. 📱 016-537-777. *Doubles « bon marché » ; pas de petit déj.* Adresse déjà ancienne, sorte d'« hôtel-salle de bains », c'est-à-dire tout carrelé et propre. 5 étages de chambres aux prix variant avec la température de l'eau et de l'air (quand il y a la clim, il y a même un ventilo !). Grimper aux étages : moins de chambres aveugles. Les chambres sur l'arrière sont plus calmes, forcément... Personnel très gentil.

🛏 *Narin Guesthouse (plan II, A7, 46) :* 50, rue 125. 📱 099-881-133 ou 097-588-633. *Doubles avec sdb », limite « prix moyens».* Chambres confortables, à la bonne literie. Propre, donc pas grand-chose à craindre du

côté des... narines. Éviter quand même celles du rez-de-chaussée, vraiment sombres. Les plus chères possèdent la clim. Resto avec une grande terrasse. Parking à scooters. Accueil personnalisé et en anglais du sympathique patron et de son personnel. Cela dit, bien confirmer sa réservation.

🛏 *Star Wood Inn (plan II, A7, 48) :* 74, rue 141 (proche du bd Sihanouk). 📱 023-223-253. 📱 015-324-325. ● starwood-inn.com ● *Doubles à « prix moyens».* Dans cet établissement de 3 étages sans ascenseur, les chambres climatisées arborent une déco soignée, avec murs colorés et tissus cambodgiens. Pour le même prix, demandez l'une des chambres d'angle. L'ensemble est propre, confortable. Le vaste entresol qui fait office de garage et de réception n'est pas super chaleureux, mais, après tout, ce n'est pas là que vous allez dormir ! Pas de possibilité de petit-déj sur place. Vente de billets de bus. Un bon rapport qualité-prix.

🛏 *Burly Guesthouse (plan II, A-B7, 49) :* 70, rue 111. 📱 023-998-493. 📱 012-847-206. ● burly_guesthouse@yahoo. com ● *Doubles à « prix moyens » ; pas de petit déj.* Immeuble rouge flashy de 7 étages avec ascenseur, typique de ces nouvelles constructions dues aux entrepreneurs chinois qui envahissent la capitale. Chambres assez petites (pour les 1ers prix), mais rationnelles (1 ou 2 grands lits) et propres (y compris les sanitaires). Personnel serviable, adresse de bon rapport, mais on vous recommande d'utiliser le coffre de la réception en demandant un reçu.

De chic à plus chic (30-80 $)

🛏 *The Billabong Hotel (plan I, B4, 50) :* 5, rue 158. 📱 023-223-703. ● thebillabonghotel.com ● *Doubles à prix « chic » et dortoirs à partir de 4 $. Petit déj inclus.* Au sud du marché central, cet hôtel au management australien arbore un environnement très épuré, avec une belle piscine entourée de verdure, l'ensemble donnant la sensation d'une enclave bien au calme. Chambres égayées de tableaux contemporains et dotées de belles salles de bains. Très bon confort. Clientèle essentiellement anglo-saxonne, *of course*.

🏠 ↗ *Salita Hotel* (plan II, A7, **51**) : 70, *European Street Union* (rue 143) et *rue 280, quartier Sangkat Boeung Kengkang*. ☎ 023-221-776 ou 777. 🖨 077-453-333. ● *salitahotel.net* ● *Doubles à « prix chic », petit déj inclus.* Au sud du quartier routard, un hôtel « moderne », en béton, d'une dizaine d'étages, avec ascenseur vitré. Une soixantaine de chambres assez spacieuses, bien tenues et de bon confort. Petit déj au dernier étage avec vue sur la ville. Pick-up et transfert aéroport. Accueil pro. Pas de charme, mais un bon rapport qualité-prix.

Au nord du centre-ville *(plan A1)*

Prix moyens (30-50 $)

🏠 *Cara Hotel* (plan I, B1, **52**) : *à l'angle des rues 84 et 47*. ☎ 023-430-066. *Chambres doubles et familiales, petit déj compris. Promos et packages sur Internet.* Tendance boutique design pour cet établissement assez récent. De mignons espaces communs et intérieurs charmants, malgré des finitions un peu hâtives. Chambres confortables, de taille plutôt modeste et sans luxe excessif. Éviter celles sans fenêtre...

Quelques carats de plus pour les *deluxe*, un peu plus grandes et situées à l'angle de l'immeuble, avec un balcon. Juste à côté, les portes s'ouvrent sur *Doors*, un resto-bar à tapas à la mode.

Spécial coup de folie

🏠 |●| *Raffles Hotel Le Royal* (plan I, B2, **53**) : *à l'angle du bd Monivong et de la rue 92*. ☎ 023-981-888. ● *raffles. com/phnompenh* ● *À partir de 315 $, taxes comprises, mais sans le petit déj... Parfois des promos intéressantes sur le site.* Un nom légendaire et l'un des grands palaces du Sud-Est asiatique. Le vieux bâtiment, composé de 3 ailes basses communicantes, camoufle sous son cachet colonial, mélangeant Art déco et style khmer, tous les services d'un hôtel de luxe contemporain. Deux somptueuses piscines. Excellent petit déj-buffet, même si l'on trouve le cadre un peu *cheap* et sombre. L'accueil est impeccable, en revanche. Les chambres évoquent pour certaines leurs illustres hôtes (André Malraux, Jackie Kennedy...), que l'on retrouve en photos devant le restaurant chic *Le Royal*. Un grand nom, certes, mais pas forcément le plus beau des *Raffles* et vraiment cher. On peut aussi y boire un verre (*happy hours* 17h-20h). Cette adresse soutient l'action de *ChildSafe*.

Où dormir dans les environs ?

Voir « Dans les environs de Phnom Penh. L'île de la Soie ».

Où manger ?

Nous précisons dans la mesure du possible lorsque les restaurants soutiennent l'action de *ChildSafe*, une ONG qui s'engage à fournir aux enfants un environnement protégé.

De bon marché à prix moyens (moins de 8 $)

Les restos d'application d'école hôtelière gérés par des ONG

La capitale héberge de nombreux restaurants montés par des ONG où l'on réinsère de jeunes Cambodgiens

en difficulté pour diverses raisons. C'est l'occasion de déguster des cuisines souvent très bien mitonnées et d'apprécier les prestations des élèves tout en apportant sa petite pierre à l'édifice.

|●| ↗ *Friends The Restaurant* (plan I, D4, **60**) : *215, rue 13*. 🖨 012-802-072. *Proche du Musée national. Tlj sauf certains j. de cours 11h-23h (22h pour la cuisine). Prix moyens.* Un resto autofinancé et créé pour former les jeunes en insertion aux métiers de l'hôtellerie (● *mithsamlanh.org* ●), à l'initiative du

label *ChildSafe.* Cadre confortable, chaleureux et coloré. Petite terrasse verdoyante côté rue. On y sert une excellente cuisine fusion, des plats végétariens, des tapas et les *specials* du mois, tous préparés en direct dans la cuisine vitrée. Délicieux *fruit-shakes* et cocktails. À côté, la boutique de sacs, bijoux... fabriqués à partir de matières recyclées, et le cabinet d'esthétique d'application des élèves.

I●I *Romdeng* (plan II, B5, 61) : 74, rue 174. ☎ 092-219-565. ● romdeng-restaurant.org ● Tlj 11h-23h (22h pour la cuisine). Ne pas arriver trop tard. Happy hours 14h-18h. Résa conseillée. Une autre émanation de l'ONG *Friends,* fonctionnant sur le même modèle. Cadre très agréable, grande demeure à l'allure coloniale, tendance Art déco. Autour, un jardin dans lequel sont disséminées les tables. Le soir, l'atmosphère est intime. Bonne cuisine traditionnelle khmère, le plus possible à base de produits régionaux. On peut même s'essayer aux araignées frites ou au bœuf saupoudré de fourmis rouges (vraiment croustillant !). Quelques bons vins à prix raisonnables. Service attentif. Cette adresse soutient l'action de *ChildSafe.*

I●I *Le Lotus Blanc* (hors plan II par A7, 62) : Stung Mean Chey. ▤ 016-889-479. À 15 mn du centre, après l'hôtel Intercontinental, *suivre le bd Monireth et les pancartes avec la fleur de lotus blanc. Ouv de mi-oct à fin juil, lun-ven 7h-7h45 pour le petit déj et 12h-14h30. Fermé les j. fériés. Formule menu, buffet ven.* Géré par l'association Pour un Sourire d'Enfant (● pse. ong ●), qui se préoccupe de réinsérer les mômes qui travaillaient sur les décharges publiques. Bonne cuisine khmère ou occidentale dans un cadre frais et plaisant. Boutique, salon de coiffure et spa.

Cuisine de rue

À condition d'avoir l'œil exercé et que ça débite suffisamment, on peut très bien se restaurer dans la rue. On vous conseille notamment les petites échoppes *à l'ouest du marché central,* côté boulevard Monivong *(plan A2).* Très bon marché, bien sûr... Les soirs des vendredi et samedi, également le *Night Market* (plan I, C3, 63), au croisement du quai Sisowath et de Preah Mohaksat Treiyani Kossamak. Si vous appréhendez ce type d'adresses, le *Food Centre* du centre commercial *Sorya* (voir plus loin) constitue une alternative plus aseptisée, forcément.

Restos classiques

I●I *Mok Mony* (plan II, C7, 64) : 63C, rue 294. ▤ 095-970-861. Tlj 10h-22h. Réserver. Derrière la grille en fer forgé, la salle vitrée tout en longueur peut laisser dubitatif. C'est sans compter sur la cuisine inspirée de Mony, qui travaille en tandem avec son fils en salle, chaleureux et efficace. De délicieux plats khmers et malais parfumés à la coriandre, au tamarin, à la citronnelle, des viandes marinées, on a envie de tout essayer ! Quelques plats du jour inspirés viennent compléter une carte déjà variée, à prix serrés. Si, par hasard, le plat ne correspondait pas à vos attentes, pas de problème : il repart pour être proposé à une association qui vient en aide aux plus démunis. Service tout en douceur lui aussi, et sympathique terrasse.

I●I *Kravanh* (plan II, D6, 65) : 112, Sothearos Blvd. ☎ 012-539-977. Tlj 11h-22h. Une escale raffinée nichée dans un cadre élégant et soigné, quoiqu'un peu impersonnel. En dehors de classiques *amok* ou *lok lak,* la carte offre un bel éventail de plats (en photos d'ailleurs, ça peut aider...), qu'on n'a pas vus ailleurs. Fin et délicieux. Service efficace, pro et anglophone.

I●I *Scodo* (plan I, D4, 66) : 33, rue 178. Une déco simple et soignée (pas toujours le cas dans cette catégorie de prix), et, dans l'assiette, poulet à la citronnelle, calamar poêlé au basilic, oignons et piment, amok... La carte est courte mais bien maîtrisée. Des plats cambodgiens mâtinés de touches occidentales (le chef a travaillé plusieurs années chez *Friends,* voir plus haut). Atmosphère zen et cosy. Un excellent rapport qualité-prix donc.

I●I ☛ *Backyard Café* (plan II, D6, 67) : 11B, rue 246. Mar-dim 7h30-20h. Cadre spacieux et rafraîchissant. La carte est appétissante, et les assiettes copieuses et délicieuses. Adeptes du sans gluten et *vegan* (et les autres

LE CAMBODGE

LE CAMBODGE

aussi, sauf si vous rêvez d'une grosse côte de bœuf à la béarnaise) poussez la porte !

|●| Aroma (plan I, D4, **68**) : 186, rue 13. 086-268-081. Tlj. Allez, une escale méditerranéenne pour permettre aux papilles de changer un peu de régime ! Feuilles de vigne, labneh, falafel, hummus... Moins goûteux qu'au pays, mais tout à fait honnête. Et pour ne pas avoir à choisir, on peut opter pour une assiette de dégustation, avec des *mezze,* qui permet de goûter plusieurs plats et se partage facilement. Et si le patron (Mansour) est là, faites-vous conseiller pour le vin. Petite terrasse simple et sympa.

|●| Chez la Belle-Mère (Mother in Law House ; plan II, B6, **69**) : 38, rue 240 (à l'angle de la rue 55). 011-522-052. On y sert une cuisine sino-cambodgienne copieuse, à choisir sur une carte avec photos longue comme le Mékong. Essayer, par exemple, les calamars au sel et les aubergines braisées, mais il y a aussi des plats vietnamiens, laotiens ou thaïs... Clientèle très locale, avec notamment beaucoup de « rapats », la diaspora revenue après le départ des Khmers rouges. Bon, p'têt' pas l'endroit idéal non plus pour essayer d'impressionner votre belle-mère...

|●| Sam Doo Restaurant (plan I, B4, **70**) : 56-58, Kampuchea Krom. 017-427-688. Le resto se trouve à l'étage (prendre l'escalier sur la gauche). Tlj 7h-2h du mat. Cantine à la cantonaise, avec la cafétéria au rez-de-chaussée et le resto à l'étage. Ambiance différente, mais la carte est la même, très vaste. Elle propose, entre autres, d'excellents *dim sum,* de très bonnes soupes de nouilles aux *wonton,* mais tout est bon. En prime, service souriant.

|●| Tom Yum Kung (plan II, C7, **71**) : rue 278, entre les rues 57 et 63. 023-720-234. Tlj jusqu'à 22h. Sous une paillote entourée de verdure, l'un des bons restos thaïs du centre-ville, servant aussi quelques plats cambodgiens. Soupe khmère ou thaïe (tom yum, bien relevée mais délicieuse), crevettes ou calamars au poivre vert, tout est d'un bon rapport qualité-prix. Service parfois un peu désinvolte néanmoins.

|●| Chez Mama (plan II, A-B6, **72**) : 9A, rue 111. 011-424-767. Tlj 7h-21h30.

Bon marché. Boui-boui amélioré, familial et chaleureux, actif dès le petit déj. Cuisine internationale mitonnée par la patronne, qui a fait ses classes dans une famille française. Poulet au gratin, sauté de bœuf aux poivrons verts et hachis parmentier voisinent avec des classiques thaïs et khmers. Bières pas chères. Que demander de plus ?

|●| Orussey Restaurant (plan II, A-B5-6, **73**) : 42Eo, rue 182 (angle de la rue 111). 012-755-055. Face au marché du même nom. Tlj 5h-10h30, 13h30-21h30. Bon marché. L'impression d'être au cœur du cyclone, là où circulation et animation atteignent leur paroxysme... Un genre de cantine sino-khmère typique, qui délivre avec régularité des nouilles en soupe ou sautées, des dim sum (bouchées vapeur), etc. Attrapez une chaise en terrasse et contemplez cette planète qui tourne ici plus vite qu'ailleurs.

|●| Tea Club Café Restaurant (plan II, B8, **74**) : 199, rue 63 (angle rue 304). 023-599-446. Tlj 7h30-18h (15h lun). Bon marché. Buffet végétarien le midi en sem 5 $. Délicieuse cuisine chinoise « hakka », qu'on vous encourage à découvrir à la carte pour à peine plus cher que le buffet : poulet au sel, canard désossé farci de riz gluant, porc au tofu fermenté, etc. Côté cadre, la partie ancienne à l'atmosphère chinoise est plus agréable que la salle récemment aménagée.

|●| Food Centre du centre commercial Sorya (plan I, B4, **75**) : au sud du marché central ; au 4e étage de la tour vitrée, se diriger vers « Sorya Food City ». Tlj 8h-20h. Ne désemplit pas le midi. Bon marché. Pour goûter à la cuisine populaire cambodgienne au frais et dans un cadre plus hygiénique que beaucoup de restos de rue. Mais on est au sein d'une galerie commerçante bruyante (surtout le week-end), mieux vaut le savoir. Plusieurs comptoirs où vous choisissez vos plats avant de payer à une caisse centrale qui vous remet une carte magnétique. Puis à vous de trouver une table disponible.

|●| Frizz (plan II, C6, **76**) : 67, rue 240, juste à gauche de The Shop. 023-22-09-53. Tlj 10h-22h. Ce resto, fondé par un Hollandais, fut nommé d'après le son que font les aliments au fond d'une poêle bien chaude. Délicieuse cuisine cambodgienne, réellement mitonnée, aux saveurs subtiles. Installez-vous dans l'un des fauteuils d'osier de la salle ouverte sur la rue et dégustez, par exemple, le délicieux *amok* de poisson ou le *lok lak* surmonté d'un œuf au plat. L'adresse est aussi connue pour ses cours de cuisine.

I●I **On The Corner** (Le Resto du Coin ; plan I, D3, **77**) : 191, quai Sisowath, près de l'angle avec la rue 130. ☎ 023-723-485. Petit déj dès 7h. Happy hours 14h30-23h30 (cuisine jusqu'à 22h). Fréquenté surtout par les touristes et expats, ce resto rappelle un peu les atmosphères d'antan, façon *Le Salaire de la peur*... sauf qu'ici on est au cœur de l'animation du quai. Cuisine khmère et française (fondue bourguignonne...). On recommande particulièrement les viandes et les brochettes de poisson (attention aux piments). Également des en-cas simples, des glaces et des sorbets. Bien aussi pour boire l'apéro, évidemment.

I●I **Flavors of India** (plan II, B7, **78**) : 158, rue 63 (et bd Sihanouk). ☎ 023-990-455. ▤ 012-886-374. Tlj 11h-23h. Un resto indien et népalais dans une salle tout en longueur à la décoration ad hoc. On recommande particulièrement le *thali*, archi-copieux (un pour 2 personnes suffit !). Plats classiques et pains traditionnels, plus quelques plats népalais sur demande. Bon rapport qualité-prix.

I●I ♟ ⊕ **ARTillery** (plan II, C-D6, **79**) : rue 240 ½ (discrète impasse aux petites adresses modernes et branchées, accessible par la rue 244). ▤ 078-985-530. Tlj 7h30-21h. Une petite maison bleu et blanc à la grecque, avec une poignée de tables en terrasse, bien au calme. Une adresse qui plaît bien aux végétariens et végétaliens. Très agréable pour un petit déj ou un grignotage léger dans la journée. Produits bio, jamais cuits au-delà de 40°C et toujours sans gluten ni sucre. Salades, sandwichs, assiette de fromages, houmous, falafel, guacamole... À accompagner d'un bon cocktail de santé aux herbes, d'un thé ou d'un smoothie. Un peu d'artisanat en vente en mezzanine.

I●I ⌖ **Khmer Saravan** (plan I, D4, **7**) :

325, quai Sisowath. ▤ 012-845-679. Tlj 8h-22h. Petite salle ouverte face à la rivière ou quelques places (chères) sur la terrasse du 1er étage avec vue sur le fleuve. En dehors des petits déj servis, on mitonne ici de jolis petits plats du Sud-Est asiatique (khmers, thaïs et vietnamiens). À voir, les nombreux dessins et louanges couvrant tous les murs, la cuisine et l'accueil ont laissé de bons souvenirs. Super rapport qualité-prix. Spécialités d'*amok* et de plats à base de lait de coco, et de *lok lak*. Vins pas chers. Fait aussi bar (happy hours) 16h-20h). Petite terrasse.

I●I **The Blue Pumpkin** (plan I, D3-4, **80**) : 245, quai Sisowath. Tlj 6h-23h. Une chaîne de cafés-restos, branchée et populaire à la fois. Au rez-de-chaussée, vente à emporter, comptoir et quelques tabourets. Au 1er étage, une salle fermée par de grandes baies vitrées, contemporaine, blanc immaculé, presque un peu clinique. On y retrouve des « couchettes » où jeunes et bobos, déchaussés, surfent ou tweetent tranquillement tout en savourant leurs mets. Snacks classiques : sandwichs, pâtes, *rice and noodles*, quiches, gâteaux et glaces... Pas donné, mais sympa pour faire une pause fraîcheur et détente au cœur du quai Sisowath.

I●I **Chiang Mai Riverside** (plan I, D3, **77**) : 227, quai Sisowath. ▤ 011-811-456. Tlj 10h-22h. Salle tout en longueur, déco banale, éclairage blafard, tables décorées de *kramas* et serveurs à l'air un peu blasé, flot touristique oblige. En revanche, dans l'assiette, c'est la fête des papilles. Incroyable choix de plats, long comme le bras, du plus doux au plus pimenté. Spécialité de bar cuisiné avec ail, citronnelle, jus de citron et sauce chili. À moins d'opter pour une soupe *tom yam,* un gâteau de poisson ou un curry, à noyer sous des flots de *Tiger Beer,* à prix raisonnables.

I●I **The Shop Bakery & Bistro** (plan II, C6, **76**) : 39, rue 240. ▤ 092-955-963. Tlj 7h-19h. Alliant l'élégance coloniale de ses murs au minimalisme moderne mais chaleureux à l'intérieur, cette adresse fait vraiment dans la bonne came. Cela vaut autant pour les jus, smoothies et cafés frappés que pour les pâtisseries, la boulange et les

LE CAMBODGE

petits plats (sans parler des chocolats belges !). Un brin cher, rue 240 oblige, mais idéal pour le petit déj, ou tout *break* aussi raffiné que relax.

I●I ***Pho de Paris*** *(plan II, B5, 81)* : 260, bd Monivong. ☎ 023-723-076. *Tlj 6h30-22h.* Cadre d'une banalité affligeante, repérable aux *Vache qui rit* en vitrine, mais excellente cuisine vietnamienne déclinée en une quantité incroyable de plats (avec photos). Qualité régulière. Tenu par la charmante patronne, francophone, mais à poigne, Maryline Tong.

I●I ***Comme à la Maison*** *(plan II, B7, 82)* : 13, rue 57. ☎ 023-360-801. *Tlj 6h30-22h.* Derrière un bâtiment design un peu froid, une discrète terrasse couverte d'une charpente de style khmer. Très apprécié dès le petit déj, avec sa boulangerie sur place, qui sort baguettes et viennoiseries comme on les aime. Aux heures des repas, snacks et plats de très bonne facture dans tous les sens du terme. Également un rayon traiteur, avec confitures, pâtés et autres charcuteries et une annexe du glacier *Bonbon. Succursale au 73, quai Tonlé-Sap.*

I●I ***Piccola Italia Da Luigi*** *(plan II, C7, 83)* : 36, rue 308, dans l'allée à droite du Malis. ▤ 017-323-273. Chez *Luigi*, tout le monde vous le dira, on mange « les meilleures pizzas de la ville ». Bon, même s'il n'est pas le seul (voir aussi le *Pop Café* plus loin), et que le cadre est un peu désuet, il est vrai que ça ne désemplit pas, et il vous faudra sans doute jouer des coudes ou attendre au bar voisin qu'une table se libère... Du coup, il y a de l'ambiance et la ruelle est assez festive. Excitants *antipasti*, savoureuses pizzas proposées en 2 tailles et tiramisu fondant au programme. Quelques tables en terrasse dans la petite rue.

I●I ⚑ ***Bouchon Wine bar*** *(plan II, B5, 84)* : 246 (Vimol Thoam Thong). *Lun-sam 11h-15h, 16h-minuit.* Le resto-bar à vins a pris ses quartiers dans une maison coloniale qui s'ouvre sur une cour-terrasse. Pour accompagner une jolie sélection de vins, principalement de bordeaux, des grillades cuites sur le barbecue devant vous, une assiette de charcuterie, des tapas, un bœuf bouguignon ou un coq au vin.

À l'étage de la maison, un autre décor et une carte un peu plus étendue de plats de bistrot.

De chic à plus chic (de 8 à plus de 13 $)

Ne soyez pas étonné de trouver, dans cette catégorie, un grand nombre de restaurants français. Ce n'est pas du chauvinisme, mais le reflet de l'importance de la communauté francophone à Phnom Penh (et dans le pays).

I●I ***Pop Café*** *(plan I, D4, 85)* : 371, quai Sisowath. ▤ 012-562-892. *À deux pas du FCC. Tlj 11h30-14h, 18h-22h.* Minuscule et mignonne trattoria tout en profondeur, dans les tons blancs, bois et verre, avec photos aux murs. Excellentes pizzas et pâtes maison, *insalata,* tiramisu, le tout accompagné de la faconde souriante du patron napolitain. Prix un peu musclés, certes, mais vu la quantité de produits que le patron importe, et la qualité, vraiment au rendez-vous, on est bien content...

I●I ⚐ ***Maison du Burger*** *(plan II, C7, 86)* : 10, rue 278 (coin de la rue 57). ▤ 077-866-400. *Tlj sauf mar 11h-22h30.* On pousse volontiers la porte de cet établissement *clean* pour les intéressantes formules à midi, on repasse l'après-midi pour un café, ou le soir pour un choix de merveilleux burgers et salades. Si l'intérieur moderne et climatisé opte pour les tons bruts, les couleurs et les saveurs s'expriment dans l'assiette. Le tout élaboré à partir de produits locaux et bio, y compris le vin.

I●I ***Au Marché*** *(plan I, C4, 87)* : 169 E, rue 154, Psaar Kandal. ▤ 087-325-034. *Tlj (seulement soir lun).* Un cadre très sobre, auquel il manque peut-être une petite touche personnelle. Camille et Thomas proposent des plats simples et soignés à l'ardoise qui change toutes les semaines : côte de porc purée de butternut, filet de bœuf au poivre vert, maquereau à l'escabèche... Du frais et du bon ! Et, bonne nouvelle, le lundi soir, les vins sont vendus à prix coûtant. Accueil et service sympas.

I●I ***The Lemon Tree*** *(plan II, C7, 88)* : 8B, rue 308. ▤ 015-315-300. *Tlj sauf* *dim 10h-22h.* Dans ce microquartier qui a le vent en poupe pour sortir, maison en bois rénovée dans des tons *flashy* au fond d'une jolie courette dans laquelle sont disposées quelques tables. Planches de tapas, pâtes fraîches, confit de canard... Produits choisis localement et bio dans la mesure du possible. À l'intérieur, ambiance banquettes et table basse ; parfait pour l'apéro.

I●I *Open Wine* (plan II, C6, **89**) **:** 219, rue 19. ☎ 023-223-527. *Tlj 11h-22h. Menu déj avec mise en bouche, lun-sam 16 $; plats env 10-30 $ le soir.* À deux pas du Palais royal, une maison coloniale presque aussi dorée que son prestigieux voisin. Mais, ici, c'est un autre palais que l'on ravit. Salle de bistrot climatisée et agréable terrasse ouverte sur un arbre du voyageur, quoique bruyante, car tournée vers la rue. L'endroit est connu pour son excellent rapport qualité-prix du midi. Le soir, c'est nettement plus cher, mais la cuisine, exclusivement française, reste de haut niveau. La maison a sa propre boucherie, fume son saumon et fait son pain, entre autres. Spécialités de foie gras, escargots, tartare, tournedos... Bon choix de vins au verre. Une vraie pâtissière pour soigner les becs sucrés ! Excellent accueil francophone.

I●I *Malis* (plan II, C7, **90**) **:** 136, rue 41 et bd Norodom. ☎ 023-221-022. *Tlj 6h30-22h. Carte 25 $ min.* Un lieu à la mode parmi les expats de la capitale. On dîne dans un patio élégant, avec bassin et plantes aquatiques, ou dans les salles climatisées. Service aux petits oignons pour une cuisine d'inspiration khmère, qui tient – le plus souvent – ses promesses. C'est un peu dommage, parce qu'incontestablement

il y a du côté des fourneaux pas mal d'inventivité. On balance entre saveurs asiatiques qui titillent agréablement le palais et d'autres plats étonnamment neutres. Peut-être pour répondre à l'attente d'une clientèle peu habituée aux sarabandes d'épices... Jolis desserts et glaces maison. Les vins sont hors de prix.

I●I *Chinese House* (plan I, B1, **91**) **:** 45, quai Sisowath. ☏ 092-553-330. *Tlj 11h-minuit. Plats à partir de 5 $ au bistrot, 20 $ au resto. Brunch le w-e.* Excentrée au nord du quai Sisowath, cette maison de 1903 ayant appartenu à un riche commerçant chinois déploie magnifiquement son architecture sino-coloniale. Un décor qui a de beaux volumes et du chien, associant murs bruts façon « décati », éléments anciens, tableaux contemporains... Beaucoup d'allure pour cette escale branchée de la capitale. Une carte plus bistrotière au rez-de-chaussée (bavette, bœuf *lok lak*, burger, couscous végétarien...) qu'au 1er étage (dîner seulement) : joue de bœuf braisée à la bière, lait de coco, polenta et confit d'échalotes...) : à chacun selon son budget. Un poil cher quand même.

I●I *Bistrot Langka* (plan II, C7, **93**) **:** rue 51 (rue Pasteur). ☏ 010-740-705. *Au fond de l'allée du Patio Hotel. Tlj 18h-22h.* Un quelque chose de bistrot parisien chic et branché où touristes et expats jouent des coudes. Les 2 niveaux sont reliés par un escalier en fer forgé et lorgnent sur la cuisine ouverte, dans une ambiance jazzy. Carte *frenchie* et fusion, renouvelée tous les mois, mais on craque immanquablement pour les fidèles gnocchi maison et pour le fondant au chocolat !

Où manger dans les environs ?

I●I *Restos au-delà du Tonlé Sap* (hors plan I par B1, **92**) **:** *passer l'ambassade de France et traverser le pont japonais, annoncé par un de ces ronds-points chaotiques dont la ville a le secret. Env 5 $ en tuk-tuk. Y aller pour le dîner ; fermeture des cuisines vers 22h.* Sur la rive gauche, une enfilade de néons enveloppe une bonne centaine de

restaurants khmers typiques. Un must, kitsch à souhait. Selon l'établissement, de bons orchestres de musique folklorique ou de variété assez sirupeuse, agrémentée d'une série de vieux standards des années 1960. « *Beer girls* » assez offensives et de nombreux gamins qui harcèlent les convives en leur proposant des colliers de fleurs

LE CAMBODGE

LE CAMBODGE

de jasmin. Suivre l'exemple des spectateurs qui honorent le chanteur ou la chanteuse de ces mêmes guirlandes. Plus il ou elle engrangera de colliers, meilleures seront sa réputation et sa rémunération. À vous de choisir parmi les restos, suivant votre intuition. À 2 km environ sur la gauche en venant du pont, le *Kado* (☎ 012-309-076) vous offre (c'est presque le cas de le dire) une ambiance populaire, quelques canards parfois encore pleins de plumes et des prix allant de bon marché à moyens. Nombreuses paillotes. Celles

du fond sont posées au bord d'un environnement verdoyant. Long menu avec photos de plats khmers, thaïs et vietnamiens. Soupes généreuses. Restriction d'usage concernant les volailles, pour ceux qui ne sont pas habitués : elles sont entièrement passées au hachoir à la mode asiate et donc servies « oiseau entier avec les os, la peau et les tendons ». Le *Heng Lay,* presque en face, jouit d'une bonne réputation. Ressemble à un vaste hall ; prenez une table assez éloignée de la scène, sinon vous ne vous entendrez guère.

Où prendre le petit déj ou un bon goûter ? Où déguster une bonne glace ?

☎ |●| *Java Café* (plan II, C-D7, **101**) : 56, bd Sihanouk. ☎ 023-987-420. Tlj 7h-22h. *Prendre l'escalier à droite dans la ruelle.* Mal situé (en pleine avenue archipassante), ce café, à la fois galerie d'art, bar et resto, possède néanmoins une terrass, bien plus sympa que la salle du rez-de-chaussée. La salle du 1er est tout aussi agréable d'ailleurs (magnifique plancher qui fleure bon le temps passé). Un lieu un peu arty – les expos tournent sur les murs – pour avaler un petit déj pas donné, un grignotage léger le midi ou un goûter. Cette adresse soutient l'action de *ChildSafe.*

☎ ⇌ *Le Vôtre* (plan II, C5, **102**) : 9A, rue 178. ▤ 092-638-683. Tlj 7h-21h. Traiteur qui propose des formules petit déj ou déj (sandwichs), également terrines, fromages, charcuterie... idéal pour un pique-nique.

☎ ❢ *Brown Coffee and Bakery :* respectivement 1, rue 98 (et quai Sisowath, à côté de KFC ; plan I, C2, **103**) et 17, rue 214 (plan II, C6, **103**). Tlj 6h30-20h ou 21h. Cette chaîne est réputée pour ses expressos et autres cafés sous toutes leurs formes, chers mais excellents, plus gâteaux et bagels

à prix fort modérés, smoothies, jus de fruits frais, salades, sandwichs, etc. Clientèle jeune, venue se détendre en surfant sur la Toile.

☎ Quelques bonnes adresses également pour prendre le petit déj : *Comme à la Maison* (plan II, B7, **82**), *The Shop Bakery & Bistro* (plan II, C6, **76**), ou encore *Khmer Saravan* (plan I, D4, **7**). Voir « Où manger ? »

☎ *Boulangerie Eric Kayser* (plan I, D4, **36**) : 277 c, Preah Sisowath Quay. ▤ 085-691-333. Tlj 6h30-22h30. Petits déj 5-10 $. L'une des vitrines d'une chaîne de boulangeries françaises. Déco rétro et pâtisseries cocorico ultra-appétissantes. Fait aussi salon de thé, ultra-calme et rutilant. Impec pour tremper son croissant dans un bon café.

♥ *Toto* (plan II, C5, **104**) : 75 bd Norodom, à l'angle de la rue 182. ☎ 023-668-99-99. Tlj 10h-22h. Derrière la façade bleu pâle, un cadre style années 1960 et de bonnes glaces aux parfums exotiques, ainsi que des crêpes vertes (au pandan) fourrées à de la glace verte (au... pandan !). Mais rassurez-vous, le choix est vaste. Également des sandwichs.

Où boire un verre ? Où sortir ? Où danser ?

L'un des points forts de Phnom Penh réside dans les nombreux bars situés au dernier étage de restos,

guesthouses ou hôtels. Et il y en a pour tous les goûts. Au plaisir d'une soirée autour d'un verre s'ajoute celui de surplomber la ville, d'avoir une vue dégagée, de respirer et de s'extraire du bruit ambiant.

Vers le quai Sisowath et le Palais royal

Bar du FCC (plan I, D4, **85**) : 363, quai Sisowath. ☎ 023-210-142. Tlj 16h-23h. Happy hours 17h-19h. The « F » pour les habitués. Une institution locale. Le club des correspondants de presse rassemble depuis belle lurette plus de touristes et d'expats que de journalistes. Il suffit d'observer le bâtiment, puis d'y entrer, pour comprendre le succès de cet archétype colonial d'architecture et de décoration. Idéalement située, la terrasse d'angle domine le fleuve d'un côté et le Palais royal de l'autre. S'installer tranquillement dans un fauteuil avec vue ou se percher au comptoir, le célèbre bar en fer à cheval du 2e étage, en contemplant les montages artistiques en hommage aux correspondants de guerre et de leur légendaire matériel (Nikon, Leica...), mais dont certains n'ont que rarement décollé leur fessier des tabourets du bar. Bien sûr, ce n'est pas donné (on paie forcément le cadre !) et la qualité des cocktails n'est pas toujours extra. Du coup, les happy hours sont les bienvenues (2 verres pour le prix d'un). Musique cool et belles expos photo. Billard. Fait également resto. Service pas toujours à la hauteur de cette institution. Cette adresse soutient l'action de ChildSafe.

Les cafés avec terrasse du quai Sisowath : surtout entre les rues 154 et 108. Tlj jusqu'à minuit-1h, voire plus. On s'y installe en journée pour boire un café en consultant ses emails (tout le monde propose une connexion wifi), pour grignoter quelques ailes de poulet, puis pour boire un verre en soirée, de préférence en profitant des happy hours, tout ça pour voir et... être vu ! Un peu la promenade des Anglais de Phnom Penh.

Grand Mekong Hotel (plan I, D3, **77**) : 253, quai Sisowath. ☎ 023-220-336. Jusqu'à 23h30. Au 8e étage (avec ascenseur), Le Sky, une terrasse avec vue imprenable sur le fleuve et la promenade verdoyante, bondée le soir. Parfait à l'heure du coucher du soleil, pour l'apéro et l'happy hour...

The Quay Boutique Hotel (plan I, D3-4, **80**) : 277, quai Sisowath. Là aussi, belle terrasse avec vue plongeante sur le fleuve et l'animation du quai, en version plus chic...

The Riverside Bistro (plan I, D4, **36**) : à l'angle de la rue 148. Groupe ou DJ chaque soir vers 20h. Un classique du quai, profond, avec un double bar. Très haut de plafond, avec d'amusantes fresques kitschouettes. Billard. Plus haut, à l'angle de la rue 144, le bien nommé **La Croisette** (plan I, D4, **8**), propose une ambiance plutôt lounge. Plus au nord, le **Mekong River** (plan I, D3, **34**), à l'angle de la rue 118, possède une belle terrasse et projette, à 13h, 17h et 18h, des films sur le génocide et sur les mines (entrée : 3 $).

Dodo Rhum House (plan I, D4, **111**) : 42, rue 178. ☏ 012-549-373. Tlj de 17h à tard. Spécialisé, comme son nom le laisse deviner, dans le rhum arrangé. Toutes boissons et petite sélection de plats dont certains à saveur réunionnaise, une île qu'apprécie particulièrement Rémi, jeune patron flegmatique et sympathique. Bonne zique. Lieu de rendez-vous d'une faune francophone tous azimuts et parfois gentiment azimutée en fin de soirée.

K-West Café (plan I, D4, **36**) : à l'angle de la rue 154. ☎ 023-214-747. Ouv jusqu'à minuit. Happy hours 17h30-19h30. Grande salle climatisée au cadre chic et contemporain, avec beau plancher, long bar et bonne musique de fond. Pour plus d'intimité, quelques box très agréables où se côtoient expats trendy et Cambodgiens huppés.

Le Moon (plan I, D4, **36**) : 1, rue 154 (à l'angle du quai Sisowath). Au 4e étage de l'Amanjaya Hotel (voir « Où dormir ? »). Superbe point de vue depuis ce bar-terrasse en apesanteur, agrémenté de plantes, de coins et de recoins. De quoi grignoter, mais on y vient surtout pour l'apéro en observant défiler le Tonle Sap et les tuk-tuk au va-et-vient incessant.

Voici un carrefour un peu chaud, avec d'intéressants établissements. À commencer par l'**Absinthe Bar** (plan II, B5, **112**), au coin des rues 51 et 174.

LE CAMBODGE

Le fameux breuvage, qui a rendu fou tant d'artistes, est servi en différentes versions... Non loin de là *(9C, rue 51 ;* ☎ *012-881-181),* le **Zeppelin** est tenu par un patron fou de *heavy metal,* dont il possède un nombre incroyable de vinyles. Excellents DJs également (en fait, c'est souvent lui !)... *Good vibes,* comme on dit...

♪ ✗ **Pontoon** *(plan I, C4, 113) :* 80, *rue 172 (et rue 51).* ▤ *010-300-400.* ● *pontoonclub.com* ● *Entrée : env 6-8 $ (1 boisson standard incluse).* Ladies night *le mar (50 % sur certaines boissons avt 0h30).* L'incontournable des nuits de Phnomh Penh, ouvert même en début de semaine. Remarquable programmation et événements. Cela dit, pas mal d'amazones et on nous signale quelques entourloupes ici ou là, alors restez vigilant.

▼ ✗ **River House Lounge** *(plan I, D3, 34) :* à *l'angle de la rue 110 ; au 1er étage.* ▤ *012-299-161. Tlj 10h-2h.* Clientèle khmère et occidentale assez huppée. Club à l'étage avec musiques house et hip-hop produites par de bons DJs. Musique live au rez-de-chaussée.

Ailleurs

▼ **Bassac Lane** *(plan II, C7, 83) :* en une poignée d'années, l'ancien passage interlope épargné par le tumulte de la circulation s'est mué en une ruelle bien proprette où sont désormais nichés une poignée de microbars, restos et boutiques design dans l'air du temps, qui attirent tout ce que la ville compte d'habitants et touristes *trendy.* De petits espaces, ce qui fait que, certains soirs de week-end, *Bassac Lane* n'est parfois plus qu'un unique espace apéro à ciel ouvert (mais attention, loin de l'atmosphère de *Pub street* à Siem

Reap, pour ceux qui connaissent). Bien sympa et désormais incontournable dans le paysage de la vie nocturne de la capitale.

▼ ♪ **Duplex** *(plan II, C7, 86) :* 3, rue 278. ▤ *098-317-150. Bar tlj, boîte mer-sam.* Un des lieux à la mode dans la rue. Joli bar décoré de bambou. *Lounge* et boîte à l'étage avec DJ en fin de semaine. Fait aussi resto *(glamburgers,* risotto, lasagnes...). Écran géant.

▼ ♪ **The Groove Music Lounge** *(plan II, C7,114) :* 1C, rue 282. ☎ 023-614-250. ● *thegroove.asia* ● *Au-dessus du resto italien* Terrazza. *Tlj sauf dim 18h-1h. Happy hours 18h-21h. Concerts 21h-0h30.* Monté par le Frenchy « Ritchie » Boisson, batteur et chanteur, et son copain Phil, ce club plutôt *trendy* accueille des musiciens de jazz, pop, soul, salsa ou encore funk, quand les deux acolytes ne se produisent pas eux-mêmes. Sympa.

▼ ♪ **Doors** *(plan I, B1, 52) :* au Cara Hotel, *angle des rues 84 et 47.* ☎ 023-430-066. Un grand bar resto à tapas, avec béton ciré et fresques sur les murs, plus un long bar débouchant sur une petite scène au fond. Un décor branché où il fait bon boire un verre, parfois en écoutant de la musique live. Cuisine hispanisante, bien sûr, ça change un peu, mais chère, d'autant qu'il faut ajouter 10 % de service. Brunch le dimanche.

♪ **Meta House** *(plan II, D7, 19) :* 37, bd Sothearos, Songkhat Tonle Bassak. ☎ 023-224-140. ▤ *010-312-333.* ● *meta-house.com* ● *Tlj sauf lun jusqu'à minuit pour le bar (22h pour les cuisines).* Le centre culturel allemand, doté d'un agréable toit-terrasse, propose des *DJ parties* du jeudi au samedi.

Spectacles, sport

∞ **Sovanna Phum** *(hors plan II, par B8, 120) :* 166, rue 99 et rue 484). ▤ *012-846-020 ou 012-837-056.* ● *sovannaphumtheatre.com* ● *Assez excentré ; y aller en tuk-tuk. Spectacles ven et sam à 19h30. Atelier-expo tlj sauf dim. Spectacles : env 10 $; réduc enfant.* Se battant pour la renaissance

des arts khmers traditionnels, cette association a notamment à son crédit le sauvetage du petit théâtre d'ombres, le « Sbaek Touch ». Spectacles pluridisciplinaires de qualité réunissent les arts du cirque, la danse classique et folklorique, les marionnettes et la musique khmers. Superbes marionnettes en cuir, masques traditionnels et autres articles en vente.

∞ Voir aussi les spectacles de danses traditionnelles donnés au *National Museum.* Lire plus loin.

🥊 *Combats de boxe :* des combats de boxe cambodgienne, similaire à sa cousine thaïlandaise, ont généralement lieu les ven-sam à 19h dans les locaux de certaines chaînes de télévision (TV5 cambodgienne et CTN, notamment). Pour y assister, demander aux conducteurs de *tuk-tuk* qui, en général, connaissent les jours et les horaires des combats.

Achats

En faveur des ONG

Les boutiques ci-après vendent plus ou moins les mêmes types d'articles : jouets, sacs, dessins, paniers et tissus confectionnés avec des matériaux locaux par des Cambodgiens défavorisés.

⊕ *Village Works* (plan II, A8, **130**) : à l'angle des rues 113 et 330 ; derrière le musée du Crime génocidaire Tuol Sleng (à gauche en sortant du musée). ☎ 023-215-732. ● villageworks.biz ● Tlj sauf dim 8h-17h. Cette ex-ONG devenue une entreprise privée procure du travail à des villageoises qui fabriquent sacs, boîtes, chaussons, pochettes, etc. Coloris et design originaux. Petit café avec cuisine ouverte.

⊕ *Friends' n' Stuff* (plan I, D4, **60**) : mêmes coordonnées que le resto Friends (voir « Où manger ? »). ● mith samlanh.org ● Tlj 11h-21h. Nombreux objets à partir de matériaux de récupération : sacs, étuis, carnets, bijoux, etc. C'est tendance et sympa !

⊕ *Tabitha* (plan II, C8, **131**) : 239, rue 51 (angle rue 360). ☎ 023-721-038. ● tabitha-cambodia.org ● Tlj sauf dim 8h-18h. Une organisation chrétienne australienne aidant les plus démunis. Beaucoup d'articles en soie, pochettes de voyage, porte-monnaie, cravates, carnets de notes, etc. Un large choix, mais modèles un peu désuets.

Shopping classique

⊕ Des *boutiques de déco, d'accessoires et de vêtements branchés* ont envahi Phnom Penh. Souvent tenus par les créateurs de lignes originales qu'ils diffusent, inspirés par le pays, nourris des produits locaux, ces élégants magasins pratiquent des prix plutôt élevés au regard du niveau de vie local, mais pas forcément pour le budget de leurs visiteurs. On en trouve une flopée dans la touristique *rue 240* (plan II, C6, **76**), comme *AND* (vêtements, bijoux et objets design), *Mékong Créations* (au n° 47 ; patchwork khmer, vélos en bambou avec possibilité d'expédition), *Waterlily* (au n° 37) ou encore *Bliss* (au n° 29 ; également un spa)...

⊕ Dans un autre registre, pour vous aider, procurez-vous une petite brochure très complète, *Out About*, publiée par *Cambodia Pocket Guide*, qui contient un plan détaillé du marché central et du marché russe.

⊕ *Hanuman* (plan II, C8, **132**) : 13B, rue 334. ☎ 023-211-916. Tlj 8h-18h. Sur 3 niveaux, des centaines d'objets d'art superbes à prix élevés, certes, mais présentant sûrement – pour certains d'entre eux – un bon rapport désir-prix.

⊕ *Espadrilles Amboh* (plan II, A6, **134**) : 23a, rue 232. Repérer la grande maison jaune. ▭ 088-90-59-509. Tlj 9h-19h. Compter 20-35 $ la paire (du 31 au 45). Un produit français associé à un savoir-faire cambodgien. On les trouve dans différentes boutiques de la ville – consulter Facebook –, mais c'est seulement dans le bureau-atelier, ouvert au public, qu'on peut customiser sa paire, recycler sa vieille chemise préférée ou choisir un tissu en stock (24h de délai de fabrication). Un peu cher.

⊕ 🍴 *Bee Vintage & Crafts* (plan II, C-D6, **79**) : 82, rue 240 1/2. ▭ 010-221-059. Une escale chaleureuse à dénicher dans une quasi-impasse, à la fois boutique-atelier et bar. Accueil très sympa de la petite équipe (dont un Français), sélection de vêtements vintage, créations maison (sacs, pochettes...), expo d'artistes et une bonne ambiance à l'heure de lever

LE CAMBODGE

son verre (à partir de 17h environ). Très agréable et un peu bohème.

❀ Un peu plus loin dans la ruelle, une boutique d'artisanat cambodgien (doudous tricotés, bijoux, produits à base de coco...).

❀ *Sentosa Silk* (plan I, D4, **133**) : 33, Sothearos (angle 178). ☎ 023-222-974. 🖳 012-962-911. ● sentosasilk.com ● Tlj 8h-18h30. Grande boutique de soieries : écharpes, coussins, dessus-de-lit, sacs, trousses...

À voir

🦐🦐🦐 *Wat Preah Keo* (**Royal Palace** et **Silver Pagoda** ; le Palais royal et la pagode d'Argent ; plan II, C-D5) : entrée côté bd Sothearos. Tlj 8h-11h, 14h-17h. Entrée : env 10,50 $ (ticket commun au Palais royal et à la pagode d'Argent), gratuit moins de 6 ans. Un conseil : arriver dès l'ouverture, car le palais ferme entre 11h et 14h, de plus c'est rapidement la foule à partir de 8h45. Visite guidée conseillée : des guides en chemise violette et badgés se trouvent à l'entrée, certains sont francophones ; compter 10 $ quel que soit le nombre de pers.

– **Quelques infos utiles :** le palais peut être fermé au public, sans préavis, lors de cérémonies officielles. Cela dit, même s'il est ouvert, on ne pénètre pas dans le palais proprement dit, où réside le roi actuel. En général, la pagode d'Argent reste toujours ouverte à la visite. *Impératif :* tenue correcte exigée, ni shorts (sauf bermudas sous le genou), ni minijupes bien sûr, ni épaules nues (prévoir des vraies manches avec encolure ras du cou) ; sinon, on vous demandera d'acheter un T-shirt sur place (environ 3 $) ! Photos interdites à l'intérieur des bâtiments, sauf dans la salle des palanquins, à la sortie.

Pour avoir la meilleure vue d'ensemble sur le palais, immense, placez-vous sous le petit kiosque du quai, de l'autre côté du grand carrefour.

Le Palais royal et les bâtiments voisins

Malgré ses airs de pagode ancienne, qui n'est pas sans évoquer le wat Phra Kaeo de Bangkok, le palais actuel ne date que du début du XXe s. Les principaux bâtiments (qui datent de 1913 environ) ont été commandés à des architectes cambodgiens et français par le roi Norodom, puis le roi Sisowath. L'ensemble, d'inspiration traditionnelle khmère, a beaucoup d'allure avec ses toits étagés aux tuiles vernissées, ses frontispices sculptés, ses balcons et colonnes, ses cours fleuries et ses longues galeries. Disséminé sur une superficie équivalant à plusieurs pâtés de maisons, le tout est entouré de hautes murailles gardées par des guérites. La pagode d'Argent, séparée du palais par une ruelle étroite, se trouve sur la gauche en entrant dans la vaste cour (mais on en parle plus loin). Nombreuses essences d'arbres intéressantes dans l'enceinte du palais, mais toutes ne sont pas forcément visibles. Signalons tout de même le bananier « cent régimes », le palmier à sucre, les tiges rampantes des feuilles de bétel, la noix d'arec, mais surtout, à l'entrée, l'*arbre de sala*, de même type que l'arbre sacré sous lequel le Bouddha serait né. Noter que ses feuilles se trouvent tout en haut et que ses fleurs émergent du tronc. Celles-ci sèchent au soleil, tombent, et les femmes les utilisent en tisane (radical, dit-on, pour faciliter l'accouchement). Fruits en forme de ballons !

Principaux bâtiments du palais

Nous indiquons les numéros des bâtiments correspondant au plan donné avec le ticket à l'entrée.

– **La salle du Trône** (prasat Tevea Vinichhay ; n° 5) : au centre de l'enceinte. Achevé en 1917, ce bel édifice mesure 100 m de longueur. Ici avaient lieu les cérémonies de couronnement. Observer d'abord, en prenant du recul, la flèche d'une soixantaine de mètres de hauteur, surmontée d'un Brahma à quatre visages (comme le Bayon d'Angkor), représentant les quatre vertus du Bouddha et rappelant la longue coexistence du bouddhisme et du brahmanisme hindou. À l'intérieur, que l'on observe uniquement par les portes et fenêtres ouvertes : le trône d'apparat, représentant le mont Meru, recouvert de feuilles d'or et surmonté de quatre parasols ; un vaste tapis de 33 m de long ; un gong sacré ; au plafond, des fresques du *Râmâyana* hindou représentant l'épopée khmère. À l'entrée, deux petits tambours pour faire tomber la pluie (symbolisée par les grenouilles) pendant les périodes de sécheresse. Au fond, les chambres royales. Sachez tout de même que le roi et la reine devaient attendre une semaine, après le couronnement, avant de se retrouver dans la même chambre. Autour de la salle du Trône, plusieurs pavillons qu'on ne visite pas : l'un dédié aux cendres des rois, d'autres à la prière (plusieurs bouddhas) et au repos de Sa Majesté. À droite du bâtiment, un petit pavillon avec une plateforme qui permettait au roi de monter et descendre de... son éléphant. En toute simplicité.

– **Le palais Kemarin** *(n° 7) : derrière la salle du Trône, à l'écart. Visite interdite.* C'était la résidence de Sihanouk, construite dans les années 1930. Le général de Gaulle y fut hébergé en 1966. Le prince y fut également retenu prisonnier par les Khmers rouges. Le drapeau bleu royal qui y flotte indique la présence de Norodom Sihamoni, le roi actuel.

– **Le pavillon Hor Samritvimean** *(n° 8) : à gauche de la salle du Trône.* Au rez-de-chaussée, un petit musée avec des costumes traditionnels pour les différents jours de la semaine et certaines fêtes, des costumes royaux pleins de dorures (pour les cérémonies sacrées, couronnements, mariages), bénitiers bouddhiques, crachoirs... Noter, au fond, la photo de l'épée sacrée, très ancienne et couverte de pierres précieuses, et de la couronne royale, appelée « grand Mokot », toutes deux enfermées dans la pièce supérieure, et donc invisibles.

– **Le pavillon Napoléon III** *(n° 9) : à gauche de la salle du Trône, face au bâtiment administratif royal. En restauration depuis 2012, sans que l'on sache jusqu'à quand...* Ce pavillon métallique fut construit pour accueillir l'impératrice Eugénie lors de l'inauguration du canal de Suez, en 1869. Napoléon III l'offrit ensuite au roi Norodom qui le fit édifier ici en 1876. Bon, on attend toujours (avec impatience) sa réouverture ! En attendant, on peut glisser un œil ou deux dans les trous de la gigantesque bâche photographique en façade...

– **Le pavillon Chan Chaya** *(n° 4) : côté rue 184. Toujours fermé.* Toiture superbe de style traditionnel. Ici avaient lieu les discours officiels et les grandes cérémonies (danses, concerts, etc.). Encore utilisé aujourd'hui pour les grands banquets.

La pagode d'Argent

Au sud de l'enceinte du Palais royal, à gauche depuis l'entrée principale du complexe. La partie en bois fut bâtie entre 1892 et 1902, la partie en dur (en béton) date de 1962. Ce n'est pas la plus ancienne pagode de la capitale, mais c'est certainement la plus luxueuse. Tout le long du mur d'enceinte, de la porte est à la porte nord (dans le sens des aiguilles d'une montre), longue fresque contant les péripéties à multiples rebondissements du *Râmâyana*. Bien que restaurée en 1985 (et, de nos jours, par des spécialistes polonais), la fresque est encore très abîmée. La partie la mieux conservée se situe au niveau de la porte nord.

Face à la porte est, un escalier en marbre d'Italie, au pied duquel on laisse provisoirement ses chaussures, mène au saint des saints. Le sol de la pagode est pavé de 5 329 carreaux d'argent, de 1,125 kg chacun ! D'où son nom. On n'en aperçoit que quelques-uns, la plupart étant recouverts de tapis. On remarquera que les Français y firent graver... des fleurs de lys. L'intérieur fut saccagé par les Khmers rouges, mais l'édifice ne fut pas détruit (contrairement à d'autres). Pol Pot ne voulait pas s'attirer les foudres du roi d'alors, Norodom Sihanouk.

Parmi les trésors contenus dans la pagode restaurée, un peu moins de la moitié ont échappé au désastre. Les plus belles pièces sont incontestablement les bouddhas. On en trouve une centaine. Le fameux *bouddha d'Émeraude,* qui est en fait en jade, trône au centre de la pagode sous un luxueux baldaquin. C'est probablement une copie, réalisée en cristal vert. Juste devant, l'immanquable bouddha d'Or, grandeur nature et pesant 90 kg. Créé au début du XXᵉ s dans les ateliers royaux, il est incrusté de 2 086 diamants, dont le plus gros, au centre du diadème, accuse 25 carats ! Derrière, un bouddha en marbre provenant de Birmanie (Myanmar actuel) et un palanquin royal datant de 1941. À gauche, au pied du grand bouddha d'Or, devant l'autel, un tout petit stûpa contient une relique du Bouddha. Tout autour, on trouve plusieurs vitrines abritant des tas d'effigies offertes pour remercier l'Éveillé de son aide. Nombreux magnifiques objets, comme ces boîtes à cigarettes or et argent incrustées d'émeraudes. À droite, une vitrine d'objets d'art représentant toutes les étapes de la vie du Bouddha, de la naissance au nirvana. Noter aussi les suspensions ouvragées du début du XXᵉ s, fabriquées en France.

À l'extérieur de la pagode, plusieurs édifices, dont l'ancienne bibliothèque (Mondap), trois stûpas royaux du début du XXᵉ s qui abritent les cendres des ancêtres du roi actuel (dont celles de Sihanouk), un clocher et un petit temple censé contenir une empreinte du pied du Bouddha, de même que le stûpa construit sur un monticule. La statue équestre représente le roi Norodom, fondateur de la dynastie du même nom et ancêtre de Sihamoni. Il paraîtrait qu'à l'origine c'était celle de Napoléon III, dont la tête aurait été coupée et remplacée ! Maquette des temples d'Angkor devant la porte ouest.

À la sortie, on trouve encore deux salles de musée. La première contient des palanquins royaux d'enfants et de reines, d'autres à vocation funéraire (de couleur blanche) et celui qui servit au couronnement du roi actuel, en 2004 (pour l'anecdote la cérémonie dura 3 jours au lieu des 7 traditionnels, par souci d'économie). Dans la deuxième salle, belle série de tambours et palanquins pour éléphants. Enfin, un atelier de tissage sous une demeure traditionnelle khmère. Nombreuses photos évoquant le règne du roi Sihanouk. Petite exposition consacrée au souverain actuel et évocation de son couronnement. Boutique du musée hors de prix par rapport aux marchés, où l'on trouve les mêmes babioles.

🎭 **National Museum** (le Musée national du Cambodge ; plan II, C5) : entrée par la rue 178. ● cambodiamuseum.info/en_information_visitors.html ● Tlj 8h-17h. Entrée : 10 $; réduc. Photos interdites à l'intérieur. Audioguide (en français) ou guide, francophone en plus. Compter 1h30, et davantage pour se prélasser dans la très agréable cour intérieure.

Dans ce magnifique bâtiment rouge – construit par les Français dans les années 1920 dans le respect de l'architecture khmère traditionnelle – sont exposés les chefs-d'œuvre de l'art khmer en provenance d'Angkor. Certains panneaux explicatifs en français, mais l'ensemble n'est pas très vivant. Commencer la visite par la gauche, même si cet itinéraire ne respecte pas la chronologie. Impossible de tout citer, bien sûr ; voici notre sélection :

– **Hall d'entrée :** principalement les bronzes. Un Garuda ailé de 2 m en pierre (Xᵉ s) marque l'entrée du musée. Dans les premières vitrines de gauche, lingam de la période angkorienne en cristal de roche, superbes taureaux et Shiva, jolis vestiges d'un dieu masculin étêté de style Baphuon du XIᵉ s, Ganesh à quatre bras du XIIIᵉ s (période Bayon). Remarquer la divinité en bronze (style Baphuon du XIᵉ s) dotée de 8 visages et 16 bras...

RETOUR AU BERCAIL

Ces dernières années, le musée a pu récupérer cinq statues en grès du Xᵉ s représentant Balarâma, frère aîné de Krishna, deux figures du Mahābhārata. Volées à la fin des années 1960 (à Koh Ker, à 80 km d'Angkor), elles ont été retrouvées, grâce à la vigilance de l'École française d'Extrême-Orient, au Norton Museum de Los Angeles, au Metroplitan de New York, et lors des enchères de Sotheby's et Christie's. Elles surmontent à nouveau leur piédestal respectif. Est-ce que ce précédent permettra à d'autres œuvres de rentrer à la maison ?

– *Galerie sud (sites Phnom Dà, Banteay Srei) :* statuaire en pierre représentant des bouddhas couchés, debouts, assis... mais aussi Brahma, Krishna, Shiva, etc. Riche présentation de lingams et yonis. Au centre, grand *Vishnou* debout (période pré-Angkor, VIᵉ s) sur lequel on note le beau travail sur les plissés. Paire de magnifiques colonnes ciselées du IXᵉ s (style Preah Kô), puis *Combat des Singes* du Xᵉ s. Le couple enlacé de *Shiva et Uma* date du Xᵉ s et provient du temple Banteay Srei, le chouchou de Malraux. L'une des têtes (la plus petite) fut volée en 1970. Derrière, un fronton provenant du même temple (bataille entre *Bhima* et l'invincible *Duryodhana*). À droite, plus sensuels, les corps sans tête de deux lutteurs du Xᵉ s...

– *Galerie ouest (périodes Khléang, Baphuon, Angkor Wat et Bayon) :* côte à côte, nombreuses divinités debout et plusieurs bouddhas assis en méditation protégés par un naga du XIIᵉ s. Deux salles consacrées au style Bayon, correspondant à la période du roi Jayavarman VII, le plus dynamique de tous. Il conquit le royaume cham et construisit plus de 100 hôpitaux ! Au fond de la 2ᵉ salle, jeter un œil au fronton orné de guerriers sur éléphants (la défaite de Mara), du XIIᵉ s, avec des scènes pleines de fougue.

– *Galerie nord :* consacrée à l'ethnologie et l'art post-angkorien. Magnifique *cabine* du XIXᵉ s en bois ciselé et rotin. Un véritable chef-d'œuvre, dont on peut admirer l'exubérant décor floral.

– *Salle des objets préhistoriques :* armes, poteries, tambours de bronze, urnes funéraires.

– *Salle des bouddhas :* riche sélection de bouddhas postangkoriens du XVᵉ au XXᵉ s, dominée par un buste de style Bayon. Également des plaquettes votives en or.

– *À droite de l'entrée,* une galerie exhibant nombre de bijoux, objets rituels et usuels en bronze, impressionnants grelots d'éléphants.

– Enfin, *dans le beau patio,* nombreux reliefs et linteaux, provenant notamment de Kampong Thom (pré-angkorien du VIIᵉ s). Grandes stèles en grès gravées d'écritures (Prasat Pré Rup, Angkor Xᵉ s) et têtes sculptées de Yaksa du IXᵉ s. Au centre trône, sous un dais, une copie de la statue en grès du *Roi lépreux* du XIIIᵉ s et qui provient d'Angkor Thom ; l'original se trouve dans la galerie ouest du musée. Le corps du roi est nu (mais asexué), ce qui est plutôt inhabituel dans la statuaire khmère.

∞ À signaler, dans les jardins du musée (à l'extérieur de l'enceinte du musée), plusieurs *spectacles* de danses traditionnelles cambodgiennes et chants folkloriques *(à 19h : tlj oct-mars, fermé certains j. le reste de l'année ; entrée 15-25 $; réduc ; résa conseillée.* ▯ *017-998-570 ou 010-559-272.* ● *cambodianlivingarts. org* ●).

🍴 *Cambodiana Hotel (plan II, D6) :* 313, quai Sisowath. Un hôtel impressionnant, à l'architecture inspirée de celle du Palais royal, situé à quelques centaines de mètres. Il servit aux troupes de Lon Nol, puis aux réfugiés quand les Khmers rouges entrèrent en ville. C'est ici que la famille royale loge parfois ses invités de marque. Les chambres donnent d'un côté sur les toits de la pagode d'Argent, de l'autre sur le Mékong. Cela dit, le confort et la décoration des chambres (on ne parle pas des suites) ne sont pas à la hauteur des tarifs, pourtant très élevés, cela va de soi...

🍴 *Bophana Audiovisual Resource Centre (le Centre de ressources audiovisuelles Bophana ; plan II, B5-6) :* 64, rue 200. ☎ 023-992-174. ● *bophana.org* ● *Lun-ven 8h-12h, 14h-18h ; sam 14h-18h. GRATUIT.* Le centre Bophana a vu le jour avec l'appui de Rithy Panh, cinéaste cambodgien et réalisateur, en 1996, du documentaire *Bophana, une tragédie cambodgienne.* Le centre a pour objectif la sauvegarde de la mémoire nationale. Ses missions : récolter, restaurer et archiver les moindres bribes de documents audiovisuels et photographiques relatifs au génocide khmer. Au rez-de-chaussée, coin expo et espace cinéma où sont projetés plusieurs films ou documentaires par semaine, pas forcément en rapport avec le génocide d'ailleurs. Au 1ᵉʳ étage, salle des archives avec une douzaine

LE CAMBODGE

d'ordinateurs à disposition. La plupart des documentalistes parlent le français et vous accueillent avec un plaisir évident. Propose également des conférences, parfois en français.

🏃🏃🏃 **Tuol Sleng** (ou *camp S-21*; *musée du Crime génocidaire*; *plan II, A8*) : angle des rues 113 et 350. ☎ 023-216-045. • *tuols lenggenocidemuseum.com* • Tlj 8h-17h. Entrée : 5 $, plus 3 $ pour l'audioguide en français (durée 1h30 ; très bien conçu, on le conseille vivement) ; réduc. Prévoir 2h au moins, plus les films de 1h chacun, bât. D). Pour plus d'intimité, privilégier l'heure du déjeuner : très peu de visiteurs.

1975-1979, un centre de torture
Évidemment, ce n'est pas un lieu

« BOPHANA, UNE TRAGÉDIE CAMBODGIENNE »

Accusée par les Khmers rouges d'être un agent infiltré, Bophana, violée, tenta de se suicider. Fille-mère, elle fut rejetée par la communauté. Seul son amour pour son cousin Sitha, un bonze, la sauva. Ils se marièrent en 1975. Bophana, retournée au village natal, et Sitha, cadre du Parti, s'écrivaient de longues lettres enflammées. Mais lors d'une nouvelle purge, on trouva leurs lettres d'amour, jugées hautement contre-révolutionnaires. Torturée pendant 5 mois au camp S-21, Bophana livra 1 000 pages de « confessions » à ses bourreaux, qui l'exécutèrent le 18 mars 1977, le même jour que son mari.

que l'on visite à la légère – à déconseiller aux enfants. Un inhabituel silence règne d'ailleurs parmi les visiteurs. Resté presque en l'état depuis son évacuation à la va-vite en 1979, cet **ancien lycée,** construit en 1962 avec l'aide des Français, devint, d'avril 1975 à janvier 1979, la prison la plus terrifiante du Cambodge des Khmers rouges. Baptisé S-21 par les hommes de Pol Pot, ce n'est pas le seul endroit où ils commirent leurs atrocités (on ne les compte plus), mais, tristement emblématique et facilement accessible en pleine ville, celui-ci a été **transformé en musée-mémorial.** Environ 20 000 personnes y subirent les pires tortures, sans même parler des viols, avant d'être achevées dans le camp d'extermination de Choeung Ek (voir plus loin « Dans les environs de Phnom Penh »). Seulement une poignée survécut.

Les Khmers rouges firent de Tuol Sleng un **centre de purge** pour leurs propres cadres, les potentiels opposants au régime et les « intellectuels » (enseignants, ingénieurs, fonctionnaires, ministres, diplomates...) pour n'importe quel motif (porter des lunettes signifiait être un intellectuel et donc suffisait), sans distinction d'âge, allant parfois jusqu'à des familles entières avec leurs bébés, anticipant ainsi toute vengeance ultérieure. Des étrangers passèrent également entre ces murs dont trois Français. Les **gardiens,** qui avaient **entre 10 et 25 ans environ,** vivaient sous la menace (ils devaient torturer sans tuer, sous peine de subir le même sort) et étaient endoctrinés par les cadres de l'Angkar, ce qui les rendait encore plus monstrueux que leurs aînés.

Kaing Guek Eavun, alias **Duch,** un ex-prof de maths, fut le tortionnaire en chef de Tuol Sleng. Reconnu dans un village cambodgien par un photographe en 1999, ce rare survivant des leaders khmers rouges put être jugé : condamné à 35 ans de prison en 2010, il écopa de la perpétuité en appel en 2012 après avoir plaidé coupable. Le Français François Bizot, à qui Duch laissa la vie sauve dans son camp précédent de M.13 témoigna au procès. Il a écrit des pages intenses sur sa captivité et sa relation complexe avec Duch, l'un des plus fascinants du XXe s (lire *Le Portail* et *Le silence du bourreau,* adaptés en film par Régis Wargnier, en 2014 – dans *Le temps des aveux*). Le cinéaste cambodgien Rithy Panh confronta, quant à lui, d'anciens gardiens avec deux survivants sur les lieux même de la prison dans son saisissant documentaire *S21, la machine de mort khmère rouge* (2002).

La visite
– **Les anciennes salles de classe du bâtiment A** (à gauche de l'entrée) servaient pour les interrogatoires (entendre les tortures). Dans chaque pièce, presque vide,

le lit métallique sur lequel étaient entravés les prisonniers et une photo saisissante d'un corps mutilé. Une entrée en matière qui peut se révéler abrupte. On peut toujours choisir de ne pas entrer dans les salles.

– **Dans la cour** (autrefois de récréation...), la potence et les jarres dans lesquelles étaient réanimés les malheureux pendus par les pieds pour prolonger le supplice. À côté, les tombes des dernières victimes. Un panneau énumère les 10 édifiantes règles en vigueur dans le bâtiment. Inutile de s'appesantir en commentaires...

– **Dans le grand bâtiment B,** contigu, au rez-de-chaussée, de grands panneaux reprennent à l'infini des portraits figés de prisonniers, parmi lesquels de très nombreux Khmers rouges, victimes de purges (on les distingue à leurs casquettes). Les tortionnaires photographiaient et fichaient comme des maniaques les « ennemis de la Révolution » à leur arrivée et leur mettaient sous le nez des versions différentes des mêmes récits pour les accuser de mensonge. Il fallait à tout prix que les condamnés « avouent ». Beaucoup de Cambodgiens sont venus scruter ces photos dans

MESSAGE POSTHUME

John Dewhirst et Kerry Hamill figurent parmi les étrangers détenus à Tuol Sleng. Ces plaisanciers néo-zélandais partis pour un tour du monde avaient eu le malheur de pénétrer dans les eaux cambodgiennes. Kerry Hamill dut dénoncer, sous la torture, un réseau d'espionnage totalement fictif. Il puisa les noms de ses soi-disant complices dans ses lectures d'enfant ou dans des films, se jouant de l'ignorance de ses interrogateurs. Il savait que ces clins d'œil seraient archivés et un jour lus par sa famille. Il périt au bout de 2 mois.

l'espoir d'identifier des proches disparus. Le 2e étage présente les dignitaires khmers rouges, les textes restituant leur psychologie paranoïaque, engluée dans un système pyramidal où l'horreur au quotidien ne devenait plus qu'un outil de travail. Le principe était simple : obéir et se faire obéir pour ne pas tomber soi-même. Voilà l'une des raisons pour lesquelles relativement peu de personnes furent poursuivies par les tribunaux, dans un souci de réconciliation nationale.

– **Le bâtiment C** est entièrement constitué de minuscules cellules individuelles, construites à la hâte avec des briques au rez-de-chaussée, plus soigneusement et en bois à l'étage, toutes affreusement oppressantes. Les barbelés des balcons servaient à empêcher les suicides. Jusqu'à 1 500 prisonniers cohabitèrent à Tuol Sleng dans ces cellules individuelles ou par groupes de 60, dans d'anciennes classes, enchaînés, affamés et allongés à même le sol.

– **Dans le bâtiment D** (le dernier), les cellules ont été transformées en salles d'expo. Voir la tristement célèbre « chaise photographique », qui servait à ficher les prisonniers. Parmi les rares survivants évoqués, outre l'histoire incroyable de deux enfants (des frères qui s'étaient cachés dans un tas de vêtements), on retient celle de deux peintres : Bou Meng, toujours vivant et souvent présent au musée pour vendre son livre, et Vann Nath, décédé en 2012. Ce dernier n'a eu de cesse de peindre des scènes de détention (il s'est représenté sur l'une des œuvres) ou de torture, terriblement réalistes mais plus soutenables que des photos.

Également un hommage à Bophana, jeune fille devenue le symbole de toutes ces victimes. La candeur résignée de son visage photographié à son arrivée parle de lui-même. Photos des destructions des bâtiments « capitalistes », carte des sites des massacres, plans des migrations forcées, ossuaire de crânes (lugubres, mais constituant de précieuses preuves médico-légales des tortures pratiquées ici), expos temporaires, etc. Au 2e étage, projection de deux films de 1h chacun et à heure fixe.

– **Cour du mémorial :** devant le bâtiment D. L'occasion de s'asseoir et de méditer à la fin de cette visite éprouvante devant les stèles portant les noms de 12 000 victimes répertoriées de Tuol Sleng.

🔖 **Monument of Independence** (plan II, C7) : au croisement des bd Norodom et Sihanouk. Édifié en 1958 par l'architecte Vann Molyvann, architecte en chef du roi

Sihanouk (auteur du stade olympique et de Sihanoukville, entre autres). L'édifice, inauguré en 1963, représente un bouton de fleur de lotus et évoque les tours d'Angkor Wat, la référence incontournable. À l'arrière du monument, jeter aussi un œil à la nouvelle *statue de Norodom Sihanouk*.

Les pagodes

🏃 **Wat Phnom** *(plan I, C2) : au nord du bd Norodom. Accès par des escaliers situés côté fleuve. Tlj 7h-18h30. Entrée : env 1 $; accès libre après 18h.* Les habitants viennent se promener tout autour, comme dans un jardin public. On y trouve des adorateurs du Bouddha, bien sûr, ce sanctuaire sacré étant le plus ancien de la ville (il aurait été fondé au XIVᵉ s, mais l'édifice actuel date de 1926), à laquelle il a donné son nom (voir aussi « Un peu d'histoire », en début de chapitre). Également des vendeurs de boissons, d'oiseaux, des diseurs de bonne aventure et des joueurs attirés par le tirage du loto... Au sommet d'une minicolline artificielle haute de 30 m, la pagode, décorée de belles fresques et de nombreux bouddhas. Derrière, un stûpa contenant les cendres du roi fondateur de la ville *(fermé à la visite)*. À l'arrière et à gauche du temple principal, petite statue colorée et naïve de la fameuse Mme Penh, d'autres petits temples, plus, au pied de l'horloge inclinée, un petit monument en céramique en hommage au traité franco-siamois du 15 mars 1907.

🏃 **Wat Ounalom** *(plan I, D4) : à l'angle du quai Sisowath et de la rue 154. Tlj 6h-18h.* Inratable : difficile de faire des portes plus rouges et plus dorées ! Fondé au milieu du XVᵉ s, ce monastère comprenait une quarantaine de bâtiments, presque tous rasés par les Khmers rouges. Le temple principal abrite le fameux bouddha de marbre, brisé par les soldats khmers rouges : ses morceaux ont été recollés. Il n'est pas visible. Le bâtiment le plus ancien est le stûpa situé derrière la pagode. Dans celle-ci, quelques statues du Bouddha *(se faire ouvrir par le gardien)*. On y croise des groupes de bonzes.

🏃 **Wat Botum Vaddey** *(plan II, D6) : rue 19, à 500 m du Palais royal.* Ce qui fut l'une des plus anciennes pagodes du pays (milieu du XVᵉ s) a été restauré. Le stûpa principal contiendrait des cendres du Bouddha en personne.

🏃 **Wat Langka** *(plan II, C7) : bd Norodom, proche du monument de l'Indépendance.* Première pagode à avoir été reconstruite après l'ère polpotienne, elle a retrouvé son style traditionnel, ainsi qu'une partie de ses statues, et ses fresques ont été refaites.

🏃 **Les autres wats :** nombreux dans la capitale, ils ont beaucoup souffert sous les Khmers rouges, qui généralement les détruisirent. D'intérêt architectural réduit, leur découverte reste néanmoins intéressante. Ainsi, le *wat Svay Popeh (plan II, D8),* à l'angle de la rue 312 et du boulevard Sothearos, au sud-est de la ville. Probablement construit au XVᵉ s, remanié au milieu du XXᵉ s, c'est l'un des plus jolis de la ville. On y recueillait autrefois les cendres des personnalités de sang royal. Le *wat Chen Damdek (plan I, B1),* rue 47, au nord du wat Phnom, est en principe ouvert uniquement lors de cérémonies (sinon, demander à un bonze). Datant du XIXᵉ s, la charpente en bois et les colonnes sculptées sont d'époque. À droite de l'entrée principale, en hauteur, trois panneaux de portraits de la famille royale. Le *wat Tuol Tom Poung (hors plan II, par A8),* boulevard Mao-Tsé-Toung, a miraculeusement échappé à la destruction, d'où ses nombreuses peintures murales datant des années 1960. Enfin, l'élégant *wat Saravan (plan II, C5),* rue 19, conserve de belles fresques et bouddhas.

Les marchés

Tlj 7h-17h. Calmes à l'heure du déj. Après 15h30, certaines boutiques commencent à fermer. À ne pas manquer, c'est là que vous aurez le plus de contacts avec la population et que vous pourrez goûter aux soupes cambodgiennes et acheter quelques souvenirs.

🎥🏃 **Psaar Thmay** (Central Market ; le marché central ; plan I, B4) : entre les bd Monivong et Norodom. Le vrai centre de la vie phnompenhoise, comme son nom l'indique. La circulation autour est complètement dingo. Également appelée « nouveau marché », cette gigantesque et emblématique halle jaune est le lieu d'échange le plus important de la ville.

Le marché central de Phnom Penh a été construit en 1937 par des architectes français, dans un style coloniallo-Art déco. C'était alors le plus grand d'Asie. Il est coiffé d'une impressionnante coupole de 26 m de hauteur, qui se prolonge par quatre ailes. Son architecture, pensée pour assurer une circulation optimale de l'air, lui donne une étrange silhouette de soucoupe volante posée au milieu de la capitale. Encore aujourd'hui, il reste l'un des marchés couverts les plus grands d'Asie.

On trouve absolument de tout auprès des 2 000 stands répartis en cinq secteurs principaux : vêtements (très intéressantes fripes) et tissus, électroménager et gadgets, épicerie et alimentation. Au centre, les bijoux (surtout de l'or), montres et pierres précieuses. Autour, fleuristes, vendeurs ambulants et quelques stands pour manger sur le pouce. C'est ici que vous trouverez les fameux *kramas* (foulards) khmers, entre autres.

🏃 **Psaar Kandal** (plan I, D4) : à deux pas du fleuve et en face du mur d'enceinte nord du wat Ounalom. Quoique situé dans un quartier touristique, ce sont bien les locaux qui fréquentent ce petit marché. Ici pas de souvenirs mais de l'effervescence, d'étroites allées, regorgeant d'étals de produits frais, de nombreux coiffeurs, bijoutiers, couturières... Bref, un marché, mais de ceux qui ont un petit supplément d'âme.

🏃 **Psaar Orussey** (le marché Orussey ; plan II, A5) : l'un des grands marchés de la ville. En bas, les boutiques se succèdent à touche-touche : ustensiles de cuisine, matériel de bricolage, papeterie, produits d'hygiène et petit électroménager. Le bâtiment a vieilli, mais il fait toujours partie des lieux incontournables de la vie des Phnompenhois, qui s'y approvisionnent aussi en produits alimentaires.

🏃 **Psaar Chah** (le vieux marché ; plan I, C3) : rue 108, à l'angle avec la rue 13. Originellement en bois, il a fini par brûler fin 2014, mais a tout de suite été reconstruit avec des structures métalliques. Encore un vieux marché devenu tout neuf... Stands de nourriture, de vêtements et quelques bouquins. Également bijoux et gadgets.

🎥🏃 **Psaar Tuol Tom Pong** (le marché russe ; hors plan II, par A8) : rue 440 ; au sud du bd Mao-Tsé-Toung. Assez excentré, mais on trouve pas mal de choses à rapporter, et en général, les prix restent raisonnables. Appelé ainsi puisque les Russes le fréquentaient beaucoup pendant la période vietnamienne. Vieillot et bondé, assez typique, même s'il est pas mal visité par les touristes. On y trouve de beaux tissus (soie), des T-shirts, des bijoux (essentiellement en argent), de fausses antiquités, des pièces de moto, beaucoup de quincaillerie, un peu d'artisanat, des bouquinistes, des DVD, des vêtements, des montres, des sacs et des valises. Également pas mal de porcelaine de Chine ou du Vietnam (moins bien et moins chère), ainsi que des peignes pour suspendre les étoffes de soie. En cherchant bien (il faut s'y connaître), quelques œuvres d'art anciennes et de belles statues du Bouddha. Nombreuses gargotes à l'intérieur et à l'extérieur (sur le parking à partir de 16h). À proximité, un salon de thé sympa monté par une ONG francophone, *L'Irrésistible Coffee* (voir « Où prendre le petit déj ou un bon goûter ? »).

Les vestiges coloniaux

Les nostalgiques de l'Indochine française peuvent s'amuser à un petit jeu de piste à travers la ville. L'influence architecturale française sur la capitale demeure évidente. Tout chauvinisme mis à part, il faut reconnaître que les traces laissées par les Français donnent du charme aux rues de Phnom Penh.

🦟 *La grande poste* (plan I, C2-3) : *voir « Adresses et infos utiles ».* Grosse bâtisse jaune du XIXe s, typique de l'architecture coloniale, bien rénovée. Dommage qu'une poignée de distributeurs d'argent soient posés devant...

🦟 *Manolis Hotel :* *face à la poste.* Vieille bâtisse délabrée. C'est ici qu'André Malraux, accusé d'avoir dérobé des bas-reliefs d'Angkor, fut mis en résidence surveillée...

🦟 *Phnom Penh Municipality* (la mairie ; plan I, B2) : *entre la gare et l'hôpital Calmette.* Ce beau bâtiment, construit par les Français, était auparavant occupé par l'évêché. Il ne reste en revanche rien de la cathédrale catholique voisine, dynamitée par les Khmers rouges en 1978 et remplacée en 1986 par une station satellite soviétique !

🦟 *Library* (la bibliothèque ; plan I, B2) : *rue 92.* Construite en 1924. Les Khmers rouges l'ont laissée à l'abandon, ainsi que sa précieuse collection de livres anciens. Elle vaut le coup d'œil.

🦟 *Court of Justice* (la cour de justice ; plan II, D5) : *face à la pagode d'Argent.* Élégante bâtisse en U.

🦟 *Wat Phnom Hotel* (plan II, D5) : *entre le quai Sisowath et le wat Phnom.* C'est l'ancien palais du gouvernement, autrefois siège de l'autorité coloniale. Restauré par la France, le bâtiment devint le siège du Conseil national, chargé de gouverner provisoirement le pays après les accords de paix de Paris.

🦟🦟 *Raffles Hotel Le Royal* (plan I, B2, 53) : *voir « Où dormir ? ».* L'hôtel le plus prestigieux de la ville, où tous les « grands » descendaient. Entièrement rénové, c'est aujourd'hui l'hôtel le plus luxueux de la ville.

🦟 De belles *maisons* coloniales, dont certaines en restauration, dans le quartier du Palais royal, notamment boulevard Norodom, et dans la partie nord de la ville.

À faire

🦟🦟 *Promenades et minicroisières en bateau* (plan I, C-D2-3) : *quai Sisowath, juste en face de la str. 104 (sur le panneau, indiqué « Parking-Bopha Phnom Penh Titanic »).* Très populaire et magique en fin d'après-midi, quand le soleil embrase les rives. Si l'on a le temps, il est possible d'organiser une petite croisière vers certaines îles. L'une n'est habitée que par des artisans spécialisés dans le travail de l'argent. Une poignée de petites compagnies proposent des virées sur des bateaux plus ou moins bien entretenus. Des accidents ayant été signalés, on prend le parti de vous adresser plutôt aux gérants franco-khmers du bateau *Phocea Mekong,* (🖀 012-221-348 ou 077-303-266 ; ● pho ceamekong.com ● *Résa possible via le site, auquel cas 10 % de réduc pour nos lecteurs sur les croisières « découvertes », « romantiques » et « escapades » en utilisant le code « routard2019 » ; compter 21 $ (apéritif)-28 $ (dîner), par exemple).* Gilles et Sandra proposent des croisières sur le Mékong, l'île de la Soie, la rivière Bassac ou le Tonlé Sap de Phnom Penh à Siem Reap. De l'apéritif au dîner au coucher du soleil, à une virée d'une journée sur la rivière Bassac. Plus cher que les autres, mais les tarifs couvrent les repas, la mise aux normes de sécurité, les taxes, et surtout ils financent l'ONG *Ptea Clara* (● ptea-clara.com ●).
Pour les croisières de luxe, voir la *Compagnie fluviale du Mékong* dans « Adresses et infos utiles. Agences de voyages ».

Manifestation

– *La fête des Eaux (Bon Om Touk) :* le jour de la pleine lune, la population acclame le changement de sens du cours d'eau du Tonlé Sap, au moment où le lac se déverse dans le fleuve. À cette occasion, ne pas rater les régates de pirogues multicolores jusqu'à la tombée du jour, face au Palais royal de Phnom Penh, suivies de danses et de feux d'artifice. À cette occasion, une partie du Palais royal est fermée au public et l'accès à la ville en voiture est problématique.

Deux légendes se disputent l'origine de la fête des Eaux. La première remonte à l'époque d'Angkor et des combats entre le roi du Champa, qui avait envahi le Cambodge, et le roi khmer. Les batailles se faisaient en pirogue sur le fleuve. En souvenir de la victoire du roi khmer, des courses de pirogues ont été organisées tous les ans sur le fleuve. La seconde légende raconte que cette fête sert à remercier les génies des Eaux qui donnent l'eau pour l'agriculture. À vous de choisir !

DANS LES ENVIRONS DE PHNOM PENH

LE CAMBODGE

🍴🏯 **Koh Dach** *(l'île de la Soie) :* à env 15 km au nord de Phnom Penh (par la route qui enjambe le pont japonais, puis au rond-point prendre légèrement à gauche) ; 2-3 petits ferries y mènent (pancartes sur le côté droit de la route) ; on vous conseille de traverser à Kaday Cha pour arriver directement dans le village ; avec les autres ferries, on débarque au milieu des plantations. Cela dit, si vous arrivez à vélo, le mieux est de prendre le ferry qui relie la pointe sud de l'île (embarcadère derrière le Gold Sun Hotel & KTV). Traversée ttes les 20-30 mn, 6h-20h env. Coût : une pincée de riels. Durée : env 10 mn. Sur place, prendre un moto-dop payé à l'heure si l'on veut faire le grand tour (compter au moins 2h sur une piste chaotique). Sinon, à pied, fort agréable et dépaysant. Éviter les femmes à moto qui traquent les touristes avec des écharpes identiques à celles du marché russe, et plus chères !

C'est l'île des tisserands, facilement accessible depuis Phnom Penh. On y va pour s'extraire de l'agitation de la capitale, et se mettre au rythme d'une vie de villages. Sous la plupart des maisons en bois sur pilotis, un ou plusieurs métiers à tisser fonctionnent tous les jours, et les femmes de la famille s'y relaient. On se balade dans le tac-tac-tac des navettes et les couleurs étincelantes des tissus. Les quelque 20 000 habitants de l'île ont un niveau de vie sensiblement plus élevé que sur la terre ferme : le limon y est riche, les cultures prospères, et le bétail abondant quoiqu'un peu efflanqué.

Tout au bout, une plage sur le fleuve, malheureusement mal entretenue *(droit d'entrée : 1 $).* Quelques minipaillotes les pieds dans l'eau, où se retrouvent des familles épanouies. Les mômes batifolent dans l'onde. Quelques amoureux flirtent dans les hamacs à l'abri des regards. Tout se révèle doux et bon enfant, atmosphère vraiment agréable. Quelques fillettes vous proposeront peut-être des tissus fabriqués sur l'île.

🏠 **Red House :** *Chong Koh.* ☎ 096-736-02-56. ● *kohdachredhouse.com* ● *Au sud-ouest de l'île. Double avec ventilo 20 $.* Dans une maison de bois fruitiers, une sympathique famille franco-khmère propose 3 chambres simples mais bien arrangées. Idéal pour ceux qui souhaitent vraiment partager la vie locale. Une escale qui a un supplément d'âme, et une cuisine qui n'est pas en reste. Prêt de vélos.

🏠 **Villa Koh Dach Guest House :** *Kbal Koh Village, tt proche du psaar Samaki (le marché central de l'île).* ☎ 010-559-925. ● *villakohdach.free.fr* ● *Doubles avec sdb 8-24 $,* clim en sus pour certaines chambres. Sur présentation de ce guide, apéro offert aux clients de la guesthouse. Dans une maison, une poignée de chambres simples ou plus confortables. Petit jardin, terrasse, bar pour apprécier le temps qui passe.

Également à disposition bouquins (en français), et massages. Location de vélos. Excursions organisées sur l'île et la périphérie de Phnom Penh. Idéal pour bien apprécier la vie locale.

🎥🎥🎥 **« Killing Fields »** *(le camp d'extermination de Choeung Ek) :* à 15 km au sud-ouest de Phnom Penh. ☎ 023-305-371. ● cekillingfield.org ● *Prendre le bd Monireth pour sortir de la ville et continuer sur 9 km après le petit pont. Prévoir 17-20 $ en tuk-tuk A/R, et 30-45 mn de trajet. Tlj 7h30-17h30. Entrée : 6 $, audioguide inclus (intéressant) ; réduc. En saison, arriver dès l'ouverture, car c'est la foule à partir de 9h. Compter 1h de visite. Projection d'un film de 15 mn 9h-16h30.*

Rendu célèbre par le film *La Déchirure (Killing Fields),* ce camp de la mort fut exploité pendant 3 ans par les Khmers rouges. C'est ici qu'étaient acheminés les prisonniers de Tuol Sleng (voir plus haut) pour être liquidés. Pour ne pas gaspiller leurs cartouches, les bourreaux les achevaient à coups de crosse. Les corps, recouverts de DDT (un insecticide utilisé par les paysans) pour achever les victimes et limiter la puanteur, ont été jetés dans 129 fosses communes à l'emplacement d'un ancien verger et d'un ancien cimetière chinois (on voit encore les vestiges de quelques tombes).

90 de ces charniers ont actuellement été mis au jour, permettant ainsi de retrouver les ossements de quelque 9 000 personnes. Dans l'un d'eux, on a découvert 166 squelettes sans tête, en majorité des Khmers rouges, considérés comme déserteurs ou victimes des nombreuses purges du régime et décapités pour l'exemple (ils étaient surnommés à l'époque « têtes de Viets, corps de Cambodgiens »). D'autres charniers abritent les dépouilles de femmes, déshabillées, violées puis tuées, et de bébés, que les Khmers rouges n'hésitaient pas à fracasser contre des arbres, comme en témoigne le *killing tree* recouvert de bracelets de couleurs. Entre les charniers, de petites vitrines de vêtements et d'ossements. Un générateur permettait de faire fonctionner des projecteurs, ainsi qu'un haut-parleur suspendu à « l'arbre magique », diffusant des chants pour couvrir les cris des victimes.

En fin de parcours, on se recueille au mémorial en forme de stûpa, érigé en 1988, dans lequel sont exposés des centaines de crânes entassés sur des étagères, avec en dessous un tas de guenilles. Noter que le stûpa arbore à la fois le *Naga* et le *Garuda,* généralement ennemis dans la mythologie mais associés ici pour symboliser la paix et la réconciliation. Chaque année, le 20 mai, a lieu une cérémonie de commémoration au pied du stûpa.

Enfin, la visite se termine au musée, où des panneaux en anglais décrivent le « Kampuchéa démocratique » des tortionnaires et ses leaders (« the clique of Pol Pot criminals »), leurs procès (qui sont toujours en cours pour certains), quelques uniformes et des fiches signalétiques de prisonniers. Juste à côté, projection d'un film informatif plus ou moins grandiloquent.

En résumé, tout comme la prison S-21, le camp de Choeung Ek est un lieu de pèlerinage et de recueillement, un chemin de mémoire plutôt qu'un site « à voir ». Mais il faut absolument y aller, et ce malgré le petit budget que ça représente (et il n'est pas précisé si les bénéfices reviennent à des ONG qui s'occupent des victimes). Comme nous l'ont expliqué plusieurs Cambodgiens, certaines personnes voudraient tout oublier de cette période et détruire le camp.

🎥 **Koki Beach** *(Kien Svay) :* 15 km à l'est, sur la route 1, en direction du Mékong. Env 15-20 $ en tuk-tuk. C'est un lieu de pique-nique très populaire au bord d'un lac, bondé de Cambodgiens le dimanche. Des petites paillotes très agréables ont été aménagées au-dessus de l'eau. Possibilité de se restaurer sur place.

🎥🎥 **Tonlé Bati** *(le lac Bati)* et **Ta Prohm :** à env 32 km de Phnom Penh, par la route N2 filant vers Takeo ; tourner à droite au niveau de la station-service Sokimex pour s'engager sur un chemin plein de trous, puis à droite sous une arche en pierre surmontée de 3 flèches sculptées (panneau). Entrée : 1 $.

Le *Ta Prohm* est un temple bouddhique et brahmanique ignoré par beaucoup de visiteurs. Tant mieux, car découvrir ce temple seul est un vrai délice. Cet appareillage en grès et en pierre de latérite, assez rudimentaire (ne pas dire branlant !), fut construit au XIIe s par le roi Jayavarman VII, à qui l'on doit le merveilleux Angkor Thom. Conjugué à un environnement verdoyant et fleuri, est-ce cela qui lui donne tant de charme ? Sanctuaire central présentant d'intéressantes sculptures. Sur le premier linteau, un bouddha couché. De part et d'autre de la porte, les deux gardiens avec leur bâton. Puis, sur les côtés, les gardiennes et de fausses fenêtres avec imitation de treillis et colonnettes. Abondant décor floral et frise de petits bouddhas. Dans le sanctuaire, succession de petites salles cruciformes abritant des lingams. Au fond, sur la dernière porte (la plus branlante, dans l'axe de l'entrée), un bouddha assez primitif et un linteau où figurent des démons (ou des singes).

Face au parking, dans le monastère de l'autre côté de la piste et juste à proximité de la pagode, jeter un coup d'œil au petit sanctuaire *Yeay Peau*. L'entrée se trouve à l'arrière. Intéressant linteau sculpté d'une divinité soutenue par trois personnages indéfinissables et, en dessous, quatre orants.

À 500 m de là, lieu de pique-nique très populaire le dimanche au bord du lac. Les Cambodgiens n'hésitent pas à piquer une tête au milieu des jacinthes d'eau. Petites paillotes sur l'eau pour se restaurer, certaines avec un hamac. Même carte, mêmes prix partout *(prix moyens)*.

🍴🍴🍴 *Phnom Chisor :* *à env 60 km au sud de Phnom Penh par la N2, tourner à gauche au village de Chisor au niveau de la belle arche ; c'est à 7 km plus loin, au village de Sla. Tlj 7h-18h. Entrée : env 2 $.*

Notre *phnom* préféré. Peu de touristes. Ne pas arriver trop tôt dans l'après-midi, sinon il fera trop chaud pour grimper au sommet de la colline-temple. Il faut gravir quelque 300 marches (soit environ 20 mn d'ascension) par l'un des deux escaliers : l'un moderne au niveau du parking principal, l'autre plus ancien, beaucoup moins fréquenté et plus long à grimper. Ce dernier débute côté ouest (gauche) de la colline, à environ 1 km par la piste. Un centre bouddhique s'est installé à côté du temple, construit au XIe s sous le règne de Sûryavarman Ier. Il faut dire que l'endroit incite particulièrement à la méditation...

Assez ruiné et jamais vraiment rénové, le site essuya quelques bombes américaines. Il possède néanmoins une forte identité et de beaux restes, en particulier de superbes linteaux. À terre, un désordre un peu libertaire de vieilles pierres tombées au fil des années et des guerres. Ainsi, dès l'enceinte du site franchie, sur la droite, observer le linteau de l'ancienne porte d'entrée principale : il a perdu la moitié de sa Lakshmi, qui gît devant, dans l'herbe. Au centre, le sanctuaire en brique proprement dit, entouré de quatre petits édifices. Celui du fond à gauche pourrait être la bibliothèque. Fronton joliment ciselé et remarquable linteau avec un Vishnou sur une tête de démon. Colonnes de forme hexagonale sculptées et inscription en sanskrit sur le côté gauche. Au dos de la « bibliothèque », linteau figurant un Shiva dansant. Celui sur la dernière porte (face à la plaine et à l'entrée du sanctuaire en brique) représente Shiva orné d'un beau décor floral. Au-dessus, un couple assis sur une vache. De cette porte, le panorama est d'une sérénité totale. La voie sacrée, jalonnée de deux édifices cruciformes (peut-être des salles de repos pour les pèlerins), se perd à l'horizon vers un grand bassin carré.

🍴 *Kirirom National Park :* *embranchement à 80 km de Phnom Penh, sur la route de Sihanoukville (N4), indiqué par un panneau sur la droite (« Preah Suramarit Kossamak National Park ») ; il reste encore 20 km à faire jusqu'à l'intérieur du parc. Il est préférable d'avoir son propre moyen de transport.* Ce massif, culminant à presque 700 m d'altitude, est recouvert d'une magnifique forêt de pins, très agréable et reposante, où l'on échappe à la chaleur accablante de la capitale. Nombreuses balades vers des lacs ou même une cascade. Selon les Cambodgiens, des tigres habiteraient dans la forêt.

LE CAMBODGE

TAKEO *(sites d'Angkor Borei et Phnom Da)*

À 75 km de Phnom Penh. Bus depuis le marché central. La ville de Takeo est la modeste capitale de la province du même nom, une région considérée comme le berceau de la civilisation khmère. Chaque année, une grande partie des terres est inondée à la saison des pluies. Ce caractère lacustre saisonnier, immémorial, se retrouve dans le mystérieux nom de « Chenla d'eau », donné aux royaumes de ces contrées (VIe-VIIe s, fin du Funan – début ère angkorienne) par les chroniques chinoises, seules sources historiques régionales. Beaucoup de commerce avec le Vietnam tout proche, à travers les nombreux canaux. En venant de Phnom Penh, prendre à gauche au monument de l'Indépendance de Takeo, puis à droite, pour se retrouver sur les quais. Attention, peu d'animation le soir. À 20h, tout est fermé !

Arriver-Quitter

En bus et taxis collectifs

🚌 *Gare routière :* à env 1 km du rond-point du monument de l'Indépendance. Depuis et vers **Phnom Penh,** uniquement des minibus et taxis collectifs privés (trajet : env 2h30-3h). Pas de liaison directe pour Kep, ni Kampot : il faut se rendre à l'intersection de la N3 (à une dizaine de kilomètres, en taxi collectif ou en *tuk-tuk*) et monter dans un bus qui relie Phnom Penh à Kep-Kampot, s'il y a de la place. Aléatoire, donc ! On peut parfois attraper un bus pour **Hô Chi Minh-Ville,** tôt le matin ; ce sont les bus en provenance de Phnom Penh. Même problématique, il arrive qu'il n'y ait pas de places disponibles...

– Pour Phnom Penh, on trouve des *taxis privés* près du marché, entre les 2 stations-service *Tela.*

En train

🚆 *Gare ferroviaire :* à 4 km à l'ouest du centre. ☎ 099-222-533. ● royal-railway.com ●
➢ *Sihanoukville-Kampot-Takeo-Phnom Penh :* vers Sihanoukville, 1 départ le ven ap-m, 1 le sam mat et 2 le dim. Vers Phnom Penh, 1 départ sam mat, 2 le dim et 1 le lun mat. Davantage pdt les fêtes locales et, de temps à autre, 1 départ supplémentaire en semaine – se renseigner. Durée : env 2h pour Phnom Penh, 3h pour Kampot et 5h jusqu'à Sihanoukville.

Adresses utiles

■ *Office de tourisme :* prendre la rue en face de l'embarcadère et du Stung Takeo Restaurant, *puis tourner dans la 2e rue à droite. C'est au niveau d'un petit marché.* Les employés, qui parlent l'anglais, fournissent un plan de la ville et des brochures. Bon accueil.

■ *Acleda Bank :* au rond-point du monument de l'Indépendance. Lun-sam 7h30-16h30 (12h sam). C'est la seule banque pour faire du change dans le secteur. Taux fort correct, service *Western Union* et distributeur 24h/24 acceptant les cartes *Visa* et *MasterCard.*

Où dormir ? Où manger ?
Où boire un verre à Takeo et dans le coin ?

🛏 *Nita Guesthouse :* à 200 m à gauche de l'embarcadère. ☎ 012-955-526. Doubles 5-12 $ selon confort. Pas de petit déj. Un « hôtel-salle-de-bains » tout carrelé, sans charme mais bien tenu. Des chambres avec ventilo ou clim selon le prix. En demander une côté fleuve, bien sûr, d'autant qu'on y bénéficie de balcons avec vue. Bon, on y parle très peu l'anglais.
🛏 *Daunkeo Guesthouse :* à 100 m à droite de l'embarcadère.

▥ 032-210-303. ● *daunkeo.com* ● *Doubles avec sdb (eau chaude) et clim 15-25 $ selon taille ; petit déj en sus.* Une adresse assez confortable et plutôt bien tenue. Avec leurs petites touches de déco, les chambres sont une bonne surprise. Les plus onéreuses sont des *VIP rooms,* à peine plus grandes que les standards le long d'une allée bordée de manguiers et de jacquiers. Resto sur place.

|●| ⟟ **Stung Takeo Restaurant :** *juste avt l'embarcadère en venant de Daunkeo Guesthouse. Tlj 8h-20h. De bon marché à chic selon le choix.* C'est le resto incontournable. Vaste et agréable terrasse en bois, avec hamacs, dominant joliment le canal. Bonne cuisine copieuse qui régale les Cambodgiens et les quelques touristes de passage. Soupes, friture *(fried fish),* crevettes... Mais la spécialité, que les Cambodgiens aisés viennent effeuiller avec force démonstration, c'est la langouste ! Seulement, elle est chère (compter environ 20 $ la livre !). Et si vous n'arrivez pas assez tôt, ben, il n'y en aura plus... Bonne adresse pour boire l'apéro en profitant de la vue.

|●| **Le Petit Bistrot :** *dans la même rue que la* Daunkeo Guesthouse, *à gauche en regardant l'hôtel. Prix « chic ».* Une envie irrésistible d'entrecôte, de magret de canard ou d'escargots ? Si vous êtes en fonds, vous trouverez votre bonheur. Petite terrasse colorée, accueil gentil.

|●| **Mlop Sbov Trachak Chit** (*prononcer Molap Sbao Trotiêtiet) : rue 10 ; de l'embarcadère, longer la* Daunkeo Guesthouse, *tourner à droite puis à gauche et repérer les panneaux « Cambodia/Anchor Beer » sur la gauche. Tlj 10h-21h. Prix moyens.* Posé sur un bassin, un resto assez populaire servant des spécialités khmères et chinoises. Canard, crevettes crues, anguille, poisson fermenté, ver à soie aux oignons (hmm !)...

▤ Possibilité de passer la nuit dans le village d'**Angkor Borei.** S'adresser au gardien du musée, qui ne parle que le cambodgien.

DANS LES ENVIRONS DE TAKEO

➤ **Comment aller à Phnom Da et Angkor Borei ?** *Louer une barque à moteur de 6 pers à l'embarcadère (que l'on repère aux quelques marches près du Stung Takeo Restaurant). Compter env 35 $ le bateau (A/R, temps de visite inclus) pour les 2 sites. Trajet : env 45 mn jusqu'à Phnom Da, puis 15 mn pour Angkor Borei. Possibilité de louer une voiture mais on ne vous le conseille pas tant la balade en bateau est charmante et moins difficile (sinon 1h30 de mauvaise route).* Balade en bateau superbe. D'abord un chenal, puis un lac immense (sauf pendant la saison sèche), avant d'arriver à la rivière proprement dite. Le long du parcours, nombreuses scènes de vie de pêcheurs. Quelques hébergements rustiques sur place et pas grand-chose pour se sustenter. Prévoir des provisions.

🎬⟟ **Phnom Da :** c'est la première étape et la meilleure. Itinéraire jalonné de rustiques petits élevages de poissons. Débarquement au milieu des plantes aquatiques dans un tout petit village de pêcheurs. Vous en trouverez toujours une demi-douzaine pêchant à l'épervier dans un grand étang. À quelques centaines de mètres, le *prasat Phnom Da,* juché sur sa petite colline *(entrée : env 2 $).* Émouvant, car c'est sans doute le plus ancien temple préangkorien du pays (daterait du VIe ou du VIIe s). Il figure d'ailleurs sur la liste indicative de l'Unesco, ce qui pourrait permettre un jour une inscription au Patrimoine mondial... Il possède un côté abandonné presque séduisant.

Sanctuaire assez imposant, qui semble avoir brûlé tant les murs sont noircis par les mousses et le temps. Avec un chapeau et un peu de solitude, on pourrait presque se prendre pour Indiana Jones découvrant un temple dans l'une de ses aventures... Environnement paisible à souhait, d'où l'on a une jolie vue sur les rizières de la vallée. Le temple lui-même a perdu nombre de ses décors. Les premiers volés, les autres en sûreté dans les musées d'Angkor Borei et de Phnom

Penh. À l'intérieur, appareillage en brique de latérite en « escalier ». Mais dommage que ni le temple, ni les alentours ne soient entretenus. Par un chemin différent, on parvient à un autre minuscule temple de style hindou et de la même époque, *Ashram Maha Rosei*.

🏃 ***Angkor Borei et le Musée archéologique :*** *à 15 mn de bateau de Phnom Da. Musée à 200 m du débarcadère. En principe, ouv tlj 8h-19h ; si c'est fermé, le gardien n'est jamais bien loin. Entrée : env 1 $.*

Les environs du village (qui vaut aussi le détour pour ceux qui veulent s'immerger dans la vie locale) font l'objet de nombreuses recherches archéologiques. Angkor Borei, avec sa colline de Phnom Da, était tout de même la capitale du royaume du Funan (VIe s) sous le roi Rudravarman...

Le *Musée archéologique* est vraiment petit. Ne vous faites pas trop d'illusions, d'autant que toutes les statues à l'extérieur sont des copies ! À l'intérieur, jeter un œil à la photo de l'ancienne fortification de 6 km de tour qui cernait jadis le village. Quelques pièces exposées pêle-mêle : linteaux provenant de Phnom Da, un bouddha du VIe s, un autre du XVIIIe s en position de *bhumisparsamudra* (prise de la Terre à témoin), un Shiva de style Baphuon et un Vishnou du XIe s, quelques vitrines remplies de statuettes et de poteries, des pilons médicinaux, des lingams en pierre, poteries et lissoirs de potiers. Et puis voilà.

🏃🏃🏃 ***Phnom Chisor :*** *à env 30 km au nord de Takeo, sur la route de la capitale.* Le temple est décrit plus haut, dans « Les environs de Phnom Penh ».

OUDONG

➤ *À env 40 km au nord de Phnom Penh, sur la route de Battambang. Depuis Phnom Penh, prendre un bus pour Kompong Chhnang et demander à être déposé à l'intersection de la route allant au site d'Oudong (entre les km 36 et 37, indiqué par un panneau et un portail avec deux nagas). Reste 3 km à faire (moto-dop ou stop). Au retour, arrêter un bus sur la route principale. Entrée payante.*

Cette ancienne capitale des rois khmers du XVIIe au XIXe s tombe en ruine. Le Palais royal a disparu. Les affrontements entre Lon Nol et les Khmers rouges ont entraîné la destruction d'un nombre élevé de monuments. En bas de la plus haute colline, un petit *mémorial des crimes des Khmers rouges.* L'excursion vaut avant tout pour l'animation et l'ambiance des week-ends, et pour ceux qui disposent de temps.

Où manger ?

Oudong accueille des milliers de pèlerins, il y a une grande aire de repos et de restauration au pied de la colline. Très peu de touristes occidentaux. Faites comme les Cambodgiens, choisissez une paillote, étendez-vous sur une natte (ou prenez un hamac) et dégustez relax tout un tas de petites préparations maison... Une vraie tranche de vie locale !

À voir

🏃 ***Preah Atharas :*** la pagode la plus impressionnante, au sommet d'un des *phnom* (collines) d'Oudong. Détruite par les bombardements américains, puis par les Khmers rouges, elle abritait une statue du Bouddha qui devait bien faire 10 m de hauteur ! Il n'en reste presque plus rien, sinon des vestiges assez pathétiques. Subsiste des moignons de huit colonnes et du socle sculpté du bouddha. Il est caché derrière de hauts murs, on tourne autour dans une sorte de déambulatoire. En avant du socle, petit temple où l'on retrouve d'ailleurs le nez du bouddha tombé à terre.

🎥🎥 *La colline des trois stûpas :* le premier, tout neuf, assez monumental, incrusté de têtes d'éléphants, a été offert par l'ancien roi Norodom Sihanouk et ses ministres. Longue volée de marches pour y accéder. Lieu de dévotion très populaire, il réunit plus d'un million de Cambodgiens à son inauguration en 2002. De sa terrasse, panorama imprenable. Le deuxième stûpa est celui du roi Ang Duong, construit en 1891 par le roi Norodom pour abriter les cendres de son père. Tout en brique, puis décoré de stuc ciselé et de fleurs en céramique. Il survécut miraculeusement aux bombardements. Le dernier, enfin, date sans doute du début du XVIIᵉ s, ce qui explique son état délabré. On y accède par un petit escalier en pierre. Sur son sommet, les faces de Brahma, Shiva et Vishnou. Vue plein sud (en direction de Phnom Penh) à couper le souffle.

LA RÉGION CÔTIÈRE

● **Kep** 135
  • Wat Kirisan (ou Kirisela) à Kampong Trach • Koh Tonsay (île des Lapins)
● **Sur la route de Kampot**...................142
  • Les grottes de Kbal Romeas, Phnom Chhnork et Phnom Sorseha • Secret Lake • Les

plantations de poivre
● **Kampot**.........................143
  • Balades sur la rivière
  • Teuk Chhou • Le Bokor
● **Sihanoukville (Kompong Som)**..........155
  • Koh Ta Kiev • Ream National Park
● **Koh Rong et Koh Rong Samloem** 171

● **Koh Kong** 178
  • Chi Pat • Koh Kong Island
● **L'île de Phú Quốc (Vietnam)** 183
  • Dương Đông • Balade dans le nord-ouest de l'île • Balade dans le nord-est et l'est de l'île
  • Vers la pointe sud de l'île

LE CAMBODGE

KEP

● Plan *p. 137*

Créée en 1908 par les Français sous le nom de Kep-sur-Mer, cette petite station balnéaire fut très prisée dans les années 1960, avant de s'évanouir dans les tourments de l'Histoire. On la rejoint en 30 mn depuis Kampot, par 25 km de routes bordées de nombreux villages chams, vrai décor de carte postale quand les rizières sont bien vertes. Le long de la corniche, les quelques bâtisses de l'époque coloniale construites par de riches Cambodgiens durant l'âge d'or des sixties ont été détruites ou totalement rasées par les Khmers rouges, qui ne quittèrent la région qu'en 1998. Parmi elles, l'ancienne résidence du roi Sihanouk, située sur les hauteurs.

Aujourd'hui, la vie a repris le dessus, tandis que la végétation qui a envahi les quelques vestiges calcinés atténue la morbidité du passé. Malgré quelques aménagements hôteliers, Kep conserve son charme et sa tranquillité. On vient ici surtout pour ne rien faire et pour s'empiffrer de crabe au poivre vert. Pour épicer ses soirées, en revanche, on va plutôt à Kampot...

Attention, Kep est très étirée. Le centre administratif est assez loin de la plage principale, très modeste au demeurant. Les amoureux de l'océan, du farniente et du temps qui s'écoule paisiblement prendront plutôt un bateau à destination de Koh Tonsay, l'agréable « île des Lapins », située à quelques encablures au large de Kep.

Arriver – Quitter

Au rond-point principal de Kep Beach (plan A2), tout en bas, plusieurs petites agences vendent des tours et des transports en minibus, dont Anny Tours, Ocean Tours ou encore Champa Mekong Travel. En revanche, les conditions de voyage ne sont pas toujours très top...

➤ **Kampot :** 5-6 bus/j. Ce sont les bus en provenance de Phnom Penh. Pour se rendre à Kampot, passages à Kep vers 12h et 17h. Trajet : env 30 mn. Également des minibus en 40 mn. Sinon, moto-dop ou tuk-tuk, plus simple si l'on n'est pas chargé. Route assez tranquille et jolie.

➤ **Phnom Penh :** ligne Phnom Penh-Kep-Kampot. 5-6 bus/j. dans chaque sens ; passages à Kep en direction de Phnom Penh vers 7h30, 9h30 et 13h env. Trajet : env 4h30.

➤ **Sihanoukville :** minibus quotidiens. Sinon, départs plus nombreux depuis Kampot. Trajet : env 2h30.

➤ Également des liaisons avec **Chau Doc** et **Ha Tien** (frontière vietnamienne), par exemple pour rejoindre **Phú Quốc.**

Adresses et infos utiles

■ **Change** (plan A2, 1) **:** attention, pas de banque ni de bureaux de change à Kep même. Distributeurs Visa et MasterCard sur le rond-point principal, mais retrait limité à 200 $. Sinon, il faut aller à l'Acleda Bank, à Damnak Chang'aeur, à environ 15 mn avant Kep par la route 33 (hors plan par B2 ; lun-ven 7h30-16h, sam 7h30-12h). Bon taux de change, distributeur et service Western Union.

■ **Pharmacie** (plan A2) **:** en face de la plage principale, à côté de la boulangerie française. Tlj 8h-19h.
■ **Location de vélos, scooters et motos :** compter près de 2 $/j. pour un vélo, 6-8 $/j. pour une moto (casque fourni). Mine de rien, la ville est assez étendue. Le plus simple est de demander à votre guesthouse (nombre d'entre elles en louent ; sinon, elles contacteront un loueur).

Où dormir ?

Bon marché
à (jusqu'à 15 $)

🛏 🍴 **Kepmandou** (plan B2, 10) **:** dans la partie urbaine, mais en retrait vers la mer (pas de vraie plage), au nord de l'embarcadère pour l'île des Lapins. Au chauffeur de bus, demander l'arrêt de la poste. ☎ 097-795-8723. ● kepmandou-guesthouse.com ● Hamac, dortoir et doubles « bon marché ». L'adresse routarde et festive de Kep. Dortoirs avec lits simples ou doubles, chambres avec ou sans fenêtre, avec ou sans salle de bains. Également des chambres avec balcon et des bungalows en bambou. Fait resto. Mais le lounge bar est surtout un lieu de rencontres pour les fêtards (sommeils légers, s'abstenir). Une partie des bénéfices sert à donner des cours de français et d'anglais au sein du Jardin des langues Ayravady.
🛏 **Man Groove Guesthouse** (plan B2, 11) **:** après Kepmandou en allant vers le village. ☎ 097-916-15-53 et 087-288-938. Juste quelques bungalows en feuille de palme, rustiques, mais avec salle de bains (eau chaude) tout

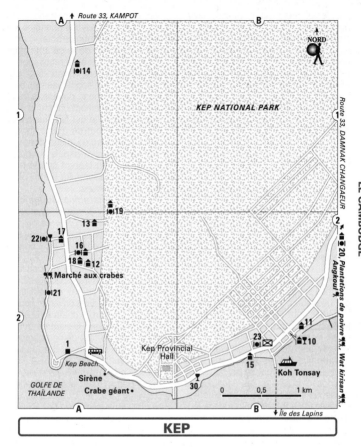

KEP

■ **Adresses utiles**

1 Distributeur de billets (A2)

🏠 **Où dormir ?**

10 Kepmandou (B2)
11 Man Groove Guesthouse (B2)
12 Phum Thmey Natural Guesthouse (A2)
13 Khmer Hands (A2)
14 Botanica Guesthouse (A1)
15 Brise de Kep Boutique (B2)
16 Bird of Paradise Bungalows (A2)

17 Kimly Lodge (A2)
18 Raingsey Bungalow (A2)
19 Kep Lodge (A1-2)
20 The Vine Retreat (hors plan par B2)

|◉| 🍷 **Où manger ?**
Où boire un verre ?

21 Kimly, Holy Crab et Seagull (A2)
22 Sailing Club (A2)
23 Captain Chim (B2)
30 Waterfront (B2)

---

de même, posés dans un petit jardin. Franchement pour le prix, difficile de faire la fine bouche. Accueil francophone. À l'avant, leur resto donne sur la rue principale.

🏠 **Phum Thmey Natural Guesthouse** *(plan A2, 12) :* au début du chemin pour le *Veranda Natural Resort, sur la gauche.* 🖥 *012-204-855 ou 957. Ni petit déj ni repas.* Une petite *guesthouse* tenue par des Khmers qui ne parlent quasi pas l'anglais. Dans un jardin, quelques chambres en dur, très simples, avec salle de bains (eau froide) et ventilo à prix plancher. On ne le conseille pas pour les autres chambres avec clim et eau chaude, 3 fois plus chères et un peu déprimantes ; dans ce cas, les adresses de la catégorie suivante affichent un bien meilleur rapport qualité-prix.

Prix moyens (15-30 $)

🛏 *Khmer Hands* (plan A2, 13) : ☎ 088-215-00-11. ● info.khmerhands@gmail.com ● *Résa à l'avance conseillée.* Tenue par un Américain, « kepois » (on invente !) de longue date, et sa femme khmère, cette *guesthouse* connaît un franc succès à la fois pour ses chambres et pour sa dimension sociale. Première petite originalité : les bungalows perchés sur pilotis et les chambres en dur possèdent des douches ouvertes, certaines sont carrément à l'extérieur. Mais ce qui rend l'endroit particulier, c'est le personnel : l'établissement sert de lieu de stage aux élèves du secondaire formés aux métiers de l'hôtellerie et à la couture (les fameuses « hands »). D'ailleurs, les rideaux sont fabriqués à l'atelier de la *guesthouse*. N'hésitez pas à faire un tour dans leur petite boutique : on y trouve entre autres le célèbre *krama*, foulard à carreaux typiques. Très bon accueil, tout en douceur.

🛏 ●❚ *Botanica Guesthouse* (plan A1, 14) : *un peu excentré, sur la route 33 vers Kampot.* ☎ 097-899-8614 ou 097-801-9071. ● kep-botanica.com ● *Doubles avec sdb (eau chaude), ventilo ou clim à « prix moyens » (fourchette hte).* Guesthouse tenue par Philippe et son épouse khmère. Dans un beau jardin touffu, qui a donné son nom au lieu, 8 bungalows en dur, confortables, avec une bonne literie. Superbe piscine à débordement avec traitement au sel. Excellent resto (mention spéciale pour le bœuf au poivre vert). Prêt de vélos et location de scooters.

🛏 *Brise de Kep Boutique* (plan B2, 15) : ☎ 088-733-03-36 et 012-897-205. ● brisedekepboutique@gmail.com ●

Doubles avec sdb à « prix moyens » (fourchette hte). Soyons honnêtes, ça n'est pas un « boutique-hôtel », mais vu le dynamisme de la gérante francophone occupée à sa rénovation, il gagnera à coup sûr en standing. Les chambres plutôt spacieuses et bien équipées s'alignent devant le petit jardin impeccablement entretenu et la plagette artificielle qui fait illusion. Et puisqu'on est tout de même devant la mer (sans « vraie » plage donc), la baignade s'effectue depuis le ponton face à l'hôtel. Un rapport qualité-prix-situation intéressant. Au resto, plats français et asiatiques.

🛏 ●❚ *Bird of Paradise Bungalows* (plan A2, 16) : ☎ 090-880-413. ● birdofparadisebungalows.com ● *La plupart des doubles à « prix moyens » avec sdb (eau chaude) et ventilo, « chic » pour la plus grande avec clim, petit déj possible.* Une petite adresse sympathique et à taille humaine avec quelques bungalows en bois coiffés de feuille de palme ou en dur dans un jardin peuplé d'animaux (canards, chats et chiens). Un peu les uns sur les autres quand même... Mais le tout demeure impeccable. Resto sur place. Bon accueil anglo-khmer.

🛏 *Kimly Lodge* (plan A2, 17) : *juste avt le* Knai Bang Chatt. ☎ 012-721-200. ● kimlylodge.com ● *Doubles avec sdb (eau chaude) et clim, « de prix moyens à chic ».* C'est la *guesthouse* du fameux resto (voir « Où manger ?... »). Dans un agréable jardin avec piscine, un bâtiment moderne avec des chambres sans charme mais confortables et propres. On préfère celles à l'étage (en bas, elles sont sombres et donnent sur le parking) ou, mieux, les bungalows du jardin, isolés et ombragés par les palmiers et les arbustes.

De chic à plus chic (50-80 $)

🛏 *Raingsey Bungalows* (plan A2, 18) : Mountain Hillside Rd. ☎ 085-560-294 et 077-927-030. ● raingsey-bungalow-kep.com ● *Sur la piste du* Veranda Resort, *prendre un petit chemin sur la gauche (fléché). Prix « plus chic ».* Un jardin soigné abrite de jolis bungalows coquets et disposant de tout le confort (le hamac sur la terrasse n'a pas été oublié). La belle piscine et l'environnement paisible contribuent à faire du lieu une adresse de charme. En prime, très bon accueil des proprios français, sur place les ¾ de l'année.

🛏 I●I **Kep Lodge** (plan A1-2, **19**) : à env 1 km du rond-point principal, en direction de Kampot, prendre la piste sur la droite, c'est 500 m plus loin. ☎ 210-225. 🖃 096-998-37-55. ● keplodge.

com ● Doubles à prix « chic », petit déj compris ; plus des familiales en bungalows à étage. Piscine accessible aux non-résidents : 3 $. En pleine nature et au sein d'un beau jardin tropical, d'agréables bungalows en dur, bien équipés. On est un peu loin de la mer, mais l'endroit est particulièrement paisible, et la piscine permet de se rafraîchir. Grande paillote disposant d'un coin salon et d'un billard avec une jolie vue à l'étage. Fait resto.

Où dormir ? Où manger dans les environs ?

LE CAMBODGE

🛏 I●I **The Vine Retreat** (hors plan par B2, **20**) : à 5 km de l'entrée de Pepper Rd, la piste des plantations de poivre, sur la droite, entrée discrète). 🖃 096-700-10-96 et 092-494-272. ● cambodiaretreats.com ● Résa à l'avance conseillée. Dortoirs (5 lits) et doubles sans ou avec sdb « de prix moyens à chic », petit déj inclus. Pour ceux qui veulent se mettre au vert, pour ne pas dire au poivre vert, vu qu'on est au cœur des plantations du fameux poivre de Kampot. On dirait une maison de famille, en pierre et en bois, avec jardin et piscine. D'ailleurs, les groupes de yoga et méditation se

sentent ici à leur aise et louent parfois l'adresse en exclusivité. Les chambres du rez-de-chaussée sont agréables, avec leur vieux carrelage. Cela dit, on préfère celles de l'étage, quoique plus chères, plus vastes, avec balcon privé pour certaines, de belles boiseries et même un lit à baldaquin dans la n° 9. Pour se relaxer, un chouette resto à base de produits bio de la ferme. Et pour se dégourdir, terrain de foot et de volley, chemins de randonnées et visite gratuite de la plantation de poivre voisine et du verger du domaine accompagné d'un guide. Le patron est originaire de Montréal.

Où manger ? Où boire un verre ?

C'est vraiment l'endroit où se faire une orgie de crabe ! On vous le conseille au poivre vert de Kampot, un délice quand il est bien fait. Plein de gargotes et de petits restos servant le crabe tout frais du marché voisin.

I●I ↑ **Kimly** (plan A2, **21**) : au marché aux crabes. 🖃 012-345-753. Tlj 9h-23h. « Prix moyens ». Kimly, c'est une l'institution de Kep. Famille adorable, salle avec vue sur la mer. Pour 2 personnes, régal pantagruélique garanti avec 3 plats en petite portion (exemple : poisson, crevettes et calamars). Ce n'est pas l'endroit où il faut penser à son régime ! Les préparations aux nouilles transparentes, au gingembre et au poivre de Kampot, sont particulièrement délicieuses. Le crabe au poivre frais de Kampot est

une merveille. Boissons pas chères, dont vins et spiritueux. Kimly, t'es sélectionné pour le best of « golfe de Siam » !

I●I ♀ ↑ **Sailing Club** (plan A2, **22**) : juste à droite de l'hôtel chic Knai Bang Chatt. « Prix moyens ». Happy hour lun-jeu 17h-19h. Cette belle « bicoque » en bois, bleu et blanc, offre une superbe terrasse sur l'eau, face à un ponton idéal pour rêvasser. Bonne cuisine tournée vers la mer, et le crabe en particulier. Également des plats khmers, sandwichs et salades à prix chic, mais aux portions généreuses. Très bien aussi pour boire un verre au coucher du soleil (magnifique). Activités de club nautique, ping-pong, beach-volley et billard.

I●I ↑ **Holy Crab** (plan A2, **21**) : au marché aux crabes, à droite du resto

Kimly. ☎ 097-632-34-56. Tlj 10h30-22h30. « Prix moyens ». Encore une adresse où le crabe est... sacré. La cuisine et le service sont le plus souvent raffinés, mais le rapport qualité-prix n'est pas forcément meilleur qu'à côté. Crabe décliné à toutes sauces, y compris dans l'*amok* maison. En fait, on vient aussi pour le cadre, très reposant avec sa belle terrasse sur l'eau.

|●| ♟ ↑ Seagull (La Mouette ; *plan A2, 21*) *:* au marché aux crabes, après le Holy Crab. ☎ 012-435-480. Tlj 9h-22h. « Prix moyens », fourchette hte. Bonne cuisine élaborée, bien sûr, autour du crabe et du poivre vert pour les amateurs. On aime la terrasse à l'étage, avec ses canapés et fauteuils en osier, largement ouverte sur le large. Bien aussi juste pour venir siroter un verre.

|●| Captain Chim (*plan B2, 23*) *:* avt le village, sur la gauche en venant de la plage. Tlj midi et soir. « Bon marché ». Une petite adresse sans prétention, tenue par une sympathique famille cambodgienne. Repas correct et vraiment pas cher, servi dans la grande cour. Très bien pour se nourrir sans se ruiner.

♟ ↑ Waterfront (*plan B2, 30*) *:* un peu isolé entre la plage et le village. Tlj sauf mar jusqu'à 21h (22h le w-e). Fermé en principe de mi-août à mi-oct, mais mieux vaut tél avt. Très belle terrasse meublée avec goût face à la mer. Idéal pour se relaxer à l'heure de l'apéro : bonne sélection de vins au verre parfois servi avec du poivre vert de Kampot. Et quelques petites choses à grignoter pour prolonger agréablement la soirée. Loue également 2 chambres avec salle de bains à l'extérieur. Accueil avenant en français.

À voir. À faire

♟ Les plages : dans le bourg même ou au niveau du marché aux crabes. Sachez qu'une partie du sable est importé des îles quand c'est nécessaire...

♟♟ Le marché aux crabes (*plan A2*) *:* on peut en acheter, le matin, parmi le groupe de vendeuses qui les maintiennent au frais dans des paniers en osier au bord du rivage. Elles confectionnent de petits paquets de minuscules poissons emballés dans une feuille pour les donner en pâture aux crabes. Quelques bateaux de pêche prennent la pose pour la photo. Vente de poivre de Kampot également. Nombreux restos sur place (voir plus haut « Où manger ? »).

♟ Kep National Park : au sommet de la colline qui domine la ville. Accès par une piste qui débute derrière l'hôtel Le Bout du Monde. Entrée : env 1 \$, mais pas toujours quelqu'un. Un espace naturel qui offre l'occasion de faire une jolie balade sans difficulté particulière, en suivant un sentier de 8 km, bien balisé et en boucle. Compter 2h30. Au cours de la promenade, beaux points de vue sur la mer, une pagode, des écureuils et quelques singes. Retour par le quartier des villas coloniales incendiées, avec des chèvres dans les ruines...

– Les activités nautiques : le *Sailing Club* (voir « Où manger ? Où boire un verre ? ») de l'hôtel chic *Knai Bang Chatt* loue des kayaks et des planches à voile. Également des cours de *hobbie cat*.

DANS LES ENVIRONS DE KEP

♟♟ Wat Kirisan (ou **Kirisela** ; *grotte-temple ; hors plan par B2*) *:* à **Kampong Trach**, à env 17 km à l'est de Kep par une route bitumée. Y aller à moto ou en tuk-tuk. Dans le village de Kampong Trach, bifurquer à gauche au niveau du panneau « Kampong Trach Mountain Resort », puis suivre la piste à trous principale sur 2 km. Entrée : 1 \$. Prévoir une lumière, même si la grotte est en partie éclairée (malgré tt, des enfants à vélo continuent de proposer leur service). Il s'agit d'un *wat* (temple) que l'on atteint par une grotte, dont le plafond s'est

LE CAMBODGE

effondré, formant ainsi un bel espace à ciel ouvert. À l'intérieur, un grand bouddha couché, de 1959. De là part un dédale de petites galeries qui parcourent le pied de la montagne. L'une d'elle, au fond à droite, débouche de l'autre côté, mais il faut ensuite rebrousser chemin. À 50 m à droite de l'entrée du *wat,* un escalier permet d'accéder au sommet de la montagne.

KOH TONSAY *(île des Lapins)*

Juste en face de Kep.
➤ *Pour y aller :* au niveau de la station Sokimex *(plan B2),* petit guichet situé avt le ponton. Les guesthouses de Kep proposent aussi l'excursion. En principe, au moins 2 départs/j., le mat et en début d'ap-m. Compter env 8 $ pour l'A/R dans la journée, 9 $ si on dort sur place et 10 $ si on demande à rentrer avt l'heure prévue. Sinon, possibilité de louer un bateau à l'embarcadère, 7h-17h. Prix fixe : 25 $/ bateau l'A/R (6 pers max). Résa conseillée la veille en saison. Trajet : 20 mn.
Conservez le ticket que l'on vous remet au guichet et sur lequel figure le numéro de votre bateau. Ce dernier est tenu de vous ramener à Kep, mais il arrive que l'on vous confie à un autre batelier : ce qui compte c'est de vous en assurer... En saison des pluies (de mai à octobre), les liaisons peuvent être interrompues à cause du mauvais temps. Dernière précision : certaines agences de Kep proposent des excursions sur d'autres îlots, plus éloignés. Sachez que les bateaux ne sont pas conçus pour aller en mer et que lors de conditions météo défavorables, cela peut être dangereux.
L'île de Tonsay est un spot agréable pour se détendre, même si les petites *guest-houses* jouent désormais des coudes sur la plage. Pour ceux qui s'interrogeaient, pas de lapins sur l'île, c'est sa forme qui lui a donné son nom ! La plage, ourlée de sable blanc et bordée de cocotiers, s'étire sur près de 400 m. Plutôt propre. Le secteur du poste de police après la plage, sur la gauche, est en revanche jonché de détritus, mais à priori, pas de raison particulière de s'y rendre...
Pas grand-chose à faire, si ce n'est se goûter à quelques bonheurs simples de la vie, comme celui de déguster un crabe les pieds dans le sable, de se laisser bercer par le chuchotement des vagues, de se faire masser au bord de la plage et de sombrer dans une sieste bienfaisante au fond d'un hamac... Les plus courageux opteront pour le tour de l'île, seul ou accompagné d'un guide. Compter environ 2h avec un passage difficile à la fin à marée haute (mieux vaut y aller à marée basse). Départ par un sentier sur la droite de la plage principale (dos la mer). Après 15 mn, petite plage tranquille.

LE CAMBODGE

Où dormir ? Où manger ?

En haute saison, réservez quelques jours avant si vous souhaitez y dormir. Compte tenu de la taille du site, on ne trouve pas de grosses structures, mais un alignement de bungalows en bois sur l'unique plage aménagée, tenus par des proprios cambodgiens, pour la plupart originaires de l'île. Ça reste assez rudimentaire : salle de bains (eau froide), sans ou avec balcon, en tout cas sans wifi, l'électricité étant assurée par des groupes électrogènes. Ils appartiennent tous à la catégorie « bon marché » *(moins de 15 $ pour 2).* Tous disposent d'un restaurant au bord de la mer. Bien regarder les conditions d'hygiène avant de faire son choix. Petite sélection :

🏠 I●I *Khim Vouch lay : tt au bout de la plage à droite.* 🖥 *077-288-844.* Des bungalows simples avec balcon tendu d'un hamac, autour d'un jardin bien entretenu, planté de cocotiers. Excellent accueil du proprio qui fournit de bons conseils sur les balades.

🏠 I●I *Ngan Sokha Guesthouse : vers le milieu de la plage.* 🖥 *097-757-61-16 et 097-913-10-12.* Bungalows plus « hermétiques » avec sol en tomettes.

Propre. Un peu plus confortables que les autres et vraiment pas cher.

🏠 ❚⦿❙ *Simones :* *vers le milieu de la plage.* ☎ *097-664-83-33 et 012-893-102.* Privilégier les bungalows les plus récents, d'un rapport qualité-prix correct. Certains sont vraiment en mauvais état. Propres. Bon resto. Patronne un peu plus « business » que ses voisins.

SUR LA ROUTE DE KAMPOT

🎯🎯 Entre Kep et Kampot, les amateurs de grottes pas trop exigeants iront visiter : la *grotte de Kbal Romeas* *(qui est aussi un site d'escalade géré par* Climbodia *:* ☎ *070-255-210 ;* ⦿ *climbodia.com* ⦿*), la *grotte de Phnom Chhnork* (superbe campagne, mais pas facile à trouver et piste en mauvais état) et les *grottes de Phnom Sorseha.* Utiliser votre éclairage de smartphone, sinon on trouve souvent sur place un « guide » équipé moyennant 1 $. Si vous ne louez pas de vélo ni de moto, prenez un *tuk-tuk tour* (environ 30 $ la journée...).

🎯🎯 *Secret Lake :* *à env 8 km de Kep vers Kampot, tourner à droite et poursuivre sur env 5 km. De la sortie de Kampot, compter env 10 km avt de bifurquer à gauche.* Il s'agit d'un réservoir construit à l'origine par les Khmers rouges. Le barrage a cédé dans les années 1990, inondant les terres alentours. Il a, depuis, été réparé et fait l'objet d'une agréable balade généralement à moto. On sillonne alors les petits chemins de latérite qui contournent les plantations de durians et rejoignent la grande *Plantation* de poivre (lire plus loin), à 4,5 km de celle des cafés ci-dessous :

❚⦿❙ *Khmer Root Café* *(hors plan par B2) :* *au début du lac, dans sa partie sud.* ☎ *088-356-80-16. En journée seulement.* Une paillote qui s'est taillé une sacrée réputation d'abord à Kampot avant de s'installer dans ce coin nature. Cuisine traditionnelle khmère, parfumée et d'une grande finesse. Soklim, le talentueux chef, utilise beaucoup de plantes aromatiques. Vive les racines !

❚⦿❙ *Secret Lake Cafe :* *à côté du Khmer Root Café. Bon marché.* Une gargote avec cuisine en plein air. On mange autour de rondins de bois essentiellement du riz et des légumes sautés (aubergines, liseron-*morning glory...*) et autres plats copieux et très corrects.

🎯🎯 *Les plantations de poivre* *(hors plan par B2) :* *y aller en* tuk-tuk *ou à moto. La visite des plantations est gratuite.* Lire aussi plus loin le texte consacré au poivre, dans l'introduction de Kampot.

– *Sothy's Farm :* *au début de Pepper Road. À env 13 km au nord de Kep, sur la route 1333, perpendiculaire à la route 33 (axe principal).* ☎ *088-951-35-05.* ⦿ *mykampotpepper.asia* ⦿ *Tlj 9h-17h (dernière visite). GRATUIT. Durée : 30 mn-1h.* Ambiance familiale dans cette plantation dirigée par Sothy et son mari allemand Norbert. La plupart du temps, ce sont des volontaires de toutes nationalités, accueillis dans le cadre du réseau « workaway » qui assurent les visites. Vente de poivre éco-certifié et labellisé « Kampot Pepper », donc qualité garantie mais pas au premier prix.

❚⦿❙ 🏠 Fait aussi resto le midi *(prix moyens)* et loue 2 bungalows en bois, simples, dans la plantation *(env 15 $ pour 2 ; pens complète possible).*

– *La Plantation :* *à env 23 km de Kep. Direction Kampot, prendre à droite au bout de 12 km vers le Secret Lake pour le contourner par l'est ; la plantation se situe au nord du lac. De Kampot, au km 5, après le pont, tourner à gauche.* ☎ *017-842-505.* ⦿ *kampotpepper.com* ⦿ *Compter env 45 mn de Kampot en tuk-tuk et autour de 15-20 $ en incluant les grottes de Chhnork. Tlj 9h-17h15 (dernier tour). GRATUIT.* La visite comprend une présentation sur l'histoire du poivre et de la région (en français ou en anglais), un tour et une dégustation. Également des activités payantes : tour en charrette tirée par 2 buffles d'eau jusqu'au lac secret (avec guide francophone ou anglophone). Prix : 6 $; réduc. Durée : 1h20. Visite de la ferme : 3 $/pers.

Parmi les plantations accessibles aux visiteurs, celle-ci est sans aucun doute la plus vaste (20 ha) et la plus organisée. Depuis son installation relativement récente (2013), le couple franco-belge à l'origine du projet s'est imposé comme un acteur majeur de la filière et de la région apportant à l'entreprise une dimension à la fois touristique et sociale (aide et bourses accordées à l'école du village, conditions de travail des ouvriers décentes...). La visite vous apprendra tout sur les différents poivres labellisés « Kampot Pepper », et notamment sur le vert, le frais, le moins connu sous nos tropiques, que leurs spécialistes sont parvenus à conserver un peu plus longtemps dans du sel. Cette technique lui confère un goût très particulier. À tester et à acheter sur place, dans la boutique bien fournie, en même temps que d'autres épices telles que le curcuma.

🍽 ⍦ **Resto** avec des plats concoctés, bien sûr, autour du poivre. *Prix moyens.* Noter que ce vaste bâtiment en bois est l'ancien réfectoire des bonzes appartenant à la pagode du village voisin et qui devait être détruit. Il a été démonté et reconstruit ici. De la plate-forme, belle vue sur le lac et le Bokor au loin.

– Également des **cours de cuisine** : *sur résa (☎ 017-842-505). Tlj 11h-14h. Prix :* *20 $/pers (repas inclus).* En option, courses au marché de Kampot le matin.

KAMPOT

....

● Plan *p. 145*

La modeste ville de Kampot distille un petit charme urbain indéfinissable. Oh, rien d'extraordinaire, juste une situation plaisante proche de l'embouchure d'une rivière, avec un miniquai Sisowath (voir « Phnom Penh ») tourné vers le coucher du soleil, plus de belles maisons à l'architecture coloniale. Là, une flopée de petits restos et de bars, souvent gérés par des expats anglo-saxons et français, distille une atmosphère de village et une bonne animation nocturne sans être tout à fait trépidante. Mais on trouve aussi de très belles adresses dans les environs proches, joliment verdoyants. En journée, on se balade à la campagne (vraiment belle), dans les grottes environnantes, on achète le fameux poivre de Kampot ou l'on se repose de ses agapes en s'imprégnant du rythme indolent propre à ces latitudes...

Kampot mérite aussi un brin d'histoire. Quand l'Indochine explose, le Vietnam bloque la navigation sur le Mékong et, par là, asphyxie Phnom Penh et le Cambodge. Norodom Sihanouk choisit alors de développer le port de Kompong Som (Sihanoukville), car celui de Kampot n'est pas assez profond pour les nouveaux cargos. Ce faisant, il réduit la ville à une longue hibernation dont, aujourd'hui, elle se réveille lentement. Un nouveau pont a été construit, les maisons négligées ont été repeintes, les carrefours redessinés : un embellissement qui risque toutefois d'être terni par l'arrivée d'investisseurs chinois, déjà très implantés à Sihanoukville. Ici aussi, des immeubles devraient bientôt sortir de terre, et on doute que ce soit dans le respect de l'architecture locale...

LE POIVRE DE KAMPOT

Le fameux poivre de Kampot rivalise avec les meilleurs poivres du monde. Le poivre, né dans le Kerala, au sud de l'Inde, était déjà récolté dans la région par les Chinois, mais ce sont les Français qui, au XIXᵉ s, ont introduit sa culture intensive. Après avoir périclité sous le régime des Khmers rouges, la production connaît aujourd'hui un nouvel essor. On dénombre près de 300 plantations, réparties de Kampot à Kampong Trach, près de la frontière vietnamienne.

Le poivre est une liane qui s'enroule autour d'un grand tuteur en bois. La taille d'une exploitation se compte en nombre de tuteurs (soit 500 pour une exploitation de taille moyenne). Vous les repérerez aisément aux feuilles de palmiers qui leur assurent l'ombrage nécessaire. Un même plant peut produire pendant une vingtaine d'années. La floraison vient avec la saison pluvieuse de juin et la récolte dès que l'on trouve des grains rouges, soit à peine un an après, avant que le cycle ne recommence. Les

LE FAMEUX « POIVRE DES OISEAUX »

Les oiseaux ne mangent que le poivre arrivé à maturité, lorsqu'il est rouge. Lors du transit, les enzymes intestinales transforment la composition aromatique et la première couche protectrice colorée (le péricarpe) est digérée. C'est donc par voie naturelle qu'on obtient le « poivre des oiseaux », que les enfants récoltent dans la nature. À ne pas confondre avec le poivre blanc, qui est obtenu en ébouillantant le poivre rouge avant de retirer manuellement ou mécaniquement l'enveloppe externe. Saurez-vous goûter la différence ? Les grands chefs étoilés, eux, ne s'y trompent pas !

poivres rouges et blancs sont beaucoup plus rares, puisque récoltés grain par grain sur la grappe à pleine maturité. Ce sont en fait les grains de poivre vert qui deviennent noirs après 2 jours de séchage. D'ailleurs, profitez d'être ici pour

LE CAMBODGE

■ **Adresses utiles**

1 Giant Ibis (B1)
2 Kampot Tours (zoom)
3 Canadia Bank (B1)
4 Acleda Bank (B1)
5 Cambodian Public Bank (B1)
✚ 6 Sonja Kill Hospital (hors plan par A2)
7 Bokor Clinic (hors plan par B1)
🚗 ■ 8 Thida Net (zoom)
9 Sean Ly Motorcycle Shop et Tree Travel (zoom)
🌐 10 Bookish Bazar (zoom)

â **Où dormir ?**

20 Ta Eng Guesthouse (B2)
21 Bandini's (A1)
22 Pepper Guesthouse et Monkey Republic (B2)
23 Baraca Rooms & Tapas (zoom)
24 Mea Culpa (B2)
25 L'Auberge du Soleil (zoom)
26 Blue Buddha Hotel (B2)
27 Rikitikitavi (zoom)
28 The Columns (zoom)
29 Kampot Cabana et Ela Guesthouse (hors plan par A2)
30 Srey Pou Mlob Dong Moit Prek, Karma Traders, Les Manguiers, Champa Lodge et Sabay Beach (hors plan par A1)
31 Greenhouse (hors plan par A1)

🍴 🥤 **Où manger ?**
Où prendre un petit déj ?

24 Mea Culpa (B2)
25 L'Auberge du Soleil (zoom)
40 Ciao Pizza (zoom)
41 Lemongrass (zoom)
42 Epic Arts Café (zoom)
43 Café Espresso (B2)
44 Rusty Keyhole (B2)
45 Ellie's (zoom)
46 The Fishmarket (zoom)
47 Mittapheap (A-B1)
48 Simple Things (zoom)
49 L'Epi d'Or (zoom)
50 Bokor Night Market (A1)
51 Delicious (zoom)

🍷 🎵 **Où boire un verre ?**
Où écouter de la musique ?

60 Moi Tiet (zoom)
61 Le Camp'Potes Bar (zoom)
62 Oh'Neil's (zoom)
63 Equinox (zoom)

🌐 **Achats**

60 Dorsu (zoom)
70 FarmLink (hors plan par A1)
71 Kampot Pepper Shop (zoom)
72 Indochina Gecko Shop (zoom)

■ **À faire**

62 Seeing Hands Massage 5 (zoom)
80 Banteay Srey (hors plan par A1)
82 Golden Hands Massage (zoom)
83 Ecran (zoom)

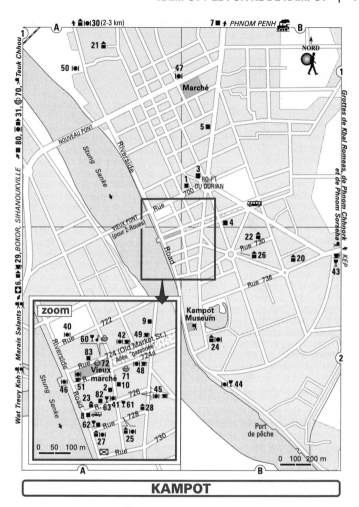

KAMPOT

déguster le poivre vert (inoubliable, avec du crabe !), car il se mange seulement frais et voyage très mal au-delà de 4 jours...

Sachez toutefois que le poivre que l'on trouve sur les marchés du coin provient essentiellement du Vietnam. Attention aussi à celui qui est vendu sur les plantations : certains producteurs n'hésitent pas à faire venir du poivre vietnamien pour répondre à la demande ! À vue d'œil, impossible de faire la différence entre le poivre de Kampot et celui du Vietnam. C'est dans ce contexte qu'a été mise en place, en 2010, une *Indication géographique protégée,* officiellement reconnue en 2016 par l'Union européenne. Au Cambodge, pour se procurer du poivre de Kampot véritable, il faut l'acheter conditionné dans un emballage qui porte la mention « Kampot Pepper », suivie d'un petit logo. Cette appellation interdit l'utilisation de pesticides, engrais de synthèse et autres produits chimiques. Pour en savoir plus, n'hésitez pas à aller voir *FarmLink* (se reporter à la rubrique « À voir. À faire », plus loin) et à visiter l'une des plantations (voir plus haut « Sur la route de Kampot »).

Arriver – Quitter

En bus

🚌 *Gare routière (plan B2) : à l'extré-mité est de l'esplanade centrale.* Bus et taxis collectifs.

■ *Giant Ibis (plan B1, 1) : non loin du rond-point du Durian.* ☎ 095-666-809. ● giantibis.com ● *Tlj 7h-18h.* Compagnie très fiable.

Sinon, autre solution à peine plus chère que le bus et en principe plus confortable pour les longues distances : l'agence *Kampot Tours (zoom, 2 ;* ☎ 092-125-556 ou 087-225-556) dispose de minibus (10-12 personnes) pour les principales destinations du pays, plus la Thaïlande et le Vietnam. Gros avantage, on vient vous chercher à votre hôtel. Cela dit, il arrive aussi qu'il y ait des retards, que l'on vous transfère sur un autre bus ou que l'on remplisse un peu trop le minibus...

➢ *Phnom Penh :* une dizaine de bus/j. affrétés par 3 compagnies (*Hua Lian, Capitol* et *Giant Ibis*), 6h45-13h. Certains passent par Kep (vérifier). Trajet : env 5h.

➢ *Kep :* les bus pour Phnom Penh s'y arrêtent, en principe. Trajet : env 30 mn. Également des minibus avec *Kampot Tours.* Trajet 2 fois plus long. Autre possibilité, prendre un *moto-dop* ou un *tuk-tuk,* mais pas top avec une valise ou lorsqu'on voyage seul.

➢ *Sihanoukville :* bonne route bitumée. Pas de bus direct, mais env 9 minibus/j., 8h-16h, avec l'agence *Kampot Tours.* Sinon, en principe, nombreux taxis collectifs. Trajet : env 2h.

➢ *Koh Kong :* 2 minibus/j., le mat, avec *Kampot Tours.* Trajet : env 5h.

➢ *Battambang et Siem Reap (via Phnom Penh) :* 3 minibus/j. pour Siem Reap avec *Kampot Tours* et *Anna Tours,* tôt le mat. Trajet : 9h. Également 4 bus/j. pour chacune de ces villes avec *Sorya* et *Hua Lian,* le mat et en début d'ap-m, mais c'est beaucoup plus long et plus inconfortable. Trajet : 12h.

➢ *Vietnam :* il y a, en principe, des minibus pour Ha Tien, Can Tho, Chau Doc, Hô Chi Minh-Ville, Phu Quoc Island, My Tho, Ving Long et Rach Gia avec la compagnie *Kampot Tours.* Pour les grandes villes du pays, correspondance à Ha Tien (frontière vietnamienne ; trajet env 2h) ou Phnom Penh.

➢ *Thaïlande :* 1 minibus/j. pour Koh Chang (en 8h30 de trajet) et Koh Samet (en 12h), 2 pour Bangkok (en 12h) avec *Kampot Tours.*

En train

🚂 *Gare ferroviaire (hors plan par B1) :* ☎ 099-222-566. ● royal-railway. com ●

➢ *Sihanoukville-Kampot-Takeo-Phnom Penh :* vers Sihanoukville, 1 départ le ven, 1 le sam et 2 le dim. Vers Phnom Penh, 1 départ sam mat, 2 le dim et 1 le lun mat. Davantage pdt les fêtes locales et, de temps à autre, 1 départ supplémentaire en semaine, se renseigner. Durée : env 5h pour Phnom Penh, 2h jusqu'à Sihanoukville et 3h pour Takeo.

Adresses utiles

– Très pratique, procurez-vous le *Kampot Survival Guide,* un guide local qui ne manque pas d'humour et donne une foultitude d'infos, conseils et adresses.
– Le bureau, au bord de la rivière, à l'entrée du vieux pont, improprement étiqueté « Office de tourisme » *(plan A2)*

est une succursale de l'agence *Kampot Tours (tlj 7h-21h).* Peu d'infos, et la plupart du temps en khmer. Mieux vaut se rendre directement à l'agence principale *(zoom, 2).*

■ *Banques, change :* toutes les banques suivantes possèdent au moins un distributeur pour cartes *Visa* et *MasterCard*.

– *Canadia Bank (plan B1, 3) : au rond-point du durian. Lun-sam 8h-15h30 (11h30 sam).* Change.

– *Acleda Bank (plan B1, 4) : à l'angle des rues 701 et 724a. Lun-sam 7h30-16h (11h30 sam).* Service de change et Western Union.

– *Cambodian Public Bank (plan B1, 5) : 45, rue 3 ; à 100 m au sud du marché. Lun-ven 8h-16h.* Service *Western Union*.

✚ *Sonja Kill Hospital (hors plan par A2, 6) : à 6 km à l'ouest par la N3, à l'intersection de la route de Bokor. Urgences (24h/24) :* ▯ *078-265-782. Consultations (lun-ven sauf j. fériés 8h-17h) :* ▯ *077-666-752.* Le meilleur hôpital du secteur pour les urgences, mais prévoir de l'attente.

■ *Bokor Clinic (hors plan par B1, 7) : sur la route de Phnom Penh, non loin du marché.* ☎ *033-6320-531.* ▯ *017-620-531.* Plutôt pas mal pour les petits bobos.

🚖 ■ *Service de taxis et laverie : chez Thida Net (zoom, 8).* ▯ *012-245-303.*

■ *Location de motos et vélos :*

– *Sean Ly Motorcycle Shop (zoom, 9) :* à 100 m au sud du rond-point du durian. ▯ *012-944-687. Tlj 7h-18h. Compter 5-20 $/j. selon modèle ; réduc si plusieurs j.* Bonne réputation et sympa. Véhicules décemment entretenus à prix modérés. Attention, réserver la veille ou venir tôt le matin pour obtenir du premier choix. Tester l'engin sur quelques kilomètres avant d'attaquer. Vérifier chaîne, pneus, freins, etc. Location de voitures également *(env 40 $/j).*

– *Tree Travel : voisin de Sean Ly.* ▯ *012-974-698. Loc de VTT à 3 $/j.* Organise aussi des balades dans la campagne environnante. Sinon, pour louer des vélos, adressez-vous à votre hébergement (certains en prêtent).

■ |●| *Bookish Bazaar (zoom, 10) : 25, Ekreach St. Tlj sauf lun 8h-15h30.* La plus large sélection de livres d'occasion en français (et d'autres langues) collectés par Sarah. Possibilité de déposer, de vendre ou d'échanger vos bouquins : 2 livres donnés, un récupéré. On peut aussi lire sur place, à l'étage de cette maison coloniale, boire un café, grignoter un morceau, ou opter pour un plat chaud. Le lieu abrite aussi des expos temporaires. Un petit espace culturel qu'on aime bien à Kampot.

Où dormir ?

Également de très belles adresses dans la campagne proche de la ville (voir plus loin « Où dormir ? Où manger dans les jolis environs ? »), pensez-y...

Bon marché (jusqu'à 15 $)

🏠 *Ta Eng Guesthouse (plan B2, 20) : dans un quartier populaire mais calme, à 300 m de la gare routière. Parking. Pas de résa par tél, seulement sur place ou via Booking ! Attention, couvre-feu à minuit.* C'est la première *guesthouse* de la ville, fondée par un adorable papi chinois qui aligne un peu de français, aujourd'hui épaulé par son fils. Rien n'a changé depuis, ou presque, c'est toujours aussi sympa et l'entretien a plutôt bien suivi. Chambres simples mais de belle taille et très propres, réparties dans 2 bâtiments, d'un bon rapport qualité-prix. Belle vue sur Kampot depuis le toit. Plein de petits services : laverie, location de vélos et de motos, vente de tickets de bus et de bateaux, etc. Un bon plan, vraiment !

🏠 *Bandini's (plan A1, 21) : au nord de la ville.* ▯ *087-923-623.* ● *bandiniskampot.com* ● *Doubles avec sdb et ventilo, petit déj en plus.* Dans un quartier rural et populaire de Kampot. On se met au vert dans cette guesthouse toute simple tenue par Sarah et Thomas. Les chambres de plain-pied s'ouvrent sur le jardin qui possède des coins « salon » bien agréables pour se poser, par exemple avec un bouquin choisi dans la bibliothèque. Prêt de vélos, mais pour ceux qui n'auraient pas le courage de ressortir en ville le soir, il est possible de manger un morceau sur place (sandwichs, salades) ou de se faire livrer des plats après 15h. La bonne idée ! Les proprios ont aussi ouvert *Bookish Bazar,* une conviviale librairie de livres d'occase (voir plus haut « Adresses utiles »).

⊜ *Pepper Guesthouse (plan B2, 22) :* rue 730, à 200 m env de la gare routière. ☎ 012-875-845. ● *peppergues thousekampot@yahoo.com* ● *Doubles sans ou avec sdb.* Dans une rue qui aligne une flopée de *guesthouses,* voici une villa plantée au milieu d'une grande cour-jardin. Quasi toutes les chambres possèdent eau chaude, TV, et la clim pour les plus chères. Également 2 bungalows bien décorés sur le côté, avec terrasse. Bon accueil.

⊜ *Monkey Republic (plan B2, 22) :* rue 730. ☎ 012-848-390. *Dortoirs (6-16 lits « alvéolés » ou fermés par un rideau) avec clim et sdb, plus des doubles avec ventilo, sdb commune ou privée.* Plusieurs bâtiments posés dans un petit jardin qui accueillent les routards du monde entier. Du basique très correct, propre et pas mal équipé. Pour le prix, rien à redire. Également un resto-bar ouvert à tous du petit déj au dîner. Bon accueil par du personnel occidental.

Prix moyens (15-30 $)

⊜ *Baraca Rooms & Tapas (zoom, 23) :* rue 724, au sud du vieux marché. ☎ 011-290-434. ● *baraca.org* ● *Fourchette basse.* Dans un vieil édifice colonial, 4 chambres doubles, toutes avec du vieux carrelage, murs blancs ou jaunes, portes et volets bleus, petite alcôve ici, touches de couleur là, salle de bains et balcon ou terrasse. Très sympa. Et, au rez-de-chaussée, un chouette petit bar à tapas *(tlj sauf dim-lun).* Attention, vite plein, donc si vous trouvez une chambre, c'est que vous avez décidément la baraka...

⊜ *Mea Culpa (plan B2, 24) :* à env 500 m au sud de la poste, dans la 1re rue parallèle à celle qui longe le fleuve. ☎ 012-504-769. ● *meaculpa kampot.com* ● *Fourchette hte et petit déj en plus.* Dans une maison récente, à l'écart du centre-ville, un Irlandais très attentionné propose des chambres, fraîches et calmes, certaines dans une annexe. Toutes d'un bon confort, d'une propreté irréprochable et joliment décorées à partir d'artisanat

cambodgien. 2 disposent d'un balcon privé (les nos 10 et 11). Autour du bâtiment, un jardin avec une agréable paillote, bien paisible pour prendre le petit déj (bon café !). Fait aussi resto (voir « Où manger ? Où prendre un petit déj ? », plus loin). Prêt de vélos.

⊜ *L'Auberge du Soleil (zoom, 25) :* 23, rue 728. ☎ 033-633-33-13. ☎ 088-882-02-45. ● *auberge-du-soleil.com* ● *Doubles avec sdb à « prix moyens »,* limite « chic » pour celle avec balcon ; 1 familiale. Dans une agréable maison coloniale restaurée, Cédric propose 3 chambres, dont une avec balcon et une autre très vaste pouvant accueillir 4 personnes. Toutes avec lambris et mobilier en rotin, ventilo, clim et TV (TV5). Également un resto de spécialités... suisses (voir « Où manger ? »).

⊜ *Blue Buddha Hotel (plan B2, 26) :* rue 730, au niveau du rond-point. ☎ 017-843-550. ● *bluebuddhahotel. com* ● *Doubles avec sdb et clim à « prix moyens » limite « chic » (plus cher pdt les vacances).* Également des chambres pour 4 (2 lits doubles). Cet hôtel moderne tranche avec les *guesthouses* du quartier. Il n'en est pas moins accueillant. Les murs couleur anis apportent une touche fraîche et lumineuse aux chambres de bonne taille. Préférez, toutefois, celles qui donnent sur l'arrière, la route peut être passante.

Plus chic (50-80 $)

⊜ |●| *Rikitikitavi (zoom, 27) :* face à la rivière, à proximité de la poste. ☎ 012-235-102 ou 012-274-820. ● *rikitikitavi-kampot.com* ● *Doubles avec un bon petit déj inclus. Plats à « prix moyens ».* Si vous arrivez à prononcer son nom, vous gagnez le droit de lire (ou de relire) *Le Livre de la jungle,* de Rudyard Kipling, dont il est tiré. Cette adresse possède des chambres bien équipées, bénéficiant d'une déco particulièrement soignée, avec coussins et dessus-de-lit en soie. Elles sont peut-être un peu sombres, certes. Sur la terrasse, face à la rivière, long bar pour siroter un cocktail et salle de resto où la carte propose un mix des cuisines du monde. Accueil souriant.

⊜ *The Columns (zoom, 28) :* 37, *Phoum 1, au sud du rond-point de l'An 2000.* ☎ *092-128-300.* ● *the-columns.com* ● *CB acceptées (commission).* Un bel exemple d'architecture *French colonial* datant des années 1920, avec une superbe façade, du vieux carrelage et des ventilos nostalgiques au plafond. Chambres carrelées aux murs blancs, avec mobilier dessiné et fabriqué localement, coussins en soie, etc. Toutes différentes, très confortables. Celles dont la salle de bains est ouverte sur la chambre déroutent un peu. Excellent petit déjeuner et plein de services (transferts, location de motos, laverie). Une adresse classe.

Où dormir ? Où manger ? Où boire un verre dans les jolis environs ?

À seulement quelques kilomètres du centre-ville, voici des adresses en bordure de rivière, au calme et souvent bourrées de charme. On les rejoint facilement en *tuk-tuk* ou à moto.

Bon marché (moins de 15 $)

🛏 🍴 🛖 *Kampot Cabana* (hors plan par A2, *29*) : *Andung Khmer Village.* ☎ *086-768-050.* ● *kampotcabana. pw* ● *Après avoir traversé le nouveau pont, prendre à gauche au rond-point et continuer sur env 1,5 km. Fléché ensuite sur la gauche. Doubles avec sdb commune (eau froide).* L'allée en gravillons traverse un terrain soigné et distribue quelques bungalows simples, en bambou tressé, impeccables avec ventilo et moustiquaire. Elle conduit jusqu'à une terrasse en bois sur la rivière, idéale pour boire un verre peinard. Tout est mignon et bien entretenu. Très bon rapport qualité-prix et accueil aussi souriant que dynamique.

🛏 *Srey Pou Mlob Dong Moit Prek* (hors plan par A1, *30*) : plus simple à trouver qu'à prononcer ! *Après Les Manguiers (lire plus bas). À env 6 km du pont, côté gauche, pas d'enseigne de* guesthouse, *mais un panneau de loc de kayaks. Limite « bon marché » – « prix moyens ».* La maison familiale et traditionnelle des proprios cambodgiens jouxte quelques bungalows sur pilotis en bord de rivière, très simples avec salle d'eau, moustiquaire, draps fleuris et ventilo. Endroit paisible, animé par les caquètements de la basse-cour. Accueil gentil mais anglais limité.

🛏 Voir aussi les dortoirs de *Sabay Beach* (voir plus loin « De prix moyens à plus chic »).

🛏 🍴 🛖 *Karma Traders* (hors plan par A1, *30*) : *à 1 km au nord du nouveau pont, avt Les Manguiers, 10-15 mn à pied du centre.* ☎ *016-556-504. Dortoirs (4-8 lits) « bon marché » et doubles avec sdb (eau chaude) à « prix moyens » (fourchette basse).* Guesthouse qui a aménagé un *rooftop bar* sympa avec vue sur la campagne et la rivière. Music live en principe tous les mardis soirs. Et s'il est trop dur de repartir, il restera peut-être de la dispo dans les dortoirs ou les chambres à l'écart, impeccables. Piscine bienvenue dans cet environnement encore un peu aride.

De prix moyens à plus chic (15-80 $)

🛏 🍽 🛖 *Greenhouse* (hors plan par A1, *31*) : *à env 7 km au nord de Kampot, sur la rive ouest de la rivière.* ☎ *088-886-30-71.* ● *green housekampot.com* ● *Facilement accessible à vélo, moto ou tuk-tuk depuis Kampot. Du centre, traverser le nouveau pont et tourner à droite vers les rapides de Chhou. Au niveau d'un petit village, panneau sur la droite, suivre le joli chemin de terre à travers les vergers. Attention, les enfants de moins de 12 ans ne sont pas acceptés pour des raisons de sécurité (en bordure de rivière).* Bungalows pour 2 « de prix moyens à chic » ; également pour 4 pers (lits doubles superposés). Resto ouv à ts 7h-21h « prix chic ». L'une des

LE CAMBODGE

meilleures adresses de la région. Pile en sentinelle d'un méandre de rivière, ce petit éden se niche dans une oasis de fleurs, de cactus, d'arbres et d'arbustes régionaux. Des bungalows en bambou tressé avec salle de bains privée ou pas, *deluxe* (plus de vue et d'espace, eau chaude) et familial. Ponton-terrasse idyllique en surplomb de l'eau... pour donner envie de faire un tour en bateau, en kayak ou du *paddle*, de se baigner ou de... ne rien faire du tout. Location de VTT et de scooters également. Le lieu est aussi un restaurant réputé qui propose une cuisine fusion franco-khmère, parfumée et authentique, autour du poivre, concoctée par un chef français. Fait aussi bar et sert un excellent *espresso* à l'italienne. Très bon accueil.

🏠 |●| *Les Manguiers* (The Mango Trees ; hors plan par A1, **30**) : prendre la latérite qui part à droite juste avt le nouveau pont. C'est au milieu des rizières, 2 km plus loin, au bord de la rivière. 🖥 092-330-050 ou 012-823-400. ● mangokampot.com ● On vient vous chercher gratuitement pour un séjour à partir de 2 nuits. Large gamme d'hébergements « de prix moyens à plus chic » pour 2 pers. Également des chambres pour 4 pers. Déj (menu fixe) env 8 $, dîner sur résa. Idéal pour un séjour en famille. Les proprios franco-khmers travaillent pour une ONG qui finance du soutien scolaire aux enfants en difficulté. Vaste terrain avec un ensemble de jolis bungalows en bois disséminés sous les manguiers (on s'en doutait !). Au choix, bungalows sur pilotis, maisons avec ou sans salle de bains, jolies chambres avec salle de bains à partager. Plein d'activités : kayak, badminton, pétanque, ping-pong, jeux pour les enfants, bouquins, sorties en bateau. Prêt de vélos. Noter l'amusante traction avant, construite avec des pierres dans le jardin !

🏠 |●| *Champa Lodge* (hors plan par A1, **30**) : à env 3,5 km de Kampot. 🖥 092-525-835. ● champalodge.com ● Après Les Manguiers (lire ci-dessus), prendre à gauche la latérite qui traverse un paysage rural de tte beauté. Doubles « plus chic », mais

réduc fréquentes sur leur site. Dans un bel environnement campagnard, une adresse certes onéreuse, mais plutôt originale. Stéphane, un Flamand francophone a remonté ici 3 maisons traditionnelles khmères. La plus chère se trouve au bord de l'eau et face au coucher du soleil, les 2 autres ont vue sur les champs et sur le lever de soleil. L'une d'elle abrite au rez-de-chaussée 2 chambres moins chères mais plus classiques, avec douche privée à l'extérieur et bout de terrasse. Fait aussi resto (plats et barbecue khmers, ragoût à la bière belge, crabe sur commande...) et bar, avec un grand choix de bières belges, pas données, mais vous en trouverez difficilement ailleurs...

🏠 |●| 🍸 ⌂ *Sabay Beach* (hors plan par A1, **30**) : à env 7 km au nord de la ville, après Les Manguiers, 2ᵉ moitié de parcours sur une piste défoncée à subir de préférence à moto, sinon accès possible en tuk-tuk. 🖥 031-417-93-04. ● sabaybeach.com ● « De prix moyens à chic. » Les jeunes proprios français ont fait leur nid au cœur d'une plantation de manguiers. D'où l'idée de profiter de cette végétation généreuse en construisant des cabanes dans les arbres desquelles on peut cueillir les fruits depuis sa terrasse. Elles sont conçues sur 3 niveaux. D'autres bungalows, moins chers, jouxtent la plage (artificielle) au bord de l'eau. Également un dortoir à l'entrée. On peut aussi venir y passer la journée. Cuisine, en revanche, inégale et service long, mais on a de quoi patienter, en sirotant un cocktail ou en piquant une tête dans la rivière.

|●| 🏠 *Ela Guesthouse* (hors plan par A2, **29**) : sur le même chemin que Kampot Cabana (voir plus haut), un peu plus loin sur la droite. 🖥 016-901-696. Tlj 7h-21h. « Prix moyens ». Cuisine khmère et occidentale (burgers et frites maison) servie sur une terrasse au bord de la rivière. Bon accueil du proprio gaulois. Loue également des bungalows simples, certains avec toilettes dehors et 2 chambres en dur, mais un peu cher pour le confort.

Où manger ? Où prendre un petit déj ?

L'animation se concentre autour du vieux marché, entre la rivière et les deux ronds-points. N'oubliez pas nos adresses aux proches environs (lire ci-dessus), certaines, comme la **Greenhouse,** étant vraiment superbes, voire exceptionnelles.

Bon marché (autour de 4 $)

|●| *Ciao Pizza* (zoom, **40**) : tlj à partir de 18h. Une gargote de rue version italienne. Le proprio, un Italien pur souche, régale son monde de pizzas, raviolis, *pastas* et *meatballs*. Le tout fait maison, du coup ça prend du temps. On patiente en sirotant une bière ou un verre de vin.

|●| ❦ *Lemongrass* (zoom, **41**) : rue 728. Tlj midi et soir. Sur une agréable petite terrasse fleurie, large choix de plats khmers et thaïs à prix très doux. Bons et bien servis. Patron cambodgien sympa qui manie très bien le *shaker*.

|●| *Bokor Night Market* (plan A1, **50**) : accès par Riverside Rd. Tlj à partir de 17-18h, mais surtout animé le w-e. Stands de cuisine de rue, plutôt bons et variés. Ambiance familiale grâce aux nombreux jeux pour enfants. L'autre *Night Market*, au rond-point du Durian (plan B1), qui peut valoir aussi une visite, présente moins d'intérêt sur le plan culinaire.

☕ |●| *Delicious* (zoom, **51**) : dans le vieux marché. Tlj 7h30-16h. L'occasion de siroter un café 100 % Robusta en provenance du Mondulkiri, région du nord-est du Cambodge. Pour certains, il procure une sensation de douceur chocolatée : tout un programme ! Si vous êtes conquis, possibilité d'en acheter. Pâtisseries, snacks et quelques plats servis également.

Prix moyens (4-8 $)

|●| ☕ *Epic Arts Café* (zoom, **42**) : derrière le vieux marché. Tlj 7h-16h. En principe, spectacle de danses traditionnelles sam soir 19h30 (10 $/pers). Une adresse éthique, fondée pour réinsérer les personnes handicapées, notamment sourdes et muettes. Jolie salle et terrasse sous les arcades, plus une galerie à l'étage. On y vient dès le petit déj, excellent et servi toute la journée, avec café-poussoir, gâteaux, pancakes, *shakes*... On y revient le midi pour avaler de bons petits plats *world food* et quelques plats khmers. Vente d'artisanat équitable.

|●| ☕ *Café Espresso* (plan B2, **43**) : route 33, à la sortie de Kampot en allant vers Kep. Mar-ven 8h15-16h, w-e 9h-16h30. Fermé lun. Dans un des derniers entrepôts de sel de Kampot. Décor aussi brut que branché avec canapés et tables en bois au milieu d'énormes sacs de grains. On s'installe pour un café régional torréfié et en vente sur place ou un petit déj à base de toasts ou d'*eggs benedict*. Le midi, sandwichs, salades, tacos, burgers, le plus possible à base de produits locaux. Créé par un Australien, géré par une Italienne.

|●| ❦ *Rusty Keyhole* (plan B2, **44**) : au sud de la ville, avt le port. Tlj 7h30-23h30. Installé sur un ponton au bord de l'eau, le resto est connu pour ses *spare ribs*, servis copieusement aux expats et touristes, surtout anglo-saxons. Également du chili, des sandwichs, saucisses... Une autre enseigne dans le centre, vers *Ellie's* (zoom, **45**).

|●| ☕ *Ellie's* (zoom, **45**) : 42-44, rue 726. Tlj sauf mar 8h-15h30. Petit café vintage à l'écart de l'animation, qui sert de bons petits déj, copieux et vitaminés, des gâteaux, quelques snacks aussi et des cocktails de fruits revigorants (pas donnés toutefois).

|●| *L'Auberge du Soleil* (zoom, **25**) : Kipling Lane. Tlj sauf lun soir 7h-22h. Résa conseillée le soir. Cédric, venu du pays de Guillaume Tell, a apporté ses racines dans cette maison coloniale jaune comme le soleil. Il propose donc, pour changer du régime khmer, des plats suisses, tels raclette, fondue au fromage et röstis (galettes de pommes de terre râpées nature ou fourrées). Également de la fondue bourguignonne (minimum 2 personnes). Pourrait être un peu plus copieux. Accueil avenant. Il loue aussi 3 chambres (voir « Où dormir ? »).

LE CAMBODGE

|●| ♈ ↑ *The Fishmarket* (zoom, **46**) : Riverside Rd. ☎ 012-728-884. Tlj 11h-23h. « De prix moyens à chic. » *Attention au 10 % de taxes ajoutées sur l'addition.* L'ancien marché aux poissons de la ville accueille désormais un resto plutôt chic à la déco étudiée. On peut aussi venir boire un verre face à la rivière, carrément tentant au coucher du soleil.

|●| *Mea Culpa* (plan B2, **24**) : voir « Où dormir ? « De prix moyens à chic ». Tlj midi et soir jusqu'à 21h30. Pour les amateurs de bonnes pizzas cuites au feu de bois, servies en 2 tailles.

|●| *Mittapheap* (plan A-B1, **47**) : 107, rue 713. ☎ 012-330-105. Face à l'angle nord-est du marché. Tlj jusqu'à 20h. Pour une pause après le marché. Resto sino-khmer typique, dont la grande salle sert aussi de salon familial. Tout

est là : la tenancière à l'air sévère, les nombreux gamins, les carrelages blancs et les grandes tables syndicales. Menu en anglais. Spécialités de fruits de mer et de crabe au poivre vert... mais aussi des *fried noddles* et *rice* pour faire baisser l'addition. Accueil sans fioritures.

|●| ☛ *Simple Things* (zoom, **48**) : 54, Old Market. Tlj sauf mer 8h-22h. Café qui délivre une nourriture saine, souvent bonne, servie dans une salle tout en longueur... un peu comme le service. Cours de yoga *(payant)* et méditation. L'adresse connaît son petit succès.

☛ *L'Epi d'Or* (zoom, **49**) : rue 724, à l'angle. Tlj 7h-19h. Boulangerie française avec de bonnes viennoiseries et pâtisseries... à prix parisiens. Pour les nostalgiques en fonds.

Où boire un verre ? Où écouter de la musique ?

♈ *Moi Tiet* (zoom, **60**) : sur le flanc du vieux marché. Tlj sauf lun 16h jusqu'au dernier client. Ce vieux bar connu comme le loup blanc, dont le nom signifie « une autre ! », est tenu par des Français. Quelques tapas pour éponger. Petite courette au fond, plus calme.

♈ *Le Camp'Potes Bar* (zoom, **61**) : 34, rue 726. Tlj sauf dim 17h-22h. Dans le quartier animé, une petite enclave francophone tenue par Jean-Jacques, originaire d'Antibes et amoureux des îles. Au programme, pastis et une sacrée sélection de rhums arrangés aux saveurs locales. Sympa pour l'apéro, si vous avez envie de papoter avec les expats du coin.

♈ *Oh'Neil's* (zoom, **62**) : sur le quai. Tlj 17h-minuit min (3h le w-e)... Un pub tenu par un Irlandais, donc une valeur sûre pour ceux qui veulent boire jusqu'au bout de la nuit. Quand tout est fermé ailleurs, c'est le point de ralliement. Bonne musique de fond.

♈ *Equinox* (zoom, **63**) : 14, rue 726. Tlj sauf mar 11h-jusque tard. Musique ts les soirs en principe à partir de 19h30. Piano-bar à la bonne ambiance. Et des snacks pour accompagner le tout.

♈ *Bars sur les bateaux* (zoom) : amarrés le long de Riverside Rd. Sympa au coucher du soleil.

Achats

⊛ *FarmLink* (hors plan par A1, **70**) : de l'autre côté de la rivière ; après le nouveau pont, tourner à droite, c'est la 2ᵉ maison sur la gauche. ☎ 033-690-23-54. ☎ 092-952-486. ● farmlink-cambodia.com ● Lun-ven 7h30-11h30, 13h30-16h30. Visite guidée gratuite. Une société fondée en 2004 par un Français, Jérôme Benezech, et désormais gérée par Sébastien Lesieur, qui aide les petits producteurs locaux à structurer la filière de commercialisation du fameux poivre de Kampot (lire le paragraphe consacré

au poivre dans l'introduction de la ville). Au cours de la visite, on peut notamment voir les artisanes trier et équeuter les grains, avec une dextérité qu'on ne peut acquérir qu'après des années d'expérience. Une visite instructive. Achat possible sur place.

⊛ *Dorsu* (zoom, **60**) : 35, Old Market St. ☎ 017-326-617. ● dorsu.org ● Tlj 10h-19h. Cette ONG à but lucratif emploie des locaux selon une charte éthique (et finance une école). Production de vêtements classiques en coton-jersey de qualité, en partie issus du recyclage. Possibilité de visiter leur fabrique à la sortie de Kampot, sur la route de Kep (près du *Café Espresso*) qui propose un peu plus de choix : ☎ 077-224-982 ; tlj 8h-17h.

⌬ *Kampot Pepper Shop* (zoom, *71*) : Old Market St. Tlj 8h-20h. Vente de poivre certifié en provenance de la *Bo Tree Farm*. Dans l'arrière-boutique, on peut voir les femmes trier les grains.

⌬ *Indochina Gecko Shop* (zoom, *72*) : Old Market St. Tlj 8h30-22h (9h-21h en basse saison). Sous la boutique de souvenirs conventionnelle bien remplie, on peut dénicher quelques curiosités, comme ces *magnets* dont on se demande si la collection n'est pas privée, des photos anciennes, tirées au format carte postale pour certaines... Il faut fouiller pour trouver son bonheur, qui sait ?

À faire

Spa, massages

■ *Seeing Hands Massage 5* (zoom, *62*) : entrée discrète face à la rivière, entre le Bokor Mountain Lodge et le Rikitikitavi et à côté de Oh'Neil's. ☎ 012-328-465. Tlj 8h-23h. Vous aurez le choix entre 7 massages différents. Ces « mains qui voient », efficaces et relaxantes, appartiennent à des masseurs non voyants, pour la plupart. Pas cher.

■ *Banteay Srey* (Women's Spa ; hors plan par A1, *80*) : 33, Tuek Chhu Rd. ☎ 012-276-621. Tlj sauf mar 11h-19h. Réservé aux femmes ! Là encore, un business éthique, soit un spa destiné à insérer les femmes cambodgiennes en difficulté, formées par un personnel qualifié. Toute une gamme de massages à l'huile de coco, à 2 ou 4 mains, gommage (body scrub)... Tarifs fort abordables. Également des cours de yoga. Terrasse sur la rivière pour boire un verre ou manger des plats végétariens.

■ *Golden Hands Massage* (zoom, *82*) : 5, rue 726. ☎ 017-855-200. Tlj 10h-23h. Massages à l'huile ou façon khmère, aromathérapie, pédicure et manucure. Tout pour se refaire une santé et une beauté.

Loisirs, culture

■ *Ecran* (zoom, *83*) : rue 724. ☎ 093-249-411. Mer-ven 10h30-22h, sam-lun 10h30-minuit. Fermé mar. Prix : env 3-4 $. Plusieurs formules : un cinéma classique avec une programmation de films plus ou moins récents et des projections à la carte : on choisit un long-métrage parmi un catalogue aussi long que le Mékong et on loue une salle privée pour le mater tranquilou (mini 2 pers). Enfin, autre option : les télécharger sur clé USB (en vente sur place), idéal pour passer le temps lors des longs trajets en bus. Possède aussi un resto, côté rivière, *Ecran Noodles*.

À voir. À faire

En ville, rien de particulier, à part les ronds-points kitschissimes et, plus sérieusement, les jolies maisons coloniales issues d'une autre époque, dont l'ancienne maison du gouverneur transformée en *musée (plan B2)* sur l'histoire de la région de Kampot et son peuplement : des origines aux Khmers rouges en passant par la période du protectorat français. *Ouv en principe mar, jeu 15-18h et w-e 8h-11h, 15h-18h.*
Les deux sites suivants se trouvent de l'autre côté de la rivière, au sud de Kampot, sur l'île de Treuy (« l'île des poissons » ou « l'île des pêcheurs ») reliée à la rive ouest par un pont. L'idéal est de louer un vélo, un *tuk-tuk* ou une moto :

🐾🐾 *Wat Treuy Koh* (hors plan par A2) : du centre de Kampot, après avoir traversé le nouveau pont, prendre à gauche au rond-point et continuer sur env 2 km. Beau complexe monastique situé au bord de la rivière qui confère au lieu charme et sérénité. En tout, trois temples autour desquels on déambule paisiblement, un bassin de lotus (pas très propre) avec, au bout, un kiosque qui incite à la méditation. Dans le jardin, des scènes sculptées naïvement évoquent la vie de Siddharta, sa découverte de la souffrance et son illumination. À voir aussi près de l'entrée, la longue pirogue abritée sous un hangar utilisée pendant les fêtes.

🎥🎥 *Balades dans les marais salants (hors plan par A2) : après Wat Treuy Koh. Se renseigner auprès de son hébergement pour l'accès. Déconseillé en période de mousson.* Magnifique balade qui permet de découvrir des rizières et des marais salants, après avoir pédalé 3 ou 4 km à peine. Y aller de préférence en fin d'après-midi. Très photogénique.

DANS LES ENVIRONS DE KAMPOT

Pour les amateurs de balade à vélo ou à moto, jolie campagne au nord-ouest, du côté de nos adresses aux environs (voir plus haut), avec vergers, rizières, rivière... Ne pas manquer non plus les grottes, le lac secret et les plantations de poivre – dont on parle plus haut, dans les environs de Kep, « Sur la route de Kampot ».

🎥🎥 *Balades sur la rivière : pour* la sunset cruise, *départ vers 16h le long de River-side Rd retour aux alentours de 18h. Rens auprès de votre* guesthouse. *Compter env 5 $/pers.* C'est un peu l'usine (certains bateaux embarquent jusqu'à 50 personnes, voire plus, avec plusieurs arrêts pour faire monter d'autres passagers : difficile de profiter du coucher de soleil). Certains organisent la sortie plus tard pour aller admirer les lucioles et les planctons bioluminescents *(prévoir env 10 $/pers)*. Une bonne option (mais plus chère) : *Love the River (☎ 016-627-410)* cette agence gérée par un Allemand propose des balades guidées en bateau *(max 6 pers)* au lever (7h-9h) et au coucher du soleil (à partir de 15h). Temps de baignade compris. Environ 17-20 $/pers selon le nombre de passagers. Départ devant la *Greenhouse Guesthouse*.

🎥 *Teuk Chhou (hors plan par A1) : à env 9 km au nord de la ville. Entrée : 2 $.* Depuis la construction d'un barrage, ces modestes rapides ont encore perdu de leur intensité. Reste un endroit populaire auprès des Cambodgiens qui viennent pique-niquer en famille sous les kiosques tendus de hamacs au bord de la rivière. Bien agréable. Quelques boutiques sur place pour se sustenter.

🎥 ⇐ *Le Bokor : à 38 km de Kampot en direction de Sihanoukville. Après 20 km, une route en lacet grimpe sur 18 km. Très sympa à faire à moto ou motodop (env 20 $ la ½ j.) ; n'envisager même pas un tuk-tuk, ça monte raide !* Sinon, louer les ervices d'un taxi *(env 30-40 $). Quant aux agences qui proposent des* packages, *sachez que bien souvent les mini-vans sont en retard et blindés. Pas l'idéal, donc. Selon la saison, prévoir un pull, il peut y faire frais.* Lancée à l'époque du protectorat, cette station d'altitude et ancienne plantation de thé marque l'extrémité abrupte de la chaîne de montagnes de l'Éléphant, qui prolonge au sud celle des Cardamomes. Depuis la route, ce relief semble surgir de nulle part, comme si quelque géant s'était pris les pieds dans le tapis terrestre. Au-delà de sa topographie et de la fraîcheur de l'altitude, la vue depuis le

LES FORÇATS DE LA ROUTE

Gaston Doumergue, alors ministre des Colonies, décida, en 1917, de construire une station d'altitude au Bokor pour soigner les colons européens souffrant de maladies tropicales, et éviter ainsi des rapatriements coûteux pour l'État. Pour finir le plus vite possible les 32 km de route, on abusa de la main-d'œuvre locale : des milliers de forçats cambodgiens travaillèrent sur le chantier pendant 6 ans. Plus de 1 000 d'entre eux périrent de la malaria et de conditions de travail indignes. Marguerite Duras l'évoque dans Un barrage contre le Pacifique. En 1926, le député Marcel Cachin porta le scandale devant l'Assemblée nationale.

sommet (par temps dégagé) constitue le sel de cette excursion. En contournant par la gauche l'hôtel-casino jaune (de 600 chambres !) et en prenant ensuite à droite, on parvient au bout de 2 km au **Wat Sampov Pagoda,** un complexe bouddhique encore actif, composé de trois beaux temples, édifiés en bordure de falaise. Des différentes terrasses, vue incroyable sur la plaine et le golfe de Thaïlande, encore plus beau au coucher du soleil (mais attention au retour de nuit, peu conseillé).

Plus loin, le **Bokor Palace,** un chef-d'œuvre Art déco en péril, abandonné pendant la Seconde Guerre mondiale, puis sous Lon Nol. Ses immenses salles aux murs grisâtres (qui furent criblés de balles khmères rouges et vietnamiennes avant la « rénovation ») servirent de décor de film d'épouvante dans la scène finale de *City of Ghosts,* de Matt Dillon, avec Gérard Depardieu. Brrr ! En 2017, de travaux tentent de lui redonner une nouvelle vie ; un hôtel devait ouvrir courant 2018. Juste avant, on sera passé devant l'anachronique église catholique désaffectée sur fond de graffitis khmers, vietnamiens et anglais. En principe, on complète le tour du plateau par la **cascade de Popokvil,** à 10 km au nord de l'hôtel-casino jaune, impressionnante surtout en saison des pluies.

Aujourd'hui, le grand projet d'aménagement du *tycoon* Sok Kong, patron de la *Sokimex,* société pétrolière également en charge de l'exploitation touristique d'Angkor, dénature peu à peu le site. Pas sûr que la nostalgie soit encore de mise dans quelques années...

LE CAMBODGE

SIHANOUKVILLE (KOMPONG SOM)   200 000 hab.

● Plan d'ensemble et zoom Otres *p. 156-157* ● Zoom centre *p. 159*

Situé à 230 km au sud de Phnom Penh, le premier port du Cambodge est aussi la plus grande station balnéaire du pays. Au milieu de cette anarchie immobilière et touristique, on trouve néanmoins de belles et longues plages de sable fin – malheureusement pas toujours bien propres – et, à quelques encablures, des îles – Koh Ta Kiev, Koh Rong et Koh Rong Samloem – d'ailleurs devenues des destinations à part entière.

À Sihanoukville même, le gros des troupes est constitué de touristes, additionnés le week-end d'expats et d'estivants khmers venus se prélasser à l'ombre des filaos et des cocotiers. Mais la physionomie de la ville change très rapidement sous l'impulsion des investisseurs chinois qui font de Sihanoukville leur nouveau Macao. Partout dans le centre, émergent de massifs casinos (interdits aussi bien aux Cambodgiens qu'aux étrangers !) et des tours (que l'on voit depuis Koh Rong Samloem !). Les commerces plient bagage, de plus en plus d'expats vont s'installer au sud, vers Otres, ou déménagent carrément à Kampot.

Reste les quartiers d'Otres, encore relativement épargnés par les bulldozers chinois, mais pour combien de temps ? Amateurs de robinsonnades, dépêchez-vous ! – *Attention pendant la saison des pluies* (juin-octobre), et notamment au cours des derniers mois, il peut pleuvoir toute la journée et pendant de nombreux jours. Pas drôle !

Arriver – Quitter

Par la route

🚌 **Gare routière** *(plan d'ensemble, B1) :* à env 1 km d'Independence Sq et à env 6 km d'Ochheuteal Beach (env

4 $ en tuk-tuk). Taxis collectifs pour Phnom Penh et bus.

– Pratique : les compagnies disposent de bureaux au centre-ville. Pour quelques dollars supplémentaires, le bus

LE CAMBODGE

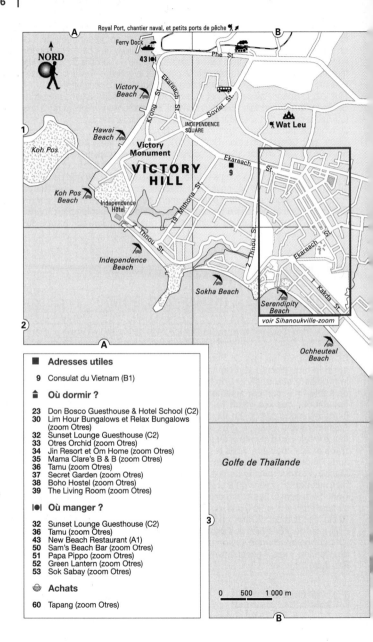

Royal Port, chantier naval, et petits ports de pêche

NORD

Adresses utiles

9 Consulat du Vietnam (B1)

Où dormir ?

23 Don Bosco Guesthouse & Hotel School (C2)
30 Lim Hour Bungalows et Relax Bungalows (zoom Otres)
32 Sunset Lounge Guesthouse (C2)
33 Otres Orchid (zoom Otres)
34 Jin Resort et Om Home (zoom Otres)
35 Mama Clare's B & B (zoom Otres)
36 Tamu (zoom Otres)
37 Secret Garden (zoom Otres)
38 Boho Hostel (zoom Otres)
39 The Living Room (zoom Otres)

Où manger ?

32 Sunset Lounge Guesthouse (C2)
36 Tamu (zoom Otres)
43 New Beach Restaurant (A1)
50 Sam's Beach Bar (zoom Otres)
51 Papa Pippo (zoom Otres)
52 Green Lantern (zoom Otres)
53 Sok Sabay (zoom Otres)

Achats

60 Tapang (zoom Otres)

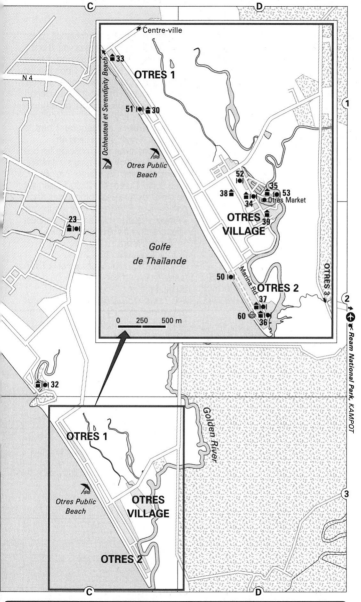

SIHANOUKVILLE – Plan d'ensemble et zoom Otres

peut vous prendre à votre hôtel. En revanche, à l'arrivée, les bus s'arrêtent tous à la gare routière. On vous rappelle que les compagnies les plus sûres sont *Giant Ibis et Mekong Express.* D'autres compagnies, que nous ne souhaitons pas recommander, desservent des destinations telles que Siem Reap et Battambang, villes qui ne sont donc pas mentionnées ici. Sinon, renseignez-vous sur le trajet avant de partir auprès d'autres voyageurs, regardez bien l'état des véhicules et évitez, quand c'est possible, les trajets de nuit.

■ ***Giant Ibis*** *(zoom centre, A2-3,* ***4****) : 2 Thnou St.* ☐ *089-999-818. • giantibis.com • Tlj 7h-21h.*

■ ***Mekong Express*** *(zoom centre, B1,* ***12****) : Omui St (☐ 012-257-599. • catmekongexpress.com •) et* ***Capitol Tour*** *(zoom centre, A-B1,* ***1****) ☎ 034-934-042 ou (☐ 011-600-943 ; Ekareach St, avt la station Caltex en venant d'Ochheuteal).*

■ ***Golden Bayon*** *(zoom centre, A2,* ***5****) : 2 Thnou St, quasi au rond-point aux Lions.* ☐ *089-283-737. • bayonvip.com •* Compagnie récente.

■ ***Sorya*** *(zoom centre, B2,* ***2****) : 2 stations en ville sur Ekareach St, une dans le grand virage et l'autre après la station Caltex en venant d'Ochheuteal, un 3ᵉ sur Independance Sq (plan d'ensemble A-B1).* ☎ *034-933-888.* ☐ *081-908-055 (résa). • ppsoryatransport.com.kh • Résa en ligne possible.*

Liaisons avec :

➢ ***Phnom Penh :*** 4 minivans/j. avec *Giant Ibis* (mat et début d'ap-m). 8 bus/j. avec *Sorya* (7h30-17h45), une dizaine avec *Capitol* (7h-17h15), 7 bus/j. avec *Mekong Express* et 5 minivans avec *Golden Bayon* (7h15-14h30 au départ de Sihanoukville, 15h30 de Phnom Penh). Trajet : env 4h.

➢ ***Koh Kong :*** en général 1 bus le mat, avec *Sorya.* Trajet : env 4h.

➢ ***Kampot et Kep :*** en principe, les bus pour Ha Tien (voir plus bas) s'y arrêtent. 1 minivan/j. avec *Giant Ibis* et 2 minibus/j., avec *Sorya.* Durée : env 2h30. Également des minibus avec les compagnies *Kampot Tours* et *Rith Travel* (voir la rubrique « Arriver – Quitter » à Kampot). Viennent vous chercher à votre hébergement.

➢ ***Siem Reap :*** 1 bus de nuit avec *Giant Ibis*. Durée : 10-12h.

➢ Liaisons pour le ***Vietnam*** et la ***Thaïlande*** (voir « Arriver – Quitter » au début du guide).

🚕 ***Taxis collectifs pour Kampot*** *(zoom centre, B1) : juste en face du marché Psaar Leu, dans le centre-ville.* Trajet : env 1h30.

En train

🚂 ***Gare ferroviaire*** *(plan d'ensemble, B1) :* ☐ *099-222-544 (quelques mots*

■	**Adresses utiles**		**Où dormir ?**
	ℹ Office de tourisme et police touristique (A3)		**20** Susaday (B3)
	1 Capitol Tour (A-B1)		**22** Don Bosco Guesthouse & Hotel School (B1)
	2 Sorya (B2)		**25** One Derz (A2)
	3 SmartShop (B1)		**46** Froggies (A2)
	4 Giant Ibis (A2-3)		**Où manger ?**
	5 Golden Bayon (A2)		**20** Susaday (B3)
	6 Pharmacie Santepheap (B1-2)		**40** Starfish Bakery & Café (B1)
	7 Seeing Hands Massage 3 (B2)		**41** Dao of Life (A3)
	8 Mick & Craig's et Casablanca (A3)		**42** Monkey Republic (A3)
	10 Scuba Nation (A3)		**44** Sandan (A2)
	11 The Dive Shop (A3)		**45** Chamkar Spei (A2)
	12 Mekong Express (B1)		**46** Froggies (A2)
	13 Speed Ferry Cambodia et Pharmacie Chamroeun Chanlida (A3)		**47** Marco Polo (B2)
	✚ **14** CT Polyclinic (A1)		**Où boire un verre ? Où sortir ?**
	15 Mottah (A1)		**42** Monkey Republic (A3)
			Achats
			44 Tapang (A2)

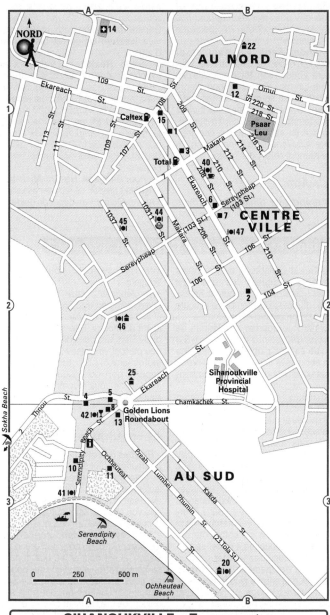

NORD

AU NORD

Ekareach St. 109 St.

113 St. 111 St. 109 St. 107 St.

Caltex 108 209 St.

15

1

3

Total

40

208 210 212

Ekareach 206

6

44

45

103 St. 103 11

Makara (103 St.) 206

Sereypheap

106

7

47

CENTRE VILLE

Sereypheap (103 St.)

106 210 St. 104 St.

2

46

Omui St. 220 St. 218 St. 216 St. 214 St.

12

22

Psaar Leu

Makara

Sihanoukville Provincial Hospital

25

Ekareach St.

Chamkachek St.

4 5 8

42 13

Golden Lions Roundabout

Thnou St.

Sokha Beach

Serendipity Beach

10

11

41

Serendipity Beach

Ochheuteal

Preah Lumhei Phumin St. Kakda St. (23 Tola St.)

AU SUD

20

0   250   500 m

Ochheuteal Beach

SIHANOUKVILLE – Zoom centre

LE CAMBODGE

d'anglais). Rens (fiche horaires) et achat des billets possibles directement à la gare, en principe tlj 7h-17h ou en ligne ● baolau.vn ●

➢ **Phnom Penh via Kampot et Takeo :** au départ de Sihanoukville, seulement 1 départ sam tôt le mat, 2 le dim et 1 le lun mat. Depuis Phnom Penh, 1 départ le ven ap-m, 1 le sam mat et 2 le dim. Davantage pdt les fêtes locales et, de temps à autre, 1 départ supplémentaire en semaine – se renseigner. Durée : env 7h jusqu'à Phnom Penh, 2h pour Kampot et 5h pour Takeo.

En avion

✈ **Aéroport de Sihanoukville** *(hors plan d'ensemble par D2) :* ● kos.

aero ● *À env 20 km de la ville, sur la route de Kampot (20 mn de trajet).* Bureau de change (taux moyen, service *Western Union*) et distributeur d'argent.

➢ **Siem Reap :** 1-2 vols/j. avec *Cambodia Angkor Air* (☎ 023-66-66-788 ; ● *cambodiaangkorair.com* ●), mais aussi 1 vol/j. avec la récente *JC Airlines* en Airbus A320 (● *jcairlines.com* ●) et, en principe, 3 fois/sem avec *Sky Angkor Airlines* en Airbus A320 et A321 (☎ 063-967-300 et 023-217-130 ; ● *skyangkorair.com* ●). Durée : 1h.

➢ **Pour Bangkok, Ho-Chi-Minh-Ville** et **Kuala Lumpur,** se reporter à la partie « Arriver-Quitter » en début de guide.

Comment se repérer ? Comment circuler ?

La ville est constituée de **plusieurs quartiers éloignés les uns des autres :** près de 8 km séparent Serendipity d'Otres. L'ensemble s'articule autour d'une péninsule accidentée.
– Au nord, le quartier anarchique de **Victory Hill** *(plan d'ensemble A-B1)* de plus en plus plébiscité par les Chinois et où sévit la prostitution. Il borde paradoxalement des plages assez tranquilles et familiales.
– Au milieu, le **centre-ville** *(zoom B1-2),* sans charme, regroupe pas mal de services et quelques adresses.
– Au sud, au rond-point orné d'un couple de lions *(zoom A2-3),* commence la zone archi-touristique de **Serendipity** (la mal-nommée...), quartier animé le soir, puis d'**Ochheuteal.**
– Enfin, encore plus au sud, les plages d'**Otres 1 et 2** *(zoom Otres)* séparées par la plage publique, où hébergements et restos se marchent sur les pieds. Une fois sur cette côte, les touristes ont tendance à rester sédentaires. Mais quelques activités ont déjà posé leurs équipements sur **Otres 3,** plus au sud et encore plus tranquille.
Quant à **Otres Village,** en retrait, il est plébiscité par les néo-babas anglo-saxons. Outre ces derniers, et l'habituelle communauté francophone, on trouve aussi une communauté russe. Coin plutôt tranquille et quelques

adresses sympas, pour tous les budgets.
– *Se déplacer :* entre Serendipity et Otres, compter 15-20 mn et 6 $ de jour (7 $ la nuit) en *tuk-tuk.* Prix à négocier avant de monter. Moins cher en *moto-dop.* Bien sûr, possibilité de louer un peu partout vélos (env 2 $/j.) et petites motos (env 5-7 $/j. ; laisser son passeport ; port du casque obligatoire, mais on ne vous recommande pas de circuler à moto, car pas d'assurance...).

Dangers et enquiquinements

– **Risques de vols :** ne négligez pas les précautions d'usage et de bon sens : ne vous promenez pas dans les zones isolées et sans éclairage – qui plus est avec sac et appareil photo –, ne laissez pas vos affaires sans surveillance sur la plage...
– **Petit avertissement concernant les bars,** plutôt du côté de Serendipity Beach : il est déjà arrivé que certains se soient retrouvés avec une poudre magique au fond du verre. Ce sont des amphétamines qui ont pour seul objectif de faire boire et de consommer toujours plus. Mieux vaut être averti et vigilant, car le mélange avec l'alcool peut avoir des effets graves. Par ailleurs, certaines drogues sont parfois

coupées de produits extrêmement dangereux.

– La police locale apprécie particulièrement les touristes *à moto* et les arrête assez fréquemment pour simple contrôle... Et il y a souvent une « bonne » raison pour flanquer une petite amende, « négociable » autour de 1 $. Dire qu'on n'a pas plus et ne jamais s'énerver. On vous rappelle que le port du casque est obligatoire pour le conducteur.

Adresses et infos utiles

⧉ Office de tourisme et police touristique (zoom centre, A3) : Serendipity Rd, dans un kiosque rond et vert, tt en verre, partagé avec la police touristique. ☎ 016-635-599 et 010-240-074. Tlj 7h-22h. Office privé, propriété d'une agence. Il délivre néanmoins un plan et quelques brochures, mais peu d'infos. Vente de transports avec commission.

■ **Revues gratuites :** le *Sihanoukville Visitors Guide* est un trimestriel gratuit doublé d'un site internet (● canbypublications.com ●). Informatif, très détaillé et utile, malgré le manque d'objectivité des critiques. Même principe pour le bimensuel *Sihanoukville Advertiser*.

■ **Mottah** (zoom centre, A1, **15**) : 193 Ekareach St, face à la station Caltex. ☎ 012-996-604 et 015-996-678. ● mottah.com ● La patronne de cette agence de voyages parle un peu le français. Elle peut tout vous obtenir : billets de bus, d'avion, de ferry, et loue aussi des scooters.

■ **Téléphone – SmartShop** (zoom centre, B1, **3**) : 137, Ekareach St. Dans le centre-ville, face à la station Total, à gauche de la National Bank of Canada Group. Lun-sam 7h30-20h, dim 8h-16h). On peut acheter une carte SIM.

■ **Distributeurs automatiques et banques :** nombreux distributeurs dans le secteur d'Ochheuteal Beach (zoom centre), ainsi que dans les banques du centre-ville, le long d'Ekareach Street (zoom centre, B1-2), qui assurent aussi le change ; ou encore à Victory Hill (plan d'ensemble, A1). Il y en a deux à Otres Beach 1, un à Otres Beach 2, deux à Otres Village.

■ **Consulat du Vietnam** (plan d'ensemble, B1, **9**) : 302, Ekareach St. ☎ 034-934-039. ● vnconsulate-shihanoukville.mofa.gov.vn ●

Lun-ven 8h-11h30, 14h-17h. Pas besoin de visa pour les ressortissants français et suisses qui séjournent au Vietnam moins de 15 jours (aux dernières nouvelles, les Belges devaient toujours en faire la demande). Toutefois, il n'est possible de bénéficier de ce dispositif qu'une fois tous les 30 jours. Pour un séjour de plus de 2 semaines, prévoir une photo, un formulaire à remplir et 40 $ pour un visa à entrée simple permettant de rester 1 mois sur place, 70 $ pour un visa à entrées multiples. Visas délivrés en 1 jour. Bien vérifier le numéro de passeport inscrit sur le visa (en cas d'erreur – ça arrive –, la police de la frontière fait payer « une amende »). Attention, les modalités peuvent changer : mieux vaut se les faire confirmer avant le départ.

■ **CT Polyclinic** (zoom centre, A1, **14**) : 47, Borei Kamakor St, ☎ 089-88-66-66 (urgences 24h/24). La structure la mieux équipée de la ville. Elle dispose même d'un scanner.

■ **Dr Som Sara :** Borei Kamakor St (même rue que la polyclinique). ☎ 012-845-223. Consultation à son cabinet tlj 7h-8h, 11h30-13h et à partir de 17h30. Il parle le français.

■ **Pharmacie Santepheap** (zoom centre, B1-2 **6**) : Ekareach St. Tlj 7h-20h. Une pharmacie avec de vrais médicaments, à des prix raisonnables, délivrés par un vrai pharmacien qui parle le français.

■ **Pharmacie Chamroeun Chanlida** (zoom centre, A3, **13**) : près du rond-point aux Lions. Tlj 9h-22h. Propriétaires anglophones. N'accepte que les riels, mais bureau de change à côté.

■ **Seeing Hands Massage 3** (zoom centre, B2, **7**) : Ekareach St. ☎ 012-799-016. Tlj 8h30-21h. Compter env 7 $. Un centre dans lequel exercent des masseurs non voyants. Cadre sommaire

LE CAMBODGE

mais bons massages, à un prix défiant toute concurrence.

■ *Mick & Craig's* et *Casablanca* *(zoom centre, A3, 8) : Serendipity Rd, côte à côte.* Un bon choix de bouquins d'occase pour l'un comme pour l'autre, principalement en anglais, mais toujours un petit stock en français aussi.

Où dormir ?

Dans le centre-ville et autour

De prix moyens à chic (15-50 $)

🛏 ❙●❙ *Don Bosco Guesthouse & Hotel School (zoom centre, B1, 22, et plan d'ensemble, C2, 23) :* pour la 1re adresse, prendre Omui St en face de Caltex et tourner rapidement à gauche au panneau dans la ruelle étroite ; pour la 2de, continuer dans Omui St sur 5 km, c'est sur la droite. ☎ 087-919-834 et 016-679-526 respectivement. ● donboscoguesthouse. com ● donboscohotelschool.com ● Pour l'Hotel School, *mieux vaut être motorisé* ; sinon, transfert gratuit sur résa ; navette gratuite vers la ville et les plages 3 fois/j. Compter respectivement 15-20 $ et 30-60 $ selon confort, petit déj en plus. Fondée par une congrégation catholique italienne, cette école hôtelière (couplée à une école technique) propose les services d'un hôtel en permettant aux jeunes Cambodgiens d'acquérir une formation. À la *guesthouse,* modeste mais centrale, dans un quartier populaire, chambres propres et carrelées (dont 2 familiales). Possibilité de prendre ou de se faire livrer petit déj et repas (sans oublier les glaces, bien sûr !) chez *Gelato Italiano,* le resto de l'école à deux rues de là. On peut aussi profiter de la piscine de l'*Hotel School,* à 5 km, siège de l'école hôtelière. Là-bas, chambres plus confortables, mais sans fantaisie (sauf les *deluxe* avec jacuzzi, les plus chères). Resto avec buffet midi et soir (cuisine khmère et occidentale). Pas donné, mais les profits sont réinvestis dans des programmes éducatifs. Cette adresse soutient l'action de *ChildSafe,* qui s'engage à fournir aux enfants un environnement protégé.

🛏 Voir aussi les 2 chambres du resto *Froggies (zoom centre, A2, 46 ; lire plus bas « Où manger dans le centre-ville ? ») : doubles avec sdb et ventilo (clim en sus). « Prix moyens. »*

À Sokha Beach, Ochheuteal Beach et Serendipity Beach

Bon marché (moins de 15 $)

🛏 *One Derz (zoom centre, A2, 25) : dans une impasse donnant sur le rond-point aux lions.* ☎ 096-339-00-05. ● onederz.com ● *Dortoirs 6-8 lits, mixtes ou pour filles. Petit déj et repas possibles.* En retrait dans une impasse, à environ 30 m du rond-point, une bonne surprise que cette auberge de jeunesse qui propose d'agréables dortoirs de plain-pied, articulés autour de la petite piscine (on a un peu l'impression d'être un poisson dans un bocal, mais elle a le mérite d'exister !). Tous avec clim, casiers, loupiotes et prises électriques. C'est moderne, lumineux, un poil confiné, bien propre, fonctionnel ; et l'atmosphère est sympa. Accueil efficace.

🛏 *Susaday (zoom centre, B3, 20) : Ochheuteal Beach, dans la partie sud.* ☎ 092-742-750. ● valton.bruno@yahoo.fr ● *Double avec ventilo, eau chaude et TV.* À deux pas de la plage, une petite adresse sympathique et francophone, tenue par la famille Valton. Chambres dans un bâtiment de plain-pied et tout en longueur. Une adresse vraiment sympa pour loger à prix tassés dans le coin. Notez que le *Susaday* est aussi connu pour son très bon resto (voir « Où manger ? »).

LE CAMBODGE

De chic
à plus chic (30-80 $)

🏠 ▮●▮ **Sunset Lounge Guesthouse** (plan d'ensemble, C2, **32**) : à l'extrémité est d'Ochheuteal Beach. ☎ 0977-340-486. ● sunsetlounge-guesthouse. com ● Doubles à prix « chic » et bungalows « plus chic ». Plats à « prix moyens ». Cadre verdoyant et impeccablement tenu. Devant chaque chambre, un pan de soie fasseye comme autant de voiles multicolores. Une idée simple et réussie qui, en plus d'ombrager et d'abriter des regards le rêveur dans son hamac, donne un petit cachet. Aucune chambre n'a malheureusement de vue sur la rivière. On parle du café-resto dans la rubrique « Où manger ? ».

Plus au sud,
à Otres Beach 1

À environ 5 km du rond-point aux lions. Compter 4-5 $ en tuk-tuk. Attention, un décret municipal devrait contraindre les hôteliers et restaurateurs à démonter leurs bungalows et paillotes côté plage, ce qui ne devrait pas avoir d'incidence sur les hébergements situés de l'autre côté du chemin (enfin, en principe...).

De prix moyens
à chic (15-50 $)

Nos adresses se trouvent en léger retrait de la plage (maximum 20 m à pied !), et à proximité les unes des autres.

🏠 **Lim Hour Bungalows** (zoom Otres, **30**) : ☎ 093-334-446. ● kannikatan2012. blogspot.fr ● Doubles avec sdb (eau froide), moustiquaires et ventilo à « prix moyens ». Tenues par une famille cambodgienne, les chambres sont réparties dans 2 bâtiments tout en longueur et qui se font face. Les chambres sont simples, mais correctes pour le prix. Billard.

🏠 **Relax Bungalows** (zoom Otres, **30**) : en face du resto Pippo. ☎ 016-996-626. ● relax_bungalows@yahoo.com ● Doubles avec ou sans AC « prix moyens » limite « chic ». Pas de petit déj. Des chambres carrelées et propres dans un bâtiment en longueur. Bien placé, aussi proche de la plage aménagée que de la vierge plage publique (long beach). Et une piscine pour varier les plaisirs (pas fréquent dans cette gamme de prix).

🏠 **Otres Orchid** (zoom Otres, **33**) : ☎ 017-877-692. ● otres.orchid@yahoo.com ● Doubles avec sdb « prix moyens » limite « chic ». Une petite adresse au style khmer avec une série de bungalows en canne et feuilles de palme, plutôt agréables. Tous avec mobilier en rotin, balcon et eau chaude. Jardin plein de plantes. Bon accueil.

Otres Village

Les bobos anglo-saxons ont investi Otres Village, situé entre les plages d'Otres 1 et Otres 2, en retrait de la plage publique où les constructions sont interdites. Compter env 20 mn à pied pour rejoindre la plage.

Autour d'Otres Market, qui s'anime le samedi soir avec ses DJs et ses petits stands, ont poussé des guesthouses et des villas à tous les prix, tenues par de jeunes Occidentaux. Une atmosphère de village.

De bon marché à prix
moyens (moins de 30 $)

🏠 **The Living Room** (zoom Otres, **39**) : ☎ 097-477-0475. ● kristelbastian@sbcglobal.net ● Dortoir « bon marché » (matelas simples ou doubles), et bungalows à « prix moyens » limite « chic ». Dans ce living-room, on peut à la fois dormir (on a bien aimé les bungalows avec lit en mezzanine), manger, boire et s'amuser. Bar sympa et bon resto de world food, plus des soirées et des jeux organisés chaque semaine (en principe le jeudi) ; la nuit n'est pas courte pour autant car l'extinction des feux se fait bien avant minuit. Bref, un joli « salon » pour faire des rencontres... en anglais.

🏠 ▮●▮ **Jin Resort** (zoom Otres, **34**) : dans la rue qui mène au marché. ☎ 096-858-10-59. ● jin.ores@gmail.com ● Double « prix moyens ». Un hébergement-resto tenu par Christian et Elisa, frère et sœur italiens de Ligurie, accueillants et disponibles, qui parlent un peu le français. Une poignée

LE CAMBODGE

de bungalows ventilés simples et récents (bon, il manque un chouïa de pression dans les douches), avec terrasse, semés dans un jardin très verdoyant. Espace resto-bar agréablement arrangé. Et la cuisine d'Elisa n'est pas en reste, à accompagner d'un joli choix de jus frais.

🏠 *Om Home (zoom Otres, 34) :* Market Str. ☎ 070-642-526. À env 15 mn à pied de la plage. Doubles à « prix moyens ». Spacieux et bien entretenu, voici en bref ce qui caractérise ce *Om Home* géré par Deima. Sympa et dynamique, la jeune Lituanienne parle le français, ce qui ne gâche rien. Au menu, des bungalows ventilés et quelques chambres climatisées et spacieuses, mais trop impersonnelles. Un frigo collectif, eau chaude solaire, eau et café à volonté. Un petit bar, et un vaste espace commun, en fait une terrasse couverte. Une adresse bien au calme, avec restos et bars dans les rues voisines. Vraiment un bon rapport qualité-prix.

🏠 ❘❶❘ ☘ *Boho Hostel (zoom Otres, 38) :* 🖩 090-376-550. ● bohocam bodia@gmail.com ● Dortoirs mixtes 6-10 lits. Petit déj en plus. Pizzeria et bar accessibles à ts. En entrant dans l'enceinte de l'auberge, on ne voit que la piscine, ses transats et, au bout, le bar ouvert, en hauteur, dans un style néo-baba archi-convivial. Un espace détente qui donne envie de s'attarder dans le coin. D'autant que les dortoirs impeccables sont équipés de moustiquaires et casiers individuels, de la clim et d'un ventilo... et côté resto, les pizzas se révèlent un délice. De temps à autre, cours de yoga, et juste à côté, des séances de ciné en plein air, gratuit pour les clients du *Boho*.

🏠 *Mama Clare's B & B (zoom Otres, 35) :* 🖩 097-690-2914. ● mamacla res.com ● Doubles avec sanitaires communs à « prix moyens » ; petit déj en plus. Quelques maisonnettes en bois et en hauteur, genre cabanes dans les arbres, dont 2 au bord de l'eau. Bon accueil de la pétillante Mama Clare, qui gère tout toute seule, en plus d'accueillir un groupe d'enfants pendant une partie de la journée, histoire qu'ils ne soient pas livrés à eux-mêmes. Si son implication locale vous intéresse, elle vous en dira plus !

Otres Beach 2

Après la plage publique, à 8 km de Sihanoukville (du centre, environ 6 $ en *tuk-tuk,* 7 $ le soir). C'est plutôt le coin des hôtels de charme...

Très chic et plus (à partir de 80 $)

🏠 *Tamu (zoom Otres, 36) :* au bout de la plage d'Otres 2. 🖩 015-258-340. ● tamucambodia.com ● Doubles 80-190 $ selon confort et saison, copieux petit déj compris. Hôtel tenu par une famille française qui propose une quinzaine de chambres à la décoration soignée, tendance épurée, design et contemporaine. Longue piscine de 17 m depuis laquelle on ne se lasse pas d'observer le coucher de soleil sur la plage. À l'étage, les chambres (dont une suite) offrent une vue imprenable sur la mer et les îles. Une dizaine de chambres disposent d'un jardin privatif, dont 2 familiales. Dans le prolongement de l'hôtel, sur la plage, le restaurant du *Tamu* invite au farniente avec ses *daybeds* et ses transats (voir « Où manger ? »). Et pour une robinsonnade, les proprios devaient ouvrir, fin 2018 – début 2019, un camping de luxe sur l'île de Koh Rong au large (lire plus loin).

🏠 ❘❶❘ *Secret Garden (zoom Otres, 37) :* juste avt Tamu. 🖩 097-649-5131. ● secretgardenotres.com ● Double 110 $, petit déj inclus. Resto « de prix moyens à chic ». CB acceptées (+ 2,5 %). L'autre adresse de charme. Une petite série de bungalows en dur avec toits de « chaume » local, dans un jardin doté d'une piscine. Jolie décoration avec quelques touches traditionnelles et coffre en bois. Tout le confort moderne, mais pas de TV : ici on regarde la mer ! Spa. Paillote-restaurant avec un staff local et australien. Sandwichs, salades, plats asiatiques et occidentaux, plus un menu qui change 2 fois par semaine.

Où manger ?

Dans le centre-ville

Bon marché (moins de 4 $)

|●| 🍵 **Starfish Bakery & Café** *(zoom centre, B1, 40) : prendre la ruelle très étroite juste à droite du supermarché Samudera.* 📞 012-952-011. Tlj 7h-17h. La cour de cette ancienne maison coloniale abrite plusieurs espaces, qui, tous, permettent à des personnes handicapées de travailler. Un café, une boutique d'artisanat, et un salon de massage *(7 $/h).* Les bénéfices sont reversés à la fondation qui mène différents projets auprès de personnes défavorisées (accès aux soins et à l'emploi, purification d'eau...). Bien pour joindre l'utile à l'agréable, du petit déj (pancakes et pains à emporter, dont le *brown rice bread)* au déjeuner (sandwichs, salades, *mezze).*

|●| **Chamkar Spei** *(Cabbage Garden ; zoom centre, A2, 45) : rue 1037.* 📞 015-444-663. Tlj 9h-23h. Resto populaire et familial. On ne se déplace pas pour le cadre (un vaste hangar), mais pour des plats bien cuisinés sans esbroufe (poisson entier à la vapeur ou frit) à prix local. Très apprécié des Cambodgiens.

De prix moyens à chic (4-13 $)

|●| **Sandan** *(zoom centre, A2, 44) : rue 10311.* ☎ 034-452-40-00. Tlj 11h30-22h (dernière commande). Happy hours 16h-19h. Danses traditionnelles par les enfants le sam en hte saison 19h-21h. Encore un beau bébé de l'ONG *Friends,* avec un excellent resto doublé d'une belle boutique de souvenirs (*Tapang* ; voir « Achats »). Dans cette ancienne et traditionnelle maison en bois, on déguste des plats tout en finesse, comme le traditionnel *amok,* ou du crabe. Tables basses ou classiques, en bas ou sur le balcon. Carte des vins.

|●| **Froggies** *(zoom centre, A2, 46) : accès par un chemin cailouteux. Quasi en face de la* guesthouse Patchouly *(un bon repère).* 📞 086-745-073. Tlj

8h30-11h30, 17h-22h. Parfois ouv pour le déj, tél avt. Avec un tel nom, on s'en doute, le dépaysement se trouve plutôt dans le cadre, et quel cadre ! Un havre de paix, une parenthèse fleurie au bord d'un bel étang de lotus dont on profite depuis les canapés à l'extérieur ou perché sur les chaises hautes de la salle ouverte. Le jeune couple de Français, adorable, y sert de délicieuses galettes, des assiettes de fromages et de charcuterie, plus quelques tapas dont certaines d'inspiration khmère. Il loue également 2 chambres (voir plus haut).

|●| **Marco Polo** *(zoom centre, B2, 47) : 85, Ekareach St, juste à côté de l'Inter-national Clinic.* 📞 092-920-866. Tlj 11h-22h. Pizzas « de prix moyens à chic ». Une envie insoutenable de pizzas ? C'est ici qu'il faut les manger ! Cuites au feu de bois, ce sont les meilleures de Sihanoukville. Quelques plats de pâtes et de viandes également.

À Ochheuteal Beach et Serendipity Beach

Le soir, les bars-restos de Serendipity Beach et d'Ochheuteal Beach proposent des **barbecues de poissons bon marché.** Atmosphère intime, à condition que les baffles du bar voisin ne s'excitent pas trop...

De prix moyens à chic (4-13 $)

|●| **Sunset Lounge Guesthouse** *(plan d'ensemble, C2, 32) : voir plus haut « Où dormir ? ». Plats à « prix moyens ».* Le café-resto bien clean et convivial se prolonge, bien sûr, le long de la plage. Dans l'assiette, de bons plats khmers ou occidentaux à la présentation soignée, à déguster devant une plage bien entretenue de ce côté-là. Beau choix de cocktails.

|●| **Dao of Life** *(zoom centre, A3, 41) : au bord de l'eau, au 1er étage du Yasmine Café, en face de l'embar-cadère.* Tlj sauf lun 8h-22h. Plats à « prix moyens ». Une petite escale paisible, en surplomb de l'animation

du quartier, chapeautée par une bulle blanche qu'on repère de loin, où l'air circule librement. Ce petit resto 100 % *vegan* (végétalien), ouvert dès le petit déj, mérite le détour pour son état d'esprit et sa cuisine du monde, saine et originale, à base de bons produits, à accompagner d'un jus *detox*. Et pour la charmante gérante Shazia, quand elle est là, car elle possède aussi un hébergement à Otres Village.

I●I **Susaday** *(zoom centre, B3, 20)* : *Ochheuteal Beach, dans la partie sud.* « *Prix moyens.* » Dans la *guesthouse* du même nom (voir « Où dormir ? »). Excellente cuisine franco-khmère. Large choix et variantes exotiques : pavé de bœuf au poivre vert de Kampot ou au roquefort, andouillette, cassoulet, crêpes flambées, etc. Également des plats et desserts du jour. Tenu par un couple français sympathique.

I●I **Monkey Republic** *(zoom centre, A3, 42)* : *Serendipity Beach Rd. Tlj, en continu.* Happy hours *16h-19h.* Pour changer un peu du régime khmer, un bar-resto à l'anglo-saxonne, arcades sur fond rouge, billard, terrasse et paiement à la commande (pour pas se faire de bile, Bill !). Bons petits déj, burgers, chili con carne, *fish & chips,* le tout à arroser d'une pinte à la pression. Musique dans le coup, forte... pour couvrir celle des voisins ?

Victory Hill et Victory Beach

Prix moyens (4-13 $)

I●I **New Beach Restaurant** *(plan d'ensemble, A1, 43)* : *au nord de Victory Beach, resto du* New Beach Hotel. ☎ *034-933-818.* Pour les curieux, les égarés, avant que le quartier ne soit entièrement englouti sous le béton chinois, voici juste une terrasse très simple qui surplombe la mer, face à l'île aux Serpents et un pont devenu inutilisable... Cuisine de qualité constante, orientée poissons et fruits de mer. Également une carte chinoise. Sa réputation n'est plus à faire, et les Cambodgiens y viennent en famille le dimanche. Très calme le reste du temps...

Otres Beach

De bon marché à chic (jusqu'à 13 $)

I●I **Sam's Beach Bar** *(zoom Otres, 50)* : *au tt début d'Otres 2, côté plage.* « *Bon marché.* » Quoique pas spécialement engageante, la petite adresse s'est fait un nom avec son barbecue, servi tous les soirs. Également un petit déj toute la journée et quelques plats khmers. Et puis, comme dit Sam, le patron, « free swimming pool » juste en face... La mer, quoi ! Loue également des chambres rudimentaires.

I●I **Papa Pippo** *(zoom Otres, 51)* : *à Otres 1. Pizzas à emporter jusqu'à 2h du mat, tlj sauf lun.* « *Prix moyens.* » *Musique live le jeu soir.* Une chouette paillote sur la plage, avec parasols et transats. Chez Pippo, on sert de bonnes pizzas, mais aussi des *piadine,* une sorte de pita italienne (de Romagne) que l'on fourre de charcuterie, fromage, etc. Également des pâtes, bien sûr, sans quoi l'Italie ne serait plus l'Italie. Possède aussi l'*Amarèina,* sur la route avant la jonction pour Otres Village, une autre bonne adresse du secteur.

I●I **Tamu** *(zoom Otres, 36)* : *au bout de la plage d'Otres 2, entre le* Secret Garden *et le* Ren Resort. 🖀 *015-258-340.* ● *tamucambodia.com* ● *À 7 km de Sihanoukville (6 $ en tuk-tuk du centre).* « *Chic* ». Cuisine de produits frais, carte occidentale et asiatique. Gaspacho, tartare de poisson, *nasi goreng,* gambas poêlées, brochettes de poulet sauce *teriyaki...* Tout ça au bord de l'eau, les pieds dans le sable. Le rêve !

Otres Village

De bon marché à prix moyens (moins de 8 $)

I●I **Green Lantern** *(zoom Otres, 52)* : *dans la rue la plus animée du village, côté droit en venant d'Otres 1.* 🖀 *015-716-031. Lun-sam 13h30-22h (sauf 16h-17h).* « *Bon marché* ». Aux commandes, un couple franco-thaï qui propose une carte courte – enfin ! –, gage de fraîcheur et de plats maîtrisés :

curries, *tom yam* aux crevettes, *pad thaï*... accompagné d'un jus frais. Tout ça à prix très raisonnables. On s'installe sur la terrasse du *Straycats*, le bar juste à côté. Très bon accueil.

|●| *Sok Sabay (zoom Otres, 53) :* 🖥 016-406-080. Tlj 7h-21h30 *(dernière commande). « Prix moyens » limite « chic ».* Cadre harmonieux sous une grande paillote en bois au bord d'un étang. À la carte, la cuisine khmère (amok, poisson aux bananes, fruits de mer au poivre de Kampot...) jouxte des plats d'inspiration méditerranéenne, mais aussi des salades et des burgers pour satisfaire tout le monde. Succès oblige, l'attente peut se faire un peu longue. Prévoir l'anti moustiques.

Où boire un verre ? Où sortir ?

🍸 Sur Serendipity Road, ce ne sont pas les bars qui manquent. On aime bien *Monkey Republic (zoom centre, A3, 42)* pour son décor, son billard et sa bonne musique.

🍸 À Otres 1 et 2, toutes nos adresses signalées dans « Où dormir ? » et « Où manger ? » font aussi bar. Nombreux *bars-restos installés en bord de plage,* bien sûr. Parfois quelques animations. À Otres Village, signalons l'amusant *Otres Market,* le samedi soir en haute saison, pour son ambiance néo-hippie, avec bars et stands de bouffe et de fringues. Quelques DJs et concerts sympas... Le reste du temps, le *Straycats,* juste à côté du resto *Green Lantern (zoom Otres, 52),* tenu par de jeunes Français, distille une bonne ambiance. Musique live de temps en temps.

Achats

⊛ *Tapang (zoom Otres, 60 et zoom centre A2, 44) : respectivement devant* Secret Garden *sur Otres 2 et au resto* Sandan *dans le centre-ville (voir « Où manger ? »). Tlj 11h-21h.* Émanations de l'ONG *Friends,* cette boutique propose une jolie petite collection de vêtements, sacs et pochettes. Idéal pour faire ses emplettes sans trop se ruiner, tout en rendant service à des tas de familles et à leurs enfants, qui peuvent ainsi aller à l'école...

Les plages

Plusieurs plages, chacune a sa propre atmosphère. Avant de vous jeter à l'eau, une précision : les Khmers se baignent habillés ; mesdemoiselles et mesdames, évitez donc le topless !
Le sable est fin et d'une belle blondeur, mais il faut parfois ne pas être trop regardant sur sa propreté... Enfin, notez qu'on peut rarement relier les plages entre elles.

Du nord au sud et du plus calme au plus « festif »...

➢ *Hun Sen Beach (hors plan d'ensemble par A1) : à 5-6 km au nord de la ville, proche de la zone portuaire et des villages de pêcheurs.* Jolie plage, très prisée des familles le week-end, peu touristique et plutôt bien entretenue. Emporter son pique-nique, pas de resto sur place.

➢ *Victory Beach (plan d'ensemble, A1) :* plage familiale aux abords aménagés, un ensemble de paillotes et quelques hôtels au bord de l'eau. Malheureusement peu entretenue.

LE CAMBODGE

➤ **Hawai Beach** *(plan d'ensemble, A1) :* face à l'île aux Serpents. Plage familiale et populaire, fréquentée le week-end par les Cambodgiens. Toute une ribambelle de petites paillotes-gargotes les pieds dans l'eau. Pas mal de déchets en tous genres sur la plage. Et la vue est quelque peu mitée par le pont (en travaux) qui relie l'île aux Serpents à Sihanoukville, dommage.

➤ **Independence Beach** *(plan d'ensemble, A2) :* petite plage publique très propre et pas trop fréquentée, à côté de la plage privée de l'hôtel de luxe du même nom, établissement où séjournèrent, entre autres, Jackie Kennedy et Catherine Deneuve. Un peu plus loin, c'est à nouveau jonché d'immondices.

➤ **Sokha Beach** *(plan d'ensemble, B2) :* bordée par des bungalows à clientèle chinoise en majorité, quelques bars et gargotes. Plage propre, beau sable blanc, pas mal pour le farniente.

➤ **Serendipity Beach et Ochheuteal Beach** *(zoom centre, A-B3) :* les plages les plus fréquentées et animées de Sihanoukville, mais aussi les moins attirantes. La propreté n'est vraiment pas au rendez-vous. Et puis les nombreuses sollicitations des petits vendeurs auront raison de votre sieste !
Ochheuteal Beach est un peu plus calme dans sa partie sud, mais les égouts se déversent non loin... De plus, éviter de louer des jet-skis dans ces deux secteurs : c'est cher et dangereux, et on nous signale des pannes fréquentes !

➤ **Otres Beach** *(zoom Otres) : à env 4 km au sud d'Ochheuteal Beach, par une route goudronnée à l'intérieur des terres. En tuk-tuk, compter 5 $ l'aller pour Otres.* Sable blanc et site propice à la baignade. La plage s'étire sur 2 à 3 km, et se trouve scindée en trois parties.
– À Otres Beach 1, on trouve pas mal de nos adresses à prix raisonnables. Noter qu'en principe les bungalows construits côté plage devraient disparaître, mais pas ceux de l'autre côté du chemin, ni les bars et les restos les pieds dans le sable, sauf imprévu toujours possible... Jeux gonflables dans l'eau pour les enfants (à régler au resto *Moorea Beach*).
– La 2e partie est une plage publique, où les constructions sont rigoureusement interdites. Du coup, il s'agit de la plus belle plage, la plus large évidemment, puisque aucun bar-resto n'y est aménagé. Une poignée de filaos permettent de se protéger du soleil, mais ils sont pris d'assaut, alors mieux vaut arriver de bonne heure. Propreté très variable, en revanche.
– Enfin, la 3e partie, Otres 2, est bordée d'hôtels plus chic, avec bars et restos sous des paillotes agréables. Ambiance plus calme qu'à Otres 1.

➤ **Secret Beach** *:* sur Otres 3, env 500 m après La-Oh-Park *(voir plus loin « À faire »).* Une plage encore peu fréquentée qui offre un coucher de soleil d'anthologie.

À voir. À faire

🕴 **Psaar Leu** *(zoom centre, B1) :* Makara St. Tlj 7h-17h30. Ambiance bien typique. Tous produits, de l'alimentation aux vêtements, et différents artisans-commerçants qui travaillent sur place dans de microscopiques échoppes : orfèvres, coiffeurs, couturières...

🕴 **Wat Leu** *(plan d'ensemble B1) : accessible par une côte plutôt raide en* moto-dop *ou « super* tuk-tuk ». Point culminant de Sihanoukville, le temple est perché à 130 m d'altitude. D'un côté, il surplombe la campagne et un bouddha assis face à un bassin ; de l'autre, du haut de la terrasse, la ville (et ses chantiers), puis la mer. Endroit paisible.

🕴 **Shipyard and fishing ports** *(le chantier naval et les petits ports de pêche ; hors plan d'ensemble par B1) :* à environ 1 km au nord de Victory Beach, après le *ferry* *dock* (containers et file de camions), petit chantier naval et port de pêche au niveau du panneau « Royal Port ». 2 km plus loin, au niveau de la pêcherie *(fishery)*, autre port de pêche *(nop rolok)*.

🐎 *Balades à cheval :* avec *Liberty Ranch,* à Otres 3. ▯ 097-257-0187. ● *liber tyranch-sihanoukville.com* ● *En attendant qu'une piste/route relie Otres 2 à 3, il faut passer par l'intérieur des terres en partie sur une piste en latérite en assez bon* état. Débutants bienvenus. Sorties à cheval dans la campagne environnante ou sur la plage ; on peut même nager avec les chevaux !

🐎 *La-Oh-Park* (accrobranche) : à Otres 3, à 6 km d'Otres Village, après Liberty Ranch, fléché sur la gauche. ▯ 088-464-06-59. Tlj 10h (12h juin-nov)-17h30. Prix : 8 $ le parcours, 12 $ la journée (possible selon l'affluence). Enfants à partir de 1,30 m. Marre de faire la crêpe sur la plage ? Voilà de quoi prendre de la hauteur. Cette jeune et accueillante équipe française a aménagé un parcours accrobranche accessible au plus grand nombre avec 3 tyroliennes et 5 jeux dans les arbres, plus un mini-parcours initiation. En projet : une tyrolienne géante (en supplément) et un camping dans les arbres. Boissons et snacks en vente sur place, BBQ organisé tous les dimanches. Enfin, n'oubliez pas vos serviettes : 2 jolies petites plages se nichent en contrebas du site, un vrai régal après avoir crapahuté dans les branches, et *Secret Beach* se trouve 500 m plus loin.

🐎 *Stand Up Paddle :* sur la plage d'Otres 2. ▯ 096-322-82-76. ● *sup-otres-beach. com* ● *Sur résa.* Location à l'heure ou excursions à la journée ou demi-journée qui combinent différentes activités : paddle, *snorkelling,* nage au milieu du plancton bioluminescent, marche dans la jungle... Les jeunes Français à l'origine du projet proposent même des cours de yoga sur la planche (on a bien dit sur la planche et non sur la plage) : chiche !

Plongée

Elle se pratique essentiellement de novembre à avril. Plusieurs spots intéressants pour tous niveaux, comme les îles de *Koh Rong Samloem* et *Koh Rong* (excursion d'une journée) ou, plus loin : *Koh Tang* et *Koh Prins.* Excursions de plusieurs jours ou *snorkelling* à la journée également possibles. Compter dans ce cas 25 $/personne (palmes, tuba, boissons et casse-croûte inclus) pour une excursion d'une journée depuis Sihanoukville. Sachez que plus vous plongerez à proximité de la côte, moins la visibilité sera bonne (la déficience en termes de retraitement des eaux usées en serait la raison principale).

■ *Scuba Nation* (zoom centre, A3, 10) : dans la rue qui descend vers Serendipity Beach, sur le côté droit (à env 100 m de la plage). ▯ 012-604-680. ● *divecambo dia.com* ● *Baptême 110 $ la journée en mer ou 105 $ pour une remise à niveau.* Centre PADI très sérieux et réputé (un des plus anciens clubs de la ville), tenu par Gerard, Néerlandais et l'un des plongeurs les plus qualifiés du Cambodge. Plongée, cours et *snorkelling.* Dispose en principe de 2 instructeurs français.

■ *The Dive Shop* (zoom centre, A3, 11) : Ochheuteal Beach Rd, entouré de casinos. ☎ 034-933-664. ▯ 097-723-2626. ● *diveshopcambodia.com* ● *Baptême env 95 $; pour confirmés env 80-90 $ la journée avec 2 plongées (repas inclus).* Centre PADI également, de bonne réputation, avec plongées et formations, parfois encadrées par des instructeurs français. Propose aussi du *snorkelling.* Également un bureau sur l'île de Koh Rong Samloem.

DANS LES ENVIRONS DE SIHANOUKVILLE

🏕🐎 *Koh Ta Kiev :* au sud d'Otres Beach, face au Ream National Park. Boat trip à la journée, mais on y trouve aussi quelques hébergements (les contacter pour *les transferts). En bateau collectif (ferry), depuis Otres Beach, compter 45 mn et env 15 $/pers A/R. Ou en* long tail boat *organisé soit par votre hôtel, soit par un propriétaire de bateau sur les plages d'Otres.* C'est l'île la plus proche de Sihanoukville (environ 10 km). C'est aussi la plus petite des îles accessibles dans les environs. Elle mesure 28 km², abrite aujourd'hui – outre un village de pêcheurs et un terrain militaire – une poignée d'hébergements. Elle ressemble à un petit paradis par rapport aux îles de Koh Rong et de Koh Rong Samloem, de plus en plus fréquentées et aménagées (voir plus loin), à condition de savoir apprécier des conditions d'hébergement sommaires (électricité quelques heures dans la journée, pas de wifi ni d'eau courante, sanitaires communs) et une fréquentation plutôt hippie. Pas mal de bateaux déversent des petits groupes de touristes en saison, mais la plupart repartent en fin de journée. C'est le dimanche qu'on y trouve le plus de monde.

Concernant les belles plages de sable fin, on a préféré celle du sud (moins fréquentée, donc plus propre) plutôt que celle de l'ouest...

Les déchets sont un vrai problème sur les îles comme sur la côte, qu'ils soient rejetés par la mer ou abandonnés par les touristes ou les structures touristiques. Sans compter qu'il faut – théoriquement en tout cas – les réexpédier sur le continent. Certaines adresses offrent une bière à qui remplit un sac de déchets, alors tchin !

L'ombre d'un rachat par un investisseur qui projette l'aménagement d'hébergements haut de gamme plane sur l'île...

⌂ *Crusoe Island :* côte ouest. ☎ 093-54-92-39. ● crusoeislandbar@gmail.com ● *Leur bateau part tlj d'Otres 1 à 11h. Hamac 2 $/pers, tente « bon marché » et bungalow pour 2 à « prix moyens ».* Le nom et les bouts de bois flottés récupérés et peints pour indiquer telle ou telle direction donnent le ton. Petit espace commun qui s'articule autour du feu et de bancs de fortune. Les hébergements sont disséminés au fil d'un chemin qui longe l'eau. On peut louer un hamac (avec moustiquaire), une tente avec matelas et oreillers posée ou non sur une plateforme de bois, des bungalows – sans porte – dont un avec des w-c ou une petite salle de bains, un autre avec une petite plateforme privée au-dessus de l'eau. Couple khméro-australien épaulé par la famille cambodgienne de madame. Atmosphère sympa et bohême.

⌂ *Ten 103 Treehouse Bay :* côte ouest. ☎ 097-943-7587. ● ten103-cambodia.com ● *Bateau vers Sihanoukville à 9h. Hamac avec moustiquaire 3 $; 35 $ le bungalow avec sdb.* Ten 103 ? Un nom en référence aux points de latitude et longitude de l'hébergement. L'adresse la plus excentrico-hippie du lot, ponctuée de bons mots peints sur des panneaux de bois, où l'on vient plus pour l'atmosphère musicale (forte) que pour le rapport qualité-prix de l'hébergement. Four à bois (le pain aussi est maison du coup) et cuisine méditerranéenne appréciée. Agréable espace commun avec des coussins moelleux.

🏹 *Ream National Park (hors d'ensemble par D2) :* rens au Ream National Park Headquarter, à *env 20 km ; prendre la route de Kampot, le bâtiment se trouve juste en face de l'aéroport.* ☎ 016-328-882. Tlj 7h30-17h. Possibilité de balades à pied de 1h30 en compagnie d'un ranger (mais ts ne parlent pas l'anglais), pas trop difficile mais prévoir de bonnes chaussures (compter env 8 $/pers), en bateau (2h ; prévoir 35 $ pour un bateau, 1-5 pers). Site de 21 000 ha offrant un paysage varié : mangroves, plages (malheureusement, pas toujours propres), bancs de coraux, quelques petites îles. Très riche par la diversité de sa faune (et de sa flore). *Un barrage contre le Pacifique,* le film de Rithy Panh, avec Isabelle Huppert, adapté du roman de Marguerite Duras, a été tourné dans le coin. Malheureusement, un consortium chinois a confisqué toute la partie sud du parc, celle où l'on pouvait croiser les dauphins justement. Et puis, les balades archi-balisées ne permettent plus d'apercevoir grand-chose, même depuis la tourelle de 12 m de haut. Du coup, la visite du parc a grandement perdu de son intérêt, d'autant plus si le guide ne parle pas l'anglais. En revanche, on conseille de faire une pause, voire de dormir à l'adresse suivante :

🏠 ❙●❙ 🍸 *Monkey Maya : dans le parc, à env* 10-11 km du Park Headquater. 📠 *078-760-853.* ● *monkeymayaream. com* ● *Dortoir « bon marché » ; doubles à prix « chic ». Pas de clim et eau froide. Plats à « prix moyens ». Pas de wifi.* Ambiance sereine sur cette agréable terrasse en hauteur, cernée par la végétation, avec l'océan qu'on devine juste derrière. Au menu, *mezze*, salades et plats khmers, malais et méditerranéens. Pour une pause plus longue, on a le choix entre deux types de bungalows : ceux en bois, plus rustiques, qui accueillent jusqu'à 4 personnes, et ceux en dur pour 2, adossés à la forêt et plus chauds du fait de leur large baie exposée plein sud. Mais tous sont tournés vers la mer, dont on profite depuis la terrasse. Le *resort* organise des sorties en kayak dans la mangrove et la possibilité de nager avec le plancton bioluminescent.

KOH RONG ET KOH RONG SAMLOEM

Une quinzaine de petites îles s'égrènent à quelques encablures de Sihanoukville. Nature sauvage, végétation luxuriante, récifs coralliens, belles petites plages de sable où se disputent cocotiers et filaos. Longtemps resté oublié, ce chapelet d'îles suscite désormais un véritable engouement touristique. Si certaines îles ont été privatisées, comme *Koh Pos* (« l'île aux Serpents », la plus proche de Sihanoukville, cédée à des Russes) et *Koh Russei* (« Bamboo Island », cédée à un groupe haut de gamme), d'autres font l'objet d'une concession accordée à de grands groupes qui louent les terrains à de petites structures hôtelières (nos adresses indiquées plus loin). Cependant, ces groupes de luxe pourraient un jour remettre en question les structures modestes et bâtir de vastes complexes touristiques. Ce pourrait être, un jour, le cas de *Koh Rong,* la plus grande. À ne pas confondre avec *Koh Rong Samloem,* sa petite sœur plus au sud, pour l'instant plus calme et plus familiale. Sur ces îles, pas vraiment de villages, ni routes, ni voitures, ni électricité (à part les groupes électrogènes ou les panneaux solaires). Le wifi, comme les portables, passe plutôt mal. Tant mieux. Voici un cadre (presque) idéal pour le farniente. Pas grand-chose d'autre à faire, d'ailleurs, si ce n'est se balader à pied pour découvrir les côtes désertes, ou moins fréquentées, et plonger pour admirer la faune et la flore sous-marines avec palmes ou bouteille...

Arriver – Quitter

Tous les bateaux partent de Sihanoukville, mais à une fréquence aléatoire (bateaux parfois en réparation, annulations si la météo est mauvaise, etc.). Hors saison, nettement moins de liaisons. *Se renseigner sur les horaires la veille ou le jour même du départ.*

Bon à savoir
– Certains *resorts* possèdent leur propre bateau, notamment à Koh Rong, dans la baie de Sok San. Au moment de la résa, poser la question et bien se faire préciser l'embarcadère.

– À *Koh Rong Samloem,* il existe 4 débarcadères qui s'égrènent le long de la longue plage (2,7 km). En principe, on fait **coïncider** la compagnie de **bateau,** qui possède un débarcadère attitré, **avec** son **hébergement** pour ne pas avoir à marcher trop longtemps dans le sable chargé de bagages. S'ils sont prévenus, certains hôtels « chic » peuvent venir récupérer leurs clients au débarcadère.
– *L'état de la mer :* elle peut être **dangereuse en toute saison.** En cas de gros temps, les compagnies annulent,

LE CAMBODGE

accumulent du retard et, parfois, prennent des risques pour écouler le flux de voyageurs bloqué d'un côté comme de l'autre (plus de passagers que de sièges, conditions de navigation limites...). **Ne jamais prévoir un vol international le jour même** d'un retour d'une des îles.

– Notez qu'il est possible de prendre un **slow ferry,** mais pas forcément moins cher qu'un *speed,* et ils sont assurément moins nombreux. Intérêt limité.

Les compagnies de *speed ferries*

Infos et résa auprès des adresses ci-dessous ou en ligne sur ● bookmebus. com ● visitkohrong.com ●

– **Speed Ferry Cambodia** (zoom centre de Sihanoukville, A3, 13) : *Serendipity Rd, tt proche du rond-point aux lions, mêmes locaux que Koh Rong Dive Centre.* ☎ 081-466-880 (à Sihanoukville) ; ☎ 093-227-867 (à Koh Rong) ; ☎ 096-666-29-10 (à Koh Rong Samloem). ● speedferrycambodia. com ● Compagnie plutôt ponctuelle.

– **Buva Sea :** ☎ 098-888-950 (à Sihanoukville) ; ☎ 016-888-960 (Koh Rong) ; ☎ 015-888-970 (à Koh Rong Samloem). ● buvasea.com ● Moyennement ponctuel, mais dessert pas mal d'arrêts. Bateaux assez rapides par mer calme.

– **GTVC :** ☎ 069-221-234 et 017-338-821. Similaire à *Buva Sea* en termes de ponctualité et de type de bateau.

– **Island Speed Ferry Cambodia :** ● islandspeedferry.com ● ☎ 015-878-117-11.

– D'autres compagnies ont vu plus récemment le jour, telle que **CC Blue Sea :** ● ccbluesea.com ●

➤ **Pour Koh Rong :** départ du quai de Serendipity Beach *(zoom centre de Sihanoukville, A3).* Selon les saisons, compter 17-25 \$ l'A/R. Le retour est toujours réservé en *open ticket,* à confirmer la veille. Un conseil : éviter les places sans bâche si vous n'aimez pas l'eau...

Il existe plusieurs débarcadères :

– **Touch (ou Tui) :** *au sud de l'île.* C'est le débarcadère principal. Les 4 compagnies assurent chacune la liaison 3-4 fois/j., 8h-17h. Trajet : 45 mn-1h.

– **Long Set Beach :** *au nord-est de Touch.* Buva Sea s'y rend en principe 4 fois/j.

– **Sok San Bay :** *sur la côte ouest de l'île. Island Speed Ferry* propose 3 liaisons/j. (9h-15h) et *Buva Sea* une.

– **Pour les autres plages** de Koh Rong : *Buva Sea* et *GTVC* s'arrêtent en principe à Coconut Beach (à l'est). Pour le reste, se renseigner auprès de son hôtel, qui soit assurera lui-même le transfert, soit vous demandera de prendre un *taxi boat* depuis Touch.

➤ **Pour Koh Rong Samloem :** embarcadère de Serendipity Beach *(zoom centre Sihanoukville, A3).* Toutes les compagnies proposent 3-4 traversées/j. Même temps de trajet, même tarif et même impératif de confirmation de retour que pour Koh Rong. Certaines font plusieurs stops : bien se le faire préciser, car il arrive aussi parfois (en cas de mer houleuse) qu'à Saracen Bay le bateau ne s'arrête pas à l'embarcadère prévu ... celui près du logement réservé !

– **Saracen Bay :** *à l'est de l'île.* Pas moins de 4 débarcadères, du nord-ouest au sud-est de la baie : Freedom Pier, le plus abrité, c'est celui qui est utilisé par toutes les compagnies quand la mer est agitée, pas très pratique, car le plus éloigné ; Diamond Pier *(Speed Ferry Cambodia),* Orchid Pier, le plus central *(GTVC, Buva Sea* et, parfois, *Speed Ferry Cambodia)* ; Paradise Pier (ou Soon Noeng Pier : *Island Speed Boat* et parfois *Speed Ferry Cambodia),* le plus à l'est. **Bien se faire confirmer** par son hébergement **l'embarcadère le plus proche** et la compagnie à emprunter.

– **M'Pay Bay** (prononcer « Mapaï ») : *au nord de l'île. Speed Ferry Cambodia* assure 3 traversées/j. Prévoir 45 mn. À M'Pay, possibilité d'acheter ses tickets de ferry auprès de *Mango Lounge,* quasi face au débarcadère.

– **Entre Saracen Bay et M'Pay :** 2 fois/j., le mat et l'ap-m avec *Speed Ferry Cambodia.* Prix : env 5 \$. Mêmes horaires avec *Island Speed Boat Cambodia.*

➤ **Entre Koh Rong (KR) et Koh Rong Samloem (KRS) :** moins de liaisons et toujours à confirmer sur place selon la météo. En principe, *Speed Ferry Cambodia* et *Island Speed Ferry Cambodia* proposent chacune 3 traversées/j. à bord d'un petit *speed boat*. Trajet : 20-45 mn selon les arrêts. Prix : 7 $. Noter que le billet acheté à Sihanoukville en *open ticket* sera valable pour le trajet retour de Koh Rong Samloem à Sihanoukville (à confirmer la veille

auprès des bureaux des compagnies ou à l'*Orchid Guesthouse* de Saracen Bay pour GTVC). Noter aussi que si vous avez perdu votre ticket, il vous en coûtera env 12 $.
Un *long tail boat* entre les 2 îles revient à environ 40-50 $. À ne prendre que si la mer est calme.

Infos et conseils utiles

– **Pas de banque ni de distributeur,** évidemment. Prévoyez avant de partir.
– En haute saison, il est impératif de **réserver à l'avance** dans les adresses à prix moyens et chic indiquées plus loin, qui disposent d'un téléphone, voire d'un bureau à Sihanoukville. Pour les petites adresses pas chères, une seule solution : se dépêcher à l'arrivée du bateau !
– Attention, les prix indiqués augmentent, voire doublent facilement à Noël.
– **Koh Rong Emergency :** ☎ 096-243-26-17. Association de médecins nord-américains bénévoles qui travaillent sur les 2 îles.
– Gare aux **moustiques,** aux punaises et aux puces des sables (prévoir un répulsif).
– Les bonnes connexions wifi sont rares ou très, très lentes... À Koh Rong, la meilleure connexion est celle du *Paradise Bungalows,* où l'on peut se

contenter de boire un verre pour bénéficier du wifi.
– Si vous avez absolument besoin de téléphoner ou d'être joint, achetez plutôt une puce *Smart,* dont le réseau passe à peu près sur les deux îles. En revanche, dans les adresses de la côte ouest de Koh Rong Samloem, seul l'opérateur *Metphone* fonctionne.
– Électricité fournie le soir par groupe électrogène (plus rarement par panneau solaire), généralement entre 17h et 2h du mat'.
– À Touch (Koh Rong), **quelques supérettes** pour faire des emplettes de base.
– Enfin, attention aux drogues qui circulent, surtout à Koh Rong, et aux poudres magiques que certains esprits malveillants versent dans les verres des routards allumés et qui sont parfois coupées de substances très dangereuses...

LE CAMBODGE

Où dormir ? Où manger ? Où boire un verre ?

À Koh Rong

C'est la plus grande des deux îles. La majorité des adresses sont entassées sur la plage de **Touch** (ou Tuich ou Tui !), au sud-est, principal débarcadère. Ambiance très routarde, très festive, parfois un peu zone. Pour trouver un peu de calme, quelques adresses à l'écart, vers la droite de la plage, ou **plus à l'est,** vers les plages de Long Set Beach, Coconut Beach, Pagoda Beach qui se développent peu à peu ou carrément à **Sok San Beach,** sur la côte ouest...

➢ **Se déplacer sur l'île :** entre Touch et Sok San Beach, on emprunte soit

des bateaux-taxis *(long tail boat)* par temps calme *(compter 1h et env 25 $ le bateau),* soit (en saison sèche seulement) des *moto-dops* par une piste à travers la jungle *(env 5 $/pers et 20 mn de moto, plus 10-15 mn de marche).* Possibilité de louer aussi une moto *(env 15 $/j.).* Entre Touch et les plages de l'est, bateaux-taxis seulement.

À Touch

De bon marché à prix moyens (moins de 30 $)

Petites *guesthouses* les unes sur les autres, sur la plage ou dans les ruelles à l'arrière sur la gauche du quai. Souvent des baraques en bois avec cloisons ajourées, très inégales, parfois très glauques ! Regardez-y à deux fois avant de dire oui ou investissez dans une chambre double ailleurs...

🛏 *Natural Lounge :* à gauche du débarcadère, tourner dans la 1re allée. À l'arrière du village. ☏ 069-541-177 ou 097-911-7799. ● chhengphea-rin2014@gmail.com ● Dortoir « bon marché », doubles avec sdb et familiale sans sdb « prix moyens ». Dans un beau bâtiment en bois assez récent, 2 dortoirs très corrects et de jolies chambres. Casiers à la réception. Resto en projet.

🛏 *Vanna's Guesthouse :* à gauche du débarcadère, tourner dans la 2e allée (la même que pour la gargote Sigi's, plus connue), c'est à l'arrière du village. Double avec ventilo et douche commune. « Bon marché. » Une baraque en bois proposant une dizaine de chambres correctes. Petite terrasse. On se sent un peu chez l'habitant.

🛏 *Rising Sun :* à gauche du débarcadère. Chambres très basiques, mais acceptables, au même prix avec ou sans vue.

🛏 |●| ▼ *Sea House :* sur le ponton où l'on débarque. ☏ 016-295-333. ● seahouse96@gmail.com ● Doubles avec ventilo, sdb commune, entre « bon marché » et « prix moyens ». Une grande baraque en bois donnant directement sur l'eau, sympa, non ? Cela dit, préférer les chambres nos 5 et 6 pour en bénéficier vraiment. Sinon, vue depuis le resto-bar décoré de quelques fresques. Évidemment, on se prend le vent en pleine poire ! Bonne musique.

🛏 |●| ▼ *Coco Bungalows :* au milieu de la plage. Accès par le bar-resto côté quai. ☏ 018-963-96-96 et 081-565-682. ● cocokohrong.com ● Doubles sans ou avec sdb et vue, clim ou ventilo, « de prix moyens à chic ». 10 % de réduc à partir de 3 nuits. Sur un terrain qui grimpe à l'arrière du village, donc un peu en retrait du bruit. Une série de chambres au confort différent sans vue mer mais donnant sur un jardin.

🛏 |●| ▼ *Monkey Island :* à droite, entre Happy Bungalows et Paradise Bungalows. ● monkeyisland-kohrong.com ● Résa à Sihanoukville, au resto Monkey Republic (voir coordonnées plus haut). Doubles sans ou avec sdb, prix « chic » pour une vue mer. Et chambres jusqu'à 5 pers. Resto « bon marché » limite « prix moyens ». Un gros spot de routards très animé. Bungalows en matériaux locaux plutôt corrects, vue mer pour certains. Mais on y vient surtout pour l'ambiance qui règne au resto-bar sur fond de bonne musique. Bons petits plats khmers, thaïs et occidentaux, à arroser d'une bonne bière. Cool, *man...*

|●| *Sigi's :* à gauche du débarcadère, à l'arrière du village, tourner dans la 2e allée. Une simple gargote composée de quelques planches pour s'asseoir autour de la cuisine ouverte. Plats thaïs réputés.

De chic à plus chic (50-100 $)

🛏 *Happy Beach Bungalows :* à droite. ☏ 060-877-000 ou 087-605-366. Doubles avec sdb (eau froide) « chic », « plus chic » en hte saison pour celles avec vue. Pas de petit déj. Bungalows en bois et feuilles de palme, un peu en retrait du front de mer. Tous avec moustiquaire, ventilo, coffre en bois et balcon. Pas donné, mais pas mal du tout. Plutôt calme.

🛏 |●| ▼ *Paradise Bungalows :* à droite, c'est le dernier de la plage. ☏ 0966-497-195. ● paradise-bungalows.com ● Tlj 7h30-22h. Résa possible à Sihanoukville chez Casablanca Books, Serendipity Rd (zoom centre, A3, 8). Doubles allant de « chic » à « plus chic » selon la vue et la proximité de la plage, une avec clim encore plus chère ; familiales 3-5 pers. Plats à « prix moyens ». C'est l'adresse chic de la plage principale. Une série de bungalows répartis de façon un peu décousue en surplomb de la mer. Les moins chers avec pas ou peu de vue, dommage. Belle paillote *lounge* aménagée avec coussins et tables basses. Plats sans glutamate mais cuisine un peu chère et inégale. Bien aussi pour boire un verre et bénéficier d'une bonne connexion wifi.

🛏️ 🍽️ 🍸 **Tree House Bungalows :** à droite, tt au bout de la plage principale, accès par un petit chemin. ☎ 015-755-594 et 070-934-744. ● treehousebungalows.com ● Bungalows dans la jungle ou en lisière de plage de « chic » à « plus chic » selon la situation et le nombre de pers (2-4), et tree houses « plus chic ». Prisé des routards pour son bar-resto face à une belle plage dorée devant la mer saupoudrée de rochers. Ceux qui veulent prendre de la hauteur iront nicher dans les arbres. Les autres crècheront dans un des bungalows en bois disséminés dans la forêt et équipés d'une salle de bains (heureusement, car certains sont plutôt éloignés), de ventilo et d'une moustiquaire (indispensable). Bonne ambiance.
🍸 Flopée de bars à droite du débarcadère.

À Sok San Beach

Cette baie splendide s'étire sur 7 km. Elle est bordée par une plage de sable blanc, léchée par des eaux turquoise, et reste aménagée uniquement dans son extrémité sud par un *resort* de luxe, éloigné de tout, au nord par un autre resort (plus modeste) et le tranquille village de Sok San.

🛏️ 🍽️ **Dans le village, une succession de bungalows simples et bon marché, ainsi que des restos,** s'alignent de part et d'autre d'un chemin bétonné. Certains ont les pieds dans l'eau. Et ça continue plus modestement tout au bout, après le pont, avec pour l'instant juste quelques *guesthouses*.

🛏️ 🍽️ **Sok San Beach Resort :** partie nord de la baie, avt le village. Possède son propre bateau (à organiser au moment de la résa). ☎ 017-777-831 (résa) et 012-573-110 (réception). ● soksanbeachresort ● Doubles 120-170 $ selon taille et vue. Idéalement situé sur la plage. Différents types de bungalows en bois, avec clim et eau chaude (rares dans le secteur), certains avec vue mer, plus ou moins spacieux. L'ensemble pourrait être mieux entretenu, surtout compte tenu des prix. Rapport qualité-prix médiocre donc. À quand des travaux ? Bon accueil et service attentionné néanmoins.

🍽️ **Eat, Pray, Love :** au bout du village de Sok San. ☎ 011-45-40-51. Tlj 18h30-21h30 (dernière commande). Une adresse qui sort du lot, perchée sur pilotis face à la mer. Le chef italien fait tout lui-même : pâtes, pizzas, gnocchi dont on se régale sur une plaisante terrasse couverte.

Sur les autres plages

🛏️ **Lonely Beach :** à la pointe nord de l'île. ☎ 071-209-48-58 et 010-726-707. ● lonely-beach.net ● Transfert tlj du Royal Pier à Sihanoukville, en début d'ap-m (retour le lendemain mat) ; compter 3h de bateau et 20 $ l'A/R. Dortoir « bon marché », bungalows « prix moyens ». Sdb commune. Une superbe adresse, totalement isolée, qui fait le bonheur des routards. Agréable dortoir aéré de style khmer, avec vue et moustiquaires. Avis aux routards fauchés et motivés : on peut parfois travailler ici en échange d'un lit, des repas et d'un peu d'argent de poche... Pour les budgets plus aisés, bungalows en matériaux locaux. Électricité solaire. Le tout entouré par la jungle et face à la plage, le rêve !

🛏️ 🍽️ 🍸 **Tamu :** Pagoda Beach, à l'est de l'île, après Coconut Beach. ☎ 015-258-340. ● tamucambodia.com ● Pour l'accès, se rens au moment de la résa. Ouverture prévue fin 2018-début 2019. Pour 2, prévoir 130-200 $ avec le petit déj. On fait confiance à l'adresse de charme d'Otres 2 (voir plus haut « Où dormir » à Sihanoukville) pour chouchouter les adeptes du *glamping*. Sur cette belle plage, des tentes sous un toit de paille archi-confortables avec salle de bains privée, clim et *king size bed* donneront vie à ce « camping-glamour ». Elles seront disposées en front de mer, au milieu des cocotiers, et dans la jungle. Chambres en dur aussi prévues et resto sur place. Et entre 2 pauses sur le sable blanc, possibilité de s'adonner au *snorkelling* dans les eaux transparentes de la baie.

À Koh Rong Samloem

C'est la plus petite des deux îles. Plus calme, plus familiale... Plus venteuse aussi, **Saracen Bay,** la plage principale, accueille la majorité des adresses, nettement moins concentrées toutefois que sur la plage de Touch à Koh Rong. Pour les amateurs de robinsonnades, un autre chemin mène en 45-50 mn à pied à **Sunset Beach** sur la côte ouest (avec montées et descentes ; prévoir de bonnes chaussures, car plein de rochers dans la 2e montée) : une plage joliment orangée où se trouvent 2-3 adresses qui ont notre préférence, plus une annexe du club de plongée *The Dive Shop* (voir « Plongée » à Sihanoukville). Il est possible de demander à son hébergement un transfert en bateau. Se renseigner au moment de la résa.

Quant à **M'Pay Bay,** un petit village de pêcheurs au nord de l'île, il offre un bon compromis. Il accueille des *guesthouses* à prix raisonnables dans une ambiance encore tranquille, mais aussi quelques bars pour combler la soif d'une jeune clientèle.

– Notez qu'on trouve une petite **pharmacie** sur **Saracen Bay** : tlj 7h-22h, un peu en retrait de la plage, avt *Lucky Sun Restaurant*. Peut dépanner en cas de petits bobos.

À *Saracen Bay*

De bon marché à plus chic

Les adresses pour petits budgets ont tendance à se ressembler : chambres rustiques avec ventilo, moustiquaire et salle de bains. Rien de très emballant et à prix toujours plus élevés que sur le continent.

🛏 🍴 **The Beach Resort :** *dans la partie nord de la baie.* 🕿 068-470-198. *Lit double en dortoir « prix moyens », bungalows sans sdb avec ou sans vue mer à « prix moyens ». Resort* pas très intime mais il propose, sur 2 étages (attention, escalier raide !), les plus grands dortoirs de l'île avec une armée de matelas à 2 places (si, si), moustiquaires, et salle de bains commune. Les bungalows, eux, sont un peu étranges, sortes de champignons recouverts de paille ; d'autres, en bois, en retrait de la plage se révèlent très basiques. Resto-paillote sur la plage.

🛏 **Punleu Spa Rooms :** *quasi au milieu de la baie.* 🕿 088-217-77-72. *Doubles avec sdb à « prix moyens ». Pas de petit déj.* Chambres en dur, basiques, perpendiculaires à la plage (pas de bol), mais du coup les prix se tiennent. Accueil gentil d'une famille cambodgienne à l'anglais limité.

🛏 🍴 **Saracen Bay Resort :** *Saracen Bay.* 🕿 016-997-047. ● saracenbay-resort-cambodia.com ● *Près de Diamond Pier. Résa conseillée. Doubles « plus chic », petit déj inclus. Plats « chic ».* Un des meilleurs rapports qualité-prix de Saracen Bay. Bungalows en bois, avec salle de bains en dur à l'arrière, terrasse et hamacs, plus la plage avec ses transats juste devant. Elle n'est pas belle la vie ? Le resto-bar se trouve sur un agréable ponton. Plats asiatiques et occidentaux servis avec le sourire.

🛏 **Freedom Bungalows :** *le plus au nord de la baie.* 🕿 090-333-095 et 015-331-329. ● freedombungalow.com ● *Doubles « plus chic » avec sdb, clim et petit déj.* La longue enfilade de bungalows longe le chemin bétonné qui relie les 2 derniers embarcadères (Diamond et Freedom) ; l'accueil et le resto sont tt au bout. Derrière des vitres fumées bleues (quelle idée !), s'ouvrent des chambres pas bien grandes mais très correctement équipées, voire presque charmantes, pour certaines, avec leur terrasse fleurie. Toutes ont vue sur la mer, ce qui au final en fait un rapport qualité-prix plutôt positif comparé aux autres.

🍴 🍷 **Green Blue Restaurant :** *quasi au milieu de la baie.* « Prix moyens ». Cette élégante paillote est tenue par une Australienne avenante. Au menu, des plats pour tous les goûts : turcs, khmers (amok végétarien !), en passant par les incontournables pâtes. Bonne atmosphère aussi bien le jour, face à la mer, que le soir, lorsque les tables et les profonds fauteuils en osier sont éclairés de lumières tamisées.

🍷 **The Tree Bar :** *quasi au milieu de la baie.* Tlj 8h-1h du mat. Tenu par de jeunes Cambodgiens, cette paillotte ronde sur la plage est le passage obligé pour écluser une bière, un cocktail ou un verre de vin à prix raisonnable tout en prenant quelques leçons de khmer. Serveurs très cool et bonne musique.

À Sunset Beach

🛏 |●| **Robinson Bungalows :** à 45 mn de marche ou transfert direct (sauf en saison des pluies) via The Dive Shop (voir « Plongée » à Sihanoukville) avec un bateau tlj le mat pour 20 $ l'A/R (2h30 par trajet). ☎ 088-454-6872. ● robinsonbungalows.com ● Doubles à « prix moyens ». Une dizaine de bungalows en matériaux locaux, parfois un peu branlants, mais qui plairont aux Robinsons en herbe (enfin, en sable). Le tout au bord d'une jolie plage tranquille et généralement propre (les déchets apportés par les courants n'arriveraient qu'en basse saison...). Tous avec moustiquaire, balcon, hamac et électricité solaire (chouette, ni bruit ni pollution !). Et dans la cuisine locale, ni glutamate ni huile de palme. Beau coucher de soleil pour l'apéro. Tenu par un couple suisse cool.

🛏 |●| **Huba-Huba :** même accès que pour Robinson Bungalows (lire ci-dessus). ☎ 088-554-5619. ● huba-huba-cambodia.com ● Dortoir à « bon marché », chambres sans sdb à « prix moyens » et bungalows sans ou avec sdb catégorie « chic » en hte saison. Une adresse tenue par deux jeunes Français, Vic et Tiffanie. Pour les petits budgets, un dortoir de 8 lits. Sinon, bungalows en bois, dont 1 familial côté plage et des chambres à l'étage du bâtiment plus haut dans la jungle. Resto coloré en surplomb, avec poisson et fruits de mer, viande, plats végétariens, et même de bonnes crêpes. Excellent café. Beach bar en contrebas. Location de palmes, masques et tubas. Quelques activités proposées, dont du kayak.

À M'Pay Bay

Pas encore de gros resorts sur cette côte. Mais toutes les chambres possèdent au minimum ventilo, moustiquaire et – souvent – une salle de bains privée (avec eau froide).

🛏 |●| ▼ **Sunset Bungalows :** tt au bout, à droite du débarcadère, passer le petit pont. ☎ 086-682-546. ● sunsetbungalowscambodia.com ● Bungalows en bois à prix « chic » (fourchette basse) et en dur « plus chic ». Petit déj en sus. Plats à ts les prix. Magnifiquement situé, au calme, avec un côté plus sauvage. Les bungalows, tout simples, alignent leur terrasse en front de mer (pas de plage), en lisière de jungle. Les plus chers disposent de la clim, de l'eau chaude et d'une bonne literie. On a un (gros) faible pour le resto et sa salle ouverte en demi-lune face à l'océan. Plats khmers, mais aussi thaïs et chinois. En prime, bon accueil de Thomas.

🛏 **M'Pai Backpackers :** en retrait de la plage. ☎ 069-669-804. Suivre la rue en face du débarcadère et à l'intersection, tourner à droite vers « The Cliff » ; c'est après le virage, sur la gauche. Pas de petit déj. Prix « bon marché ». Facebook. Dans une maison en bois, des chambres doubles basiques à l'étage, propres, avec salle de bains et d'un bon rapport qualité-prix. Accueil anglo-saxon sympa.

🛏 |●| ▼ **Big Moon :** à droite du débarcadère. ☎ 016-596-111. ● mpaybay.com ● Chambres sans ou avec sdb « de bon marché à prix moyens », petit déj en sus. Les bungalows en bois sont plantés au fond d'un terrain, derrière le bar-resto du front de mer. Ils offrent un équipement correct avec une salle de bains et une terrasse tendue d'un hamac. Pour les budgets serrés, des chambres avec salle de bains commune.

🛏 |●| ▼ **M'Pay Bay Bungalows :** ☎ 086-779-776. ● samnarng16@gmail.com ● À 50 m de la plage. Accès par la rue face au ponton ; c'est un peu plus loin sur la droite. Pas de petit déj. « Prix moyens » limite « chic ». Quelques bungalows (pour 2-3 personnes) en dur, spacieux, posés dans un petit jardin presque coquet. Prévoir l'antimoustiques.

|●| ▼ **Fishing Hook :** même direction que M'Pai Backpackers (voir plus haut) et continuer à grimper, c'est sur la droite. « Prix moyens ». Les routards ont flairé le bon plan et plébiscitent l'adresse aux plats généreux le midi, et surtout le buffet de poisson « all you can eat » le soir.

LE CAMBODGE

Super ambiance et, de la terrasse, vue géniale sur la mer.

Dragon Fly : *un peu avt Fishing Hook.* Situation stratégique pour ce bar-resto avec, en bordure de falaise, une terrasse aménagée de gros fauteuils en osier face à l'océan. Idéal pour venir y boire un verre, notamment au coucher du soleil.

À voir. À faire

Pas grand-chose, si ce n'est se balader à pied pour découvrir les côtes moins fréquentées ou s'offrir un accrobranche au **High Point Ropes Park** de Koh Rong (assez cher cependant), à gauche du débarcadère, au bout. Surtout, plusieurs de ces îles sont connues pour leurs spots de plongée et de **snorkelling.** Magnifiques faune et flore sous-marines à découvrir avec palmes ou bouteille...

– **Centre de plongée :** au Sok San Beach Resort, *côte ouest. Résa la veille (avt 18h) sur place ou par mail :* ● justdiving1966@gmail.com ● *Baptême : 75 $, plongées 50-65 $ selon niveau.* Snorkelling *2h, env 20 $ sur 2 spots différents.* Centre PADI et CMAS, géré par Vincent, un Français qui a posé ses palmes dans les eaux cambodgiennes après avoir « bullé » en Méditerranée. Formations PADI niveaux 1 et 2. Les sorties se font en bateau au départ du *resort.*

➤ Randonnée **de Saracen Bay à Lazy Beach,** une plage de sable dorée, par environ 20 mn de chemin plat et facile. Puis continuer éventuellement jusqu'au phare *(payant),* d'où l'on bénéficie d'une belle vue sur la côte et la jungle. Beau coucher de soleil à Lazy Beach, mais prévoir une lumière pour rentrer sur Saracen.

➤ Balade en bateau pour admirer et nager avec le plancton bioluminescent – par nuit noire seulement.

➤ Plongée et *snorkelling* avec The Dive Shop, bureau au milieu de la baie, ● diveshopcambodia.com ●

KOH KONG

Cette province englobe des kilomètres de côtes vierges, une grande île homonyme (mais pas très facile d'accès) et un arrière-pays extrêmement sauvage que les montagnes des Cardamomes mettent en relief. En attendant leur correspondance, de nombreux voyageurs venus de Thaïlande passent une nuit dans le petit port de (Krong) Koh Kong, situé à une dizaine de kilomètres de la frontière.

Une nuit, mais rarement plus... Il est vrai que la ville ne présente pas d'intérêt particulier.

Pourtant, le potentiel aventure-nature de cette province côtière, semée de réserves naturelles et de mangroves, striée de rivières et ponctuée d'îles perdues, est très prometteur. Sa valorisation touristique, qu'on espère la plus respectueuse possible, n'en est qu'à ses balbutiements. Si de gros projets industriels ne viennent pas abîmer le paysage...

Orientation dans la province

La N48 qui relie Koh Kong à la N4 (axe Phnom Penh-Sihanoukville) est entièrement bitumée et souvent bordée de forêt tropicale, même si celle-ci s'éloigne de plus en plus de la route... En revanche, à l'exception de cet axe principal, pas de routes ou presque. Même les pistes pour motos deviennent rapidement difficiles et impraticables en saison des pluies.

Arriver – Quitter

En bus

🚌 *Gare routière :* *à env 2 km au nord-est du centre-ville.* Inutile de s'y rendre car les 4 compagnies de bus (*Virak Buntham, Sorya, Olympic* et *Rith Mony*) ont des bureaux au centre-ville, dans la rue principale, d'où ont aussi lieu certains départs (se renseigner lors de l'achat du billet).

La gare routière n'intéressera que ceux qui prennent un *taxi collectif* pour *Kampot, Phnom Penh* ou *Sihanouk-ville.* Pour *Kep,* changer à Kampot ou louer un taxi privé. Pour les bus et minibus (vans), bien regarder l'état du véhicule avant de monter.

➤ *Bangkok :* *à* 1 bus/j. avec *Rith Mony,* en fin de mat. 1 minibus avec *Virak Buntham* en début d'ap-m, mais attention à cette heure on retrouve beaucoup de monde à la frontière. En fait, les bus partent de la frontière (côté Thaïlande). Le prix du ticket comprend le transfert depuis le centre-ville de Koh Kong jusqu'à la frontière. Trajet : 7h30-8h.

➤ *Phnom Penh :* plusieurs minibus/j., 7h30-14h, avec *Virak Buntham* (qui propose aussi 1 bus VIP le mat), *Olympic* avec changement à la jonction de Srae Ambel et *Rith Mony.* Attention, lieux de départs différents selon la compagnie. Trajet : mini 5-6h.

➤ *Sihanoukville :* 1 bus VIP direct en début d'ap-m avec *Olympic,* 1 départ/j. le mat avec *Virak Buntham* et 1 départ/j. le mat avec *Rith Mony,* mais changement de bus à Srae Ambel. Trajet : env 5h.

➤ *Frontière :* compter autour de 10 $ en taxi, 7 $ en *tuk-tuk* et 3 $ à moto.

Les compagnies proposent aussi des *bus pour Siem Reap, Battambang* et *Hô Chi Minh-Ville,* mais il faut changer à Phnom Penh.

Adresses et infos utiles

Le baht est la devise la plus utilisée dans cette région frontalière. Gardez-en quelques coupures si vous venez de Thaïlande car on perd un peu au change en utilisant riels ou dollars.

■ *Acleda Bank :* *au bord de la N48, sur le rond-point avt d'entrer dans le centre-ville.* Lun-ven 7h30-16h, sam 7h30-11h30. Change à taux correct, *Western Union* et distributeur pour *Visa* et *MasterCard.*

■ *Canadia Bank :* *à gauche de la* Kaing Kaing Guesthouse. *Lun-ven 8h-15h30, sam 8h30-11h30.* Change et distributeur.

■ *Ratha Exchange & Transfer :* rue 2, à proximité du marché (à droite de la Cambodia Public Bank). Tlj 7h-17h30. Bureau de change. Bons taux. Juste à gauche, la *Cambodia Public Bank* possède un distributeur *Visa* et *MasterCard* (pas de change au guichet, en revanche).

■ *Ritthy Koh Kong Eco Adventure Tours :* *sur le port (rue n° 1), entre le* Koh Kong City Hôtel *et la* Kaing Kaing Guesthouse. ☎ *012-707-719 ou 097-555-27-89.* ● *kohkongecoad venture.com* ● *Tlj 7h-21h30.* Outre les excursions (lire « À voir. À faire dans les environs »), Ritthy propose des tickets de bus incluant le pick-up à l'hôtel, location de vélos, VTT et motos, visas, etc. Très bonne agence.

Où dormir ?

De bon marché à prix moyens (jusqu'à 30 $)

🏠 *99 Guest House :* *135, rue 6.* ☎ *016-203-666.* ● *99guesthouse.net* ● Dans la rue en face de l'Apex Hotel. Doubles « bon marché » avec sdb (eau chaude), ventilo ou clim. Pas de petit déj. Un hôtel central et moderne, aux chambres très bien tenues. Laverie. Prêt de vélos. Mais le grand plus, c'est l'accueil excellent de Sok, qui a vécu en France, et qui parle impeccablement notre langue.

≜ **Kaing Kaing Guesthouse :** *sur le port (rue n° 1), au sud d'*Eco Adventure Tours. *Doubles « bon marché », limite « prix moyen », avec ventilo ou clim.* Sur le port, un édifice jaune, sur 5 étages, avec une déco sympa : escalier en bois massif et tabourets en forme de pions d'échec géants. Chambres impeccables, certaines avec balcon donnant sur l'eau, mais parfois bruyant. Plus on grimpe, plus belle est la vue ; reste à avoir les mollets affûtés ! Bon rapport qualité-prix, mais personne ne parle l'anglais.

≜ **Koh Kong Heritage Guesthouse :** *rue 6 (rue perpendiculaire aux quais, qui débute presque en face de l'ancien embarcadère).* ☏ *087-909-989. Doubles « bon marché » avec sdb et clim. Pas de petit déj.* Dans un bâtiment récent, une quinzaine de chambres réparties sur 2 niveaux. Elles sont simples, sans charme, mais propres et correctement équipées. Au rez-de-chaussée, certaines sont très sombres, préférer les étages.

≜ **Ritthy's Retreat :** *à l'arrière de l'agence de voyages Rithy Koh Kong Eco Adventures Tours.* ☏ *012-707-719. Dortoir mixte de 10 lits avec sdb et ventilo ; doubles sans ou avec sdb, ventilo ou clim. « Bon marché ».* Un bon plan pour les budgets serrés. Ceux qui

sont un plus à l'aise pourront louer une chambre tout équipée avec en prime vue sur la mer. Pas de charme, mais on a tout sur place : le resto (cuisines asiatique et occidentale), le bar et l'agence pour organiser ses excursions.

≜ **Asian Hotel :** *juste en face du* Koh Kong City Hotel. ☏ *015-936-667 ou 012-936-667.* ● *asiankohkong.com* ● *Doubles avec sdb à « prix moyens ».* Un hôtel moderne et fonctionnel. Chambres impeccablement propres. Les moins chères donnent sur l'arrière, les autres ont un balcon côté rue. Le resto *Baan Peakmei* est juste à côté.

Chic (30-50 $)

≜ **Oasis Bungalow Resort :** *Smach Mean Chey.* ☏ *016-331-556 ou 092-228-342.* ● *oasisresort.netkhmer.com* ● *Du centre, continuer tt droit au rond-point de la banque* Acleda *sur 1 km, en passant la* Red Cross, *puis suivre les panneaux. Fourchette basse.* Une adresse de charme à 2-3 km du centre-ville. Magnifique jardin avec une belle piscine et une grande paillote faisant office de salon et de restaurant. Une poignée de bungalows, spacieux et joliment décorés, avec colonnette en bois, beaux tissus et coussins multicolores, plus tout le confort. Vraiment bien ! Tenu par le sympathique Jason, Irlandais d'origine.

Où dormir sur ou au bord de la rivière ?

Sur la route 48, au sud de la ville de Koh Kong et de l'intersection avec la nationale Phnom Penh-Sihanoukville, voici des établissements situés sur les berges luxuriantes de la **Tataï,** l'une des rivières qui s'échappe du massif sauvage et mystérieux des Cardamomes. **L'accès se fait en tuk-tuk depuis Koh Kong (à 20 km), puis par bateau :** départ sous la pile du pont Phum Daung, environ 20 km. On conseille d'y séjourner au moins 2 nuits pour profiter pleinement de l'expérience. Mais le prix peut en faire hésiter plus d'un. En dehors du *Rainbow Lodge* et, dans un style différent, du *Neptune,* les prix nous paraissent excessifs. Tous organisent des excursions.

≜ |●| **Rainbow Lodge :** *à 10 mn en bateau vers l'amont depuis le pont.* ☏ *012-160-25-85.* ● *rainbowlodge cambodia.com* ● *Bungalows pour 2 pers en pens complète 85-105 $. Et 1 familiale (pour 4-5).* Ce *lodge* fut créé par une Britannique qui réalisa l'urgence d'initier des projets touristiques en phase avec l'écologie et les communautés locales, permettant, aux femmes notamment, de développer des micro-entreprises. Les actuels proprios (anglo-saxons également) perpétuent l'esprit des lieux. L'ensemble, en retrait de la rivière, a été construit dans la forêt. Les 7 bungalows sur pilotis sont équipés de salle de bains, d'un balcon tendu d'un hamac et d'un ventilo (clim passive en développement). La cuisine fait la part belle aux produits locaux, certains issus du jardin de la maison. Plusieurs formules de treks guidés, camping, *paddle* et kayak possibles. On peut aussi se contenter d'une baignade, de balades en bateau (coucher de soleil, cascade), du spa et des massages.

♣ |●| *Neptune :* *près de Rainbow Lodge.* ☎ *088-777-05-76. Doubles avec sdb privée extérieure 35-50 $.* Thomas, le proprio allemand, a tout monté avec l'aide d'une famille du coin en essayant de minimiser son impact sur l'environnement (eau du puits, panneaux solaires...). Les matériaux proviennent de la région, les fruits sont cueillis dans son verger, le reste arrive des environs. Ses bungalows sur pilotis présentent des conceptions différentes, jusqu'à ce lit rond posé sur une plate-forme à moitié ouverte sur l'extérieur (pas de cloison pour être en contact direct avec la nature !). Les autres sont fermés. Salle de bains privée extérieure. Repas pris sur une paillote au bord de l'eau. Le lieu ne conviendra pas à tout le monde, car l'ensemble est rustique. Thomas accueille des volontaires pour l'aider à entretenir son vaste terrain.

♣ |●| *Tatai Riverfront :* *à 30 mn du pont, en aval. Doubles avec sdb (eau chaude l'ap-m seulement) 130 $ avec petit déj, ½ pens et pens complète proposée.* Juste une poignée de bungalows sur l'eau, moitié tente, moitié

bambou doublé de tissu, plutôt kitsch et qui ne ferment pas. Mais le principal atout est l'accueil de l'adorable famille cambodgienne. La proprio, très souriante parle parfaitement l'anglais. Elle concocte une délicieuse cuisine à base de produits des environs. Et si, de jour, l'environnement lacustre révèle tous ses charmes, la nuit, on profite de l'absence de pollution lumineuse pour admirer le ciel étoilé d'une beauté inouïe.

♣ |●| *4 Rivers Floating Lodge :* *en aval du pont sur la rivière Tatai ; voir directement avec le lodge pour l'accès.* ☎ *097-643-4032 (à Phnom Penh).* ● *ecolod ges.asia* ● *2 bateaux gratuits/j. dans les 2 sens, sinon compter 20 $/bateau et env 30 mn de bateau. Résa impérative. Double env 260 $, petit déj compris. Menu env 20 $.* Ce *camping-lodge* de luxe flotte sur un réseau de pontons en plastique recyclé. Il propose de vastes tentes (45 m²), dont le mobilier est habillé de jacinthe d'eau, aux ouvertures généreuses et salles de bains originales (ou limite kitsch !). Toutes profitent d'une géniale terrasse privée avec transats, fauteuils et bastingage fendu d'une échelle pour la trempette. On vous rassure, pas de crocos dans la région... Au resto, cuisine gastronomique, khmère et occidentale, et belle cave à vins. Nombreuses balades en bateau possibles et de petites randos, on peut même faire le tour de la petite île en kayak. Service aussi discret qu'attentif.

LE CAMBODGE

Où manger ? Où boire un verre dans le coin ?

De bon marché à chic (moins de 13 $)

|●| ⟡ *Woodhouse :* *Street 8, qui relie le rond-point central à la mer. Tlj midi et soir (le w-e à partir de 17h hors saison).* Maison bleue traditionnelle retapée par un jeune couple franco-khmer. Mobilier en bambou sur une petite terrasse charmante, tout comme le bar à l'intérieur avec son coin aménagé de fauteuils aux coussins accueillants. La cuisine, quant à elle, tient ses promesses. On a, par exemple, aimé le poisson au

gingembre, bien parfumé, et les bons jus de fruits frais, le tout revigorant ! Accueil, qui plus est, adorable.

|●| ⟡ *Fat Sam :* *au rond-point central (avec statue de porteur). Tlj 9h (16h dim)-21h (dernière commande).* « Bon marché ». C'est un peu le quartier général du centre-ville. Un café-resto, avec terrasse, tenu par un patron écossais très doux. On y vient du petit déj jusqu'au dîner, ou juste pour boire une bonne bière pression. Rien d'extraordinaire, mais une cuisine fort honnête : omelettes, salades, sandwichs, burgers, hot-dogs, plats occidentaux,

asiatiques et végétariens... Voir aussi « À faire ».

IOI Y ↑ Crab Shack : Phumi Thnai Krabei, sur la presqu'île en face de la ville. Passer le pont, puis tourner à gauche et rouler sur plusieurs km jusqu'à la plage. Tlj 8h-22h. Attention, il y a un 2ᵈ Crab Shack, un peu plus loin (qui loue des hamacs à 5 $ la nuit si le cœur vous en dit...). Pour du crabe, tabler sur des prix « chic ». Une petite affaire familiale qui a son petit succès, avec paillotes et tables en bord de mer. Bien sûr, on y mange du crabe, servi frit au poivre ou à la vapeur. Quelques plats moins chers. Demander le prix avant de commander.

IOI Y ↑ Thmorda Crab House : au Thmorda Riverside Resort, 169, Neang Kok Village. ☎ 093-343-421. Sur la presqu'île face à la ville ; prendre le pont, tourner à droite et encore à droite au panneau (chemin sur 500 m). Pas loin en tuk-tuk. Passer le bâtiment orange en « L » et suivre le chemin jusqu'au bord de l'eau. « De prix moyens à chic » pour le crabe. Dans ce site complètement isolé, on vient profiter de cet adorable ponton en bois, avec son joli bar et ses paillotes sur l'eau. Très esthétique et propice à la rêverie. Bien sûr, la spécialité, c'est le crabe, cuisiné de 9 façons différentes. Également d'autres fruits de mer et quelques plats de nouilles et de viande. Parfois un peu de roulis dans l'accueil et le service. Bien aussi pour un simple verre. Loue également des chambres en dur, bien équipées, avec vue sur l'eau. Elles manquent encore un peu d'âme, mais pas de tranquillité.

IOI Y ↑ Café Laurent : au Koh Kong City Hotel, à 300 m au sud du pont. ☎ 016-373-737. Tlj 10h30-21h30. « Prix moyens » limite « chic ». Un bar-resto sur pilotis très esthétique, avec de nombreuses passerelles, idéalement situé pour siroter un verre en journée ou, mieux, au soleil couchant. Côté resto, c'est plutôt bon. Plats western et asiatiques, en portions small ou big. Si vous êtes juste côté budget, les small suffisent largement. Carte des alcools bien fournie, mais pas donné.

À voir. À faire dans les environs

De l'avis général, la meilleure agence locale pour organiser ses excursions est **Ritthy Eco Adventure Tours,** tenue par l'excellent et sympathique Ritthy. Coordonnées plus haut dans « Adresses et infos utiles ». Au programme, trek dans la jungle des Cardamomes, journée sur l'île de Koh Kong avec découverte de la mangrove et snorkelling, journée en kayak, cascades de Thummel Dar à la frontière thaïe, etc. (compter env 25 $/pers et par j.). Le resto **Fat Sam** (voir « Où manger ? Où boire un verre dans le coin ? ») organise aussi des excursions et loue des scooters et des motos.

⚑ Chi Pat : pour s'y rendre, prévoir 2h en bus (3 départs/j. le mat de la gare routière jusqu'au village d'Angdong Teuk), puis 2h30 en bateau (env 25 $) ou 40 mn à moto-dop (env 7-8 $/pers). ☎ 092-720-925. ● chi-phat.org ● Rens auprès des agences de Koh Kong. Ce village au bord de la rivière bénéficie d'un projet communautaire écotouristique initié par Wildlife Alliance (● wildlifealliance.org ●), une ONG qui vise à protéger la partie sud des Cardamomes du braconnage et de la déforestation anarchique. Il offre ainsi une source de revenus alternative à la population. Plusieurs activités sur place : trek avec les rangers, VTT, observation des oiseaux, baignade dans les cascades. Une belle façon d'appréhender cette région méconnue. Il est d'ailleurs conseillé d'y passer au moins une nuit, chez l'habitant ou dans des guesthouses. Resto sur place.

⚑ Koh Kong Island : au sud, à env 2h30 de navigation de Koh Kong. Accessible nov-juin seulement. Cette île magnifique (mangrove, snorkelling) est accessible en saison sèche par speed boat (départ chaque jour à 8h30 et retour à 15h ; compter 22 $ A/R). À réserver auprès de Ritthy KK Eco Adventures Tours ou le resto Fat Sam. Notez qu'il est désormais interdit de loger sur place ; du coup ça fait beaucoup d'heures de bateau pour peu de temps passé sur place.

L'ÎLE DE PHÚ QUÓC (VIETNAM)

● Carte *p. 185*

Voilà une belle île tropicale qui dessine une vague forme de triangle à l'extrémité sud du Vietnam. Sur les eaux claires du golfe du Siam, au large des côtes du Cambodge (45 km ouest) et du Vietnam, Phú Quóc est habitée par un peu plus de 100 000 habitants. Longue de 50 km du nord au sud et large de 25 km, c'est la plus grande île du Vietnam. Mais, on en fait vite le tour en 2 journées au guidon d'une moto, la meilleure façon de l'explorer.

La façade ouest séduit par la beauté des plages abritées, bordées de cocotiers et de palmiers. Une vision de carte postale qui s'étire jusqu'à l'extrême sud-est. Cette côte abrite la capitale de l'île, Duong Đông. La façade est, qui lorgne du côté des côtes vietnamiennes, accueille les deux ports de l'île, *Da Chong* et *Bai Vong.* Plus exposée aux vents, longée par une piste en cours d'asphaltage, donc encore peu fréquentée, elle est ponctuée de jolies plages désertes et reste représentative de ce qu'était l'île avant le boom touristique des dernières années. Enfin, la forêt primaire, les collines boisées de l'intérieur et surtout de la partie au nord-ouest forment un poumon de verdure au sein d'un parc national protégé (propriété de l'armée), traversé par une belle route bitumée.

Outre la beauté de ses plages, l'île est connue pour sa production de poivres noirs, l'un des plus meilleurs au monde, de *nuóc-mâm* et de perles de culture. On y mange aussi d'excellents poissons et fruits de mer.

Gagnée par le progrès, l'île, déjà dotée d'un aéroport, connaît une expansion galopante, notamment avec la construction de nouveaux hôtels, de plus en plus imposants, en bord de mer. Le gigantesque complexe *Vinpearl Resort,* au nord-ouest de l'île, sur une portion de côte où il n'y avait auparavant rien que du sable et des cocotiers à l'infini, en est l'exemple le plus criant. La politique gouvernementale, bien décidée à tirer le meilleur parti financier de l'île (il faut dire que celle-ci est stratégiquement bien située), l'a placée au centre du développement économique et touristique du pays à horizon 2020. Résultat : l'asphaltage progressif des pistes en terre rouge se généralise, la ville principale de Duong Đông continue de s'étendre en zone côtière et vers l'intérieur des terres, et les projets de constructions se multiplient en attendant que se posent les questions essentielles de développement durable, de gestion de déchets et d'eau potable, entre autres. Quant aux prix, ils grimpent : la vie est globalement plus chère que dans le reste du pays.

Néanmoins, l'île de Phú Quóc n'a pas encore vendu son âme au diable du béton, loin s'en faut ! Seulement 35 % du territoire sont occupés et le parc national est le garant de zones non constructibles. Avec ses nombreux atouts : longues plages encore sauvages, eaux mirifiques, climat doux et stable, elle reste un vrai paradis tropical.

Bon à savoir

– ***Pour joindre par téléphone l'île de Phú Quóc au Vietnam :*** pensez à composer le 00-84 devant chaque numéro indiqué dans cette partie, suivi de 297 (indicatif de Phú Quóc) et sans le premier « 0 » d'un portable.

– ***Change :*** mi-2018, 1 € s'échangeait contre environ 27 000 dongs (Dg) et 1 $ à peu près 23 000 Dg. La monnaie locale est utilisée pour les petits achats et les transports locaux. Les hôtels facturent en US$.

– ***Exemption de Visa :*** certains touristes étrangers, dont les Français, qui souhaitent visiter le Vietnam bénéficient d'une exemption de visa de 15 jours (se renseigner pour savoir si cette mesure a évolué). Cette politique est appliquée pour les arrivées directes sur l'île de Phú Quốc par bateau, mais également pour les arrivées transitées d'un autre aéroport vietnamien, en attendant la réouverture de lignes aériennes internationales.

Toutefois, *ceux qui reviennent ensuite au Cambodge* devront payer un nouveau visa.

– *Climat :* la meilleure période se situe de début novembre à début mai ; le temps est sec, la mer est calme, et les prix (forcément) au beau fixe ! Entre juillet et septembre, il fait très chaud, il pleut quelques heures tous les jours, les moustiques se régalent. *Évitez d'y aller entre le 15 septembre et fin octobre,* c'est la saison la plus pluvieuse : les pistes sont impraticables et certains hôtels ferment.

– Toutes les adresses proposent gratuitement *le wifi.*

UN PEU D'HISTOIRE

Un des premiers étrangers à y poser les pieds est le missionnaire français Pigneau de Behaine. Il y installe son camp de base de 1760 à 1780. Puis arrivent les colons français. En 1869, l'île est prise et occupée par la France qui la place sous la tutelle du gouverneur de la Cochinchine. Phú Quốc sert de bagne pendant la période coloniale. Pendant la guerre américaine, elle abrite la célèbre prison de Cây Dừa (Coconut Tree). Des milliers de Vietcong y furent

> ### ERREUR FATALE DE POL POT
>
> *En mai 1975, les Khmers rouges de Pol Pot décidèrent d'envahir l'île de Phú Quốc, affirmant que celle-ci appartenait au Cambodge et non au Vietnam. L'armée vietnamienne intervint et les chassa de l'île, mais ce fut le début de la guerre entre les deux pays. Elle dura jusqu'en janvier 1979, date de l'invasion du Cambodge par l'armée vietnamienne et de la fin du génocide cambodgien.*

emprisonnés. Très proche du Cambodge qui prétend toujours aujourd'hui (malgré le dégel diplomatique entre les deux pays) que Phú Quốc lui appartient.

Arriver – Quitter

En bateau

Rejoindre le poste-frontière *Prek Chak/ Ha Tien (Vietnam)*, à l'est de Kep. Bus et minibus de Phnom Penh, Sihanoukville, Kampot et Kep. Attention, les ferries ne partant que le matin (dernier à 13h15), il faut arriver tôt à Prek Chak pour passer la frontière.

➤ *Liaisons entre Hà Tiên et Phú Quốc :*

– La compagnie *Superdong* assure entre 3 et 6 départs/j. selon saison 7h30-13h15. Durée : 1h20. Arrivée au port de *Bãi Vòng* (Phú Quốc). Dans le sens Phú Quốc-Hà Tiên, même fréquence de bateaux, 3 départs/j. en saison normale, et 5 départs/j. en hte saison.

– Les *ferries Thạnh Thới* : 🖃 07-73-95-72-39 ; • thanhthoi.vn • Ils partent et arrivent au port de Đá Chồng (Bãi Thom). 1 voyage/j. Départ de Hà Tiên à 8h20, arrivée à Đá Chồng à 10h50. Dans

l'autre sens, départ en début d'ap-m. Avantage : les ferries embarquent non seulement les passagers, mais aussi les voitures, les bus et les camions.

Arrivée à Phú Quốc

⛴ *Embarcadère de Bãi Vòng (côte est) :* sur la côte est, à 5 km au sud de l'embarcadère de Hàm Ninh. Nombreux taxis, motos-taxis et miniboats pour la côte ouest, à chaque arrivée de bateau. Également un service de bus vers le centre-ville à réserver dans le bateau (env 100 000 Dg). Si vous avez déjà réservé un hôtel, faites-le savoir, au risque de vous voir emmené vers des hôtels où les chauffeurs perçoivent des commissions. Pour revenir du centre-ville vers l'embarcadère, voir plus bas « Se déplacer dans l'île ».

⛴ *Embarcadère de Đá Chồng à Bãi Thom :* au nord-est de l'île, à 40 km de

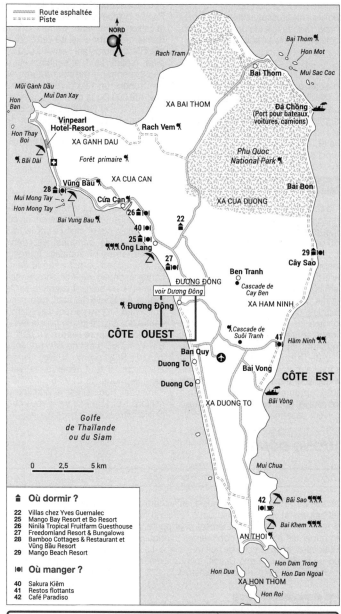

LE CAMBODGE

L'ÎLE DE PHÚ QUỐC

Route asphaltée
Piste

NORD

Bai Thom
Hon Mot
Rach Tram
Bai Thom
Mui Sac Coc

Mũi Gành Dầu
Mui Dan Xay
Hon Ban
Hon Thay Boi
Bãi Dài

Đá Chồng
(Port pour bateaux, voitures, camions)

Vinpearl Hotel-Resort
Rach Vem

XA BAI THOM

Phu Quoc National Park

XA GANH DAU

Forêt primaire

XA CUA CAN

Vũng Bầu

28
Mui Mong Tay
Hon Mong Tay

Bai Bon

Cửa Can

26
Bai Vung Bau

40
22

XA CUA DUONG

25
Ông Lang
27

29
Cây Sao

ĐƯƠNG ĐÔNG
voir Dương Đông

Ben Tranh
Cascade de Cay Ben

Đương Đông

XA HAM NINH

CÔTE OUEST

Cascade de Suối Tranh
41
Hàm Ninh

Ban Quy
Duong To

Bai Vong

Duong Co

CÔTE EST

XA DUONG TO

Bãi Vòng

Golfe de Thaïlande ou du Siam

0   2,5   5 km

Mui Chua

42
Bãi Sao

Bai Khem

AN THOI

Hon Dam Trong

Hon Dua
Hon Dan Ngoai

XA HON THOM

Hon Roi

🏠 Où dormir ?

22   Villas chez Yves Guernalec
25   Mango Bay Resort et Bo Resort
26   Ninila Tropical Fruitfarm Guesthouse
27   Freedomland Resort & Bungalows
28   Bamboo Cottages & Restaurant et
     Vũng Bầu Resort
29   Mango Beach Resort

🍴 Où manger ?

40   Sakura Kiêm
41   Restos flottants
42   Café Paradiso

Dương Đông. Ce port en eau profonde permet aux grosses unités, les ferries *Thạnh Thời* de relier le port de Hà Tiên, sur le continent, à Phú Quốc.

En avion

✈ *Aéroport de Phú Quốc : à 7 km au sud de Dương Đông.* ● *phuquocairport. com* ● Accueille les vols intérieurs de *Vietnam Airlines, VietJet Air et Jetstar Pacific (Hồ Chí Minh-Ville, Rạch Giá et Cần Thơ).*
– Pour se rendre à *Long Beach* (la zone hôtelière sur la côte ouest), la *Jet Star Pacific* (guichet dans l'aéroport) assure la liaison par navette. 4 arrêts, dont le dernier en centre-ville, au carrefour du marché de nuit. Tarif : env 50 000 Dg/ pers. À partir de 3, et si l'hôtel est un peu excentré, il est plus intéressant de prendre un taxi (avec compteur, env 180 000 Dg la course). Également *Phú Quốc Taxi* (14 000 Dg/km). Enfin, certains grands hôtels envoient des minibus pour accueillir leurs clients à l'aéroport. Il y a un péage sur la route : 10 000 Dg.

Se déplacer dans l'île

– *Taxis et scooters de location :* les taxis pullulent dans l'île et les loueurs de scooters également (env 150 000 Dg/j.). Certains hôtels proposent même d'organiser la location. Casque fourni, obligatoire, la police y veille ! En théorie, il faut être muni d'un permis de conduire international (quasi jamais demandé), et en théorie toujours les touristes n'ont pas le droit de conduire de scooters. Cela dit, tout le monde le fait ! Les contrôles sont peu fréquents, et encore moins à l'extérieur de Dương Đông. Le scooter est le meilleur, voire l'unique, moyen de se déplacer dans l'île, ce d'autant qu'il faut emprunter des pistes, en retrait des routes, pour accéder à des plages souvent désertes dès que l'on sort de Dương Đông. Pour le reste, les routes sont excellentes et la signalisation correcte, mais rester vigilant car le trafic (beaucoup de camions) est dense sur les routes principales. Tourner à gauche quand on est à droite désarçonne au départ, mais on attrape vite la technique en prenant exemple sur les locaux. On trouve des stations essence *Petrolimex* un peu partout, sauf dans le centre de l'île (prévoir de faire le plein).
– *Minibus pour se rendre au port de Bai Vong* (côte est de l'île) : tlj 7h30-18h30. Billet : env 40 Dg. Durée : 20-30 mn. Il faut réserver la veille par téléphone (☎ 01-656-54-77-64 ; demander Bao). C'est le principe du minibus « pickup » : il vient vous chercher à votre hôtel.

DƯƠNG ĐÔNG

> Plan *p. 187*

La capitale de l'île, sur la côte ouest, est encore un port de pêche qui vit au rythme des saisons et des poissons. Sous l'effet du tourisme, elle connaît un développement rapide. Pas spécialement charmante, mais vivante, elle a le mérite de regrouper les principaux commerces : banques, distributeurs de billets, poste, boutiques... et un marché de nuit très animé. La zone des hôtels se situe à l'entrée sud de la ville, sur *Long Beach,* longue avenue, comme son nom l'indique, qui borde le littoral sur plusieurs kilomètres.

Adresses utiles

■ *Change :* dans les banques *Vietcombank* (juste à côté de la fabrique de nuoc-mâm) et *Sacombank.*

■ *Distributeurs ATM :* nombreux en ville, dont 2 juste devant la banque *Agribank (30 Tháng 4),* à l'entrée du

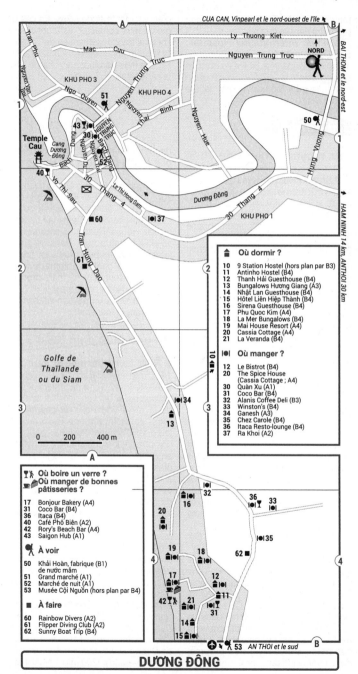

CUA CAN, Vinpearl et le nord-ouest de l'île

LE CAMBODGE

BAI THOM et le nord-est

HAM NINH 14 km, ANTHOI 30 km

Temple Cau

Cang Dương Đông

Golfe de Thaïlande ou du Siam

0   200   400 m

Où dormir ?

10 9 Station Hostel (hors plan par B3)
11 Antinho Hostel (B4)
12 Thanh Hải Guesthouse (B4)
13 Bungalows Hương Giang (A3)
14 Nhật Lan Guesthouse (B4)
15 Hôtel Liên Hiệp Thành (B4)
16 Sirena Guesthouse (B4)
17 Phu Quoc Kim (A4)
18 La Mer Bungalows (B4)
19 Mai House Resort (A4)
20 Cassia Cottage (A4)
21 La Veranda (B4)

Où manger ?

12 Le Bistrot (B4)
20 The Spice House
    (Cassia Cottage ; A4)
30 Quàn Xu (A1)
31 Coco Bar (B4)
32 Alanis Coffee Deli (B3)
33 Winston's (B4)
34 Ganesh (A3)
35 Chez Carole (B4)
36 Itaca Resto-lounge (B4)
37 Ra Khoi (A2)

Où boire un verre ?
Où manger de bonnes pâtisseries ?

17 Bonjour Bakery (A4)
31 Coco Bar (B4)
36 Itaca (B4)
40 Café Phô Biên (A2)
42 Rory's Beach Bar (A4)
43 Saigon Hub (A1)

À voir

50 Khải Hoàn, fabrique (B1)
    de nước mắm
51 Grand marché (A1)
52 Marché de nuit (A1)
53 Musée Côi Nguồn (hors plan par B4)

À faire

60 Rainbow Divers (A2)
61 Flipper Diving Club (A2)
62 Sunny Boat Trip (B4)

AN THOI et le sud

DƯƠNG ĐÔNG

marché de nuit. ■ *Stations-service :* plusieurs dans le centre.

✚ *Vinmec International Hospital :* Bai Dai, Ganh Dau ; à la porte du complexe Vinpearl, à 24 km au nord de Dương Đông. 🖥 077-398-55-88. ● *vin mec.com* ● Le top sur l'île en matière

d'équipements et de soins. En cas de gros pépin, contacter les urgences de l'hôpital franco-vietnamien de Saigon : ☎ *(08)54-11-35-00 ou (08)62-91-11-67. Les frais y sont pris en charge avec la carte Vitale.*

Où dormir ?

Prix moyens (moins de 25 $)

⌂ *9 Station Hostel (hors plan par B3, 10) :* 91/3, Trần Hưng Dao. 🖥 077-658-89-99. ● *9stationhostel.com* ● *Compter 7-11 $/pers en dortoir, 35 $ en chambre double.* Cette AJ contemporaine à la déco industrielle dénote dans le paysage balnéaire. Dortoirs mixtes ou non (4, 8 ou 12 lits) et des chambres privées répondent à un design épuré, tout en boiseries, et ultraconfort : rideaux individuels, lockers, bonne insonorisation, salles de bains communes nickel. Les espaces détente et jeux (billard, baby-foot), le bar-snack, la musique lounge, la piscine contribuent au succès des lieux. Bien mérité ! Organisent des tours et excursions et accès plage via le *Moon Resort.*

⌂ *Antinho Hostel (plan B4, 11) :* 118/1, Trần Hưng Dao. 🖥 09-49-04-28-29 et 09-19-33-62-77. ● *antinhohostel.com* ● *Dortoirs 5-7 $.* Chambres colorées et 2 dortoirs de 8 lits, mixtes, bien tenus. Très *roots,* mais plaisant, nickel et surtout idéalement placé, à quelques volées de tongue de la plage. C'est aussi, et surtout, une petite agence locale qui organise des transferts dans tout le pays et au Cambodge au départ de Phu Quoc, ainsi que des tours dans l'île : pratique !

⌂ *Thanh Hải Guesthouse (plan B4, 12) :* 118/2, Trần Hưng Đạo. ☎ 384-74-82. 🖥 09-18-21-46-24. ● *thanhhai guesthouse@yahoo.com.vn* ● *À env 2,5 km au sud de la ville. Juste à côté du* Bistrot. *Doubles avec sdb, ventilo ou clim à partir de 15 $. CB refusées.* Non loin de la plage (100 m), dans un jardin fleuri, bungalows en dur couverts de tuiles, avec des chambres (dans des petits bungalows) très propres, de confort suffisant, prolongées par

de petites terrasses. Très bon rapport qualité-prix. Tenu par une gentille famille.

⌂ *Bungalows Hương Giang (plan A3, 13) :* Trần Hưng Đạo, KP 7. ☎ 384-81-66. *À 200 m après* Le Bistrot, *sur la droite du chemin de terre qui conduit à Mai House Resort. Compter env 15-30 $ la nuit pour 2.* Dans un grand jardin, quelques bungalows en brique et tuiles, de confort sommaire (ventilo, frigo, douche/w-c) mais propres et calmes. Notre préféré est le n° 7. Le propriétaire est un paysan vietnamien lancé dans le tourisme.

Un peu plus chic (25-45 $)

⌂ *Nhật Lan Guesthouse (plan B4, 14) :* Trần Hưng Đạo. ☎ 384-76-63. 🖥 09-18-46-41-27. ● *nhanghinhatlan@ yahoo.com* ● *Un des derniers au fond de la ruelle. Au bout du chemin de terre, après le* Véranda Resort. *Bien indiqué. Compter 35-50 $, petit déj compris.* Le long du chemin, qui glisse en pente douce vers la plage, agréables bungalows entièrement rénovés avec tout le confort et petite terrasse extérieure. Ceux en bas du terrain, près de la plage, sont certes plus chers, mais dotés de larges baies vitrées avec vue imprenable sur la plage et de hamacs. Le n° 209 est aux premières loges ! Au-dessus de la réception, quelques chambres avec microbalcon, très bien tenues et bon marché. Super accueil, anglophone. Fait aussi bar-resto sur le sable.

⌂ I●I *Hôtel Liên Hiệp Thành (Family Hotel ; plan B4, 15) :* 118/12, Trần Hưng Đạo. ☎ 384-75-83. 🖥 09-13-75-80-34. ● *lienhiepthanhresort.com* ● *À 1,5 km de Dương Đông. Sur le même chemin que* La Véranda *(200 m) et* Nhật Lan.

Ne pas le confondre avec Hiệp Thạnh Resort (autre secteur, plus cher). Bungalows 25-70 $. Les bungalows de brique rose, spacieux et confortables (clim, ventilo), sont ravissants et installés dans un jardin descendant vers la mer. Environnement vraiment agréable. Les plus chers sont près de la plage, notamment le nº 5. Excellent accueil. Salle de resto sur la plage, honnête cuisine locale.

🛏 ▯●▯ **Sirena Guest House** (plan B4, **16**) : 100C/3, Trần Hưng Đạo. ☎ 39-92-256. 📱 09-13-38-02-44. ● sirenaphquoc.com ● Doubles avec sdb, ventilo et clim 30 $, sans petit déj. Ancien juriste originaire d'Ostende (Belgique), le jovial Jean-Marie a décidé de se retirer à Phú Quốc. Avec sa femme Thanh Duyen, il tient ce petit hôtel à taille humaine, niché dans un jardin à la végétation luxuriante, à 400 m de la mer. Il propose des bungalows impeccables, disposés autour de la petite piscine. Calme et très bien tenu. Sert aussi les repas, cuisines vietnamienne et européenne.

De chic
à plus chic (45-80 $)

🛏 ▯●▯ **Phu Quoc Kim** (**Chez Kim et Christophe** ; plan A4, **17**) : 118/2/1/1 Trần Hưng Đạo, KP 7. ☎ 399-68-29. 📱 09-42-11-05-55. ● phuquockimbungalows.com ● phuquockim1@gmail.com ● (demandes de résas). Bungalows 40-100 $. Vietnamienne francophone, la charmante et ravissante Kim, originaire du nord du pays, a passé quelques années en France avant de revenir au Vietnam, avec son mari Christophe, pâtissier de métier. Parmi les plus anciens installés sur le « village », idéalement placés, ils louent une vingtaine de bungalows au bord de la plage, et deux plus récents littéralement en front de mer. Confort identique dans tous et entretien nickel ; seul l'emplacement justifie la différence de prix. Louent également 3 chambres, basiques, idéales pour budgets serrés. Au resto (fermé le soir), plats vietnamiens et européens. Et surtout un petit déj d'anthologie avec viennoiseries maison (voir aussi plus

bas la Bonjour Bakery). Notre coup de cœur !

🛏 ▯●▯ **La Mer Bungalows** (plan B4, **18**) : 118, Trần Hưng Đạo. ☎ 399-22-18. 📱 09-79-75-84-17. ● lamerphquoc.com ● Situé à 400 m de la plage accessible à pied par un chemin. Doubles env 55-60 $. Lorsque le patron, vietnamien et francophile, est absent, l'aimable réceptionniste anglophone accueille les hôtes. L'établissement ne se trouve pas au bord de la plage mais dans un joli jardin tropical luxuriant, avec petite piscine. Plusieurs bungalows en brique (pour 2 ou 4 personnes) élégants et tout confort. Les plus chers ont une salle de bains en plein air, c'est charmant... Fait aussi restaurant. Un petit cocon à l'atmosphère confidentielle.

Très chic (plus de 80 $)

🛏 ▯●▯ **Mai House Resort** (plan A4, **19**) : 112/7/8, Trần Hưng Đạo ; à env 3 km au sud de Dương Đông. ☎ 384-70-03. 📱 09-18-12-37-96. ● maihousephquoc.com ● Au bout du chemin qui dessert les petits hôtels, après La Mer Bungalows. Doubles 100-110 $ (mer ou jardin), petit déj-buffet inclus. Un joli petit complexe de bungalows bien équipés (moustiquaire, douche/w-c, ventilo, certains avec clim) répartis dans un grand jardin (2 ha) ombragé, au bord de la mer. Les plus chers ont la vue sur la plage, les moins chers donnent côté jardin. Accès direct à la mer. Tenu par un couple français (Gérard Bezardin et Tuyết Mai), l'hôtel offre beaucoup d'espace et la possibilité de prendre ses repas sur place (café-resto). Cuisine bien mijotée. Laverie.

🛏 ▯●▯ **Cassia Cottage B & B on the Beach** (plan A4, **20**) : Bà Kèo Beach, Khu Phố 7, 43, Trần Hưng Đạo. ☎ 384-83-95. ● cassiacottage.com ● Dans l'allée du Hiệp Thạnh Resort, continuer jusqu'au bout (panneau). Doubles 170-240 $. Une de nos adresses préférées dans la catégorie hôtel de charme en bord de mer. De fait, les cottages nichés dans la végétation tropicale ont du style et du caractère. Quant aux chambres, elles sont d'un confort irréprochable. Le jardin luxuriant n'est pas

LE CAMBODGE

régulier (on dirait un jardin anglais sous les tropiques), la piscine est magnifique, et le restaurant, *The Spice House* (voir la rubrique « Où manger ? »), face à l'océan, est considéré comme l'un des incontournables de l'île. C'est autant un plaisir de loger ici que d'y venir boire un verre ou dîner sous la véranda (observez les superbes carrelages) ou les cocotiers. Le patron est un Français exportateur d'épices.

â Iâ **La Véranda** (*Hôtel Grand Mercure ; plan B4, 21*) **:** Trần Hưng Đạo,

ward 7. ☎ 398-29-88. ● *laverandaresorts.com* ● *Doubles à partir de 220 $; prix variables selon saison.* Un des plus chic de tous les hôtels de l'île et si bien situé ! Caché au bout d'un étroit chemin de terre il présente une architecture néocoloniale bien intégrée dans le paysage du littoral. Pas d'énormes bâtiments, mais des pavillons à taille humaine nichés dans la végétation tropicale, en bordure de plage. Chic et cher, bien sûr, mais idéal pour une lune de miel. Tous les services à disposition.

Où louer une villa ?

â **Villas chez Yves** (*plan L'île de Phú Quốc, 22*) **:** à 6 km au nord de la ville (Dương Đông) et à 3 km de la plage d'Ông Lang. ▯ 09-72-94-95-17. ● *yveslen@yahoo.com* ● *Pour une villa de 6 pers, compter 500-800 €/sem selon saison. Petit kit de poivres et épices offert à nos lecteurs sur présentation de ce guide.* Ancien sommelier-restaurateur, ancien marin, le Breton Yves Guernalec a jeté l'ancre à Phú Quốc où il vit toute l'année avec sa femme vietnamienne et leurs 2 enfants. Il loue deux très belles villas avec piscine privative, confortables et bien aménagées (cuisine), dans un terrain au pied d'une colline, en pleine campagne. Beaucoup d'espace. Féru de voile, Yves organise des excursions de plusieurs jours à bord de son voilier (à la carte) ; il peut conduire ses hôtes à la plage la plus proche et renseigne sur les balades à faire dans l'île. Si ses villas sont complètes, voir, juste à côté, les **Mandala Pool Villas** (● *mandalavillas@gmail.com* ●), de ravissantes villas avec piscine individuelle, tenues par Mickael, un Français !

Où manger ?

Bon marché (moins de 100 000 Dg / env 4 $)

Iâ **Quán Xu** (*plan A1, 30*) **:** dans le marché de nuit, un peu avt Saigon Hub. De toutes les cantines, qui se succèdent à touche-touche le long de la rue principale, c'est l'une des plus recommandables pour la fraîcheur indiscutable de ses produits. On choisit son poisson ou ses fruits de mer à l'étalage, on pèse et on file s'attabler en attendant d'être servi dans un joyeux brouhaha. Portions généreuses et service rapide. Si celui-ci est plein, voir un peu plus loin, sous la halle, le resto **Quan An**, une bonne alternative.

Iâ **Ra Khoi** (*plan A2, 37*) **:** 131 bis 30 Thang 4. Tlj 10h-minuit. Ouverte sur la rue, couverte d'un toit de tôle et éclairée de néons, la salle est prise d'assaut le midi comme le soir. La carte longue comme le bras décline les classiques locaux, servis sans rondeurs ni politesses, mais au moins, ça pulse ! Légumes et poissons frais, et assiettes particulièrement généreuses.

Iâ **Coco Bar** (*plan B4, 31*) **:** 118/2, Trần Hưng Đạo. Au bord du chemin de terre conduisant à l'hôtel La Véranda, à 200 m de la route principale bitumée. Petit bar-resto discret tenu par le jovial Raphaël et sa copine vietnamienne. On y sert des petits déj, des plats (français et vietnamiens) et des frites maison... Cuisine pas chère et de qualité. Tout est fait maison. Très sympa aussi pour boire un verre (voir plus bas).

Iâ **Alanis Coffee Deli** (*plan B3-4, 32*) **:** 98, Trần Hưng Đạo. ▯ 09-33-55-17-69. Sur la droite de la route principale, quasi en face du An Binh Resort & Hotel. Tlj 8h-22h. Les couleurs blanc et vert pomme de la façade sont à l'image de l'esprit du lieu : jeunesse, fraîcheur et ambiance un peu branchée. C'est tout petit, mais idéal pour croquer un encas (sandwich, burger, salades, *pancakes*...), boire un bon café (*frappuccino*, café italien...) ou un smoothie bien frais, et déguster une bonne glace. Bon accueil d'Alain Nguyễn.

Prix moyens (100 000-250 000 Dg / env 4-11 $)

I●I **Winston's** (plan B4, *33*) : 121/1, Trần Hưng Đạo, KP 7. ☎ 012-6390-1093. Dans une petite rue, à droite de la pagode Phap Quang. Tlj 12h30-22h30. Vous raffolez de la cuisine vietnamienne et de ses parfums, mais l'idée d'un bon burger juteux vous fait saliver ? Bingo, *Winston* a tout bon : bœuf (australien) tendre, sauces et buns maison, accompagnements généreux et frites, elles aussi, home made. Néanmoins, impossible de zapper la tarte au citron maison (*lime tart*), diaboliquement crémeuse. Accueil cool, très sympa.

I●I **Ganesh** (plan A-B3, *34*) : 97, Trần Hưng Đạo. ☎ 399-49-17. ☎ 09-14-15-96-27. Tlj. Ce resto indien mérite des éloges, car on y mijote une savoureuse cuisine indienne, élaborée par un chef nepali et ses commis vietnamiens. Tous les classiques de l'Inde se trouvent à la carte : spécialités au curry, *biryanis*, *tandooris*, et aussi des *thalis* (plats végétariens ou non). Pain indien (*roti*) et vin au verre, et bien sûr l'excellent *lassi* (yaourt liquide) à la fin du repas.

I●I **Le Bistrot** (plan B4, *12*) : 118/2, Trần Hưng Đạo. ☎ 012-56-030-399. Tlj. Dans le jardin de la *Thanh Hải Guesthouse*, un resto animé et très apprécié des touristes pour les pizzas cuites au four à bois et servies en petit, moyen ou grand format. Le service est vite débordé, les pizzas sont inégales. Mais le cadre, tout en terrasses, pas désagréable, le service francophone et l'ambiance plutôt festive fédèrent et compensent !

I●I **Chez Carole** (plan B4, *35*) : 125, Trần Hưng Đạo, Khu Phố 7. ☎ 384-88-84. À env 4 km au sud de Dương Đông, côté gauche de la route principale.

Vaste et agréable terrasse ombragée où l'on a plaisir à dîner le soir en écoutant de la musique *live*. Cuisine vietnamienne traditionnelle et plats internationaux (spaghettis, pizzas, salades...) de bon rapport qualité-prix. Pour le *hot pot* (fondue vietnamienne), bien demander avant de commander pour combien de personnes il est servi !

Chic (250 000-600 000 Dg / env 11-26 $)

I●I **The Spice House, restaurant du Cassia Cottage** (plan A4, *20*) : Bà Kèo Beach, Khu Phố 7, 43, Trần Hưng Đạo. ☎ 384-83-95. Résa préférable le soir (surtout pour les non-résidents). Plats « chic » fourchette basse. Il s'agit du restaurant de l'hôtel *Cassia* (nom qui signifie cannelle en latin). Au bord de la plage, décor colonial raffiné : mobilier en teck, larges ventilateurs, superbes carrelages en carreaux ciment, et la mer en toile de fond. La spécialité de la maison, ce sont les épices, que le patron (M. Burnett) cultive, conditionne et exporte en Asie et dans le reste du monde. Elles parfument subtilement une cuisine de saison vietnamienne, fine et créative. Produits de la mer d'une fraîcheur indiscutable, ingrédients naturels et saisonniers, légumes frais... soigneusement présentés. Le contenu de l'assiette joue dans la cour des grands ! Une belle expérience culinaire dans un superbe environnement tropical.

I●I **Itaca Resto-Lounge** (plan B4, *36*) : 125, Trần Hưng Đạo. ☎ 399-20-22. Tlj sauf mar, seulement le soir, 18h-23h. Un peu à l'écart de l'animation, sur la gauche de la route en allant vers le sud. Tapas 140-195 000 Dg ; Plats « fourchette basse ». 3 copains catalans ont ouvert ce bar-resto *lounge*, dans un style blanc éclatant inspiré des îles grecques... Le chef, Mateu Batista, également catalan et passionné par la cuisine, décline les saveurs de la Méditerranée alliées aux épices de l'Asie. Résultat, on savoure ici une cuisine fusion pas donnée, mais goûteuse et de qualité. Une belle adresse pour le soir, pour dîner ou simplement boire un cocktail dans le jardin subtilement éclairé et bercé par la musique.

LE CAMBODGE

Où boire un verre ?
Où manger de bonnes pâtisseries ?

🍺 🥐 *Bonjour Bakery (plan A4, 17)* : 118/2/1/1 Trần Hưng Đạo, KP 7. En face de l'hôtel Phu Quoc Kim. Tlj 7h15-19h. À l'origine, Christophe propose quelques tables pour apprécier sur place ses merveilles sucrées : viennoiseries comme chez nous et tartes aux fruits délicieuses (ah, celle au citron !). Ici, assure-t-on, tout est fait maison avec des produits de qualité, quitte à les importer, comme le beurre. La qualité des fruits locaux, gorgés de sucre, et le tour de main du pâtissier font le reste. Jus, smoothies et glaces maison. Super pour un petit déj de fête ou la pause de 4 heures.

🍸 *Café Phô Biên (plan A1-2, 40)* : sur le port, juste avt la petite jetée qui mène au phare, sur la gauche. Café à l'étage. Ce n'est pas pour le cadre que l'on vient, ni pour la carte des boissons, franchement basique, mais pour la vue extra sur le phare, en surplomb du port et de son animation. Choisissez une table près du balcon en fin de journée pour assister au coucher de soleil, aux premières loges !

🍸 *Coco Bar (plan B4, 31)* : 118/2, Trần Hưng Đạo. Sur le chemin qui mène à l'hôtel La Véranda, quasi en face du resto Le Bistrot. Bien que blindé de petits hôtels, le secteur est relativement calme en soirée. Toujours un peu de monde, en revanche, chez *Coco Bar,* pour siroter un de ces délicieux cocktails à base de rhum, dont seul Raphaël, le patron, a le secret.

🍸🍴 *Rory's Beach Bar (plan A4, 42)* : juste à côté de l'hôtel La Véranda. Tlj ; happy hours 19h-20h. L'unique endroit de l'île où la fête continue passé 22h ! On s'agglutine autour du bar pour passer commande, on s'installe autour d'une table ou dans les fauteuils sur le sable, et on se trémousse sur le *dance floor*. Bonne ambiance, musique tendance actuelle et excellents cocktails : un tiercé gagnant plébiscité par les fêtards.

🍸🍽 *Saigon Hub (plan A1, 43)* : Bach Dang Street. ☎ 0947-694-869. Idéalement situé au croisement de la rue principale du marché de nuit et de la halle couverte, le *Saigon Hub* fait office de point de ralliement. Tenu par un Français très impliqué, qui n'hésite pas à faire le tour des tables et à échanger trois mots avec les clients, l'affaire tourne rond ! Bonne cuisine occidentale, poissons frais et pâtes maison, mais addition élevée. À vrai dire, surtout sympa à l'heure de l'apéro. Excellent accueil.

– Voir aussi plus haut *Itaca Resto-Lounge (plan B4, 36)*, dans la rubrique « Où manger ? ».

À voir. À faire

Dương Đông est une bonne base pour rayonner alentour. Louez une moto et partez à l'aventure sur les pistes en terre (bien roulantes) pour vivre les dernières années du Phú Quốc sauvage, pêcheur et rural.

🎣 *Khải Hoàn, fabrique de nước-mâm (plan B1, 50)* : 11, Hùng Vương. ☎ 384-85-55. Tlj 8h-17h. GRATUIT (entrée et visite). Sur la gauche avant le pont, facile à trouver. Selon les Vietnamiens, Khai Hoan est la meilleure marque de nước-mâm du pays ! Il est fabriqué à partir d'anchois (uniquement) mélangés avec du sel, le tout ayant fermenté dans de grosses cuves en

RIEN QUE DU BON !

L'île de Phú Quốc est réputée pour produire le meilleur nước-mâm du Vietnam, mais aussi le meilleur poivre. La qualité des eaux, le type de climat, la terre fertile et le savoir-faire des îliens, tous ces facteurs favorisent la naissance de bons produits naturels et savoureux.

bois pendant un an (dans un hangar). Il y a un goûteur qui s'assure de la qualité. La saumure de poisson (liquide marron) est ensuite mise dans des bidons, puis sur des bateaux qui vont livrer la marchandise à Hồ Chí Minh-Ville. La fabrique a son propre quai de chargement et une boutique de vente, mais attention, on ne visite pas l'usine. Vente également des produits locaux tels que poivre, épices, biscuits, poissons séchés...

🍴 **Le grand marché** (plan A1, 51) : au centre-ville. Après le pont en direction de la plage d'Ông Lang, 1re rue à gauche. Quartier vivant et populaire, autour de la rue Ngo Quyen, en bord de rivière. Fruits, légumes, et nombreuses gargotes pour avaler une copieuse soupe pas chère.

– Le **marché de nuit** (Dinh Cậu Night Market ; plan A1, 52) : avt le pont, sur la droite, sur la rue Bach Dang, le long de la rivière. Très animé à partir de 18h30. Immenses étals de tout ce que l'océan a de comestible. Nombreux restos qui servent des produits frais, mais attention, pas toujours bon marché. Mais on vous en a tout de même trouvé un (voir plus haut, le Quán Xu, dans « Où manger »). Vous lorgnez les bestiaux dans les aquariums ou sur les étals, puis pointez du doigt votre choix, on pèse la bête, et hop c'est parti ! Également boutiques touristiques de fringues et bibelots.

🍴 **Le musée Cội Nguồn** (Cội Nguồn Bảo tàng ; hors plan par B4, 53) : 149, Trần Hưng Đạo. ☎ 398-02-06. Sur la gauche de la route. Tlj 7h-17h. Billet : 20 000 Dg. Ce musée privé (créé par un Vietnamien passionné) présente sur huit étages l'histoire de Phú Quốc. La partie la plus intéressante est cette épave de bateau chinois du XVIIIe s dans laquelle on a trouvé des céramiques, de la vaisselle et des amphores thaïlandaises. Voir aussi les documents sur la prison de Phú Quốc pendant la guerre du Vietnam (cages au tigre et conteneurs où étaient enfermés les prisonniers). Location de chambres correctes dans l'hôtel attenant.

Plongée sous-marine

■ **Rainbow Divers** (plan A2, 60) : 11, Trần Hưng Đạo. Nico, francophone, 📱 0166-993-6920 ; Johnny (anglophone), 📱 09-13-40-81-46. ● nico@divevietnam.com ● divevietnam.com ● Prix à partir de 85 $/pers. Implanté depuis longtemps dans plusieurs sites balnéaires du Vietnam (Nha Trang, Côn Đảo, l'île de la Baleine...), cet organisme possède une très bonne réputation. Personnel compétent, moniteurs agréés PADI, matériel sûr et en bon état. Initiation pour les débutants ou forfaits pour les plongeurs confirmés. Les sorties en mer se font à la journée ou sur plusieurs jours, les prix sont donc variables.
■ **Flipper Diving Club** (plan A2, 61) : 60, Trần Hưng Đạo. ☎ 399-49-24. 📱 09-39-40-28-72. ● flipperdiving.com ● Sérieux, et on y parle l'anglais et le français. Le club est dirigé par Willy, un Vietnamien francophone qui a vécu à La Rochelle.

Balades en mer

■ **Sunny Boat Trip** (plan B4, 62) : 143, Trần Hưng Đạo. 📱 09-69-68-79-28. ● sunnyphuquoc@yahoo.com ● phuquocsunny.com ● Sorties en mer à partir de 17 $/pers en groupe. Bureau situé au bord de la rue principale, en face du Saigon Phú Quốc Resort. Compagnie sérieuse et recommandable. Sorties snorkelling et pêche, balade en mer au sud ou vers le nord de l'île. Ils viennent vous chercher à votre hôtel.

Où acheter du bon poivre naturel ?

🌶 **Poivre à Phú Quốc – Chez Lê Hô** : à env 2,5 km du centre de la ville en direction de Hàm Ninh, par la 4-voies. Accès détaillé sur leur site. ☎ 09-39-11-09-29. 📱 012-85-84-64-13. ● poivreaphuquoc@gmail.com ● poivreaphuquoc.blogspot.com ● Visites lun-sam à 10h, 14h, 16h, sur résa (par mail) ; possible le dim (téléphonner). Tarifs : 12 000-70 000 Dg. Réduc couple. Gratuit - 12 ans. Phú Quốc est réputée pour son poivre : les uns disent qu'il est le meilleur au monde, les autres affirment que c'est celui de Kampot au Cambodge... Positions irréconciliables ! Petites plantations partout dans l'île. Le Français Éric et sa femme Lê Hô en conditionnent diverses variétés, dont le célèbre poivre rouge à la saveur très spéciale.

Ils proposent 3 itinéraires de visites (poivre et/ou nuoc-mâm) ainsi qu'une sélection de produits vietnamiens de qualité (miel, thé, nuoc-mâm...).

BALADE DANS LE NORD-OUEST DE L'ÎLE

À cette occasion, louez une moto ou prenez une moto-taxi pour la journée. La route du Nord-Ouest est entièrement bitumée sur 2 voies, de Dương Đông à Mũi Gành Dầu (pointe nord-ouest), elle est aussi très fréquentée en semaine. Prudence, donc.

🎄🎄🎄 ⌇ Immense *plage d'Ông Lang* (à une dizaine de kilomètres au nord de Dương Đông) plus sauvage que Long Beach. L'une des plus belles de l'île, bordée d'arbres penchés et quelques portions rocheuses, au sable blanc étincelant qui descend en pente douce vers des eaux cristallines. Au fil des ans, de nouveaux et luxueux hôtels ont été construits en bord de mer, mais de longues portions demeurent totalement sauvages.

➤ *1er accès* : suivre le panneau *Hôtel Chieng Si* (hôtel 5 étoiles). On arrive sur une très jolie plage avec buvette au déjeuner. Très fréquentée par les locaux les fins de semaine.

➤ *2e accès* : prendre à gauche (en venant de Dương Đông) la route indiquant les hôtels *Mango Bay* et *Bo Resort*. Le long de cette petite route, pas mal de restos sympas ont poussé ces dernières années créant un peu d'animation dans une zone autrefois déserte. La route se scinde ensuite ; de part et d'autre, elle mène vers la plage.

🎄 Traversée de *Cửa Cạn*, vieux village de pêcheurs. Tout au long de la route, riches champs de poivriers. En janvier-février, le poivre noir est mis à sécher au bord de la route.

🎄 Arrêt détente au hameau de *Vũng Bầu*. Superbe plage où l'on trouve plusieurs hôtels pieds dans l'eau.
– Entre Vũng Bầu et la pointe de Gành Dầu, la route longe le récent *complexe hôtelier Vinpearl Resort*, étendu sur près de 300 ha en bord de mer. Cet immense ensemble est composé d'un hôtel de 300 chambres, de villas, d'un parc d'attractions (style Disneyland) et d'un golf de 27 trous.

🎄 Suivre la route côtière vers le *cap de Mũi Gành Dầu*. On longe les *plages de Vũng Bầu* et *Bãi Dài* (déjà convoitées par quelques promoteurs). Une piste de sable (plus pour longtemps) longe le littoral encore totalement vierge par endroits. Fin de la balade au *cap de Gành Dầu*, bonne piste en terre battue, mais fort peu de pancartes routières. Juste en face, une grande île cambodgienne.

🎄 Du *cap de Gành Dầu*, il est possible de rejoindre *Bãi Thóm*, au nord-est, par une piste en terre rouge en bon état (17 km), qui traverse l'épaisse forêt primaire avant de rejoindre la route bitumée de Dương Đông. Si vous le pouvez, faites une incursion dans le petit *village de pêcheurs de Rach Vem*, hors du temps.

Où dormir ?
Où manger sur la côte nord-ouest de l'île ?

À Ông Lang Beach

🏠 🍴 *Mango Bay Resort* (plan L'île de Phú Quốc, *25*) : plage d'Ông Lang, à 6 km env, sur la route de Cửa Cạn.

☎ 398-16-93. 🖥 09-07-41-45-69. ● mangobayphuquoc.com ● Compter 20 mn à moto et 30 mn en voiture. Doubles env 150-255 $ selon saison et confort, petit déj continental compris. *Villas à partir de 215 $. Au pied d'une colline couverte d'une dense végétation tropicale, sur un terrain de 10 ha en bord de mer...* Les propriétaires sont anglais et australiens, le manager est breton (Ronan). L'ensemble abrite une série de beaux bungalows dont certains construits en argile, suivant une astucieuse technique antithermique locale. Résultat, sans clim (mais avec ventilo), il y fait toujours frais. Décor intérieur raffiné et moustiquaire. Eau chaude à énergie solaire. Les chambres les plus économiques sont toujours très soigneusement décorées. Les 5 villas sont pour les groupes ou les familles. Cuisine réussie et très soignée préparée par un chef français (plats vietnamiens et français). 2 restos en terrasse et un autre « bistrot » de plage 300 m plus loin. Cours de yoga gratuits. Organise des transferts de/pour l'aéroport, des navettes pour Dương Đông, et loue des scooters.

🏠 I●I **Bo Resort** *(plan L'île de Phú Quốc, 25)* : *plage d'Ông Lang, à 6 km env, sur la route de Cửa Cạn, près du Mango Bay Resort.* ☎ 370-24-46. ● boresort-phuquoc.com ● *Bungalows 55-120 $ pour 1 ou 2 pers selon confort et saison, petit déj en plus.* La route grimpe fort jusqu'à l'entrée du *resort* ; on redescend ensuite à pied par un sentier dans un bois tropical vers la réception et la plage, qui forme un croissant de sable de 3 km de long... L'environnement est enchanteur. Voici un petit hôtel de plage tenu par un jovial couple de retraités franco-vietnamien (Régis et Marie). Leurs bungalows (en bois et en pierre) avec vue sur mer ou jardin sont répartis sur un site naturel remarquable, au milieu d'une végétation luxuriante. Pas de TV, pas de téléphone, pas de clim, mais un ventilateur, un confort suffisant et un certain charme dans la déco. Points forts : la situation du resto sur la plage et la qualité de la cuisine.

🏠 I●I **Ninila Tropical Fruitfarm Guesthouse** *(plan L'île de Phú Quốc, 26)* : *plage d'Ông Lang, Xa Cua Duong.* ☎ 657-66-77. 🖥 09-38-14-57-03. ● ninilaphuquoc.com ● *À env 7 km au nord du Dương Đông, peu après le Mango Bay. Doubles 25-35 $, plus un grand bungalow 4 pers 50 $.* Ensemble de petits cabanons aux toitures en feuilles séchées et montés sur pilotis, à quelques minutes de la plage. Les chambres s'ouvrent sur des petites terrasses privatives, dans le jardin laissé au naturel, et quelques-unes donnent directement sur la piscine, comme le restaurant. Très jolies salles de bains en pierre, déco soignée et service attentionné confèrent à l'ensemble le charme des adresses confidentielles. Un excellent rapport qualité-prix-calme.

🏠 I●I **Freedomland Resort & Bungalows** *(plan L'île de Phú Quốc, 27)* : *entre Dương Đông et Ông Lang.* 🖥 09-44-68-70-71. ● freedomlandphu quoc@yahoo.com ● freedomland-phuquoc-resort.com ● *Taxi de l'aéroport : env 150 000 Dg. Bungalows 30-75 $ selon confort et taille.* Peter (ancien photographe de mode) et Rita (sa femme portugaise) ont construit ce petit éco-hôtel dans la nature tropicale et ils le gèrent selon des règles environnementales strictes (détritus récupérés, eau filtrée, recyclage des matériaux...). De taille et de confort différents, les bungalows intégrés dans le paysage sont construits avec des matériaux locaux (bois, bambou). Douche tiède, ventilateur, confort suffisant. Repas possibles, servis sur place et préparés avec des produits naturels. Ici, on préfère les hôtes cool, car c'est un lieu pour « socialiser » dans l'esprit écologique et non un banal hôtel standard. La plage est à environ 12 mn de marche.

I●I **Sakura Kiêm** *(plan L'île de Phú Quốc, 40)* : *Ong Lang.* 🖥 077-62-94-856 ou 012-28-18-34-84. *Juste à l'embranchement, en direction du Bo Resort. Ouv tlj 9h-22h.* Cette cantine de bord de route, gérée de main de maître par sa propriétaire (une sacrée personnalité !), fait le bonheur des gens du coin pour sa cuisine bien fraîche. Sur la carte, tous les grands classiques vietnamiens, avec une prédilection, on s'en doute, pour les poissons. Service rapide, cuisine délicieuse et généreuse, tarifs bon marché, enfin, on y revient forcément !

À Vũng Bầu

🛏 |●| **Vũng Bầu Resort** (plan L'île de Phú Quốc, **28**) : Cửa Cạn. ▦ 09-18-72-99-97. ● vungbauresort. net ● Doubles avec sdb et ventilo 1 200 000-1 500 000 Dg selon confort, vue et saison. Au bout d'une piste de terre de 2 km, ce petit « écolodge » donne directement sur une belle plage de sable, propre et ombragée. Un emplacement formidable, calme et de bon rapport qualité-prix, avec 2 catégories de bungalows. Les plus simples sont couverts de chaume, les autres en brique avec toit de tuiles. Vue sur jardin ou sur la mer. Les repas se prennent sous une paillote. Plongée possible (beaux coraux), et quelques singes dans les arbres environnants.

🛏 |●| **Bamboo Cottages & Restaurant** (plan L'île de Phú Quốc, **28**) : Vũng Bầu, Cửa Cạn. ☎ 281-03-45. ● bamboophuquoc.com ● À côté du Mai Phương Beach Resort. Fermé juil-sept, pdt la saison des pluies. Bungalows 115-140 $ en hte saison (déc-fév), petit déj inclus. Réduc 15-20 % pour les séjours de + de 3 nuits. Hai, le patron, est un dynamique Vietnamo-Américain. Une quinzaine de ravissants bungalows (très bien équipés), dans un bel environnement naturel, et au bord d'une très belle plage de sable ombragée par des cocotiers. Au resto, cuisine savoureuse et de qualité ; bon service. Possibilité de balades en bateau, plongée sous-marine, location de motos, cours de yoga, leçons de taï-chi... On coule des jours heureux ici. Une très bonne adresse.

À faire dans le nord-ouest de l'île

➤ **Balades en bateau et plongée sous-marine :** l'hôtel-resto Mai Phương organise des parties de pêche à bord d'un bateau rapide et des plongées snorkelling (observation des poissons avec masque et tuba) à **Móng Tay,** un îlot de corail à 3 km en mer. Minimum 4 personnes (ou négocier). Compter 350 000-400 000 Dg. Possibilité de tour sur deux îles, en y ajoutant celle de Đồi Mồi (belle plage de sable jaune). Plus cher bien sûr. Dans le prix, masque, tuba, palmes et matériel de pêche sont inclus.

BALADE DANS LE NORD-EST ET L'EST DE L'ÎLE

🔦 La partie nord-est de l'île est couverte, en grande partie, par l'épaisse forêt primaire du **parc national de Phú Quốc,** classée réserve de biosphère par l'Unesco en 2006. Propriété de l'armée, et donc interdite d'accès, elle héberge une faune et une flore inestimables, de fait, protégées. Il est vaguement question d'aménager des sentiers de randonnée... À suivre. La route de Dương Đông vers **Bãi Thơm** la traverse. Peu avant Bãi Thơm, on peut emprunter une piste, sur la gauche au niveau du mirador qui mène au village de pêcheurs de Rach Tram. Petit café à l'entrée du village, où l'on recommande de laisser sa bécane. Atmosphère paisible entre forêt, mangrove et plage. Hautement photogénique ! Juste en face, à quelques brasses, une île cambodgienne.

🔦🔦 La piste qui longe le littoral de Bãi Thơm à **Hàm Ninh** est désormais quasi entièrement bitumée et on peut rejoindre facilement le sud sans repasser par la case Dương Đông. Un gain de temps inouï, et surtout l'occasion de découvrir un littoral superbe, venteux, avec de longues langues de sable blanc, ourlées d'arbres tropicaux et parsemé de gros rochers noirs. Pour un peu, on se croirait aux Seychelles !

🔦 En rentrant vers Dương Đông, si vous avez du temps, balade à la cascade de **Suối Tranh.** Attention, durant la saison sèche (de novembre à juin), elle ne coule guère. Prendre la direction de Hàm Ninh.

Où dormir ? Où manger sur la côte est de l'île ?

À Hàm Ninh

🏠 |●| *Mango Beach Resort (plan L'île de Phú Quóc, 29)* : Tô 3, âp Cây Sao, xa Hàm Ninh. ☎ 82-66-46-46-46 ou 077-62-99-555 (centrale de résa). Chambres 90-105 $. Une situation idyllique entre mer et montagne... où la dizaine de bungalows, accrochés sur un terrain en pente, sur pilotis, offrent une vue imprenable sur la mer, avec accès direct. Les chambres sobres et lambrissées sont d'excellent confort, impeccablement tenues et d'un calme absolu. Ce qui peut être un atout pour certains (les amoureux y roucoulent en paix) sera sans doute un point faible pour d'autres car, de fait, l'hôtel est relativement isolé. Cela dit, bon resto sur place, sur la plage.

|●| *Fisching Village (plan L'île de Phú Quóc, 41)* : le long de l'ancienne digue, dégustations de poissons, fruits de mer et crabes, sur les bateaux amarés. Tous proposent les mêmes produits de la pêche, d'une fraîcheur garantie, à des prix justes. Très populaire et ambiance festive (musique à fond la caisse) au milieu des familles vietnamiennes. Sur le port, le *restaurant Song Lê* bénéficie d'une bonne réputation.

VERS LA POINTE SUD DE L'ÎLE

À une trentaine de kilomètres au sud de Dương Đông, an Thói ne sert plus de port de débarquement, mais sa vie portuaire (pêche locale) continue. Pas de raison d'y dormir. Le plus pratique et le moins cher, pour s'y rendre, c'est la moto-taxi. Compter 80 000 Dg, environ 30 mn. La route est entièrement bitumée et débouche sur le *Mariott Hotel*, à l'architecture mégalomaniaque, ouvert en 2017. Les deux plages les plus connues sont celles de Bãi Khem et Bãi Sao. L'accès à cette dernière est mal indiqué : c'est un petit chemin sur la droite de la route principale qui longe le bord de mer. Rouler doucement, afin de ne pas louper le coche. Parking gardé.

🎏🎏🎏 ⌂ *Bãi Khem,* la plus proche d'*An Thói* (environ 3 km), déroule son sable blanc au fond d'une baie ravissante. Plage peu ombragée cependant. La plage de *Bãi Sao* reçoit plus de monde pour sa petite forêt de cocotiers. Plus intime aussi, c'est notre préférée ! Allez vous poser tout au bout, sur la gauche, vers le *Café Paradiso*, plus calme.

|●| ⌂ *Café Paradiso (plan L'île de Phú Quóc, 42)* : sur la plage de Bãi Sao, à l'extrémité nord (côté gauche). ☎ 077-627-99-88. Ouv tlj 9h-18h. Il porte bien son nom celui-là ! Littéralement pieds dans le sable, tables en terrasse abritées de parasols, il propose une carte d'en-cas vietnamiens et occidentaux de très bonne qualité. Jus et cocktails. Service nickel. Juste devant, une rangée de transats pour buller en toute quiétude.

🎏 *Coconut Prison :* sur la route de an Thói à 1 km avt d'arriver au port. Infâme prison originellement construite par les Français et « reprise » par les Sud-Vietnamiens. Ces derniers l'avaient transformée en un immense camp de hangars en tôle ondulée (des fours... volontairement !), avec des containers « Made in USA » comme cachots. Jusqu'à 40 000 prisonniers y ont été enfermés ; petit musée. En face, un grand monument honore tous ceux qui y ont laissé leur vie.

🎏🎏 *Balade en bateau* dans les îles en face d'An Thói. Beaux paysages et spots de plongée.
– *Bon à savoir :* un très long téléphérique (3,6 km) relie depuis 2017 le bourg de an Thói et les îles. Billet : 40 000 Dg. Mieux vaut y aller en bateau : c'est plus agréable et moins cher ! Voir à Dương Đông nos adresses « Plongées » et « Balades en mer ».

LE CAMBODGE

LE TONLÉ SAP ET SES ENVIRONS

À l'ouest..................200	Au sud.....................210	À l'est.......................211
● **Battambang** 200	● **Kompong**	● **Kompong Thom**..........211
• Wat Ek Phnom	**Chhnang**......................210	• Vers le nord : Sambor
• Wat Samrong Knong	• Ondoung Rossey	Prei Kuk ; Le Khmer
• Prasat Banan	● **Sur la route**	Bridge à Kompong
• Phnom Sampeu	**de Battambang** 211	Kdei ; Preah Khan • Vers
• Bamboo Train	• Kompong Luong	le sud : Phnom Santuk

UN LAC AU SYSTÈME HYDROLOGIQUE UNIQUE...

 Le Tonlé Sap est *le plus grand lac d'Asie du Sud-Est* et la mère nourricière du Cambodge. Fonctionnant comme un véritable cœur, le lac se gonfle et se dégonfle au rythme des moussons. Son niveau est bas de février à juin et haut d'août à novembre. Il multiplie sa surface par 4 et sa profondeur par 10 grâce au phénomène des vases communicants : le Mékong en crue atteignant un niveau supérieur à celui du lac, il force le courant de la rivière Tonlé Sap à s'inverser pour aller remplir le lac en amont. Cela limite aussi les risques d'inondation au sud.

Cette véritable *mer intérieure,* qui inonde les forêts et les champs alentour, est aussi l'une des plus poissonneuses au monde. Les poissons remontent le fleuve sur plusieurs centaines de kilomètres pour pondre leurs œufs, et les larves reviennent ensuite dans le lac avec la crue, attirant une foule d'oiseaux d'eau (pélicans, marabouts, cormorans, hérons, aigrettes, cigognes...), dont plusieurs espèces en voie de disparition. Également des reptiles, crocodiles, varans, ainsi que des tortues trouvent refuge dans la forêt inondée. Pendant la saison sèche, l'eau laisse assez de sédiments derrière elle pour fertiliser la terre et permettre une activité agricole, essentiellement du riz, jusqu'à trois récoltes par an au lieu d'une ou deux dans le reste du pays.

... ET UN ÉCOSYSTÈME DANS UN ÉTAT CRITIQUE

Cet extraordinaire environnement est classé *Réserve de la biosphère par l'Unesco.* Malheureusement, il reste très fragilisé par une importante poussée démographique (nombre de jeunes ne trouvant pas de travail dans les villes s'installent sur le lac), la surexploitation des ressources (surpêche, braconnage...), la destruction de la forêt inondée (conversion en terres agricoles, coupe pour bois de chauffe, incendies) et les plantes exotiques envahissantes, dont la célèbre jacinthe d'eau. Le lac est désormais considéré au bord de la rupture écologique. Ajoutons à cela le souci des *barrages hydrauliques* : les projets en cours sur le Mékong mettent indéniablement en cause la sécurité alimentaire du bassin du Mékong. Qu'adviendra-t-il de cette faune génétiquement programmée pour terminer son cycle et pondre en remontant le Mékong ? Les enjeux tant écologiques qu'humains sont énormes et mobilisent de nombreuses associations.

Mais les dirigeants et la *Mekong Commission* ont choisi l'électricité (lobby et argent aidant) et sacrifié le poisson à l'autel du développement, avec l'étiquette d'« énergie durable » pour se donner meilleure conscience. Pour les défenseurs du lac et de ses habitants, c'est un « écocide » économique, social et culturel qui se dessine.

LA VIE SUR LE LAC : VILLAGES FLOTTANTS ET MAISONS SUR PILOTIS

Ici a pris souche le **peuple khmer,** installé sur des villages lacustres depuis la nuit des temps. Mais historiquement, il semble que les **Vietnamiens** soient les pionniers de l'implantation et des ingénieuses techniques de pêche sur le lac. Aujourd'hui, ce sont près de **3 millions de personnes** qui vivent autour du Tonlé Sap, dans des conditions de pauvreté alarmantes, sur des villages flottants (Chong Khneas, par exemple) ou dans des maisons sur pilotis. Les maisons se déplacent au rythme des crues et décrues, plus d'une dizaine de fois par an, et des besoins de ses habitants en fonction de la hauteur des eaux.

Tout se fait par bateau : l'école, les courses, la pêche bien sûr... On fait sécher le poisson, on le pile pour en faire du *prahoc,* cette pâte de poisson qui agrémente la cuisine cambodgienne, ou on le transforme en farine pour alimenter les élevages de porc (sur l'eau !).

Dans certains villages, on peut aussi voir les femmes travailler la jacinthe d'eau, cette plante aquatique verte que l'on fait sécher, que l'on fume et qui sert ensuite à la fabrication d'objets de vannerie : hamacs, chapeaux, paniers, boîtes, etc.

Une diversification indispensable qui permet désormais à ces communautés lacustres de générer un peu de revenus. Tout comme l'accueil de touristes mis en place par l'ONG *Osmose,* par exemple (voir plus loin). Sur les rives du lac, enfin, toute une zone inondable où les maisons sont fichées sur de très hauts pilotis comme dans le village de Kompong Phluk. Là aussi, la vie des habitants est intimement liée au rythme des eaux.

La visite

Si vous en avez le temps, il faut absolument aller à la découverte du Tonlé Sap. Le lever et le coucher du soleil restant les moments les plus magiques. Octobre à mars reste la meilleure saison, le niveau de l'eau étant très bas d'avril à juillet. Naviguer dans les méandres de la forêt inondée reste un grand moment, tout comme découvrir les villages flottants. Mais tout dépend où et avec qui.

Logiquement, plus les villages sont proches de Siem Reap, plus il y a de touristes. Malheureusement, certaines agences organisent ces excursions selon une éthique assez éloignée du tourisme solidaire. Et plusieurs villages, comme **Chong Khneas,** sont devenus une attraction malsaine où le voyageur se sent voyeur.

🎏🎏 **Kampong Khleang** (village sur pilotis) : à 40 km env de Siem Reap. Plus grand village établi sur le lac, il est accessible, via le village de Damdek, par la terre ferme. Visite gratuite si on ne prend pas la balade en bateau. Ce village sur pilotis, avec quelques maisons flottantes et un marché, est encore peu touristique et authentique. Une agence en propose la visite avec la possibilité de passer une nuit chez l'habitant. Elle s'inscrit dans une démarche de tourisme durable, qui favorise le développement local :

■ **Buffalo Trails :** 📲 *012-297-506 ou 093-832-812.* ● *buffalotrails-cambodia.com* ● *Balade à la journée ou ½ journée, prévoir 50-85 $/pers selon nombre de participants (à partir de 2 pers). Réduc de 5 % sur présentation du guide de l'année.* L'agence organise également des randonnées à pied, balades en charrette à buffles (ou bœufs), etc. Une façon authentique de découvrir la campagne cambodgienne et ses habitants. Programme aussi des excursions de plusieurs jours.

🎏 **Kampong Phluk** (village sur pilotis) : à 26 km de Siem Reap. Accessible depuis la route 6, par une bifurcation à droite au-delà des temples Roluos (panneau « Orphan Centre »). Balade en bateau comprenant le droit d'entrée au village : 25 $/ pers ! Un supplément de 5 $/pers pour aller en bateau, par un canal et à travers la

LE CAMBODGE

forêt inondée, jusqu'au Tonlé Sap. Vraiment très cher, pour un village qui n'a plus grand-chose de pittoresque. Il se distingue par ses maisons perchées sur pilotis jusqu'à 10 m de hauteur, en fonction du niveau du lac. Déjeuner possible à l'un des restos flottants sur la rivière, à 100 m du lac. Marché tous les matins.

🎥🎥 *La réserve ornithologique, la forêt inondée et le village de Prek Toal :* visite possible avec l'ONG *Osmose*. Meilleure période : octobre-mars (d'avril à juin, le niveau du lac est trop bas, et en été, les oiseaux se dispersent vers d'autres cieux).

■ *Osmose (plan de Siem Reap, B3, 8) : bureau à Siem Reap.* ☎ *063-765-506.* 🖩 *012-832-812 (contact francophone).* • *osmosetonlesap.net* • *Groupes 2-8 pers. Départ à 6h et retour vers 17h. Prix sur la base d'un groupe de 4 pers : 105 $/adulte (réduc moins de 12 ans), comprenant les transports A/R depuis l'hôtel, le ticket pour la réserve, un guide spécialisé, les repas et l'eau pour la journée. Possibilité de passer la nuit chez l'habitant.* Cette ONG accomplit un énorme travail pour la préservation de l'écosystème du lac et du mode de vie de ses habitants. Elle propose aux visiteurs d'être les témoins d'une nature et d'une population essayant de vivre en « osmose » avec le Tonlé Sap. Selon les itinéraires, principalement en bateau à moteur : traversée du lac, observation des oiseaux dans la forêt inondée, bon déjeuner traditionnel au restaurant communautaire, visite du village flottant de Prek Toal en pirogue traditionnelle, etc. Visite également d'un atelier d'artisanat de jacinthes d'eau *(Saray Tonle)*, géré par *Osmose* pour promouvoir le travail des femmes et cours de tressage. Le bénéfice des visites permet de financer un programme d'éducation à l'environnement et de développement ciblant les familles les plus défavorisées. En assurant un revenu correct aux pêcheurs, ces derniers ne sont pas tentés de braconner. Certains ont même intégré l'équipe de gardes forestiers.

🎥🎥 Nettement plus au sud, entre Battambang et Kompong Chnang, la ville flottante et sur pilotis de *Kompong Luong* reste l'une des plus facilement accessibles depuis la N5 et l'une des plus authentiques. Voir « Dans les environs de Kompong Chhnang ». Possibilité d'y passer la nuit chez l'habitant.

🎥🎥🎥 Enfin, une option que l'on recommande en saison haute (août-novembre) : le *trajet en bateau* – parfois épique – *de Siem Reap à Battambang.* Plus cher que le bus, mais il offre une très bonne opportunité d'observer des villages flottants et leurs activités, sans en déranger les habitants. Entre les arrêts pour embarquer les passagers, on a tout loisir d'observer ici une église montée sur des bidons, là une école avec sa cour de récréation sur le toit-terrasse, ou encore épiceries et maisons du Parti du Peuple... Départ tôt le matin pour 7 à 10h de bateau. Se reporter aux rubriques « Arriver – quitter » des chapitres « Siem Reap » et « Battambang ».

À L'OUEST

BATTAMBANG   250 000 hab.

> • Plan *p. 203*

2ᵉ ville du pays, Battambang fut fondée au XIᵉ s sur les bords de la rivière Sangker. Cette ancienne capitale se retrouve à 2 reprises sous le contrôle des Thaïlandais, avant de récupérer à chaque fois son indépendance grâce

aux Français. Entourée de plaines considérées comme le grenier du Cambodge, Battambang occupe une place importante dans l'économie du pays, dont elle a suivi le réveil. Sans avoir le même charme que d'autres petites villes, son architecture doit encore beaucoup à l'époque coloniale, surtout représentée par des rangées de modestes immeubles à boutiques d'un étage. Ainsi, pas grand-chose à visiter dans le centre, à part l'obligatoire marché central. Tout se passe aux alentours. Il faut aller s'enivrer du puissant parfum bucolique de la campagne pour apprécier les contrastes de cette contrée où se cultive le riz le plus parfumé, où l'on cueille les noix de coco les plus sucrées et les oranges les plus juteuses du Cambodge.

Arriver – Quitter

En voiture

Les routes goudronnées Phnom Penh-Battambang (290 km, trajet env 6h) et Battambang-Siem Reap (entre 2h et 3h30 en fonction des travaux) sont en bon état. Même constat pour rallier la frontière thaïlandaise (ouverte aux étrangers) par Poipet (180 km, 2h30 max) ou Pailin plus au sud (97 km, 1h30).

En bus

🚌 Prix à peu près alignés entre les compagnies, mais on conseille d'acheter son billet la veille à la réception de son hôtel pour connaître les meilleurs plans. Sinon s'adresser directement aux bureaux des compagnies. Les départs et les arrivées ont lieu dans le centre ou à l'extérieur de la ville (navettes dans ce cas).

🚌 *Mekong Express* (plan A1, *1*) : 323 rue 3, Mohatep Village. ▯ 088-576-7668. ● catmekongexpress.com/bus-schedule. aspx ● Notre compagnie préférée pour ses mini-bus confortables, sans musique à tue-tête comme c'est souvent le cas. Un peu plus cher mais aussi plus rapide.
🚌 *Capitol Tour* (plan A1, *2*) : 739, rue La Ae. ☎ 053-953-040. ● capitolkh. com ●
🚌 *Phnom Penh Sorya Transport* (plan A1, *4*) : ▯ 092-181-804.
🚌 *Rith Mony* (plan A1, *3*) : rue La Ae, dans un kiosque voisin de la station-service. ▯ 077-600-133.
➢ *Phnom Penh* et *Siem Reap :* nombreuses liaisons avec ttes les compagnies. De là, autre bus ou avion pour *Sihanoukville.*

➢ *Poipet* (frontière thaïe) : des liaisons avec ttes les compagnies. Consulter aussi le chapitre « Arriver – Quitter » en début de guide.
➢ *Kompong Cham :* départs ts les mat avec *Sorya Transport et Rith Mony.*

En taxi

Départ du marché (taxis publics). Intéressant pour aller aux frontières thaïlandaises de Poipet ou Pailin (40 $ l'aller simple) et jusqu'à 2 fois plus rapide que le bus. Compter env 50 $ pour Siem Reap. Essayez de trouver des compagnons de route pour partager le coût d'une location, en passant par votre hôtel notamment.

En bateau

➢ *Battambang-Siem Reap :* à Battambang, quai en contrebas du nouveau pont au nord de la ville (plan A-B1). 1 bateau/j. dans les 2 sens, départ à 7h. Ticket env 20 $, à acheter la veille. La plupart des hôtels vendent également les billets. Confort moyen, mais une magnifique navigation en perspective sur des chenaux, puis en plein lac. Émouvantes tranches de vie en traversant les villages flottants. Cette « croisière » reste assez longue (min 6-7h). Une excellente manière de joindre l'utile à l'agréable : la traversée peut aisément se substituer aux balades en bateau qui partent à l'assaut des villages flottants. Prévoir crème solaire, chapeau et pique-nique. Voir également le chapitre « Siem Reap ».

LE CAMBODGE

Adresses et infos utiles

🛈 **Office de tourisme** *(plan B3)* : en face de la résidence du Gouverneur. ☎ 012-534-177. *En principe, lun-ven 7h30-11h30, 14h-17h30. Infos de base, quand c'est ouvert...*
– Consulter **Battambang Buzz** *(● bat tambangbuzz.blogspot.fr ●)*, un blog en anglais et à jour. Plan de ville, carte des environs, infos pratiques...
■ **Banques :** notamment **ANZ Royal Bank** *(plan A1, 5)*, à l'extrémité est du marché. Sinon **bureaux de change** face au marché (les meilleurs taux en ville).
✚ **Polycliniques : Handa Medical Center** *(hors plan par B2, 6 ; sur la N5 ; ☎ 095-52-0654 ; tlj 8h-19h – 17h w-e).* La principale de Battambang. **Visal Sokh Polyclinic** *(plan A1, 7 ; près de la station Total ; ☎ 012-848-415).* Pour les petits pépins 24h/24. Également **Yi Kuok Clinic** *(plan A1, 8 ; ☎ 053-952-414 ; ☎ 093-828-373 ; tlj 7h-20h).* On vous renverra peut-être à la maison-mère (24h/24), au sud du centre-ville *(rue 154).* Font tous également pharmacie.

■ **Pharmacie :** en face du Seng Hout Hotel *(plan A1, 13).* Tlj 7h30-17h. Plusieurs autres pharmacies en ville.
■ **Butterfly Tour :** ☎ 089-29-70-70. ● *butterflytour.asia* ● *Balades guidées à la ½ journée ou la journée à partir de 18 $.* Plusieurs circuits à vélo encadrés par des étudiants cambodgiens anglophones. Super pour découvrir la campagne et l'artisanat dans les villages.
■ **Soksabike** *(plan A1, 9)* : *dans la petite rue 1,5, parallèle à la rue 2.* ☎ 012-542-019. ● *soksabike.com* ● *Balades guidées à la ½ journée (27 $ env) ou à la journée.* Parcours à vélo accompagnés dans la campagne. On traverse notamment des villages où sont fabriqués le papier et les galettes de riz.
■ **Sangker Gallery :** *rue 2, près du White Rose (plan A2, 21).* Cet espace de création est dédié aux artistes cambodgiens, notamment ceux de l'école d'art *Phare Ponleu Selpak* (voir plus loin les « ONG »). Des œuvres parlant du Cambodge d'aujourd'hui ou d'hier.

■ **Adresses utiles**

  🛈 Office de tourisme (B3)
  ⛴ Départ des bateaux (A-B1)
  🚌 1 Mekong Express (A1)
  🚌 2 Capitol Tour (A1)
  🚌 3 Rith Mony (A1)
  🚌 4 Phnom Penh Sorya Transport (A1)
    5 ANZ Royal Bank (A1)
  ✚ 6 Handa Medical Center (hors plan par B2)
  ✚ 7 Visal Sokh Polyclinic (A1)
  ✚ 8 Yi Kuok Clinic (A1)
    9 Soksabike (A1)
    13 Pharmacie (A1)
    21 Sangker Gallery (A2)

🛏 **Où dormir ?**

  10 Royal Hotel (A1)
  11 The Place (A1)
  12 Star Hotel (A1)
  13 Seng Hout Hotel (A1)
  14 Sangker Villa (B1-2)
  15 Phka Villa (B2)
  16 Au Cabaret Vert (hors plan par A3)
  17 La Villa (B2)
  18 Bambu Hotel (B2)
  19 Battambang Resort (hors plan par A3)

|●| **Où manger ?**

  17 La Villa (B2)
  20 Les gargotes du marché de nuit (A2)
  21 White Rose et restaurant chinois (A2)
  22 Nary Kitchen (A1)
  23 Smokin' Pot (A2)
  24 About the World (A2)
  25 Jaan Bai (A1)
  26 La Casa (A1)

|●| ▼ **Où prendre un petit déj ?**
Où manger une pâtisserie ?
Où boire un verre ?

  24 Vintage Wine Bar (A2)
  30 Choco l'Art Café (A1)
  32 The Lonely Tree Cafe (A2)
  33 Madison Corner (A2)
  34 Libations (A1-2)

■ **Où prendre un cours de cuisine ?**

  22 Nary Kitchen (A1)

⊕ **Achats**

  24 La Fabrik (A2)
  36 Gecko (A1)

(En marge) LE CAMBODGE

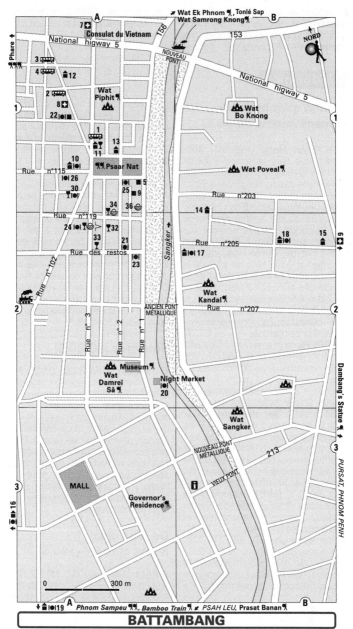

BATTAMBANG

La galerie est aussi tournée vers les habitants, et vers les plus jeunes en particulier, pour qu'ils découvrent l'art contemporain à travers des ateliers, des projections de films cambodgiens, des visites guidées... Un espace à voir et à vivre.

Où dormir ?

De bon marché à prix moyens (moins de 30 $)

🛏️ |●| *Royal Hotel* (plan A1, **10**) : *dans la rue face au grand marché.* ☎ 016-912-034 et 012-894-862. ● *royalhotelbattambang.com* ● *Résa conseillée. Ts les prix dans cette catégorie.* Une large gamme de chambres depuis la double ventilo-eau froide (sur le palier), un peu sombre car donnant sur l'atrium à la suite plus chic à l'étage. Confort général correct. Agréable toit-terrasse abritant le resto où sont servis petit déj et dîner (sandwichs et plats khmers). Personnel aussi efficace que sympathique. Au final, une adresse très centrale d'un intéressant rapport qualité-prix, souvent prise d'assaut.

🛏️ ⵏ *The Place* (plan A1, **11**) : 53, rue 3. ☎ 096-71-58-250 et 096-537-95-99. ● *theplacebtb.wixsite.com/theplace* ● « *Bon marché* ». Une petite merveille d'auberge de jeunesse, conçue par Emma, une architecte française qui a fait appel à des ébénistes locaux pour la déco. Les 2 dortoirs de 6 lits présentent un vrai cachet design, tout comme le reste du bâtiment, dans des tons lumineux. Lumière individuelle et prise électrique pour chaque lit. Au *roof-top*, bar intimiste mais ouvert à tous, cocktails, bière pression et petite restauration. Pour clore le tout, Emma organise des visites historiques et architecturales de la ville.

🛏️ *Star Hotel* (plan A1, **12**) : Lak A St, *à côté des bus* Capitol. ☎ 053-953-522. ● *starhotelbattambang.com* ● *Doubles « bon marché » et familiale (4 pers). Possibilité de petit déj à l'*Asia Hotel *voisin (même proprio, mêmes prestations).* Un immeuble de 4 étages (sans ascenseur) pas très folichon de l'extérieur mais qui, à ce prix-là, fait bien l'affaire. Propreté irréprochable, frigo dans les chambres spacieuses, lits confortables en bois sculpté et salles de bains assez grandes. Évitez les chambres sans fenêtre et vous n'aurez pas de vrai motif de plainte, d'autant qu'on est accueilli chaleureusement.

🛏️ *Seng Hout Hotel* (plan A1, **13**) : *rue 2.* ☎ 053-952-900. ☎ 012-530-327. ● *senghouthotel.com* ● *Doubles à « prix moyens », petit déj en sus.* On ne peut plus central, cet hôtel en 2 bâtiments presque voisins offre des prestations globalement correctes pour le prix. Son vrai bonus, c'est la piscine au 3e étage et le *roof-top* au 6e. Ainsi que le sympathique *coffee house* au rez-de-chaussée du bâtiment, couvert de balcons fleuris. Quoi qu'il en soit, les chambres sont claires et, plus on monte, plus c'est cher. Pour la vue qui englobe toute la ville. Loue vélos et scooters.

Plus chic (50-80 $)

🛏️ *Sangker Villa* (plan B1-2, **14**) : 200, Phum Rumcheck 4 ; rive droite. ☎ 097-764-00-17. ● *sangkervilla. com* ● *Doubles avec sdb et clim, petit déj inclus. Fourchette basse.* Une jolie demeure au calme tenue comme une maison d'hôtes par de jeunes Français accueillants. De l'espace dans les chambres confortables, plus ou moins spacieuses avec terrasse pour certaines. À l'arrière, petite piscine et bar. Une atmosphère chaleureuse règne dans cet hôtel familial.

De plus chic à très chic (50-120 $)

🛏️ *Phka Villa* (plan B2, **15**) : K.O St, Romcheak 5, Sangkat Ratanak. ☎ 053-953-255. ☎ 089-969-366. ● *phkavilla. com* ● *Doubles « plus chic », petit déj et transfert inclus.* À la lisière du centre-ville, ce petit hôtel de charme pas trop coûteux préserve l'intimité des hôtes. Une chambre dans chacun des 10 bungalows de plain-pied, répartis autour de la piscine à fond noir entourée de verdure. Les chaises longues incitent à un farniente ressourçant. Dans les chambres confortables, murs immaculés, discrète décoration khmère, lits supplémentaires pour les familles. Bref, l'adresse conjugue pas mal d'avantages et offre un très bon rapport qualité-prix. Resto sur place.

🏠 I●I *Au Cabaret Vert* (hors plan par A3, **16**) : à 10 mn à pied du centre. ☎ 053-656-20-00. ● aucabaretvert. com ● *Doubles « plus chic », petit déj compris. Plats khmers à prix « chic ».* Petit *resort* « écologique » tenu par un couple de Français. Bungalows répartis dans un jardin fleuri, autour d'une piscine naturelle. Ici l'écoresponsabilité n'est pas un vain mot. Et vous l'aurez compris en lisant les poèmes dans les chambres, c'est à Rimbaud que l'établissement doit son nom. Également un délicieux resto et un bar ouverts sur le jardin. Loue des vélos et propose des excursions. Service attentionné et ambiance vraiment chaleureuse.

🏠 I●I *La Villa* (plan B2, **17**) : rive droite. ☎ 053-730-151. 📱 017-411-880. ● lavilla-battambang.com ●

Doubles « très chic », petit déj compris. Belle demeure coloniale datant des années 1930. La villa servit de QG aux troupes vietnamiennes pendant la libération du Cambodge du joug khmer rouge. 7 chambres décorées de grands lits à baldaquin et ravissantes salles de bains équipées d'une grande baignoire. Une volée d'escaliers raides mène à celles du 2e étage, sous les combles. Elles présentent aussi un cachet fou avec leur beau plancher. Élégant resto à l'arrière (voir « Où manger ? ») et piscine au fond du jardin. Une étape de charme assurément.

🏠 I●I *Bambu Hotel* (plan B2, **18**) : rive droite, pas loin de La Villa. ☎ 053-953-900. ● bambuhotel.com ● *Doubles « très chic », petit déj inclus.* Un bel hôtel contemporain dont les chambres sont réparties dans 4 pavillons aux noms de temples des environs. Un luxe inattendu à la lisière du centre-ville. À l'étage, les chambres les plus chères, avec terrasse privative et vue sur la piscine. Les autres, en rez-de-chaussée, sont ravissantes, spacieuses, décorées avec le goût du détail et parfaitement équipées : beaux carreaux de céramique au sol. Service adorable. Location de vélos.

Où dormir dans les environs ?

🏠 I●I *Battambang Resort* (hors plan par A3, **19**) : Wat Ko Village, à env 4 km au sud de la ville. ☎ 053-666-10-01. 📱 098-528-210 et 012-510-100. ● battambangresort.com ● *Doubles « plus chic », petit déj et transferts inclus.* Un peu à l'écart ? On ne s'en porte que mieux en découvrant ce havre de sérénité blotti dans un immense jardin, au milieu des rizières. Un environnement enchanteur abritant des bungalows modernes qui accueillent des chambres design et de plain-pied aux lignes épurées, avec vue splendide sur le jardin ou le lac. Belle piscine d'eau salée, jacuzzi. Prêt de vélos ou *tuk-tuk* gratuit pour se rendre en ville. Resto sur place, aussi agréable pour son cadre que pour sa cuisine, à prix modérés. Vous l'avez compris, on est sous le charme...

Où manger ?

Attention, les repas sont servis tôt, notamment le soir. Après 21h, tout le monde plie bagage et la plupart des rues sont désertées !

Bon marché (moins de 4 $)

I●I *Les gargotes du marché de nuit* (plan A2, **20**) : au bord de la rive ouest de la rivière, face au musée. Tlj 15h30-4h du mat. Ensemble de petits restos locaux et authentiques servant de la cuisine khmère bonne et vraiment pas ruineuse.

I●I *Restaurant chinois* (plan A2, **21**) : rue 121. Tlj. En fait, le resto n'a pas de nom. Et ce n'est pas la salle, éclairée au néon, qui séduit d'emblée locaux et expats. Ce sont plutôt les *noodles*, faites maison et trônant sur toutes

LE CAMBODGE

les tables, le plus souvent servies en soupe.

|●| Nary Kitchen (plan A1, **22**) : 650, rue 111, tt près du vieux marché. Tlj 8h-22h. La jovialité de Nary, sa passion pour la cuisine et son désir de bien faire (et de parler français !) constituent les ingrédients de son succès. On recommande aussi son école de cuisine (voir « Où prendre des cours de cuisine » ?). Le sourire des convives en dit long sur la satisfaction des clients. Atmosphère chaleureuse, cuisine khmère spontanée et savoureuse, réalisée avec des produits frais du marché.

|●| Smokin' Pot (plan A2, **23**) : dans la rue des restos. Tlj 9h30-22h. Une cantine de rue, toutes tables dehors. Service efficace et plus tardif qu'ailleurs. Des plats khmers sans prétention mais parfumés, préparés sous vos yeux.

|●| White Rose (plan A2, **21**) : 102, rue 2 ; à l'angle de la rue des restos. Tlj 7h-22h. Fréquenté aussi bien par les touristes à l'étage que par les locaux en bas. La carte décline les grands classiques sino-khmers servis en portions généreuses. Un lieu vivant et sympa.

De prix moyens à chic (4-13 $)

|●| About the World (plan A2, **24**) : rue 2,5. ☎ 098-343-472. Résa conseillée. Prière de se déchausser dans ce resto de poche pour manger assis en tailleur, à moins d'opter pour la terrasse abritée de la rue par des plantes. Une invitation à la détente pour une cuisine khmère des plus réussies, servie avec un réjouissant sourire.

|●| Jaan Bai (plan A1, **25**) : rue 2. Tlj 11h-22h30. Voilà une adresse moderne et sa salle climatisée qui se remplit vite à chaque service. Décor très sobre, banquettes en carreaux de ciment, et quelques tables en bois. Au choix, des assiettes « small » ou « large », pour caler tous les appétits avec de savoureux plats khmers et thaïs concoctés avec des produits de saison. Une partie des bénéfices est reversée à une association qui forme les jeunes au métier de cuisinier.

|●| La Villa (plan B2, **17**) : voir « Où dormir ? ». Salle de resto à l'arrière de cette villa historique, sous une verrière aux armatures métalliques ou choisissez les quelques tables dans le jardin. Déco et ameublement dans le ton de la demeure, avec beaux carrelages et piano. Mais dans l'assiette, nous direz-vous ? Une cuisine franco-khmère bien équilibrée, comme à la maison, servie dans une ambiance relax.

|●| La Casa (plan A1, **26**) : rue 115. ☎ 081-610-177. La déco bois et les coussins dans les tons noirs dominent dans cette vaste salle ventilée au sol brut. Une ambiance sobre et un brin design, donc, chez cet italien apprécié pour ses pizzas de compét'. Un établissement clean, rapide et généreux en portion.

Où prendre un petit déj ? Où manger une pâtisserie ? Où boire un verre ?

♟ |●| Choco l'Art Café (plan A1, **30**) : tt près du marché central, dans une ruelle. ☎ 010-66-16-17. Tlj sauf mar 8h (10h hors saison)-22h. L'enseigne en dit long, sans bluffer ! Voilà une alternative gourmande et raffinée à la cuisine khmère classique. On aime autant la salle, haute de plafond, qui expose des œuvres d'artistes, que les délicieux gâteaux à savourer sur des tables basses. Réjouissant aussi pour un déjeuner à base de crêpes, salades, sandwichs... À moins qu'on ne flanche pour un cocktail ou un verre de vin.

♟ The Lonely Tree Cafe (plan A2, **32**) : rue 2,5. Tlj 10h-22h. Une terrasse sur la rue prolonge la salle du rez-de-chaussée et le coin boutique, qui vend foulards et artisanat au profit d'une ONG. Gagner l'étage aux élégants murs de briques et bois pour boire un verre à l'happy hour, en fin de journée, en grignotant des tapas espagnoles ou des plats khmers servis avec diligence.

♟ Madison Corner (plan A2, **33**) : tlj non-stop. Avec sa petite terrasse d'angle, ses fauteuils en osier et ses banquettes, un bar agréable, animé de jour comme de nuit. Expressos, bières et jus de fruits frais, ainsi que des crêpes. Beau choix de rhums arrangés maison. Petits déj. Billard. Un *corner* où il fait bon se la couler douce.

♈ Vintage Wine Bar *(plan A2, 24)* : 84, rue 2,5. ☎ 096-42-95-420. *Tlj midi et soir.* Inattendu bistrot à la française avec son miroir au-dessus du comptoir et les photos des clients, parmi lesquels un certain Matthieu Chedid.

Luc et sa talentueuse femme cambodgienne proposent sushis et tapas pour rendre l'apéro plus festif.

♈ Libations *(plan A1-2, 34)* : 112, rue 2. ☎ 077-531-562. *Bar tlj 17h-21h (boutique dès 11h).* Boutique-atelier, B & B chic, resto choc... On opte pour l'apéro au bar en soirée dans cet antre du bon goût tenue par un Australien fan de déco. Une maison détonante à Battambang !

Où prendre un cours de cuisine ?

■ **Nary Kitchen** *(plan A1, 22)* : tt près du vieux marché. ☎ 012-763-950. ● narykitchen.com ● *Cours à 9h et 15h30 ; durée 3h. Compter 10 $/ pers.* À l'arrière de son petit resto (voir plus haut « Où manger ? »), Nary organise des cours conviviaux de

cuisine khmère traditionnelle. Le cours commence par une séance au marché et se termine, bien entendu, par la dégustation. Atmosphère sympathique comme tout. Et vous repartirez avec un livret de recettes.

Achats

⊛ **La Fabrik** *(plan A2, 24)* : rue 2,5. *Tlj 9h-21h (15h-20h dim).* Boutique chic d'artisanat et épicerie où les produits sont choisis avec soin. Rayon spécial enfants et une belle touche d'originalité, à l'image des montres et lunettes en bambou.

⊛ **Gecko** *(plan A1, 36)* : rue 1. Collée au restaurant *Kitchen,* une mignonne boutique d'accessoires khmers, bijoux, kramas, tee-shirts, sacs, hamacs, montres vintage... Tout un panel à des tarifs très raisonnables.

À voir

⚑ Museum *(plan A2)* : rue 1. *Normalement, lun-ven 8h-11h et tlj 14h-17h. Entrée : 1 $.* Présentation désordonnée et poussiéreuse mais, noyées dans un beau fatras, quelques belles pièces d'archéologie, notamment les linteaux sculptés et fragments de style Koh Ker (X[e] s) et Bayon (XIIe-XIIIe s). En vrac, pas mal de stèles et têtes du Bouddha, corps de divinités de style Angkor Wat, et d'imposantes têtes de *yaksa* du temple de Beantey Srei du XIIIe s.

⚑ Dambang's Statue *(hors plan par B3)* : elle trône au milieu du rond-point. C'est la figure légendaire à laquelle la ville doit son nom, et elle est très vénérée des Cambodgiens qui viennent même y brûler de l'encens. Plusieurs versions sur son origine. On retiendra celle de Dambang Kranhoung, un bûcheron géant qui tenait son nom du « bâton » (un véritable tronc) d'un arbre, le *kranhoung.* Opposé au roi khmer de l'époque, un jour il lança violemment son bâton dans les airs. L'endroit où on le retrouva prit le nom de *Bat Dambang* (Battambang) : « le bâton perdu et retrouvé ».

⚑ The Governor's Residence *(résidence du Gouverneur ; plan A3)* : *près de l'office de tourisme.* Un exemple de monumentale demeure coloniale aux allures de palais italien. On ne peut que le contempler à travers les grilles, mais repérer les 2 canons datant de 1789 et les 2 lions.

🍴 **Wat Damreï Sâ** *(plan A2) : rue 3, à l'ouest du musée.* Ce temple du début du XXᵉ s abrite aujourd'hui une université bouddhique. Les bas-reliefs illustrent des scènes intéressantes du *Râmâyana* tandis que trônent 2 éléphants blancs.

🏬 Autre temps, pousser jusqu'au **Battambang Mall**, à proximité, une galerie commerciale dernier cri version khmère.

🍴 Neuf pagodes à Battambang sont disséminées des deux côtés du fleuve. Rive est, voir notamment **Wat Kandal** *(plan B2)* et **Wat Poveal** *(plan B1)*. Ce dernier date du XVIIIᵉ s et abrite aujourd'hui la résidence du chef des bonzes de la province de Battambang ainsi qu'une école réservée aux jeunes bonzes, dans leur tenue safran. Sur la rive ouest (celle du marché), voir **Wat Piphit** *(ou wat Peapahd, plan A1)*.

🍴🍴 **Psaar Nat** *(marché ; plan A1) :* au centre de la ville, tous les chemins y mènent ! Énorme, il dresse sa silhouette massive des années 1930. Peu de souvenirs à y glaner, mais toute une brochette de métiers et des machines d'un autre temps à observer : couturières, tailleurs, chausseurs, joailliers...

Où voir un spectacle de cirque ?

🍴🍴🍴 **Phare Ponleu Selpak** *(hors plan par A1) : Anch Anh Village, dans la commune d'**Ochar**.* ☎ 077-554-413. ● *phareps.org* ● *Par la route 5 en direction de Sisophon. Représentations à 19h les lun, mer, jeu et sam en hte saison (nov-mars) ; sinon lun, jeu et sam (sauf sam en basse saison). Entrée : 14 $; ½ tarif enfant.* En français, « Phare, la lumière des arts ». C'est une association créée par 9 jeunes Cambodgiens et leur prof de dessin, après la guerre, dans le but de reconstruire l'identité culturelle du pays à travers les arts. Aujourd'hui, *Phare Ponleu Selpak* accueille près de 750 jeunes dans son centre basé à Battambang et leur propose entre autres une formation gratuite aux arts visuels et appliqués (dessin, peinture, arts plastiques) ainsi qu'aux arts de la scène (cirque, musique, théâtre, danse). Avec l'école publique sur le campus, ce sont plus de 1 200 jeunes qui sont accueillis, sans compter la librairie, le centre de développement pour enfants, le département de protection de l'enfance, etc. Ce lieu hors norme se visite en journée. Forte de sa réputation, l'école de cirque organise des performances de haute volée sous son chapiteau (5 spectacles différents, programme sur le site), toujours précédées d'une courte représentation de danse traditionnelle. Une pépinière de talents à découvrir absolument, dans une ambiance bon enfant mais concentrée, à l'image du cirque professionnel de Siem Reap, issu de Battambang. Enfin, sachez que Phare Ponleu Selpak propose un programme de parrainage afin de soutenir les enfants les plus défavorisés : voir leur site.

DANS LES ENVIRONS DE BATTAMBANG

Les attraits limités de la ville elle-même (quoique...) sont largement compensés par l'exquise beauté de la campagne, un peu moins verte au pic de la saison sèche. Petites rivières et bocages, potagers et arbres majestueux marquent autant le visiteur que les vieilles pierres, si puissantes soient-elles. Pour une excursion à la journée, en *tuk-tuk,* prévoir autour de 20 $. Ne pas oublier chapeau et crème solaire.

🍴 **Wat Ek Phnom** *(hors plan par A1) : à 12 km au nord, par la route qui longe la rive gauche de la rivière. Comptez 30 mn de trajet sur une charmante piste bordée de maisons sur pilotis et de fabriques de feuilles de riz. Fermeture à 17h. Entrée : 1 $.* Modestes mais ravissantes ruines d'un temple datant du XIᵉ s, sur un tertre en pleine campagne, à côté d'une pagode clinquante. Très belle lumière en fin d'après-midi. Sanctuaire entouré d'un poétique chaos de blocs de pierre (l'ancienne enceinte) et, tout autour, de champs de nénuphars. Festival de portes et fenêtres de guingois, ornées des traditionnelles colonnettes sculptées. Au centre, la *cella* percée de quatre portes surmontées de linteaux richement ornés.

🏛 *Wat Samrong Knong (hors plan par A1) : à 5 km de la ville ; sur le chemin de wat Ek Phnom, prendre un chemin à droite sous une arche.* L'une des plus anciennes pagodes de la province de Battambang (1707) jouxte un nouveau temple. À l'époque des Khmers rouges, elle servit de prison avant que les détenus ne soient déportés vers le camp S-21, à Phnom Penh. Traverser la pagode en passant près d'un plan d'eau et des logements des moines pour aller voir le monument commémoratif, « The Well of Shadows » (« le puits des ombres ») doté d'un lugubre ossuaire vitré.

🏛 *Prasat Banan (hors plan par B3) : à 22 km au sud de Battambang en suivant la rive gauche de la rivière Sangker. Route pleine de vie jalonnée de maisons sur pilotis. Fermeture à 17h. Entrée : 2 $. Buvette opportunément installée au bord de l'eau.* Hardi petit, pour le romantique et rustique ensemble de tours du XIᵉ s perchées à 100 m de hauteur. En haut des 369 abruptes marches, on ne voit plus grand-chose des collines et des falaises environnantes, la végétation ayant repris ses droits. Le lieu fut une position stratégique des Khmers rouges (et il fut bombardé, bien sûr). La plupart des statues ont disparu ou sont au musée de Battambang. Quelques linteaux sculptés, quand même, qui représentent notamment des apsaras sans tête. En bas de la colline, de belles grottes à 350 m (se les faire indiquer, car difficile à trouver).

🏛🏛 ← *Phnom Sampeu : à 12 km à l'ouest de la ville, sur la route de Pailin. Compter 1h de marche A/R. Entrée : 1 $. Se rendre d'abord aux grottes (20 bonnes mn à pied ; 1 $ à moto ou en jeep), puis 10 mn de montée jusqu'au sommet (ou 1 $ à moto). Redescente par une volée de plusieurs centaines de marches. On peut aussi faire le circuit à pied dans l'autre sens, en empruntant l'escalier sur la droite en arrivant (grimpette de plusieurs centaines de marches).* Important pèlerinage bouddhique, cette montagne rappelle également des

> ## CHAUVE QUI PEUT !
>
> *Les grottes de Phnom Sampeu abritent plus d'un million de chauves-souris. Vers 17h-18h, une nuée de centaines de milliers de* chaerephon plicatus *prend son envol, comme un fascinant ruban au flux ininterrompu et fébrile. Show assuré tous les soirs ! Les chauves-souris parcourront 50 km pour aller chasser les insectes avant de revenir dans la nuit. Elles sauvent ainsi sans le savoir 2 000 tonnes de riz par an en dévorant les pestes animales, comme les criquets.*

événements de sinistre réputation. En effet, les Khmers rouges y assassinèrent au moins 10 000 personnes. Macabres ossuaires et atmosphère chargée dans les *killing caves,* ces grottes où les prisonniers étaient précipités depuis un trou en haut de la caverne. Une reconstitution en béton des tortures, aussi expressive qu'inesthétique marque l'entrée du site. La 2ᵉ étape marque le sommet de la montagne, d'où l'on jouit d'une vue panoramique sur la campagne, les rizières et les collines. Attention aux singes, ils peuvent parfois se révéler agressifs.

🏛🏛 En fin d'après-midi, à la redescente, chaises et tables attendent les touristes qui ne manqueraient pour rien au monde l'envol de centaines de milliers de chauves-souris. Un must !

🏛 *Bamboo Train (hors plan par B3) : à Banan, 22 km au sud de Battambang. Ticket : 5 $.* Le *Bamboo Train,* fut surnommé ainsi en raison de sa structure en... bambou. Situés auparavant sur l'ancienne voie ferroviaire Phnom Penh-Battambang (en réfection), rails et wagons ont déménagé en 2018 près du Wat Banan. On parcourt environ 4 km sur ces plates-formes précaires entraînées par un moteur de style tondeuse. Rien d'incontournable.

AU SUD

KOMPONG CHHNANG

Bâti sur les rives marécageuses du Tonlé Sap, ce chef-lieu de la province du même nom présente, côté route (la nationale 5), une partie moderne et sans grand charme, et côté lac un village plus typique qui s'étire le long du quai, avec ses habitations sur pilotis, le port et son pittoresque marché maraîcher et d'artisanat local (poterie et vannerie). Une étape pratique le temps d'un repas le midi ou d'une nuit entre Battambang et Phnom Penh, mais on n'a guère d'adresses vraiment enthousiasmantes à proposer.
Jolies balades à faire dans le coin jusqu'aux villages potiers ou à la découverte de deux villages flottants en dehors des circuits habituels.

Arriver – Quitter

En bus

Les bus entre Phnom Penh (à 90 km) et Battambang (à 200 km) font un arrêt à Kompong Chnang (le long de la N5, partie moderne de la ville). Route correcte et liaisons assurées par les compagnies *Sorya*, *Capitol* et *Olympic Express*. Se présenter à l'arrêt 30 mn avt l'heure indiquée sur le billet, les horaires de passage étant très fluctuants, selon le trafic.

➢ *Phnom Penh et Battambang :* env 9 bus/j., 7h30-16h pour Battambang (trajet 3h30), 10h-16h pour Phnom Penh (trajet 3h). Départs ttes les heures.
➢ *Siem Reap :* changement à Battambang.

En voiture

Compter 2h avec Phnom Penh, 3h30-4h avec Battambang.

Où dormir ? Où manger ?

🏠 *Garden Guesthouse :* CA19, Mombarang Village. ☏ 012-550-633 et 097-99-097-88. ● ssophea@ymail.com ● *En venant de Phnom Penh, tourner à gauche au niveau du grand monument rouge ; c'est à 1 km (les tuk-tuk connaissent).* « Bon marché ». Un peu loin de la rivière mais à 10 mn de l'arrêt de bus, cette adresse reposante et accueillante se démarque par son cadre verdoyant. Chambres simples et jolies, disséminées dans un jardin tout en longueur. AC ou ventilo, eau chaude ou froide... Il y en a pour tous les budgets, sans jamais se ruiner. Loue des vélos.

🍴 *Sok San II :* sur la route N5, en sortie de ville direction Phnom Penh. « Bon marché ». Un arrêt privilégié pour les touristes à midi, sous une vaste structure en bois soutenue par de gros troncs d'arbre. Carte longue comme le bras et plats en 3 tailles. Serpent à la carte pour les amateurs !
🏠🍴 *Sovannphum Hotel :* sur la route N5, Kandal village. ☎ 026-989-333. ☏ 012-812-459. ● sovannphumkphotel@yahoo.com ● « Bon marché ». Un hôtel avant tout fonctionnel au bord de la N5, près du grand monument rouge. Restaurant correct.

À voir. À faire

🎣 On peut *louer un bateau* à l'un des nombreux pêcheurs qui travaillent sur le Tonlé Sap. *Prix à négocier : env 10 $/pers.* Balade très sympa dans les villages lacustres de *Phoum Kandal* (le plus proche) et *Chong Kos.* Privilégier une barque à rames qui n'utilise le moteur que pour approcher des villages. Les habitants, majoritairement d'origine vietnamienne, habitent dans des maisons colorées, souvent précédées d'un ponton et d'un hamac. Peu de touristes et très pittoresque !

🗽 *Ondoung Rossey :* *à env 5 km au nord-ouest, A/R possible en* tuk-tuk *ou à vélo.* Parmi les villages de potiers qui émaillent la campagne alentour, celui-ci est le plus organisé. On trouve un atelier artisanal avec son four sous pratiquement chaque maison avec point de vente de vaisselle et petits objets, tous bruts, sans déco.

SUR LA ROUTE DE BATTAMBANG

🗽🗽 *Kompong Luong :* *à 60 km de Kompong Chnang ; quitter la N5 au village de Krakor et parcourir quelques km sur une piste (distance variable en fonction du niveau du lac). Infos à l'embarcadère : env 13 $/h pour une sortie bateau 1-6 pers ; nuitée env 6 $/pers.* ☎ *017-911-64 ou 097-91-53-244.*
Difficile de parler de village flottant, ici, quand on dénombrerait plus de 10 000 habitants ! Pagode, échoppes de poisson, élevage de crocos, école, boulangerie, église... La visite en bateau donne un aperçu stupéfiant de ce monde hors-sol, grouillant de vie. On peut même y passer une nuit en totale immersion (repas compris) dans des chambres d'hôtes rudimentaires, mais propres et tenues par des familles accueillantes.

À L'EST

KOMPONG THOM   32 000 hab.

Paisible ville de province, située au bord de la rivière Stung Sen, Kompong Thom se trouve à mi-chemin entre Phnom Penh et Siem Reap. On ne s'y attarde pas vraiment mais c'est le point de départ pour la visite de *Sambor Prei Kuk,* un ensemble de temples datant du VIIe s. Plus difficilement accessible, mais possible, on peut aussi rejoindre *Preah Khan* (à ne pas confondre avec son homonyme d'Angkor), qui témoigne également de la grandeur et de l'étendue de la civilisation khmère.

Arriver – Quitter

➢ Tous les *bus* desservant la ligne *Phnom Penh* (à 170 km) – *Siem Reap* (150 km) s'arrêtent dans le centre de Kompong Thom devant l'*Arunras Guesthouse* (où l'on conseille de s'adresser pour toute info). Dans les 2 sens, des bus aux horaires fluctuants, 9h30-18h env (compter 2h-2h30), avec les compagnies *Mekong Express, Sorya* et *Bayon* (minibus) ; être là en avance. Pour ne payer que la moitié du trajet Phnom Penh-Siem Reap (normal, on est à mi-chemin !), réserver avec l'*Arunras Guesthouse*.
➢ Compter 2h30 avec *Kompong Cham*. Se renseigner au préalable si de Kompong Cham on souhaite remonter vers Stung Treng via Kratie. *Taxis collectifs* si les horaires ne conviennent pas.

Adresse utile

■ *Canadia Bank :* *face à l'Arunras Guesthouse.* DAB 24h/24 et service *Western Union.*

LE CAMBODGE

Où dormir ? Où manger ?

De bon marché à prix moyens

🛏 *Vimean Sovann Guesthouse :* St 7. ☎ 078-220-333 et 087-220-333. À 10 mn à pied au sud du centre-ville. Doubles avec ventilo (« bon marché ») ou clim (« prix moyens »). Pas de petit déj. On apprécie le charme et les tarifs mesurés de cette *guesthouse* tenant plutôt de l'hôtel. Chambres réparties sur 6 étages : propres, jolies et calmes, certaines avec balcon. Le tout dans un quartier calme et bien situé. Location de scooters.

🛏 *Arunras Guesthouse & Hotel :* 46Eo, rue Sereipheap. ☎ 062-666-1777 et 012-865-935. Doubles et plats « bon marché ». Impossible à manquer : la *guesthouse*, l'hôtel et les restos du même nom sont limitrophes et situés à la descente des bus (pratique !). Sous une apparente décrépitude, les chambres sont plutôt correctes si l'on n'est pas trop pointilleux sur le bruit et la propreté. Pour 1 $ de plus, on gagne quelques mètres carrés à l'hôtel. Certaines chambres avec ventilateur ont un mur aveugle. Resto aéré par plein de ventilos. Sa grande salle carrelée est la plus animée de la ville, souvent complète et très bruyante. Grand choix de plats honorables et servis copieusement.

🛏 *Santepheap Guesthouse :* 23, rue Pracheathipathay. ☎ 011-882-527. Dans la rue menant au Sambor Village. Doubles sans ou avec sdb et clim. Pas de petit déj. Pas le grand luxe, mais un confort honorable dans 2 bâtiments contigus couleur saumon. Chambres carrelées à la propreté satisfaisante. Accueil souriant.

🍽 ✝ *Kompong Thom Restaurant :* au bord de la rivière, à droite au pont en allant vers Siem Reap. Plats à « prix moyens ». Si la cuisine se révèle convenable sans plus, la terrasse sur le Mékong s'avère un atout incontestable.

Plus chic (50-80 $)

🛏 🍽 *Sambor Village :* Democrat St (à 600 m de la N6). ☎ 017-92-46-12. ● samborvillage.asia ● Fourchette basse. Plats à « prix moyens ». La seule adresse de charme de Kompong Thom, délicieusement noyée dans la verdure. Dans chacun des 10 pavillons, 2 chambres prolongées par une terrasse privée ouverte sur le luxuriant jardin et la piscine. Lits à baldaquin, moustiquaires, carreaux de ciment, beaux volumes et salles de bains modernes. Resto à l'étage de la maison khmère où l'on sert de délicieux plats locaux, des pizzas et des pâtes. Empruntez les vélos ou la barque devant l'hôtel pour une balade sur la rivière. Une belle adresse pour une détente assurée.

Où dormir ? Où manger sur la route ?

🛏 🍽 *Soban Teuk :* sur la N6, à 28 km au sud de Kompong Thom (au niveau de la borne « 142 km »). ☎ 09-57-03-255 et 07-82-51-976. ● sobanteukkgt. wixsite.com/monsite ● Doubles env 25-75 $ avec petit dej. Repas env 10 $. Être motorisé. Discrète de l'extérieur, cette résidence tenue par un couple franco-khmer affable abrite des bungalows simples et colorés ainsi que 2 maisons d'hôtes traditionnelles reconstituées, habilement disséminées dans un petit jardin rafraîchissant. Kunthy n'a pas sa pareille aux fourneaux (et on ne vous parle pas de ses mojitos !), tandis que Rico propose toutes sortes d'excursions dans la région. Une adresse accueillante où l'on peut facilement se poser quelques jours.

🍽 ✝ *Prey Pros rest area :* à 15 km au nord de Kompong Thom, direction Siem Reap. ☎ 011-788-882. Plats « bon marché ». Quasi tous les touristes font halte dans cette zone plaisante de restaurants sur la N6, sorte d'aire d'autoroute khmère. Il faut dire que le paysage s'y prête, en bord de Mékong. Le Prey Pros propose des paillottes individuelles et ouvertes, posées sur pilotis. Dans l'assiette, des soupes, des stirfrys et des currys bien appétissants, en portions plus que généreuses.

À faire

🎋 **Balade le long des quais de Kompong Thom :** à faire en fin de journée pour voir l'envol de centaines de chauves-souris gigantesques qui ont investi trois arbres ancestraux, à côté de l'ancienne résidence du gouverneur français. Il reste encore quelques bâtisses d'époque coloniale en très mauvais état sur cette berge abandonnée.

DANS LES ENVIRONS DE KOMPONG THOM

Remarquables ou modestes, mais toujours divertissantes et photogéniques, il y a plein d'excursions à faire autour de Kompong Thom !

Vers le nord

🎋🎋🎋 ⊗ **Sambor Prei Kuk** (temples de) **:** depuis Kompong Thom, suivre la N6 pdt 5 km en direction de Siem Reap jusqu'à une fourche avec panneau ; y obliquer à droite sur la N62 (anciennement N64), large route désormais asphaltée, filant vers Tbeng Meanchey (à 130 km de là) ; après 12 km, embranchement sur la droite indiqué (panneau et mur en brique), puis 13 km de route goudronnée (attention aux nids de poule) qui, après un pont, devient une piste. Alternative (pour faire une jolie boucle A/R) : 4 km seulement après l'intersection sur la N62, bifurquer à droite (passage sous une arche), puis à gauche après 4 km ; poursuivre jusqu'au village d'Asti, où passe la piste principale ; demander son chemin, tt le monde connaît ces temples. Compter 1h de trajet. Ticket (à prendre juste avant le pont) : env 6 $.

Les temples de Sambor Prei Kuk – classés au Patrimoine mondial de l'Unesco en 2017 – constituent l'un des plus remarquables exemples de l'art préangkorien (première moitié du VIIe s), malheureusement en mauvais état et mal restaurés (portes renforcées par du béton). Sous l'ancien nom d'Ishanapura, les temples furent la capitale du royaume indianisé de Chenla et dédiés au culte de Harihara, unissant Vishnou à Shiva. L'architecture à base de brique est semblable à celles de sites de l'Inde du Sud : une tour centrale, représentant la montagne sacrée *meru,* entourée de sanctuaires de taille inférieure, de murs d'enceinte et de fossés. Aux trois grands ensembles de temples (le central, le sud et le nord) s'ajoutent sur 840 ha plus d'une centaine d'autres sanctuaires plus modestes. Le site compte surtout 10 temples octogonaux, des spécimens uniques en leur genre en Asie du Sud-Est.

La visite des trois grands *prasat* (signalés par des panneaux) se fait facilement à pied, sur des sentiers sablonneux. Compter 2h pour parcourir ce site très boisé, reposant et... quelque peu magique. Une belle balade en forêt !

– **Prasat Sambor** (groupe nord) **:** passé le mur d'enceinte encore significatif, quatre tours en assez bon état sur les côtés. Au milieu, le prasat Sambor est entouré de quatre tours octogonales. Sur l'une d'entre elles, des bas-reliefs assez bien conservés révèlent notamment Shiva et de petits chevaux ailés. À terre, remarquer les quadrilatères aux flancs ciselés qui accueillaient des lingams. La tour centrale a été bombardée alors que les Khmers rouges s'étaient réfugiés sur le site. En allant vers le prasat Tor, un bassin avec des vestiges d'escaliers.

– **Prasat Tor** (groupe central) **:** la muraille extérieure et tous les temples sont quasiment effondrés. De façon puissante et élégante à la fois, seul le *temple du Lion* (prasat Tor) émerge au milieu des éboulis et de lianes courant d'arbre en arbre pour former des balançoires naturelles. Linteaux bien restaurés.

– **Prasat Yeay Peau** (groupe sud) **:** belles tours octogonales et intéressants vestiges de sculptures, notamment dans deux cercles sur le mur intérieur. Malgré leur forte usure, on reconnaît à gauche un lion (crinière, queue et pattes) écrasant deux guerriers. À droite, un singe offre, semble-t-il, un cadeau à une divinité.

🎋🎋 **Khmer Bridge :** à **Kompong Kdei,** en marge de la nationale, à env 90 km de Kompong Thom et 60 km de Siem Reap. Il s'agit d'un des plus longs ponts à voûtes en encorbellement du monde (il y en a 21), long de 22 m et large de 16 m. Construit en latérite au XIIe s, il est aussi parfaitement conservé. Son parapet se termine par quatre statues de nagas en grès, sculptées à chaque extrémité. Seuls les deux-roues et les piétons peuvent aujourd'hui l'emprunter.

✹✹ Preah Khan : *dans la province de Preah Vihear, à env 4h de Kompong Thom (en saison sèche seulement). Pour la description, voir plus loin « Angkor. À voir. À l'extérieur des circuits. À l'est d'Angkor ». Jusqu'à nouvel ordre, l'accès le plus aisé (relatif...) se fait depuis la N6 en allant vers Siem Reap ; bifurcation au village de Stoung, ou, plus simple, à env 14 km de Kompong Thom (arche sur la droite). Autre option : emprunter la N62 jusqu'au carrefour de Phnom Dek, d'où une piste très sablonneuse rejoint le village de Ta Seng, où se rejoignent ttes les pistes mentionnées ici. Ce site très difficile d'accès est réservé aux motards accompagnés (tour guidé ou moto-dop local), à moins d'avoir une bonne expérience, de posséder un GPS, de parler le cambodgien, ou, mieux encore, tout cela à la fois !*

Vers le sud

✹ Phnom Santuk : *en direction de Phnom Penh par la N6, embranchement bien indiqué au km 17. 809 marches à gravir (c'est précis ! on l'a fait !) ou, pour les véhiculés, route étroite et sinueuse jusqu'au sommet. Entrée : 3 $. Env 10 $ l'A/R en tuk-tuk.* Sur cette colline boisée culminant à 180 m, lieu de pèlerinage régional, de spectaculaires bouddhas couchés, sculptés dans les cavités de la roche tourmentée, voisinent avec une pagode et divers pavillons, dont un avec de belles peintures très colorées. Le panorama depuis une table rocheuse légèrement en contrebas, notamment au coucher du soleil fait un peu oublier les quantités de déchets qui couvrent le site.

ANGKOR, SIEM REAP ET ENVIRONS

● Siem Reap....................214	BBC (Banteay	● Angkor...et toujours.....242
• Sur la route	Srei Butterfly Center) ; le	
du Banteay Srei :	musée de la Mine	

SIEM REAP   250 000 hab.

● Plan p. 217

À 320 km au nord-ouest de Phnom Penh et à quelques encablures du lac Tonlé Sap, la ville de Siem Reap, traversée du nord au sud par une rivière, sert de porte d'accès et de lieu de séjour aux visiteurs d'Angkor. Son nom, « Siamois battus », a été donné à la province au XVIe s quand les pilleurs siamois furent boutés hors du royaume.

La ville, qui n'était qu'une bourgade jusque dans les années 2000, connaît aujourd'hui un boom touristique incroyable, dû surtout au marché régional (Vietnam, Chine et Thaïlande). Les mégahôtels et les *guesthouses* poussent comme des champignons afin de satisfaire les

millions de visiteurs annuels (à peine 10 000 en 1993) ! Et on ne compte plus les restaurants, salons de massage ou autres agences de voyages qui ouvrent ou qui ferment en permanence. Les maisons traditionnelles aux façades de bois colorées ne sont plus qu'un souvenir, le trafic automobile s'intensifie toujours plus tandis que le soir, avec les nombreux bars de *Pub Street* (communément appelée « rue de la Soif ») et de sa jumelle, l'allée piétonne *The Lane,* le niveau sonore devient vite assourdissant ! On aime ou pas. Mais l'atmosphère de la ville reste agréable ailleurs, notamment dans le quartier du vieux marché.

Vous l'aurez compris, Siem Reap est un passage obligé pour tout voyage au Cambodge et, certainement, le lieu où l'on dépense le plus. Entre l'entrée au site d'Angkor (pas donné), les transports pour s'y rendre, les hôtels et les restaurants en général plus chers qu'ailleurs dans le pays, gare au budget final !

Arriver – Quitter

En bus

🚌 *Gare routière (hors plan par B1) :* excentrée, à 4 km à l'est sur la route 6 en direction de Phnom Penh. Joyeux chaos en permanence. Même si on peut acheter les billets sur place (petits guichets sur la route ou devant les compagnies), on recommande chaudement de passer par les agences du centre-ville ou les hôtels. Plus fiables pour les horaires et on économise le déplacement jusqu'à la gare routière (compter 3 $ en *tuk-tuk*).

Les compagnies

Les horaires des compagnies sont d'une manière générale assez respectés. Il est plus prudent de réserver. Le transfert à l'arrivée ou au départ est souvent organisé par la compagnie ou le vendeur de billets. Sinon, y aller en *tuk-tuk* ou à *moto-dop.* Voici une sélection des compagnies de bus, d'un confort inégal, mais a priori correctes. Il en existe d'autres que nous ne prendrons pas la responsabilité de citer, devant la vétusté alarmante de certains engins.

■ *Giant Ibis :* Sivatha bd, Mondol 1 village, Svay Dangkom district. 📱 096-999-3333. ● *giantibis.com* ● 3 départs/j. pour *Phnom Penh* (dont 3 bus de nuit). Compagnie la plus chère, mais aussi les bus les plus confortables, les plus fiables niveau sécurité et ponctuels, équipés du wifi.

■ *Mekong Express Limousine Bus :* Banteay Chas Village, Slorkram, N6.

☎ 063-963-119. Dessert *Phnom Penh* (4 bus/j., trajet 7h). De là, bus pour *Sihanoukville* et *Hô Chi Minh-Ville.*

■ *Capitol Tour :* 428, St 9 et 10, au sud du vieux marché, pas loin de Sivatha Bd. ☎ 063-968-268. Dessert *Phnom Penh* jour et nuit (trajet 7h), *Battambang* (3h de trajet), *Poipet* (1 bus, trajet 3h), *Sihanoukville* et *Hô Chi Minh-Ville* (par Phnom Penh). Pour Bangkok, 1 bus le mat (trajet 9h). Propose également des minivans vers Phnom Penh.

■ *Phnom Penh Sorya Transport :* Psar Krom Road, Svay Dangkum. 📱 081-90-80-18. Dessert *Phnom Penh* (6 bus/j. et 1 de nuit).

■ *Golden Bayon Express :* 269, Wat Bo village, Salakamreuk. 📱 017-221-919. 5 trajets quotidiens en minibus entre *Phnom Penh* et Siem Reap.

■ *Gold VIP :* ☎ 023-632-7600. Des minivans directs pour Sihanoukville (inutile de passer par Phnom Penh). Même service avec *Virak Buntham Express :* 📱 095-47-04-70 et 096-84-70-470. ● *virakbuntham.com* ●

En bateau

⛴ *Quai d'embarquement (hors plan par A3) :* arrivée et départ au port de Chong Khneas, près de Phnom Krom, à 15 km au sud de Siem Reap, sur le Tonlé Sap. Prévoir 30 mn de trajet en *tuk-tuk* (env 10 $) pour rejoindre la ville. Transfert en général inclus dans le billet vendu par les hôtels. Prévoir chapeau, crème solaire (si vous vous retrouvez sur le toit...) et eau.

LE CAMBODGE

■ **Adresses utiles**

⚓ Quai d'embarquement
   (hors plan par A3)
🛈 Tourist Office (B1)
1 Cathay United Bank (A2)
2 Foreign Trade Bank of Cambodia
   (zoom)
3 ANZ Royal Bank (A-B2)
4 Canadia Bank (A2)
5 Huynken (A2)
7 Missing Socks Laundry Café (A3)
8 Osmose (B3)
9 Monument Books (A3)

⌂ **Où dormir ?**

10 One Derz (A2)
11 Neth Socheata (zoom)
12 Siem Reap Riverside (A3)
13 Villa b (A3)
14 Bou Savy Guesthouse (A1)
15 The Villa Siem Reap (A2)
16 Paris Angkor Boutique (A1)
18 Auberge Mont Royal (A2)
19 Velkommen (B1)
20 Central Boutique Hotel (A2)
21 Victoria Angkor Resort & Spa (B1)
22 Raffles – Grand Hôtel d'Angkor (B1)
23 FCC Hôtel (B2)
24 The Backpacker Hostel (B3)
25 Hostelling International
    (hors plan par A3)
26 Happy Guesthouse,
    Sweet Dreams Guesthouse
    et European Guesthouse (B2)
27 Lovely Family Guesthouse (B2)
28 Goyavier Hotel
    (hors plan par A1*)*
30 La Maison d'Angkor
    (hors plan par A1)
31 White Rabbit Hostel (B2)
33 Angkor Retreat Villa (B1)
34 The Siem Reap Hostel (B3)
35 Golden Banana (B3)
36 Résidence Watbo
    (hors plan par B3)
37 Alliance Boutique Villa (B3)
39 Les Mystères d'Angkor
    (hors plan par B1)
40 Kafu Resort and Spa (B1-2)
42 Sizen Retreat & Spa (B1-2)
44 La Palmeraie (hors plan par A1)
45 Pavillon Indochine
    (hors plan par A1)
46 Navutu Dreams Resort
    (hors plan par B3)
47 Maison 557 (B3)
48 Angkor Village Hotel (B3)
49 Sala Lodges (hors plan par B3)
50 École hôtelière Sala Baï (hors plan
    par A3*)*
51 Hôtel d'application de l'école Paul-
    Dubrule (hors plan par A1)

|●| **Où manger ?**

11 Socheatea Restaurant (zoom)
40 Chili Pepper (B1-2)
50 École hôtelière Sala Baï
    (hors plan par A3)
60 La Crêperie (zoom)
61 Cambodian Traditional Chef (A3)
62 Little Kroma (A3)
63 Madam Moch (A2)
64 Mie Café (hors plan par B1)
65 La Cabane, cuisine des filles (B3)
66 Chamkar (zoom)
67 The Indian (zoom)

68 Croq'Me (B2)
69 Hansa BBQ (B2)
70 Sister Srey (zoom)
71 Jomnan's Kitchen (A2)
72 Paris-Saïgon (B2)
73 Barrio (B3)
74 Phare Cafe (hors plan par A3)
75 Arun (B2)
76 Peace Café (B1)
77 Dakshin's (zoom)
78 Viroth's Restaurant (B2)
79 Le Tigre de Papier (zoom)
80 Touich Restaurant
    (hors plan par B1)
81 The Square 24 (B2)
82 Marum (B1)
83 Abacus (hors plan par A1)
84 Cuisine Wat Damnak (B3)
85 Bugs Café (B3)
86 Kanell (hors plan par B3)
87 Le Jardin des Délices
    (hors plan par A1)
88 Factory (zoom)
89 Le Malraux (zoom)
90 Le Napoléon Gastrobar (zoom)
91 The Haven (B3)
92 Sugar Palm (B3)

🍵 ☕ **Où boire un thé, un café ?**
    Où prendre un petit déjeuner ?
    Où déguster une glace ?

100 Bayon Pastry school (A1)
101 La Couleur du Thé
     (hors plan par B1)
102 Gelato (zoom)
103 Malis (B2)

🍸 🎵 **Où boire un verre ?**
    Où écouter de la musique ?

21 L'Explorateur (B1)
22 Elephant Bar (B1)
23 Bar du FCC (B2)
109 Asana (zoom)
110 Miss Wong (zoom)
111 Siem Reap Brewpub (B2)
113 Red Piano (zoom)
114 Angkor What ? (zoom)
115 X Rooftop Bar (A3)

∞ **Spectacles**

40 Théâtre d'ombres (B1-2)
48 Apsara Theatre (B3)
74 Phare, « The Cambodian Circus »
    (hors plan par A3)

■ **Massages**

121 Sokkhak Spa (A3)
122 Khmer Relief Spa (zoom)
134 Frangipani (A2)

⊛ **Achats**

130 Senteurs d'Angkor (zoom)
131 Les Artisans d'Angkor (A3)
132 Samatoa (hors plan par A3)
133 Theam's (hors plan par A1)
134 Les boutiques
     du « Kandal village » (A-B2)
135 Khmer Ceramics & Bronzes (B1)

⚑ **À voir**

22 Raffles – Grand Hôtel d'Angkor (B1)
23 FCC Hôtel (B2)

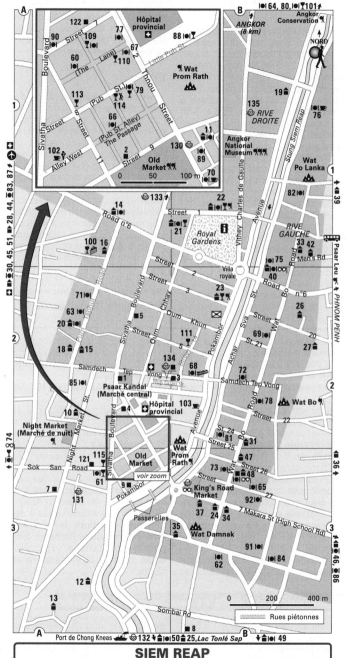

SIEM REAP

LE CAMBODGE

Liaisons

➤ **Phnom Penh :** bateau rapide *(Angkor Express Boat)*, à fenêtres fumées, et on ne peut pas monter sur le toit. L'intérêt est donc un peu limité.... Départ garanti s'il y a assez de passagers, mais dépend du niveau d'eau (sujet à caution donc de novembre à mars). Compter au moins 35 $ et 5-6h de trajet ; billets en vente dans les agences de voyages et dans certains hébergements.

➤ **Battambang :** 1 bateau régulier/j., départ vers 7h (env 20 $, beaucoup plus cher que le bus, et on met plus de temps) avec *Angkor Express Boat*. Déconseillé en période sèche (c'est même impossible d'avril à juin), au risque de mettre beaucoup plus de temps et de descendre loin du débarcadère habituel à Battambang (*tuk-tuk* nécessaires dans ce cas). Compter minimum 6-7h de voyage (en principe avec des toilettes). Pas toujours ponctuels et, parfois, du « surbooking », mais on peut monter sur le toit où sont stockés les bagages. Se fait en gros hors-bord chargé à mort ou en barque à moteur à peine moins remplie. Assis sur son sac, on peut alors regretter l'absence de gilets de sauvetage. Passé tous ces préliminaires, c'est vraiment une expérience à vivre si toutes les conditions sont réunies. Inoubliable navigation, c'est l'un des trajets les plus originaux qui soient ! Les côtés sont ouverts pour admirer le paysage (attention aux branches quand la végétation est resserrée). On passe du lac à la forêt immergée puis aux premiers villages flottants, avant de faire une pause repas de 20 mn, dans un troquet flottant à mi-parcours et de parcourir le lit de la rivière, sinueux, avec toujours plus de villages. Les prévoyants auront pensé aux bouchons d'oreille et tâcheront de s'asseoir plutôt à l'avant à cause du bruit du moteur. – Également des bateaux privés. Compter au minimum 180 $ de 1 à 6 personnes (plus 3 $/pers pour l'entrée sur le lac). Évidemment plus sympa et un peu plus rapide, car moins chargé. Mais aussi plus souple dans les horaires de départ et en ce qui concerne d'éventuelles haltes.

En avion

✈ **Aéroport international de Siem Reap** *(hors plan par A1)* : à 7 km à l'ouest, par la route 6. Comptoir à motos et taxis ; prévoir respectivement 5 à 10 $ jusqu'au centre (15 mn de trajet). Dans le sens ville-aéroport, c'est un peu plus cher. Également des *tuk-tuk*. Bureau de change, banques, dont *ANZ Royal* qui dispose d'un distributeur automatique. Beaucoup d'hôtels assurent une navette gratuite, à demander au moment de la résa. Obtention possible du visa à l'arrivée (voir le chapitre « Les questions qu'on se pose avant le départ » en début de guide).

Liaisons nationales et internationales

■ **Cambodia Angkor Air :** Day Sunrises boutique Hotel, Wat Damnak Village, Sala Kamreuk Commune. ☎ 063-969-268. ● *cambodiaangkorair. com* ● Lun-ven 8h-12h, 13h30-17h30. 5-6 vols/j. pour **Phnom Penh** et 1 vol/j. pour **Sihanoukville.**
■ **Sky Angkor Airlines :** Rd 106, Krous Village, Svay Dangkum Commune. ☎ 063-967-300 et 023-217-130. ● *skyangkorair.com* ● 3 liaisons/sem pour **Sihanoukville.**
■ **Bassaka Air :** ☎ 023-217-613. ● *bassakaair.com* ● 1 liaison/j. avec **Phnom Penh.**
■ **JC Airlines :** ● *jcairlines.com* ● Compagnie récente qui opère 1 vol/j. avec Sihanoukville en *Airbus A320*.
– Pour les vols internationaux à destination de **Bangkok, Hô Chi Minh-Ville, Hanoi, Luang Prabang, Singapour** et **Kuala Lumpur,** se reporter, au début du guide, au chapitre « Arriver – Quitter ».

Transports en ville et sur le site d'Angkor

L'entrée du site d'Angkor est à 8 km au nord de Siem Reap par l'avenue Charles-de-Gaulle.
– *Location de vélos :* plusieurs boutiques le long de Sivatha Boulevard, sur la route de l'aéroport et dans tous les hôtels. Choix entre des vélos classiques monovitesse et des VTT de

qualité moyenne. La région est plate, une simple petite reine vaut mieux qu'un VTT qui déraille ; tester l'engin ! Meilleur moyen pour se balader dans Siem Reap, le vélo est en revanche réservé aux endurants dès qu'il s'agit de pousser jusqu'à Angkor. Attention, la saison chaude (avril-mai) est ici plus redoutable qu'à Phnom Penh pour ne pas dire dangereuse. Voir plus loin « Angkor. Conseils pratiques ». Dans certaines boutiques le prix de location *(2-3 $)* s'entend à la journée (remise du vélo escomptée avant la fermeture nocturne) et non sur une base de 24h.

– *Vélos électriques :* un moyen de transport génial pour sillonner la ville et visiter Angkor sans suer sang et eau. Location à l'agence **Green e-bike** *(plan A2) : Central Market, south side ; en face de l'hôpital provincial.* ☏ *095-700-130 ou 140.* ● *greene-bike.com* ● *Tlj 7h30-19h. Compter 10 $/24h (avoir son passeport).* Vert grenouille, les vélos électriques sont en fait de vraies petites pétrolettes écolos ! Rapides (on peut rouler jusqu'à 35 km/h), et d'une autonomie de 40 km (si l'on ménage sa monture), les *e-bikes* permettent de faire le petit ou le grand circuit d'Angkor sans avoir à recharger sa batterie. Plusieurs points de charge gratuits disséminés en ville et sur le site d'Angkor (signalés sur le plan qu'on vous remet, compter 1h de recharge pour 5 km). Casque (obligatoire) et cadenas fournis. Bon briefing avant le départ. Noter

que l'agence propose également des circuits autres qu'à Angkor.

– **Tuk-tuk :** si vous êtes 2 ou 3 et que vous ne voulez pas pédaler, voici le moyen de transport le plus pratique, économique et sympa pour sillonner Angkor et les environs de Siem Reap. Là encore, bien négocier les tarifs ! Compter entre 15 et 25 $ la journée complète, en fonction de la distance à parcourir (sites visités). Si vous en trouvez un qui vous convient, gardez-le et négociez le tarif en fonction de vos déplacements, sur plusieurs jours. Sinon, pour un déplacement en ville, compter 2 $.

– *Location de motos :* **fermement interdite aux touristes.** Il reste normalement possible de sillonner la province avec une moto louée ailleurs (à Phnom Penh, par exemple), mais mieux vaut se renseigner auprès des loueurs. L'agence **Vespa Adventures** propose des excursions parmi les temples, à la campagne, etc. Voir « À faire », plus loin.

– *Motos-taxis (motos-dops) :* nombreux, comme ailleurs. On les hèle dans la rue ou ils vous abordent d'eux-mêmes. Possible aussi de demander à sa pension. Négocier le service avant de monter, qu'il soit à la course (à partir de 1 $), à l'heure ou à la journée sur Angkor notamment (prévoir 6 à 15 $ dans ce cas).

– *Voitures et minibus (avec chauffeur) :* prévoir de 25 à 40 $ par jour, avec un supplément pour Banteay Srei, Beng Mealea, Kbal Spean et les autres temples éloignés.

LE CAMBODGE

Adresses et infos utiles

🛈 *Tourist Office (plan B1) :* dans le parc, quasi en face de l'hôtel Victoria. ● *siemreap.me* ● *Tlj 8h-17h30.*
■ *Banques (fermées sam ap-m et dim)* et *distributeurs automatiques* 24h/24 partout en ville acceptant *MasterCard* ou *Visa* ou les 2. Essayer notamment **Cathay United Bank** *(plan A2, 1 ; 18A, Sivatha Bd),* **Foreign Trade Bank of Cambodia** *(zoom, 2 ; Tep Vong St, face à l'angle sud-ouest du marché),* **ANZ Royal Bank** *(plan A-B2, 3 ; Tep Vong St),* **Canadia Bank** *(plan A2, 4)* et **Acleda Bank** *(sur Sivatha Bd),* **Cambodia Asia Bank** *(plan A1 ; à l'angle de la route 6 et de Sivatha Bd).*

– Et le **bureau Huynken** *(plan A2, 5)* pour un des meilleurs taux de change de la ville.

Agences de voyages

De nombreuses agences en ville proposent des services de billetterie pour les transports, des excursions sur le site d'Angkor et dans le reste du pays, à la carte. Certaines proposent aussi des visas pour le Vietnam et assurent le change.

■ *Asia My Way :* Traing Village, Slor Kram District. ☎ 063-964-781 ou 782. ● *asia-myway.com* ● *Lun-ven 8h-12h,*

LE CAMBODGE

14h-18h et sam mat. L'agence francophone, pionnière des voyages en Asie du Sud-Est, propose des circuits sur mesure : du programme culturel avec archéologue au trek, du voyage classique ou axé famille et chasse aux trésors. Également spécialiste des circuits en combiné avec le Laos, la Thaïlande, la Birmanie et le Vietnam.

■ *Khoaviet Travel* : 332, St 63 (Siem Reap River St), Wat Damnak village. ☎ 063-966-023. ● khoaviettravel.fr ● Agence francophone de bonne réputation, crée en 2004. Prix raisonnables, bon sens du service, service clientèle disponible 24h/24, excursions et tours dans tout le pays, ainsi qu'au Vietnam et au Laos.

■ *Terre Cambodge* (hors plan par B1) : 30, Roluos St, Borei Prem Prei. ▤ 077-448-255 ou 092-476-682. ● terrecambodge.com ● bikingcambodia. net ● Situé au nord de la ville (à hauteur d'Angkor Village Resort). Résa conseillée à l'avance (surtout en hte saison). Cette agence sérieuse propose des formules treks et VTT (de la ½ journée à plusieurs jours), des voyages à la carte, de 7 à 14 jours entre amis ou en famille, avec nuits et repas chez l'habitant, encadrées par des guides d'un bon niveau culturel. Une belle façon de sortir des sentiers battus. Possibilité de rejoindre un groupe sur l'un de leurs 2 séjours.

■ *Asia Holidays* : Borey Arcad, C40, N6, Krous Village. ☎ 761-606. ● asiaholidays.info ● Sur la route de l'aéroport, dans le coin des agences et des compagnies aériennes. Agence sérieuse et francophone qui se décarcasse dans l'organisation des séjours à la carte.

Urgences

En cas de pépin grave, il est préférable d'aller à Phnom Penh ou, encore mieux, à Bangkok, et de contacter votre assurance voyage.

✚ *Royal Angkor International Hospital* (hors plan par A1) : sur la route de l'aéroport. ☎ 063-761-888. ▤ 012-235-888. ● royalangkorhospital.com ● Consultation hors de prix (environ 150 $!), mais services compétents en cas de problème grave (accident) et urgences 24h/24. Pas de chirurgie sur place, mais peuvent apporter les premiers soins, faire les examens nécessaires avant le transfert sur Phnom Penh ou Bangkok, à condition d'avoir une carte de paiement.

✚ *Angkor Hospital for Children* (plan A2) : Tep Vong St (coin de Oum Chhay St). ☎ 063-963-409. Lun-sam 8h-17h. Mis en place par une ONG. Excellents soins pour les enfants, financés en partie par les tickets d'entrée au site d'Angkor.

✚ *International Dental Clinic* (hors plan par A1) : 545, route de l'aéroport (N6). ☎ 063-767-618. Tous types d'interventions dentaires et urgences bien sûr.

■ *Pharmacie* : U-Care, Pi Thnou St (vieux marché). ☎ 063-965-396 (poste 104). Tlj 24h/24. Moderne, rayons de parapharmacie et beauté. Distributeur à l'intérieur. Pharmacienne francophone. Également sur Sivatha Bd.

Divers

■ *Laveries* : les hébergements peuvent s'en charger. Sinon on trouve des blanchisseuses un peu partout ou rendez-vous au *Missing Socks Laundry Café* (plan A3, 7) : 55, Steung Tmey Village, ▤ 096-859-21-26. Café attenant, pratique pour le petit déj en attendant.

■ *Monument Books* (plan A3, 9) : Pokambor Av. Tlj 8h-22h. Toute une sélection de livres sur le Cambodge, y compris en français : guides touristiques, Angkor, cuisine khmère... Également des cartes postales.

Où dormir ?

D'une poignée d'hôtels à la fin des années 1990, la ville en compte aujourd'hui... 1 000 ! Pour faire face à une *montée exponentielle du tourisme,* et malheureusement dans un certain désordre urbanistique, on a construit, sur la route de l'aéroport notamment, quantité de nouveaux hôtels, véritables usines rivalisant de démesure en taille. Ceux-là n'ont pas besoin de nous pour exister. Nous n'indiquons sur cette route de l'aéroport que quelques hôtels de charme, à taille humaine.

Nous recommandons de **résider plutôt en ville,** où l'offre touristique ne manque pas. C'est pourquoi il est toujours possible (particulièrement en basse saison, de mai à septembre) de **négocier les prix** dans les hôtels et les guesthouses quand ceux-ci ne sont pas proposés d'office.

Sachez, enfin, que la plupart des hôtels offrent le **transfert avec l'aéroport ou le bateau** : ne pas oublier de le demander lors de la réservation.

Autour du vieux marché
(zoom et autour)

De bon marché à prix moyens (moins de 30 $)

🛏 **One Derz** (plan A2, **10**) : Night Market str. ☎ 097-211-7100. ● onederz. com ● Dortoirs climatisés mixtes ou réservés aux filles de 4, 6 ou 10 lits « bon marché » ; doubles à « prix moyens ». Transfert aéroport gratuit. Une grande auberge de jeunesse vraiment bien placée, un peu en retrait de la rue. Spacieuse, clean et baignée de lumière. Sur le toit, une piscine avec une vue à 360 °C. Atmosphère conviviale, entretenue par une équipe efficace et sympa. Une escale qui fait vite le plein.

De prix moyens à chic (15-50 $)

🛏 **Neth Socheata** (zoom, **11**) : dans une ruelle parallèle à 2 Thnou St et St 9. ☎ 063-963-294. 🖥 011-448-838. ● nethsocheatahotel.com ● Doubles « chic » et suites, petit déj inclus, ainsi qu'un trajet aéroport. On ne peut rêver hôtel plus central et en même temps préservé de l'agitation. De taille humaine, soigneusement rénové, il

propose des chambres plaisantes et de bon confort, d'un excellent rapport qualité-prix. D'ailleurs, il vaut mieux réserver, c'est souvent complet. Suite avec terrasse et baignoire accolée au lit ! Accueil affable. Bon resto de l'autre côté de la ruelle (voir « Où manger ? »).

🛏 **Siem Reap Riverside** (plan A3, **12**) : sur la rive droite un peu avt la Crocodile Farm. ☎ 063-760-177. 🖥 012-517-000. ● siemreapriverside.net ● Doubles à « prix moyens », petit déj et AC inclus. Petit hôtel propre et plaisant. Chambres à la déco simple mais bien tenues et avenantes, certaines familiales. Celles du 2e étage ont une vue dégagée sur la rivière, mais c'est encore mieux depuis la jolie terrasse sur le toit. Petite piscine à l'arrière. Accueil adorable.

Plus chic (50-80 $)

🛏 **Villa b** (plan A3, **13**) : après le Old Market, prendre la route qui longe la rivière et tourner la première à droite au niveau de IKTT et 2 fois à droite. 🖥 096-367-22-96. ● villabangkor.com ● Réduc de 15 % sur les chambres sur présentation du guide de l'année. À deux pas de Pub Street mais au calme, au cœur d'un grand écrin de verdure, une maison d'hôtes, d'architecture khmère contemporaine et dotée d'une belle piscine. Elle abrite 4 chambres confortables et bien équipées (lits king size, clim et ventilo...). Deux d'entre elles possèdent un balcon. Bons conseils fournis par Antoine et son équipe. Vélos à dispo. Transferts proposés. Possibilité de privatiser la villa.

Au nord de Samdech Tep Vong Street (rive droite ; plan A-B1-2)

Prix moyens (15-30 $)

🛏 |●| **Bou Savy Guesthouse** (plan A1, **14**) : Salakanseng village, dans un chemin perpendiculaire à la route 6, face à la station Caltex. 🖥 063-964-967 et 077-752-075. ● bousavyguesthouse. com ● Petit déj et transfert inclus. En marge de la bruyante route de l'aéroport et face à l'école, mais dans un

LE CAMBODGE

environnement néanmoins paisible. Toutes catégories confondues, les chambres sont entretenues scrupuleusement. Lit *king size* dans certaines et jusqu'à 3 lits dans d'autres. Agréable piscine. La gentillesse du personnel, toujours prêt à rendre service, conforte dans le choix de cette sympathique *guesthouse* d'un rassurant rapport qualité-prix. Location de vélos et resto sur place.

🛏 *Velkommen* (plan B1, *19*) : River Rd. 🖩 012-477-270. ● velkommen villa.com ● *Petit déj et navette aéroport inclus. Prêt de vélos.* Dans un quartier calme, un véritable petit cocon d'une douzaine de chambres bien équipées (bonne literie, clim). Les 2 chambres les plus sympas, au 2e étage, se partagent une belle terrasse qui, au-delà de la petite rue, donne sur la rivière. Simplement mais soigneusement arrangé et tenu. Petite piscine. Accueil et service charmants.

🛏 l●l *Paris Angkor Boutique* (plan A1, *16*) : 517, Phum Taphul Rd. 🖩 092-688-685. ● parisangkorhotel.com ● *Petit déj inclus.* Pour les budgets plus serrés, le bâtiment ancien par lequel on entre abrite des chambres confortables mais un peu tristounes. Pour 10 $ de plus, c'est le jour et la nuit dans le bâtiment moderne à l'arrière, donnant sur la piscine : chambres aux beaux volumes, lumineuses et colorées. Pour tous, petit dej dans une élégante maison de style traditionnel. Un hôtel central à tarifs encore abordables.

De chic
à plus chic (30-80 $)

🛏 *Auberge Mont Royal* (plan A2, *18*) : 497, Taphul Rd (en face de The Villa Siem Reap). 🕿 063-964-044. 🖩 012-630-131. ● auberge-mont-royal.com ● *Doubles à prix « chic », petit déj et transfert aéroport compris ; familiale.* Petit hôtel plaisant et rénové de 3 étages et d'une quarantaine de chambres bien nettes. Les *deluxe* sont incontestablement plus agréables que les standards, plus petites, et bénéficient de spacieuses salles de bains. Couleurs douces et déco

soignée qui mêle astucieusement le bois et l'artisanat cambodgien. À l'arrière, bassin en guise de piscine et des villas au calme qui abritent les chambres les plus agréables. Petit resto-bar où sont servis de délicieux petits déj. Accueil francophone et personnel affable.

🛏 l●l *Central Boutique Hotel* (plan A2, *20*) : 855, Taphul Rd (dans une allée adjacente). 🕿 063-764-030. 🖩 012-320-476. ● centralboutiqueang korhotel.com ● *Doubles « plus chic », petit déj inclus ; également des triples.* En retrait de la rue principale, les chambres spacieuses et coquettes aux murs immaculés sont agencées autour de 2 belles piscines. Dans chacune, un effort de déco et des touches colorées bien agréables. Resto sympa à prix raisonnables.

🛏 *The Villa Siem Reap* (plan A2, *15*) : 153, Taphul Rd. 🕿 761-036. ● thevil lasiemreap.com ● *Résa conseillée. Doubles « chic », petit déj inclus.* Des chambres où le violet domine et le confort ne fait pas défaut. 2 d'entre elles de plain-pied, avec plusieurs fenêtres devant un petit bout de jardin (mais un poil chères quand même). Espace cafet' et piscine. Organisation d'excursions et cours de cuisine. Service prévenant et disponible.

Spécial folie
(plus de 120 $)

Des adresses en dehors de nos catégories habituelles, mais les promos éventuelles en toute saison peuvent se révéler intéressantes.

🛏 l●l 🍸 ⚲ *Victoria Angkor Resort & Spa* (plan B1, *21*) : Sivatha Rd, à l'ouest des jardins royaux (Central Park !). 🕿 063-760-428. ● victo riaangkorhotel.com/fr/ ● *Doubles env 180-320 $; si résa en direct, transfert et 1h de massage offerts.* Bravo à l'architecte qui a bâti cet hôtel dans un style rétro-colonial (ascenseurs compris) en souvenir de l'Indochine. Lumières tamisées, persiennes en bois et plancher en teck : on s'y croirait ! Pas moins de 130 chambres et suites superbes aux thèmes différents.

Bar feutré à l'intérieur ou dans le jardin (*happy hours* 17h-19h). Également 2 restos, dont le très très chic *Connaisseur*, mais plats nettement plus abordables au bar, au bord de l'immense piscine d'eau salée, un bon plan ! Soutient l'action de *ChildSafe* qui s'engage à fournir aux enfants un environnement protégé.

â ♟ **FCC Hôtel** *(plan B2, 23)* : Pokambor Ave, près de la résidence royale. ☎ 063-760-280. • fcccam bodia.com • *Doubles 180-280 $, petit déj, jacuzzi, hammam et transfert aéroport compris.* Ancienne résidence du gouverneur français parfaitement retapée et mise en valeur, à l'architecture des années 1930. Une trentaine de chambres et quelques suites agréablement distribuées autour d'une piscine d'eau salée. Classieuses, au design un poil zen, à la hauteur de leur écrin. Massage possible. Accueil discret et très aimable. Bar-resto très sympa, à prix abordables. Soutient l'action de *ChildSafe* qui s'engage à fournir aux enfants un environnement protégé.

â |●| **Raffles – Grand Hôtel d'Angkor** *(plan B1, 22)* : Vithei Charles-de-Gaulle. ☎ 063-963-888. • raffles. com/siemreap • *À partir de 370 $ en hte saison.* Les tarifs sont délirants, mais on ne peut passer à côté de cet hôtel mythique, reflet de la splendeur de l'époque coloniale (il fut construit en 1932), sans au moins y jeter un œil (à défaut d'y dormir !). Chambres très spacieuses (de 32 à 48 m²), très bien équipées, on s'en doute. Décor alliant harmonieusement les réminiscences Art déco et les beaux objets khmers. Vaste hall, portier, personnel en tenue traditionnelle, restaurants gastronomiques, bars (voir plus loin la rubrique « Où boire un verre ? »), jardins luxuriants, piscine superbe bordée de cocotiers, bain bouillonnant, spa. Les superlatifs ne manquent pas pour décrire cette vénérable vieille dame des colonies. Spectacles de danses et musiques royales dans les jardins de l'hôtel, accessibles aux non-résidents en haute saison. Soutient l'action de *ChildSafe* qui s'engage à fournir aux enfants un environnement protégé.

Du wat Damnak au wat Po Lanka *(rive gauche ; plan B1-2-3)*

De bon marché à prix moyens (moins de 30 $)

â **The Backpacker Hostel** *(plan B3, 24)* : 7, Makara St (Angkor High School Rd). 📱 012-313-239. • angkor backpacker.com • *À deux pas du carrefour avec Wat Bo Rd. Dortoir, doubles avec sdb et familiale « bon marché ».* Aucun charme et pas de première jeunesse, mais propre et fonctionnel : carrelage, clim (y compris dans le dortoir)... À ce prix, on ne va pas râler, même si on a une chambre au 4e étage et qu'il faut presque faire le grand écart entre chaque marche !

â **White Rabbit Hostel** *(plan B2, 31)* : 0545, Wat Bo Rd (en face de St 23). 📱 092-767-316. *Dortoirs et doubles « de bon marché à prix moyens ». Facebook.* On aime cette AJ hors norme question cadre et décor. Tout y est décalé, baroque, voire un poil déjanté : couleurs pétantes, sculptures et mobilier insolites, fresques, un mélange rigolo et séduisant tout à la fois de pop art et d'art naïf... Sur les grilles, les paroles de la chanson « Imagine ». Tout est dit ! Décor thématique des chambres et dortoirs (4-12 lits) tout aussi original, mais les pièces du rez-de-chaussée restent un peu sombres. Belle piscine centrale, bar sympa et une équipe efficace.

â **The Siem Reap Hostel** *(plan B3, 34)* : 7, Makara St (au coin de Wat Bo Rd). ☎ 063-964-660. • thesiemrea pho stel.com • *Résa conseillée. Dortoirs (2 nuits min) de 8-10 lits « bon marché », doubles à prix « moyens », petit déj en sus.* Chambres de bonne tenue, fonctionnelles, à la déco sobre et au confort soigné. Clim partout, même dans les dortoirs (tous côté rue), équipés de larges casiers. Bourse aux livres, salle de cinéma et grande salle commune avec bar donnant sur la piscine intérieure, le tout bruyant quand même, notamment quand il y a de la musique. Accueil dynamique et ambiance internationale. Prêt de vélos pour la ville (pas pour Angkor).

LE CAMBODGE

– L'*impasse parallèle à l'arrière de Wat Bo Rd* (plan B2, 26) aligne les *guesthouses* « bon marché ». Marchander selon la saison et la durée du séjour, les prix « bon marché » commençant à 5-6 $ pour les dortoirs. Aucune adresse n'est parfaite, mais toutes les options sont possibles (clim, jardinet, eau chaude, resto sur place, location de vélos...). Voici notre sélection, non exhaustive :

🛏 *Happy Guesthouse* (plan B2, 26) : 🖥 012-960-879. ● happyangkorgues thouse.com ● *Résa conseillée.* Peut-être notre préférée ! Chambres simplement meublées, mais propres et sans lacune. D'ailleurs, on se déchausse avant de grimper dans les étages. Accueil amical. On s'attarde bien volontiers avec un verre face au bar. Resto à prix serrés. Location de vélos, mais bien en vérifier l'état.

🛏 *European Guesthouse* (plan B2, 26) : 🖥 069-51-43-40. ● european-guesthouse.com ● Chambres simples mais propres, avec clim et eau chaude. Dortoirs (6-10 lits) avec clim, mais assez basiques. Cour intérieure bien tenue, avec une petite piscine. Location de vélos. Le même proprio propose à peu près la même chose en face, à la **Sweet Dreams Guesthouse** 🖥 092-548-600. ● sweetdreamsgues thouse.com ● Du coup, on peut profiter de la petite piscine de l'*European.*

🛏 *Lovely Family Guesthouse* (plan B2, 27) : St 20 (rue perpendiculaire à la Wat Bo Rd). 🖥 012-71-72-28. ● visi tangkor.net ● *Doubles climatisées mais sans petit dej ; transfert inclus à partir de 2 nuits.* Dans ce quartier des *guesthouses*, en voici une accueillante avec une douzaine de chambres, certes sommaires, mais nickel et sans mauvaise surprise. Le petit salon-terrasse à l'avant est bien paisible et l'accueil sincèrement *lovely* ! Location de vélos.

De prix moyens à plus chic (15-80 $)

🛏 *Angkor Retreat Villa* (plan B1, 33) : 126, Wat Bo Rd. 🕿 063-762-727. ● retreatvilla.com ● *Doubles à « prix moyens » limite « chic », petit déj* inclus ; familiale. Dans un périmètre qui s'urbanise à la vitesse de l'éclair, ce boutique-hôtel se ménage un charmant coin de verdure et cultive une ambiance relax. Chambres de tailles différentes, très mignonnes, de plain-pied ou à l'étage, avec balcon attenant et clim. Aucune objection sur le confort, et même des petites touches de déco fort plaisantes. Jolie piscine, spa et resto.

🛏 *Sizen Retreat & Spa* (plan B1-2, 42) : Wat Bo Rd, au fond d'un chemin. 🕿 063-964-740. ● sizen-retreat.com ● *Résa conseillée. Doubles « de chic à plus chic », petit dej, 1h de massage et transfert inclus.* Au cœur d'un quartier encore pittoresque et calme, une auberge de charme noyée dans la verdure et les fleurs. Dans un style inspiré par l'architecture locale, 5 pavillons d'un étage, abritant chacun 4 chambres élégantes, spacieuses et d'excellent confort (ventilo et AC, tomettes au sol, marionnettes du théâtre d'ombres aux murs). Meubles chinés chez les antiquaires. Dans le jardin, piscine au milieu des fleurs. Personnel charmant.

🛏 *Golden Banana* (plan B3, 35) : au fond d'une impasse entre la rivière et le wat Damnak. 🕿 063-761-259. 🖥 012-885-366. ● golden-banana. com ● *Doubles «de chic à plus chic », petit déj compris.* 3 structures sous le même label vert pomme, style boutique-hôtel un rien bohème : le *B & B* au confort simple mais charmant (le moins cher), les chambres dites « supérieures » dans la partie plus récente, un immeuble voisin entourant une belle piscine, et enfin un restaurant de cuisine khmère. L'adresse est fréquentée par la communauté gay mais sans exclusivité. Piscines accessibles sans discrimination aux clients des différentes structures. Une de nos meilleures adresses dans cette catégorie.

🛏 *Kafu Resort and Spa* (plan B1-2, 40) : River Rd, proche du pont de la villa royale. 🕿 063-964-242. ● kafu-resort. com ● *Doubles avec sdb, ventilo et clim « de chic à plus chic », petit déj inclus.* Une pension de charme, face à la rivière. Chambres impeccables, réparties dans des pavillons d'un étage. Balcon ou terrasse avec vue. Jardin luxuriant et frais de part et d'autre d'un long chemin qui serpente. Piscine et spa.

⏚ *Résidence Watbo* (hors plan par B3, *36*) : St 26. ☎ 063-766-127. ● lare sidencewatbo.com ● Situation idéale à quelques enjambées du centre et au beau milieu d'un quartier calme à l'ambiance de village. Ce petit havre abrite des chambres disposées en U sur 2 niveaux, pas très lumineuses mais tout confort, spacieuses et dotées de vastes douches séparées de la salle de bains. Depuis celles du rez-de-chaussée, on plonge directement dans la magnifique piscine, dans une douce ambiance de jungle. Restaurant sur place. Propose toutes sortes de soins du corps. Personnel attentif.

De plus chic
à très chic (50-120 $)

⏚ *Les Mystères d'Angkor* (hors plan par B1, *39*) : au nord de Wat Bo Rd, derrière le wat Po Lanka (on peut d'ailleurs le traverser). ☎ 063-963-639 et 012-53-77-15. ● mysteres-angkor.com ● Doubles « plus chic », et 2 grandes suites familiales, petit déj compris. Transfert aéroport gratuit à partir de 3 nuits. 6 maisons d'un étage (une vingtaine de chambres en tout, en 3 catégories) dans un havre de verdure et de cocotiers, à l'écart du brouhaha de Siem Reap. Confort moderne (clim et ventilo) sans superflu. Jolie piscine, massage dans le jardin (abrité des regards, mais adossé à la petite rue, dommage). Réception et salon avec billard dans une maison khmère joliment restaurée. À l'étage, sous la vieille charpente, le resto avec sa formule table d'hôtes et sa cuisine de marché, sur résa. Accueil très plaisant. Soutient l'action de *ChildSafe* qui s'engage à fournir aux enfants un environnement protégé. Au fait, *Les Mystères d'Angkor*, c'est aussi le titre d'un film (pas terrible !) avec Lino Ventura.

⏚ *Alliance Boutique Villa* (plan B3, *37*) : 7, Makara St (High School Rd), wat Damnak. ☎ 063-964-940. ● allian ceangkor.com ● Doubles « Très chic » et 1 familiale, petit déj et transfert aéroport compris. Dans l'enceinte de l'ancienne Alliance française, derrière une rangée de palmiers, le bâtiment des années 1950 abrite 7 chambres spacieuses et élégantes, décorées avec goût dans un doux mélange de modernisme et de traditionnel. La plupart à l'arrière, bien au calme et colorées, avec baie vitrée et terrasse privative donnant sur un minuscule espace vert pour les suites. Petite piscine avec *deck*, adossée à la rue.

⏚ *Maison 557* (plan B3, *47*) : 557, Wat Bo Rd. ▤ 089-280-830. ● maison557. com ● Doubles 90-160 $ en hte saison selon confort et situation, petit déj compris ; négociable en basse saison. Ancienne maison d'architecte des années 1950, aujourd'hui un petit hôtel au calme et à l'entrée discrète, tenu par Jeff, un sympathique Écossais. Tout est articulé en U autour de la piscine. 7 chambres, dont 4 donnent directement sur la piscine. Deux des salles d'eau carrément en plein air, bien agréable ! Également une suite familiale avec sa propre piscine. Déco très soignée, contemporaine et épurée.

Spécial folie (plus de 120 $)

⏚ ▮●▮ *Navutu Dreams Resort* (hors plan par B3, *46*) : Angkor High School Rd ; tourner à droite au niveau du Phnom Srei Restaurant. ☎ 063-964-864. ▤ 092-141-694. ● navutudreams. com ● À 1,3 km du centre. Doubles 125-165 $, petit déj inclus (guetter les « Green season special rates ») ; plus des familiales. Resto ouv aux non-résidents. Quartier résidentiel peu urbanisé où dominent champs, palmeraies et petites rizières (derniers 500 m de route en terre battue !). 2 types de chambres, dans un bain de végétation tropicale : les « Grand Tour » (jardin privé et terrasse) et les « Explorer » (avec terrasse). Quasi le même confort et élégante décoration intérieure. Salle à manger ouverte, excellente restauration, service impeccable. 3 piscines (dont 2 d'eau salée et une pour les enfants) et un spa. Accueil chaleureux, pro et francophone. Le tout dans un calme absolu, vrai luxe à Siem Reap. Et comme le service de *tuk-tuk* est inclus, on est vraiment tout proche du tumulte de la ville.

⏚ ▮●▮ *Angkor Village Hotel* (plan B3, *48*) : au sud de Wat Bo Rd.

LE CAMBODGE

☎ 063-965-561. ● angkorvillage. com ● Doubles 125-200 $ (hte saison), petit déj inclus. Ce beau « village » en pleine ville est inspiré des kots, villages de bonzes construits près des pagodes. En tout, une quarantaine de chambres décorées avec raffinement, réparties dans des pavillons, au sein d'un espace luxuriant et rafraîchissant. Une fois dans sa chambre, depuis le lit en bois sculpté avec vue sur les bassins de lotus et les fleurs, on est vraiment coupé du monde extérieur (à ceci près que certaines chambres sont adossées à la rue). Piscine et spa. Le resto L'Auberge des Temples est érigé sur pilotis, au milieu d'un lac, en pleine végétation. Définitivement beaucoup de cachet. Spectacles le soir à l'Apsara Theatre (voir « Loisirs » plus loin), en face.

Plus au sud
(hors plan par B3)

🏠 **Hostelling International** (hors plan par A3, **25**) : 209, Wat Damnak. 🖥 089-591-169. ● hisiemreap. com ● Un peu excentré, non loin de la rivière, en direction du Tonlé Sap. Dortoir « bon marché » et doubles à « prix moyens », petit déj inclus. Cette ravissante maison coloniale abrite 18 chambres aux murs vert pomme. Une bonne surprise que cette AJ conviviale, à la tenue générale impeccable : clim, salles de bains riquiqui mais privées avec eau chaude, lits au carré et sols rutilants, balcon dans certaines chambres, billard et, cerise sur le gâteau, une petite piscine. Curieusement assez peu fréquentée, sans doute à cause de sa situation. Pour le repos, une agréable terrasse à l'avant. Petit resto et bar.

🏠 I●I **Sala Lodges** (hors plan par B3, **49**) : 498, Salakomroeuk. ☎ 063-766-699. ● salalodges.com ● Maisons avec une chambre (2-4 pers) à partir de 260 $ (petit déj, minibar, transfert aéroport et tuk-tuk inclus si résa en direct). Ici, aux portes de la ville et déjà à la campagne, le grand luxe se passe de sophistication. De simples maisons traditionnelles sur pilotis datant de 1956 à 1985, achetées dans différentes provinces du pays avant d'être démontées puis remontées ici, pour en faire des lodges individuels haut de gamme. 11 maisons (13 chambres en tout, 2 chambres communiquent dans l'une d'elles) où les éléments anciens ont été récupérés au maximum. Magnifiques planchers d'origine, volumes immenses, mobilier en bois et lignes épurées. Les maisons sont disséminées dans un jardin luxuriant, où se love une piscine tout aussi enchanteresse. Vraiment pas loin de la ville et proche du paradis !
– Voir aussi **Maison 557,** plus haut.

Sur la route du Tonlé Sap
(hors plan par A3)

🏠 **L'École hôtelière Sala Baï** (hors plan par A3, **50**) : quartier Wat Svay, à 5 mn en tuk-tuk du vieux marché, le long de la rivière, rive gauche en direction du Tonlé Sap. 🖥 089-590-864. ● salabai.com ● Ouv de mi-oct à mi-juil. Résa obligatoire. Doubles 35-45 $, plus 2 suites. Petit déj inclus. Il s'agit des chambres d'application de l'école hôtelière Sala Baï, fondée par l'ONG Agir pour le Cambodge (voir la rubrique « Aide humanitaire » en fin de guide). L'hôtel propose des chambres standard avec clim, ventilateur, minibar et douche à l'italienne. Hyper propres, sinon les étudiants se paient une mauvaise note ! Les familles (3 personnes) apprécieront de loger dans des chambres qui bénéficient d'une terrasse privative donnant sur un jardin arboré. L'hôtel comprend également un spa d'application qui permet de former une dizaine d'élèves tous les ans. On prend son petit déj en semaine dans la salle de l'excellent resto (voir « Où manger ? »). Cette adresse soutient l'action de ChildSafe, qui s'engage à fournir aux enfants un environnement protégé.

Sur la route de l'aéroport
(nationale 6 ; plan A1
et hors plan par A1)

Les 9 km qui séparent le centre-ville de l'aéroport sont bordés d'hôtels plus ou moins récents ou en construction, assez éloignés du centre-ville ! L'offre pléthorique, rarement bon marché et essentiellement destinée aux groupes, a peu d'attraits à nos yeux de routards, à de rares exceptions près.

Chic (30-50 $)

🛏 |●| *Hôtel d'application de l'école Paul-Dubrule* (hors plan par A1, **51**) : La Glacière, route de l'aéroport (RN 6). ☎ 063-963-673. ● ecolepauldubrule. org ● *Doubles « chic », limite « plus chic », petit déj inclus.* 4 chambres charmantes, propres et confortables (TV, AC, salle de bains en marbre), tenues par les élèves de l'école d'hôtellerie et de tourisme Paul-Dubrule. Bien qu'un peu excentré, très bon rapport qualité-prix. La totalité des bénéfices est reversée au sein de l'ONG et contribue à l'autofinancement du projet pédagogique de l'école. Cette adresse soutient l'action de *ChildSafe*, qui s'engage à fournir aux enfants un environnement protégé.

De chic à très chic (50-120 $)

🛏 *Goyavier Hotel* (hors plan par A1, **28**) : 678 B Sala Kanseng, Svay Dangkum. ☎ 063-765-764. ● goyavierhotel. com ● À côté de la Siem Reap International School. À 5 mn du centre en tuk-tuk. *Doubles à prix « chic ». Transferts aéroport inclus.* Un peu excentré, mais les allers-retours avec le centre-ville se font rapidement. Bien au calme, un joli hôtel au décor sobre et contemporain. Chambres spacieuses (préférer une autre chambre que celle du fond au 1er étage, sans dégagement devant). Massages possibles. Équipe sympa et investie. Atmosphère posée et conviviale. Belle piscine.

🛏 |●| *La Maison d'Angkor* (hors plan par A1, **30**) : sur la route de l'aéroport (N6), à 4 km du centre (niveau borne 316) ; sur la gauche en venant du centre. ☎ 063-965-048. ● lamaison dangkor.com ● *Doubles « très chic » en hte saison et des suites, petit déj et transfert aéroport compris (si résa en direct).* Un des rares hôtels de charme dans ce secteur. Petite structure paisible dans l'esprit boutique-hôtel, dotée de jolies chambres réparties dans des pavillons noyés dans un jardin luxuriant. Luxe, calme et volupté, donc, au bord de la piscine où sont servis les repas. Raffinement au diapason dans les chambres dotées de terrasse, fleurs fraîches. Jacuzzi dans le jardin. Cette adresse soutient l'action de *ChildSafe*, qui s'engage à fournir aux enfants un environnement protégé.

🛏 *La Palmeraie* (hors plan par A1, **44**) : route de l'aéroport (N6). ☎ 063-966-016 ou 🖥 092-952-113. ● lapalme raiedangkor.com ● *Doubles 80-160 $ et bungalow familial pour 5 pers, petit déj inclus.* À 4 km de la ville, au milieu d'un jardin tropical, un petit hôtel de charme qui s'apparente davantage à une chambre d'hôtes. La belle piscine est bordée par des bungalows construits en style traditionnel, de très bon confort et dotés de toutes les options souhaitables. Le tout est décoré avec goût, et les beaux volumes attestent du grand confort de l'adresse. Personnel aux petits soins et accueil francophone. Possibilité de prendre ses repas sous la charmante pergola. Une navette est prévue pour rejoindre le centre.

Sur la route d'Angkor
(hors plan par A1)

🛏 |●| *Pavillon Indochine* (hors plan par A1, **45**) : 🖥 012-541-003 ou 012-849-681. ● pavillon-indochine.com ● *Selon saison, doubles 60-85 $, familiales 90-110 $, petit déj-buffet inclus. Intéressant : les prix comprennent un tuk-tuk à la journée pour la visite des temples.* Dans le petit bâtiment de style khmer entouré d'un grand jardin, une vingtaine de chambres à la déco coloniale, ainsi que 4 suites familles (jusqu'à 6 personnes) et 2 bungalows. Les Français qui tiennent cette délicieuse adresse ont un réel souci du détail, notamment dans l'aménagement et la décoration (statues, vieilles affiches d'Angkor, gravures, etc.). Parquets en vieux bois, affiches anciennes et confort irréprochable dans chacune des vastes chambres. Bar et restaurant en terrasse donnant sur la piscine, spa. Le charme opère vite dans ce havre de paix au luxe discret, non loin d'Angkor Wat.

LE CAMBODGE

Où manger ?

Ce ne sont pas les restos qui manquent en ville. De la traditionnelle cantine de rue aux tables d'hôtels, amis routards, vous avez l'embarras du choix. Dans un registre plus chic, la plupart des hôtels et *guesthouses* des gammes supérieures possèdent des restos ouverts à tous, souvent sur réservation.

Dans la rue

Pour les plus fauchés ou les estomacs aguerris, il existe autour des marchés, dès la fin de journée, des cuisines ambulantes éclairées de néons, assorties de tables et chaises posées sur le trottoir. Chercher également vers l'impasse des *guesthouses (plan B2, 26)*. Cuisine économique et rapide dans une ambiance très locale et populaire ! Au carrefour principal dans le marché de nuit, on peut se régaler de mygales et de scorpions frits. Mais pas de serpent, pas de chance !

Autour du vieux marché
(zoom et autour)

Dans ce tout petit périmètre de 3-4 rues perpendiculaires sont concentrées des dizaines (pour ne pas dire des centaines) de restos. Autrement dit, chaque pas-de-porte est une entrée de resto et la concurrence fait rage ! L'axe principal en est Pub Street et sa petite sœur, Pub Lane.

Bon marché (moins de 4 $)

|●| *Madam Moch (plan A2, 63)* : *Taphul Rd.* ☎ *012-910-101. Tlj.* Si le nom n'a pas l'air vendeur, la déco avenante et fleurie de la salle ouverte sur la rue invite immanquablement à la pause. On vient ici apprécier une nourriture familiale réussie et appétissante. Curry poulet, bœuf *lok lak, amok...* et une délicieuse banane aux fruits de la passion pour conclure. On se régale en plus d'être accueilli et servi avec le sourire.

|●| *Socheatea Restaurant (zoom, 11)* : *10, 2 Thnou St. Tlj 7h-22h.* Dans cette ruelle vraiment tranquille et sans voitures, un restaurant tenu par la même famille que l'hôtel. La salle ouverte sur la rue piétonne offre une halte sereine dans le brouhaha de la ville. Cuisine khmère appliquée, à base de plats pittoresques ou plus classiques. Les *spring rolls* frits font bien l'affaire. Une adresse clean, mais service parfois vite débordé.

|●| 🍴 *Croq'Me (plan B2, 68)* : *Samdech Tep Vong St.* ☎ *017-572-071. Sur le parking du supermarché Taih Huot. Lun-sam 8h-16h30.* Salades, sandwichs et burgers. Un snack pratique, rapide, extrafrais et appétissant. Idéal pour constituer son pique-nique.

Prix moyens (4-8 $)

|●| 🍴 *Sister Srey (zoom, 70)* : *200 Pokambor St, Riverside.* ☎ *097-723-800. Mar-dim 7h-18h.* Le projet de 2 sœurs australiennes : le décor ouvert sur la rue, carreaux de ciment vintage, escalier métal, tables façon loft... Et une courte carte qui permet de se caler du petit déj au *tea time*, tout en feuilletant un magazine anglophone. Belle carte de cafés et des jus aux intéressantes associations. À l'étage, vêtements et échange de bouquins. Sur le tableau noir, à la craie et surmontant le dessin d'un bouddha, une maxime à méditer.

|●| *Jomnan's Kitchen (plan A2, 71)* : *Pum Taphul Rd.* ☎ *063-964-838. Fermé dim.* À l'étage d'une superbe maison de style colonial, en retrait de la rue. Intérieur en boiseries, larges ventilateurs, stores en bambou. Sans doute l'un des meilleurs restos khmers à Siem Reap, dont le chef américano-cambodgien a connu les camps et reverse 10 % des bénéfices aux enfants défavorisés. Cette table se distingue autant pour son cadre dépaysant que pour sa cuisine : fine, fraîche et goûteuse.

|●| *The Indian (zoom, 67)* : *en face de l'hôpital provincial.* Un resto indien fréquenté par les Indiens amateurs, entre autres, de généreux *thalis*, cette spécialité végétarienne du sud de l'Inde. Plus récent, le resto (presque) voisin *Dakshin's (2, Thnou St ; zoom, 77)* est un régal pour les yeux et les papilles !

Cuisine ouverte sur une salle moderne, avec quelques tables au mezzanine. La carte explore avec brio les subtilités de la cuisine indienne, délicieusement parfumée. Service ultra-pro.

|●| Chamkar (zoom, 66) : The Passage. 092-733-150. Résa souhaitée. Fermé dim midi. Un minuscule établissement loti dans un passage constitué uniquement de restos. Si elle est dispo, choisir l'unique table sur le balcon. Celles devant les cuisines permettent de voir officier les cuistots. La courte carte végétarienne adapte les spécialités khmères avec une imagination et une maîtrise réjouissantes. Portions généreuses, tarifs démocratiques : un plaisir à ne surtout pas bouder. Pour apprécier un environnement plus zen, un autre resto, **Chamkar House** s'est installé dans une maison khmère traditionnelle, dans une rue perpendiculaire à la N6.

|●|Ṭ Cambodian Traditional Chef (plan A3, 61) : Sok San Rd. 092-45-75-12. On ne sait où donner de la tête dans cette rue animée entre Pub Street et le marché de nuit ! Est-ce l'happy hour à 1 $ servi avec le sourire de 10h à minuit qui nous a rendus complaisants ? Quoi qu'il en soit, on apprécie l'accueil chaleureux, la petite salle sans façon et la terrasse sur rue. Et la cuisine ne démérite pas : grand choix de plats khmers classiques à prix très serrés pour le quartier.

|●| Bugs Café (plan A2, 85) : Night Market St. Tlj 17h-22h30. 017-764-560. Continuer Night Market St jusqu'à un peu avt l'embranchement de St 5 qui mène au Hyatt, c'est sur la gauche. Certes, on peut grignoter (si on peut dire) des insectes achetés dans la rue et les marchés ; seule différence, ici, les bestioles sont cuisinées et accompagnées d'autres saveurs plus... enfin, moins... spéciales. Bref, proposé dans un cadre sobre et contemporain, c'est plus engageant. Salade de papaye aux scorpions, feuilleté aux fourmis rouges... Assiette de dégustation avec plein de beau monde dessus ! Le patron – français – se fera un plaisir de vous apporter toutes les explications voulues. Alors, tentés ?

|●| La Crêperie (zoom, 60) : The Lane, entre Pub St et St 7. Tlj jusqu'à 22h. 086-814-303. Petite salle carrelée et ventilée, murs blancs immaculés, pour de bonnes crêpes comme à Belle-Île, mais aussi des petits plats qui fleurent bon le terroir français. À arroser d'une bière belge pour faire écho aux origines du chaleureux patron ; ou de cidre... quand même. Prix parisiens – importation des produits oblige.

De prix moyens à chic (moins de 13 $)

|●|Ṭ Factory (zoom, 88) : Little pub St. 088-580-00-10. Tlj 16h-23h. Pas de fioriture dans ce modeste bar-pizza tenu par un accueillant Franco-Italien. Heureusement les french pizzas, en 2 tailles, ne subissent pas le même traitement que l'amusante déco, sur le thème béton et chantier ! Ici, ça bosse dur et bien. Ce sont même parmi les meilleures de la ville. Pour l'addition, ça va aussi, on ne casque pas trop. Limoncello maison à ne pas manquer en fin de repas.

|●| Le Malraux (zoom, 89) : Psah Chas Alley. 012-229-826. Un vent de Méditerranée souffle sur cet adorable passage étroit avec ses plantes et ses nombreuses terrasses qui débordent sur les pavés. Celle du Malraux joue sur le tableau rétro-colonial et raffiné (boutique chic à l'étage) qui sied parfaitement à la carte franco-italiano-khmère de bonne tenue. Gros succès auprès des touristes, malgré l'addition tirant vers le haut.

|●| Le Napoléon Gastrobar (zoom, 90) : St 7. 011-294-575. Ouv 24h/24. Grande brasserie aux murs de briques, dans un style colonial façon « Indochine » avec salons rétro en osier. Carte éclectique où les plats cocorico font du bien en cas de mal du pays : canard confit, coq au vin, huîtres... Avant 18h30, on gagne 25 % sur l'addition. Après minuit, on ne sert plus que des pizzas.

Ailleurs sur la rive droite (plan A-B1-2)

De prix moyens à chic (4-13 $)

|●| Mie Café (hors plan par B1, 64) : 85, Phum Treng, Khum Slorgram.

≋ 012-791-371. *Venant du centre, route d'Angkor, c'est la rue qui part à droite après avoir passé le Sofitel. Tlj sauf mar. Mieux vaut réserver le soir. CB refusées.* Dans une jolie maison traditionnelle en bois, salle à manger ouverte et aérée pour une très belle cuisine khmère avec une touche de créativité occidentale et de modernité. Que de bons produits, un vrai savoir-faire. Goûter aux poissons, bœuf ou grenouille marinés... L'*amok* de poisson, en particulier, est d'une finesse exquise. Service pro et attentif et un très bon rapport qualité-prix dans cette catégorie.

|●| ⍩ *Phare Cafe* (hors plan par A3, **74**) : *Ring Rd ; au bout de Sok San Rd, prendre à gauche sur Ring Rd, c'est au début de la rue.* ≋ 092-875-987. *Ouverture à 18h, plus à 15h certains j. (lun, jeu et sam nov-mars) avt le début du spectacle de cirque (voir plus loin la rubrique « Loisirs »). Résa recommandée.* Dîner contre le chapiteau du cirque Phare, en extérieur est d'autant plus sympa qu'on y déguste des plats emblématiques bien relevés, à prix raisonnables. *Amok* de poisson, bœuf *kroeung*, salade de fleurs de bananier, soupe citrouille et coco...

Du wat Damnak au wat Po Lanka (rive gauche ; plan B1-2-3)

Bon marché (moins de 4 $)

|●| *Little Kroma* (plan B3, **62**) : *84 Wat Damnak, Sala Komraeuk. Tlj.* Un petit resto de quartier sans prétention qui offre pourtant une bonne cuisine familiale, bien parfumée, et à des prix défiant toute concurrence.

|●| *Arun* (plan B1, **75**) : *63, Achar St.* ≋ 012-890-396. *Tlj 7h-22h (fermé l'ap-m).* Une adresse simple et populaire, largement fréquentée par une clientèle autochtone. Les touristes s'aident des photos présentées sur la carte en français. Bonne cuisine khmère à prix imbattables. Les poissons sont excellents, ainsi que les cuisses de grenouilles ou l'*amok* servi dans une noix de coco. Portions copieuses. Grande terrasse couverte.

|●| ⚓ *Peace Café* (plan B1, **76**) : *River Rd, au niveau de la pagode Ann Kau Saa.* ≋ 092-177-127. *Tlj 7h30-21h.* Une escale végétarienne et calme. L'allée traverse un grand jardin arboré et dessert tables, chaises ou assises cambodgiennes. La carte regarde aussi bien vers l'ouest que du côté du Cambodge et affiche des prix très raisonnables. Burger, *amok*, salades... Mais aussi petit déj et rafraîchissant choix de jus. Boutique d'artisanat solidaire.

De prix moyens à chic (4-13 $)

|●| *Sugar Palm* (plan B3, **92**) : *St 27, face à l'université Pannasastra.* ≋ 012-818-143. *Fermé dim. « Prix moyens. »* Encore une des très bonnes adresses de la ville. Cadre soigné pour une cuisine khmère qui l'est tout autant : *spring rolls* frais et croquants, *amok*, currys. Spécialité de *prahok kh'tis* (porc à la crème de coco et piments rouges séchés).

|●| *Hansa BBQ* (plan B2, **69**) : *175, Wat Bo Rd.* ≋ 017-776-935. *Tlj 5h30-23h. Buffet à volonté 5 $.* Une adresse populaire pur jus ! Immense hangar sous lequel s'installent les familles pour profiter d'un buffet illimité d'une grande variété. La règle du jeu : premier arrivé, premier servi ! Le principe est simple : on remplit son assiette de viandes, poissons, fruits de mer, nombreux légumes... pour se concocter une mégafondue (eau bouillante fournie régulièrement). Et on remet ça... À ce prix, ne pas être trop exigeant sur la qualité du repas, mais quelle atmosphère dépaysante !

|●| ⍩ *The Haven* (plan B3, **91**) : *Chocolate Rd.* ≋ 078-34-24-04. *Résa indispensable. Plats à « prix moyens ».* Une belle adresse pour une belle action où l'on se pose volontiers pour un délicieux repas sous des paillottes, dans un jardin verdoyant. Ici, des jeunes adultes défavorisés suivent une formation aux métiers de la restauration. Ils sont à bonne école avec cette ONG créée par des Suisses, vu la haute qualité du service et des plats frais, asiatiques ou occidentaux, conçus à partir de produits éthiquables si possible.

Élégante carte des vins du monde. Leur devise ? « *The meaning of life is to give life meaning* ». Approuvé !

🍽 ***La Cabane, cuisine des filles*** *(plan B3,* ***65****) : St 27. 📱 077-76-98-32. Menus 12-14 $ à midi ; plats « de chic à plus chic » le soir.* La cuisine des filles, c'est celle de 2 copines, Sophie et Daraneth, qui officient dans un décor somptueux. En fait, une sorte de brasserie parisienne assortie d'un comptoir, de coins salon et d'une courette à l'arrière, le tout tendance khmer modernisé. Tout un concept ! Les 2 cartes (celle du soir nettement plus chère) font, elles aussi, le grand écart entre les classiques locaux et des plats de tradition française. Une bonne affaire à midi.

🍽 ***Barrio*** *(plan B3,* ***73****) : 170, Wat Bo Rd. ☎ 063-965-237. « Prix moyens. »* Installé dans un jardin charmant, le resto est tenu par un Français adorable. Au choix : la terrasse protégée ou la salle avec son grand lustre de cristal et son carrelage en damier... Petits plats bien franchouillards : œuf mayo, filet de bœuf et un plat du jour qui varie selon les envies. Plus quelques spécialités khmères.

🍽 ***Touich Restaurant*** *(prononcer « Touille » ; hors plan par B1,* ***80****) : à 3 km du centre, derrière le wat Preah an Kau Sai (wat Leu). 📱 092-808-040. Compter 3 $ en* tuk-tuk. *Réserver. Tlj à partir de 18h (dernière commande 22h). « Prix moyens. »* Un petit resto local d'une dizaine de tables disposées sous un toit de bambou, à la déco simple et colorée. En cuisine, Touich concocte des plats simples et authentiques : viandes grillées, calamars sautés au poivre de Kampot, ainsi que quelques plats végétariens. Le tout bon et copieux. Service familial charmant. N'hésitez pas à interroger Sobey, son mari (vous le reconnaîtrez à son français parfait), qui s'attarde volontiers à chaque table. Une adresse à peine excentrée et qui vaut largement le détour.

🍽 ***Marum*** *(plan B1,* ***82****) : 8A, B Phum Slor kram. 📱 017-363-284. Tlj 11h30-23h (22h pour la cuisine).* Happy hours *15h-18h. Mieux vaut réserver, d'autant plus pour une table dehors. Menu 15 $, plats à « prix moyens ».* Un restaurant de la galaxie des *Tree Restaurants* (*Romdeng* et *Friends* à Phnom Penh, *Sandan* à Sihanoukville...), qui permet à de jeunes défavorisés de se mettre en selle. La carte, qui offre des associations de saveurs khmères inventives, attise la curiosité et titille agréablement les papilles. Joli jardin et service appliqué. Boutique d'objets fabriqués à partir de matériaux recyclés. Cette adresse soutient l'action de *Childsafe.*

🍽 ***Kanell*** *(hors plan par B3,* ***86****) : 7, Makarat St, après le lycée Angkor. ☎ 063-966-244. Tlj. Accès piscine pour les clients.* Quel cadre bucolique ! La belle maison coloniale devance un grand jardin luxuriant dans lequel sont disséminées des tables, bien espacées, installées chacune sous une pergola au toit de chaume. Le patron français concocte une excellente cuisine française et khmère, qui joue sur les saveurs subtiles. Les plats sont raffinés, les présentations émerveillent et participent au plaisir d'un repas sans fausse note. À moins d'opter pour la carte de snacks à grignoter au bord de la piscine ombragée, au fond du jardin.

🍽 ***Chili Pepper*** *(plan B1-2,* ***40****) : 📱 012-244-196. Menus autour de 13 $, plats à « prix moyens ». Danses et théâtre d'ombres mer à 19h30 (7 $ sur résa ; annulé si moins de 10 pers).* Élégante terrasse surplombant la rivière et entourée de végétation. Un cadre charmant pour goûter une cuisine khmère et européenne de bonne qualité à prix raisonnables. Un coup de cœur pour le spectacle du mercredi soir pendant le dîner. Belle performance réalisée par des jeunes (aveugles ou sourds) de la fondation Krousar Thmey.

🍽 ***Viroth's Restaurant*** *(plan B2,* ***78****) : 246, Wat Bo Rd. 📱 012-826-346. Menus env 11-16 $.* Avec sa grande salle ouverte sur un jardin, ses bassins et sa fontaine, *Viroth's* fait le bonheur des amoureux. Le cadre contemporain, l'ambiance intimiste le soir venu ainsi qu'un service personnalisé offrent une reposante quiétude, si on ne s'attable pas trop près de la route. Excellente cuisine khmère raffinée, assiettes généreuses et délicieux desserts (bananes flambées au rhum bluffantes). Le chef a tout bon.

🍽 🍸 ***Le Tigre de Papier*** *(zoom,* ***79****) : Pub St. 📱 012-265-811. Ouv 24h/24.*

LE CAMBODGE

« Prix moyens ». 2 entrées pour ce resto en longueur, qui débouche aussi sur le passage ! Banquettes confortables, sympathique déco d'épicerie et situation stratégique, en plein cœur de l'action ! Coloré, convivial et d'un bon rapport qualité-prix, y compris au petit déj. Bons petits plats, pizzas au feu de bois et bière pas chère. Propose également des cours de cuisine.

IOI **The Square 24** (plan B2, **81**) : St 24. ▤ 012-614-695. Tlj jusqu'à 21h30. Prix « chic ». Encore un resto trendy où le cadre prime. Imaginer une haute paillote ouverte, à l'architecture moderne, dans un environnement végétal bordé de petits plans d'eau... Cuisine assez créative, réelle maîtrise des épices et des saveurs, très joliment présentés. Excellent fish amok et des plats originaux servis avec un accompagnement au choix. Quelques plats « western » également. Service efficace et atmosphère tamisée reposante après la visite des temples.

Plus chic (plus de 13 $)

IOI **Cuisine Wat Damnak** (plan B3, **84**) : derrière la pagode du même nom, entre le marché Psa Dey Hoy et le lycée Angkor. ▤ 077-347-762. Fermé dim-lun, et au déj. Résa conseillée. Menu dégustation 5-6 plats env 27-31 $. Pas de carte. Une jolie maison traditionnelle dans un quartier encore très typique et qui a conservé son âme de village. 3 atmosphères distinctes : une salle climatisée classique en bas, une autre aménagée dans la partie traditionnelle en bois à l'étage et un jardin tropical planté de nombreuses plantes aromatiques et d'épices. L'ancien chef de l'école Sala Baï propose une cuisine cambodgienne de marché créative, à base de produits locaux et de saison. Les menus-dégustation changent tous les 15 jours. Proposé à l'achat, un livre de recettes cambodgiennes, ainsi que 2 ou 3 produits (poivre...).

IOI **Paris-Saïgon** (plan B2, **72**) : Samdech Tep Vong. ☎ 063-965-408. Résa fortement conseillée. Un peu cher, mais idéal pour un dîner romantique. La petite salle climatisée affiche un cadre cosy, intime : murs en brique, éclairage tamisé, nappes blanches pour une exquise cuisine franco-vietnamienne ! Accueil discret, atmosphère feutrée pour déguster les nems maison ou un curry d'agneau-purée maison, entre autres. Intéressante sélection de vins.

Sur la route du Tonlé Sap (hors plan par A3)

IOI **École hôtelière Sala Baï** (hors plan par A3, **50**) : quartier Wat Svay, à 5 mn en tuk-tuk du vieux marché, le long de la rivière, rive gauche en direction du Tonlé Sap (voir « Où dormir ? »). ▤ 089-590-864. Résas : ● booking@salabai. com ● Tlj pour le petit déj (7h-9h) et lun-ven pour le déj (12h-14h). Fermé de mi-juil à mi-oct. Menus et carte. Dans le quartier authentique de Wat Svay, « la pagode des mangues ». Le restaurant d'application de l'école hôtelière de l'ONG Agir pour le Cambodge (voir la rubrique « Aide humanitaire » dans le chapitre « Hommes, culture, environnement ») offre sur 2 niveaux un espace ventilé avec une belle vue sur le jardin et la rivière. Dans la continuité du restaurant, une longue baie vitrée permet d'observer les élèves apprentis cuisiniers en train de travailler. Le resto propose à la fois une cuisine d'influence asiatique et occidentale. 3 menus au choix qui changent régulièrement et une carte de suggestions servies par des étudiants très motivés. Bon, joliment présenté et original. L'occasion de contribuer au succès de cette formidable initiative qui permet de former tous les ans plus d'une centaine de jeunes Cambodgiens très défavorisés. La totalité de la scolarité est entièrement gratuite !

Sur la route de l'aéroport (nationale 6 ; hors plan par A1)

IOI **Le Jardin des Délices** (hors plan par A1, **87**) : La Glacière, N6 (avt l'aéroport). ☎ 063-963-673. ● ecolepaul dubrule.org ● Ouv seulement pour le déj, mar-ven. « Prix moyens ». Cet établissement est en réalité le restaurant d'application de l'école d'hôtellerie et de tourisme fondée par Paul Dubrule, qui forme des jeunes pour la plupart issus de milieux défavorisés. L'équipe des professeurs et des élèves propose chaque semaine un menu gastronomique d'influence française. Les bénéfices sont entièrement reversés à l'ONG et contribuent à l'autofinancement du projet pédagogique de l'école.

I●I *Abacus (hors plan par A1, 83) : N6 (pour l'aéroport).* ☎ *063-763-660.* ▤ *012-644-286. À hauteur de l'Acleda Bank, tourner à droite (c'est à 100 m).* *Tlj midi et soir jusqu'à 22h. « Plus chic ».* Dans une grande villa moderne et lumineuse, salle à manger de style contemporain à la sobre élégance et larges baies s'ouvrant sur le jardin. Excellente cuisine française traditionnelle, qui se paie le prix fort. Clientèle d'expats et d'hommes d'affaires, car c'est l'un des restos les plus chers de Siem Reap. Plats du jour à l'ardoise. Terrasse appréciée à la fraîche le soir.

Où boire un thé, un café ? Où prendre un petit déjeuner ? Où déguster une glace ?

☧ 🕭 *Bayon Pastry school (plan A1, 100) : dans une ruelle qui part de Taphul St.* ▤ *012-604-170. Mar-dim 8h-17h30. Formule brunch le dim.* Par ici les becs sucrés ! Au bout d'une ruelle, une maison entourée d'un petit jardin abrite l'école du Bayon, qui permet chaque année à une quinzaine de jeunes filles de bénéficier gratuitement d'une formation en pâtisserie. Le café, dont les bénéfices contribuent au financement de la formation, permet de constater le savoir-faire acquis par les étudiantes : tarte au citron meringuée, croissant aux amandes… Quelques tables, de jolis coussins à motifs colorés, un hamac, des magazines, jeux et bouquins. Bref, un espace simple et joliment arrangé où l'on se sent bien.

I●I ☧ *La Couleur du Thé (hors plan par B1, 101) : Slokrame ; en venant de la ville en longeant la rivière (rive gauche), passer le Natura Resort, puis 2e chemin à droite après la guesthouse Samatika ; c'est à 30 m à gauche.* ▤ *095-612-580. Tlj 8h-19h.* Certes un peu excentré, ce salon de thé à la lisière de la ville a des airs de campagne avec son beau jardin verdoyant et sa piscine. Dans une ambiance zen et sereine, installé dans un canapé chinois en bois rouge ou sous un parasol bouddhique, on prend le temps de vivre et de rêver. La préparation du thé, minutée avec précision, semble la seule contrainte dans ce lieu hors du temps. Une carte entière avec des thés de toutes provenances. Niki, la maîtresse des lieux, en connaît un rayon et, en vraie passionnée du thé, saura vous orienter. Tartes salées le midi, vins au verre et pâtisseries.

☡ 🍨 *Gelato (zoom, 102) : Alley West.* ▤ *085-757-590. Tlj 8h30-minuit.* Gros succès pour ce glacier italien qui botte plus d'un gourmand. Glaces et sorbets aux merveilleux parfums exotiques, à base de fruits frais et de lait bio. On s'y pose aussi pour un café ristretto, doppio et autres « oh ! ». Un lieu extraclean, sans risque pour l'estomac. L'étage est plus tranquille.

🍨 *Malis (plan B2, 103) : Pokambor Ave.* ☎ *063-762-266. Petit dej 6h30-10h, autour de 8 $, boissons comprises. Plats à « prix moyens », mais plus chers pour certaines viandes et les poissons.* Intérieur chic et choc entre grands volumes, boiseries, sculptures d'art et vastes baies vitrées donnant sur un patio. Pour apprécier sans se ruiner la cuisine fusion de ce jeune chef cambodgien renommé, on suggère le *breakfast,* génial, sous forme de buffet. Un festival pour les yeux et les papilles !

Où boire un verre ? Où écouter de la musique ?

Les endroits où prendre un verre ne manquent pas. La plus grosse concentration se trouve à deux pas du vieux marché, dans la rue justement appelée Pub Street, véritable « rue de la Soif », doublée d'une petite allée parallèle (Pub Lane). On y croise aussi beaucoup de « plus petits bars du monde » :

comprendre des vendeurs ambulants version bar mobile...

Dans Pub Street et The Lane (zoom)

Les pubs ouvrent tous les jours jusque tard. *Happy hours* multiples. Le son monte dans les bars de Pub Street. Certains sont en partie ouverts sur la rue, jusqu'à donner d'assourdissants mélanges au fil de la soirée...

T |©| Asana (zoom, 109) : *dans la ruelle entre Pub St et St 7 (la même que celle du* Silk Garden*). Tlj 11h-0h30.* Dans une courette paisible, la dernière demeure en bois authentique du centre-ville abrite un bar chaleureux et original. Différents coins pour se poser, et une belle variété de façons de s'asseoir : chaises et canapés de toutes sortes, hamacs, lits suspendus, sacs de riz, etc. Dans la maison sur pilotis, grande salle à la lumière tamisée pour déguster d'excellents cocktails et *fruit shakes,* sans oublier le *sombaï,* spécialité maison à base de fruits et d'épices infusés dans de l'alcool de riz. Accueil charmant et atmosphère vraiment relax, bien éloignée du brouhaha touristique (enfin, tout dépend de l'ambiance musicale du bar voisin...). Possibilité de se restaurer (c'est bon et pas cher), et d'apprendre à concocter quelques cocktails originaux *(en anglais, sur résa).* Une de nos plus sympathiques adresses !

T Miss Wong (zoom, 110) : *dans une ruelle parallèle au nord de Pub St. Tlj 18h-1h.* Bar à cocktails chic et charme, signalé par une lanterne rouge et un joli décor chinois style *Lotus bleu.* Lumières bien tamisées, on se croirait à Shanghai dans les années 1920. Dépaysant.

T 🌿 Siem Reap Brewpub (plan B2, 111) : *5, St 5. Tlj 11h-23h. Set dégustation (4 bières).* Comme beaucoup d'expats, vous rêviez échapper à l'inévitable *angkor* ? Rendez-vous dans cette élégante villa de l'ancien quartier colonial où des salons relax occupent le vaste patio doté d'un bassin. Les lieux ont été convertis en brasserie belgo-khmère. Bières maison servies à la pression, en cocktails, voire

dans les plats (cuisine à la bière) et jusqu'au pain ! Ambiance résolument décontract' dans cet estaminet des tropiques.

T 🌿 Angkor What ? (zoom, 114) : *tlj jusqu'à 3h.* Un bar-boîte bien anglo-saxon. Grandes tablées à l'extérieur, et un son craché par des enceintes qui concurrencent celles du *Temple,* le club le plus populaire situé juste en face. Fresque déjantée à l'intérieur et chaude ambiance.

T 🌿 X Rooftop Bar (plan A3, 115) : *Sok San Rd, à l'angle de Sivatha.* 📱 *012-263-271. Accès par une cage d'escalier tte taguée. De 15h jusqu'au petit mat.* Chouette terrasse sur le toit, pour prendre un peu de hauteur sur l'agitation de la ville. Une mise à distance relative, car le DJ envoie du lourd, au *X Bar* ! Rock à donf' dans cet antre de jeunes qui se retrouvent au bar, aux billards, baby-foot, ou sur la rampe de skate. On accède aux tables du haut par une corde à nœuds ! Musique live en fin de semaine et grosse ambiance certains soirs, mais il y a de la place et au moins, on respire. Retransmissions sportives (écran géant).

T Red Piano (zoom, 113) : *entrée sud-ouest de Pub St.* ☎ *063-964-750. Tlj 6h30-1h.* Des murs rouges, ça va de soi, et une grande terrasse ouverte sur la rue, meublée de gros fauteuils en osier. Le piano est à l'étage, tout comme le balcon avec vue sur l'animation. Possibilité de se restaurer depuis le petit déj jusqu'au soir. Sympa le temps d'une bière belge ou d'un cocktail, mais inutile de s'attarder à table.

Ailleurs en ville

T 🌿 Bar du FCC (plan B2, 23) : *voir « Où dormir ? ». Tlj 7h-minuit.* Happy hour *17h-19h.* Un bar en plein air où les tables se mirent dans un bassin. Et autour, dans les galeries, des boutiques chic et branchées qui complètent le décor. Particulièrement agréable en début de soirée, pour l'apéro. Resto à l'étage, à prix raisonnables.

T Elephant Bar (plan B1, 22) : *dans l'hôtel* Raffles, *voir « Où dormir ? ». Ouvre à 18h.* Chic et cher mais tellement classe... C'est le moment de troquer le T-shirt pour une chemise repassée ! Somptueux décor colonial, canapés Chesterfield, long bar où sont exposées les différentes bouteilles d'alcool, et un billard pour la détente. Avec qui ? Agatha Christie et son héros fétiche Hercule Poirot, *of course...*

❧ ↑ **L'Explorateur** *(plan B1, 21) : dans l'hôtel* Victoria Angkor, *voir « Où dormir ? ».* Happy hour *ven 17h-19h*

(avec petits canapés gratuits) : moitié prix sur les boissons. Ambiance Art déco en terrasse, au bord de l'immense piscine. Beaucoup de charme et très calme (sauf le vendredi soir, lors des programmations musicales). Atmosphère chic et romantique, mais pas guindée. Cocktails servis avec des petits assortiments à grignoter.

Loisirs

Spectacles

∞ ✶✶✶ **Phare, « The Cambodian Circus »** *(hors plan par A3, 74) :* Ring Rd. ☎ 015-499-480 et 092-225-320. ● pharecircus.org ● *Au début de Sok San Rd, prendre à gauche sur Ring Rd, c'est au début de la rue.* En tuk-tuk, compter 7 $ A/R. Spectacle à 20h ; représentations supplémentaires nov-mars à 17h lun, jeu et sam. Arriver tôt si vous avez opté pour un billet à placement libre ou pour dîner avt. Ouverture billetterie, Phare Cafe et boutique tlj à 18h (plus 15h si une matinée est programmée). Résa indispensable en hte saison. Achat des billets possible sur Internet. Prix : 18-38 $ selon catégorie et option choisie (siège réservé ou placement libre) ; réduc. Durée : env 1h. Cirque, théâtre, danse, musique, contes traditionnels se mêlent dans des spectacles éblouissants alliant poésie et performances acrobatiques, tradition et modernité. Quel talent, quelle énergie ! Chaque jour, des prestations de haut vol en met plein la vue des petits et des grands. Et nous émeut à la fois. Gros avantage de la scène, qui n'est pas immense : on est tout près des artistes, même sans être au premier rang. Une dizaine de représentations par semaine, les spectacles alternant en rotation. Ce cirque associatif a été créé pour permettre l'autofinancement de l'ONG mère *Phare Ponleu Selpak* (à Battambang), créer des emplois pour les jeunes artistes défavorisés et aider au développement de leur carrière professionnelle aux niveaux national et international. Il embauche aujourd'hui 120 personnes et la troupe

part 2 fois/an en tournée à l'étranger ! Incontournable.

❙●❙ Sur place, un bon resto pour dîner avant le spectacle (voir plus haut « Où manger ? ») et une boutique (œuvres réalisées par des artistes peintres de *Phare Ponleu Selpak,* produits provenant d'ONG ou des *Artisans d'Angkor*).

∞ ✶✶ **Théâtre d'ombres :** *ts les mer à 19h au resto* Chili Pepper *(plan B1-2, 40).* Résa impérative. Compter 7 $; annulé si moins de 10 pers. Ces spectacles alternant théâtre d'ombres et danses sont proposés par l'ONG *Krousar Thmey* qui fait jouer des jeunes déficients visuels ou auditifs, très impliqués et doués. L'argent va directement à l'ONG.

Danses khmères

Nombre d'hôtels et de restos proposent chaque soir des danses plus ou moins khmères. Difficile de s'y retrouver dans la qualité. Disons que ça va du pire au vraiment pas mal. Notre préféré :

∞ ✶✶ **Apsara Theatre :** *en face de l'Hôtel* Angkor Village *(voir « Où dormir ? » ; plan B3, 48).* Résas : ☎ 063-963-561. ● angkorvillage.com ● Formule dîner (menu fixe, boissons en plus) + spectacles tlj à 19h30. Prix : 27 $ (vraiment cher !). Une superbe salle de théâtre (climatisée), tout en bois, où l'on s'installe à même le sol – pas de dossier donc – devant la scène, ou au 1er étage, sur des chaises (la visibilité est aussi bonne). 5 danses locales ou retraçant la légende du *Râmâyana,* de bonne qualité ; plus mitigé côté repas.

LE CAMBODGE

LE CAMBODGE

Massages et spas

La grande mode à Siem Reap comme ailleurs. Attention, pour les massages, beaucoup d'attrape-crédules. Parmi les adresses sûres :

■ *Massage Krousar Thmey (hors plan par B1) :* même lieu que l'expo sur le patrimoine khmer (lire « À voir. À faire »). ● krousar-thmey.org ● Tlj sur demande 9h-21h. Compter 10 $/h. Salon de massage de l'école pour enfants sourds ou aveugles de l'ONG du même nom. Les jeunes masseurs, aveugles, ont été formés par des professionnels. Une façon agréable de soutenir cette belle initiative.

■ *Frangipani (plan A2, 134) :* 615-617, Hup Guan St, Kandal village. ☎ 063-964-391. 📱 012-982-062. ● frangipanisiemreap.com ● Tlj sauf lun 10h-20h, sur résa. Env 35 $/h. Un des meilleurs instituts en ville, qui fait travailler des masseuses professionnelles ultra-compétentes. Boisson détoxifiante et lavage de pieds pour commencer. Une vingtaine de massages, du simple « antistress » à la réflexologie plantaire, en passant par le *stretching tropical*. Tout un programme ! Le top à Siem Reap.

■ *Sokkhak Spa (plan A3, 121) :* Sok San Rd. ☎ 063-763-797. ● sokkhakspa.com ● Tlj 10h-22h. Voici une autre adresse élégante et raffinée pour se faire masser dans les règles de l'art par un personnel bien formé. Soins de qualité, à prix justifiés.

■ *Khmer Relief Spa (zoom, 122) :* St 7. ☎ 063-769-966. ● khmerreliefspa.com ● Tlj 10h-23h. Petit établissement proposant là aussi, des massages de haute volée réalisés par des professionnels d'une grande gentillesse. Nombreux soins à base de fleurs et de fruits.

Achats

Dès qu'on s'offre un souvenir en dehors des marchés, les prix grimpent très vite. Mieux vaut être prévenu ! Peu de trouvailles dans une gamme de prix intermédiaire donc...

✸ *Senteurs d'Angkor (zoom, 130) :* en face de l'angle nord du vieux marché. ☎ 063-966-733. ● senteursdangkor.com ● Tlj 7h30-22h30. Élégante boutique vendant un large assortiment d'articles produits localement et uniquement à partir de matières premières cambodgiennes. Tissus de soie, bijoux, bibelots, bougies, épices, confitures, cafés et autres thés parfumés, tous très joliment présentés. Bien plus cher que sur les marchés, mais la qualité et l'origine sont certaines. Sur la route de l'aéroport (au n° 145), à 2 km du centre, un autre point de vente, assorti d'ateliers de démonstration, d'un spa et d'un joli jardin botanique.

✸ *Les Artisans d'Angkor (plan A3, 131) :* Stung Thmey St. ☎ 089-624-666. ● artisansdangkor.com ● Tlj 7h30-18h30. Ce chantier-école forme de jeunes ruraux aux métiers de l'artisanat : taille de la pierre, du bois, laque, dorure, tissage, etc. Plusieurs localisations. Cette école-*showroom* fait office de boutique (superbe) et l'on peut visiter les ateliers. De beaux produits, chers. Cette véritable entreprise gère aussi une boutique-café *(Angkor Cafe)* face à l'entrée du temple d'Angkor Wat, et, à 16 km de la ville (district de Puok), une ferme-boutique de soie *Angkor Silk Farm (tlj 8h-17h, départ en bus gratuit tlj à 9h30 et 13h30, retour 2h plus tard ; réserver).* On peut y observer toutes les étapes de la production, depuis l'élevage des vers jusqu'au tissage, en plus d'une somptueuse boutique qui clôt la visite et un espace buvette bien agréable. Une vingtaine de boutiques dans la région, sans compter celles des aéroports de Phnom Penh et de Siem Reap.

✸ *Les boutiques du « Kandal Village » (plan A-B2, 134) :* Hup Guan St. *Les boutiques ferment en général vers 18h-19h.* Une poignée d'artisans et créateurs se sont associés et ont créé l'appellation Kandal Village. Leur point commun ? Une rue très peu passante, ce qui lui donne un petit cachet, où ils conçoivent et vendent artisanat, épices *(Mademoiselle Thyda),* séries limitées, œuvres d'art... design et dans l'air du temps. Au rayon vêtements et accessoires, on aime bien *Louise Loubatières*, *Fusion 120*, *Soierie du Mékong* (une ONG luttant contre l'exode rural et pour l'autonomie des femmes)... Toutes ces vitrines sont des valeurs sûres. Tout cela a évidemment un prix. Également de quoi boire un verre, se restaurer ou s'offrir un massage chez *Frangipani* par exemple (lire ci-dessus « Massages et spas »). En tout, plus de 20 enseignes différentes.

⚜ **Samatoa** (hors plan par A3, **132**) : 11, St 63, Kolkran Village. ▯ 092-529-001. ● samatoa.com ● *Tlj sauf dim 8h-17h. Compter 5 $ A/R en tuk-tuk. Réduc de 10 % sur les articles sur mesure sur présentation du guide de l'année.* Cette entreprise sociale, créatrice de textiles haut de gamme, lutte contre la précarité des femmes en milieu rural tout en respectant les valeurs du développement durable. Fibre exceptionnelle, le lotus, associé à la soie, au kapok ou au bananier est filé et tissé à la main selon les traditions cambodgiennes. Si vous souhaitez une écharpe ou un habit sur-mesure à base de lotus ou de soie 100 % naturelle, vous y trouverez votre bonheur. Non loin de là, à la *Lotus Farm by Samatoa*, on peut assister à la naissance du précieux tissu de lotus. Une initiative à encourager.

⚜ **Theam's** (hors plan par A1, **133**) : 25, Veal Village, Khum Kokchak. ▯ 078-208-161. ● theamshouse.com ● *Assez excentré, prendre un tuk-tuk. Tlj 7h-19h.* À l'abri des regards dans un chemin en terre excentré, la maison de Theam est magnifique ! L'artiste, formé à l'école Boulle et passé aux *Artisans d'Angkor*, a installé ici son atelier et sa galerie d'art. Voilà une bonne raison pour aller s'y aventurer. Production originale, de haute qualité, comme ces triptyques peints à l'acrylique et laqués. Boutique pleine de couleurs, d'objets et d'animaux stylisés laqués. Gros succès des éléphants en argile laqués qui reçoivent 7 couches de peinture, à chaque fois poncées. Également des sets de table, foulards, etc.

⚜ **Khmer Ceramics & Bronzes** (plan B1, **135**) : Vithey Charles-de-Gaulle. ☎ 063-210-004. ▯ 017-843-014. ● khmerceramics.com ● *Tlj 8h-20h.* Un Belge s'est installé là pour faire renaître la tradition de la céramique au Cambodge, tout en contribuant à l'insertion dans le marché du travail des apprentis, tous sourds et muets. Petite visite pour voir les artisans au travail devant leurs tours et leurs fours. On peut s'inscrire pour un stage de 2h et récupérer le fruit de son travail après cuisson et vernissage 24h après.

⚜ **Jayav Art** (hors plan par B1) : A25, Charles-de-Gaulle St. ▯ 089-787-345. *Tlj 11h-19h. Réduc de 10 % sur présentation de ce guide.* Philippe Brousseau a eu l'astucieuse idée de créer des modèles de sculptures inspirées de l'art khmer, fabriquées en... papier mâché ! Bel effet, et les sculptures sont étonnamment légères et solides. De loin comme de près, difficile de soupçonner qu'on a là des œuvres en papier recyclé. À l'étage, on peut voir le personnel cambodgien travailler minutieusement.

À voir.

🎋 Plusieurs **pagodes** le long de la rivière, sur la rive gauche. On en voit tout le long de la route, jusqu'au lac. Elles n'ont pas autant souffert que celles de Phnom Penh, la plupart sont restées intactes. Observer les beaux frontons de bois. N'hésitez pas à louer un vélo et à vous engager sur les routes. En ville, le **wat Bo** (plan B2) date du XVIIIe s et renferme des peintures bien préservées représentant des passages du *Reamker*, le *Râmâyana* version khmère. Sur la rive ouest, le **wat Preah Prohm Rath** (plan B2-3) a été construit en 1945 à l'emplacement d'un monastère du XIIIe s. Kitsch et coloré.

🎋🎋 **Psaar Chas** (Old Market ; le vieux marché ; zoom) : ferme à 18h. Détruite puis reconstruite, cette vaste halle abrite surtout des boutiques d'artisanat pour acheter vos souvenirs (côté rivière). Le marché de Phnom Penh est toutefois moins cher.

LE CAMBODGE

Côté épices, la production locale ne parvenant plus à suivre la demande étrangère, le « poivre de Kampot » est un poivre vietnamien, de qualité tout à fait acceptable mais qui n'a aucune raison d'être vendu au prix du poivre cambodgien ! De même, méfiez-vous des pseudo-« boîtes en argent », souvent en tôle étamée, des fausses pierres précieuses, etc.

🏃🏃 *King's Road Market* (plan B3) : derrière le Hard Rock Café. ● *kingsroadang kor.com* ● Tlj 12h-22h. Ce discret complexe de boutiques branchées *made in Cambodia* et de restos modernes a été aménagé pour les touristes autour d'une cour où se tiennent aussi des stands de souvenirs locaux de qualité. Petit spectacle chaque soir, à la tombée du jour dans une atmosphère agréable, presque bon enfant.

🏃 *Night Market* (plan A2) : un peu à l'est de Sivatha. Env 17h-22h. Boutiques d'artisanat, de textiles et d'accessoires. Hyper touristique, et concurrence acharnée, donc prix à négocier, parmi la multitude de vêtements qui se distinguent peu d'un stand à l'autre. Petits restos et gargotes en plein air tout autour. Au milieu du marché, à une grande intersection, stands de mygales et scorpions frits... Bon appétit !

🏃 *Psaar Leu* (le grand marché ; hors plan par B2) : à env 2 km du centre, sur la route de Phnom Penh. Tlj 6h-13h. Marché couvert important pour toute la région. Des centaines de petits stands où les Cambodgiens viennent se ravitailler pour tout. Nourriture, vêtements, quincaillerie... Sympa pour observer le quotidien des habitants.

🏃 *Les bâtiments coloniaux :* plus grand-chose, malheureusement. Les plus connus restent le *Grand Hôtel d'Angkor (plan B1, **22**)*, et, de l'autre côté de l'esplanade, la résidence royale dans la villa blanche, où de Gaulle séjourna en 1966, lors de sa visite à Angkor. C'est encore aujourd'hui la résidence du roi quand il vient par ici. Entre les deux, le *Royal Gardens* abrite une colonie de chauves-souris géantes. Pas loin, le *FCC (plan B2, **23**)*, un bijou Art déco, et la poste, encore en parfait état.

🏃🏃🏃 *National Angkor Museum* (Musée national d'Angkor ; plan B1) : 968, Vithei Charles-de-Gaulle. ☎ 063-966-601. ● *angkornationalmuseum.com* ● Tlj 8h30-18h30 (18h avr-sept). Entrée : 12 $; réduc ; gratuit moins de 6 ans ; 5 $ de plus pour l'utilisation d'un audioguide en français. Idéal aux heures chaudes. Boutique chic très bien fournie en superbes pièces sculptées, objets, tissus... Espace librairie.
Moderne et didactique, un excellent préambule à la civilisation et à l'art khmers, pour comprendre l'histoire du site d'Angkor et les différents styles architecturaux qui le composent. Au-delà des polémiques sur les sommes colossales englouties pour sa construction et sur le centre commercial attenant qui n'a de « centre culturel » que le nom, on applaudit sans réserve la mise en valeur réussie du patrimoine national.

La visite
Le musée, très vaste, s'organise sur deux niveaux autour d'une pièce d'eau. Il est facile de consacrer 2 à 3h pour visiter les huit galeries numérotées de A à G, selon un parcours à la fois thématique et chronologique, bien pensé. Panneaux d'explications en anglais, clairs et synthétiques, multimédias (on peut choisir sa langue pour les films, mais attendre pour cela la fin du précédent) et audioguide intéressant. La visite commence au *1ᵉʳ étage* (indiqué *2ⁿᵈ floor* sur le plan !). Après une courte présentation filmée du musée (dans le *Briefing Hall*), sans grand intérêt, on pénètre dans le vif du sujet :
– *La première galerie :* salle spectaculaire « *aux mille bouddhas* » (« *1 000 buddha Images* »), présentés dans plusieurs centaines de niches. Sculptés sur bois, pierre, métal, ou ornés de pierres précieuses, tous sont d'origine cambodgienne et adoptent différentes *mudras,* y compris couchés. Peu de cartels et encore

moins de dates, dommage. Le plus précieux, face à l'entrée, serait un bouddha méditant du XIe s provenant d'Angkor Wat (style Baphuon). Impressionnante série de bouddhas dorés et polychromes XVIIe-XIXe s. Sur le 2e podium, une étrange statue d'ermite allongé XIIe-XIIIe s. Tout au fond, des bouddhas debout. L'autre pièce majeure à ne pas manquer est le grand bouddha couché, dit *nirvana* : ses orteils et doigts sont égaux (non décalés), comme c'est la tradition dans la représentation du Petit Véhicule (bouddhisme cambodgien).

– *La galerie A* : dédiée aux périodes de la **civilisation khmère,** « *Khmer civilization* » (Funan, Chenla, pré-angkorienne, angkorienne et post-angkorienne), avec entre autres une carte intéressante des routes commerciales en Asie. Quelques pièces à l'entrée : bouddhas debout en grès et Vishnou du VIe s notamment. De la culture Chenla, un Vishnou montrant ses muscles de façon insolite... Harmonieuses divinités féminines.

– La section « **Religions et croyances** » (**galerie B,** « *Religions and Beliefs* ») commence par un répertoire complet des divinités brahmaniques. Voir la borne de frontière ciselée du XIe s sur laquelle Vishnou est cloné des centaines de fois. Puis le *Mukhalinga*, cet étonnant socle d'une seule pièce qui réunit les trois divinités hindoues en une seule pièce : Brahma sur la base cubique, Vishnou sur la partie octogonale et Shiva en haut. On poursuit le panorama religieux par le descriptif du bouddhisme du Grand Véhicule (Mahayana) et les légendes fondatrices qui s'y rattachent. On note l'omniprésence de la figure du serpent Naga, roi des eaux et des enfers et protecteur du Bouddha.

– La **galerie C** (« *The Great Khmer Kings* ») commence par une longue frise chronologique. On vous fera grâce de l'énumération des rois khmers ! Ils ont tous plus ou moins apporté leur pierre à la magnificence d'Angkor entre le IXe et le XIIIe s. Superbe série de linteaux sculptés puis de colonnes gravées, permettant de suivre l'évolution des styles à Angkor.

La visite continue au **rez-de-chaussée** (indiqué *1st floor* sur le plan) :

– La **galerie D** est consacrée au style **Angkor Wat** avec notamment une représentation du bodhisattva *Lokesvara* (la compassion), le bodhisattva du Grand Véhicule traditionnellement représenté à Angkor durant la période hindouiste (découvert au Beng Mealea). Maquette centrale et film (son moyen) sur Angkor Wat projeté sur les murs, permettant une immersion réussie.

– La **galerie E** met l'accent ensuite sur **Angkor Thom** et le règne de Jayavarman VII (J7 pour les intimes). Énormes têtes des divinités (Asura, Deva...), puis les énigmatiques bouddhas au sourire mystérieux. Intéressante série de bornes joliment ciselées. Le tout précède un cortège de divinités animales : lions, éléphants, tortues, serpents, taureaux. Ne pas manquer le film en français, très bien fait, sur les caractéristiques du style Bayon, un style qui a vu naître les colossaux temples d'Angkor. Avant de passer dans la galerie suivante, deux étonnantes statues gardiennes de l'escalier du temple de Banteay Srei : Narasimha et le torse de l'aigle Garuda.

– Dans la **galerie des pierres (galerie F,** « *Story from Stones* »), on profite de la facilité qu'on a ici à détailler de près ce qui ne peut s'observer qu'en se tordant le cou lors de la visite des temples. Les textes gravés en sanskrit sur les stèles peuvent s'écouter grâce à de petits haut-parleurs judicieusement placés.

– **Galerie G : les costumes** (« *Ancient Costumes* »). Sans doute l'une des salles les plus intéressantes, car elle permet de comprendre comment se sont définis les styles khmers anciens. Le sampot, long drap de 4 m de long, est noué autour de la taille, drapé, puis remonté par-derrière comme une culotte. Le dos est d'ailleurs autant travaillé que l'avant, on le voit bien grâce à des miroirs. Remarquer les plissés des pagnes : ils varient très nettement suivant les périodes. De même pour les différents types de coiffes et les bijoux.

– La visite s'achève par la salle des **Apsaras,** ces danseuses célestes apparues suite à l'épisode du barattage (union des forces des dieux et des démons pour extraire le nectar d'immortalité de la mer de lait). Quelques très jolies statues et film intéressant.

LE CAMBODGE

LE CAMBODGE

🎥🎥 ***L'exposition sur le patrimoine khmer*** *(hors plan par B1) :* sur la route des temples, côté droit après l'hôpital Jayarvaman VII. ▨ *012-762-317. Tlj 9h-12h, 15h-18h. GRATUIT (mais donations bienvenues).* Mise en place par l'association *Krousar Thmey* (voir la rubrique « Aide humanitaire » en fin de guide). Quelques panneaux d'informations sur le lac et son environnement, ses habitants et leurs cultures lacustres et maquette. À coupler avec l'expérience émouvante « *Seeing in the dark* » : accompagné d'une personne aveugle, on tente de trouver ses repères dans une salle complètement noire qui simule l'effervescence de la rue et une séquence d'achats au marché. Assez troublant de se confronter aux injustices quotidiennes de ces jeunes. En bref, un dispositif tout simple qui permet de tisser des liens spontanés avec les personnes déficientes visuelles, qui sont aussi formées aux massages (lire plus haut « Loisirs »).

🎥 ***Angkor Panorama Museum*** *(plan Angkor) :* 60, Phum Slor Kram, près du guichet des passes pour Angkor. ☎ *063-766-215.* ● *angkorpanoramamuseum.com* ● *Tlj 9h-20h. Entrée : 15 $ (bien cher).*
Ce récent musée résulte d'une sorte d'œuvre de diplomatie culturelle nord-coréenne, dont la facture s'élèverait à 22 millions d'euros ! On est d'emblée frappé par la grandiloquence et la démesure du projet (6 115 m²), d'autant que, si l'ambition est grande, hors le fameux panorama qui vaut le coup d'œil – mais pas 15 $ pour autant ! – le contenu muséographique est pauvre : des photos légendées des différents temples du site, quelques infos sur le type d'architecture qui les caractérise, et une maquette, qui réunit 25 des principaux temples, assez intéressante quant à elle. Une fresque (le panorama) monumentale et hyper-réaliste à 360 °C, réalisée par les peintres de l'Institut d'État Mansudae, à l'origine de toutes les œuvres de propagande (peintures, sculptures) pour le pouvoir nord-coréen. Haute de 13 m et d'une circonférence de 123 m, elle a nécessité le travail de 63 artistes durant un peu plus d'un an et illustre quelques événements marquants de l'histoire khmère. Enfin, un film d'animation (de 40 mn) relate le chantier d'Angkor Wat.
Bref, si le musée mérite d'être découvert, c'est largement autant pour ce qu'il révèle des relations coréo-cambodgiennes et de la façon dont Pyongyang a mis les choses en œuvre, que pour le musée lui-même (étant donné le prix). Mais on n'a pas forcément envie d'alimenter les caisses de l'État nord-coréen.

🎥 ***Route 60*** *(plan Angkor) :* en dehors du centre, en face de la billetterie principale pour les temples et de l'Angkor Panorama Museum. À partir de la fin de l'après-midi, les marchands ambulants s'installent. Des étals en tous genres (alimentation, vêtements...) et quelques manèges ; une ambiance de petite fête foraine au milieu de laquelle les familles cambodgiennes pique-niquent et déambulent.

À faire

🎥🎥 ***Les balades de*** Siem Reap Autrement *:* ▨ *885-799-436.* ● *siemreapautre ment.com* ● *Résa à l'avance en très hte saison. Sur la base de 2 pers, env 40 $ la grosse demi-journée (à choisir parmi 3 thématiques) et 75 $ la journée entière.* Le sympathique Christophe s'est beaucoup promené dans le pays une fois ses valises posées au Cambodge. Cette connaissance de la vie dans les campagnes, des gens et de la culture l'a amené à proposer des balades accessibles à tous. Elles commencent presque toujours par un petit tour au marché à la fraîche (ça permet de mettre enfin un nom sur tous ces produits qui ne nous sont pas familiers), associé, selon l'option choisie, à la découverte d'un village flottant – d'où sa femme est originaire –, d'un temple... Une immersion dans la vie quotidienne qui est l'occasion de nombreux échanges.

🎋 **Découvertes à pied et itinéraires à VTT** dans la zone des temples et ailleurs autour du lac : pour ceux qui disposent d'un peu de temps pour découvrir les parages, les agences de voyages proposent différents itinéraires de découverte en 4x4 de temples éloignés et peu fréquentés ou des randos à pied ou à VTT.

🎋 **Balades à cheval :** avec **The Happy Ranch Horse Farm** (à 1,5 km à l'ouest de la ville). ▣ 012-920-002. ● thehappyranch.com ● Tlj. Compter 28 $/h. Un ranch à l'américaine, avec de magnifiques installations et des chevaux bien dressés qui conviendront également aux cavaliers débutants. Balades à l'heure ou à la demi-journée à travers la campagne et les rizières, encadrées par un personnel passionné.

🎋 **Vespa Adventures :** ▣ 012-864-610 et 071-357-6363. ● vespaadventures-sr. com ● Sur résa. Pas donné : 75-150 $. Des circuits originaux d'une demi-journée ou d'une journée à Vespa, accompagnés par des guides pro et sympa. À la découverte d'Angkor (y compris au lever du jour), de la campagne, sur le thème culinaire, etc.

🎋 **Ateliers pierres précieuses et semi-précieuses** (Gemological Institute of Cambodia ; plan A2) **:** Night Market St. ☎ 063-968-298. ● gem.agency ● Tlj 9h-23h. Réserver. Compter 70 $/pers pour 3h par exemple ; réduc. Jean-Philippe Lepage, gemmologue créateur de l'Institut de gemmologie du Cambodge (rien que ça !) propose des ateliers de 1h, demi-journée ou davantage. Pierres cambodgiennes ou pas, l'idée est de se familiariser avec les différentes familles de pierres précieuses ou semi-précieuses, d'apprendre à distinguer une vraie pierre d'une fausse, et d'acquérir des bases permettant d'évaluer sa qualité. Et, bien sûr, une boutique sur place (pierres brutes ou taillées) avec certificats d'authenticité.

DANS LES ENVIRONS DE SIEM REAP

Sur la route du Banteay Srei

🎋 **BBC** (Banteay Srei Butterfly Center) **:** à 23 km du centre, 9 km avt Banteay Srey. ▣ 015-509-019. Tlj 8h30-16h30. Entrée : 5 $, réduc. Cette « serre » à papillons à l'air libre abrite 35 espèces présentes sur les 500 présentes au Cambodge. L'occasion de mettre un nom sur ces fleurs volantes, du barriolé et commun leopard lacewing au rare great mormon, au bleu métallique. Et d'observer cocons et chrysalides avant éclosion.

🎋 **Mine Museum** (musée de la Mine) **:** à 25 km du centre, 7 km avt Banteay Srey. ▣ 015-674-163. ● cambodialandminemuseum.org ● Tlj 7h30-17h30. Entrée : 5 $, audioguide en anglais inclus. Nombreux panneaux, le plus souvent traduits en français. Pour ceux et celles qui sont intéressés par le sujet, un petit musée artisanal et privé sur ce fléau du Cambodge. Mr Aki Ra (dont les parents ont été tués par les Khmers rouges quand il avait 5 ans) a posé des mines quand il était dans l'armée vietnamienne. Plus tard, il a été employé par le gouvernement pour les neutraliser (plus de 50 000 selon ses dires !). Il en resterait 3 à 6 millions, sans parler des bombes américaines. Un film retrace le parcours de ce personnage haut en couleur. Cette expérience lui a donné l'idée de créer ce musée ainsi que le Relief Centre, une école pour les handicapés et orphelins des mines. Vaut le coup, ne serait-ce que pour soutenir le projet de Mr Aki Ra. Vente de petits articles sur place, qui financent l'école. Vous pouvez aussi apporter des dons (possibilité de les acheter à Siem Reap).

LE CAMBODGE

ANGKOR... ET TOUJOURS

> ● Plan du site d'Angkor *p. 244-245*
> ● Plan Angkor Wat *p. 256-257* ● Plan Angkor Thom *p. 259*

LE CAMBODGE

 ⊗ 🎭🎭🎭 Qui n'a jamais rêvé des tours d'Angkor ? D'y entendre « cette musique sculptée qui nous révèle, après 10 siècles, le rythme lent et ondoyant de la danse des apsaras » (Élie Faure) ? De revivre le pèlerinage de Pierre Loti dans cette « basilique fantôme, immense et imprécise, ensevelie sous la forêt tropicale » ? Pour l'archéologue Bernard Groslier : « Il faut se représenter à la fois Versailles, la Concorde, le Louvre, la place des Vosges et toutes les plus belles cathédrales... » Rien de moins !

Pas de doute, Angkor excite l'imagination et favorise l'inspiration. Depuis la fin de la guerre, l'explosion touristique est en marche et s'accélère aujourd'hui avec l'essor exponentiel du tourisme asiatique (d'ailleurs, éviter de s'y rendre pendant le Nouvel an chinois, au risque de se retrouver dans des embouteillages monstres pour accéder aux temples).

Chaque année, l'ONU, l'Unesco, des experts et l'autorité cambodgienne en charge du site (rien que ça !) se penchent sur la façon de gérer au mieux l'augmentation des flux touristiques (on atteint les 5 millions de personnes par an). Aménagement des sites, réfection des routes, équipements annexes, organisation, réservation en ligne avec un créneau horaire pour les groupes... Quant à l'augmentation conséquente du prix des billets en 2017, elle a fait grincer quelques dents.

L'état du site est aussi abordé : les effets de la mousson sur le grès, la préservation des décors, la consolidation des édifices... tout comme l'aspect social, pour que la population alentour profite mieux de la manne induite par la richesse d'Angkor. Cet immense travail de conservation, qui ne paraît jamais suffisant vu l'ampleur de la tâche, doit être entrepris pour que chacun puisse continuer à venir admirer ce chef-d'œuvre de l'humanité.

UNE CITÉ DE LÉGENDE

Le site d'Angkor Wat aurait été trois fois plus vaste que celui que l'on connaît aujourd'hui : c'est la conclusion d'une équipe d'archéologues qui, grâce à l'imagerie laser (LIDAR), a relevé avec une très grande précision la topographie de l'ensemble de la région. Les archéologues ont aussi noté des indices qui laissent penser que la combinaison de désastres environnementaux (inondations, surpopulation et déforestation) a également pu être à l'origine de l'effondrement de la civilisation khmère au XIVe s.

ANGKOR MIEUX !

Le LIDAR (Light Detection and Ranging) est une technologie de balayage laser embarquée dans un avion, permettant de voir en 3D à travers la végétation avec une précision de quelques centimètres. L'analyse de plusieurs centaines de km² sur le site d'Angkor a révélé l'empreinte d'une urbanisation sophistiquée (rues, canaux, digues, bassins, quartiers d'habitation). À son apogée à la fin du XIIe s, l'agglomération aurait sans doute été l'une des plus grandes villes du monde avec près de 3 000 km² et 800 000 habitants !

UN PEU D'HISTOIRE ANGKORIENNE

La glorieuse capitale de l'Empire khmer aura vécu plus de 500 ans, **de sa fondation au IXᵉ s jusqu'à son déclin au XIVᵉ s.** En 889, le roi **Yasóvarman Iᵉʳ,** héritier
des royaumes de Funan et de Chenla, fonda une capitale qui porte son nom. Mais
les Cambodgiens l'appelleront tout simplement *Angkor,* qui, en langue khmère,
signifie... « capitale ». Le site fut choisi pour la proximité du grand lac (Tonlé Sap),
mais aussi pour ses collines, sa rivière (Siem Reap) et ses plaines fertiles permettant la culture du riz. Le roi, dévot de Shiva, avait besoin d'une montagne sacrée (le
mont Meru de la légende hindoue) pour y installer les dieux. La justesse du choix
des lieux ne sera jamais démentie par les successeurs de Yasóvarman : il avait
trouvé la capitale idéale, capable de garantir la prospérité et l'invulnérabilité du
royaume khmer. Après sa mort, le grand temple de prasat Kravan aurait été élevé à
sa gloire, ainsi que le sanctuaire de Baksei Chamkrong (mais tous les spécialistes
ne s'accordent pas sur ce point).

Après l'épisode du déménagement à Koh Ker, entre 921 et 944, pour une bête
histoire de partition du royaume entre successeurs, Angkor redevient capitale
au milieu du Xᵉ s et centre d'une unité retrouvée, grâce à **Rajendravarman II.**
Immensément riche, celui-ci s'entoure de hauts dignitaires religieux et se lance
avec eux dans de nombreux travaux (exécutés par des milliers d'esclaves) : on
leur doit, entre autres, le temple du Mébon oriental, celui de Lolei, celui de
Pre Rup et la très raffinée citadelle des Femmes (Banteay Srei), sans oublier de
grandes chaussées, le temple du Palais royal (Phimeanakas) et quantité de petits
sanctuaires. Ce grand roi laisse le pouvoir à son fils **Jayavarman V (J5),** « lotus
né d'une onde céleste », selon la légende. Celui-ci n'ayant pas d'enfant, une
nouvelle guerre de succession s'empare du royaume au début du XIᵉ s. L'un des
deux prétendants au trône, Jayaviravarman, règne juste le temps d'entreprendre
la fondation du grand temple de Ta Keo. Son rival, **Sûryavarman Iᵉʳ,** patiente
quelques années, mais remportera, avec la dynastie qui porte son nom, une
incommensurable victoire.

L'ère des grands bâtisseurs

Sûryavarman Iᵉʳ a sans doute œuvré à l'avancement du chantier du Baphuon ;
en tout cas, il fait entretenir les temples et restaurer le Palais royal. Ses 50 ans de
règne permettent la pacification et l'extension du royaume, dont vont profiter ses
successeurs. Son fils Udayadityavarman (à vos souhaits !) entreprend de gigantesques travaux : on lui doit cet incroyable lac artificiel de 8 km sur 2, appelé Barai
occidental.

En 1113, Sûryavarman II, un prince sans scrupule, s'empare du pouvoir.
Conquérant insatiable, il s'en prend aussi bien aux Chams qu'aux Vietnamiens,
élargissant considérablement ce qui est devenu l'Empire khmer. Paradoxalement,
c'est à ce guerrier redoutable que l'on doit la plus élégante et la plus majestueuse des constructions : **Angkor Wat.** Dédié à Vishnou, ce véritable « temple-
montagne » demeure aujourd'hui encore le symbole du Cambodge, et le fut aussi
bien pour les royalistes que pour les Khmers rouges. À peu près à la même période
sont élevés d'autres temples, parmi lesquels Thommanon et l'imposant Banteay
Samrè. Après les 32 ans (approximativement) de règne de Sûryavarman II, l'empire
connaît une longue période de guerres et une succession de rois qui ont laissé
peu de traces.

Jusqu'à l'avènement, **vers 1181, de Jayavarman VII (J7), vainqueur des Chams**
qui avaient osé, pour la première fois de son histoire, s'emparer du royaume et
piller Angkor ! Hanté par l'invasion cham, J7 n'aura plus qu'une idée : protéger son
pays et sa capitale. Fervent **bouddhiste,** il invoque la protection des dieux, d'où
le **nombre considérable de temples édifiés sous son règne,** notamment à Angkor : Banteay Kdey, Ta Prohm, puis les groupes de Preah Khan et les sanctuaires
de Banteay Prei, Neak Pean, Ta Som, Ta Nei... La plus belle de ses fondations,

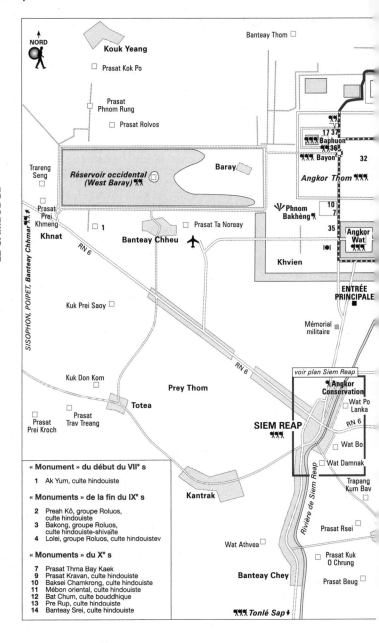

NORD

Kouk Yeang

□ Prasat Kok Po

Banteay Thom □

Prasat
Phnom Rung

□ Prasat Rolvos

17 37
Baphuon
36
Bayon
32
Angkor Thom

Trareng
Seng

*Réservoir occidental
(West Baray)*

Baray

Phnom
Bakhèng

10
7

Prasat
Prei
Khmeng

35

Angkor
Wat

Khnat

□ 1

Banteay Chheu

□ Prasat Ta Noreay

Khvien

RN 6

SISOPHON, POIPET, Banteay Chhmar

**ENTRÉE
PRINCIPALE**

Kuk Prei Saoy □

Mémorial
militaire

RN 6

voir plan Siem Reap

Angkor
Conservation

Wat Po
Lanka

Kuk Don Kom

Prey Thom

SIEM REAP

RN 6

□
Prasat
Prei Kroch

□
Prasat
Trav Treang

Totea

Wat Bo

Wat Damnak

Rivière de Siem Reap

Trapang
Kum Bav

Kantrak

Prasat Rsei

Wat Athvea □

Prasat Kuk
O Chrung

Banteay Chey

Prasat Beug □

Tonlé Sap

« Monument » du début du VII° s

1   Ak Yum, culte hindouiste

« Monuments » de la fin du IX° s

2   Preah Kô, groupe Roluos,
     culte hindouiste
3   Bakong, groupe Roluos,
     culte hindouiste-shivaïte
4   Lolei, groupe Roluos, culte hindouistev

« Monuments » du X° s

7   Prasat Thma Bay Kaek
9   Prasat Kravan, culte hindouiste
10 Baksei Chamkrong, culte hindouiste
11 Mébon oriental, culte hindouiste
12 Bat Chum, culte bouddhique
13 Pre Rup, culte hindouiste
14 Banteay Srei, culte hindouiste

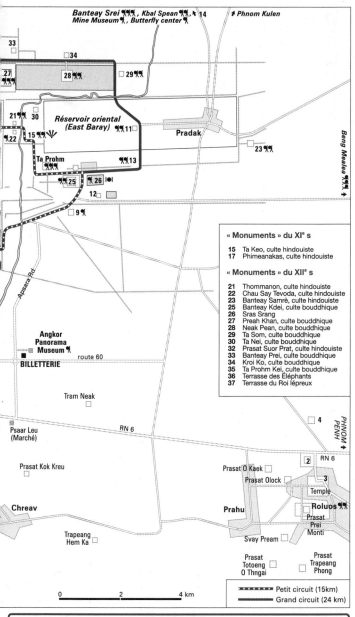

Banteay Srei, Kbal Spean, 14
Mine Museum, Butterfly center

Phnom Kulen

33

34

27

28

29

21 30

Réservoir oriental
(East Baray) 11

Pradak

15

22

Ta Prohm 13

23

25 26

Beng Mealea

12

9

LE CAMBODGE

« Monuments » du XIᵉ s

15 Ta Keo, culte hindouiste
17 Phimeanakas, culte hindouiste

« Monuments » du XIIᵉ s

21 Thommanon, culte hindouiste
22 Chau Say Tevoda, culte hindouiste
23 Banteay Samrè, culte hindouiste
25 Banteay Kdei, culte bouddhique
26 Sras Srang
27 Preah Khan, culte bouddhique
28 Neak Pean, culte bouddhique
29 Ta Som, culte bouddhique
30 Ta Nei, culte bouddhique
32 Prasat Suor Prat, culte hindouiste
33 Banteay Prei, culte bouddhique
34 Kroi Ko, culte bouddhique
35 Ta Prohm Kei, culte bouddhique
36 Terrasse des Éléphants
37 Terrasse du Roi lépreux

Apsara Rd.

Angkor
Panorama
Museum
route 60
BILLETTERIE

Tram Neak

Psaar Leu
(Marché)

4

PHNOM
PENH

RN 6
2

Prasat Kok Kreu

RN 6

Prasat O Kaek

Prasat Olock
Temple 3

Chreav

Prahu

Roluos
Prasat
Prei
Monti

Trapeang
Hem Ka

Svay Pream

Prasat
Totoeng
O Thngai

Prasat
Trapeang
Phong

| 0 | 2 | 4 km |

Petit circuit (15km)
Grand circuit (24 km)

ANGKOR

LE CAMBODGE

Chronologie des rois du Cambodge (802-1350) :

- 802-850 Jayavarman II
- 850-877 Jayavarman III
- 877-889 Indravarman I
- 889-910 Yasovarman I
- 910-928 Harshavarman I
- 928-942 Jayavarman IV
- 942-944 Harshavarman II
- 944-968 Rajendravarma II
- 968-1001 Jayavarman V
- 1001-1002 Udayadityavarman I
- 1002-1049 Suryavarman I
- 1049-1065 Udayadityavarman II
- 1065-1090 Harshavarman III
- 1090-1108 Jayavarman VI
- 1108-1112 Dharanindravarman I
- 1112-1152 Suryavarman II
- 1152-1181 Dharanindravarman II
- 1152-1181 Harshavarman IV
- 1181-1201 Jayavarman VII
- 1201-1243 Indravarman
- 1243-1295 Jayavarman VIII
- 1295-1307 Sri-Indravarman
- 1307 Sri-Idrajayavarman
- 1307-1350 Jayavarman Paramesvara

Styles architecturaux d'Angkor

- Style Preah Kô (875-893)
- Style Bakhèng (893-925)
- Style Koh Ker (921-945)
- Style Pre Rup (947-965)
- Banteay Srei (964-1000)
- Style Kleang (965-1010)
- Style Baphuon (1010-1080)
- Style Angkor Wat (1100-1175)
- Style Bayon (1177-1230)

COMPRENDRE LES STYLES ARCHITECTURAUX D'ANGKOR EN UN CLIN D'ŒIL

Style	Temples apparentés	Architecture	Sculpture
Style Preah Kô (875-893) hindouisme	Temples de Roluos (Lolei, Preah Kô, Bakong)	Généralement en brique. Apparition des temples-montagnes en grès	Premiers bas-reliefs en grès
Bakheng (895-925)	Phnom Bakhèng	Généralisation du grès	Formes géométriques et poses sévères
Koh Ker (925-945)	Koh Ker, Prasat Kravan	Apparition des galeries	Profusion des statues en nombre et en volume
Style Pre Rup (945-967) hindouisme et bouddhisme	Pre Rup	Utilisation de la latérite et apparition des temples bouddhistes	Statues au décor simple
Style Bantey Srey (964-1000) hindouisme	Bantey Srey	Utilisation du grès rouge	Maîtrise de l'art khmer, décorations plus fluides et plus délicates
Style Khleang	Ta Keo		Simplification du style de Banteay Srey
Style Baphuon (1010-1080) hindouisme et bouddhisme	Baphuon	Abondance des décorations	Recherche de l'harmonie, de la fluidité et de l'élégance dans l'expression des visages
Style Angkor Wat (1100-1175) hindouisme	Angor Wat, Banteay Samrè, Beng Mealea	Apogée de l'art khmer	Position frontale des statues afin de donner de la grandeur Beaucoup de raffinement
Style Bayon (1177-1230) bouddhisme	Ta Prohm, Angkor Thom, Bayon, Preah Khan	Apparition de tours sculptées de visages et multiplication des éléments architecturaux	Représentations plus réalistes de scènes de la vie quotidienne

LE CAMBODGE

incontestablement, est celle de la ville royale : Angkor Thom, Angkor la Grande. Jayavarman VII fait élever des murailles autour de sa nouvelle capitale, également protégée par des douves de 100 m de largeur ! Embrassant la foi bouddhique, c'est sous les traits du bienveillant bodhisattva Avalokiteçvara qu'il se fait représenter en personne, sur le temple-montagne qui est son chef-d'œuvre : le Bayon. À son père, à sa mère, il dédie des bijoux en pierre : le Preah Khan et le Ta Prohm. Mieux : ce roi, qu'on dit lépreux (mais est-ce le souvenir d'un vieux mythe indien ?), fait élever, sous la protection du Bouddha, 102 hôpitaux à travers le Cambodge. Jayavarman VII eut des successeurs franchement réacs... Ils restaurèrent vigoureusement l'orthodoxie hindoue. Trop tard. Le peuple était devenu bouddhiste.

Selon la légende, un jour, le chef des jardins tue le souverain qui s'était introduit nuitamment dans le potager. Allait-on exécuter l'auteur de cette tragique méprise ? Non, il était bouddhiste. Alors on le fit roi. Incroyable ! Dès lors, les souverains bouddhistes issus du peuple ne pensent plus en pharaons. Aux gros temples en pierre, ils préfèrent des pagodes en bois. L'énorme cité d'Angkor entame son déclin. Peu à peu, les bassins s'envasent. La mousson ronge les visages divins...

Pour ne rien arranger, en 1351, les Thaïs assiègent Angkor, la prennent, la pillent, et réduisent en esclavage ses 100 000 habitants. Le prince khmer Soryotei parvient à chasser les Thaïs au bout de 6 ans, et se fait reconnaître roi. Pourtant, quelque chose est cassé et ses successeurs vont délaisser la cité.

L'émerveillement des découvreurs

Le compte-rendu de Tcheou Ta Kouan décrit notamment les fabuleuses cérémonies royales : remparts d'étendards et de fanions, cortège de centaines de filles aux cheveux fleuris, défilé d'éléphants, troupes de femmes en armes, épouses et concubines en palanquins d'or, puis le roi lui-même, brandissant son épée du haut d'un éléphant. Partout, des parasols blancs ou rouges, tachetés d'or... Sans oublier les chants, la musique et les cierges. Le récit du Marco Polo chinois, parvenu aux oreilles de quelques

UN MANDARIN CHEZ LES KHMERS

En 1296, un voyageur chinois, Tcheou Ta Kouan, arrive à Angkor Thom. Il eut alors ces mots, restés célèbres : « Je salue la perfection. » Après une année passée à sillonner la région, il rédigea un récit détaillé, que l'on peut considérer comme le premier guide consacré au Cambodge. Grâce à l'objectivité de son témoignage, on a beaucoup appris sur les mœurs et coutumes de l'époque angkorienne.

aventuriers occidentaux, va enflammer leur imagination. Mais ils n'auront pas l'occasion de se rendre dans la cité magique, *abandonnée par la Cour vers 1430 à cause des attaques siamoises.* Livrée aux pillages, l'ancienne capitale perd beaucoup de ses richesses, parmi lesquelles de somptueux bouddhas d'or et des pierres précieuses, désormais en Birmanie ! Envahie peu à peu par la végétation, seule une petite partie d'Angkor continue à être fréquentée... La majeure partie du site devient le royaume... des bêtes sauvages. Les tigres ont remplacé les rois, les singes les courtisans.

Au milieu du XVIe s, un roi cambodgien retombe sous le charme, en chassant l'éléphant dans la jungle. Il fait dégager la végétation pour mieux admirer les temples, puis décide d'y installer sa Cour. On restaure alors la plupart des monuments, et des missionnaires rapportent la nouvelle en Europe : on a retrouvé la cité engloutie... De rares grands voyageurs leur succèdent aux XVIIe et XVIIIe s, colportant d'autres rumeurs : Angkor, pour eux, est comparable à Rome et à Babel !

Il faut attendre le XIXe s pour que les Occidentaux puissent voir les premières images rapportées d'Angkor. On les doit au botaniste Henri Mouhot (dont le père travaillait au Trésor – ça ne s'invente pas !), qui explora le Cambodge de 1858 à 1861. La publication de ses dessins dans la très populaire revue *Le Tour du monde* va lancer en France le mythe angkorien. Ses écrits, en plus de ses jolis croquis, feront rêver des générations de voyageurs.

UNE CITÉ PAS SI PERDUE...

Même si Angkor a connu une grande période de déclin, les temples n'ont jamais été abandonnés. Quelle surprise pour Henri Mouhot, en 1861, de découvrir ces temples qui n'ont jamais cessé d'être des lieux de culte ! D'abord hindou, Angkor devient bouddhique à la suite de la conversion d'un roi, dès la fin du XIe s.

Le génie des conservateurs

Après la période des découvreurs arrive celle des explorateurs... et des colons (les premiers tracent souvent le chemin des seconds). La grandeur d'Angkor Wat sera utilisée pour unifier l'Indochine : après avoir visité le site, le gouverneur de la Cochinchine, fraîchement conquise, propose à la France de s'implanter au Cambodge – histoire de taquiner les Anglais déjà présents au Siam. Une fois installés (avec la bénédiction du roi), les colonisateurs n'auront d'yeux que pour les beautés d'Angkor, devenu le symbole de la puissance coloniale en Asie. En 1867, des moulages des temples sont présentés au public parisien lors de l'Exposition universelle. Des explorateurs rapportent des statues khmères pour les expos suivantes, suscitant des vocations. Parmi les premiers pionniers de l'art khmer, le cartographe Louis Delaporte tente de dresser un inventaire d'Angkor. Vaste entreprise ! Il faudra des dizaines d'archéologues, d'architectes et d'épigraphistes pour achever sa tâche. **Angkor** va devenir **le plus grand chantier archéologique du monde,** sous la houlette de l'École française d'Extrême-Orient, créée en 1900. **En 1907, le site, auparavant situé en territoire siamois, est rendu au Cambodge.** Le pouvoir colonial français a ainsi le champ libre pour s'investir dans la sauvegarde des temples : la Conservation d'Angkor est créée.

Les successeurs de Commaille

Les successeurs du premier conservateur d'Angkor sont de sacrés personnages, qui se tuent à la tâche, *comme envoûtés par les lieux.* Ils se font tour à tour archéologues, écrivains, dessinateurs, constructeurs, sauveteurs et gardiens des temples... Henri Parmentier est de ceux-là : il retourne inlassablement les pierres pour percer leurs mystères. La parution de l'un de ses articles déclenche chez Malraux l'envie irrésistible de venir à Angkor ! Autre héros des lieux, **Henri Marchal,** qui passe plus de

UN PREMIER CONSERVATEUR TRÈS IMPLIQUÉ

Jean Commaille, fils de soldat, peintre amateur, était une sorte d'aventurier débarqué en Indochine dans les fourgons de la Légion. Trop amoureux d'Angkor, il se fit plaquer par sa femme et habita une cabane sur le site ! Il finit assassiné par des bandits en 1916, détroussé de la paie des ouvriers de la Conservation. Il est inhumé à proximité du Bayon.

60 ans au Cambodge. Conservateur d'Angkor à la fin des années 1930, en poste pendant 34 ans (un exploit, vu les conditions de vie d'alors), il rédige un impressionnant journal de fouilles et se lance dans une reconstruction totale des temples (méthode appelée anastylose) : il fait démonter les ruines pour les remonter ensuite pierre par pierre. Il meurt à Siem Reap, en pleine guerre

du Vietnam. Derniers noms légendaires liés à la Conservation : les **Groslier,** père et fils. Georges Groslier, passionné de peinture, de sculpture et de danse, s'intéresse surtout à l'art khmer : il a l'idée de créer le superbe Musée national de Phnom Penh. Mais la malédiction cambodgienne frappe à nouveau ! Groslier meurt torturé par les Japonais en 1945. Son fils, Bernard-Philippe, reprend le flambeau. Devenu archéologue, il est nommé conservateur d'Angkor en 1960 et entreprend une vaste campagne de restauration et de consolidation du site, avec de gros moyens financiers (merci de Gaulle !) et techniques, hérités de la débâcle de l'armée française en Indochine.

Pendant la guerre qui embrase le pays à partir de 1970, Groslier continue courageusement son travail, traversant les champs de bataille à vélo ! Dernier génie des lieux, Groslier est finalement chassé d'Angkor par les Khmers rouges.

La folie des pilleurs

Contrairement à une rumeur tenace, les hommes de Pol Pot ont peu pillé Angkor, considéré comme le symbole du glorieux passé khmer. Ils ont surtout saccagé les temples pour en utiliser les pierres : on en a retrouvé dans les rizières (elles servaient de barrages), ainsi qu'à Phnom Penh : le monument de l'Amitié khméro-vietnamienne est, paraît-il, taillé dans du grès d'Angkor ! Les objets de culte, surtout, ont souffert de l'idéologie du régime : les troupes qui occupaient le site ont eu le loisir de dynamiter quelques statues et d'en décapiter beaucoup, notamment celles de la galerie aux mille bouddhas. Sans doute par flemme, ou par peur des esprits, les Khmers rouges se sont souvent contentés d'enterrer ces traces honteuses d'une religion « réactionnaire ». Quelques dirigeants ont aussi favorisé le trafic avec la Thaïlande.

Ainsi **les Khmers rouges ne sont pas les seuls responsables du vaste pillage des temples** commencé après le départ de leurs protecteurs français. Les paysans eux-mêmes avouent qu'ici « 1 kg de pierre vaut 1 kg d'or ». **Le commerce des statues khmères est l'un des plus fructueux du marché de l'art ancien.** Toutes les méthodes sont bonnes pour arracher leurs trésors aux temples mal protégés : on scie les bas-reliefs, on détache les visages de grès au burin, on fait sauter les socles.

En 1994, Sihanouk lance un appel désespéré : « La lutte contre les prédateurs d'Angkor doit constituer un devoir sacré pour tous... » Il n'est pas entendu par tout le monde, mais l'opinion publique internationale a pris conscience du problème, et les catalogues d'œuvres volées découragent la plupart des acheteurs.

Enjeux et coopération internationale

L'explosion – à la fois démographique, urbanistique et touristique – de Siem Reap et l'un de ses corollaires, la croissance des besoins en eau, entraînent la baisse du niveau de la **nappe phréatique,** fragilisant ainsi la stabilité des temples millénaires. Sans oublier la **pollution de l'air** générée par la circulation des nombreux cars et *tuk-tuk* et l'érosion des temples conçus à l'origine pour accueillir seulement les pas de quelques prêtres. Quant aux **120 000 habitants maintenus sur le site** d'Angkor (on ne parle même pas des constructions illicites), ils semblent toujours échapper aux retombées économiques (environ 100 millions de dollars grâce à la vente de tickets en 2017), vivant pour la plupart sans eau ni électricité. Une situation injuste à laquelle commencent à s'atteler des ONG.

D'un point de vue patrimonial, en 2017, le bilan de 25 années de classement par l'Unesco se révélait plus que positif, en dépit de l'usure des pierres due aux écarts de températures ou à la prolifération de lichens et des dégâts causés par les racines des fromagers. Une vingtaine de pays étrangers participent activement à la reconstruction des sites et ont investi 500 millions de dollars depuis 1993.

Il reste aux autorités à permettre au plus grand nombre de découvrir cet inestimable patrimoine, tout en assurant sa sauvegarde pour les générations futures : pas une mince affaire quand on sait que 10 millions de visiteurs sont attendus en 2025 (contre « seulement » 5 millions en 2017). Un avenir qui passera en premier lieu par la régulation des flux et la création de nouveaux circuits de visite. Un vrai défi !

Conseils pratiques

– La **période** la plus agréable (de novembre à mars) correspond à la haute saison touristique, donc synonyme de fréquentation maximale des sites. Le temps est absolument étouffant en avril et mai, et la saison des pluies (de juin à octobre) atteint son pic lors des deux derniers mois. Mais rien n'empêche de visiter les sites à ces périodes et de jouir ainsi de mois plus creux.
– **Bibliographie :** dans tous les cas, munissez-vous de l'excellent livre de Maurice Glaize, *Monuments du groupe d'Angkor,* qui reste un ouvrage de référence et que vous trouverez un peu partout à Siem Reap. L'homme a passé sa vie (1886-1964) à démonter et à remonter les monuments d'Angkor, et les connaissait comme sa poche. Voir aussi la rubrique « Livres de route » dans « Cambodge utile ».
– Magnifiques photos sépia des monuments d'Angkor sur ● *mcdermottgallery. com* ● Visiter également la galerie qui les présente (près de la poste à Siem Reap).

Comment visiter Angkor ?

– **Pas d'hébergement** sur le site. Base de départ obligatoire à **Siem Reap** qui se situe à 8 km d'Angkor Wat.
– **Pour se restaurer,** des rangées de gargotes sont alignées à l'entrée des grands sites.

Avec ou sans guide ?

Un guide n'est pas superflu pour les Petit et Grand circuits, en tout cas quand on tombe bien (ils ne sont pas tous passionnants), et conseillé – pour des raisons pratiques notamment – en ce qui concerne les temples les plus éloignés. C'est aussi une question de budget. **Prix « syndical »** pour un guide anglophone **d'environ 40 $/j.** pour les Grand et Petit Circuits *(ajouter environ 10-15 $ pour un guide francophone)* ; suppléments par site éloigné (10 $ pour Beng Mealea, 20 $ pour Koh Ker, 30 $ pour les deux) ou pour le lever de soleil, etc. Pour plus de sûreté, on peut s'adresser aux agences de voyages (voir la rubrique « Adresses et infos utiles. Agences de voyages » dans les chapitres « Phnom Penh » et « Siem Reap »). Elles utilisent des guides compétents qui ont fait leurs preuves. Autres possibilités : passer par votre hôtel ou par l'office de tourisme de Siem Reap. Dans tous les cas, bien se faire préciser ce qui est compris dans le tarif, les horaires de travail, et s'y prendre à l'avance pour bénéficier d'un bon guide francophone.

Quel moyen de locomotion ?

Le site est très vaste : il y a souvent plusieurs kilomètres entre les temples ; il est donc impossible de l'explorer à pied.
Voir aussi « Transports en ville et sur le site d'Angkor » à Siem Reap pour plus d'infos (prix, etc.). Évidemment, les tarifs des *tuk-tuk* et voitures grimpent pour les temples les plus éloignés, comme Banteay Srei, Phnom Kulen ou Kbal Spean.
– **Vélo :** sympa pour les temples du Petit Circuit, et jouable pour le Grand si l'on n'est pas pressé et en bonne santé. On conseille, en revanche, d'éviter la période des grandes chaleurs, d'avril à mai. Les **vélos électriques** (voir plus haut « Transports en ville et sur le site d'Angkor ») qu'on peut recharger sur le site s'avèrent une bonne option, car l'autonomie est suffisante pour le petit tour et normalement le grand tour. Attention, le soleil peut cogner fort et bon nombre de secteurs sont à découvert. Chapeau (en vente dans plein de boutiques du site), crème solaire et

LE CAMBODGE

hydratation impératifs ! Par ailleurs, calculez bien votre coup afin d'éviter de vous retrouver en pleine nuit noire sur la route non éclairée.

– **Moto-dop** *ou* **tuk-tuk** *:* le *tuk-tuk,* idéal à plusieurs (jusqu'à 3 ou même 4 personnes), est aussi plus confortable et moins cher que le *moto-dop* (même si l'on est seul). Compter environ 15-25 $/j selon le circuit. Le chauffeur peut vous accompagner toute la journée et vous déposer au pied des temples, mais il n'a pas le droit de vous guider : ce n'est pas un guide officiel. D'ailleurs, il connaît les noms de chaque édifice mais rarement leur histoire. Attention, en saison des pluies (de juillet à octobre), les routes inondées peuvent rendre l'accès à moto difficile, voire impossible.

– *Voiture avec chauffeur :* si vous êtes attaché à votre confort (dont la clim) ou quand les trajets s'allongent. C'est évidemment aussi le plus rapide ! Veiller à ce que les chauffeurs se garent correctement pour ne pas encombrer la voie et ne pas gêner la vue sur les temples.

À quelle heure et où ?

Depuis les embouteillages aux pics d'affluence d'Angkor Wat jusqu'à ceux du coucher du soleil au Phnom Bakhèng, foule, poussière et bruit risquent de surprendre, voire de décevoir les redécouvreurs contemporains d'Angkor. Les cyclistes – parfois pris en tenaille entre un gros bus et les bas-côtés – jureront, pesteront... Pas de vrais remèdes, juste quelques palliatifs.

– Pour l'instant, seuls Angkor Wat, ainsi que les temples de Bakhèng et Pre Rup sont accessibles dès 5h, les autres temples ne le sont qu'à partir de 7h30 (dommage pour le Bayon notamment...). Toutefois, la règle semble peu à peu évoluer. Ne pas hésiter à se renseigner au préalable.

– *Si les temples sont accessibles à partir de 7h30, les groupes ne commencent à arriver qu'à partir de 8h... C'est toujours ça de pris !*

– Venir dès 5h à l'ouverture du site pour le lever du soleil sur *Angkor Wat,* mais vous ne serez pas seul (pour les photographes avertis, ce sera mieux l'après-midi, mais toujours autant de monde). Autre idée : faire la visite d'Angkor Wat dans le sens inverse de la foule (de l'est vers l'ouest). Tôt le matin ou la fin d'après-midi sont à viser pour visiter *Ta Prohm* et *le Bayon.*

– Inclure une *visite matinale d'un site éloigné,* comme Banteay Srei, reste un moyen sûr d'étancher les petites soifs d'explorateur.

– Dans l'ensemble, *c'est à l'heure du déjeuner qu'on est le plus tranquille,* entre les groupes qui repartent en ville déjeuner et ceux qui veulent éviter les pics de chaleur. Moins de monde, mais la lumière est aussi plus crue. Une option : déjeuner entre 11h et midi, d'autant qu'on est parti tôt et que la faim taraude !

Horaires, tarifs et durées de visite

– *Horaires :* billetterie tlj à partir de 5h (ouv des guichets)-17h30. Le point de vente est situé sur la route 60, au nord-est de Siem Reap attenant à l'Angkor Panorama Museum. Compter 5-6 $ l'A/R en tuk-tuk. Les hôtels et agences ne vendent pas de billets.

– *Prix d'entrée :* 37 $ pour 1 j. ; 62 $ pour 3 j., à répartir sur les 10 j. suivants ; et 72 $ pour 7 j., à répartir au cours du mois qui suit ; gratuit pour les moins de 12 ans. Le billet donne accès à l'ensemble du site, y compris Banteay Srei et le groupe de Roluos, excepté Kulen Mountain et Beng Mealea. Pas donné, depuis l'augmentation des tarifs en 2017. Il faut *payer par carte ou en espèces,* en dollars *(distributeur* sur place). *Attention,* le décompte des jours se fait à partir de celui de l'achat. Les *passes* achetés entre 17h et 17h30 (fermeture des caisses) ne courent qu'à partir du lendemain et permettent d'entrer le jour même sur le site, le temps d'un coucher de soleil. Cela évite en plus d'avoir à faire éventuellement la queue le lendemain matin au moment du rush, et c'est même conseillé si l'on souhaite se pointer à l'heure pour le lever du soleil. Photo d'identité prise sur place par une webcam et imprimée immédiatement sur le *pass* que vous prendrez soin de ne pas froisser ni détériorer (ne rien inscrire dessus, même au verso), sous peine d'être recalé à l'entrée du site et de devoir repayer. Les *passes* sont systématiquement contrôlés à chaque entrée de site. Aucun *pass* n'est échangé ni remboursé. Vos chauffeur et guide ne paient pas d'entrée, comme tous les Cambodgiens.

– ***Choix du forfait :*** 3 jours, c'est un minimum pour appréhender tout le site en parcourant les Petit et Grand Circuits (un jour chacun), prolongés par le Banteay Srei et/ou le groupe de Roluos. Un jour, c'est vraiment insuffisant. Il faut alors se contenter du Petit Circuit, dont les principales perles (Angkor Wat, le Bayon, les terrasses des éléphants et du roi lépreux, ainsi que Ta Prohm) sont visitables en une seule journée (compter au moins 3h pour Angkor Wat). Le forfait d'une semaine est rentabilisé à partir de 4 jours, c'est l'option retenue par la majorité des visiteurs. Elle permet d'aller et venir sur le site à sa guise, notamment pour le lever et le coucher du soleil tout en variant les plaisirs, comme consacrer une demi-journée à un tour en bateau sur le Tonlé Sap par exemple.

Restauration et toilettes

Inutile de ressortir du site pour déjeuner en ville, de véritables petits villages de restos jouxtent les principaux temples, notamment en face de l'entrée d'Angkor Wat. Dans les gargotes standard (essayer, par exemple le *Neary Khmer Restaurant*), prix un peu plus élevés qu'à l'extérieur dans les zones plus fréquentées, on s'en doute. Mais prix sages en face du Preah Khan, à l'angle nord-ouest du grand circuit. Sinon des gargotes et d'agréables restaurants avec terrasse (comme le *Palmboo*), face au bassin Sras Srang (le bassin des ablutions), à l'est de Ta Prohm *(plan Angkor, 26)*. Bricoler son **pique-nique** (emporter éventuellement une natte) constitue une autre option bien plus économique et plus pratique aussi : c'est ce que font nombre de Khmers.

Petit détail qui a son importance, il y a des w-c près de chaque grand site.

Problèmes de sécurité

La question des mines

L'ensemble du site, d'une superficie de 400 km^2, a été truffé de mines par les Khmers rouges, mais aussi par les militaires eux-mêmes afin de protéger les temples. Bref, le secteur était dangereux, comme toute la région nord du pays. La *Cofras* (société française) et *Halo Trust* (ONG britannique) ont déminé tous les sites ouverts au public.

Soyons bien clairs : les compagnies de déminage sont certaines qu'il n'y a plus de mines dans les endroits déminés, pas ailleurs. Ainsi, quand on parle d'un site déminé, il s'agit du temple lui-même mais pas forcément à 200 m de celui-ci. Ça ne veut pas dire qu'il y ait des mines, ça veut simplement dire qu'il n'a pas été visité par les démineurs. Donc, rassurez-vous, il n'y a plus aucun danger sur les sites. Mais n'allez pas explorer seul la jungle ou les sous-bois entourant les temples « hors circuit ».

Les vipères, les scorpions et les singes

– Présence de **vipères** venimeuses sur le site, surtout pendant la saison des pluies (septembre, octobre). Le port de sandales est alors déconseillé, même si les vipères fuient en vous sentant approcher.

– Les **scorpions** se cachent dans les anfractuosités d'arbres et de roches. Ne mettez jamais vos mains sous une pierre ou dans un tronc d'arbre.

– Méfiez-vous des **singes** ! Ils ont des bobines attachantes et vous font de drôles de mimiques. Mais ils peuvent être féroces, surtout si vous transportez de l'alimentation. On les a vus se jeter littéralement sur une malheureuse touriste pour lui arracher son sandwich des mains. Pas de vile provocation donc à l'égard des bestiaux !

LE CAMBODGE

Comportement

Angkor est un ensemble de lieux sacrés. La plupart des temples sont en fait les tombes des rois ou de leurs parents. Adopter une tenue décente se révèle indispensable, mais pas suffisant. *Se couvrir les épaules, les coudes et les genoux sous peine d'être refoulé* ou de devoir acheter sur place des vêtements à prix d'or. Un simple foulard ne suffit pas toujours, notamment pour la tour centrale d'Angkor Wat et le Bayon. Bien sûr, se prémunir des coups de soleil. Les marches sont très abruptes à grimper et les chevilles sont sollicitées. Aussi de *bonnes chaussures* dans lesquelles on ne transpire pas sont conseillées. Préférer les *semelles souples et fines* aux crampons de randonnée : un des ennemis sournois, après les pilleurs, ce sont les milliers de semelles quotidiennes qui abîment les pierres, peu à peu.

Petit lexique pour la visite

Angkor	capitale ou ville
Wat, prasat	temple
Apsara	nymphe
Baray	réservoir
Devaraja	divinisation de la fonction royale
Garuda	mi-homme, mi-oiseau
Lingam	symbole phallique
Mont Meru	montagne habitée par Shiva
Naga	serpent mythique à plusieurs têtes
Pali	base linguistique indienne qui, ajoutée au sanskrit, donna naissance au khmer
Barattage de la mer de lait	D'où naît le breuvage d'immortalité, l'ambroisie. Les démons et les dieux tirent chacun sur leur bout de naga qui, comme une courroie sur une poulie *(vasouki),* fait tourner la « baratte » formée par le mont Meru, d'un côté puis de l'autre, et produit ainsi le nectar *(amrita).*

À voir. À faire

Impossible de décrire ici les 287 temples recensés dans la région d'Angkor. Il faudrait plusieurs semaines pour tous les visiter et certains sites, malgré leur importance historique, ne valent pas vraiment le déplacement. Les plus beaux temples, par chance, sont peu éloignés les uns des autres (à l'exception de Roluos et Banteay Srei). Ils ont été regroupés dans le Petit Circuit (15 km) et le Grand Circuit (24 km), créés par la Conservation d'Angkor en 1925. Nous avons organisé nos textes en fonction de ces circuits même si ceux-ci ne sont plus suivis à la lettre de nos jours : les touristes préfèrent piocher à la carte dans les 2 circuits les principaux monuments qui les intéressent.

LE PETIT CIRCUIT

D'Angkor Wat à Angkor Thom

🕱🕱🕱 *Angkor Wat :* à l'entrée du site. Le plus grand, le plus connu, le plus majestueux des temples. *Un conseil :* le site étant bondé de touristes, faire la visite avant 9h, à l'heure du déjeuner ou en fin de journée quand la foule est partie. On peut aussi préférer *entrer par la jolie porte est* (le demander à son chauffeur dans ce cas), il y a moins de monde dans ce sens, ce qui n'empêche pas de sortir par la porte principale, à l'ouest. Sans surprise, c'est à l'aurore et plus encore au crépuscule qu'on a la plus belle lumière pour photographier les tours d'Angkor se reflétant dans le bassin.

Symbole mythique du Cambodge
En khmer, *Angkor Wat* signifie « la pagode de la ville » ou « la ville-pagode ». Commencée au XIIe s, juste une année avant celle de la cathédrale Notre-Dame de Paris, la construction a duré 37 ans ! C'est le plus grand monument de l'Asie du Sud-Est et le plus grand édifice religieux de la planète avec Borabudur. On considère qu'une armée de 300 000 ouvriers et 6 000 élé-

TOURS DE PASSE-PASSE

Le Cambodge est l'un des deux seuls pays au monde (avec l'Afghanistan) à faire figurer un monument national sur son drapeau : les tours d'Angkor Wat. Tous les régimes qui se sont succédé (y compris communistes) l'ont adopté, à ce petit détail près : perspective oblige, seules trois tours sont représentées...

phants auraient participé à sa construction. Ce temple-montagne serait entièrement dédié à Vishnou, dieu suprême de l'hindouisme, symbolisé par la tour centrale (le phallus est un attribut divin). D'ailleurs, tout est symbolique à Angkor Wat : les murs d'enceinte (1 025 m sur 800 m) représentent la chaîne de montagnes sur laquelle repose le mont Meru, centre de l'Univers pour les hindous. Et le temple figure lui-même sur ce mont, et est en même temps le centre de la capitale et du royaume. Voilà pourquoi le roi bâtisseur d'Angkor Wat, Sûryavarman II, divinisait du même coup sa fonction, en s'apparentant à Vishnou... Censé être invulnérable, le temple a servi de refuge à la population de Siem Reap au début de la guerre civile en 1970.

La visite
Le temple est orienté **à l'ouest (entrée principale).** Pour aller à contre-courant des foules, nous recommandons d'entrer par la porte est.
Autour de l'enceinte extérieure, des **douves** de 1,3 km de côté, larges de 190 m et profondes de 2 à 3 m. Elles étaient probablement infestées de crocodiles autrefois. Un pont superbe, couvert d'une **chaussée de pierre** longue de 200 m, les enjambe. Des statues précèdent cette voie royale : d'un côté, un lion, de l'autre, des nagas. En longeant le mur d'enceinte vers le sud, en profiter pour admirer la grande **statue de Vishnou,** un peu en retrait sur la droite.
Revenir devant l'entrée, dans l'axe de la grande allée. Dans son prolongement, une fois passé cette première enceinte, une **autre chaussée,** longue de **plus de 400 m.** Sur les côtés, deux balustrades de pierre représentent chacune un naga, serpent géant à sept têtes, roi des animaux marins, gardien des richesses de la terre et omniprésent sur le site, jusque dans le dessin des tuiles. À droite et à gauche de la voie, les petits pavillons, que l'on appelle « **bibliothèques** ». Juste après, deux grands **bassins aux ablutions.** Avant d'atteindre le temple, prendre le temps de contempler la **façade principale,** d'une harmonie parfaite sur 235 m. Les entrées des 5 tours étaient strictement réservées : celle de la tour centrale au roi, les deux voisines aux dignitaires de la Cour et celles des extrémités aux éléphants royaux ! Les serviteurs, moins considérés que les éléphants, devaient se contenter des entrées de l'arrière. Pour avoir la plus belle vue d'ensemble, prendre à gauche et longer le grand bassin.
– **Les bas-reliefs :** les murs des galeries de la deuxième enceinte sont chacun gravés sur 2 m de hauteur et 200 m de largeur de scènes fantastiques. Soit, au total, **800 m de chefs-d'œuvre !** Un vrai péplum, figé dans le grès tendre, s'étale devant vos yeux... Ces bas-reliefs, incontestablement les plus beaux de tout Angkor, sont remarquablement conservés. Amusez-vous à débusquer les 3 000 **apsaras,** ces danseuses dont certaines ont été nettoyées par la coopération allemande. Parfaitement conservées, elles arborent des dizaines de types de coiffures différentes !

LE CAMBODGE

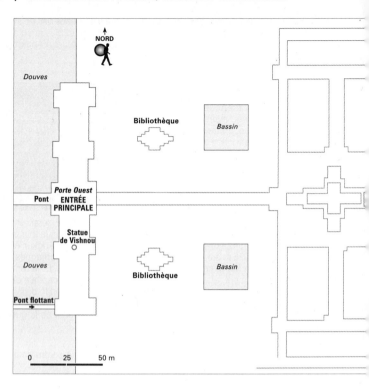

Dans la **partie nord de la galerie ouest,** dont les bas-reliefs s'apprécient le mieux en fin d'après-midi, orientation oblige, scène du fameux **Râmâyana** (guerre entre Râma et Râvana, qui lui a piqué sa femme, Sîtâ), un véritable entrelacs de guerriers. Les roues des chars possèdent 16 rayons, nombre qu'on retrouve également dans la loi bouddhique. Remarquer l'armée de singes dirigée par Hanumân, et alliée de Râma. Dans la **partie sud de la même galerie ouest,** les bas-reliefs racontent le **Mahâbhârata,** encore une histoire de crimes et de jalousie amoureuse. À gauche de la scène, l'armée de Kaurava, à droite celle de Pandava (le vainqueur).

Dans le pavillon de gauche, à **l'entrée de la galerie sud,** les divinités hindoues : Râvana (reconnaissable à ses trois visages) cherche à ébranler la montagne où se tient Shiva. De l'autre côté, Râma tue le roi des singes en lui décochant des flèches.

La **première partie de la galerie sud** (côté ouest donc) est appelée galerie historique. Elle mesure 90 m. Elle illustre l'audience que Sûryavarman II, le maître des lieux, âgé de 20 ans, donne en 1124. On le voit sur la montagne sacrée, dans une profusion de végétation et entouré de ministres, de brahmanes et d'une armée d'éléphants, protégé par ses inséparables parasols. Dans le prolongement de la galerie, scènes du jugement de Yama, dieu des Enfers. On y dépeint magnifiquement les croyances khmères, les 37 paradis et 32 enfers. Vous avez le choix.

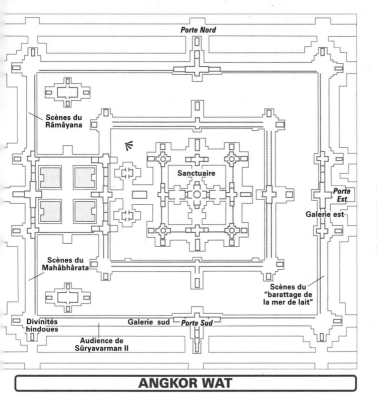

ANGKOR WAT

La *galerie est* (côté opposé à l'entrée principale du temple) est l'une des plus fameuses. On peut y admirer le « barattage de la mer de lait », qui produit l'*amrita,* nectar d'immortalité, épisode fondamental de la création de l'Univers. De ce *barattage* (voir lexique plus haut) naissent plusieurs êtres mythiques, dont les apsaras, largement représentées. À droite, les démons géants (ou *asuras*) ; à gauche, les dieux du panthéon hindou (ou *Devas*). Au centre, arbitre suprême, Vishnou (qui se prépare à devenir immortel), surmonté d'Indra. À ses pieds, la tortue Kurma, avatar de Vishnou. Le singe *(Hanumân)* est le copain de Râma (un peu plus loin). Dans la mer de lait, toute une faune aquatique fantastique.

⇐ *Le sanctuaire : on y accède généralement par l'entrée est.* Des escaliers abrupts mènent à l'intérieur du temple. Dans le sanctuaire, symbole du mont Meru dans la cosmologie hindouiste, une succession de terrasses, d'escaliers, de cours et de petits autels. Un vrai labyrinthe, même si la conception architecturale est parfaitement carrée. À l'intérieur, des ruines de bibliothèque et les bassins aux ablutions (vides) à chaque angle. Seul le roi pouvait accéder au sanctuaire. À côté, on trouve la fameuse galerie aux mille bouddhas. Il ne reste malheureusement presque plus rien, à part quelques bustes décapités. L'accès à la *tour centrale* se fait par une redoutable rampe *(6h40-17h, jusqu'à 2h d'attente parfois ! fermé les j. saints, soit 1 j./sem).* Prudence ! D'en haut, panorama magique sur la forêt, les tours voisines et la grande avenue dallée.

☆ Phnom Bakhèng : *à proximité d'Angkor Wat, à gauche de la route menant à Angkor Thom. En cours de restauration, mais reste accessible. Montée au sommet jusqu'à 17h. Temple-montagne extrêmement fréquenté à l'heure du coucher du soleil (allez plutôt ailleurs, d'autant que, la jauge étant fixée à 300 pers, mieux vaut se pointer dès 15h30).*

Au Xe s, Yasóvarman Ier fit ériger le premier temple d'État d'Angkor au sommet de cette colline naturelle. Véritable pyramide, le Phnom Bakhèng est malheureusement en mauvais état. Arrivé en haut, entre 16h et 17h, parfois jusqu'à 30 mn d'attente pour accéder au temple.

La tour centrale conserve de beaux portails sculptés. Tout autour, sur la terrasse, des blocs de pierre échoués là, quelques lingams, et, sur la terrasse inférieure, des tourelles qui dégringolent en cascade. Vue extra sur la forêt et le Tonlé Sap au coucher du soleil (sur Angkor Wat au lever). À l'angle opposé, on aperçoit les tours d'Angkor Wat.

– Depuis une plate-forme à mi-montée, vue également sur le Baray occidental et son temple sur une île.

☆ Baksei Chamkrong *(plan d'Angkor, 10) : peu après le Phnom Bakhèng, sur la gauche, dans la forêt.* Élégante pyramide de brique et de latérite (matériaux classiques). Son nom, qui signifie « l'oiseau qui abrite sous ses ailes », est tiré d'une légende qui raconte qu'un grand oiseau avait protégé de son envergure un roi de ses ennemis. Elle fut érigée peu après la mort de Yasóvarman Ier par son fils Harshavarman Ier. Jolie tour-sanctuaire, dont les sculptures en stuc moulé restèrent, hélas, inachevées. Archéologiquement intéressant ; les inscriptions gravées sur les piédroits de sa porte est déclinent toute la généalogie des rois précédant Harshavarman Ier.

Angkor Thom

Il s'agit en réalité de **toute une ville fortifiée** avec plusieurs temples, à 1 700 m exactement de la porte d'Angkor Wat. Au bout d'une longue et noble avenue bordée d'arbres, on aperçoit l'image tant rêvée de la **porte sud** : une arche sublime de plus de 23 m de haut, surmontée de ce mystérieux bouddha à quatre visages, coiffé de sa tiare de pierre. De chaque côté du pont franchissant les douves, **54 statues de géants** soutenant le naga sacré comme lors d'une compétition de tir à la corde : c'est le « barattage de la mer de lait », déjà évoqué par les bas-reliefs d'Angkor Wat. Côté gauche les divinités, côté droit les démons.

En franchissant le porche, on pénètre dans la vaste ville royale, centre du site archéologique et apothéose de l'ère angkorienne. La cité d'Angkor Thom est ceinte des quatre côtés par des murailles de 8 m de haut, sur une longueur totale de 12 km. Autour, des douves de 100 m de largeur... Cinq portes monumentales permettent l'accès à la ville, les plus remarquables étant celles de la Victoire, à l'est, et la porte des Morts, du même côté, par laquelle on évacuait autrefois les cadavres.

Il faut imaginer que l'ancienne capitale, désormais peuplée d'arbres, de vaches et, dans la journée, de bonzes et de touristes, hébergea jusqu'à 100 000 habitants au Moyen Âge ! Leurs maisons, uniquement en bois et en paille (seuls les dieux avaient droit à des résidences en pierre), ont été englouties par le temps.

☆☆☆ Le Bayon : *au centre de la ville d'Angkor Thom. 7h30-17h30. Un conseil : venir vers 7h du mat pour éviter la foule et profiter également de la lumière sur les visages en relief. Même effet le soir.* Il fut construit entre la fin du XIIe et le début du XIIIe s, sous le règne de Jayavarman VII après la victoire sur les Chams. Si le temple d'Angkor Wat est la majesté même, celui-ci représente plutôt le **mystère incarné.** D'où son nom : « la montagne magique ». Imaginer une forêt de têtes gigantesques, regardant dans toutes les directions... Une massive montagne de 54 tours (il n'en reste aujourd'hui que 37), représentant, pour certains,

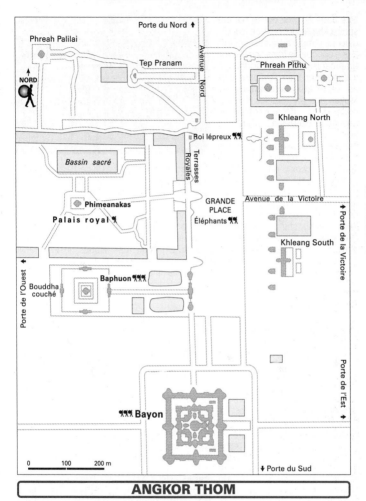

ANGKOR THOM

les 54 provinces de l'Empire khmer. Elles sont chacune ornées de quatre visages censés illustrer les quatre vertus du Bouddha : au sud, la sympathie ; à l'est, la pitié ; au nord, l'humeur égale ; à l'ouest, l'égalité. Soit, à l'origine, *216 visages aux sourires énigmatiques* qui irradient le royaume et vous observent du haut de leur sérénité totale. *Pyramide à trois niveaux,* d'une hauteur totale de 43 m, le temple-montagne du Bayon constitue un dédale où l'on est obligé de se perdre. Le plan général relève d'une grande complexité : les tours-sanctuaires se retrouvent partout, suivant d'abord un schéma au carré, le long des enceintes, puis en cercle, autour de la montagne centrale en référence au cycle de la vie. Pour compliquer le tout, les portes et les allées observent une disposition cruciforme. D'où cette curieuse sensation éprouvée par le visiteur, pris entre les galeries, les terrasses, les escaliers et les tours !

Une autre énigme posée par ces sphinx khmers fut celle de leur origine. Le temple avait été construit à une époque de transition entre le brahmanisme et le bouddhisme. Il s'agit donc bien d'un panthéon, consacré aux dieux adorés au Moyen Âge par tous les Khmers, mais dont l'hôte central est devenu le Bouddha... avant que la religion ne change à nouveau !

Le Bayon possède également de **fabuleux bas-reliefs,** aussi riches que ceux d'Angkor Wat, sinon plus : on y a totalisé plus de 10 000 personnages. On peut les admirer sur les murs extérieurs des galeries du 1er niveau, sur 1,2 km en tout. Dire qu'ils étaient autrefois enfouis dans la jungle ! Les fresques de la galerie est relatent les sanglants exploits de l'armée angkorienne contre les Chams, et celles de la galerie sud témoignent de la vie quotidienne des Khmers au XIIe s : pêche, chasse, combats de cochons, scènes de marché, accouchement. On y voit aussi la bataille du Grand Lac (le Tonlé Sap) et divers duels. Très utile d'avoir un guide pour les explications. Au 2e niveau, les fresques illustrent la vie quotidienne du roi. Les niches dans les murs accueillaient des bouddhas, pillés au milieu du XIIIe s, lors du retour au pouvoir des hindouistes.

> ## GUÈRE DE SCRUPULE
>
> *En 1967, en pleine guerre du Vietnam, Jackie Kennedy décida de visiter Angkor. Elle fut accueillie par le roi Sihanouk, qui était pourtant violemment antiaméricain. On organisa un somptueux pique-nique face au temple du Bayon, les commentaires culturels étant assurés par le conservateur français Groslier.*

🎬🎬🎬 *Le Baphuon : au nord du Bayon, à env 300 m. Prendre l'escalier de gauche avt la grande esplanade de 200 m. Compte tenu de la déclivité importante de l'escalier, l'accès est interdit aux moins de 12 ans.*

Implanté au cœur de l'ancienne cité royale d'Angkor Thom, au sud du Palais royal, et dédié au culte du Lingam, le Baphuon constitue **l'un des plus grands édifices religieux du Cambodge ancien** et fut probablement l'un des édifices majeurs autour duquel se structura la ville angkorienne. Autrefois comparé à une montagne d'or, ce temple (appelé « le père caché ») fut construit au milieu du XIe s (donc avant Angkor Thom, bien qu'il s'y trouve). Le Baphuon représente un style architectural khmer à lui tout seul. Construire une pyramide aussi vertigineuse releva de l'exploit pour l'époque. Rançon de ce succès, elle s'est en grande partie écroulée ! Le plus remarquable reste la façade occidentale du 2e étage que les artisans de l'époque moyenne transformèrent en un **bouddha géant** entrant en nirvana, long de 60 m. On se contente surtout de l'imaginer aujourd'hui, en prenant pour repère la tête qui se dessine sur la gauche. L'anastylose (reconstruction pierre par pierre) du monument, entreprise par Groslier fut interrompue par la guerre en 1971. Puis les archives du chantier disparurent en 1975. Et voilà cet immense Lego de 100 000 pierres démonté mais sans mode d'emploi pour le remonter ! À partir de 1995, le Baphuon a fait l'objet d'un **gigantesque programme de restauration,** dont la maîtrise d'œuvre a été confiée à Pascal Royère de l'École française d'Extrême-Orient en partenariat avec l'autorité cambodgienne Apsara. Ce travail de grande ampleur, où le choix du béton a été exceptionnellement utilisé, a été achevé en 2012.

> ## TOURS DE CONTRÔLE
>
> *L'explication que donne Tcheou Ta Kouan dans ses chroniques sur la construction des 12 tours (prasat Suor Prat) vaut son pesant de riz : « Quand deux familles se disputent sans qu'on puisse régler le litige, un représentant de chaque famille s'assied au sommet d'une des tours (...). Après quelques jours d'observation, celui qui a tort finit par le manifester d'une façon ou d'une autre (ulcères, catarrhe ou fièvre maligne) et celui qui a raison n'a pas le moindre malaise. Ils décident ainsi du juste et de l'injuste. »*

LE CAMBODGE

🎌🎌 *La terrasse des Éléphants* *(Elephant terrace ; plan d'Angkor, 36)* : *le long de la grande avenue qui part du nord du Bayon.* Au début du XIIIᵉ s, Jayavarman VII fit aménager cette terrasse en bordure du Palais royal, sur 350 m de longueur. Tout le long, elle est décorée de bas-reliefs visibles depuis la route. Il est probable que le souverain pouvait ainsi assister, avec ses courtisans, aux spectacles donnés sur la grande place. Sur le terrain en face, les vestiges de *12 tours* disséminés dans la végétation, les *prasat Suor Prat,* « tours des Danseurs de corde » *(plan d'Angkor, 32),* disposées symétriquement autour de la porte de la Victoire.

🎌🎌 *La terrasse du Roi lépreux* *(Leper king terrace ; plan d'Angkor, 37)* : *dans la continuité de la terrasse des Éléphants sur la droite (dos à la route).* Bien moins large que sa voisine, mais tout de même haute de 6 m, cette terrasse doit son nom à une petite statue retrouvée au sommet, censée représenter Jayavarman VII (qui serait mort de la lèpre). Ce roi serait associé au prince indien Preah Thong, gendre du roi des nagas, qui fonda Angkor. Mais il s'agirait peut-être d'une représentation de Yama, dieu des Enfers, la terrasse ayant servi de lieu de crémation. Les *bas-reliefs* qui ornent les murs de l'étroit déambulatoire, *véritables merveilles,* font partie des plus belles illustrations de l'art khmer. On y reconnaît une admirable pléthore de divinités, nagas géants, apsaras, génies animés et monstres divers. Noter les concubines plus abîmées que les autres : simple usure du temps ou dames atteintes de la lèpre, contaminées par le roi ?

I●I Plusieurs restos après la terrasse du *Roi lépreux.*

🎌 *Royal Palace* *(le Palais royal)* : *accès par les terrasses ou par la porte située côté Baphuon (suivre dans ce cas le fléchage parmi les spectaculaires arbres monumentaux aux troncs creux).* Entouré de douves et de hautes murailles, ce palais fortifié de 581 m sur 242 m a servi sous plusieurs règnes, à partir du milieu du Xᵉ s, et fut remanié à diverses reprises. Seul subsiste le petit **temple de Phimeanakas** (le Palais céleste ; *plan d'Angkor, 17).* Le toit, dit-on, était entièrement en or. Ce temple pyramidal a beaucoup souffert, mais le temps n'a rien ôté à ses lignes harmonieuses. Et les lions des escaliers sont toujours en place. Au nord, les bassins royaux, en grès, ont également survécu. Le reste de l'enceinte du palais n'est plus que végétation dense transformée en arboretum (étiquetage à l'appui).

Suite du Petit Circuit (à travers la forêt)

🎌🎌 *Thommanon* *(plan d'Angkor, 21)* : *sortir d'Angkor Thom par la porte de la Victoire (l'est) ; le temple est à gauche de la route.* Il fut construit à la fin du règne de Sûryavarman II, au début du XIIᵉ s, et dédié à Vishnou. Jolis petits pavillons de grès, bien conservés. Remarquer les sculptures des portails et des angles.

🎌 *Chau Say Tevoda* *(plan d'Angkor, 22)* : *juste en face de Thommanon, de l'autre côté de la route.* Construit un tout petit peu après son voisin mais moins bien conservé, à part de riches décorations. Cela explique les similitudes, même si l'influence d'Angkor Wat est ici plus forte.

🎌🎌 ⇐ *Ta Keo* *(plan d'Angkor, 15)* : *à 1,5 km de Chau Say Tevoda, sur la gauche. FERMÉ, car en restauration menée par la coopération chinoise.* Une *pyramide* massive, sur plusieurs niveaux, culminant à une cinquantaine de mètres. Admirer la sobriété de l'ensemble, resté inachevé et entièrement dépourvu de sculptures. Ce dépouillement constitue toute l'originalité de l'édifice et, d'une certaine manière, permet de mieux en souligner les finesses architecturales. Ta Keo (« l'ancêtre Keo ») représente également un parfait exemple d'un *temple-montagne.* Construit à la fin du Xᵉ s, il a certainement inspiré la construction d'autres temples angkoriens.

LE CAMBODGE

🦎🦎🦎 *Ta Prohm* (plan d'Angkor) : à 2 ou 3 km de Ta Keo, sur la gauche. Toujours un peu en restauration. Agréable à tt moment car situé en forêt (et donc à l'ombre). « L'ancêtre Prohm » figure parmi nos chouchous. Si Angkor Wat n'est qu'harmonie et majesté, le Bayon mystère et boule de gomme, Ta Prohm se révèle un *lieu romantique et magique*, parce qu'il resta longtemps livré à la jungle. La Conservation indienne, qui a heureusement sauvé les principaux monuments du site (voir les photos avant et après), eut l'excellente idée

JEU DE SÉDUCTION

Vous en pincez pour Lara Croft, l'archéologue aventurière de Tomb Raider ? Vous aurez alors reconnu le temple, théâtre de scènes du film... On dit d'ailleurs qu'Angelina Jolie, tombée amoureuse du Cambodge lors du tournage, y serait retournée plusieurs fois. Les autorités eurent alors l'idée de se servir de sa notoriété pour lancer une campagne de préservation du site, fortement endommagé. Ici, on le surnomme déjà « Temple Angelina Jolie »...

d'abandonner de nombreuses années celui-ci à son sort, histoire de laisser aux futurs visiteurs le plaisir de ressentir l'émotion éprouvée par les premiers découvreurs. Ainsi, quand on évoque Angkor, on pense autant aux visages couverts de mousse et aux racines couleur de pierre qu'aux tours d'Angkor Wat. Cependant, les amoureux du Ta Prohm, ceux qui en sont à leur deuxième ou troisième visite, seront étonnés. En effet, le site a été nettoyé sévèrement de ses mauvaises herbes et arbres naissants. Subsistent évidemment les quelques grosses racines mythiques, mais l'ensemble a perdu, nous semble-t-il, de son aura romantique... Construit sous Jayavarman VII vers 1186, Ta Prohm fut autrefois *l'un des plus gigantesques temples d'Angkor*. Difficile d'imaginer qu'il y a 8 siècles ce « monastère du roi » abritait 260 divinités, servies par 12 640 personnes, vivant toutes dans l'enceinte de 60 ha de cette ville dans la ville. Les dignitaires mangeaient dans une vaisselle en or, dormaient dans des draps de soie. La tour centrale croulait sous les pierres précieuses.

Aujourd'hui, le fromager et le ficus constituent les prédateurs les plus redoutés. Pensez aussi à lever les yeux : vous apercevrez certainement des perruches vertes (de la taille de perroquets), très bruyantes. Ce sont les mêmes qui ont envahi les parcs des capitales européennes depuis quelques années, après s'être échappées de cages de particuliers. Exotiques et à leur place ici, mais un vrai envahisseur sous d'autres cieux ! Dans certaines galeries, on remarque que des traits des bouddhas sculptés sur les murs ont été transformés

LE FROMAGER DESTRUCTEUR

Cet arbre splendide, utilisé autrefois pour fabriquer les boîtes de fromage, reste l'ennemi des archéologues. Ses graines, enfouies dans les déjections d'oiseaux, se retrouvent posées parfois sur les ruines. Les racines germent sur les murs en s'insérant entre les pierres qu'elles disloquent en grossissant. Elles se font pythons pour mieux dévorer les statues, les branches se font une joie de traverser portes et fenêtres. A se demander si la forêt fait œuvre de protection ou de destruction des sites...

en ermites. Jayavarman VIII, revenu à l'hindouisme, a ainsi voulu gommer les traces du bouddhisme instauré par Jayavarman VII. Essayer d'aller voir le Ta Prohm en fin d'après-midi, quand les derniers rayons inondent le temple. Magie garantie.

🦎🦎 *Banteay Kdei* (plan d'Angkor, 25) : peu après Ta Prohm, route de droite qui redescend sur Angkor Wat ; c'est tt de suite à droite après le grand virage.
La « citadelle des Cellules » est un vaste monastère bouddhique de la fin du XIIe s, entouré de quatre enceintes. Il fait partie des temples plats (à l'opposé des temples-montagnes) et s'étire sur plusieurs centaines de mètres. Il fut dégagé

en 1920. C'est un temple admirable, dans un agréable environnement boisé. L'entrée principale, celle que l'on voit de la route, est surmontée de quatre visages très raffinés de 2 m de haut, représentant le bodhisattva Avalokiteshvara. Au gré de la balade, on découvre de nombreux linteaux et piliers sculptés. Banteay Kdei se caractérise par ses bas-reliefs multiples et pleins de raffinement, où apparaissent moult danseuses sacrées (apsaras). Le monastère était équipé d'une grande salle de danse où ces gracieuses créatures officiaient pour le roi.

¶ **Sras Srang** (plan d'Angkor, 26) : *face à Banteay Kdei, de l'autre côté de la route.* Le « bassin des Ablutions » (sa signification en khmer) est en fait une piscine royale, commandée par Jayavarman VII et creusée en 953. Superbes réflexions au lever du soleil. Le roi fit aménager tout autour des escaliers et des terrasses de grès, décorés de lions et de nagas. Mieux qu'une piscine olympique, le Sras Srang mesure 800 m sur 400 !

I●I À noter, plusieurs **restaurants** (notamment le *Khmer Angkor Kitchen Restaurant*) avec une terrasse surélevée se sont installés face au bassin. Vraiment agréables et pas plus chers que les gargotes.

¶ **Prasat Kravan** (plan d'Angkor, 9) : *en poursuivant vers Angkor Wat, sur la gauche.* L'un des premiers temples du site (*prasat* signifie « temple »), construit en 921 mais restauré dans les années 1970. Il est dédié à Vishnou. Il se distingue également des autres par sa belle brique, alors que le grès fut largement employé par la suite. Les briques furent fabriquées sur place et séchées au soleil, puis cuites. L'ensemble a de l'allure avec ses cinq hautes tours. Nombreuses représentations de Vishnou. Noter encore l'avant-marche en demi-lune. À l'intérieur de la tour centrale, bas-reliefs de Vishnou à huit bras (au fond) et quatre bras (côtés). À gauche, Vishnou tient un lotus, une conque, un sabre et un disque représentant la lumière. À droite, Garuda porte Vishnou (c'est en fait sa monture).

LE GRAND CIRCUIT

Il démarre dans le prolongement d'Angkor Thom, part dessiner une large boucle au nord, puis retrouve le Petit Circuit à hauteur de Banteay Kdei. La route est plus longue mais ne prend pas nécessairement plus de temps, les temples y étant moins nombreux.

¶¶¶ **Preah Khan** (plan d'Angkor, 27) : *3 km au nord du Bayon. Entrée habituelle par l'ouest, à droite de la route, via un long chemin. La tradition voudrait pourtant qu'on entre par l'est. On conseille de se faire déposer à l'une des deux portes et de sortir de l'autre côté, en fixant un point de rdv avec le tuk-tuk. Moins fréquenté en fin de journée.* Plus qu'un temple, Preah Khan correspond d'abord à une antique ville disparue de plus de 50 ha, entourée de douves. La « ville de la fortune royale victorieuse » abritait un monastère (et ses 430 divinités), ainsi qu'une université bouddhique, dont le nombreux personnel engloutissait 10 t de riz par jour. Les 5 324 villages alentour comptaient près de 100 000 âmes (97 840, précise une stèle), dont plus de la moitié attachées à l'entretien du temple, 4 506 cuisiniers et 1 000 danseuses (on ne devait pas s'ennuyer dans le coin). Les habitations étaient disséminées dans la forêt autour du temple.

Au centre de cet ancien périmètre, le temple lui-même de Preah Khan (« l'Épée sacrée du roi ») fait irrésistiblement penser à Ta Prohm : ici aussi, la végétation s'est développée parmi les dédales de pierres, mais avec moins de violence. Moins connu des touristes, Preah Khan est souvent désert. En profiter, l'atmosphère n'en est que plus saisissante. Il reste pas mal de sculptures, malgré le vandalisme et les pillages.

On pénètre par l'entrée est, où on longe une chaussée encadrée de plots où figuraient des bas-reliefs de bouddhas, tous détruits par les brahmanistes au XIIIe s. Il ne reste qu'une seule effigie du Bouddha, au bout sur la gauche. Puis apparaît la célèbre scène du barattage de la mer de lait.

LE CAMBODGE

En passant la deuxième porte, d'impressionnants fromagers embrassent et compressent le toit de la galerie. L'intérieur est couvert de bas-reliefs et de fausses fenêtres, colonnes sculptées de motifs végétaux. Fausses portes aussi, avec de superbes frises ciselées (notamment le départ du Bouddha en char). Porte du milieu, petits bouddhas assis. Autre scène remarquable : en haut, le Bouddha attaqué par les démons. Il appelle la « déesse Terre » à la rescousse. Alors, elle tire ses cheveux qui se transforment d'abord en torrents, puis en mer qui noie les démons. Puis viennent les bibliothèques (celle de gauche, vers la sortie, à colonnes sur deux étages, est assez impressionnante) et l'enfilade de portes et de petites pièces qui mènent au centre du temple où l'on trouve un stûpa. Noter tous ces trous dans les murs, prévus pour fixer des plaques de métal renvoyant la lumière. Voir aussi le lingam aux trois formes : rond au-dessus pour Shiva, octogonal pour Vishnou et carré pour Brahma. La visite se poursuit en traversant tout le temple. Le linteau de la porte ouest (à l'extérieur) illustre la bataille de Râma contre Râvana. Ce temple se révèle un véritable enchantement !

%%% **Neak Pean** (les Serpents enroulés ; plan d'Angkor, 28) : à quelques km de Preah Khan. Prendre le chemin partant à droite de la route. Peu d'intérêt pendant la saison sèche, car il n'y a pas d'eau. Un endroit pour le moins étonnant, construit à l'époque de Jayavarman VII, dans la seconde moitié du XIIe s. Imaginer un grand bassin entouré d'escaliers, occupé autrefois par des bonzes. Au centre, une toute petite île où se dresse un sanctuaire. Autour, quatre bassins plus petits, également carrés. En plus de l'ingénieuse entreprise mise en place, observer les animaux fantastiques sculptés sur le temple (on reconnaît deux nagas géants) et sur les gros déversoirs des bassins. À l'intérieur de chaque déversoir, une figure sculptée différente. Dans le grand bassin, le groupe sculpté représente un cheval mythique (en fait, un dieu déguisé), tirant des hommes par sa queue. On sait aujourd'hui que le bassin central est une réplique du lac sacré Anavatapta, situé au pied du mont Kailash dans l'Himalaya tibétain, source du Gange, de la Shita, de l'Indus et de la Vakshu dans la mythologie hindoue, fleuves qui sont symbolisés par les quatre déversoirs. Les pèlerins venaient là s'asperger d'eau sacrée.

%%% **Ta Som** (plan d'Angkor, 29) : à env 2 km de Neak Pean, sur la gauche. Petit temple du style de Ta Prohm, édifié à la même époque. Englouti lui aussi par la forêt, le site est surtout connu pour la tour à visages de son entrée ouest. Il faut aller jusqu'à l'entrée opposée pour voir toute la partie extérieure gauche prisonnière d'un énorme banian. Le Ta Som est dédié à la mémoire des ancêtres des rois.

%%% **Le Mébon oriental** (plan d'Angkor, 11) : au nord-est de Ta Prohm, à plusieurs km. Ce temple était situé sur une île, au centre du Baray oriental, immense réservoir d'eau aujourd'hui transformé en rizière. La fondation du temple date de 952. Au milieu du Xe s, il y avait là une ville, choisie comme capitale par Rajendravarman. Seul le temple a subsisté, comme ailleurs. Dans l'enceinte, quatre tours en quinconce encadrent le sanctuaire. Les tours ouvrent à l'est avec de remarquables fausses portes en grès sculpté sur les autres côtés. Sur les linteaux de la tour centrale, Indra sur son éléphant tricéphale à l'est, Skanda dieu de la Guerre sur son paon à l'ouest, et Shiva sur son taureau sacré au sud. Sur la tour nord-ouest, remarquer sur la face est le dieu « qui enlève les obstacles », à tête d'éléphant, Ganesh, chevauchant sa trompe transformée en monture !

%%% **Pre Rup** (plan d'Angkor, 13) : à 1,5 km au sud du Mébon, sur la droite. Tlj 5h-19h. Imposante pyramide de brique, sur plusieurs niveaux, de la même époque que le Mébon. Il s'agit du dernier temple construit dans ce matériau. Derrière l'entrée se dressent huit tours (quatre de chaque côté) et au centre, une haute pyramide et une tour centrale flanquée de quatre autres tours. La grimpette est assez raide. Très jolie au coucher du soleil, mais nous ne sommes pas les seuls à le savoir ! Ancien temple funéraire brahmanique datant de 961, dédié à Shiva et dont le nom signifie « retourner le corps », un rituel de crémation dans l'hindouisme.

Les 14 hautes tours se terminent un peu en bouillie minérale, à cause de l'érosion, mais les couleurs, qui vont du gris à l'orange en passant par le beige, donnent tout son charme au site. Remarquer également les portails aux colonnes sculptées. La tour centrale abritait un lingam, aujourd'hui disparu. Enceinte et gradin entourent l'ensemble.

À L'EXTÉRIEUR DES CIRCUITS

Attention, l'accès à ces sites extérieurs se fait dans les mêmes conditions que pour les autres sites d'Angkor. Afin de ne pas parcourir des dizaines de kilomètres pour rien, veiller à se munir au préalable d'un *pass* auprès du bureau central. Les bureaux à l'entrée des temples n'en délivrent pas. Pas de ticket, pas d'accès – et la règle est stricte !

🎋🎋 **Le Baray occidental :** *à l'ouest d'Angkor Thom, à env 12 km de Siem Reap, sur la route de l'aéroport.* **En cours de restauration par l'EFEO, interdit au public : fin du chantier prévue début 2019.** *Mais on bénéficie d'une bonne vue depuis la montée au Phnom Bakhèng.* Cet immense réservoir d'eau (8 km sur 2) fut aménagé au XIᵉ s pour irriguer les douves, les bassins et les rizières de la nouvelle capitale. Ce genre de dispositif hydraulique, colossal, explique la puissance des Khmers à l'époque. Au centre, un Mébon, petit temple similaire à celui du Baray oriental mais tout à fait ruiné. On peut se promener sur cet étonnant lac artificiel et même profiter d'une petite plage, fréquentée le week-end par les Cambodgiens ! Endroit magique au coucher du soleil.

🎋🎋 **Banteay Samrè** *(plan d'Angkor, 23) :* **à l'est** *du Grand Circuit, un peu après le Baray oriental.* Traversée d'une zone d'habitations traditionnelles en chemin. Surnommé l'« Angkor Wat miniature », cet élégant temple du XIIᵉ s est assez bien conservé. Faire le tour par la gauche le long des douves pour rejoindre l'allée d'accès. Double enceinte au carré, puis une seconde enceinte-galerie, avant d'accéder au sanctuaire, orné d'une jolie tour. Belles décorations sculptées, notamment sur les frontons. Les frises mettent en scène, ici aussi, Vishnou et Shiva, ainsi que des thèmes bouddhiques. Devant le temple, ne pas rater la superbe terrasse, aboutissement d'une longue chaussée le reliant à d'autres temples et flanquée de lions dont la queue amovible faisait place à une torche lors des cérémonies. On peut dire qu'alors les lions pétaient le feu !

🎋🎋🎋 **Banteay Srei** *(hors plan d'Angkor, 14) :* à 25 km **au nord** *d'Angkor, par une adorable route goudronnée dans la campagne bordée d'échoppes, de palmiers et de rizières. Tlj 7h30-17h30. Compter env 30 mn de trajet et autour de 25 $ l'A/R en* tuk-tuk.
Banteay Srei, l'un des autres temples mythiques d'Angkor, est devenu célèbre au travers de l'aventure de Malraux, qui y vola un bas-relief et deux apsaras en 1923. C'est aujourd'hui le site le mieux aménagé : moderne et propre avec café-resto, pontons, points de vue sur les marécages, sentiers dans la végétation, plan en 3D d'Angkor, inévitables boutiques d'artisanat, toilettes et centre d'interprétation.
– Sur la zone du parvis, le *centre d'interprétation* présente une intéressante perspective sur le Banteay Srei et sa place dans la chronologie angkorienne. Sa conservation a été réalisée en partenariat avec la Suisse. Excellente explication des méthodes de construction : les grands codes d'architecture hindoue repris dans ce temple plat, avec la symbolique du mont Meru et la tour-sanctuaire, les méthodes d'imbrication des pierres... Enfin, toute une partie historique sur la découverte et la restauration du site (de 1860 à nos jours), autour de photos d'époque. Une expo bien pensée et une introduction indispensable !
– Baptisé la *citadelle des Femmes,* le temple est entièrement décoré de reliefs, proches de la perfection. Autre particularité : ce petit bijou de l'art khmer est sculpté dans ce grès rose qui prend différentes teintes selon l'orientation du soleil.

LE CAMBODGE

Par ailleurs, il n'a pas été construit par un roi mais pas son précepteur sur une terre offerte par le roi Rajendravarma. Dans la cour intérieure, plusieurs pavillons très bien conservés, gardés par des **singes en pierre** (copies), deux belles **bibliothèques,** surmontées chacune d'un faux étage et flanquées, comme souvent, d'une fausse porte. Elles encadrent le **sanctuaire** destiné au roi. Partout, les façades sont gravées d'une multitude de motifs floraux et de gracieuses figurines. Sur les linteaux des portes, des scènes de la mythologie brahmanique, véritables dentelles. Malgré la taille modeste du temple, dédié à

ET IL DEVINT MINISTRE DE LA CULTURE !

À 22 ans, Malraux avait déjà réussi à ruiner Clara, sa richissime épouse. Pour se refaire, il loua quatre charrettes à bœufs et démonta les bas-reliefs situés sur la tour de gauche, au fond du temple. Un secret vite éventé, puisqu'ils furent arrêtés tous deux dès leur retour à Phnom Penh. Assigné à résidence, Malraux plaida le « Res nullius » (le délit est nul, puisque l'objet n'appartient à personne !). Il prit 2 ans, dont 1 ferme. Une grande campagne de soutien à Paris lui permit de faire appel et de s'en tirer à 1 an avec sursis.

Shiva, on peut passer des heures à observer les détails. Sur la droite en entrant, observer par exemple le triple fronton où Indra, seigneur du ciel, se tient sur un éléphant. Les toits étaient pentus, constitués de charpentes et recouverts de tuiles rendues étanches grâce à une colle végétale. On comprend pourquoi l'endroit, d'une grande harmonie, déclencha tant de passions. Selon l'archéologue Maurice Glaize, il s'agit bien du « plus joli des temples khmers ».

🦎🦎 *Le groupe de Roluos :* à 15 km à l'est *de Siem Reap. Deux possibilités : prendre la route 6 et suivre le panneau « Preah Kô » quand on arrive de Siem Reap ou « Bakong » en venant de Phnom Penh ; ou, plus bucolique, la route parallèle en latérite un peu plus au sud. Env 15 $ A/R en tuk-tuk.*
Rattaché au site archéologique d'Angkor, ce lieu préangkorien compte plusieurs temples de la fin du IXe s. Les rois installent ici Hariharalâya, capitale du royaume khmer pendant 70 ans, avant de déménager plus au nord. Roluos relève d'une grande importance : ses constructions témoignent des débuts de l'architecture et de la sculpture khmères. Les trois principaux temples sont distants les uns des autres d'environ 1 km. Tôt le matin, on profite de la jolie couleur rose des briques.

🦎 *Preah Kô (Bœuf sacré ; plan d'Angkor, 2) :* à droite de la route 6, venant de Siem Reap. *Temple funéraire de Jayavarman II et de ses ancêtres, dégagé en 1932. C'est le premier temple de Roluos, construit en 879 à proximité du Palais royal (disparu), à l'intérieur de douves. Il est consacré à Shiva. Accès par une chaussée dallée bordée de bornes (vestiges du péristyle, autrefois couvert de tuiles). Avant d'arriver au sanctuaire, à gauche une bibliothèque (admirer l'élégante voûte à encorbellement au-dessus de l'entrée). Devant le temple, trois nandis, taureaux sacrés, monture de Shiva couchés sur le flanc, et sur le soubassement, six lions symbolisant le pouvoir et la force. Puis on trouve six tours-sanctuaires en brique assez bien conservées, aux portails ornés de sculptures. Tandis que les tours côté est (à l'avant) sont élevées en mémoire des ancêtres mâles du fondateur du temple, celles de l'ouest (moins hautes, à l'arrière) sont dédiées aux esprits des reines. Sur les linteaux on découvre d'étranges créatures, des monstres marins, des serpents à cinq têtes, de curieux lions « à trompe »...*

🦎🦎 *Bakong (plan d'Angkor, 3) :* au sud de Preah Kô, à 1,5 km de la grand-route. *Le temple le plus important du groupe de Roluos, dédié à Shiva, dont la construction date de 881. Entouré de **douves** et d'un mur d'enceinte (700 m sur 900) dans un état remarquable. Flanqué d'un monastère en activité et aux couleurs qui détonnent (pas de visite), ce troisième temple-montagne de l'histoire khmère et le premier construit en grès se révèle très photogénique. Le Bakong ayant été* entièrement remonté par Maurice Glaize entre 1936 et 1943, on a pu constater que la tour n'était pas du IXe s, comme le reste du temple, mais du XIIe s. Ce qui explique la ressemblance avec Angkor Wat...

Avant de traverser les douves par le **pont de l'Arc-en-Ciel,** deux nagas relient le monde des humains au mont Meru.

Noter les vestiges de **salles de repos** juste après le mur d'enceinte et quelques pavillons de méditation plus petits. Vous voici au pied de la majestueuse tour centrale à 5 étages. Il est temps de gravir l'escalier monumental avec, à chaque étage, les lions-gardiens. Remarquer les blocs de la bordure avec les trous, c'est là qu'on ancrait les parapets. Aux quatre coins, les éléphants (symbole de stabilité et pérennité) ont désormais plus l'allure d'hippopotames depuis qu'ils ont perdu leurs trompes. Marches très hautes pour élever au maximum la pyramide. Du fait de sa structure et aussi de la présence d'un sanctuaire au sommet, le Bakong symbolisait certainement le centre virtuel du royaume. Le tout entouré de huit tours-sanctuaires de brique en assez bon état, représentant chacune une forme de Shiva. Travaux de restauration en cours, menés par la coopération allemande.

🔦 **Lolei** *(plan d'Angkor, 4)* : *à gauche de la route 6 venant de Siem Reap, par une piste en terre.* Édifié par Yasóvarman Ier, il est dédié à la mémoire des fondateurs d'Hariharalâya. *Lolei* signifie d'ailleurs « séjour de Harihara » (c'est-à-dire de Shiva et Vishnou). Le temple formait alors une île au milieu d'un réservoir de 4 km de longueur sur 800 m de large qui alimentait la capitale en eau. Plus grand-chose de tout cela n'est visible aujourd'hui, mis à part quatre tours en piteux état, mais en restauration. Les reliefs des portails sont tout de même bien conservés, avec de très jolies divinités féminines, entre autres (les *Devatas*).

Au nord de Banteay Srei

En partant très tôt, avec une voiture, on peut enchaîner les deux sites suivants. Mais attention ! Se souvenir qu'il faut arriver à l'entrée du péage de Phnom Kulen avant 11h (en haute saison) car le trafic est régulé (lire plus loin) ! Au retour, possible de profiter de Banteay Srei.

🔦🔦 **Kbal Spean** : *continuer sur env 20 km après Banteay Srei. Bonne route et quelques ponts en plus ou moins bon état. Arrivée à un parking avec des gargotes. Ferme à 16h30.* Kbal Spean, la « rivière aux mille lingams », se découvre après une courte marche pentue à travers une forêt assez dense (30-45 mn). Un grand nombre de lingams ont été sculptés dans le lit de la rivière. En fait, ce sont comme des carrés de pierre tapissant le fond de l'eau. Ces lingams servaient à bénir les eaux avant qu'elles n'atteignent la cité royale. Des bas-reliefs, représentant les divinités du panthéon brahmanique, se trouvent aussi le long de la rivière. Malheureusement, beaucoup ont été volés, arrachés à coups de burin dans le lit de la rivière. Un guide ou un chauffeur de *tuk-tuk* averti vous montrera les sculptures cachées dans la jungle. Le paisible environnement, l'atmosphère inspirée qui baigne la rivière, la belle chute d'eau en contrebas (où l'on peut prendre une douche vigoureuse) rendent ce site assez unique parmi les temples d'Angkor, et il mérite le détour.

🍴 **Borey Sovann Restaurant :** *peu avt d'arriver au Kbal Spean, sur la droite.* ☎ 012-842-258. *Le midi seulement. Prix « chic ».* Agréable resto en pleine campagne. Salles en plein air entourées d'une végétation luxuriante, bière fraîche et cuisine de bonne qualité. Les petits budgets opteront pour les gargotes à l'entrée du site.

🔦 **Phnom Kulen (la rivière aux mille lingams) :** *à env 23 km à l'est de Banteay Srei (soit env 50 km de Siem Reap), par une piste correcte. Visite à déconseiller lorsqu'il a plu, la piste est en terre et les rochers peuvent être glissants. 2 sites : le 1er est accessible moyennant 20 $! Le 2[d] est gratuit et tt aussi intéressant que le 1er. Les agences de Siem Reap combinent la visite de Phnom Kulen avec celle de Banteay Srei. Y venir* *avt 11h. À midi, le sens de la circulation s'inverse et la route est réservée à la descente. Ce qui signifie aussi : pas de descente avt midi ! Compter 45 mn min de piste depuis le péage jusqu'au 1er parking, et autant à la descente. Prudence : ne pas quitter les chemins balisés, le déminage complet des environs n'est pas encore garanti.*

L'une des grandes montagnes sacrées pour les Cambodgiens angkoriens et un lieu de pèlerinage très populaire. C'est ici, en 802, qu'eut lieu le véritable acte de naissance du Cambodge. Le roi Jayavarman II y proclama l'indépendance du pays vis-à-vis de Java, et y fonda la première capitale. Immense plateau couvert d'une dense forêt vierge.

Il s'agit de deux sites, tous deux appelés « rivière aux mille lingams » en raison du nombre de lingams sculptés dans le lit de la rivière. Aux deux endroits, belle cascade où il fait bon se baigner.

En plus des lingams et sculptures sur les rochers, ce site abrite un petit temple et un grand bouddha couché.

– *La rivière aux mille lingams :* on n'a pas compté, mais on ne doit pas en être loin. Depuis le parking, emprunter un petit chemin jusqu'à la rivière. La franchir sur un tronc d'arbre pour voir en amont, à une vingtaine de mètres, une sculpture de Vishnou couché. Comme au Kbal Spean, les fameux lingams ne sont que des carrés sculptés dans le lit de la rivière (et pas du tout de forme phallique). Un sentier mène ensuite, à une centaine de mètres, à une petite source sacrée. Gentil environnement.

– ⌖ *Le temple du Bouddha : à 10-15 mn à pied du parking.* Les fainéants peuvent s'y rendre à *moto-dop.* Ici, rien d'artistique, il s'agit d'un lieu de culte. Stands de bondieuseries et de pharmacopée populaires : onguents, herbes et écorces, cornes et dents de toutes sortes, pierres à furoncles et tout un tas de choses... Escalier en béton, encadré de nagas, menant au pied du *rocher du Bouddha couché*, sculpté au XVe s. Au XIXe s, pour le protéger, on y édifia un petit temple qu'on atteint par un second escalier plus large. Il fut détruit en 1975 par l'aviation gouvernementale, car les Khmers rouges tenaient la colline. Cependant, le bouddha ne fut pas touché. Du sommet, à près de 500 m de hauteur, superbe panorama sur la région. Atmosphère très religieuse.

– *Les chutes d'eau : reprendre la voiture, jusqu'au second parking.* Lieu de pique-nique populaire pour les familles, surtout le week-end. De hauts arbres prodiguent un ombrage salutaire.

À l'est d'Angkor

⚔⚔⚔ Beng Mealea : *60 km env à l'est de Siem Reap. Pour s'y rendre, deux itinéraires possibles : route 6, puis bifurcation à gauche au village de Dam Daek ; ou route 66 (l'ancienne Voie royale, aujourd'hui à péage). Prévoir 1h30 de trajet en tuk-tuk. Prix : env 30 $ l'A/R (env 50 $ en voiture). Mieux vaut y aller l'ap-m. Entrée : 5 $. Billetterie 2 km avt le site.* En s'organisant, il peut être pratique de coupler la visite avec celle du village lacustre Kampong Khleang (voir plus haut le chapitre sur le Tonlé Sap) ou avec les sites de Banteay Srei et Kbal Spean puis le groupe de Roluos au retour (grosse journée).

À comparer au Ta Prohm mais en beaucoup moins arrangé pour la visite (seulement quelques passerelles et passages tracés). Sa restauration, modeste, remonte à 1955. C'est un de nos temples préférés.

Un peu d'histoire

Le Beng Mealea (la « guirlande de l'étang ») date du XIIe s. Ville et sanctuaire tout à la fois, d'une superficie de 108 ha (à peu près celle d'Angkor Wat). Un fossé de 4 m de largeur l'entourait. En fait, on ne sait pas grand-chose sur ce sanctuaire. Par son style, il est proche d'Angkor Wat.

Visite du site

Le long du chemin menant au temple, quelques vestiges du corps du serpent (naga) qui précédait les quatre entrées. Arrivée à la partie sud du site. Premier bâtiment à gauche, avec un portique et un linteau sculpté. En face, une bibliothèque en ruine. Passage d'une galerie avec quelques éléments de voûte, mais ce sont les arbres qui font voûte désormais. C'est tout un système de passerelles qui a été installé depuis le tournage du film de Jean-Jacques Annaud *Les Deux Frères* (2004). Tour centrale totalement écroulée et formant un immense éboulis. Tout autour, des galeries à cinq colonnes en pierre. On pénètre (en souplesse) dans l'une d'elles à travers un passage orné de barreaux de grès tournés comme du bois, pour atteindre une petite plateforme en hauteur. Pendant quelques secondes, on se prend pour Indiana Jones. Là, devant nous, une belle galerie. On longe un passage couvert, dans une pénombre humide, pour déboucher sur une magnifique bibliothèque. Quatre murs percés de fenêtres à cinq colonnettes de pierre (on retrouve souvent le chiffre cinq, plus rarement le sept). On se retrouve dans l'axe de l'entrée (vestiges du corps du naga sur les côtés). Dans le mur, face à la bibliothèque, une trouée lumineuse s'ouvre sur un nouveau spectacle de belles colonnes encore debout, dans un fantastique chaos de pierre et de linteaux déchus. Après avoir contourné la bibliothèque, on parvient à des éléments de l'enceinte extérieure qu'on va suivre quelque temps jusqu'à la porte est, reconnaissable à ses nagas surgissant des fougères arborescentes dans leur position d'origine. Là encore, grande poésie de ces vestiges tentant de s'extraire de leur gangue végétale. Nombreuses portions des remparts en ruine. La visite aura duré au moins 1h30, dont 90 mn d'enchantement total.

🏹🏹 Preah Khan : à env 6-7h de Siem Reap (en saison sèche seulement), en poursuivant plein est depuis Beng Mealea. Mais accès plus aisé depuis le village de Stoung, avt Kompong Thom en venant de Siem Reap. Donation : 5 $. **Attention,** ne pas confondre avec le site situé à l'intérieur du parc d'Angkor. De Beng Mealea à Preah Khan, les 65 km de piste empruntent le tracé de l'ancienne Voie royale datant du Xe s. Aventure ! Plusieurs vestiges de ponts et de bâtiments angkoriens. Preah Khan, plus grand complexe jamais construit (35 km^2, soit trois fois plus qu'Angkor Thom !), fut d'abord un lieu de culte brahmanique mystérieux, dont la richesse provenait probablement des mines de fer voisines, exploitées depuis des temps immémoriaux par des peuples protokhmers. Dépouillé de ses plus belles sculptures en 1870 par les archéologues français (visiter le musée Guimet à Paris...), sauvagement pillé dans la seconde moitié des années 1990, Preah Khan est dans un très mauvais état général. La visite n'en demeure pas moins une récompense à la hauteur de l'effort consenti, ne serait-ce que pour la tour aux quatre têtes de *prasat Preah Stung,* qu'on attribue à Jayavarman VII (Bayon).

🏹🏹🏹 Koh Ker : à env 60 km de Beng Mealea en continuant vers le nord-est par la route à péage. Compter 3h de route depuis Siem Reap (120 km en tt). Prix d'une voiture A/R : env 80 $. Entrée : 10 $.

Jayavarman IV, qui règne déjà à Koh Ker, préféra y rester quand il devint empereur. Son fils, ingrat, revint à Angkor. Le fait que le site ait acquis toute son ampleur en seulement une quinzaine d'années donne une idée de la mégalomanie de ces temps. Vestige le plus connu et spectaculaire, la pyramide *prasat Thom* (ou *prasat Kompeng*), un *prang* (tour principale) pyramidal de sept étages et de 40 m de haut dédié à Shiva. Avec le *prasat* Chen (autre monument important situé à l'entrée), ils abritaient une statuaire remarquable et raffinée. Les sculptures en ronde-bosse, contrairement aux autres temples qui possèdent des bas-reliefs, apportent ici un effet réaliste original. Le *prasat* Chen est, quant à lui, dédié à Vishnou. Nombreuses statues, autrefois peintes, dans les deux pavillons d'entrée. Le site a été abondamment pillé au cours du dernier tiers du XXe s, du fait de son isolement. Mais grâce aux études effectuées sur place et à la campagne de demande de restitutions engagée par l'État, Sotheby's en 2011 et le Metropolitan Museum of Art de New York en 2013 ont restitué trois statues. Mais d'autres œuvres se trouvent encore fort probablement dans des musées ou collections privées. Plus d'infos sur le site de l'École française d'Extrême-Orient : ● *efeo.fr* ●

Ceux qui veulent continuer l'aventure peuvent filer en direction de Tbaeng Meanchey, et, 20 km avant d'y arriver, prendre une piste vers le nord (difficile en saison de pluies), remontant vers la citadelle de Preah Vihear...

LE CAMBODGE

Angkor... plus loin !

🎥🎥 *Banteay Chhmar :* ce gigantesque temple s'adresse avant tout aux routards à l'esprit vraiment aventurier. Ils découvriront, après bien des difficultés, un monument qui a certes été restauré, mais où la magie opère toujours, entre autres du fait de son isolement.

Infos pratiques
Au nord-ouest du Cambodge. Compter 4h env au départ de Siem Reap. Route impeccable en bus jusqu'à Sisophon (105 km, 1 à 2h de trajet, env 5 $). Ensuite, 65 km de route en taxi privé ou collectif, ou moto-taxi (à Sisophone, se rendre de la station de bus à celle des taxis collectifs, 3 km). Au retour, trajet Sisophone-Phnom Penh possible. Entrée : 5 $; gratuit moins de 12 ans.
– Loger chez l'habitant, visiter le magnifique temple de Banteay Chhmar avec des guides du village, faire des activités pour découvrir la vie traditionnelle khmère, c'est possible à Banteay Chhmar où des comités de villageois ont développé un programme de tourisme solidaire en 2007 sous l'impulsion de l'association française *Agir pour le Cambodge.* Le but était de développer la communauté sur les plans social, économique et écologique et de leur assurer des revenus complémentaires, répartis de manière équitable. Des villageois ont été formés par l'école hôtelière *Sala Baï* de Siem Reap pour la cuisine du restaurant et le service des chambres d'hôtes. Une façon utile, donc, d'aider ces familles à vivre. Depuis 2009, ce programme est géré par *Global Heritage Fund,* un organisme américain qui sensibilise les populations locales à la conservation et à la mise en valeur de leur patrimoine. Il est aussi en charge de la restauration du temple. Pour en savoir plus : ● tsophal@globalheritagefund.org ● (M. Tath Sophal, responsable du projet) et ● visitbanteaychhmar.org ●
– Autre solution, dormir dans un des hôtels de Sisophon. L'idéal est de partir tôt le matin et de revenir le soir à Sisophon (ou à Siem Reap). Conseillé d'acheter de l'eau et quelques biscuits pour la journée.

La visite
On a du mal à comprendre que ce temple, parmi les plus grands de tout le Cambodge, ait été construit dans une région si déshéritée. Bâti au XIIe s, il est entouré d'une douve, large de 65 m.
Avant d'entrer à l'intérieur du temple, observer l'enceinte principale. Sur la gauche, superbe scène de combat naval opposant les Khmers aux Chams. Ces derniers sont reconnaissables à leurs coiffes, les autres étant tête nue. Armés de lances, les soldats s'affrontent au corps à corps. Certains se noient et se retrouvent au milieu des poissons.
Il faut aimer l'escalade pour pénétrer à l'intérieur du temple, un gigantesque amas de blocs de pierre et d'écroulements successifs. Cette difficulté de s'y déplacer l'a certainement protégé des pillages (encore que certaines pièces aient manifestement disparu).
Partout, la pierre est finement sculptée, notamment les célèbres apsaras qui gardent les entrées. Le temple possède, lui aussi, des tours à visages, perdues au milieu de la végétation. Vous l'avez compris, vous êtes dans une œuvre majeure de l'art khmer, ignorée du tourisme... encore pour quelque temps.

🏮 *Soierie du Mékong :* entrée face au collège de Banteay Chhmar, sur la route principale. ☎ 546-901-570. ● soieries dumekong.com ● Lun-ven 7h30-12h, 13h30-17h ; le w-e, mieux vaut réserver. Fondée par 2 ONG françaises, *Enfants du Mékong* et *Espoir en Soie,* cette entreprise sociale lutte pour l'autonomie des femmes et contre l'exode rural fréquent dans la région. Des collections de foulards variés et d'excellente qualité alliant la créativité du design français et le savoir-faire du tissage à la main.

◈ 🎥🎥🎥 *Preah Vihear :* situé dans la chaîne frontalière des Dangkrek. Compter 250 km de route goudronnée depuis Siem Reap, soit env 3h30-4h. Pour s'y rendre :

minibus à Siem Reap, devant le marché psaar Leu (hors plan de Siem Reap par B2), à env 2 km du centre, sur la route de Phnom Penh ; il arrive à Sra Em, à 30 km de Preah Vihear. Compter 5 $ pour env 3h de trajet. Ensuite, moto-taxi jusqu'à destination (autour de 10 $ + 5 $ pour monter en haut du temple). Entrée : 10 $.

Noter que le conflit frontalier, qui opposait depuis des années les armées thaïe et cambodgienne (chaque pays revendiquant sa souveraineté sur le temple), s'est soldé en novembre 2013 par une décision de la Cour internationale de justice donnant raison au Cambodge.

Les allures de forteresse de ce sanctuaire (XIe-XIIe s) de grès jaune noirci par le temps, grimpant à l'assaut d'une colline sacrée depuis des temps immémoriaux, pour culminer à 640 m d'altitude comme une nef tournée vers Angkor, font de sa visite un moment inoubliable. On y accède en parcourant différentes bibliothèques et *gopuras* reliés par une voie royale. Sur le site, il y a parfois plus de militaires que de visiteurs, mais leur présence n'est pas contraignante.

Depuis Siem Reap, la visite peut être idéalement couplée avec la découverte d'autres sites éloignés comme Koh Ker (selon l'itinéraire choisi).

⌂ Nuit sur place obligatoire. Plusieurs *guesthouses* à Sra Em, à 30 km du site, sur la route d'Along Vien *(chambres autour de 10-15 $)*. Également un hôtel 4 étoiles, le **Preah Vihear Boutique**

Hotel and Restaurant : *(☎ 088-346-05-01 ; ● preahvihearboutique.com ● ; double env 190 $)*. Une trentaine de chambres agréables, entourées de beaux jardins. Piscine, bar et resto.

Noter que la frontière avec la Thaïlande est encore fermée, mais il est question qu'elle rouvre prochainement. À suivre... Il est néanmoins possible de passer en Thaïlande par le village cambodgien de Phang (situé sur la route longeant la frontière, à environ 60 km à l'ouest de Preah Vihear). On arrive au village thaï d'Osmak.

LE SUD-EST

● Kompong Cham...........271
  • Les mygales frites de Skun • Les plantations d'hévéas (N7) • Chiro
● Kratie............................276
  • Vers le nord : Thmor Kre, Sambok Mountain, Les dauphins d'eau
douce au site de Prek Kampi, les rapides de Kampi et Sambor • Vers le sud : Chhlong

KOMPONG CHAM

42 000 hab.

● Plan *p. 273*

Relativement endormie en journée, cette ville à l'apparence moderne possède encore un certain cachet colonial. Elle s'éveille surtout le soir, éclairée aux néons du plus bel effet, depuis les lampadaires jusqu'au pont qui enjambe le Mékong. Les bords du fleuve, flanqués d'une grandiose piscine flottante grouillent alors de badauds, de touristes et de food-trucks dans une ambiance de kermesse.

LE CAMBODGE

Aux alentours immédiats de Kompong Cham, ne pas manquer d'explorer l'île sauvage de Koh Paen, de sillonner à vélo les pistes longeant les berges et de découvrir les plantations d'hévéas.

La province de Kompong Cham compte encore un grand nombre de Chams. Autrefois hindous et puissants, ceux-ci furent progressivement vaincus par leurs voisins khmers et vietnamiens. Convertis à l'islam à partir du XVIIe s, ils sont aujourd'hui plutôt déshérités, d'autant qu'ils ont particulièrement souffert sous les Khmers rouges.

Arriver – Quitter

La majorité des bus font un arrêt sur le boulevard Monivong (plan B2). Infos et billets dans les hôtels ou au restaurant Lazy Mekong Daze (plan B3, **24**).

➢ **Phnom Penh :** 7h-15h45, jusqu'à une dizaine de bus/j. dans les 2 sens. 120 km (N7), 3h de voyage. Également des taxis collectifs à prendre à côté de la station Caltex, à l'angle de Ang Duong St et N7 (prix similaires).

➢ **Kompong Thom et Siem Reap :** env 2-3 bus/j. tôt le mat. Prévoir respectivement 120 km (env 2h30 de trajet) et 280 km (env 6h30).

➢ **Kratie :** 2 bus/j. dans les 2 sens avec la compagnie Sorya. 220 km, prévoir 4h30 de trajet. Également des taxis collectifs, à peine plus chers et des minivans plus rapides.

➢ **Batambang, Poipet :** 1 bus/j. tôt le mat.

Où dormir ?

Les hôtels sont situés devant le Mékong. Pas spécialement romantiques, mais il y en a pour tous les prix et tous les goûts. Évidemment, pour la vue sur le Mékong avec ou sans balcon, il faudra allonger quelques dollars supplémentaires. Également des guesthouses pour les budgets serrés pas trop à cheval sur l'hygiène.

Bon marché (moins de 15 $)

⌂ **Moon River Guesthouse** (plan B3, **10**) : Preah Sihanouk St. ☎ 016-788-973 et 077-788-973. ● moonriverme kong@gmail.com ● Chambres simples mais avec clim. Les plus fauchés se contenteront du ventilo. Vue sur le Mékong pour les meilleures. Resto sur place.

⌂ **Le Mekong Crossing** (plan B3, **21**) : voir « Où manger ? ». Chambres à prix plancher. Les moins chères sont aveugles. Les plus chères possèdent la clim et donnent sur le fleuve.

Prix moyens (15-30 $)

⌂ **Tmor Da Guesthouse** (plan B3, **11**) : Preah Sihanouk St, à côté du resto Lazy Mekong Daze. ☎ 011-66-26-59 et 011-64-18-69. Petit déj en plus. Les chambres propres et vastes, au mobilier khmer typique et aux salles d'eau avec douche à l'italienne profitent d'un balcon et d'une vue sur le fleuve pour les plus chères. Les autres ne possédant pas de fenêtre, on est déjà moins emballé.

⌂ **KC River Hotel** (hors plan par B3, **12**) : 3rd Village, après le pont. ☎ 097-777-89-89 et 078-89-67-89. ● kcrive rhotel.com ● Tarifs hors petit déj. Impossible de manquer cette tour blanche qui domine désormais les berges. Elle abrite un hôtel moderne et des chambres dotées d'un petit balcon. Celles tournées vers le fleuve ont évidemment notre préférence. La déco joue la sobriété ce qui n'est pas toujours gagné dans ce genre d'établissement nouvelle génération. Accueil pro.

⌂ **Monorom 2 VIP Hotel** (plan B2, **13**) : Mort Tunle St. ☎ 092-777-102. Pas de petit déj. Un hôtel qui ne lésine pas sur le bois verni sculpté. Déco assez chargée, mais il reste de la marge pour investir les chambres vraiment spacieuses. Clim et chambres familiales.

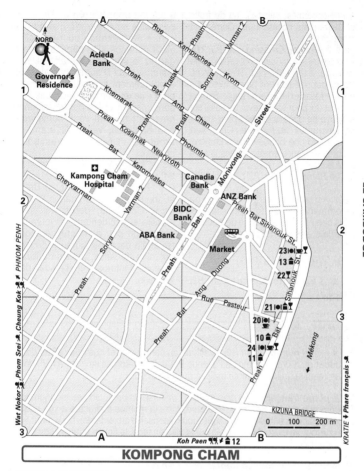

KOMPONG CHAM

LE CAMBODGE

🛏	**Où dormir ?**
	10 Moon River Guesthouse (B3)
	11 Tmor Da Guesthouse (B3)
	12 KC River Hotel (hors plan par B3)
	13 Monorom 2 VIP Hotel (B2)
	21 Mekong Crossing (B3)

🍴 🍺	**Où manger ?**
🏆	**Où prendre le petit déj ?**
	Où boire un verre ?
	20 Destiny Coffee House (B3)
	21 Mekong Crossing (B3)
	22 The River (B2)
	23 Smile Restaurant (B2)
	24 Lazy Mekong Daze (B3)

Où manger ? Où prendre le petit déj ? Où boire un verre ?

Bon marché (moins de 4 $)

🍴 🍺 ***Destiny Coffee House*** *(plan B3, 20) : 12, Vithei Pasteur. Fermé le soir.*

Qu'elle est revigorante, cette adresse gourmande en diable où les douceurs fondantes compensent l'absence de vue sur le Mékong : brownies, pancakes, excellents cafés, salades, jus de fruits et petits plats occidentaux. Carrément régressif !

|●| ♟ ♈ *Mekong Crossing* (plan B3, **21**) : à l'angle de la rue Pasteur et de la rue de la berge. ▦ 017-801-788. *Tlj 6h-minuit.* Resto-pub idéalement placé, avec une belle terrasse extérieure en angle. Sympa au petit déj pour voir le lever du soleil sur le fleuve ou dans la journée pour siroter un savoureux *fruit shake*. On y sert jusque tard une bonne cuisine khmère. Propre, ambiance agréable dans la salle lumineuse. Location de vélos.

♟ *The River* (plan B2, **22**) : Preah Sihanouk St. Au dernier étage de l'hôtel LBN Asian. Bar-karaoké que l'on recommande avant tout pour la vue. Mais rien ne vous empêche de pousser aussi la chansonnette...

Prix moyens (4-8 $)

|●| ♥ ♟ *Smile Restaurant* (plan B2, **23**) : 6 St 7 Riverside. ▦ 017-99-77-09.

● *bsda-cambodia.org* ● *Tlj. Résa conseillée ou arriver tôt.* Il s'agit d'un centre de formation pour orphelins, alors patience si le service tarde et gardez le sourire. Le staff, lui, n'en manque pas ! D'autant que les plats – typiquement khmers ou internationaux – se révèlent délicieux. Les boissons maison et les petits-déjeuners devraient finir de vous convaincre. À la boutique, vente de krama au profit de l'ONG. Une très bonne adresse.

|●| ♥ ♟ *Lazy Mekong Daze* (plan B3, **24**) : Preah Sihanouk St. ▦ 011-624-048. Resto-bar tenu par un Breton et son énergique compagne khmère, Dary. Cocktails, petits déj, plats khmers et occidentaux, savoureuses pizzas (un peu d'attente). À déguster affalé dans les fauteuils de rotin. Location de vélos, tickets de bus et un puits d'infos sur les balades dans la région.

À voir. À faire

....

🦌 Le *grand marché* (plan B2) classique au centre-ville et quelques *villas* datant du début du XXᵉ s à l'ouest de l'avenue Preah Bat Ketomealea (plan A1-2). Voyez notamment la grandiloquente maison du gouverneur !

🦌 Le *phare français* (hors plan par B3) : *traverser le pont.* Un peu incongru ici, il fut construit par les Français. Restauré, mais la montée s'effectue à vos risques et périls par des échelles métalliques (on déconseille auxenfants). De là-haut, jolie vue (surtout au coucher du soleil) sur la ville en face, le fleuve et un village khmer en contrebas.

🦌 *Techo Sen Swimming Center* (hors plan par A1) : Preah Bat Chey Reachea. *Entrée env 2 $.* Cette piscine olympique fut inaugurée en 2015 par le Premier ministre Hun Sen et porte d'ailleurs son nom, pour faire simple. *Clean,* et en général peu de monde.

🦌🦌 *Balades en bateau sur le Mékong :* rens auprès des pêcheurs situés près du *Monorom 2 VIP Hotel* (plan B2, **13**) ou au restaurant *Lazy Mekong Daze* (plan B3, **24**). À partir de 7 $/pers. Préférer le crépuscule pour profiter de la plus belle lumière.

🦌🦌 *Wat Nokor* (hors plan par A2) : à 3,5 km au nord du centre-ville, sur la N7, direction Phnom Penh. Y aller à moto-dop, en tuk-tuk ou à vélo. *Tlj 7h-17h. Entrée : 2 $, valable aussi pour Phnom Srei et Phnom Pros.* Dans son agréable écrin campagnard, ce temple bouddhique construit sous le règne de Jayavarman VII (fin XIIᵉ s-début XIIIᵉ s), le célèbre vainqueur des Chams, mérite largement la visite. En faisant ériger ce temple, il a mêlé les éléments bouddhistes et hindouistes. De superbes contrastes de couleurs et de formes naissent de l'alternance de blocs de grès et de latérite, noircis et usés par le temps jusqu'à ressembler à de grosses éponges. Une pagode récente, très colorée à l'intérieur, se trouve curieusement incrustée dans le sanctuaire central du temple d'origine.

ⵜ Phnom Srei et Phnom Pros *(hors plan par A2) : par une voie majestueuse grimpant sur la droite de la N7, à env 7 km de la ville, direction Phnom Penh.* La « colline aux Femmes » *(Phnom Srei)*, la plus sauvage et la plus éloignée, domine le paysage et sa voisine, la « colline aux Hommes » *(Phnom Pros)*, celle où l'on se gare et où les singes en bandes se montrent aussi drôles que chapardeurs. Entre les deux, au pied des 2 collines (500 m les séparent), une sorte de parc à thème bouddhique bien mal entretenu qui compte dans ses rangs des bouddhas géants et une bibliothèque dotée d'un riche fonds d'ouvrages. Petite donation bienvenue.

ⵜⵜ Cheung Kok *(hors plan par A2) : par une piste de 2 km à travers champs, commençant quasi en face de l'entrée de Phnom Pros et Phnom Srei.* ☎ 069-555-115. ● amica-web.com ● *Lun-ven 13h30-17h30, w-e 9h-11h30, 14h-17h. Visites gratuites en anglais (30 mn-1h), sur résa. Boutique.* Cet accueillant village de 700 âmes a ouvert ses portes aux touristes avec l'aide d'une ONG. Il permet de s'immerger intelligemment dans la vie quotidienne de ses habitants. Tissage du coton, sculpture, culture du riz, production de soie, élevage... N'hésitez pas à mettre la main à la pâte ! Possibilité de passer la nuit chez l'habitant *(5 $/pers)* ou de partager un repas *(4 $)*. Les fonds récoltés permettent notamment de scolariser les enfants.

ⵜⵜ Koh Paen : face à Kompong Cham, une île sablonneuse d'une bonne quinzaine de kilomètres de long, couverte d'une luxuriante mosaïque de jardins et de maisons de bois. Ceux qui n'ont pas le vertige s'aventureront en haut de la tour d'observation en brique au coucher du soleil. Superbe ! Chaque année, un stupéfiant pont temporaire entièrement fabriqué en bambou enjambait le Mékong sur 800 m pour relier Koh Paen au « continent » quand le niveau du fleuve était trop bas pour laisser passer le bac. Un pont en béton est en construction à 2 km au sud de la ville et devrait avoir raison de l'édifice en bambou, une tradition de plusieurs centaines d'années pourtant. Sur l'île, une *guesthouse* très sympa :

⌂ |●| Mekong Bamboo Hut Guesthouse : ☎ 015-905-620. *À l'arrivée du pont, prendre le chemin sablonneux sur la droite pdt 15 mn env, en longeant le Mékong. Ouv nov-avr et juil-août. Autour de 5 $ en hamac ou pour un matelas.* Sur cette île préservée et splendide, hors des sentiers battus, l'occasion de jouer les Robinsons ! Les enfants adorent... Une quinzaine de hamacs avec moustiquaire sous un toit en chaume, une douche, une terrasse devant le Mékong, et même un coin resto. Copieuse cuisine khmère. Une expérience inoubliable, pour vraiment déconnecter. Location de vélos et de motos.

DANS LES ENVIRONS DE KOMPONG CHAM

ⵜ Les mygales frites de Skun : *sur la route N6, km 68, entre Kompong Thom et Phnom Penh.* Si vous passez par ce marché où tous les cars s'arrêtent pour la pause-restaurant, ne manquez pas cette spécialité culinaire locale. Ces mygales d'élevage sont vendues vivantes (soulevez le couvercle !), puis cuites sous vos yeux par des femmes qui en portent de pleins plateaux sur la tête. Brrr ! Ne manquez pas non plus les sauterelles frites, les blattes géantes, les larves, les abeilles... Vous avez bien fait de vous arrêter, c'est bourré de protéines !

ⵜ Les plantations d'hévéas : *de long de la N7 vers l'est en direction de Kratie, jusqu'au village de Suong.* Il s'agit de la principale région productrice de caoutchouc, l'une des richesses du pays. La N7 traverse de vastes plantations d'hévéas jadis créées par les Français. Il faut voir les petits godets qui recueillent le blanc latex, les saigneurs à l'œuvre au petit jour, les camions de collecte... Toute une

LE CAMBODGE

économie, de la coopérative villageoise à l'usine. Visite possible de l'usine de traitement **Chup Rubber Plantation** *(20 km à l'est de Kompong Cham)*.

🚶 **Chiro** : *à 6 km au nord de Kompong Cham, sur la rive opposée du Mékong. Compter 30 mn à vélo ou 10 mn de* tuk-tuk *(5 $).* Pour les amateurs de beaux paysages et de tranquillité. En contrebas du village de Chiro, on accède à une magnifique plage de sable blanc en traversant les champs de maïs. Baignade magique... Pour découvrir le Cambodge rural, nous recommandons de loger sur place. *Compter 10-20 $ la nuitée chez l'habitant, en bungalow ou en maison traditionnelle.* L'association cambodgienne *Organization for Basic Training (OBT ;* ☎ *017-319-194 ;* ● *obtcambodia.wordpress.com* ●) développe le tourisme communautaire pour offrir une instruction gratuite aux enfants du village. On partage ainsi avec les habitants une partie de leur quotidien et leurs repas. Confort assez simple, mais on vient avant tout pour s'imprégner de la culture khmère. Location de vélos, balades en bateau, pêche...

KRATIE   38 000 hab.

> ● Plan *p. 277*

Alanguie au bord du Mékong, Kratie se laisse bercer dans un décor naturel aux faux airs de Loire avec ses bancs de sable et ses lumières changeantes, à apprécier depuis les berges notamment au coucher du soleil. Si la ville possède un modeste patrimoine colonial (voir surtout la maison du Gouverneur), on conseille de s'échapper sur l'adorable île de Koh Trong, juste en face et d'aller saluer les rares dauphins d'eau douce qui batifolent dans le fleuve à quelques kilomètres au nord.

La région de Kratie fut, du VIe au VIIIe s, un « haut lieu de khméritude » avant de devenir un foyer anticolonial, puis une base pour le Viet-minh et les Khmers rouges. Malgré la N7 ou la N73 qui la placent aujourd'hui à 5h en voiture de Phnom Penh, cette région longtemps accessible seulement par bateau distille toujours une sensation de bout du monde. En route, une bonne dose de Cambodge rural vous attend : jolies vues sur le Mékong et ses maisons flottantes, campagne riche en plantations et séchoirs à tabac, bambouseraies et villages habités par des Chams.

Arriver – Quitter

Les compagnies de bus *Sorya* et *Rith Mony* assurent pratiquement les mêmes services, aux mêmes tarifs. Les points de départ se situent le long du fleuve, où l'on peut acheter ses billets, ou plus simplement auprès des hôtels et restaurants. Départs le matin.

➢ **Phnom Penh et Kompong Cham :** 2 bus/j. avec Phnom Penh (env 300 km, 6h de trajet) via Kompong Cham (env 200 km, 3h).

➢ **Siem Reap :** 1 bus/j., départ vers 7h. Compter 8h de trajet.

➢ **Stung Treng :** 1 bus/j. Env 140 km dont une très bonne section de la N7, compter 2h30. Également des taxis collectifs.

– **Minibus express :** il existe également des minibus express nettement plus rapides, mais on vous y entasse à 4 sur une banquette pour 3 personnes et demie (sans compter les bagages). On peut toujours payer pour 2 places ou emprunter les **vans** plus récents (et plus chers) respectant la règle d'un passager par siège.

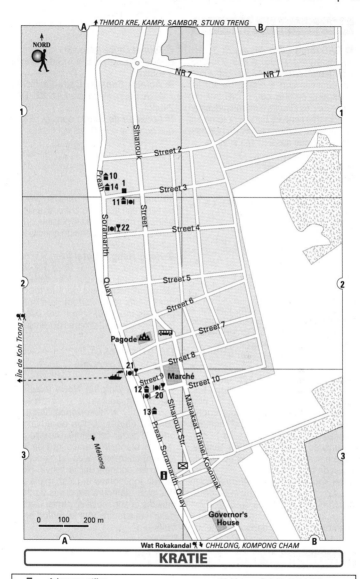

KRATIE

- ■ **Adresses utiles**
  - 🛈 Tourist Office (A3)
  - **1** CRDTours (A1)

- 🏠 **Où dormir ?**
  - **10** Balcony Guesthouse (A1)
  - **11** Tonlé Guesthouse (A1-2)
  - **12** You Hong II Guesthouse (A3)
  - **13** Heng Heng II Hotel (A3)
  - **14** Mekong Dolphin Hotel (A1)

- |●| 🍷 **Où manger ? Où boire un verre ?**
  - **11** Tonlé Restaurant (A1-2)
  - **12** You Hong II Guesthouse (A3)
  - **20** Tokae (A3)
  - **21** Jasmine Boat Restaurant (A3)
  - **22** Pete's Pizza Pasta Cafe and Bar (A2)

LE CAMBODGE

Adresse et infos utiles

■ **CRDTours** (plan A1, **1**) : St 3, face au restaurant Tonlé. ☎ 099-834-353. ● crdtours.com ● Tlj 7h30-17h30. Outre les conseils sur la région ou sur les transports en bus, cette ONG très pro organise des circuits écotouristiques en dehors des sentiers battus, notamment au sein des communautés du nord-est du pays. Loue aussi motos et vélos.

🛈 **Tourist Office** (plan A3) : sur la berge du Mékong, niveau St 13. Guère d'infos à soutirer.

■ **Acleda Bank** et **Canadia Bank** : près de Pete's Pizza (plan A1, **22**). DAB 24h/24.

■ **Location de vélos** : dans la plupart des hôtels et guesthouses.

Où dormir ?

Bon marché (moins de 15 $)

🛏 **Balcony Guesthouse** (plan A1, **10**) : Preah Soramarith Quay. ☎ 016-60-40-36. ● ngoempheak@gmail.com ● Dortoir, petit déj en plus et doubles. Une AJ qui n'en porte pas le nom offrant des salles de bains partagées, un dortoir pour 5-6 personnes et tout un choix de doubles avec ou sans clim. Vue sur le fleuve pour certaines et pour tous depuis la terrasse au 2e étage. Confort général correct et ambiance décontractée.

🛏 **Tonlé Guesthouse** (plan A1-2, **11**) : St 3. ☎ 072-210-505. ● letonle.org ● Voici des chambres d'application où se forment les étudiants en hôtellerie, issus de milieux défavorisés. En plus de faire une bonne action, vous apprécierez le confort de ces 2 maisons situées de part et d'autre de la rue. Chambres impeccablement tenues, décorées avec soin, dotées ou non de salles de bain privées.

🛏 🍴 **You Hong II Guesthouse** (plan A3, **12**) : 119, St 10, reliant la berge au marché. ☎ 011-674-088 ou 085. ● you hong_kratie@yahoo.com ● Petites chambres réparties dans 2 bâtiments,

au budget et confort variable (ventilo ou clim, eau froide ou chaude, salle de bains ou non). En visiter plusieurs pour faire son choix ! Café-resto convivial au rez-de-chaussée.

🛏 **Heng Heng II Hotel** (plan A3, **13**) : sur la berge, niveau St 10. ☎ 012-929-943. Un hôtel classique, pas de la dernière fraîcheur, mais dont le rapport qualité-prix reste correct. Les chambres les moins chères n'ont pas de fenêtre, mais sont propres et ventilées.

De prix moyens à chic (15-50 $)

🛏 **Mekong Dolphin Hotel** (plan A1, **14**) : Preah Soramarith Quay. ☎ 072-666-66-66. ● mekongdolphinhotel.com ● 7 étages et plus de 80 chambres : le décor est planté. Derrière une façade blanc immaculé qui se voit de loin, chambres avec ou sans clim, certaines donnant sur le fleuve. Hôtel récent, fonctionnel et clean, mais pas des plus glamours avec ses couloirs carrelés et son mobilier vernis. Cependant, rien à redire pour le confort et les tarifs.

Où manger ? Où boire un verre ?

De bon marché à prix moyens (moins de 8 $)

🍴 🍗 **Tonlé Restaurant** (plan A1-2, **11**) : St 3. À côté de la guesthouse (voir « Où dormir ? »). « Prix moyens ». Cette école hôtelière pour jeunes défavorisés

propose une table de qualité dans un cadre aéré et accueillant. Service zélé pour une cuisine khmère à des prix très raisonnables.

🍴 🍸 **Tokae** (plan A3, **20**) : rue 10. ☎ 097-339-1285. Tlj jusqu'à 22h. « Prix moyens ». Face à l'effervescence du marché, on repère ce petit resto d'angle tout ouvert à sa grande peinture de gecko au mur. Classiques khmers, plats végétariens, crêpes et un gaspacho qui en dit long sur la nationalité du patron. Impec et ce dès le petit déjeuner.

l●l ⵏ ⵏ *Jasmine Boat Restaurant* (plan A3, *21*) : Preah Soramarith Quay. ☎ 96-331-1998. *Tlj 6h30-22h. Plats 4-15 $.* Un spot idéal où se poser en attendant ou non le ferry, sur le pont virtuel de ce bâtiment en forme de bateau. Depuis la salle toute vitrée ou sur la coursive à l'extérieur, on ne se lasse pas du spectacle sur le Mékong. Cocktails et jus de fruits pour les plus pressés, carte fleuve pour les petits creux. Cuisine correcte, mais pas donnée dès qu'on s'éloigne des standards khmers.

l●l ⵏ *Pete's Pizza Pasta Cafe and Bar* (plan A2, *22*) : *au siège de* Sorya Kayaking Adventures, *entre les St 3 et 4.* ☎ 010-285-656. *Tlj 7h-21h. « Prix moyens ».* Mobilier en osier et staff toujours dispo invitent à faire une pause dans cette petite salle ouverte sur la rue. Plats simples, pizzas plébiscitées le soir et jus frais ne devraient pas grever votre budget.

l●l *You Hong II Guesthouse* (plan A3, *12*) : *119, rue 10. Voir aussi « Où dormir ? ». « Bon marché ».* Café-resto convivial et mignon. Plats locaux et occidentaux : *amok,* nouilles et riz sautés, currys et 3 tailles de pizzas.

l●l ⵏ *Restos en plein air :* le long du Mékong, installation en fin d'ap-m. Prix très bas. Très bien aussi pour boire un verre, baigné d'un crépuscule orangé.

Où séjourner sur l'île de Koh Trong ?

Une alternative à la ville, de plus en plus privilégiée par les touristes, d'autant que l'offre sur l'île s'étoffe avec les années. Lire plus bas « À voir. À faire ». Prévoir si possible un bagage léger et une lampe de poche. Outre nos adresses préférées ci-dessous, le *community centre* propose des chambres chez l'habitant *(homestays).*

🏠 l●l *Arun Mekong Guesthouse :* à env 3 km du débarcadère, à la pointe nord de l'île. ☎ 017-663-014. ● arunmekong@yahoo.com ● *Doubles sans ou avec sdb à « prix moyens » ou « chic ».* Charme, accueil et confort sont ici réunis. Chambres dans la maison principale et dans des bungalows sur pilotis. Partout des moustiquaires, de beaux planchers et du charme à revendre. Au resto, dans le salon ou dans un hamac, le bonheur n'est pas loin.

🏠 l●l *Rajabori Villas :* à côté du précédent. ☎ 012-959-115 ou 012-770-150. ● rajabori-kratie.com ● *Doubles « plus chic ».* Cet ensemble absolument ravissant – le plus beau de Kratie – s'organise autour d'une piscine et d'un jardin de rêve. Des répliques de pagodes sur pilotis abritent les chambres, toutes en bois et dotées de salles de bains coquettes. Restaurant khmer et européen, dans une ambiance feutrée. Un privilège à des prix étonnamment raisonnables pour un boutique-hôtel.

À voir. À faire

🔆🔆 *L'île de Koh Trong :* en face de Kratie. Service de navettes 7h-19h, ttes les 15-30 mn. Traversée : 5-10 mn ; 1 000 riels A/R. Une balade incontournable à faire à la journée, à pied, à vélo (on peut les louer sur place à l'arrivée du bateau ou les embarquer) ou à moto *(1 $ le trajet),* pour plonger au cœur de la vie rurale, calme et authentique. Un chemin goudronné de 9 km aussi étroit que pratique permet de faire le tour de l'île et de se plonger dans la campagne cambodgienne. Pêle-mêle, on croise pêcheurs, temples, chars à bœufs, un village flottant, des bonzes et des gamins au large sourire... et encore peu de touristes. On recommande aussi d'y dormir, pour une robinsonnade hors du temps (voir plus haut).

🔆 *Wat Rokakandal* (hors plan par A3) : à 2 km au sud de la ville, en bordure du fleuve. Clés auprès du gardien. Ce temple discret, construit au bord du fleuve

LE CAMBODGE

au début du XIXe s, est l'un des plus anciens de la région. À l'intérieur de la jolie pagode, colonnes de bois à dorures, charpentes décorées et plafond particulièrement bien préservés.

🏃🚣 *Kayak : avec* **Sorya Kayaking Adventures,** *entre les St 3 et 4 (plan A1).* ☎ *010-285-656.* ● *soryakayaking.com* ● *Lun-sam 7h-21h. Résa plusieurs j. avt conseillée. Package complet inclus dans le prix.* Plusieurs possibilités d'excursions à la demi-journée, pour découvrir Kratie et ses environs depuis le Mékong. Une des balades permet d'aller voir les dauphins. Sorties en kayak également avec **Silver Dolphin** *(plan A2),* près de l'office de tourisme. ☎ *012-999-810.* ● *silverdol phinkayaking@yahoo.com* ●

DANS LES ENVIRONS DE KRATIE

Vers le nord

En direction de Kampi, par la route qui suit la berge du Mékong. Depuis Kratie, compter 10 $ l'A/R en *tuk-tuk* pour Prek Kampi (dauphins).

🏃 *Thmor Kre : village à 6 km.* Surnommé *Sticky rice village,* car les échoppes le long de la route y vendent 2 spécialités locales. Tout d'abord le krolan, un mélange de riz, noix de coco et arachides cuits à l'étouffée dans des tubes de bambou. Délicieux, à déguster sur place ou à emporter ! Goûter également les *nehms,* du poisson du Mékong cuit en papillote dans des feuilles de bananiers.

🏃 *Sambok Mountain : à 8 km de Kratie. Panneau « Meditation Resort ».* Lieu de culte bouddhique perché sur une colline luxuriante et peuplée de singes. Pour la gravir, 3 escaliers (160, 65 et 127 marches) bordés de dizaines de statues de moines grandeur nature. Au 1er niveau, petit sanctuaire très kitsch, à gauche, représentant péchés et punitions de l'enfer bouddhique. Au 2e niveau, dit « Sub Buddhagaya », remarquer le gong fabriqué à partir d'une ogive de bombe américaine désamorcée. Au 3e niveau, vue panoramique sur la région et le Mékong (un peu obstruée par les arbres). On peut monter au sommet à moto, mais fortement déconseillé en cas de pluie.

🏃🏃 *Les dauphins d'eau douce (ou « de l'Irrawaddy ») : au site de* **Prek Kampi,** *à env 13 km de Kratie. Tlj 6h-17h. Prix des bateaux : env 9 $ pour 2 (dégressif) ; réduc. Durée indicative : 1h (nov-mai) à 1h30 (juin-oct).* Le dauphin de l'Irrawaddy circule dans les grands fleuves et semble particulièrement se plaire dans cette partie du Mékong, ici très large. Moins d'une quarantaine d'individus – en déclin constant – folâtrent ici. Avec un peu de patience, la balade en barque laisse le temps de les observer. Mais ils sont aussi timides que leurs cousins marins peuvent être enjoués et curieux. Ne pas chercher leur bec, ils n'en ont pas et ressemblent au marsouin. L'émersion respiratoire périodique garantit d'entrevoir furtivement leur tête ronde, mais pas assez longtemps pour espérer une photo du cétacé... Et inutile de compter sur une pirouette à la Flipper, quitte à faire mentir les photomontages des agences ! Alors, profitons-en pour les écouter respirer, tout simplement.
L'homme et ses techniques de pêche violentes (électricité, explosifs, filets inadaptés) ont décimé la population de ce mammifère, qui reste menacé à terme par l'inéluctable développement du bassin du Mékong. La protection de l'espèce est en partie financée par cette exploitation touristique écoresponsable. Les barques évoluent lentement et coupent le moteur pour approcher les cétacés. À faire si possible en fin d'après-midi, avec, en prime, de superbes couchers de soleil.

Mais l'équilibre écologique est sérieusement menacé par le **barrage hydroélectrique de Don Sahong,** à 210 km de là, à la frontière avec le Laos et à 2 km d'un autre dortoir pour les dauphins. Une voie migratoire essentielle pour une centaine d'espèces de poissons sera alors coupée, privant aussi les pêcheurs de leur gagne-pain. Les villageois et les ONG environnementales sont vent debout contre cette catastrophe imminente. Malgré leurs protestations, l'inéluctable chantier a démarré en 2016...

🎥🏃 À moins de 1 km au nord, les **rapides de Kampi,** lieu de repos, de pique-nique et de baignade pour les locaux, surtout le week-end et à la saison des pluies seulement (novembre-mai).

🎥🏃 **Sambor :** *à env 40 km de Kratie (1h de* tuk-tuk*). 10 km au-delà de Kampi, au carrefour (statues de dauphins) du village de Sandan, au lieu d'obliquer à droite vers la N7 et Stung Treng, prendre la piste tt droit, le long du fleuve.* Ce village du bout du monde fut le site d'une des premières capitales du royaume de Chenla (VIe-VIIe s). Le temple *Wat Sor Sor Muy Roi* connu pour ses « cent colonnes » a malheureusement été rasé par les Khmers rouges, mais une copie très colorée a été construite dans les années 1990. En profiter pour visiter le *Mekong Turtle Conservation Centre* (● mekongturtle.com ● ; *entrée env 4 $*), certes modeste, mais instructif.

Vers le sud

🎥🏃 **Chhlong :** *à 30 km de Kratie en suivant le Mékong, au bord de la route goudronnée (N73) reliant Kompong Cham. Prévoir 1h de trajet en* tuk-tuk *(env 20 $ A/R).* Ce bourg fluvial semble nous arriver presque intact des temps du protectorat. Ancienne étape majeure du commerce du bois, le comptoir marquait la limite de la civilisation avant le « Haut Chhlong » (Mondolkiri), peuplé de tribus hostiles. Rejoindre la rue (une piste en fait) de la berge, parallèle à la nationale. Le long d'un confluent photogénique, des demeures à arcades distillent toujours une forte présence, bien qu'elles soient pour la plupart très délabrées.

LE CAMBODGE

CAMBODGE : HOMMES, CULTURE, ENVIRONNEMENT

AIDE HUMANITAIRE

Des centaines d'associations et d'ONG apportent leur soutien aux populations cambodgiennes en difficulté, mutilées par plus de 20 ans de guerres.

Le « volontourisme »

Si vous voulez profiter de votre voyage pour vous impliquer financièrement ou collaborer au sein d'une organisation, renseignez-vous à l'avance pour ne pas tomber dans *les effets pervers du « volontourisme ».*

En préambule, sachez qu'au Cambodge, plus de 18 000 enfants vivent dans des institutions type orphelinats. Or, la très grande majorité des structures existantes sont enregistrées dans des lieux touristiques. Rien qu'à Siem Reap, il en existe 80 ! D'après l'association *Friends-International* et le *Mouvement Childsafe* axé sur la protection des enfants, 80 % des jeunes ne sont pas orphelins (au moins un des deux parents est encore en vie). On peut alors s'interroger sur le nombre croissant de ces institutions « charitables ».

La réalité est encore plus sordide que celle mise en avant : la plupart des orphelinats, avec les dons qu'ils suscitent, sont devenus un véritable business. Les responsables cherchent à tout prix à attirer la sympathie des visiteurs de passage. Touchés par cette situation, désireux d'approcher « une réalité » du pays, certains paient pour apporter leur aide (jusqu'à 500 $ auprès d'une association ou directement auprès d'un orphelinat) et s'engagent soit à faire des dons réguliers, soit à lever des fonds au retour (parfois les deux). Les sommes en jeu peuvent être considérables. D'où ce besoin de « fournir » les orphelinats en enfants, engendrant l'effet pervers qui consiste à convaincre des familles dans le besoin de placer leurs enfants en orphelinat contre la promesse d'une bonne éducation. Celles-ci ne se doutent pas que leurs enfants serviront de « marchandises » pour une entreprise lucrative. Elles sont d'ailleurs souvent persuadées d'offrir à leur progéniture une éducation et une vie meilleure.

Or, tous les orphelinats n'accueillent pas les enfants dans des conditions décentes et/ou acceptables. Nombre d'entre eux sont « au mieux » considérés comme une attraction touristique, avec parfois un spectacle à la clé, au pire victimes de maltraitance et d'abus, qui leur laissent de graves séquelles physiques et psychologiques. Aucune précaution de base n'est prise pour protéger les enfants, ne serait-ce qu'en amont : certaines structures n'exigent ni passeport, ni casier judiciaire avant d'accepter un volontaire (cela doit vous alerter) et ne les sélectionne même pas selon des compétences effectivement utiles. Alors que recevoir un volontaire ou travailler avec des enfants ne s'improvise pas. Les étrangers restent quelques jours ou quelques semaines, rarement assez pour mener à bien un programme et en instillant toujours un sentiment d'abandon chez les pensionnaires. Même le parrainage est délicat, car il demande un engagement sur plusieurs années. Bien réfléchir avant de s'engager, car trop nombreux sont les touristes qui laissent tomber après un an. Les conséquences peuvent alors être dramatiques pour les gamins.

D'autre part, le parrainage cultive la dépendance des familles envers des donateurs étrangers et ne leur donne pas les moyens de s'autonomiser financièrement.

Voilà pourquoi, à ceux qui souhaitent allier tourisme et volontariat, nous vous demandons de passer par des organismes reconnus pour leur compétence et leur honnêteté qui, concernant les enfants, ciblent avant tout la réinsertion, le soutien aux familles et à leur unité, et non des agences internationales de « volontourisme » ou des structures locales, qui ont trouvé un marché pour un business juteux. De plus, il existe de nombreuses associations qui interviennent dans d'autres domaines tout aussi utiles.

Quelques ONG

Nous avons recensé celles que nous connaissons le mieux (ce qui ne veut pas dire que les autres ne valent pas le coup). Si vous envoyez directement de l'argent, précisez bien que vous soutenez leur mission au Cambodge, car elles mènent souvent leurs actions dans plusieurs pays d'Asie du Sud-Est.

■ *Agir pour le Cambodge :* 14, rue du Dragon, 75006 Paris. ● contact@agir pourlecambodge.org ● girpourlecambodge.org ● Située à Siem Reap, *Sala Baï* est une école hôtelière qui forme de jeunes Cambodgiens issus de l'extrême pauvreté. Plus de 1 500 étudiants, dont 70 % de jeunes filles, y ont été formés depuis 2002, date de la création de l'école par l'association *Agir pour le Cambodge.* Grâce à *Sala Baï*, tous ont trouvé un emploi stable après avoir obtenu leur diplôme. Déjeuner à *Sala Baï*, c'est une journée de formation pour un élève. Séjourner à *Sala Baï*, ce sont 2 à 4 jours de formation pour un élève.

■ *Enfants d'Asie :* 18, rue de la Pierre-Levée, 75011 Paris. ☎ 01-47-00-19-00. ● enfantsdasie.com ● Association reconnue d'utilité publique et fondée en 1991, elle a pour but d'accompagner les enfants les plus démunis, issus de famille d'une extrême pauvreté, à construire leur avenir au Cambodge, Laos, Philippines et Vietnam. En leur assurant la scolarisation et la formation, elle leur permet de décrocher un emploi stable pour soutenir leur famille et devenir acteurs du développement de leur pays.

■ *Enfants du Mékong :* 5, rue de la Comète, 92600 Asnières. ☎ 01-47-91-00-84. ● enfantsdumekong.com ● La première ONG française spécialiste de l'Asie du Sud-Est, a obtenu le label IDEAS de bonne gouvernance, gestion financière et efficacité de l'action. Elle conserve toujours la même mission depuis 60 ans : éduquer, former et accompagner la jeunesse pauvre et souffrante dans sa construction intellectuelle, affective et morale. Elle mène également plus de 100 programmes de développement par an, principalement des constructions d'écoles. À travers toute l'Asie, ce sont plus de 22 000 enfants qui prennent le chemin de l'école grâce au parrainage scolaire. En consacrant 28 € par mois à cette association (7 € après défiscalisation), vous donnez la possibilité à un enfant de prendre en main son avenir. Une belle initiative, à encourager.

■ *Handicap International France :* 138, av. des Frères-Lumière, CS 78378, 69371 Lyon Cedex 08. ☎ 04-78-69-79-79. ● handicap-international.fr ● L'ONG a été fondée en 1982 par 2 médecins français pour aider les Cambodgiens victimes de mines antipersonnel dans les camps de réfugiés en Thaïlande. Son histoire s'est écrite face aux pires catastrophes humanitaires de ces 35 dernières années. L'ONG œuvre pour améliorer les conditions de vie des personnes handicapées et des plus vulnérables. Dans plus de 60 pays, elle démontre que des solutions existent en s'appuyant sur les individus, leurs familles et leurs communautés et les savoir-faire disponibles sur place. Elle est cofondatrice de la campagne internationale pour interdire les mines, qui a abouti à l'interdiction de ces armes ; elle a reçu le prix Nobel de la paix (1997) et est classée 8e meilleure ONG au monde (NGO Advisor 2017). Au Cambodge, elle mène des activités de déminage, de formation de démineurs et des actions de sensibilisation aux risques des mines. Elle renforce l'accès des personnes handicapées aux soins de réadaptation et à un appareillage, et favorise leur insertion professionnelle.

Elle contribue également à la réduction des handicaps en améliorant la santé maternelle et infantile.

■ *CARE :* 71, rue Archereau, 75019 Paris. ☎ 01-53-19-89-89. ● carefrance. org ● Ⓜ Crimée. L'ONG *CARE* est un réseau humanitaire de solidarité internationale qui met en œuvre des projets d'urgence et de développement. Son objectif est de lutter contre l'extrême pauvreté en menant des programmes d'éducation, de sécurité alimentaire, d'accès à l'eau potable, de santé, d'activités génératrices de revenus... *CARE* porte une attention particulière à la condition des femmes. Leur émancipation et leur autonomisation sont des facteurs essentiels de la lutte contre la pauvreté.

■ *Krousar Thmey (Nouvelle Famille) :* ● krousar-thmey.org ● Contact en France : 47, rue Greneta, 75002 Paris. ☎ 01-40-13-06-30. ● france@krousar-thmey.org ● Contact au Cambodge : ☎ + 855 (0)23-880-503. ● communi cation@krousar-thmey.org ● *Krousar Thmey,* première fondation cambodgienne d'aide à l'enfance défavorisée, agit auprès des plus démunis depuis 1991. Elle scolarise les enfants aveugles et sourds dans tout le pays, gère des centres de protection et des maisons familiales pour enfants des rues, ainsi qu'une école d'arts et de culture khmers. Au total, elle aide chaque année plus de 2 500 enfants dans ses programmes situés dans 14 provinces du Cambodge. *Krousar Thmey* propose aussi une exposition sur le patrimoine khmer à Siem Reap, à découvrir en même temps qu'une expérience unique : « Seeing in the dark ». À ne surtout pas manquer !

■ *Pour un Sourire d'Enfant :* 49, rue Lamartine, 78000 Versailles. ☎ 01-30-24-20-20. ● pse.ong ● Au Cambodge : 402 groupe 12, village Trea, district Stung Mean Chey, BP 2107, Phnom Penh 3, Cambodge. ☎ + 855 (0)23-995-660. L'une des ONG qui nous ont le plus émus. Elle s'occupe prioritairement des enfants des familles de chiffonniers qui travaillent dans les rues de la ville ou sur les décharges en province. Plus de 10 000 enfants sont ou ont été pris en charge : en rattrapage scolaire, en formation professionnelle ou « parrainés » dans les écoles publiques des environs. 4 000 sont déjà dans la vie active. Du riz (9 t par semaine) est distribué aux parents en compensation pour ces petits bras manquant aux revenus de la famille. Pour soutenir leur action, nous recommandons vivement le restaurant d'application *(Le Lotus Blanc)* de leur école de Phnom Penh. Les enfants sont scolarisés et formés aux métiers de l'hôtellerie et de la restauration, à la mécanique, à la coiffure, aux métiers du bâtiment et au commerce. Possibilité de visiter le centre (voir « Où manger ? » à Phnom Penh).

■ *ONG Friends-International et ChildSafe :* au Cambodge, ☎ (0)12-311-112 (ChildSafe Hotline). ● thin kchildsafe.org ● Voir aussi « Où manger ? Les restos d'application d'école hôtelière gérés par des ONG » à Phnom Penh et Siem Reap. En France : Friends-International, 29, rue Vaneau, 75007 Paris. ● france@friends-interna tional.org ● *ChildSafe,* reconnaissable à son logo pouce levé dans un cercle orange, est un mouvement lancé par l'*ONG Friends-International,* soutenue par le ministère du Tourisme et d'autres institutions. Il opère principalement en Asie et regroupe des hôtels, des *guest-houses,* des conducteurs de *tuk-tuk* et d'autres acteurs formés pour protéger les enfants contre toutes les formes d'abus. Il diffuse « Sept conseils aux Voyageurs », qui informent les touristes sur des problématiques que peuvent rencontrer les enfants et sur les meilleurs comportements à adopter pour les protéger. *ChildSafe* dispense aussi des formations permettant aux populations locales de mieux identifier les risques et donc de prévenir les violences envers les enfants. Les plaintes recueillies anonymement sont suivies et transmises aux autorités dans le respect des Droits de l'homme et des dispositions légales de chaque pays.

■ *AFS – Association française de solidarité :* rue des Déportés, 29260 Lesneven. ● afs-cambodge.com ● À Battambang : village Bekchanthmey Sangkat Prek Preh Sdach, près de la statue du Roi noir. ▤ + 855 (0)12-828-850. À Phnom Penh : ▤ + 855 (0)12-855-231. Née en 1980 pour venir en aide aux Cambodgiens réfugiés dans les camps de Thaïlande, l'*AFS* est aujourd'hui implantée à Phnom Penh et à Battambang. À Phnom Penh, un foyer pour étudiant(e)s permet de loger des jeunes défavorisés. Le foyer pour collégiens et lycéens à Battambang accueille 130 pensionnaires, ainsi qu'une classe de rattrapage. L'*AFS* aide les familles cambodgiennes à travers le parrainage, l'éducation et les actions de développement (prêts individuels, greniers à riz, banque de vaches...) et s'appuie sur un solide réseau de bénévoles français. Si vous souhaitez leur apporter vêtements, cahiers ou livres (à acheter au Cambodge), l'association en fera bon usage.

■ *HAMAP Humanitaire :* 7, rue de Charenton, 94140 Alfortville. ☎ 01-43-75-44-68. ● *hamap-humanitaire.org* ● L'ONG agit au profit des populations défavorisées en leur permettant l'accès à l'eau et à l'assainissement, à l'éducation, à la santé et à la sécurité. Elle intervient dans une quinzaine de pays dans le monde et plus particulièrement au Cambodge. Dans le domaine de la santé, elle organise plusieurs fois par an, en soutien des acteurs locaux, des missions médicales au profit des familles. En 2016, au cours de cinq missions, plus de 6 500 patients ont pu accéder à des soins gratuits grâce à l'investissement de 83 bénévoles médicaux et non médicaux. Dans un autre domaine, *HAMAP Humanitaire,* en coopération avec l'ONG *L'Eau pour tous,* des agences de l'eau et des collectivités françaises, développe un programme de forage de 70 points d'eau dans la région de Siem Reap qui permet à plus de 10 000 personnes d'accéder chaque année à l'eau potable. Pour devenir bénévole, n'hésitez pas à les contacter.

■ *Planète Enfants & Développement :* 53, bd de Charonne, 75011 Paris. ☎ 01-53-34-86-32. ● *planete-eed.org* ● Cette ONG française intervient au Cambodge depuis 1984 auprès des enfants et des familles les plus démunies dans le cadre de projets sanitaires, sociaux et éducatifs. Connaissant parfaitement le pays, elle met en place des actions avec des ONG locales dont elle renforce les capacités, afin que les Cambodgiens agissent eux-mêmes pour le développement social du pays. Actuellement, elle agit dans plusieurs provinces et à Phnom Penh, où la très forte immigration et l'éloignement du milieu d'origine entraînent une paupérisation qui se traduit par des problèmes de malnutrition, de déscolarisation et d'accès aux soins avec un rare recours aux services sociaux. PE & D agit aussi auprès des jeunes ouvriers et ouvrières des usines de textile afin de proposer des services de santé sexuelle et reproductive et des crèches pour les jeunes enfants. Elle fait aussi un lien avec le gouvernement pour faire évoluer les politiques sectorielles dans ces domaines. Elle est soutenue par des bailleurs de fonds publics et privés et par la générosité de donateurs particuliers.

BOISSONS

– L'*eau* du robinet n'est pas potable. On trouve partout des bouteilles d'eau minérale, dont une produite au Cambodge par un Français, la *Kulen.* Méfiez-vous des glaçons. Quant aux jus de fruits pressés, à vous de juger les conditions d'hygiène dans lesquelles ils ont été préparés.

– L'une des rares boissons nationales est la *bière,* de marques *Angkor* ou *Cambodia,* toutes deux plutôt bonnes et légères. La *Tiger* (de Singapour) est également très répandue, ainsi que la *Anchor* (à ne pas confondre avec la bière locale), venue des États-Unis !

– On peut trouver du *vin* français dans la plupart des restos chic de Phnom Penh et de Siem Reap, ainsi que des vins australiens ou chiliens, moins chers.

– Les Khmers consomment surtout du *vin de palme,* que l'on peut se procurer sur les marchés. Attention, c'est méchant !

– Également de l'*alcool de riz.*

– Côté Vietnam, à l'est de Phnom Penh, on vous proposera peut-être de l'alcool additionné de... sang frais de cobra ! Ça vaut le coup d'œil : le serpent est saigné devant vous. C'est bien meilleur que la bave de crapaud, et certains lui trouvent des vertus médicinales...

– Le *café* est en général assez fort et pas terrible.
– Le *thé* vert est souvent bon, tradition asiatique oblige. Mais, dans les endroits touristiques, on vous servira bien souvent du thé *Lipton* en sachet.
– Le *teukolok,* véritable spécialité khmère, est à la fois rafraîchissant et nourrissant. C'est une sorte de *shake* (appelé comme ça dans les gargotes quand il y a un menu). Les fruits (mangue, banane, pomme, ananas, papaye, orange, etc.) sont mélangés avec de la glace pilée, des œufs, du lait et du sucre. Un must, si ce n'était les risques pour la santé !

CUISINE

La cuisine cambodgienne mélange allègrement les influences vietnamienne, thaïlandaise, chinoise et française. Beaucoup de soupes, de riz (aliment de base de la population) et de légumes. De temps en temps de la viande (porc et bœuf, mais ce dernier est souvent dur !), mais surtout du poisson d'eau douce, comme les anguilles (pêchées

RIZ JAUNE

Le riz gluant est un délice, mais il a un léger inconvénient : il colle à l'œsophage et de nombreuses personnes âgées meurent par étouffement. Pas étonnant que la farine de riz gluant fasse une excellente colle en lui rajoutant de l'huile d'amande.

dans le Tonlé Sap ou le Mékong), et du poulet. Également du gibier (chevreuil) dans les zones forestières. Les préparations sont agrémentées de citronnelle, coriandre, gingembre et *prahoc,* une spécialité khmère qui s'apparente au nuoc-mâm, cette sauce à base de poisson fermenté dans une saumure.

Parmi les *plats typiques,* citons le plus populaire : l'*amok,* poisson ou poulet cuisiné au lait de coco avec un savoureux mélange d'épices dans une feuille de bananier. C'est l'équivalent du *hok mok* thaï. Succulent ! Existe au crabe sur la côte. Les autres plats les plus courants sont le poisson grillé *(trey aing)* ou frit *(trey chean),* la soupe de porc *(samla chapek)* ou de poisson *(somla machou banle),* la salade de bœuf *(phlea sach ko)* et les populaires nouilles de riz sauce coco *(khao phoun).* Notons aussi les *volcans,* de la viande de bœuf grillée sur une pierrade, mélangée avec des légumes épicés (une fondue cambodgienne, en somme !) et le *lok lak,* bœuf mariné au citron ou au poivre, servi avec un œuf frit et beaucoup d'oignons. Parfois un peu semelle quand même, le bœuf...

Sinon, les curiosités gastronomiques ne manquent pas : certains Cambodgiens sont friands de criquets et même de nos chères cuisses de grenouilles, grillées, farcies au riz et au gingembre, et épicées à souhait ! Sans parler des mygales, des criquets ou même des blattes.

Les *restaurants français* sont (presque !) aussi nombreux que les expats français eux-mêmes,

UNE ARAIGNÉE À CROQUER

Au Cambodge, la tarentule est un mets de choix, notamment dans la région de Skun. Faire frire dans l'huile et arroser de jus de citron. Ce plat est consommé seulement depuis la période Pol Pot qui affamait la population. Régalez-vous avec ces pattes croustillantes et la tête bizarrement blanche.

surtout à Phnom Penh. Dans la capitale, mais aussi en province, pas mal de *restos asiatiques* servent des spécialités thaïes, chinoises, indiennes ou encore vietnamiennes. Pour l'anecdote, le curry, ici, se mange avec... de la baguette (on parle de pain, bien sûr) !

Côté fruits, on retrouve tous les parfums des tropiques : papayes, mangues, jacquiers, noix de coco, mangoustans (coque brun-violet au fruit blanc laiteux très parfumé), pommes de lait (de la famille des sapotilles, qui sont également très bien représentées), fruit du dragon (peau rose fuchsia avec d'étranges pétales, chair gris clair acidulée, parsemée de minuscules graines noires) au goût peu prononcé, mais très esthétique, et bien sûr les durians (à l'odeur si... particulière).

CURIEUX, NON ?

– À l'est de Phnom Penh, en allant vers le Vietnam, vous aurez peut-être l'occasion de boire de l'alcool allongé de sang frais de cobra. L'animal est saigné devant vous. Le breuvage aurait des vertus médicinales !

– En plus d'être bouddhistes, la plupart des Khmers sont aussi animistes. Ils croient aux génies et aux esprits, bons ou mauvais, assurant l'équilibre et l'harmonie

FAUX AMIS

S'il y a un bien un pays où les élèves sont heureux, c'est au Cambodge : en khmer, il n'existe ni conjugaison, ni genre, ni nombre, ni article ! Pour les francophones, attention aux faux amis. Ne vous méprenez pas sur le sens de « en kouille », par exemple, qui signifie tout simplement « asseyez-vous ».

du cosmos. Cette croyance les aide à s'adapter et à accepter leur situation. Du coup, le comportement rationnel des Occidentaux les déconcerte (et inversement).

– Les Cambodgiens sont très superstitieux : ne prenez pas le risque de passer sous une corde à linge, considérée comme impure et enlevez votre chapeau en entrant dans une pagode, sinon vos cheveux ne se réincarneraient pas et dans la prochaine vie, vous seriez... chauve.

– Pour rouler en ville, mieux vaut connaître les bases de la conduite cambodgienne : on double là où il y a de la place, les motos occupent la partie droite de la chaussée et si une voiture tourne à droite, le feu rouge ne compte pas... entre autres. Bref, c'est pas gagné !

– Les gens gardent leur calme en toutes circonstances. S'énerver ou élever la voix ferait perdre la face à un interlocuteur. On ne contredit pas non plus quelqu'un, s'il se trompe, on ne lui fait pas remarquer. Sinon, il pourrait vous en vouloir.

– Le Tonlé Sap est le plus grand lac d'Asie du Sud-Est. Son système hydrologique y est étonnant. Des millions de personnes vivent autour, mais aussi sur l'eau, dans des villages flottants dont les maisons se déplacent plusieurs fois par an au rythme des crues, décrues et des besoins des habitants.

– Énormes, poilues, cuites ou crues, vous goûterez bien une douzaine de mygales ? Ça tombe bien, on en trouve à Skun, près de Kompong Cham. Si cela vous rebute, rassurez-vous, on trouve aussi criquets et blattes au menu. Ouf !

– Un Blanc doit répondre à l'image que les Khmers ont des Occidentaux vivant dans des pays riches. Un Blanc fauché est un non-sens et un style négligé indigne de respect. On demande de la tenue.

DROITS DE L'HOMME

Aujourd'hui, les ONG ne prennent plus de gants pour évoquer le régime de Hun Sen. De « dérive » à « régime » autoritaire, le qualificatif est désormais celui de « régime autocratique ». Après avoir forcé Sam Rainsy, le principal leader de l'opposition à l'exil et l'avoir poussé à la démission du Parti du sauvetage national du Cambodge (PSNC), le régime a continué de harceler les membres de cette formation, arrêtant son nouveau président Kem Sokha en septembre 2017. Au final, après une décision de la Cour suprême, le PSNC a été contraint à la dissolution, laissant les mains libres au Parti du peuple cambodgien (PPC) au pouvoir pour les législatives de 2018.

Une justice aux ordres, une opposition impuissante, une société civile sous contrôle : le régime de Phnom Penh a, semble-t-il, fermé la porte à toute ouverture démocratique. Les libertés d'association et de rassemblement ont été de plus en plus attaquées par les autorités. Le gouvernement peut désormais ne pas enregistrer les ONG ou les dissoudre, sans passer par une décision judiciaire. Ainsi, lors des élections locales de 2017, un collectif d'associations de surveillance du scrutin a-t-il été dissous. On s'en doute, les élections ont largement été remportées par le PPC.

Parmi les principales victimes de cette répression à l'encontre de la société civile, les militants pour le droit à la terre sont les plus durement touchés. L'une d'entre elles, Tep Vanny, a ainsi vu sa peine de 20 ans de prison ferme confirmée par la Cour suprême en février 2018. Sa faute ? Avoir participé à une manifestation pacifique en 2013.

Trafic de bois précieux, concessions minières, grands projets d'infrastructures : l'accaparement de terres ne cesse pas, et chaque année, des milliers de familles sont expropriées. Des chantiers qui sont également à l'origine de graves dégâts environnementaux. Et là encore, mieux vaut être prudent. En janvier 2018, deux militants écologistes de *Mother Nature* ont été condamnés à un an de prison et une amende. La contestation sociale, particulièrement dans le textile, a certes abouti à une faible augmentation du salaire (lire plus loin la rubrique « Histoire »), mais plusieurs leaders syndicaux ont eu des ennuis judiciaires par la suite.

Selon *Human Rights Watch,* de nombreuses rafles ont en outre eu lieu, surtout à Phnom Penh, visant les « populations indésirables » (toxicomanes supposés, enfants des rues, prostituées, etc.). L'ONG dénonce détentions sans durée déterminée et sans procédure judiciaire.

Procès des chefs khmers rouges

Pour de nombreux observateurs, les derniers responsables du Kampuchéa démocratique, à l'origine de l'extermination de plus de 1,7 million de Cambodgiens entre 1975 et 1979 (voir le chapitre « Histoire »), pourraient bien mourir avant d'être jugés, en raison de la lenteur des procédures. Néanmoins, Nuon Chea et Kieu Samphân, respectivement chef d'État et idéologue du régime khmer rouge, ont tous deux été définitivement condamnés à vie, le verdict ayant été confirmé en appel en novembre 2016. Tout comme Kaing Guek Eav (alias « Duch »), qui a dirigé le sinistre camp S-21, et qui a lui aussi été reconnu coupable de crimes contre l'humanité.

■ *Fédération internationale des Droits de l'homme (FIDH) :* 17, passage de la Main-d'Or, 75011 Paris. ☎ 01-43-55-25-18. ● fidh.org ● Ⓜ Ledru-Rollin.

■ *Amnesty International* (section française) : 76, bd de la Villette, 75940 Paris Cedex 19. ☎ 01-53-38-65-65. ● amnesty.fr ● Ⓜ Belleville ou Colonel-Fabien.

N'oublions pas qu'en France aussi les organisations de défense des Droits de l'homme continuent de se battre contre les discriminations, le racisme et en faveur de l'intégration des plus démunis.

ÉCONOMIE

Saigné par le génocide khmer rouge qui, entre 1975 et 1979, a tué près de 2 millions de Khmers, surtout les élites, le Cambodge, 15,8 millions d'habitants, dont plus de 30 % ont moins de 14 ans, vit sous perfusion.

UNE PROSPÉRITÉ GÂCHÉE PAR LA GUERRE

Pol Pot n'aura eu besoin que de 4 ans pour détruire totalement un pays où l'on avait coutume de dire : « Le Vietnamien plante le riz, le Cambodgien le regarde pousser, le Laotien l'écoute et le Chinois le vend... »

Une situation encourageante mais fragile

Depuis le retour au calme dans les années 1990 (accords de Paris en 1991 et premières élections législatives de 1993), la situation s'est nettement améliorée dans de nombreux domaines (en matière de législation, de réseau routier, de déminage, de relations internationales, etc.). Avec un taux de croissance autour de 7 % et une inflation autour de 3 % en 2017, la Banque mondiale a reclassé le Cambodge parmi les pays « à revenu intermédiaire ». Il demeure toutefois l'un des moins avancés de l'ASEAN, toujours marqué par de fortes inégalités. Un tiers environ des Cambodgiens vit sous le seuil de pauvreté national et doit vivre avec moins de 1 $ par jour. 37 % des enfants de moins de 5 ans souffrent de malnutrition. Le marché du travail n'offre que peu d'emplois aux jeunes et le pays souffre de corruption, à toutes les échelles de l'administration (mais on a quand même vu à Phnom Penh le bâtiment du « ministère anticorruption » !). En 2016, l'ONG *Transparency International* classe le pays au 161e rang mondial sur 180 (● transparency.org ●), le pire résultat de l'ASEAN.

L'aide internationale reste essentielle, puisqu'elle représente encore 10 % du PIB. Parmi les pays les plus généreux, la Chine, le Japon et les États-Unis. Cela dit, cette manne, augmentée du transfert des revenus des travailleurs expatriés, ne fait que compenser le rapatriement des dividendes des sociétés étrangères implantées dans le pays, en particulier dans le domaine du textile.

Par ailleurs, très fortement « dollarisé », le pays bénéficie d'une bonne stabilité monétaire mais, d'un autre côté, le secteur bancaire, où quasi tous les dépôts sont en dollars, reste fortement dépendant du taux de change. Une situation susceptible d'affaiblir ce grand importateur (énergie, denrées alimentaires, etc.).

Les secteurs clés de l'économie

L'économie est peu diversifiée, puisqu'elle repose sur trois secteurs principaux :
– *L'agriculture :* les 2/3 de la population vivent de l'agriculture. Mais le secteur agricole, qui contribue au tiers de la richesse du pays, stagne ces dernières années notamment du fait des aléas climatiques et de la structure même des exploitations, de faible taille. Le potentiel est riche : *fruits* et *légumes* pour remplacer les importations du Vietnam et de la Thaïlande ; *poivre* de la région de Kampot et le long de la N7 dans le Kompong Cham ; *maïs, manioc, canne à sucre, noix de cajou, sésame...* ne sont encore l'affaire que de quelques pionniers ; comme le *palmier à huile* dont les plantations sont visibles le long de la N4 au sud du col de Pich Nil. L'*hévéaculture,* avec les immenses plantations de Chup, de Krek, de Mimot, de Snuol, plantées jadis par les Français, a pris de l'ampleur ces dernières années. Le *tabac* est cultivé sur les berges du Mékong au nord de Kompong Cham. La *pêche,* partout pratiquée et surtout dans le Tonlé Sap, est encore mal organisée, et le *bois* est dramatiquement surexploité. L'*élevage* de bovins a commencé, et le pays exporte déjà.

Par ailleurs, l'agroalimentaire est une longue aventure qui n'en est qu'à ses débuts.
– *L'industrie :* elle repose essentiellement sur le *textile* et la confection de *chaussures.* Le textile emploie à lui seul autour de 700 000 personnes et constitue le principal moteur de la croissance.

Toutefois, les conditions de travail, ainsi que les bas salaires, ont conduit les ouvriers à descendre dans la rue en 2014 et 2015 pour réclamer une amélioration de leur statut. Avant cette mobilisation, une ouvrière du textile, travaillant pour le compte d'une grande marque occidentale, gagnait en moyenne 100 $ par mois pour 10 à 12h de travail par jour. Ce qui était loin de couvrir les besoins élémentaires d'une famille (loyer, eau, électricité, nourriture...) ; ainsi, beaucoup se retrouvaient contraints d'emprunter... Ces mobilisations ont en partie « payé », puisque les ouvriers ont finalement obtenu une première augmentation du salaire minimum à 140 $, tandis que de nouvelles négociations permettaient d'obtenir 170 $ à partir de janvier 2018 (contre 176 $ réclamés par les syndicats) avec la garantie d'une révision annuelle. De leur côté, certaines grandes marques de vêtements, comme *H & M,* commencent à signer des accords avec les syndicats pour garantir des avancées sociales. En effet, les chiffres indiquent que 2 000 ouvrières souffrent chaque année de malaise sur leur lieu de travail (malnutrition, voire décès, lié au faible revenu, heures supplémentaires qui engendrent une grande fatigue, vapeurs toxiques, mauvaise aération...). Sur le plan strictement économique, le secteur du textile est très exposé à la conjoncture internationale, car lié la plupart du temps à des entreprises étrangères (sous-traitance). Il a dû faire face à une baisse significative de la consommation des ménages américains et européens lors de la crise de 2008. Cependant, la reprise aux États-Unis, premier partenaire commercial du pays, et les accords commerciaux préférentiels entre les deux pays, devraient permettre de soutenir à nouveau ce secteur qui représente tout de même 80 % des exportations nationales. Mais l'arrivée de pays voisins, comme la Birmanie et le Vietnam, place le Cambodge sur un marché de plus en plus concurrentiel.

De nouvelles productions pourraient bien se développer de manière significative dans les prochaines années, notamment celle de vélos ou dans le domaine minier (pierres précieuses, bauxite, or et fer). Sans oublier les gisements d'hydrocarbures découverts en mer, qui ouvrent de nouvelles perspectives pour l'économie du pays. Enfin, le gouvernement donne des autorisations à des entreprises chinoises pour édifier des barrages hydroélectriques. Malgré la résistance des habitants et des écologistes, comme dans les Cardamomes, où la forêt risque d'en payer le prix fort, les investissements progressent et de plus en plus de terres sont accaparées.

– *Le tourisme :* l'essor est spectaculaire et devrait se poursuivre. Les Chinois arrivent en deuxième position (après les Vietnamiens), mais ils sont devenus la cible prioritaire du gouvernement. Environ 5,5 millions de touristes se sont rendus au Cambodge en 2017, soit 10 % de plus que l'année précédente. Pour l'instant, ce dynamisme est surtout lié à Angkor. Ce qu'il faut maintenant, c'est que les recettes du tourisme profitent aussi au reste du pays, que les visiteurs découvrent quantité d'autres centres d'intérêt, d'itinéraires qui combleront les amateurs de nature sauvage, de grandes forêts, de tourisme fluvial, les explorateurs, les accros de la moto, comme les partisans du balnéaire ou du farniente (zone côtière, îles)... Ça vient, petit à petit.

ENVIRONNEMENT

Une biodiversité en grand et en petit

Le Cambodge compte encore un certain nombre de **grands mammifères** au rang desquels on peut citer tigres, éléphants, ours, rhinocéros, cervidés (gazelles), singes comme les gibbons... Parmi les bovidés, mention spéciale pour le **koprey.** Cet animal à grandes cornes, pourtant emblème national est aujourd'hui extrêmement rare, voire peut-être disparu. Autre mention : les **dauphins d'eau douce de l'Irrawaddy** visibles dans le Mékong près de Kratie, menacés eux aussi d'extinction sous la pression humaine.

Bien sûr, le pays abrite par centaines des espèces d'**insectes** (plus de 500 espèces de papillons, par exemple, dont beaucoup encore non étudiées), de **poissons** et autres bébêtes rampantes à sang froid (varans, serpents...), sans oublier les **oiseaux** (environ 400 espèces, dont une centaine rien que sur le site d'Angkor comme différentes perruches ou les drongos).

Tout ce petit monde abonde sur la côte *(mangroves),* autour du **Tonlé Sap** (roseaux, forêts inondées, rizières...) et dans les forêts *(bambous, feuillus...).*

Le fléau de la déforestation

Les forêts justement... Plusieurs associations écologiques, comme *Global Witness* (● globalwitness.org ●) ou *Global Forest Watch* (● globalforestwatch.org ●), dénoncent le problème majeur de la **déforestation** au Cambodge. À l'origine, l'attribution de concessions gouvernementales, le besoin de nouvelles terres agricoles, l'augmentation des plantations d'hévéas (l'arbre à caoutchouc), de manioc et de palmiers à huile. Mais aussi les besoins énergétiques (conduisant aussi à d'importantes émissions de gaz à effet de serre et à des problèmes de santé respiratoire) et les réseaux clandestins qui profitent des envies d'une riche clientèle étrangère – principalement chinoise – souhaitant s'offrir du mobilier en bois précieux. Tout cela avec l'implication de l'élite gouvernementale et de l'armée.

Les conséquences sont catastrophiques : l'abattage d'arbres dans la région du Nord-Est entraîne progressivement une **diminution annuelle de près de 2 % de la surface forestière.** C'est même l'un des taux de déforestation les plus élevés au monde ! Triste record. Depuis les années 1980, le Cambodge a perdu un quart de ses forêts. Différents organismes internationaux, dont le PNUD, essaient tant bien que mal de juguler les dégâts engendrés par cette régression des surfaces boisées.

Le Tonlé Sap suffoque

La situation du lac Tonlé Sap inquiète aussi les experts de l'environnement, la jugeant même au bord de la rupture écologique. **Le plus grand lac d'Asie du Sud-Est,** qui multiplie sa superficie par quatre durant la saison des pluies, représente une source d'alimentation majeure pour les habitants de ses rives fertiles. Mais il est surexploité, pollué par les métaux lourds et les déchets en tout genre, et la biodiversité est mise à mal. Plus grave, la construction de barrages hydroélectriques sur le Mékong, surtout celui de Don Sahong, à la frontière du Laos et du Cambodge. Les travaux ont démarré en 2016. Il empêchera les flux migratoires d'une centaine d'espèces de poissons et perturbera le processus de sédimentation. Les derniers **dauphins d'eau douce** *(Irrawaddy)* du Mékong sont, quant à eux, ni plus ni moins voués à disparaître à court terme.

Mais Angkor ?

Il est nécessaire aussi d'évoquer la surexploitation touristique du site d'Angkor qui a entraîné une déforestation importante dès les années 1980 et 1990 et la disparition d'une partie de la faune sauvage. L'ONG *Wildlife Alliance* s'attache, depuis 2013, à réintroduire des singes notamment (gibbons, langurs...). Mais le tourisme de masse induit aussi des problèmes grandissants d'évacuation des eaux usées, qui sont rejetées dans les rizières. Outre le piétinement des sites, le nombre excessif de bus hors d'âge pollue chaque jour le cœur du secteur classé d'Angkor, où sévit un trafic incessant, mêlant aussi *tuk-tuk,* voitures et... cyclistes !

GÉOGRAPHIE

Situé au cœur de la péninsule indochinoise, le Cambodge s'insère entre la Thaïlande (à l'ouest), le Vietnam (à l'est) et le Laos (au nord). Sa superficie n'est que de 181 035 km^2 et des poussières, soit trois fois moins que la France. Le relief est moyen, avec tout de même un sommet à près de 1 800 m d'altitude (au sud-ouest), quelques plateaux au nord (la chaîne des Dangrek, 400 m d'altitude moyenne) et deux chaînes de basses montagnes (les Cardamomes et l'Éléphant) à l'ouest. La côte sud borde le golfe de Siam sur environ 250 km, avec quelques jolies plages vers Sihanoukville et Kep et des mangroves.

La grande particularité du Cambodge réside dans son système hydrographique avec, bien sûr, le Mékong, bras nourricier du pays qu'il traverse sur près de 500 km. Et l'étonnant Tonlé Sap, lac situé entre Angkor et Phnom Penh. Le Tonlé Sap constitue un organe vital du Cambodge : relié au Mékong à la hauteur de Phnom Penh par un canal naturel d'une centaine de kilomètres, ils se vident l'un dans l'autre selon la période l'année. Ainsi le lac voit-il sa superficie quadrupler à la saison des pluies ! Il en résulte une terre hautement fertile pour l'agriculture (rizières notamment) et des eaux douces parmi les plus poissonneuses au monde. Enfin, n'oublions pas les forêts, qui ceinturent le pays du sud-ouest au nord-est, mais qui souffrent toujours plus de la déforestation illégale.

HISTOIRE

Jusqu'au XIXe s, le Cambodge est la proie d'**invasions** menées par ses voisins turbulents et conquérants. Résultat : la région (la Cochinchine) lui glisse progressive-ment entre les doigts. Il faut dire que sous l'angle des tragédies de palais, les **XVIIe et XVIIIe s** cambodgiens sont **riches en trahisons,** coups de poignard, assassinats et autres décapitations. En 1722, pas moins de quatre rois complotent les uns contre les autres. Le Cambodge est alors un beau fromage que le **Siam** et le **Vietnam** se disputent avidement, le pays passant finalement sous contrôle vietnamien. Est-ce la fin du Cambodge ? Pas encore... Car, brusquement, les dynasties changent au Siam et au Vietnam. La « tradition » exige qu'on offre un cadeau aux Siamois pour l'avènement de la nouvelle dynastie. Le Cambodge devient... **protectorat siamois.** Malgré sa frustration, le Vietnam doit attendre 1813 pour pouvoir réagir, durement... Les troupes viets campent à Phnom Penh. En 1841, les Vietnamiens annexent le Cam-bodge. Bien entendu, les Thaïs répliquent. Guerres. Dévastations. Vous parlez d'un destin ! Mais pourquoi se battre quand on peut s'entendre ? Le Cambodge sera sous **condominium siamo-vietnamien,** son roi choisi à la fois par Bangkok et par Hué.

Près d'un siècle de protectorat français

En 1859, les Français viennent de prendre Saigon « pour venger le massacre des missionnaires ordonné par Hué ». En bon voisin, le roi cambodgien Ang Duong fait savoir qu'il serait « très heureux de conclure une alliance avec l'empereur des Français ». Le protectorat est instauré en 1863. Son premier acte est d'écraser le maquis de Poukombo – un montagnard « héroïsé » depuis par la légende anticolo-niale. Les Cambodgiens en veulent à la France, alors maîtresse de la Cochinchine, de ne pas leur avoir rendu les régions annexées jadis par les Vietnamiens, mais les Français obtiennent du Siam qu'il renonce à ses prétentions, ainsi qu'aux pro-vinces conquises de **Battambang** et d'**Angkor.**
Pour la première fois, le souverain cambodgien a les mains libres. Le royaume est réorganisé, mais pas sans couinements... En France, **Jules Ferry** reçoit des plaintes émanant de mandarins. Suspecte-t-il le roi ? Toujours est-il qu'en 1884 débarque l'envoyé du gouvernement français. Envahissant le palais et pointant les baïonnettes sur la gorge du roi, M. Thompson obtient le traité qui lui livre tous les pouvoirs politiques. Cette grossière erreur politique suscite une insurrection qui dure 26 mois. Jules Ferry tombé, le nouveau pouvoir français met de l'eau dans son vin : chaque mesure doit recevoir l'approbation royale. **À la fin du XIXe s,** la France s'offre le luxe d'envoyer une canonnière menacer Bangkok : comme par magie, le Siam rend au Cambodge les provinces de Stung Treng, de Mlou-Prei, de Tonlé-Repou et de Kong... En 1907, un nouveau traité avec les Thaïs apporte la restitution de Battambang, Sisophon, Mongkol-Borei, Siem Reap et Tnot. Pour le Cambodge, **l'heure est revenue de ressembler à un pays...**
À l'appel du **roi Sisovath, l'École française d'Extrême-Orient** vient défricher la forêt d'Angkor, dépouiller les inscriptions, classer les blocs écroulés et conserver la statuaire. En découvrant les ruines relevées, un frisson d'admiration parcourt le monde entier... Parallèlement, **la France colonise.** Routes. Plantations d'hévéas. Hôpitaux. Écoles publiques. L'enseignement bouddhique est maintenu, les vieux textes sacrés traduits... Dans l'entre-deux-guerres, on asphalte 1 160 km de routes. On va en train de Phnom Penh jusqu'au Siam.

La Seconde Guerre mondiale

En 1940 le royaume thaï, profitant de la défaite française et du pétrin britannique, attaque avec succès le Cambodge et le Laos. Elle reprend Battambang et Angkor. Mais les événements se précipitent. En 1941, le Japon occupe l'Indochine, attaque Pearl Harbor... mais attendra le 9 mars 1945 (juste avant la capitulation) pour investir Phnom Penh et jeter tous les Français en prison. Trois jours plus tard, le nouveau roi, **Norodom Sihanouk** (qui est monté sur le trône en 1941, âgé de seulement 19 ans), dénonce le protectorat français et proclame l'indépendance. Méfiant, Tokyo préfère miser sur l'ultranationaliste **Son Ngoc Thanh,** aimé du peuple, qui accède au fauteuil de Premier ministre.

Vient la Libération. La France envoie Leclerc. Les provinces annexées par la Thaïlande sont rétrocédées et Sihanouk obtient une autonomie accrue, dans un cadre de **monarchie constitutionnelle.**

Croisades de Sihanouk pour l'indépendance

Il a fallu une guerre mondiale et ses désordres inévitables pour que le Cambodge retrouve son indépendance. La patience et la ténacité de Norodom Sihanouk y sont aussi pour beaucoup : les Français ne lui rendent sa liberté que par bribes, en prenant tout leur temps... En janvier **1946,** Paris reconnaît « l'autonomie interne » du Cambodge au sein de l'Union française, puis, en novembre **1949,** lui délivre le statut d'État associé, en gardant la main, ce qui n'est pas rien, sur l'armée et la police. Mais, rentré d'un exil forcé, l'insubmersible Son Ngoc Thanh enflamme les foules, et même anime un maquis, ravitaillé par le Viêt-minh. L'ardeur nationaliste est à son comble et il faudra attendre la **croisade royale (non violente) de 1953** pour que Sihanouk obtienne une réelle indépendance nationale. Une campagne politique permet de chasser pacifiquement les militaires et les agitateurs vietnamiens. En **1954,** à la **conférence de Genève** sur l'Indochine, Sihanouk évite la partition du Cambodge en obtenant enfin la reconnaissance officielle de son royaume souverain.

Le Cambodge indépendant

Définitivement débarrassé des ingérences françaises, le Cambodge ne l'est pas pour autant de ses propres démons... Pour mieux riposter aux attaques de ses opposants, Sihanouk a ce geste qui étonne tout le monde : il **abdique en mars 1955** et laisse le trône à son père. Écrasé par sa charge, il a besoin d'une reconnaissance officielle. Un peu comme de Gaulle (qu'il admirait), Sihanouk a toujours demandé des preuves d'amour à son peuple... Le Sangkum, « communauté socialiste populaire » qu'il met sur pied, lui permet de gagner les **élections de septembre 1955** et de se faire nommer Premier ministre. Cinq ans plus tard, à la mort de son père, il ne reprend pas le trône mais accède au **statut de chef de l'État.** Un nouveau référendum national confirme que les Cambodgiens approuvent sa politique de neutralité dans le conflit vietnamien.

Piège américano-vietnamien

Les Américains vont faire payer cher à Sihanouk son non-alignement. La CIA arme le mouvement khmer Serei, qui tente de l'éliminer. Aidée également par la Thaïlande et le Vietnam du Sud (tous deux pro-Américains), la guérilla de droite cambodgienne sape soigneusement, 10 années durant, toutes les tentatives de paix du gouvernement, incitant inévitablement Sihanouk à rechercher l'aide de la Chine et du Vietnam du Nord. **En 1965, la rupture entre Cambodge et États-Unis est totale.**

Suite à la fameuse offensive du Têt au Vietnam, les Américains, désemparés, accentuent la pression sur le Cambodge. Dans l'est du pays, la « **piste Hô Chi Minh** » est l'une de leurs principales préoccupations. Cette route de près de

1 800 km, édifiée dans les années 1950 par le Viêt-minh, permet aux révolutionnaires du Nord d'infiltrer le Sud-Vietnam en y acheminant hommes et armes. Terminus de la piste, la taupinière de Cuchi est une incroyable trouvaille vietnamienne qui permet de prendre les troupes américaines en étau. Militairement, une intervention américaine au Cambodge s'impose, histoire de déloger les maquisards du Viêt-cong. Sihanouk ayant refusé son aide, il devient donc urgent de le remplacer : **le général Lon Nol,** qui a su gagner la confiance de l'armée cambodgienne et de la bourgeoisie de Phnom Penh, toutes deux inquiètes de la montée du péril communiste, devient **Premier ministre** à la suite des élections de 1966.

Aussitôt, **Sihanouk forme un « contre-gouvernement »,** dans lequel on retrouve diverses personnalités de la gauche cambodgienne, dont de futurs Khmers rouges... Pris dans un inextricable engrenage politico-militaire, le Cambodge sombre dans **l'anarchie.** Des émeutes éclatent dans les zones rurales, violemment réprimées par des hommes de Sihanouk. Grave erreur qui lui vaudra la haine des campagnes. Au même moment, les débuts de la Révolution culturelle chinoise enflamment les esprits de la gauche cambodgienne : les Khmers rouges sont nés, ainsi baptisés par Sihanouk en personne. Accusés d'avoir fomenté les émeutes paysannes, ceux-ci gagnent le maquis pour entamer une lutte de guérilla contre le gouvernement. Coup d'éclat (pour ne pas dire coup d'État) : le **18 mars 1970,** le Parlement cambodgien proclame la **destitution de Sihanouk** ! Le prince Sisowath Sirik Matak, responsable de cette trahison, a été encouragé par la CIA... D'ailleurs, Washington reconnaît aussitôt le nouveau gouvernement, composé du **prince Sisowath,** bien sûr, et... du général Lon Nol. Sihanouk, coincé à Pékin, appelle le peuple cambodgien à la résistance. Ceux qui ne sont pas massacrés par les troupes de Lon Nol prennent le maquis pour rejoindre les Khmers rouges.

En avril 1970, Nixon donne son feu vert aux forces américano-sud-vietnamiennes qui pénètrent au Cambodge pour en chasser les révolutionnaires vietnamiens. Les conséquences sont terribles pour la population. Selon un journaliste américain, en l'espace de 14 mois, les B 52 américains vont effectuer plus de 3 600 raids. Terrorisés, les paysans des provinces de l'Est se réfugient à Phnom Penh, dont la population passe de 600 000 à 2 millions d'habitants.

Terreur et corruption : le régime de Lon Nol

À partir de 1970, le Cambodge entre de plain-pied dans **une guerre qui va se prolonger pendant plus de 20 ans.** Malgré tous les efforts de Norodom Sihanouk (qui porte, cependant, une sacrée part de responsabilité), le pays est trop petit pour supporter la pression conjuguée des puissances impérialistes, exportatrices de leurs querelles idéologiques en Asie du Sud-Est. Comment résister aux États-Unis (via la Thaïlande et le Vietnam du Sud), au géant soviétique (qui soutient le Viêt-minh) et à la

ET L'AMÉRIQUE ARMA... LES KHMERS ROUGES

Nixon ne supporta pas que certains soldats nord-vietnamiens se réfugient au Cambodge avec l'assentiment plus ou moins direct du roi Sihanouk. Selon l'Amérique, les Khmers étaient aussi communistes mais... moins dangereux. L'aide américaine permit d'armer Pol Pot et de renverser Sihanouk, en mars 1970. À Washington, personne n'avait lu les terribles écrits de Pol Pot.

pieuvre chinoise (qui arme les Khmers rouges) ? À l'exception du groupe des pays non alignés (Inde, Indonésie, etc.) et, d'une certaine manière, du général de Gaulle, trop peu de voix s'élèvent pour sauver le peuple khmer plongé dans l'enfer de cette **« troisième guerre d'Indochine »,** comme l'appela Jean-Claude Pomonti, du *Monde.*

À peine arrivé au pouvoir, Lon Nol décrète la loi martiale, condamne Sihanouk à mort (par contumace), se fait nommer maréchal, puis président de la République, et s'entoure de militaires archicorrompus. Sous son régime, environ 800 000 personnes sont victimes des divers affrontements au Cambodge : pogroms antivietnamiens, insurrections réprimées dans le sang, bombardements meurtriers des Américains, offensives de la guérilla KR et du Viêt-cong, etc.

Pour s'opposer aux putschistes, Sihanouk crée le **Front uni national du Kampuchéa (FUNK)** et soutenu par Mao, qu'il admire, constitue à Pékin un gouvernement d'Union nationale **(le GRUNC)** en s'alliant aux Khmers rouges. En avril 1973, il retourne en secret dans son pays, pour entreprendre une tournée des zones « libérées » par la guérilla khmère rouge. Deux mois plus tôt, les accords de Paris avaient mis fin (du moins sur le papier) à la guerre du Vietnam. Les Américains n'en continuent pas moins de bombarder pendant plusieurs mois le pays meurtri. Malgré leur aide militaire et pourtant débarrassée des Vietnamiens à la fin de l'année 1974, la république fantoche de Lon Nol, rongée à l'intérieur par la corruption et militairement battue sur tous les fronts par les Khmers rouges (ils détiennent les deux tiers des campagnes), est prête à tomber. Phnom Penh est encerclée.

Les Khmers rouges au pouvoir

Année zéro

Le **17 avril 1975,** les Khmers rouges sont maîtres de la capitale, faute d'opposants. Les responsables gouvernementaux se sont enfuis, aidés par la CIA. Soulagés par la fin des hostilités, les habitants accueillent les « révolutionnaires » dans la liesse.

Un événement à peine imaginable va alors se produire : sous prétexte de bombardements américains imminents, en l'espace de 48h, les « libérateurs » procèdent à **l'évacuation TOTALE de Phnom Penh** ! Habitants et réfugiés, soit environ 2,5 millions de personnes, sont déportés de force vers les campagnes du nord et de l'ouest du pays... Un exode qui coûtera la vie à des dizaines de milliers de personnes (on parle de 400 000 victimes). En quelques jours, cette capitale, considérée comme la plus belle d'Asie du Sud-Est, n'est plus qu'une ville fantôme, livrée aux rats et à une poignée de révolutionnaires qui saccagent tous les symboles de la société bourgeoise et capitaliste. C'est l'« année zéro », aube d'une renaissance totale proclamée par la radio khmère rouge.

Dans la foulée, toutes les villes du Cambodge sont évacuées : on ordonne à la population de gagner les rizières pour se mettre au travail dans le but d'assurer l'autosuffisance alimentaire du « **Kampuchéa démocratique** », selon la nouvelle appellation du pays. Durant sa déportation, la population est soigneusement triée en trois catégories. Les militaires sont conduits à l'écart pour être exécutés. Fonctionnaires et intellectuels (il suffit de porter des lunettes ou de posséder un stylo), considérés comme suspects, sont envoyés dans des « villages spéciaux ». Le reste, classé sous l'appellation de « peuple », est prié de rejoindre son village natal et de se plier aux ordres pour gagner son riz quotidien. Les conditions de travail sont proches de l'esclavagisme : les digues sont élevées à main nue, les charrues sont tirées par des hommes (les bœufs ayant été tués), les horaires sont draconiens (10 à 12h de travail) et les repas limités au strict minimum, voire supprimés au cas où les quotas ne sont pas respectés.

Période « papa-maman »

Progressivement, toute la société cambodgienne est réorganisée sur le modèle d'une armée. **L'Angkar** – organisation suprême des Khmers rouges – régit désormais le pays sans que quiconque en connaisse vraiment les responsables. Tout est remis en question : les gens doivent changer de nom, le salut avec les mains est banni, la lecture est remplacée à l'école par des danses et des chants révolutionnaires... Les enfants appartiennent à l'Angkar. C'est la période « papa-maman », ainsi baptisée par la radio officielle !

Le mariage lui-même n'échappe pas à la révolution : les époux sont choisis au hasard. Plus de 600 personnes pouvaient être unies en une seule fois au cours de cérémonies express ! Ces **mariages forcés** seront considérés comme des crimes en 2009. Comme toute religion réactionnaire est interdite, autant dire que toutes le sont. Les bonzes sont persécutés, les chrétiens sont accusés de travailler pour la CIA

MARIAGES FORCÉS

Voici encore un crime méconnu des Khmers rouges. Entre 1975 et 1979, on maria près de 250 000 Cambodgiens inconnus les uns des autres. Dans leur utopie délirante, les révolutionnaires imaginaient l'avènement d'un homme nouveau tout en souhaitant augmenter la population. Les mariés vivaient ces unions forcées comme des viols.

et la communauté cham (musulmane) est presque entièrement massacrée. Les pagodes deviennent des greniers à riz et les mosquées des porcheries.

Des valeurs du passé khmer, seuls les temples d'Angkor et le roi semblent respectés. Et encore... Les vénérables statues du Bouddha sont décapitées et Sihanouk, rappelé dès 1975 pour participer à la « reconstruction », se retrouve prisonnier pendant 3 ans dans son propre palais. Pour justifier son nom, le Kampuchéa démocratique organise des élections en mars 1976. Un curieux exemple de démocratie : les candidats sont des cadres militaires, et seuls les combattants votent. Le reste du peuple est considéré comme « prisonnier de guerre »...

Le génocide

Cloisonnés dans des campagnes dont ils n'ont pas l'habitude, en proie aux maladies, au soleil, à la faim et aux travaux de force, les citadins sont condamnés à brève échéance. Dans l'urgence d'accomplir leur « programme », les Khmers rouges n'ont prévu aucune intendance. Les hôpitaux des villes sont interdits d'accès, les médicaments réservés aux combattants, les médecins traqués pour cause d'appartenance à la bourgeoisie... D'incessantes exactions sont commises sur la population sous prétexte de non-conformité idéologique : les jeunes aux cheveux longs sont exécutés, de même que toute personne susceptible de connaître une langue étrangère ! Les Khmers rouges haïssent les signes d'intelligence. « **Il vaut mieux tuer un innocent que de garder en vie un ennemi** », disent les bourreaux pour se justifier. Pour économiser les cartouches, on fracasse les têtes des condamnés à coups de pioche.

L'Angkar a tout planifié et attend des combattants que ses ordres soient exécutés avec une rigueur implacable. Critiquer l'Angkar constitue un sacrilège sanctionné par la mort. Les charniers se multiplient aux quatre coins du pays. On estimera à 2 millions le nombre de victimes.

Stalinisme des rizières

Mais qui sont les Khmers rouges ? Et qui se cache derrière cette monstrueuse organisation appelée Angkar ? Les principaux dirigeants sont connus, malgré les pseudonymes que certains ont choisis pour brouiller les pistes : **Khieu Samphân, Ieng Sary, Son Sen** et **Saloth Sâr,** plus connu sous le nom de **Pol Pot** (pour « Politique Potentielle » !). Ces quatre hommes concentrent à eux seuls tout le pouvoir. Ieng Sary, par exemple, a une dizaine de ministères sous son contrôle.

Envoyés **en France dans les années 1950** pour y faire leurs études, ils y entretiennent leur anticolonialisme tout en s'initiant aux rudiments du marxisme dans les milieux étudiants autour de la Sorbonne. Rentrés au pays, ils se lancent dans l'agitation politique, puis, chassés par le roi, se réfugient dans le maquis. Ils constituent leur armée avec des paysans, traditionnellement opposés au pouvoir de Phnom Penh. En privilégiant les adolescents, plus faciles à endoctriner.

La Révolution culturelle de Mao va considérablement influencer l'idéologue Khieu Samphân qui met au point une sorte de **marxisme agraire,** le Cambodge n'ayant pas de prolétaires. Le modèle n'est donc pas soviétique, même si la Tcheka semble avoir inspiré les méthodes de l'Angkar. Intellectuel brillant mais froid et têtu comme du teck, Khieu Samphân accouche de théories utopiques sans se préoccuper de leurs conséquences. Mais c'est le plus « modéré », en tout cas le plus ouvert, des leaders KR. Une fois au pouvoir (il

SIHANOUK ET LES KHMERS ROUGES

Destitué par l'arrivée de Lon Nol, pro-américain, Sihanouk pensait que sa survie politique ne se ferait qu'en soutenant les Khmers rouges. Il devint président du Kampuchéa démocratique en 1975, mais démissionna en 1976. L'ex-roi se retrouva alors enfermé au palais, sans pouvoir. Durant le génocide, il perdit 14 de ses petits-enfants. Il ne garda la vie sauve que grâce à la pression de Mao sur Pol Pot. Selon les Chinois, on ne tue pas un dieu vivant !

est officiellement chef de l'État), il est vite débordé par son compère Saloth Sâr (un nom aux initiales sans équivoque), alias « frère numéro un », alias Pol Pot (il se faisait aussi appeler Tol Sot), chef de l'armée KR, devenu Premier ministre en avril 1976. Admirateur de Marx et de Staline, Pol Pot a un autre modèle : Hitler. Avec des méthodes encore plus barbares (si c'est imaginable...), Pol Pot aura appliqué sur le peuple khmer un génocide proportionnellement plus important que celui des nazis, à la différence qu'on peut parler d'**autogénocide,** puisque c'est son propre peuple qui en a été la victime.

La chute des Khmers rouges

La haine des Khmers rouges pour les Vietnamiens révisionnistes, plus profonde encore que celle du capitalisme, va causer leur perte. Pol Pot et ses hommes rêvent de **reconstituer l'Empire angkorien,** qui s'étendait au temps de sa grandeur sur une partie du Vietnam (et du Siam, mais les KR n'en veulent pas aux Thaïs, qui les ont bien aidés). L'erreur du nouveau gouvernement est de s'en prendre au régime de Hanoi, qui sait pourtant se défendre, comme il l'a prouvé avec les Américains. Soyons réalistes : les Vietnamiens, trop

REGRETS BIEN TARDIFS

Entre 1975 et 1979, certains intellectuels de la France giscardienne soutenaient Pol Pot. La victoire des Khmers rouges symbolisait le succès d'une petite armée contre le rouleau compresseur américain et le régime fantoche de Lon Nol. Mais aucun de ces intellectuels ne s'était intéressé à l'idéologie fanatique de ces cinglés et ne semblait entendre les témoignages des réfugiés. Il aura fallu attendre les années 1980 pour que les avis changent, et encore...

occupés à édifier le socialisme dans leur pays, ne se préoccupent pas vraiment du sort des Cambodgiens (ennemis héréditaires), mais l'**influence de la Chine** (autre ennemi héréditaire) au Cambodge et la menace des Khmers rouges à leur frontière les poussent à réagir.

En **décembre 1978,** l'armée vietnamienne envahit le Cambodge et chasse les Khmers rouges de Phnom Penh.

Occupation vietnamienne, contre-guérilla khmère

Les Vietnamiens ont l'intelligence d'installer des Cambodgiens au pouvoir (dont Hun Sen, un Khmer rouge repenti), pour ne pas provoquer la population. Mais ils ne se débarrassent pas des Khmers rouges, acculés à la frontière thaïlandaise...

Ces derniers, infatigables, reprennent la **guérilla.** Ils vont utiliser un moyen diabolique pour tenter de déstabiliser le nouveau régime : **les mines** ! De fabrication chinoise, les mines antipersonnel sont conçues non pas pour tuer mais pour mutiler. En les plaçant volontairement dans les rizières et les champs, les Khmers rouges savent pertinemment qu'ils empêcheront les paysans de travailler. Et sans récoltes, le régime ne tiendra pas longtemps... Encore un mauvais calcul de la part des dirigeants Khmers rouges : les Vietnamiens ne sont pas au Cambodge pour faire des profits – ils n'ont même pas tenté de coloniser le pays –, et seule la population va souffrir du minage intensif des campagnes... Des **débuts de famine** et un nombre considérable de **mutilés** incitent les organisations caritatives internationales à aider le peuple cambodgien, mais une partie de l'aide (qui passe par la Thaïlande) est détournée par les Khmers rouges. Les hommes de Pol Pot ne sont pas seuls à s'opposer à l'occupant vietnamien : aidé par Pékin, Sihanouk crée une armée royaliste en 1982, et le nationaliste de droite Son Sann, aidé par la Thaïlande (entre autres), forme son propre groupe armé.

Reconstruction

Après 11 ans d'occupation vietnamienne, la conjoncture internationale et l'effondrement du bloc soviétique bouleversent les données politico-militaires. Un accord secret entre le Vietnam et la Chine impose une levée de la mainmise vietnamienne sur le Cambodge et un cessez-le-feu de la part des Khmers rouges. L'armée vietnamienne se retire du Cambodge en 1989. Le **23 octobre 1991,** les **accords de paix** sont enfin signés, à Paris, par les quatre factions cambodgiennes rivales, sous l'égide du Conseil de sécurité de l'ONU.

LA MÉMOIRE SÉLECTIVE DE L'ONU

Le Vietnam envahit le Cambodge en décembre 1978, chassant Pol Pot et ses comparses criminels. Et pourtant, Thiounn Prasith, l'ambassadeur des Khmers rouges, garda son siège à l'ONU encore... 14 ans. En effet, à l'époque, les Vietnamiens étaient les grands ennemis des Américains (donc de l'Occident). Les Khmers rouges étaient considérés comme moins dangereux (pourtant leurs crimes étaient connus !).

La plus importante opération de l'histoire des Nations unies peut commencer... pour un budget estimé à 2 milliards de dollars. L'Autorité provisoire de l'ONU pour le Cambodge (APRONUC, ou UNTAC en anglais) a tout pouvoir pour accomplir la mission définie par les accords de Paris : rétablissement de la paix, retour des réfugiés, mise en place d'un nouveau pouvoir politique, organisation d'élections libres et reconstruction du pays. Accessoirement, les **temples d'Angkor** sont enfin déclarés **Patrimoine mondial de l'humanité** en 1992.

En tout cas, le peuple n'a pas tout pardonné aux Khmers rouges. Lors de son retour à Phnom Penh en novembre 1991 pour participer aux réunions, le responsable khmer rouge Khieu Samphân manque d'être lynché ! Le prince Sihanouk, lui, revient triomphalement au pays en septembre 1991. Début 1992, les « Casques bleus » débarquent, au nombre de 20 000, suivis d'une cohorte d'ONG et d'hommes d'affaires.

Des élections ont lieu en mai 1993, pour élire l'assemblée constituante. Le FUNCINPEC (sihanoukiste) et le PPC (ancien parti proche d'Hanoi) sortent des urnes largement vainqueurs, malgré le boycott des élections par les Khmers rouges.

Le 24 septembre, **Sihanouk** promulgue la Constitution du gouvernement royal du Cambodge et **redevient roi du pays, 38 ans après avoir abdiqué...** ce qui en fait du même coup le plus ancien souverain asiatique. Il désigne le prince Ranariddh (leader du FUNCINPEC et accessoirement son fils) et Hun Sen (ancien Premier ministre), respectivement premier et second Premiers ministres. La mission de l'APRONUC prend fin ce jour-là : la démocratie est revenue, Sihanouk a retrouvé son trône (ce que tout le monde souhaitait), et la reconstruction du pays est bien entamée.

Khmer rose et dérive du pouvoir

Mais **le bilan de l'ONU** paraît **mitigé** : le déploiement des Casques bleus a déversé une manne financière sur le pays (110 millions de dollars rien qu'en argent de poche), dont ont surtout profité les commerçants des grandes villes (la plupart chinois) et les prostituées. Les prix ont flambé, un nombre considérable de Cambodgiens se retrouvent au chômage, les rapatriés s'entassent dans les bidonvilles et les squats, la délinquance s'accroît. Plus grave pour l'avenir : les Khmers rouges ne sont pas encore tous désarmés et le pouvoir leur laisse jouer une partie du jeu politique.

Le **gouvernement de coalition,** avec deux Premiers ministres à sa tête (provietnamien d'une part et libéral d'autre part), ennemis notoires, provoque des situations de guérillas internes alors que chaque parti politique a gardé sa force armée ! Le régime s'éloigne peu à peu de la démocratie prévue par les accords de paix, tandis que la marge de manœuvre de **l'opposition s'amenuise.** La communauté internationale et l'ONU ne semblent pas s'en émouvoir outre mesure.

Le 5 juillet 1997, les forces armées gouvernementales prennent d'assaut le siège du parti de Ranariddh, le Premier ministre. Rapidement, cette guerre civile d'une violence inouïe tourne à l'avantage des soldats de Hun Sen. Les partisans royalistes sont exécutés ou torturés. **Hun Sen** prend les rênes du **pouvoir.** L'homme fait peur, y compris dans son propre entourage. La corruption vérole l'administration et l'armée où quasiment tous les officiers ont acheté leurs galons. Rappelons que 70 % des intellectuels, enseignants et techniciens ont été exécutés sous Pol Pot !

Fin d'un bourreau, arrivée d'un dictateur...

Fin juillet **1997,** la radio khmère rouge annonce un scoop : **Pol Pot** a été **arrêté** et jugé par des anciens partisans. Verdict : la prison à vie. La nouvelle est accueillie avec scepticisme. Les Khmers rouges veulent faire amende honorable en accablant leur ex-chef historique, pour servir leurs futures alliances politiques. Un an plus tard, le prisonnier Pol Pot meurt mystérieusement et son corps est incinéré, ce qui arrange tout le monde.

En 1**998,** après une année 1997 de toutes les tensions, **Hun Sen remporte les élections** « démocratiques » (41 % des votes).

Les Khmers rouges qui se sont ralliés ont obtenu un poste de député (!), ceux qui choisissent d'intégrer l'armée régulière gardent leur grade et leurs avantages (bonjour l'ambiance dans les casernes !). Toute contestation du régime est vite réprimée. Et Sihanouk ne peut rien faire, muselé par son Premier ministre et ennemi Hun Sen.

En 2001, le Conseil constitutionnel du Cambodge donne son accord pour la **création d'un tribunal chargé de juger les Khmers rouges** ayant exercé durant la période du Kampuchéa démocratique, de 1975 à 1979. Mais pas tous. Certains ont obtenu de Hun Sen, lui-même Khmer rouge repenti, une amnistie pure et simple : l'ancien chef de l'État Khieu Samphân, l'ancien ministre des Affaires étrangères Ieng Sary et « l'âme » du régime khmer rouge, Nuon Chea, tous trois retranchés dans leur province de Pailin. Or, l'ONU a clairement fait savoir qu'elle n'accorderait pas de subventions à un gouvernement qui laisse ses inculpés en liberté.

Le temps des révélations et des condamnations est-il venu ?

Nouveau roi et discorde autour d'un temple

Norodom Sihamoni. Tel est le nom du nouveau monarque cambodgien. À la surprise générale, le roi Norodom Sihanouk abdique **en 2004** en faveur de son plus jeune fils, né en 1953. Le roi cinéaste laisse son trône à un fils chorégraphe et danseur, peu féru d'intrigues de palais. Après avoir fait ses études à Prague, il s'est plutôt illustré sur les scènes coréennes et parisiennes. Ces affaires royales ne semblent guère affecter Hun Sen. L'homme fort du pays conforte son pouvoir aux **législatives de 2008** et fête, en janvier 2009, 24 années au poste de Premier ministre. Un record.

Pendant ce temps-là, le 7 juillet 2008, à la frontière thaïlandaise, le **temple Preah Vihear,** classé au Patrimoine mondial de l'Unesco et attribué au Cambodge, ravive les braises du conflit jamais éteint entre les deux voisins.

Après quelques escarmouches, le ministre thaïlandais, qui avait négocié un compromis honorable sous l'égide de l'ONU se voit destituer à son retour à Bangkok ! Début 2011, la gestion de ce petit territoire d'à peine 4,6 km² fait à nouveau l'objet d'une controverse nationaliste. Plus que les ruines, ce sont les **hydrocarbures en sous-sol** qui intéressent les deux pays. À partir du **4 février 2011, les armées s'affrontent** aux abords du temple avec des armes lourdes, faisant des morts et des blessés dans les deux camps, et notamment un touriste, ainsi que des dégâts matériels. Plus de 15 000 civils sont évacués. Le temple n'en sort pas non plus indemne. Le gouvernement du Premier ministre thaïlandais, Abhisit Vejjajiva, est confronté à la pression intense d'un mouvement ultranationaliste, l'Alliance populaire pour la démocratie (ou les « chemises jaunes »).

Le procès des Khmers rouges

Enfin l'ouverture !

Finalement, après 30 ans d'attente et de nombreuses controverses (lenteur du tribunal, son coût, son indépendance politique...), 2 ans et demi après que les magistrats concernés ont prêté serment, le procès des Khmers rouges s'ouvre le **17 février 2009 à Phnom Penh.** Les **cinq inculpés** sont Duch (ancien directeur du centre de torture S-21), Nuon Chea (idéologue du régime et bras droit de Pol Pot), Khieu Samphân (ancien chef d'État du régime), Ieng Sary (ancien ministre des Affaires étrangères, mort en 2013) et sa femme Ieng Thirith (ancienne ministre des Affaires sociales, finalement jugée inapte à un procès pour raisons neurologiques en décembre 2011). Cinq personnes, c'est peu, mais il sera probablement très difficile d'aller plus loin. En effet, l'opposition du gouvernement cambodgien brandit habilement le spectre d'une blessure nationale qui pourrait entraîner le retour de l'instabilité. Rappelons que, quitte à élargir, on pourrait également mettre en cause la communauté internationale qui, après 1979, préféra supporter et reconnaître les Khmers rouges, pendant de nombreuses années, plutôt que le gouvernement pro-vietnamien... Un procès, en outre, particulièrement marqué par des tensions liées à la traduction !

Les condamnations

Le « frère » **Duch,** de son vrai nom Kaing Guek Eavun, ex-professeur de mathématiques, est le premier jugé par les « chambres extraordinaires » (le nom officiel du tribunal). À partir de 1975, il a été le directeur du centre de torture S-21, installé dans l'ancien lycée Tuol Sleng (se reporter à la rubrique « À voir. À faire » à Phnom Penh). Environ 20 000 personnes y seront emprisonnées, souvent en famille, torturées et tuées ou achevées à Choeung Ek.

Duch est décrit comme un homme méthodique, méticuleux et perfectionniste, avec une obsession maniaque des archives. Sur une liste de 17 noms d'enfants, il a annoté : « Tuez-les tous. » Avant son arrestation fortuite en 1999, il s'était converti au christianisme. Il plaide coupable et présente ses excuses aux victimes. Le 26 juillet 2010, reconnu coupable de crimes de guerre et crimes contre l'humanité, Duch est condamné à 35 ans de prison, peine commuée en appel à la perpétuité, en février 2012.

Après lui, les procès des deux plus hauts dirigeants khmers rouges encore vivants, **Nuon Chea,** l'idéologue du régime, et **Khieu Samphân,** le chef de l'État du « Kampuchéa démocratique », sont divisés en segments distincts afin qu'un premier verdict puisse être rendu avant la mort des accusés, tous octogénaires.

Les deux hommes nient toute responsabilité dans le génocide et sont condamnés à perpétuité en 2014, puis en, pour crimes contre l'Humanité et pour avoir ordonné les plus grandes migrations forcées de l'Histoire moderne. Des procès suivis par 4 000 parties civiles. Reconnus « indigents », ils n'auront pas à dédommager leurs victimes mais une dizaine de projets de financement externe ont été retenus. La procédure devrait courir jusqu'en 2019.

Le cas Vergès

C'est dans ce cadre que Jacques Vergès (né au Laos en 1924 et mort en 2013), l'un des deux avocats de Khieu Samphân (80 ans), utilisa sa tactique préférée de « défense de rupture », une forme de mise en accusation médiatique des accusateurs. Il est vrai que les deux hommes se sont connus dans les années 1950 à Paris, fréquentant les mêmes cercles marxistes du mouvement anticolonialiste. Cette amitié de pseudo-intellos n'expliquera certainement pas le mystère entourant l'avocat et les huit années (de 1970 à 1978) pendant lesquelles il s'est volatilisé. Une des hypothèses suggère qu'il faisait le coup de feu aux côtés des Khmers rouges. Dans une interview au magazine *Der Spiegel,* il avait même affirmé qu'« il n'y a[vait] jamais eu de génocide au Cambodge »... Ah bon ?

Législatives de 2013 et contestations sociales

À l'issue des **élections législatives de 2013, Hun Sen** (au pouvoir depuis 28 ans !) **se déclare vainqueur** : 68 sièges contre 55 pour ses adversaires. Il enregistre son plus mauvais score depuis 1998. Un tournant ? En tout cas un résultat contesté par l'opposition, le Parti du sauvetage national du Cambodge (CNPR) et son chef de file Sam Rainsy. Un accord sur la réforme de la commission électorale nationale est tout de même négocié, dont l'indépendance sera inscrite dans la Constitution, mais en vain...

Les résultats « mitigés » d'Hun Sen s'expliquent par le ras-le-bol d'une population qui subit un **système basé sur le népotisme et l'injustice** (comme les terres expropriées aux paysans au profit de firmes internationales), creusant chaque jour un peu plus les inégalités entre une classe dirigeante richissime et une population exsangue. Au premier rang des heureux gagnants, la famille Hun Sen qui s'est plus qu'enrichie depuis le début de son règne !

Les **manifestations** s'enchaînent (ouvriers du textile, jeunes, religieux, opposants...), **réprimées dans la violence.** Malgré certaines avancées sociales obtenues par les ouvriers (en terme salarial notamment), une loi adoptée début 2016 remet en cause le droit de grève et permet aux employeurs de dissoudre une organisation syndicale. Le Premier ministre finit par interdire la liberté de rassemblement et de manifestation.

C'est dans ce contexte qu'intervient, en juillet 2016, **l'assassinat de Kem Ley,** politologue très critique à l'égard d'un pouvoir considérablement durci, népotique et corrompu. Son cortège funéraire mobilise plusieurs dizaines de milliers de personnes, malgré les entraves des autorités.

Depuis 2016 : la crise politique s'accentue

Sam Rainsy s'appuie sur le mécontentement social pour fédérer et renforcer l'opposition. Une initiative qui passe mal évidemment. À partir de 2015, le pouvoir exerce de nouvelles pressions sur les opposants et **contraint Sam Rainsy à l'exil en France.** Il écope de 5 ans de prison par contumace fin 2016 pour un post Facebook. Autant dire que le climat politique est plus tendu que jamais. Hun

Sen – qui a demandé par l'intermédiaire de son ministère de l'Information que la mention « glorieux suprême et puissant » soit accolée à son nom dans la presse – musèle tout ce qui ressemble à un élan d'opposition.

Après une percée électorale du CNRP lors des **municipales de juin 2017** (confirmant celle des législatives de 2013), son nouveau chef, **Kem Sokha**, est emprisonné en septembre sous prétexte de « trahison et espionnage » en faveur de Washington. La voie est libre pour **dissoudre en novembre 2017 le seul parti d'opposition.** Les États-Unis et l'Union européenne ne tardent pas à suspendre leur aide au **processus électoral législatif de juillet 2018** qui s'annonce tout sauf légitime dans un pays désormais dirigé par un parti unique. Hun Sen – qui fête ses 33 ans de pouvoir en janvier 2018 – et la Commission électorale s'en émeuvent peu : ils confirment que le pays pourra se passer des observateurs internationaux. Le tournant tant attendu semble bien mal enclenché...

MÉDIAS

Malgré la démocratie retrouvée au début des années 1990, les médias cambodgiens sont bâillonnés par la loi sur la presse de 1995, qui interdit toute publication susceptible de porter atteinte à la stabilité politique. Après une percée de l'opposition aux élections communales de juin 2017, et à l'approche des élections générales de juillet 2018, le gouvernement a mis au point un plan de guerre impitoyable contre les médias indépendants. Radios et journaux fermés, journalistes intimidés ou jetés en prison, la presse libre doit désormais se battre pour exister.

Votre TV en français : TV5MONDE, la première chaîne culturelle francophone mondiale

Avec ses 11 chaînes et ses 14 langues de sous-titrage TV5MONDE s'adresse à 360 millions de foyers dans plus de 190 pays du monde par câble, satellite et sur IPTV. Vous y retrouverez de l'information, du cinéma, du divertissement, du sport, des documentaires...

Grâce aux services pratiques de son site voyage ● *voyage.tv5monde.com* ●, vous pouvez préparer votre séjour et une fois sur place, rester connecté avec les applications et le site ● *tv5monde.com* ● Demandez à votre hôtel le canal de diffusion de TV5MONDE et contactez ● *tv5monde.com/contact* ● pour toutes remarques.

Presse

Le *Phnom Penh Post* (● *phnompenhpost.com* ●) est le dernier quotidien indépendant du pays. Presque entièrement consacré à l'actualité cambodgienne, il se décline en trois éditions : *Post English, Post Khmer* et *Post Weekend.* À l'intérieur, un plan actualisé de Phnom Penh. Le *Cambodia Daily,* journal historique de la démocratie cambodgienne, dont le slogan est « All the News without fear or favor », a dû publier son dernier numéro en septembre 2017, après près d'un quart de siècle d'existence. Les pressions du gouvernement ont eu raison de ce quotidien, qui propose désormais une sélection d'articles sur son site internet (● *cambodiadaily.com* ●). De son côté, le *Khmer Times,* un journal récent consensuel à l'égard du pouvoir, comporte, dans son édition du vendredi, quatre pages en français.

Le plus sérieux des quotidiens en khmer, *Rasmei Kampuchea*, est lui aussi proche du parti du Premier ministre Hun Sen. Des quotidiens plus récents, tels que *Nokor Wat News Daily* ou *Nokor Thom Daily,* tentent de se faire une place dans ce marché de la presse de plus en plus compétitif.

Radio

Dans la majeure partie du pays, on peut capter RFI 24h/24 (sur 88.5 FM à Phnom Penh, 92 FM à Siem Reap et sur 94.5 FM à Sihanoukville et Battambang). Si le gouvernement ne détient officiellement qu'une seule station, la *National Radio of Cambodia* (NRC), la plupart des stations privées du pays, une quarantaine, sont largement contrôlées par des proches du parti au pouvoir.

La plupart des radios qui portaient une voix indépendante ont, elles aussi, fermé en 2017 en raison des pressions du gouvernement. Au total, 32 radios ont interrompu leurs programmes khmers en août et septembre 2017. C'est le cas de la station états-unienne *Radio Free Asia,* qui a dû fermer son bureau de Phnom Penh, ou encore de *Voice of Democracy,* dont la retransmission des programmes sur les stations locales jouait un rôle fondamental dans la diffusion d'une information indépendante, notamment dans les campagnes. La station diffuse désormais des programmes sur son site et sa chaîne de vidéos en ligne (● *vodhotnews.com* ●).

Télévision

CTN (chaîne privée, consensuelle à l'égard du pouvoir) a la plus grande audience. Les chaînes *MyTV* et *Bayon TV* sont également très populaires, en particulier auprès des jeunes téléspectateurs. Elles diffusent notamment des versions cambodgiennes de formats d'émissions mondialisés (*The Voice, Cambodia's got talent,* etc.). On capte de nombreuses télévisions par satellite, notamment *Star TV* (Hong Kong), *MTV, CNN, BBC, Fox* et *HBO*. On reçoit aussi Canal France International (films et documentaires) dans certains hôtels, et TV5MONDE (lire plus haut).

Médias en ligne

La consultation des médias en ligne est en constante augmentation au sein d'une population majoritairement jeune et désormais très connectée, suite au récent boom de la téléphonie mobile. En 2016, les réseaux sociaux – essentiellement Facebook – ont dépassé la télévision comme principale source d'information. Problème : en octobre 2017, la plate-forme californienne a lancé dans 6 pays, dont le Cambodge, une fonctionnalité intitulée « Explore », qui relègue les publications des médias indépendants dans un espace secondaire et peu accessible. En quelques jours, la page *Facebook* en khmer du *Phnom Penh Post* a perdu 45 % de ses lecteurs.

Les francophones peuvent consulter en ligne : (● *lepetitjournal.com/cambodge* ●).

Liberté des médias

La presse est surveillée de très près dans ce pays où le régime du Premier ministre Hun Sen, au pouvoir depuis plus de 30 ans, entretient de très bonnes relations avec les principaux propriétaires de médias. Sa propre fille, Hun Mana, est à la tête d'un énorme groupe médiatique qui se décline en journaux, magazines, radios, chaînes de télévision et sites internet – tous très prompts à vanter les mérites de « papa ». Échaudés par la vague de répression sans précédent qui a touché la presse libre en 2017, les quelques rares médias non affiliés au pouvoir qui ont survécu, comme RFI, sont contraints d'être très prudents dans le traitement des informations qu'ils diffusent.

Les journalistes d'investigation spécialisés dans l'environnement doivent redoubler de vigilance. En octobre 2014, le journaliste **Taing Try,** qui enquêtait sur un trafic de bois dans la province de Kratie (sud du pays), a été abattu d'une balle alors qu'il se trouvait dans sa voiture. Quelques mois plus tôt, **Suon Chan,** journaliste local de 44 ans, a été battu à mort par un groupe de pêcheurs à la sortie de son domicile, en représailles à ses articles sur la pêche illégale. Depuis 2016, le clan Hun Sen manifeste une hostilité ouverte contre la presse indépendante, qu'il accuse de participer à une conspiration internationale qui viserait à renverser le

Premier ministre. Peu après le meurtre de Kem Ley, un commentateur politique de renom, des médias comme le *Phnom Penh Post*, le *Cambodia Daily* ou *Radio Free Asia* ont été violemment pris à partie par la famille du Premier ministre et ont fait l'objet de menaces anonymes. Trois journalistes ont été jetés en prison en 2017 sous le prétexte fallacieux d'« espionnage ».

Le Cambodge occupe le 132e rang sur 180 pays dans le classement mondial de la liberté de la presse, établi en 2017 par *Reporters sans frontières*.

■ *Reporters sans frontières :* CS 90247, 75083 Paris Cedex 02. ☎ 01-44-83-84-84. ● *rsf.org* ●

MINES

Les mines antipersonnel ont été posées pendant deux décennies, essentiellement dans le nord-ouest du pays, entre 1978 et 1998, pendant une guérilla qui a débuté avec l'occupation vietnamienne (à partir de 1978). Des millions de mines ont été posées aussi bien par les Khmers rouges que par l'armée, cambodgienne ou vietnamienne. Même après le départ de cette dernière, en 1989, la guérilla a continué – bien que moins intensément – jusqu'à la mort de Pol Pot et la fin des combats en 1998, affectant considérablement le pays. Autre fléau, les 2,7 t de bombes lâchées par les États-Unis sur le territoire entre 1965 et 1973. On estime que 20 % des engins n'ont pas explosé. En tout, ce sont encore des millions de munitions qui sommeillent toujours sur le sol cambodgien...

Le travail de déminage a commencé en 1990, avec l'aide des ONG qui avaient pris le relais des Casques bleus. En 2014, sept associations travaillaient au déminage du pays : *Cambodian Mine Action Center* (ONG du gouvernement), *Cambodian Armed Forces, HALO Trust, Mines Advisory Group* (ONG britanniques), *Cambodian Self Help Demining* (ONG créée par le fondateur du musée de la Mine à Siem Reap), *APOPO* (ONG belge) et *Golden West* (ONG américaine) : soit 4 000 personnes qui ont déminé 45 km^2.

Mais des milliers d'engins explosifs seraient encore enfouis dans le sol cambodgien.

Le bilan des dégâts est lourd. Il faut seulement une poussée de 5 kg pour provoquer l'explosion de certaines mines. Depuis 1979, près de 65 000 victimes ont été recensées. On en croise partout dans les rues, amputées d'une jambe, voire des deux, parfois aveugles. Leur seule chance de réinsertion : se procurer une jambe artificielle. Spécialisée dans l'appareillage des personnes amputées, l'association *Handicap International* intervient également auprès des victimes de mines (voir plus haut la rubrique « Aide humanitaire »). Phnom Penh n'est pas minée, et Angkor a été nettoyé entre 1990 et 2000. Si quelques endroits isolés à la frontière thaïlandaise peuvent encore comporter un risque, il n'y a aucune raison de s'y aventurer seul. À ce jour, aucun touriste n'a été blessé par les mines.

OFFRANDES ET DONS

Il est d'usage de laisser une offrande aux moines des pagodes, ainsi qu'aux mendiants. Prévoir des riels en petites coupures (100 ou 500) pour les nombreux mutilés de guerre (généralement victimes des mines), mais essayez de donner discrètement, sinon tous les estropiés du quartier vous tomberont dessus ! Opportunément, devant certains centres de pèlerinage bouddhistes, des changeurs sont spécialisés dans le change des gros billets en petites coupures. Si vous croisez une personne âgée en train de mendier, vous pouvez être sûr qu'elle est seule et réellement dans le besoin. Car au Cambodge, traditionnellement, les personnes âgées sont toujours prises en charge par leur famille.

En revanche, mieux vaut ne jamais distribuer d'argent aux enfants, ni même leur acheter les produits qu'ils proposent (boissons, souvenirs....). Cet acte les enferme dans le cercle vicieux de la pauvreté et les garde éloignés de l'école. Si vous voulez les aider, consommez auprès des entreprises sociales (hôtels, restaurants...) qui emploient adultes et étudiants, ou apportez du matériel scolaire directement dans les écoles ou auprès des associations ou des chefs de village.

PATRIMOINE CULTUREL

L'art khmer

La **sculpture** et la **danse** ont toujours constitué les expressions artistiques privilégiées par le peuple khmer. La communion parfaite de ces deux arts est incarnée par les célèbres apsaras (danseuses célestes) omniprésentes sur les murs des temples angkoriens. Les sculptures de ces corps gracieux et de ces visages angéliques avaient notamment fasciné Rodin (mais aussi Malraux et bien d'autres). Après la chute de l'Empire khmer, les pratiques artistiques cambodgiennes ne se sont pas éteintes mais elles sont devenues plus discrètes. Le régime khmer rouge leur a été fatal : assimilés à la culture bourgeoise et à la religion, chanteurs, sculpteurs, musiciens des temples et architectes ont disparu à 90 % dans les camps de travail. Les plus chanceux ont choisi l'exil. Aujourd'hui, la plupart des danseuses sont de jeunes pensionnaires des orphelinats.

La **musique,** pour sa part, joue un rôle très important pour les Khmers et rythme chacune de leurs fêtes et cérémonies. Les musiciens jouent sur de très beaux instruments traditionnels : de grands xylophones *(roneat)* en bois et lamelles de bambou, des hautbois stridents *(sralai),* de grandes guitares courbes et les fameux *chapeis* (la guitare khmère), sans oublier les percussions *(skor areak).*

À noter que l'**art du cirque,** tout autant ancestral que la danse, a subi le même sort sous les Khmers rouges. Le travail de l'association *Phare Ponleu Selpak* de Battambang dans ce domaine est en tout point remarquable. Au-delà de l'action sociale menée auprès des jeunes défavorisés (1 200 scolarisés autour des métiers de la scène), c'est une véritable tradition presque perdue qui renaît grâce à eux. On doit cette initiative à l'origine à 9 jeunes Cambodgiens passés par les camps de réfugiés et revenus au pays. L'association possède maintenant sa troupe professionnelle à Siem Reap. Du grand art, à ne pas manquer !

Le Sbek Thom a également refait surface après 1991 : il s'agit du **théâtre d'ombres khmer.** Comme en Indonésie, les marionnettes sont en cuir. Il existe d'autres formes de théâtre comme le *Lakhon Bassac,* le *Lakhon Khaul* et le *Yiké.*

Danse

Après 25 ans de silence, le *Ballet royal du Cambodge* a ressuscité, grâce à Bopha Devi, fille aînée de Sihanouk et danseuse étoile renommée (et à une aide de la France). Son frère, l'actuel roi Sihamoni, fut lui-même danseur. Le Ballet royal se produit surtout à l'étranger et dans le palais de Phnom Penh.

L'art du ballet reste incontestablement la tradition artistique la plus authentique. Depuis 2008, il est même inscrit sur la liste du Patrimoine culturel immatériel de l'humanité de l'Unesco. Le déroulement du répertoire du ballet (danse de la princesse et de la fleur, danse de la femme et du géant, extraits du *Râmâyana,* etc.) est conforme à celui hérité des anciennes cours royales. Le corps reste vertical, le visage impassible (impassibilité qui fait office de masque naturel), et seuls pieds et mains se meuvent. Ces danses sont considérées comme un rite sacré affirmant le pouvoir du roi plus que comme un simple spectacle. D'ailleurs, jusqu'à l'indépendance du pays, les danses se déroulaient uniquement dans l'enceinte du palais, accompagnées par un chœur de femmes. Les mouvements des danseuses reproduisent ceux du Grand Naga, serpent créateur du Cambodge. Autre coutume respectée par le Ballet : les costumes dorés des danseuses sont directement cousus sur elles pendant des heures, avant chaque représentation, pour qu'elles se glissent complètement dans la peau de leur personnage.

Cinéma

En 2011 ouvrait à Phnom Penh le premier multiplexe autorisé à diffuser des productions étrangères. Pourtant, au cinéma, le Cambodge s'était signalé à plusieurs reprises bien avant. Passons sur la carrière au grand écran de **Norodom Sihanouk** lui-même ; les années 1960 et 1970 virent une prolifération de films cambodgiens, mais la plupart (plus de 400) disparurent sous les Khmers rouges.

Bien avant que les temples d'Angkor ne connaissent leur actuel succès, **L'Oiseau de Paradis**, réalisé en 1962 par Marcel Camus, narrait l'histoire d'un coup de foudre entre un jeune bouddhiste et une danseuse sacrée...

SIHANOUK SE FAIT DES FILMS

Le roi Sihanouk adorait se produire en public pour chanter dans la catégorie crooner. Il réalisait également des films à l'eau de rose, dans lesquels il jouait le rôle du héros. Il imposait à ses ministres les moins en vue d'endosser les personnages de voyous ou de bandits. À la fin des années 1960, il créa son propre festival de Cannes pour que ses films raflent les meilleurs prix. Pendant ce temps, les Khmers rouges endoctrinaient les campagnes...

Le docteur Haing Ngor, exilé aux États-Unis après avoir connu le régime de Pol Pot, obtenait un oscar à Hollywood en 1984, pour son rôle dans **La Déchirure** *(Killing Fields)*. Dix ans plus tard, le jeune réalisateur Rithy Panh tournait **Les Gens de la rizière** *(1994)*, premier film cambodgien présenté à Cannes, et, en 1997, le très réussi **Un soir après la guerre**. En 2002, nouveau coup de maître avec le poignant **S-21, la machine de mort khmère rouge,** où bourreaux et survivants sont confrontés.

En 2004, deux films français sont sortis : **Holy Lola,** de Bertrand Tavernier, monté autour du thème de l'adoption, et **Dogora. Ouvrons les yeux,** de Patrice Leconte, un film musical sans acteurs ni dialogues. En 2009 sort l'adaptation du roman de Marguerite Duras, **Un barrage contre le Pacifique,** tournée par Rithy Panh dans la province de Kompong Son. Parmi les derniers films de ce réalisateur prolifique, **Duch, le maître des forges de l'enfer** (2011), un entretien bouleversant de l'ex-directeur du camp S-21, seul face à la caméra et **L'Image manquante** (2013), un film utilisant des figurines d'argile et des images d'archives, primé à Cannes et nommé aux oscars. Depuis, le réalisateur poursuit son œuvre sur l'indicible.

Régis Wargnier porte à l'écran le livre autobiographique de François Bizot, *Le Portail* (voir plus haut « Livres de route » dans « Cambodge utile »), dans **Le Temps des aveux,** en 2014. En convainquant Duch de son innocence, le prisonnier français va créer des liens amicaux avec son geôlier, qui mèneront à sa libération après 3 mois de détention. En 2016, le cinéaste franco-vietnamien David Chou tourne **Diamond Island,** tandis que Xavier de Lauzanne rend un hommage digne et sensible des 20 années de parcours de Christian – mort

SILENCE ON TOURNE !

Si les tours d'Angkor Wat sont célèbres dans le monde entier, c'est certainement en partie grâce au cinéma. Citons entre autres Les mystères d'Angkor, un film de science-fiction de 1960 avec Lino Ventura. Elles servirent aussi de décor à Lord Jim (1965) avec Peter O'Toole, à Apocalypse Now (1979) – même si Coppola dut faire construire une réplique en carton-pâte –, mais aussi à Tomb Raider (2001) avec Angelina Jolie, ou encore Deux frères (2004) de Jean-Jacques Annaud.

quelques jours avant la sortie du film – et Marie-France des Pallières, fondateurs de l'association **Pour un sourire d'enfant** (lire « Aide humanitaire »).

En 2017, Angelina Jolie passe derrière la caméra avec **D'abord ils ont tué mon père,** où les atrocités des Khmers rouges sont observées du point de vue d'une petite fille ; une histoire vraie choisie par le Cambodge pour le représenter aux Oscars. Mentionnons également le film d'action **Jailbreak** (Jimmy Henderson), sorti en 2017 et totalement *made in Cambodia*.

PERSONNAGES

– **Davy Chou** *(né en 1983) :* cinéaste franco-cambodgien né en France ; il incarne la nouvelle génération avec son documentaire *Le Sommeil d'or (2012)* sur l'âge d'or du cinéma cambodgien (années 1960-1975). Son premier long-métrage, *Diamond Island* est sorti en 2016.

– **Norodom Sihanouk** *(1922-2012) :* ancien roi, personnage aimé et apprécié de son peuple. Ancienne star de cinéma, maoïste, il a donné l'indépendance à son pays, mais est resté impuissant face à la montée des Khmers rouges. Bouddhiste, considérant que « monogamie égale monotonie », il a abdiqué en faveur de son fils Norodom Sihamoni en 2004. En 2012, il décède à Pékin. Le dieu vivant est mort.

– **Sam Rainsy** *(né en 1949) :* ancien ministre des Finances et opposant au régime du Premier ministre Hun Sen. Régulièrement écarté du pouvoir et fait prisonnier, il a vécu en exil avant de retourner au Cambodge en 2013 pour participer aux élections législatives, dont il conteste les résultats. 2 ans plus tard, il repart en exil en France pour la 4e fois en 20 ans suite aux pressions du pouvoir. Plusieurs condamnations pour diffamation le conduisent à quitter, en 2017, la tête du seul parti d'opposition, le CNRP, au profit de Kem Sokha.

– **Norodom Sihamoni** *(né en 1953) :* l'actuel roi du Cambodge depuis 2004. Ancien danseur et directeur de ballet, il a étudié à Pyongyang (Corée) et à Prague (République tchèque) après avoir passé sa jeunesse en France et avoir représenté le Cambodge auprès de l'Unesco.

– **Rithy Panh** *(né en 1964) :* cinéaste cambodgien, reconnu sur la scène internationale, il a donné la parole tant aux bourreaux qu'aux victimes dans ses films, comme un devoir de mémoire (voir « Patrimoine culturel. Cinéma »).

– **Somaly Mam** *(née en 1970) :* présidente d'*Agir pour les femmes en situation précaire.* Victime du trafic sexuel dans sa jeunesse, elle a libéré plus de 3 000 petites filles des maisons closes au Cambodge, mais aussi au Vietnam, au Laos et en Thaïlande. Elle dut démissionner de sa Fondation en 2014 suite à des enquêtes mettant en doute la véracité de ses récits.

– **Vann Molyvann** *(1926-2017) :* le père de la « nouvelle architecture khmère » étudie à l'École nationale supérieure des beaux-arts, à Paris, et devient l'architecte officiel du roi Sihanouk. Il bâtit Sihanoukville et, à Phnom Penh, le stade olympique et le monument de l'Indépendance. Revenu en 1991, après un exil suisse sous les Khmers rouges, il entre au gouvernement.

– **Khoun Sethisak** *(né en 1970) :* le Pavarotti cambodgien. Ce ténor de talent a étudié 8 ans à Moscou avant de revenir au pays en 1996 et se produire sur les scènes nationales.

POPULATION

Actuellement, le nombre d'habitants au Cambodge est estimé à 15,8 millions, soit pratiquement 7 millions de plus qu'avant le génocide perpétré par les Khmers rouges à partir de 1975 (1,5 à 3 millions de victimes, selon les sources). En revanche, Phnom Penh comptait 2 millions d'habitants au début des années 1970, mais atteignait péniblement le million à la fin des années 1980 ; elle le dépasse allègrement aujourd'hui avec le rapatriement des Cambodgiens des camps de Thaïlande, revenus au pays après les accords de paix. Une grande partie des citadins n'a pas survécu au régime radical imposé par les révolutionnaires. Le problème des exilés complique les statistiques : on sait qu'environ 350 000 personnes ont réussi à quitter le Cambodge dès l'arrivée de Pol Pot au pouvoir, mais combien sont parvenues à s'enfuir dans les mois et les années qui ont suivi ? Des centaines d'exilés, longtemps restés en France, en Amérique, au Canada, en Australie ou ailleurs, reviennent chaque année depuis 1991. Ces Khmers rapatriés sont souvent surnommés « les rapat' » par les Français d'origine cambodgienne.

La composition de la population cambodgienne est étonnamment homogène, avec 90 % de **Khmers.** Ils occupent le pays depuis le début de notre ère. Le Khmer est attaché à sa terre, ce qui explique son patriotisme farouche. Plein de douceur, il sait pourtant se montrer un guerrier redoutable. Timide, il n'en est pas moins courageux, et du courage, il lui en a fallu pour vivre les horreurs de près de 30 ans de guerre, de dictature et d'instabilité politique... Selon l'écrivain François Ponchaud, qui a vécu une décennie auprès des Khmers, la violence et la cruauté de ce peuple, pourtant si paisible, peuvent s'expliquer par sa susceptibilité, son individualisme et son esprit de vengeance. Exacerbées par une idéologie ultra-radicale comme celle des Khmers rouges, ces tendances sont sans doute à l'origine de la folie suicidaire qui s'empara du Cambodge dans les années 1970. Un effrayant paradoxe chez un peuple autant attaché aux valeurs du bouddhisme, à l'esprit de famille et à l'hospitalité ! Mais que ses penchants néfastes ne vous empêchent surtout pas d'apprécier le peuple khmer à sa juste valeur : la population aspire désormais et plus que jamais à la paix.

Le reste de la population cambodgienne est composé principalement d'Annamites (ethnie vietnamienne), de Chinois et de Chams.

Ennemis héréditaires des Khmers, qui les appellent les « youns » (terme méprisant qui signifie « barbares »), les **Vietnamiens** sont environ 100 000 au Cambodge, soit deux à trois fois moins qu'avant 1970. Une bonne raison à cela : chassés par le gouvernement de Lon Nol, ils ont été ensuite soigneusement traqués et décimés par les Khmers rouges. Ceux qui sont revenus au Cambodge (parce qu'ils y étaient nés) sont surtout pêcheurs, voire ouvriers ou petits commerçants. Ils vivent la plupart du temps en communautés, séparés des Khmers. Tradition asiatique oblige, la peau claire des filles vietnamiennes fait qu'elles sont appréciées des Cambodgiens alors que les mariages mixtes sont souvent mal perçus par la famille ! Sok Kong, le *tycoon* qui règne sur les stations-service *Sokimex* et sur l'exploitation touristique d'Angkor, est d'origine vietnamienne.

Autre minorité importante, les **Chinois,** qui tiennent les rênes économiques du pays. Outre les descendants des différentes ethnies venues de toute la Chine, la communauté chinoise comprend de plus en plus d'hommes d'affaires en provenance de Hong Kong, Singapour et Bangkok. Enviés et courtisés par les Khmers, ce sont eux qui contrôlent le marché de l'or au Cambodge.

Les **Chams,** au nombre d'environ 200 000, descendent d'une ethnie très ancienne, d'origine malaise, autrefois combattue par les rois d'Angkor. Musulmans, ils n'ont jamais été chaleureusement acceptés par les Khmers, sans toutefois avoir jamais été rejetés. En revanche, ils furent particulièrement persécutés par les Khmers rouges. Selon *Amnesty International,* un district exclusivement composé de 20 000 Chams fut entièrement massacré à l'époque de Pol Pot ! Les rescapés de la communauté cham vivent le long du Mékong.

D'autres minorités ethniques, très discrètes, occupent les régions de montagne, dans le sud-ouest et le nord du pays : Pears, Kuys, Braos, Samres...

À toutes ces communautés s'ajoutent les quelques milliers d'Occidentaux, personnels d'ONG, membres de missions gouvernementales, aventuriers ou commerçants expatriés (Français et Australiens notamment), que l'on trouve surtout dans la capitale et à Siem Reap.

RELIGIONS ET CROYANCES

Bouddhisme

Religion d'État jusqu'en 1975, le bouddhisme est redevenu la religion officielle du pays à la fin des années 1980. Introduit sur le territoire khmer après l'hindouisme, vers le XIIIe s, le bouddhisme a fini par séduire les souverains d'Angkor, comme le prouve le temple majestueux du Bayon, où veillent les mystérieux bouddhas à quatre visages. Ce bouddhisme primitif (dans le sens où il est plus ancien) professe l'athéisme (le Bouddha ne doit pas être déifié), l'absence de culte et la méditation comme moyen d'atteindre le nirvana (vide obtenu par l'extinction du désir), auquel ne peuvent prétendre que les moines après plusieurs réincarnations. La majorité des croyants se contente d'espérer une prochaine vie sans douleur grâce aux prières et aux nombreuses offrandes.

Il est de coutume de donner à manger aux bonzes, auxquels tout travail est interdit. Cette habitude avait révolté les Khmers rouges : ils envoyèrent les moines repiquer le riz dans les rizières ! Ceux qui refusaient de travailler la terre étaient exécutés. Le pays en comptait environ 60 000 avant 1975... Seulement un millier de moines ont survécu au régime khmer rouge. Et les 3 000 pagodes ont été presque entièrement détruites. Depuis la chute de Pol

> ### TATOUAGES SACRÉS
>
> *Les* Sak Yant *sont des tatouages réalisés par des moines bouddhistes dans certains temples. Ils offrent protection à condition que l'on accepte de respecter les grands principes religieux. Attention, ces tatouages effectués avec des pointes de bambou sont assez douloureux et surtout dangereux (pas de nettoyage de l'aiguille).*

Pot, les moines ont peu à peu refait leur apparition et semblent avoir converti de nombreux jeunes. On voit désormais des bonzeries toutes neuves à Angkor, et de nombreux *wat* à travers le pays ont été reconstruits. Les bonzes restent dans les temples tout au long de la saison des pluies ; ce sont les habitants des alentours qui viennent les nourrir. À la fin de cette période, qui annonce la saison des mariages et son raffut sonore dès 4h du matin, on les croise par petits groupes de deux à quatre en train de longer les routes pour faire la quête pour leur nourriture. Reportez-vous aux dessins des gestes et attitudes *(mudra)* du Bouddha dans le chapitre « Hommes, culture, environnement » du Laos.

Animisme

Les Khmers ont gardé un vieux fond d'animisme. Leur univers est peuplé de génies et d'esprits, bons ou mauvais. Par exemple, la maladie, à leurs yeux, est plus la manifestation d'une force occulte qu'une simple apparition de microbes. Au lieu d'appeler un médecin, on préférera souvent changer le nom d'un malade pour tromper les esprits ! Ou l'on fera appel à un *kru* (gourou), plus à même d'apaiser leur courroux...

Joint au bouddhisme et au brahmanisme, cet animisme explique l'attitude des Khmers, qui veillent à respecter l'harmonie du cosmos. Tout cela les conduit à s'accommoder des obstacles et à se résigner à leur sort. On comprend mieux pourquoi la fréquentation d'Occidentaux rationnels les déconcerte (et vice versa)... Au Cambodge, nous avons affaire à un peuple pétri de spiritualité, ne l'oublions pas... (Merci au père François Ponchaud pour ses explications sur cette question importante.)

Hindouisme

Il est arrivé au début de notre ère sur le territoire, à peu près en même temps que le bouddhisme, dans les bagages de moines, de commerçants et de princes probablement venus de la côte orientale de l'Inde. L'hindouisme, à l'époque, est encore traversé de plusieurs courants, entre autres vishnouites ou shivaïtes, et le bouddhisme lui-même est parfois encore considéré comme l'une de ces tendances. En pays khmer, l'hindouisme va en quelque sorte se superposer aux structures sociales, mais sans aucun prosélytisme ni aucune agressivité, intégrant certaines divinités locales. On y retrouve, cependant, le sanskrit comme langue sacrée et l'organisation en quatre castes, avec celle des brahmanes en tête. En fait, il est adapté, et sont laissées de côté, par exemple, les notions de pureté et d'impureté qui hiérarchisent généralement les castes. Seule la caste des brahmanes est formalisée, associée généralement à des fonctions honorifiques ou savantes, dans l'entourage immédiat du roi. Les autres catégories sociales sont les *varna,* que l'on assimilerait plus à des corporations professionnelles héréditaires qu'à de véritables castes cloisonnées.

Au final, il s'agit d'un hindouisme tolérant, cohabitant avec le bouddhisme, et presque d'une religion d'État, alternant les dominantes shivaïte (grand emblème, le lingam) et vishnouite (représentation de Vishnou et de ses avatars). Le nom du roi s'inspire d'une divinité tutélaire (il est donc divinisé, dépositaire des hautes sciences ou de la connaissance incarnée), il a été spirituellement éduqué par un gourou (généralement choisi parmi les hauts dignitaires brahmanes, parfois même en fonction de leur lignée indienne). Les proches du roi sont des brahmanes détenteurs des grands textes fondateurs (les *Veda,* les épopées), l'un d'entre eux étant le *purohita,* sorte de chapelain royal.

Hindouisme et bouddhisme semblent donc coexister dans une certaine intelligence jusqu'au Xe s, époque où les fondations de temples bouddhiques se multiplient. La fin du XIe s voit ensuite un renouveau du bouddhisme du Grand Véhicule, avec une apothéose sous le règne de Jayavarman VII, mais c'est sans agressivité vis-à-vis de l'hindouisme. Une secte shivaïte va cependant mal réagir à la fin du XIIIe s : destruction et transformation (en images shivaïtes) systématiques des représentations du Bouddha. Au final, cet excès de fureur met fin au bouddhisme du Grand Véhicule, supplanté par le Petit Véhicule sous le règne de Srindavarman le très pieux, qui finira sa vie en ermite... L'hindouisme se réduit de plus en plus à un brahmanisme de cour... jusqu'à disparaître complètement : c'est au XIVe s que l'on trouve trace des dernières inscriptions en sanskrit, la langue sacrée de l'hindouisme.

Superstition

En plus d'avoir intégré dans leur vie quotidienne les religions et croyances évoquées plus haut, les Cambodgiens sont particulièrement superstitieux. Les domaines concernés sont aussi variés que la gourmandise, la grossesse des femmes, les fruits interdits, comment corriger des testicules de taille différente, le risque de passer sous une corde à linge, considérée comme impure. Vous verrez peut-être à la campagne des enfants porter un cordon autour du cou avec une clé suspendue. Cela afin d'éloigner certaines maladies. Car le roi de l'enfer, ne possédant pas la clé, ne peut entrer dans le corps. Attention, si un bouddha orne votre cou, il faut absolument le cacher dans la bouche en allant aux toilettes. Il ne doit pas assister à la scène peu ragoûtante, sinon il perdrait son effet protecteur. De même, évitez d'entrer dans une pagode avec un chapeau, vos cheveux ne s'en remettraient pas : sans leur réincarnation... vous seriez chauve dans la prochaine vie.

SAVOIR-VIVRE ET COUTUMES

Dicton éculé mais toujours valable : « N'oubliez pas que, ici, l'étranger, c'est vous ! », même si les Khmers sont un peuple accueillant et tolérant, comme l'exige la tradition bouddhique. D'ailleurs, ils ne vous feront pas remarquer vos éventuels impairs.

Quelques règles à ne pas ignorer :

– il s'agit avant tout, comme partout en Asie, de ne jamais s'énerver et de ne surtout pas élever la voix ni de se faire menaçant. Ce genre de comportement fait perdre la face à un Cambodgien, et il vous en gardera rancœur : « faire perdre la face », en langue khmère, c'est l'équivalent de tuer !

– De même, il est très mal vu de contredire quelqu'un. Si votre interlocuteur se trompe, ne le lui faites pas remarquer. Il ne le reconnaîtra pas et vous en voudra par la suite.

– Rester pudique dans son habillement : les touristes torse nu dans les lieux publics sont très mal vus (à juste titre !), et le nudisme sur la plage, n'en parlons pas. Lors de la visite des temples, il s'agit bien sûr d'être décemment vêtu, couvert des épaules aux genoux (et c'est valable pour les hommes comme pour les femmes).

– La politesse est très importante. En public, il convient d'appeler une personne par son nom précédé de « monsieur » ou « madame ». Appeler les gens directement revient à dire : « Viens ici, mon chien. »

MAINS EN L'AIR !

Au Cambodge, on ne se serre pas la main, et on s'embrasse encore moins. Pour saluer quelqu'un, portez vos mains jointes au-devant de la poitrine si vous êtes face à un égal. Si vous saluez un supérieur, joignez les mains devant le visage. Mais si c'est un dieu, alors là, levez bien haut (pas trop haut quand même) les mains jointes au-dessus de la tête.

– Il est mal vu de critiquer la famille royale et le roi. Plus qu'un homme politique, il incarne le symbole de l'unité et des traditions khmères.

– Il est de coutume de donner de l'argent aux vrais mendiants, surtout les personnes âgées et mutilés de guerre (nombreux), qui n'ont rien d'autre pour vivre. Un billet de 500 riels suffit. Ici, la radinerie est une honte (surtout celle des Occidentaux).

– Au Cambodge, un Blanc fauché est un anachronisme. Avec une dégaine de clochard, vous perdriez toute considération ! Les Khmers attendent des Occidentaux qu'ils correspondent à l'image qu'ils se font des peuples riches. Ne cherchez pas à changer cette vision des choses et sachez qu'une personne propre et digne est ici mieux respectée qu'un routard négligé... Que cette mentalité ne vous révolte pas : ce n'est pas de l'intolérance de la part des habitants, mais une tradition basée sur des règles élémentaires de politesse et de respect des autres. La propagande khmère rouge a également laissé des traces : en 1975, les jeunes aux cheveux longs étaient exécutés !

– Ne jamais toucher la tête d'une personne (même d'un enfant), ce geste étant considéré comme une injure. En revanche, les Cambodgiens déambulent volontiers en se tenant par le petit doigt.

– Ne pas montrer les gens du doigt.

– Dans les temples, on n'entre pas la tête couverte. Contourner le Bouddha par la gauche, dans le sens inverse des aiguilles d'une montre. Ne pas s'asseoir dos au Bouddha et ne pas pointer ses pieds dans sa direction, c'est très mal vu. En aucun cas une femme ne doit toucher un moine, sinon celui-ci perdrait tous ses mérites acquis.

– Toujours demander l'autorisation avant de prendre une photo de quelqu'un.

SEXE

Le Cambodge n'a rien à voir avec la Thaïlande, mais les mœurs ont beaucoup évolué avec l'arrivée des forces de l'ONU en 1992, et corollairement, de la prostitution. Le sida a fait une entrée fracassante dans le pays. En provenance notamment de Thaïlande, près de 50 % des prostituées seraient séropositives !

Tout aussi grave et dramatique, la prostitution enfantine. Elle a fait son apparition dans certaines villes du pays depuis que la Thaïlande, incitée par la pression internationale, fait la chasse aux pédophiles et aux esclavagistes. Nombre de potentats locaux ont rapidement compris les profits rapides qu'ils pouvaient tirer de ce trafic de gamines et gamins vendus (parfois par leurs parents !), facile à mettre en place et peu coûteux. Il s'agit d'un esclavage abject et intolérable que chaque touriste doit combattre. Si vous constatez une situation où un enfant se trouve en danger (sexuel, mais pas seulement), composez le **numéro de téléphone d'urgence** : ☎ *1280.*

À ce sujet, voir l'ONG *ChildSafe* dans la rubrique « Aide humanitaire », plus haut.

SITES INSCRITS AU PATRIMOINE MONDIAL DE L'UNESCO

En coopération avec le

Organisation des Nations Unies pour l'éducation, la science et la culture · Centre du patrimoine mondial

Pour figurer sur la liste du Patrimoine mondial, les sites doivent avoir une valeur universelle exceptionnelle et satisfaire à au moins un des 10 critères de sélection. La protection, la gestion, l'authenticité et l'intégrité des biens sont également des considérations importantes.

Le patrimoine est l'héritage du passé dont nous profitons aujourd'hui et que nous transmettons aux générations à venir. Nos patrimoines culturel et naturel sont deux sources irremplaçables de vie et d'inspiration. Ces sites appartiennent à tous les peuples du monde, sans tenir compte du territoire sur lequel ils sont situés. Pour plus d'informations : ● *whc.unesco.org* ●

– *Angkor* (1992).

– Le **temple de Preah Vihear,** situé à la frontière du Cambodge et de la Thaïlande, classé depuis le 7 juillet 2008. Ce classement avait d'ailleurs ravivé les tensions entre Cambodge et Thaïlande, qui se disputaient ce temple depuis des décennies. Mais le conflit est aujourd'hui réglé suite à la décision de la Cour internationale de justice en novembre 2013, qui a finalement donné (globalement) raison au Cambodge.

– La zone des **temples de Sambor Prei Kuk,** site archéologique de l'ancienne Ishanapura (2017), dans la région de Kompong Thom.

– Noter que *l'art du ballet cambodgien* est inscrit depuis 2008 sur la liste du Patrimoine culturel immatériel de l'humanité de l'Unesco.

LAOS UTILE

ABC du Laos

- ❏ **Superficie** : 236 800 km².
- ❏ **Population** : 7 millions d'hab.
- ❏ **Religions :** bouddhisme (66 %), animisme (20 %), christianisme (2 %).
- ❏ **Régime politique** : république à parti unique d'idéologie marxiste depuis 1975.
- ❏ **Capitale** : Vientiane.
- ❏ **Chef de l'État** : Bounnhang Vorachit (depuis 2016).
- ❏ **Chef du gouvernement** : Thongloun Sisoulith (depuis 2016).
- ❏ **Langues :** lao (langue officielle), dialectes taïs (taï dam, taï lue, taï daeng), dialectes sino-tibétains (hmong, yao), tibéto-birman (akha, lahu), français et anglais.
- ❏ **Monnaie :** kip.
- ❏ **Salaire minimum :** 900 000 kips par mois (soit environ 90 €).
- ❏ **Fête nationale :** le 2 décembre (république de 1975).
- ❏ **Indice de développement humain** : 138e rang (0,586) sur 188.

AVANT LE DÉPART

Adresses utiles

– À Paris : ambassade de la République démocratique et populaire du Laos (RDPL), 74, av. Raymond-Poincaré, 75016. ☎ 01-45-53-75-22 (service visas). ● ambalaos-france.com ● Ⓜ Victor-Hugo. Lun-ven 9h-12h pour les visas, 14h-17h pour les rens par tél.
– À Bruxelles : ambassade de la RDPL, av. de la Brabançonne, 19-21, Bruxelles 1000. ☎ 02-740-09-50. ● ambalao.be ● Lun-ven 9h-12h, également joignable par tél 14h-16h.

– À Genève : mission permanente du Laos auprès des Nations unies, 14 bis, route de Colovrex, 1218 Le Grand-Saconnex, Genève. ☎ 022-798-24-41. ● laomission_geneva@bluewin.ch ● Lun-ven 9h-12h, 14h-17h.
– Les ressortissants canadiens doivent s'adresser à l'ambassade du Laos aux États-Unis : Lao Embassy, 2222 South St NW, Washington DC, 20008. ☎ 001-202-332-64-16 ou 001-202-667-00-76 (service consulaire). ● laoembassy.com ● Lun-ven 9h-12h, 13h-16h30.

Formalités

Tout voyageur se rendant au Laos est tenu de posséder un **passeport** valable encore au moins 6 mois après le retour, et un **visa de tourisme,** sauf les ressortissants suisses qui n'ont pas besoin de visa préalable pour un séjour n'excédant pas 15 jours. Il est valable 3 mois à partir de la date d'émission, pour un séjour de **30 jours maximum.**
Les **mineurs** doivent être munis de leur propre pièce d'identité (carte d'identité ou passeport). Pour l'autorisation de sortie de territoire lorsque les enfants ne sont pas accompagnés par un de leurs parents, chaque pays a mis en place sa propre régulation. Ainsi, pour **les mineurs français,** une loi entrée en vigueur en janvier 2017 a **rétabli l'autorisation de sortie du territoire.** Pour voyager à

l'étranger, ils doivent être munis d'une pièce d'identité (carte d'identité ou passeport), d'un formulaire signé par l'un des parents titulaire de l'autorité parentale et de la photocopie de la pièce d'identité du parent signataire. Renseignements auprès des services de votre commune et sur ● *service-public.fr* ●
Obtention du visa :
– *Auprès des services consulaires des ambassades laotiennes de son pays d'origine :* présenter passeport, formulaire à remplir (téléchargeable sur le site des ambassades) et une photo d'identité. *Prix : 35 € en France (délai : env 5 j. ouvrables) ou visa express en 20 mn : 40 € ; en Belgique 40 € (délai : 3 j. ouvrables) ; 50 Fs en cas de séjour de plus de 15 jours pour les Suisses (délai : 3 j. ouvrables ; formulaire à télécharger sur le site de l'ambassade de Paris) ; 57 $ pour les Canadiens (délai : 10 j. ouvrables).* Visa par correspondance disponible en France, en Suisse et pour les Canadiens (appeler l'ambassade pour les conditions et frais d'envoi).
– *Aux frontières terrestres ou aéroports internationaux :* c'est le *visa on arrival*, rapide et moins cher qu'en passant par l'ambassade, puisque le prix de base est de 30 $ (42 $ pour les Canadiens), à quoi on ajoute 1 $ si vous n'avez pas de photo. Aux frontières terrestres, quelques « suppléments » pseudo-officiels sont à prévoir (hum !)... Ne pas oublier 1 photo et le montant cash, en dollars ou en euros. Attention : certains postes-frontières paumés ne le délivrent pas forcément, se renseigner. Site utile pour les dernières infos en la matière (en anglais) : ● *laos-guide-999.com* ●
– *Extension sur place à l'Immigration Office de Vientiane, Paksé ou Luang Prabang :* compter 20 000 kips/j. supplémentaire. Se renseigner sur la possibilité d'effectuer cette démarche (évolutif). Au-delà de 15 jours supplémentaires, il peut être plus économique de sortir du pays et d'y entrer à nouveau en prenant un autre *visa on arrival...* valide 30 jours.

Avoir un passeport européen, ça peut être utile !
L'Union européenne a organisé une assistance consulaire mutuelle pour les ressortissants de l'UE en cas de problème en voyage.
Leur assistance est bien entendu limitée aux situations d'urgence : décès, accidents ayant entraîné des blessures ou des lésions, maladie grave, rapatriement pour raison médicale, arrestation ou détention. En cas de *perte ou de vol de votre passeport,* ils pourront également vous procurer un *document provisoire* de voyage.

Ariane, pour votre sécurité, restez connectés
Ariane est un service gratuit mis à disposition par le Centre de crise du ministère français des Affaires étrangères pour vous alerter en cas de risque sécuritaire lors de vos déplacements à l'étranger. Créez votre compte et inscrivez vos voyages personnels ou professionnels. Les informations renseignées sur Ariane seront utilisées uniquement en cas de crise pendant votre séjour et permettent notamment de contacter les proches lors des situations d'urgence.
Pour en savoir plus : ● *pastel.diplomatie.gouv.fr/fildariane* ●

Assurances voyage
Lire la rubrique homonyme dans le chapitre « Cambodge utile ».

ARGENT, BANQUES, CHANGE

Monnaie et change
– L'*unité monétaire* du Laos est le *kip.* Il existe des coupures de 500, 1 000, 2 000, 5 000, 10 000, 20 000, 50 000 kips et 100 000 kips.
En 2018, 1 $ équivaut à environ 8 000 kips ; et pour 1 €, on obtient environ 10 000 kips.
– Les *euros* se convertissent facilement en kips dans la plupart des banques des villes touristiques (taux un peu meilleur à Vientiane). Attention, ce ne sera pas

forcément le cas dans les coins reculés. Donc soit changer suffisamment dès que possible, soit emporter une réserve de dollars, plus facilement acceptés partout. Les bureaux de change peuvent aussi dépanner, et pratiquent à peu près le même taux que les banques. Les **billets doivent être en bon état.** Enfin, il n'existe aucune limitation quant à l'entrée ou à la sortie de devises.

Attention, il est quasi impossible de changer ses kips restants à l'extérieur du pays ou, quand ça arrive, le taux est très désavantageux. En revanche, si vous voulez changer vos billets avant de repartir, allez voir les bijoutiers dans les grandes villes. Ils peuvent racheter des kips contre des devises.

– **Horaires :** les banques sont généralement ouvertes du lundi au vendredi de 8h30 à 15h30. À Vientiane et à Luang Prabang, des bureaux de change sont également ouverts le week-end et à des horaires étendus.

Cartes de paiement

Avertissement

Si vous comptez effectuer des retraits d'argent aux distributeurs, il est **très vivement conseillé** d'avertir votre banque avant votre départ (pays visité et dates). En effet, **votre carte peut être bloquée dès le premier retrait** pour suspicion de fraude. C'est de plus en plus fréquent. Bonjour les tracasseries administratives pour faire rentrer les choses dans l'ordre, et on se retrouve vite dans l'embarras !

– **Distributeurs automatiques :** on trouve facilement (même dans les petites villes et sites fréquentés par des touristes) des distributeurs de billets fonctionnant avec les principales cartes bancaires internationales. Notez que nombre des distributeurs automatiques ne délivrent que 1 million de kips (environ 105 €) maximum (mais jusqu'à dix fois par jour !), ce qui multiplie les frais fixes prélevés à chaque opération par votre banque, mais aussi par l'établissement local (environ 20 000 kips). Le réseau *ANZV* (à Vientiane) et la *Banque Franco-Lao* permettent de retirer jusqu'à 2 millions de kips (environ 210 $) jusqu'à quatre fois sur la journée, mais la commission prélevée par la banque laotienne est aussi deux fois plus élevée (40 000 kips).

Petite mesure de précaution : si vous retirez de l'argent dans un distributeur, utilisez de préférence les distributeurs attenants à une agence bancaire. En cas de pépin avec votre carte (carte avalée, erreurs de code secret...), vous aurez un interlocuteur dans l'agence, pendant les heures ouvrables du moins.

– **Règlement par carte de paiement :** il est souvent sujet à commission (3-5 %) que ce soit dans les grands hôtels, certaines boutiques cossues et dans quelques restaurants chic de Vientiane et de Luang Prabang ou au guichet des banques pour retirer des kips, dollars ou bahts avec une carte *Visa* ou *MasterCard*. Pensez à téléphoner à votre banque pour relever le plafond de retrait aux distributeurs et pour les paiements par carte, quitte à le faire rebaisser à votre retour.

N'oubliez pas aussi de VÉRIFIER LA DATE D'EXPIRATION DE VOTRE CARTE DE PAIEMENT avant votre départ !

ACHATS

On ne peut pas dire que l'on découvre au Laos un artisanat très diversifié.

– Le **tissage** en est l'élément le plus répandu et le plus typique. Chaque région a son propre style de soieries ou de cotonnades. Il existe aussi des patchworks et des broderies. La soie laotienne est chère mais de très bonne qualité. Lorsqu'elle est bon marché, c'est qu'elle n'est pas pure (20 % de soie, 70 % de coton).

– On peut aussi trouver de beaux *objets sculptés* en bois ou en corne, plus rarement en pierre. Mais ces objets, bouddhas, animaux, sont plutôt chers, voire très chers.

– Le Laos possède une tradition d'*orfèvrerie* très riche. On y travaille de beaux bijoux en argent et parfois en or. La dinanderie d'argent est de très bonne qualité et les prix sont abordables. On trouve en particulier de belles boîtes en argent décorées de motifs traditionnels (éléphants, tigres, thèmes religieux). Nous déconseillons d'acheter les bijoux ornés de pierres précieuses ou semi-précieuses.

– Le *café* et le *thé* des Bolavens. On en trouve à Vientiane mais, si vous en avez la possibilité, achetez-en dans leur région de production, à Paksé et Phongsaly pour le thé vert.

– Enfin, on peut acquérir à coût raisonnable de très beaux exemplaires de *vannerie* paysanne.

Magasins

Les principaux lieux d'approvisionnement sont les marchés, véritables bazars où l'on trouve absolument tout. Il n'y a de commerces spécialisés (magasins de souvenirs, vêtements, papeteries, antiquités, photos) que dans les villes.
À Vientiane, des centres commerciaux ouverts par des businessmen étrangers proposent à peu près tout.

– *Horaires :* la plupart des magasins sont ouverts sans interruption de 8h à 17h. Certains ferment un peu plus tard et sont ouverts le dimanche.

Marchandage

Le marchandage est la règle, le prix fixe l'exception, y compris dans les boutiques. Inutile d'insister si vous sentez que le prix plancher est atteint. Question de savoir-vivre... De même, vous perdrez la face et vous passerez pour un gougnafier si vous marchandez pour 500 kips. Ne jamais oublier qu'en Asie il vaut toujours mieux paraître prospère que radin, et que, en règle générale, il vaut mieux faire envie que pitié !

BUDGET

Le Laos demeure très abordable pour un porte-monnaie occidental même si, devant l'afflux de visiteurs, certains hôteliers et restaurateurs ont considérablement augmenté leurs prix, sans que le service se soit amélioré pour autant. À Vientiane et Luang Prabang, les tarifs sont majorés. Ils explosent lors du Nouvel an chinois (entre fin janvier et début février), beaucoup plus qu'à l'occasion du Nouvel an bouddhique (*Pimai,* 3 jours à la mi-avril) où les prix subissent une légère augmentation. Bien négocier !

Hébergement

Nos prix correspondent à une chambre double, sauf pour les dortoirs dans la catégorie « très bon marché » où les prix sont donnés par personne. Le petit déjeuner n'est quasi jamais inclus dans le prix de la chambre pour les établissements des catégories « Très bon marché » et « Bon marché ». Le wifi existe quasi partout, gratuitement.

Pour les villes les plus importantes du pays (Vientiane et Luang Prabang) :

– *Très bon marché :* moins de 100 000 kips (12,50 $; env 10 €).
– *Bon marché :* de 100 000 à 200 000 kips (12,50-25 $; env 10-20 €).
– *Prix moyens :* de 200 000 à 360 000 kips (25-45 $; env 20-36 €).
– *Un peu plus chic :* 360 000-550 000 kips (45-70 $; 36-55 €).

– *Chic :* de 550 000 à 800 000 kips (70-100 $; env 55-80 €).
– *Très chic :* plus de 800 000 kips (plus de 100 $; 80 €).

Pour le reste du pays :
– *Très bon marché :* moins de 80 000 kips (10 $; env 8 €).
– *Bon marché :* de 80 000 à 150 000 kips (10-19 $; env 8-15 €).
– *Prix moyens :* de 150 000 à 300 000 kips (19-37 $; env 15-30 €).
– *Chic :* de 300 000 à 500 000 kips (37-62 $; env 30-50 €).
– *Très chic :* plus de 500 000 kips (plus de 62 $; 50 €).

Nourriture

Nos prix correspondent à un plat.
– *Bon marché :* moins de 25 000 kips (env 3 $; 2,50 €).
– *Prix moyens :* de 25 000 à 60 000 kips (3-7,50 $; 2,50-6 €).
– *Chic :* de 60 000 à 100 000 kips (7,50-12,50 $; 6-10 €).
– *Très chic :* plus de 100 000 kips (plus de 12,50 $; 10 €).

Transports

En bus, compter environ 110 000 à 150 000 kips pour un trajet Vientiane-Luang Prabang ou Vientiane-Paksé (la couchette est plus chère).

Pourboires

Dans les restaurants, il n'y a rien d'obligatoire, mais vous pouvez laisser un petit billet dans les établissements chic, si vous êtes satisfait du service. Lorsque vous visitez une pagode, ayez toujours un peu de monnaie pour glisser une petite donation dans les boîtes prévues à cet effet. Idem au moment de remercier votre guide. Pour un chauffeur, compter environ 20 000 kips/j. et par personne. Ne pas donner d'argent aux enfants, qui en sollicitent parfois dans les sites touristiques.

CLIMAT

– La **meilleure période** pour se rendre au Laos s'étend *de novembre à février.* On est alors en saison sèche et les températures ne sont pas trop élevées. Toutefois, du fait du dérèglement climatique, les épisodes pluvieux se multiplient désormais à cette période. Attention, le contraste entre les températures diurnes et nocturnes est important. En montagne ou sur les hauts plateaux, les nuits sont très fraîches et comme les chambres ne sont pas chauffées, il vaut mieux *prévoir de quoi bien se couvrir.* Ensuite, lorsqu'il commence déjà à faire très chaud à Vientiane, la température demeure plus clémente à Luang Prabang, du fait des montagnes environnantes (Vientiane est dans une plaine)...
– *De mars à octobre :* les mois les plus chauds sont mars et avril. À Vientiane et à Luang Prabang, on trouve désormais la climatisation un peu partout, y compris dans les établissements bon marché. Mais, souvent dès la mi-février et jusqu'à début avril avec les premières pluies d'orage, les brûlis voilent l'horizon et font pleuvoir des cendres de végétation sur des villes comme Luang Prabang... Les personnes souffrant de problèmes respiratoires peuvent s'en trouver gênées. Les rizières et les campagnes sont asséchées. En mai, le festival des fusées (Boun Ban Faï) annonce le début de la mousson. Il pleut alors beaucoup dans le Sud, un peu moins dans le Nord. La chaleur s'installe entre 30 et 35 °C. De juin à septembre, c'est-à-dire pendant la mousson, le voyage reste possible, certains jours il ne tombe pas une goutte. De plus, à Vientiane, si la chaleur peut être gênante, la pluie ne tombe qu'en soirée : ce qui vous laisse toute latitude pour profiter des journées. En revanche, les averses sont plus fréquentes à Luang Prabang.

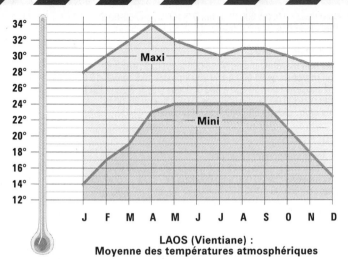

LAOS (Vientiane) :
Moyenne des températures atmosphériques

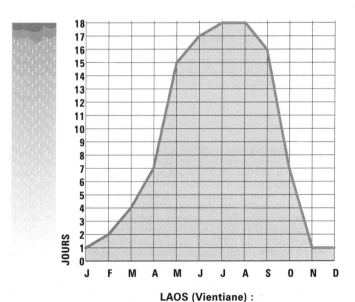

LAOS (Vientiane) :
Nombre de jours de pluie

Vêtements conseillés

Durant la saison sèche, nul besoin d'emporter une garde-robe importante. On se contentera de vêtements d'été aisément lavables : on se salit plus à cause de la poussière sur les pistes. Les jambes nues sont plus vulnérables aux moustiques, à la poussière et aux herbes piquantes, et, en plus, elles sont très mal perçues par la population (le Laos est un pays pudique). Mesdames, préférez le maillot 1 pièce dans les sites permettant la baignade, tels Vang Vieng, les 4 000 îles ou le plateau des Bolavens (le bikini n'est pas recommandé). Si on se baigne dans les villages, privilégier le sarong.

– Un **chapeau** et des **lunettes de soleil** sont indispensables, de même que des chaussures montantes en toile. Les nu-pieds et autres tongs sont **déconseillés** en promenade dans la nature ; en revanche, ils sont bien pratiques en milieu « semi-urbain ».

– Un **solide imperméable** est requis durant la saison des pluies et un imperméable léger pendant les premières ondées de mars-avril.

– Un **vêtement chaud** (un bon pull et un pyjama épais pour supporter les nuits sans chauffage) est utile dans les régions de montagne entre octobre et mars (la nuit, les températures peuvent descendre en dessous de 10 °C).

DANGERS ET ENQUIQUINEMENTS

Voici la liste des pépins qui ne vous arriveront jamais une fois que vous aurez lu ces lignes ! Dans l'ensemble, le Laos est un pays sans problème. Avant le départ, on conseille quand même de se renseigner auprès de l'ambassade de France à Vientiane : ● *la.ambafrance.org* ● ou sur ● *diplomatie.gouv.fr* ●

Les précautions habituelles en voyage sont donc à prendre ici comme ailleurs : fermez votre chambre d'hôtel avant de sortir, ne laissez pas traîner vos affaires, évitez de laisser dépasser votre portefeuille, etc. Les Laotiens sont en général discrets, et on est peu importuné ou sollicité pour quelque raison que ce soit.

« Couvre-feu »

Officiellement, ce sont des mesures pour lutter contre l'alcoolisme des jeunes, qui risquent leur vie à moto en sortant des bars, dans la capitale et à Luang Prabang. Pas très efficace, puisque, du coup, les Laotiens commencent à boire à 17h au lieu de 19h... Officieusement... plusieurs interprétations un peu nébuleuses, à priori politiques... Résultat, les bars et restos ferment leurs portes vers 23h, tandis que les boîtes ont la permission de minuit ! Quelques d'établissements de la capitale poussent jusque vers 1h, voire plus. Autant vous dire que les nuits sont calmes, du moins extérieurement. Car cela n'empêche pas l'alcool de riz de couler à flots à l'abri des maisons !

Routes

À peu près entretenues sur les grands axes, le long du Mékong notamment, elles sont particulièrement défoncées ailleurs, et souvent réduites à l'état de pistes quand elles s'enfoncent dans la campagne ou dans la forêt. En saison des pluies, c'est la grande aventure.

Les vrais problèmes tiennent à la quasi-absence d'infrastructures médico-hospitalières hors de Vientiane, et donc aux éventuels accidents de la route (voir plus loin la rubrique « Santé »). Il faut être honnête : s'il vous arrive un accident grave nécessitant une urgence, en dehors de Vientiane, il ne vous reste plus qu'à vous en remettre à la Providence... C'est là qu'une souscription à **une indispensable assurance voyage** révèle alors toute son utilité. La plupart du temps une évacuation vers un hôpital thaïlandais sera organisée.

Tuk-tuk

Certains chauffeurs de *tuk-tuk* malintentionnés essaieront de vous conduire dans les adresses où ils touchent une commission ou tenteront d'imposer un tarif exorbitant. Soyez ferme !

Vol à l'arraché

À Vientiane et à Luang Prabang, si vous louez un vélo, ne mettez pas vos affaires dans le panier devant le guidon. Quelques vols à l'arraché sont à déplorer : il vaut mieux mettre votre sac en bandoulière.

Baignade

La baignade dans le Mékong est à déconseiller, même si l'on est bon nageur. Le lit du fleuve est en effet imprévisible. Cela dit, la baignade est possible sur quelques plages des 4 000 îles au sud du pays, à condition d'y aller prudemment. Avec la construction de barrages sur les rivières Nam Khan et Nam Ou, il est fortement déconseillé de se baigner. L'eau est, la plupart du temps, lâchée sans avertissement et le niveau peut alors monter brusquement. Ne pas se tremper non plus dans des eaux stagnantes ou des rivières avec peu de débit, en raison du risque de bilharziose.

Drogue

Attitude de base : S'ABSTENIR D'Y TOUCHER.
Le Laos est le 3e producteur d'opium du monde. Dans le nord du pays, la culture du pavot constitue une importante source de revenus pour les paysans. Plusieurs programmes d'éradication ont toutefois fait chuter la surface cultivée. On ne trouve plus de vastes champs de pavot comme autrefois, les terrains sont plus petits et cachés. Au Laos, l'usage de l'opium n'est ni franchement interdit ni vraiment toléré. Comme dans tous les pays d'Asie du Sud-Est, l'héroïne est présente, mais le *yaba* (méthamphétamine) est aujourd'hui la drogue la plus consommée. Très abordable, elle n'en est pas moins redoutable, extrêmement addictive et à l'origine de graves problèmes de santé et de société. Circulent aussi des produits de mauvaise qualité, ou coupés avec des substances toxiques, qui ont entraîné la mort par empoisonnement d'un certain nombre de jeunes voyageurs. Le chanvre indien (marijuana ou ganja) est très répandu. Il se trouve discrètement sur tous les marchés, car utilisé en cuisine, dans certaines soupes de poulet notamment. Toutes ses substances sont aussi parfois vendues aux Occidentaux par des indics, qui touchent une partie de l'amende : minimum 500 $ en cash, mais cela peut prendre une tournure bien plus grave, puisque *la loi punit sévèrement la consommation et, surtout, la détention de stupéfiants, quels qu'ils soient, allant jusqu'à la peine de mort, en théorie.* Vous êtes prévenu, ne jouez pas avec le feu ! D'autre part, rappelons que tout transport de drogue vers la Thaïlande et autres pays de la région est à proscrire...

ÉLECTRICITÉ

La tension est de 220 volts et les prises sont de type français ou américain, acceptant souvent les fiches de ces deux standards. Si nécessaire, vous trouverez des adaptateurs sur les marchés. Si Vientiane et les villes principales sont correctement alimentées toute l'année, un tiers du territoire n'est pas encore électrifié. Dans certains coins reculés, les pannes sont par ailleurs fréquentes. Là où l'électricité provient de groupes électrogènes, l'alimentation n'est que de quelques heures, de la tombée du jour à 22h. Profitez-en pour recharger vos appareils et pensez à emporter une lampe de poche ou une frontale.

HÉBERGEMENT

Dans toutes les villes touristiques, on trouve une large gamme d'hébergements, de la simple *guesthouse* familiale (voire la chambre chez l'habitant, notamment dans les villages) à l'hôtel 3-4 étoiles, en passant par les établissements de charme. On y loge correctement à des prix très abordables. Attention, la législation laotienne qualifie de *guesthouse* toute structure de moins de 15 chambres. Au-delà, on parle d'hôtel. Dans un cas comme dans l'autre, la dénomination de l'hébergement ne présume aucunement de son niveau de confort.

La plupart des logements, y compris dans la catégorie « Très bon marché », sont propres et disposent de chambres avec ventilo et salle de bains privée. Mais dans les établissements les moins chers, voire à « prix moyens », ces dernières sont souvent basiques : il n'existe pas de bac à douche, encore moins de rideaux, parfois une très légère pente vers le trou d'évacuation, et l'eau (chaude en principe) coule au mieux à 10 cm des toilettes, quand ce n'est pas juste au-dessus. Bref, c'est l'inondation assurée. Dans le meilleur des cas, des tongs sont fournies, sinon pensez à apporter les vôtres. Dans cette rubrique plomberie-sanitaires, notons que les réservoirs des toilettes se limitent parfois à un bac rempli d'eau et une casserole... sans chasse donc. Quant au papier hygiénique, il ne faut pas le jeter dans la cuvette des toilettes, mais dans la poubelle à côté. Il suffit de s'y habituer. Pour la clim, il faudra débourser un peu plus. Dans les catégories inférieures, le petit déjeuner est rarement proposé, il faut le prendre dehors. Quelques hôtels chic possèdent une piscine, parfois accessible aux non-résidents, moyennant un droit d'entrée.

LANGUES

Lao

La langue officielle du pays est le lao, qui fait partie de la famille des langues taï parlées dans le Sud-Est asiatique par près de 100 millions de locuteurs. Si les Laotiens, nourris à la TV et à la musique thaïes, comprennent les Thaïlandais, l'inverse n'est pas vrai. La proximité linguistique du lao n'existe qu'avec les dialectes parlés dans le nord-est de la Thaïlande (région de l'Isan) et du nord (lanna). En revanche, l'alphabet utilisé aujourd'hui est très proche du thaï (adaptation d'un système graphique khmer), mais en mode simplifié : il comporte moins de consonnes. S'il n'est pas trop difficile d'acquérir des notions de *lao parlé,* suffisantes pour se débrouiller dans le contexte d'un voyage, le maîtriser est une autre histoire. En effet, c'est une langue tonale et la plus grosse difficulté consiste à différencier les six tons, dont trois sont couramment utilisés. Autre problème compliquant la maîtrise : la transcription des mots est celle mise au point par les Français, et que nous utilisons la plupart du temps. Elle est souvent approximative (comme celle de « Vieng Chan » en Vientiane), et fluctuante au gré des documents et de leur origine. Le *lao écrit* trouve son origine dans le lao tham, utilisé exclusivement dans les temples, où l'histoire du pays est consignée sur de poussiéreux manuscrits ancestraux.

Français

Jusqu'à la révolution de 1975, l'administration était bilingue, une partie de l'enseignement se faisait en français, langue qui était pratiquée par les élites et l'aristocratie. Le français reste parlé sommairement par ceux qui ont fait leurs études avant 1975. Depuis, le statut du français est intermédiaire : manquant de profs et de crédits, son enseignement est facultatif et en régression par rapport à l'anglais qui le supplante aujourd'hui, surtout chez les jeunes. On continue d'utiliser le français dans certains textes officiels, mais, depuis 1997, le recours se fait de plus en plus à l'anglais.

Vocabulaire de base

– On vous recommande *Le lao de poche* (Assimil, 2011). Assez ardu quand même ! La pratique sur place est impérative !
– À Vientiane, on peut se procurer un petit lexique de base (en anglais) qui propose d'apprendre le lao en 16 leçons. Il existe aussi un petit guide pratique appelé *Let's Speak Lao.*

Par convention, pour la liste qui suit : *h* se prononce h aspiré ; *ph,* p + h aspiré ; *e,* comme dans « leur » ; *o,* comme dans « corps » ; *ou,* comme dans « fou » ; *on,* comme dans « bonne » ; *aï,* comme dans « Hawaï » ; *oï,* comme dans « monoï » ! Et puis ne vous étonnez pas si les Laotiens rient quand vous essayez de parler leur langue : les différents accents changent complètement le sens de la phrase... qui peut devenir alors particulièrement grivois ou complètement absurde !

Formules de politesse

Bonjour	*Sabaï dii*
Comment allez-vous ?	*Sabaï dii bo ?*
Ça va bien	*Sabaï dii*
Et vous ?	*Lè tchao dè ?*
Merci	*Khop tchaï*
Merci beaucoup	*Khop tchaï laï laï*
S'il vous plaît	*Kalounaa*
À bientôt	*Pop kan maï*
Au revoir (celui qui part)	*Paï kone deu, la kone*
Bonne chance	*Sok dii*
Bonne nuit	*None lap fan dii*
Pardon	*Kho thot*

Expressions courantes

Oui	*Tchao, doï* (politesse appuyée) ou *euh* (informel)
Non	*Bo*
Ok	*Toklong*
Avez-vous, y a-t-il ?	*Mi... bo ?*
Je n'en ai pas, il n'y a pas	*Bo... mi*
J'en ai, il y a	*Mi*
Ça ne fait rien, ce n'est pas grave (pas de problème)	*Bo pen niang (ou Bo mi ban ha)*
Je ne comprends pas	*Khoï bo khao tchaï*
Parlez lentement, svp	*Wao saa saa dè*
Répétez, svp	*Wao keun*
Qu'est-ce que c'est ?	*An ni men niang ?*
Hôtel	*Hong hem*
D'où venez-vous ?	*Tiao ma té saï ?*
Je viens de France	*Khoï ma tè pathet falang* (ou *flangcès*)
Je suis français	*Khoï penn khon falang* (ou *flang*)
Je m'appelle...	*Khoï suu...*
Combien coûte ceci ?	*An ni laka tao daï ?* (variante : « Combien ça coûte ? » – *paï gneum ?*)
Cher	*Phêng*
Trop cher	*Peng phôt*
Bon marché	*Bo peng*
On y va	*TukPaï Daï*

Télécommunications

Téléphone	*Tholassap*
Numéro de téléphone	*Beu tholassap*
Je voudrais parler avec...	*Khoï yak lome kap...*

Sur la route

Je veux aller...	*Yak paï...*
Où se trouve... ?	*You saï... ?*
... la gare de bus	*... satannii lot mé*
Je voudrais acheter un billet	*Khoï yak su pi*

À quelle heure part le bus ?	*Lot mé tcha ok vila tchak mong ?*
Est-ce loin ?	*Kaï bo ?*
Avion	*Gnyone*
Bateau	*Heua*
Rivière	*Mè nam*
Île	*Done*
Bus	*Lot mé*
Voiture	*Lot keng*
Taxi	*Lot Taxi*
Vélo	*Lot thiip*
Tournez à gauche	*Liao saï*
Tournez à droite	*Liao khoua*
Tout droit	*Paï su*
Stop !	*Djout !*
Demi-tour	*Hio kap*
Ici	*You nii*
Là-bas	*You phoune*
Route	*Thanone*
Pont	*Khoua*
Forêt	*Pa maï*
Montagne	*Phou* (ou encore *doi*)
Lac	*Ang nam*
Marché	*Talat*
Temple	*Wat*
Village (ou quartier)	*Ban*
Stûpa	*That*
Rivière	*Mae Nam*
Grotte	*Tham*
Chutes d'eau	*Tad*

Administrations

Bureau	*Hongkane*
Poste	*Païssani*
Banque	*Thanakane*
Police	*Tamlouat*
Ambassade	*Satane thout*

À l'hôtel

Hôtel	*Hong hèm*
Avez-vous une chambre ?	*Mi hong none bo ?*
Une chambre pour une personne	*Hong none diao khon nung*
Une chambre pour deux personnes	*Hong none khu song khone*
Combien ça coûte ?	*Laka tao daï ?*
Pouvez-vous baisser le prix ?	*Lout laka daï bo ?*
Je voudrais voir une chambre	*Khoï kho beung hong daï bo*
Avez-vous une autre chambre ?	*Mi hong ik bo ?*
Je resterai une seule nuit	*Khoï phak nung khun*
Je resterai deux nuits	*Khoï phak song khun*
Salle de bains	*Hong nam*
Eau chaude	*Nam hone*
Y a-t-il une moustiquaire ?	*Mi moung bo ?*
Air conditionné	*Air yen*
Ventilateur	*Phat lom*
Savon	*Sabou*
Papier toilette	*Djia anamaï*
Servez-vous le petit déj ?	*Djao mi ahan sao bo ?*

Au restaurant

Restaurant	*Han-ah-hane*
Manger	*Kine khao*
Je veux manger	*Khoï yak kine khao*
Soupe de nouilles blanches	*Feu*
Nouilles frites *(fried noodles)*	*Koua Feu*
Riz	*Khao*
Riz gluant	*Khao niao*
Riz blanc	*Khao tchao*
Riz frit	*Khao phat*
Viande	*Sine*
Porc	*Sine mou*
Bœuf	*Sine ngoua*
Buffle	*Sine khouaï*
Poulet	*Sine kai*
Canard	*Sine pét*
Œuf	*Khaï*
Poisson	*Pa*
Légume	*Phak*
Sel	*Keua*
Poivre	*Mak pit taï* (ou *mak pit khaï*)
Piment	*Mak phèt*
Sans piment (important !)	*Bo phèt*
Pain	*Khao tchi*
Fruit	*Mak maï*
Gâteau	*Khanom*
Je voudrais boire	*Khoï yak kine nam* (ou *khoï yak dum*)
Eau courante	*Nam tamada*
Eau minérale	*Nam bolisout*
Glaçons	*Nam korn*
Sans glace	*Bo saï nam kone*
Bière	*Bia lao*
Thé	*Nam sa*
Café noir	*Kafé dam*
Café au lait	*Kafé nam nom*
Avec du sucre	*Saï nam tane*
Je n'ai plus faim	*Im lèo*
Bon	*Sèp*
Délicieux	*Sèp laaï*
Mauvais, pas bon	*Bo dii* (ou *bo sep*)
L'addition	*Chèk bin*
Où sont les toilettes ?	*Hong nam you saï ?*

Urgences

Pouvez-vous m'aider ?	*Souaï khoï daï bo ?*
Je suis perdu	*Khoï long thang*
Je ne me sens pas bien	*Khoï bo sabai*
Je suis malade	*Khoï pèn khaï*
J'ai mal à cet endroit	*Khoï tjèb you nii*
Police	*Tamlouat*
Ambulance	*Lot hong mo*
Hôpital	*Hong mo*
Médecin	*Than mo*
Moustique	*Young*
Sangsue	*Tak*

| Froid | *Yen* |
| Chaud | *Hone* |

Nombres

Zéro	*Soun*	Neuf	*Kao*
Un	*Nung*	Dix	*Sip*
Deux	*Song*	Vingt	*Sao*
Trois	*Sam*	Trente	*Sam sip*
Quatre	*Sii*	Quarante	*Sii sip*
Cinq	*Haa*	Cent	*Loï*
Six	*Hok*	Mille	*Phane*
Sept	*Tiét*	Cent mille	*Séne*
Huit	*Pèt*	Million	*lane*

Après chaque décimale, on recommence à compter. Sauf pour 11, 21, 31, etc., où l'on utilise *ét* au lieu de *nung*. Exemples :

Onze	*Sip ét*
Douze	*Sip song*
Vingt et un	*Sao ét*
Etc.	

Au marché, on sous-entend souvent *loï* (la centaine) ; exemple : *sip song pan ha kips* = 12 500 kips (*loï* est omis après *ha*). Aussi, ne pas confondre *sip ha pan* = 15 000 et *sip pan ha* = 10 500.

LIVRES DE ROUTE

– **Le Laos,** d'Isabelle Massieu (Magellan et Cie, coll. « Heureux qui comme », n° 36, 2018). Isabelle Massieu (1844-1932) a été la première Européenne à venir seule en Indochine. Après avoir vadrouillé au Liban, à Ceylan et en Inde, elle installe son salon où passent des voyageurs au Laos.
– **Le Mékong,** de Louis de Carné (Magellan et Cie, coll. « Heureux qui comme », 2005). Louis de Carné (1844-1871) était le seul civil de la première grande exploration du Mékong jamais conduite par des Européens sur le dernier « monstre sacré » d'Asie : la mission Doudart de Lagrée-Francis Garnier (1866-1868). Il y raconte sa version non officielle dans la jungle, marquée par les pluies torrentielles. Il mourra à 27 ans de fièvre.
– **Au royaume du million d'éléphants. Exploration du Laos et du Tonkin, 1887-1895,** d'Auguste Pavie (L'Harmattan, coll. « Mémoires asiatiques », 2000). Il fut nommé vice-consul de France à Luang Prabang en 1887. Par son seul charisme, ce promoteur ardent et pacifique de la France en Indochine parvint à pacifier les Pavillons noirs et à évincer les Siamois, en plaçant le Laos sous protectorat français (1893). Récit résumé de son journal de marche, direct et concret, avec des détails sur le pays et les rivières qu'il emprunta de nombreuses fois, à défaut de routes.
– **La Nuit indochinoise,** de Jean Hougron (1950-1958 ; Robert Laffont, coll. « Bouquins », 2004, 2 vol.). En 1947, jeune professeur lassé par la routine, Jean Hougron largue les amarres pour un voyage indochinois de 5 années. Tour à tour chauffeur de camion, ramasseur de benjoin, vendeur de bière ou employé au consulat des États-Unis, il arpente la région, apprend plusieurs langues, observant et prenant tout en note. Au final, une grande fresque romanesque décrivant avec passion l'âme et la vie indochinoises.
– **Voyages dans les royaumes de Siam, Cambodge et Laos,** d'Henri Mouhot (Arléa 2010). À 32 ans, entre 1858 et 1861, avec l'appui de la Société royale de géographie de Londres, Henri Mouhot s'embarque pour ces contrées méconnues. Il effectue trois expéditions au Siam (la Thaïlande aujourd'hui) et en Indochine, où il découvre par hasard les ruines d'Angkor. Il meurt de fièvre tropicale en 1861, près de Luang Prabang. Son journal de route, sauvé et publié en livre en 1868 par Hachette, fut à l'origine de bien des rêves et vocations.

– À lire également : *Lettres du Laos et du Tonkin (1901-1903),* de Joseph Chevallier (1995, éd. L'Harmattan). La correspondance d'un jeune lieutenant à son père. Avec style, il lui relate son aventure, sa vision du colonialisme, critique au passage l'armée et sa hiérarchie. Il livre une autre image du pays. À compléter avec *L'image du Laos au temps de la colonisation française (1861-1914),* de Marion Fromentin-Libouthet (2012, éd. L'Harmattan). Les rapports entretenus par les Français, simples voyageurs ou installés sur place, avec le Laos et ses habitants. Un des rares ouvrages d'historiens sur cette période.

Romans, fictions et BD

– *Le Déjeuner du coroner,* de Colin Cotterill (2004 ; Albin Michel, 2007) et, du même auteur, *La Dent du Bouddha* (2005 ; Le Livre de Poche, 2009). Sur fond d'arrivée au pouvoir des Rouges, un papi coroner plein d'humour mène l'enquête pour résoudre l'énigme de mystérieux assassinats...
– *Kham la Laotienne,* de Louis-Charles Royer (1997, éd. Kailash). Publié en 1935, ce roman colonial et policier se passe dans le Laos des années 1930. Un vrai banquier, faux chasseur d'éléphants, un jeune ingénieur des mines et une belle Laotienne (Kham) voyagent ensemble de Marseille à Luang Prabang. Au Laos, ils sont emportés par leurs ambitions, tourmentés par leurs désirs et ravagés par leur âpreté au gain.
– *Sao Van Di,* de Jean Ajalbert (2003, éd. Kailash). À Luang Prabang, un jeune poète utilise les subtilités de son art pour déclarer son amour à la belle Sao Van Di.
– *La longue marche des éléphants,* de Troubs et Nicolas Dumontheuil (Futuropolis, 2017). Le centre de conservation des éléphants de Sayaboury tente d'enrayer le déclin de la population d'éléphants, animal emblématique du Laos. En 2015, à l'initiative de ce centre, une caravane de pachydermes se lance dans une marche de 500 km à travers le pays, dans le but d'éveiller les consciences. Les deux artistes qui ont suivi le majestueux convoi nous livrent un témoignage émouvant et poétique. Un poids lourd pour la préservation des éléphants, on l'espère !
– *Un million d'éléphants,* de Vanyda et Jean-Luc Cornette (Futuropolis, 2017). Les planches de Vanyda racontent les vicissitudes du Laos à travers l'histoire de sa famille à des périodes clés : la guerre d'Indochine aux côtés des Français, les bombardements américains pendant la guerre du Vietnam, l'arrivée des communistes au pouvoir et l'exil en France. Ne pas manquer le carnet de voyage à la fin de la BD, nourri de plusieurs témoignages de Laotiens rencontrés dans le royaume alors qu'ils préparaient leur projet.

PHOTOS, VIDÉO

Prendre des photos ou filmer ne pose aucun problème particulier au Laos. De manière générale, les Laotiens sont plutôt flattés qu'on leur tire le portrait, surtout les enfants. Par simple courtoisie, leur demander toujours la permission avant de déclencher et montrez-leur le résultat sur l'écran, ce qui provoque souvent des éclats de rire. Certaines ethnies refusent d'être photographiées, question de croyances ; alors, ne pas insister ! Sur certains sites, prendre des photos peut être interdit, ou soumis à un droit payant, voire à une permission, comme dans les temples. Éviter de photographier les installations militaires et gouvernementales.

POSTE

La poste laotienne fonctionne bien dans les villes. Les panneaux sont généralement traduits en français, langue officielle de la poste. En revanche, le service est aléatoire, voire inexistant dans les campagnes... Compter 3 semaines pour que votre carte postale arrive à bon port.
– *Horaires :* du lundi au vendredi de 8h à 12h et de 13h à 17h.

SANTÉ

La situation sanitaire du Laos reste très précaire. Les hôpitaux du pays manquent encore clairement de moyens. Mieux vaut ne pas tomber malade ni avoir un accident, même si certains progrès ont été réalisés. Matériels et médicaments sont souvent bas de gamme, voire douteux (contrefaçons fréquentes). Toutefois, certains médecins parlent le français et ont été très correctement formés par les profs de la faculté de médecine de Lyon, qui a envoyé longtemps des enseignants pour assurer les cours. Sur le plan des médicaments également, la présence française et l'amitié franco-laotienne ont permis à des laboratoires d'ouvrir une filiale à Vientiane qui produit de bons médicaments. Pour éviter des problèmes qui peuvent prendre un tour extrêmement désagréable, il convient d'observer les règles suivantes.

Vaccinations

Se reporter à la rubrique « Santé » de « Cambodge utile ».

Conseils généraux

– Prendre obligatoirement une **assurance voyage** (voir « Assurances voyage » dans « Cambodge utile ») qui couvre les frais d'hospitalisation, de rapatriement, etc. Dans ce sens, sachez que *Routard Assurance* a des accords avec *International SOS,* le seul organisme d'assistance réellement implanté au Laos, et qui organise si nécessaire des évacuations sanitaires aériennes vers Bangkok (Thaïlande) ou Singapour. Quand on sait la précarité des hôpitaux du pays, et le coût de 1h de vol, cette assurance est vraiment indispensable...
– Ne pas partir au Laos si l'on n'est pas **en bonne santé.** En cas de nécessité, même pour un problème bénin, on réalisera vite que l'on est bien seul, d'autant plus si on se trouve dans la campagne.
– **Trousse à pharmacie de base :** elle doit comporter des pansements, du désinfectant cutané (alcool à 70°, *Hexomédine, Bétadine*), du paracétamol, un antinauséeux *(Primpéran),* de quoi traiter une turista avec un antibiotique, type azithromycine *(Zithromax®),* allié à un ralentisseur du transit intestinal, tel que l'acécadotril *(Tiorfan®),* plus éventuellement un antibiotique à large spectre, à n'utiliser qu'après avis autorisé.
– **Hygiène générale et alimentaire :** toutes les précautions universelles sont à appliquer à la lettre au Laos. Attention à la cuisine traditionnelle, délicieuse mais très pimentée (« *Bo phèt* » est l'expression à utiliser pour demander un plat non épicé). Veiller à bien se laver les mains pour prévenir les infections intestinales (prévoir, par exemple, des lotions hydroalcooliques, bien pratiques, à acheter avant le départ), surveiller les éraflures et autres, éviter de trop marcher pieds nus. Voir plus bas, également, les précautions liées à l'eau.

■ *Catalogue Santé-Voyage :* les produits et matériels utiles aux voyageurs, assez difficiles à trouver dans le commerce, peuvent être achetés par correspondance sur le site ● *astrium.* *com* ● Infos complètes toutes destinations, boutique web, paiement sécurisé, expéditions *Colissimo Expert* ou *Chronopost.* ☎ *01-45-86-41-91 (lun-ven 14h-19h).*

Risques et précautions

Mêmes risques au Laos qu'au Cambodge en ce qui concerne la **dengue, les problèmes intestinaux liés à l'alimentation,** et mêmes recommandations au sujet des **piqûres et morsures d'animaux,** du **soleil** et de la **baignade.** Se reporter donc à la rubrique « Santé » dans « Cambodge utile ».

Sachez qu'une fièvre en milieu tropical se soigne en priorité avec des comprimés de paracétamol, sauf bien sûr s'il s'agit d'un paludisme.

– Le **paludisme** laotien est l'un des plus coriaces du monde, principalement dans le nord-ouest du pays. Pour certaines zones du Laos, seuls le *Doxypalu* ou la *Malarone* sont efficaces en prévention. Consultez votre médecin avant le départ. Les précautions maximales sont de rigueur. Dès le coucher du soleil, porter des vêtements recouvrant le maximum de surface corporelle ; sur les parties restant découvertes, utiliser abondamment des répulsifs antimoustiques efficaces à base de DEET 50 %. Il est conseillé de renouveler fréquemment l'application. Les moustiquaires imprégnées constituent la meilleure protection, avec l'imprégnation des vêtements (faire tremper vos vêtements avant le départ ; efficace plusieurs semaines).

– **L'eau :** ne jamais consommer d'eau non bouillie, sauf s'il s'agit d'eau minérale en bouteille décapsulée devant vous. Attention aux glaçons en dehors des hôtels et restos des villes de Vientiane et Luang Prabang. Les glaçons industriels (sans danger) ont un trou cylindrique au milieu ; souvent on vous en proposera pour rafraîchir votre verre de bière mais parfois ils sont facturés ! Évitez la glace pilée dans les jus de fruits et autres *shakes* achetés dans les échoppes de rues. Elle est souvent broyée dans des conditions douteuses. Prudence !

Dans les zones touristiques, on trouve partout de l'eau minérale, du thé, de la bière, du soda. En revanche, pour les séjours ruraux, il est recommandé de purifier l'eau grâce à une paille d'ultrafiltration de poche à 0,01 micron, qui, à travers 5 étages de filtration, piège absolument tous les parasites, virus et bactéries avec une capacité de 2 000 l d'eau purifiée.

SITES INTERNET

Infos pratiques

● *routard.com* ● Le site de voyage n° 1, avec plus de 800 000 membres et plusieurs millions d'internautes chaque mois. Pour s'inspirer et s'organiser, près de 300 guides destinations actualisés, avec les infos pratiques, les incontournables et les dernières actus, ainsi que les reportages terrain et idées week-end de la rédaction. Partagez vos expériences avec la communauté de voyageurs : forums de discussion avec avis et bons plans, carnets de route et photos de voyage. Enfin, vous trouverez tout pour vos vols, hébergements, voitures et activités, sans oublier notre sélection de bons plans, pour réserver votre voyage au meilleur prix.
● *la.ambafrance.org* ● Le site officiel de l'ambassade de France. Très bien renseigné et mis à jour régulièrement. L'actualité culturelle et politique, mais aussi les infos pratiques pour passer la frontière ou encore se faire soigner.

Nature et culture

● *visit-laos.com* ● Histoire, folklore, restos, *guesthouses.* Des infos complètes et utiles à glaner. En anglais.
● *hmongstudiesjournal.org* ● Site en anglais sur une des ethnies du nord du Laos : les Hmong. Pour découvrir leur histoire, leur culture et leurs droits. En anglais.
● *infolaos.free.fr* ● Infos générales sur le pays et une section consacrée aux ethnies minoritaires illustrée de photos.
● *ecotourismlaos.com* ● Émanant des autorités touristiques laotiennes, ce site bourré d'infos et de contacts permet de se faire une bonne idée des randonnées et des sites à découvrir avec des guides, au cœur de la nature sauvage du pays. En anglais.

TÉLÉPHONE, INTERNET

Téléphone fixe

Chaque province possède un indicatif à 3 chiffres (nous l'indiquons dans le guide pour chacune des villes).

– **Laos → Laos :** indicatif de la province (à composer seulement si vous êtes dans une autre province) + numéro du correspondant (6 chiffres).

– **France → Laos :** 00 + 856 + indicatif de la province (à 2 chiffres, sans le « 0 ») + numéro du correspondant (6 chiffres).

– **Laos → France :** 00 + 33 + numéro du correspondant à 9 chiffres (sans le « 0 » initial).

– Avec le développement des portables, il est devenu très difficile de trouver une boutique pour téléphoner. Pas de cabines téléphoniques non plus. Si vous avez besoin de passer un coup de fil local et que vous n'avez pas de téléphone, n'hésitez pas à demander à un Laotien de le faire pour vous, moyennant un petit billet.

– Les hôtels font payer cher les communications internationales, rendez-vous dans les *bureaux de poste* et autres *Télécoms Offices,* où les appels sont meilleur marché.

– Certaines adresses, reliées à des réseaux particuliers, utilisent un indicatif spécifique que nous précisons dans le texte lorsque c'est le cas.

– **Renseignements téléphoniques au Laos :** composer le ☎ 178 ou le ☎ 179.

Téléphone portable

Le réseau (norme 3G) couvre toutes les villes du pays et touche l'essentiel des campagnes.

– **Laos → Laos :** 020 (ou 030) + numéro à 8 chiffres.

– **France → Laos :** 00 + 856 + 20 (ou 30) + numéro à 8 chiffres.

– **À savoir :** pour être sûr que votre appareil est compatible avec votre destination, renseignez-vous auprès de votre opérateur.

– **Activer l'option « international » :** elle est en général activée par défaut. Pensez sinon à contacter votre opérateur pour souscrire à l'option (gratuite) au moins 48h avant votre départ.

– **Le « roaming » ou itinérance :** c'est un système d'accords internationaux entre opérateurs. Concrètement, cela signifie que lorsque vous arrivez dans un pays, le nouveau réseau local s'affiche automatiquement. Vous recevez rapidement un sms de votre opérateur qui propose un **pack voyageurs** plus ou moins avantageux, incluant un forfait limité de consommations téléphoniques et de connexion internet.

– **Forfaits étranger inclus :** certains opérateurs proposent des forfaits où **35 jours de roaming par an sont offerts** dans le monde entier. On peut donc cumuler plusieurs voyages à l'étranger sans se soucier de la facture au retour. Attention, si SMS, MMS et appels sont souvent illimités, la connexion internet est, elle, limitée. D'autres opérateurs offrent carrément le **roaming toute l'année vers certaines destinations.** Renseignez-vous auprès de votre opérateur.

– **Tarifs :** ils sont propres à chaque opérateur et varient en fonction des pays (le globe est découpé en plusieurs zones tarifaires). **N'oubliez pas qu'à l'international, vous êtes facturé aussi bien pour les appels sortants que pour les appels entrants,** idem pour les textos. Donc, quand quelqu'un vous appelle à l'étranger, vous payez aussi. Soyez bref !

– **Acheter une carte SIM/puce sur place :** une option avantageuse. Il suffit d'acheter à l'arrivée une carte SIM locale prépayée chez l'un des opérateurs (*ETL, Unitel, Tigo, Lao Telecom, Beeline* ou *M Phone*). Nombreuses boutiques spécialisées à Vientiane ou à Luang Prabang et dans les aéroports internationaux. On vous attribue alors un numéro de téléphone local et, parfois, un petit crédit de communication. Prix : à partir de 30 000 kips. Avant de payer, essayez cette carte SIM dans votre téléphone – préalablement débloqué – afin de vérifier si celui-ci est compatible. Avantages : tarif très bas pour les appels locaux et internationaux (demander quels sont les numéros spéciaux à faire pour réduire encore la note) et réception gratuite des communications. Les cartes de recharge de crédit (5 000 à 100 000 kips) s'achètent dans n'importe quelle petite épicerie, même au fin fond des campagnes. Pratique. Attention, on ne peut plus vous joindre sur votre numéro habituel mais uniquement sur ce nouveau numéro.

La connexion internet en voyage

– *Se connecter au wifi* à l'étranger est le seul moyen d'avoir accès au Web gratuitement, si vous ne disposez pas d'un forfait avec *roaming* offert.
Le plus sage consiste à *désactiver la connexion* « données à l'étranger » (dans « Réseau cellulaire »). On peut aussi mettre le portable *en mode « Avion »* et activer ensuite le wifi. Attention, le mode « Avion » empêche, en revanche, de recevoir appels et messages.
La quasi-totalité des hôtels au Laos disposent d'un réseau, le plus souvent gratuit. Si bien que nous ne mentionnons plus systématiquement le picto 📶.
– Une fois connecté au wifi, vous avez accès à tous les services de la *téléphonie par Internet. WhatsApp, Messenger* (la messagerie de *Facebook*), *Viber, Skype,* permettent d'appeler, d'envoyer des messages, des photos et des vidéos aux quatre coins de la planète, sans frais. Il suffit de télécharger – gratuitement – l'une de ces applis sur son smartphone. Elle détecte automatiquement dans votre liste de contacts ceux qui utilisent la même appli.

Attention piratage !

Les wifi publics sont devenus de véritables passoires ! Il est devenu très facile, même pour un débutant, de s'introduire sur un réseau. La seule parade véritablement fiable est de ne fréquenter que des sites « certifiés ». Ils commencent par « https:// » et affichent souvent un petit cadenas à côté de l'adresse. Dans ce cas, vos transmissions sont cryptées, et donc sécurisées. Les sites les plus sensibles et populaires, comme les banques, ont tous une connexion certifiée.
Enfin, si vous utilisez un ordinateur en libre-service, évitez, dans la mesure du possible, d'entrer votre mot de passe ou toute information sensible ! Une quantité phénoménale de ces postes est infectée par des « enregistreurs de frappes », qui peuvent transmettre vos données à un destinataire mal intentionné. Et si malgré tout, vous utilisez ces postes, pensez à bien vous déconnecter et à ne pas cliquer sur l'option « enregistrer mon mot de passe ».

TRANSPORTS

Au Laos, les distances se calculent plus en heures de route qu'en kilomètres, compte tenu de l'état du réseau routier.
Si vous voyagez en bus, comptez en moyenne 8 à 10h selon le bus, pour parcourir Vientiane-Luang Prabang, par exemple, soit 400 km, alors qu'en avion la durée de vol entre Vientiane et les autres capitales provinciales ne dépasse pas 1h30. Le choix de l'avion s'imposera donc pour ceux qui sont pressés et qui en ont les moyens.

La route

L'état des routes

Les grands axes routiers du pays, comme la route 13, dite « route des Français » (traverse le Laos du nord au sud et relie ainsi la Chine au Cambodge) ou

PAKSÉ	THAKHEK	VAN VIENG	LUANG NAM THA	HOUEISAI	LUANG PRABANG	VIENTIANE	Distances en km
670	340	160	651	811	342		**VIENTIANE**
980	650	185	310	480		342	**LUANG PRABANG**
1500	1165	670	167		480	811	**HOUEISAI**
1330	1000	500		167	310	651	**LUANG NAM THA**
800	470		500	670	185	160	**VAN VIENG**
340		470	1000	1165	650	340	**THAKHEK**
	340	800	1330	1500	980	670	**PAKSÉ**

les principaux axes transversaux joignant la Thaïlande au Vietnam, sont goudronnés et à peu près de bonne qualité. Pour autant, la plupart des 15 000 km du réseau demeurent des pistes en terre ou de gravillons, plus ou moins praticables en saison des pluies (boue, ornières profondes) et selon les travaux de réparation effectués. Les voyages en bus et taxis collectifs sont donc souvent longs et harassants... Ils sont déconseillés sur les itinéraires difficiles pendant la mousson à cause des risques d'accident et de nuit. De plus, pas évident de fermer l'œil en raison de l'état des routes. Dans le nord du pays, les routes bitumées ne couvrent qu'environ 10 % du réseau routier. En vélo et à moto, gare aux crevaisons sur les pierres pointues. Pour les vélos, privilégier les pneus type VTT quand c'est possible.

S'orienter grâce aux sites, applications smartphones et cartes routières

Une fois téléchargée, l'application gratuite de cartes et de navigation ● *maps. me* ● ne nécessite pas de connexion wifi pour être consultée. Très détaillée et extrêmement pratique. Pensez toutefois à bien recharger votre batterie, car l'appli consomme pas mal.

À consulter sur leur site *(gratuit)* ou à télécharger en pdf *(1 $)*, les *Hobo Maps* sur ● *hobomaps.com* ● Cartes très précises et régulièrement mises à jour sur des régions (le nord du Laos avec l'état des routes et le temps de parcours) et des villes, comme Luang Prabang, ses environs, Vientiane, Van Vieng, la plaine des Jarres et certaines villes du nord. Avantage : nombreuses adresses pointées.

En dépannage, l'indéboulonnable carte routière sans batterie, ni connexion : s'en procurer une soit avant de partir pour plus de choix, soit sur place, dans certaines librairies et supérettes de Vientiane et de Luang Prabang. On conseille la *GT Rider Touring Map* sur le Laos, réalisée par les *Golden Triangle Riders* (● *GT-Rider. com* ●). Elle incorpore des plans des principales villes. Pratique.

Bus et taxis collectifs

Très économique, le **bus** est le moyen de transport le plus utilisé par les habitants et les routards. Mais compte tenu de l'état des routes... et des bus, des nombreux arrêts et imprévus, les retards sont fréquents. Prévoir large.

Souvent, les gares routières sont excentrées, reliées au centre-ville par des *tuk-tuk*. Les bus sont couramment bondés. Il en existe 3 catégories, de confort variable : les bus locaux *(regular bus),* les express et les VIP. Pour les grands trajets, les VIP, plus chers, sont aussi plus confortables et les sièges sont numérotés. Mais tout est relatif, surtout en termes d'espace, plus adapté à la morphologie locale. Certains sont équipés de couchettes. Si ces derniers sont achetés neufs par certaines compagnies, la plupart des véhicules en circulation sont de seconde, voire des troisième main en provenance de Chine ou de Corée. Pour sillonner les campagnes reculées, des camionnettes bâchées ou des triporteurs font généralement office de **taxis collectifs.** Ce sont de vrais tape-culs régulièrement bourrés jusqu'au toit de passagers, de marchandises et d'animaux ! Notez que les Laotiens sont plutôt sujets au mal des transports, mieux vaut donc avoir soi-même l'estomac bien accroché. Si les bus partent, en théorie, à heure fixe, les taxis collectifs ne démarrent en principe que quand ils sont pleins, à l'intérieur de tranches horaires fixes de service (souvent le matin entre 7h30 et 10h30).

Les billets des bus locaux s'achètent généralement le jour du départ aux guichets des gares routières ou, à défaut, directement auprès des chauffeurs. En revanche, ceux des bus express et VIP s'achètent à l'avance. La plupart des *guesthouses* et agences de voyages les vendent, moyennant une petite commission. Le transfert jusqu'à la gare routière est alors souvent inclus, ce qui est bien pratique lorsque celle-ci est éloignée du centre-ville. Les billets des camionnettes-taxis collectifs, eux, se prennent le plus souvent auprès des chauffeurs...

– **Conseil :** arriver à la gare routière un peu avant l'heure de départ. Il n'est pas rare qu'un bus parte en retard... ou en avance !

Voiture

– **Avec chauffeur :** toutes les agences de voyages en proposent pour un prix acceptable (surcoût modique par rapport à une location simple). La gamme des véhicules va du 4x4 climatisé au minibus. La formule est conseillée si l'on est au moins 3 et pour des raisons évidentes d'orientation, de maîtrise de la langue, de pratique de la circulation locale (ainsi, les feux rouges ne sont pas toujours respectés) et de problèmes d'assurance (quoiqu'il arrive, votre responsabilité ne sera pas engagée)... Au prix de la prestation, il faut ajouter le pourboire du chauffeur *(compter env 20 000 kips/j.).*

– **Sans chauffeur :** les conducteurs expérimentés peuvent tenter l'aventure : la signalisation s'est améliorée, les applis d'orientation fournissent une aide précieuse et le trafic est rarement encombré. Pour éviter tout litige, un constat de l'état de la voiture est requis avant de prendre la route. Penser, avant le départ, à prendre des photos des dégâts apparents sur la carrosserie.

Éviter absolument de rouler de nuit et se tenir constamment sur ses gardes par rapport aux piétons et deux-roues, surtout dans les villages (tout le monde traverse n'importe où, même dans un virage, et n'importe quand, sans regarder). Et par rapport aux autres voitures : le code la route n'a pas vraiment de sens pour la plupart des Laotiens au volant, qui peuvent avoir un comportement très dangereux. Le nombre d'accidents est très élevé par rapport au parc automobile en circulation.

Il est conseillé de partir avec **un permis de conduire international,** même s'il n'y a aucune exigence côté loueur ; en cas de problème, c'est l'assurance qui vous le réclamera.

Samlo, tuk-tuk, jumbo, songthaews *et bus urbains*

Les *tuk-tuk,* tricycles motorisés, similaires à ceux qu'on trouve en Thaïlande et au Cambodge, ou leur version side-car (appelée alors *samlo*), peuvent transporter de 2 à 4 passagers selon les modèles. Son grand frère, le *jumbo* (*tuk-tuk* collectif), peut accueillir jusqu'à 12 passagers et se trouve dans toutes les villes. Les *songthaews* sont des pick-up ouverts à l'arrière et équipés de 2 rangées de bancs placées en longueur. Pas très confortables, ils dépannent sur les courts trajets ; sur les plus longues distances, ça peut devenir fatigant.

Négocier très ferme, car, à la vue des touristes, les chauffeurs n'hésitent pas à quintupler leurs tarifs ! Un conseil : éviter les *tuk-tuk* stationnés face aux grands hôtels, aux restos chic ou aux supérettes occidentales. Leur cible toute désignée étant le touriste fraîchement débarqué de l'aéroport, à qui ils feront payer jusqu'à 10 fois le prix normal.

Une course en centre-ville de 5 mn se monnaie autour de 15 à 20 000 kips pour le *tuk-tuk* complet. Si vous embarquez sur un *jumbo* collectif, comptez 5 000 kips par personne. Sachez aussi qu'après 21h-22h, les chauffeurs ont l'habitude de majorer leurs tarifs de 50 % environ... Enfin, peu de chauffeurs comprennent l'anglais ou le français, il est donc assez utile d'avoir le nom de la destination écrite en lao ; et quand bien même la plupart d'entre eux ne savent pas forcément lire, ils se repèrent surtout aux quartiers, aux temples, aux marchés, aux hôtels et *guesthouses,* à certains carrefours également, etc.

Moto

Pour louer une moto au Laos, **on conseille d'être expérimenté** ; **les accidents sont fréquents sur des routes souvent en mauvais état.** Ils représentent l'une des premières causes de mortalité des touristes dans le pays, avec la précarité des structures médicales. Toutefois, force est de constater que ce mode de locomotion est populaire auprès des routards, notamment sur certaines jolies boucles du sud du pays (région de Thakhek, plateau des Bolavens) et pour explorer les villages du nord. Alors voici quelques conseils.

– Si vous n'avez pas le permis moto, un loueur sérieux ne vous confiera jamais un de ses engins. De toute façon, sans expérience, on déconseille carrément, ça serait trop dangereux. On tient à vous ! Contentez-vous d'un scooter pour explorer les environs.

– On le sait, c'est tentant, de rouler en tongs et la tête nue sous ces latitudes. Niet ! Pantalon, tee-shirt manches longues (déjà pour les coups de soleil), chaussures fermées, casque (d'ailleurs obligatoire, amende prévue) sont hautement conseillés.

– Bien vérifier l'état du deux-roues, ses freins et les phares. À ce sujet, *la conduite de nuit est à proscrire absolument,* d'autant plus en rase campagne. C'est extrêmement dangereux : nids-de-poule ou plutôt d'éléphant, passages sans bitume, chiens et bétail errants, automobilistes et autres motards alcoolisés. Prévoyez large si votre étape est longue ; crevaison, petites pannes peuvent toujours arriver. Si vous êtes surpris par la nuit au milieu de nulle part, réduisez la vitesse et n'hésitez pas à vous arrêter dans une *guesthouse* même rudimentaire. Mieux vaut passer une nuit inconfortable qu'une nuit à l'hôpital.

– La plupart du temps, les loueurs ne proposent pas d'*assurance.* Privilégier ceux qui en ont. Mais même si elle existe, il ne s'agit que d'une formule au tiers et à minima, avec les conséquences financières que cela peut entraîner en cas d'accident (frais de santé, de réparation de la moto, etc.). S'il y a défaut d'assurance, le conducteur doit payer la réparation des dommages causés aux tiers et au véhicule en cas d'accident. La police peut placer le conducteur en détention et confisquer son passeport jusqu'à ce qu'un règlement financier intervienne. Savoir aussi que les assurances de voyage ne fonctionnent généralement pas quand on loue un véhicule. Ennuyeux... Vérifier attentivement votre police d'assurance.

Devant la recrudescence des vols de motos louées, il est recommandé :

– d'utiliser un antivol personnel (cadenas, chaîne) ;

– de vérifier les termes du contrat de location et de ne pas laisser son passeport en dépôt auprès du loueur, l'ambassade ne pouvant délivrer un laissez-passer pour un retour en France qu'en cas de vol ou de perte déclarés du passeport auprès de la police ;

– de privilégier la caution par carte de paiement avec couverture par une assurance internationale ;

– de préférer, en cas de différend avec le loueur, un compromis aussi satisfaisant que possible, négocié avec calme et courtoisie, afin d'éviter que l'affaire soit portée devant la police.

Un *grand tour à moto ne doit jamais être envisagé seul.* L'idéal est de joindre un tour organisé (voir les chapitres « Vientiane » et « Luang Prabang »). C'est de cher à très cher, mais vous profiterez de la logistique, de la connaissance du terrain et d'un service d'assistance.

Avion

L'avion est le moyen de transport le plus pratique et le plus rapide pour se déplacer à l'intérieur du Laos. Au départ de Vientiane, la compagnie *Lao Airlines* (● laoairlines.com ●) assure des vols quotidiens pour Luang Prabang, Paksé, Xieng Khouang, Oudom Xai, Luang Nam Tha et Savannakhet. Également des vols au départ de Luang Prabang pour Paksé. Les avions sont souvent retardés quand la météo est mauvaise, surtout en saison des pluies. De même, les vols sur les petites lignes (Oudom Xai, et Luang Nam Tha) peuvent être annulés si l'avion n'est pas suffisamment rempli ou si les conditions climatiques sont incompatibles avec la petite taille des appareils. On vous conseille donc de prévoir large dans votre itinéraire, surtout si vous devez prendre ensuite un vol international.

Sachez, en tout cas, que *Lao Airlines* affrète des Airbus A 320 et ATR 72. Non seulement elle ne figure pas sur la liste noire des compagnies aériennes, mais elle propose une bonne qualité de services. Également la compagnie *Lao Skyway*

(● *laoskyway.com* ●) qui opère au départ de Vientiane des vols à destination de Luang Prabang, Luang Nam Tha, Oudom Xai, Houeisai, Paksé.
Seules les villes de Vientiane, Luang Prabang, Paksé et Savannakhet possèdent des aéroports internationaux.

Bateau

Fleuve de légendes, le Mékong serpente entre des rives montagneuses et rocheuses dans le nord du pays, couvertes de forêts tropicales humides dans le Sud. Ici et là, noyés dans la végétation luxuriante des berges, quelques discrets villages vivent encore relativement loin du monde moderne... Naviguer sur le Mékong et ses affluents garantit de belles croisières au fil de l'eau. Leur charme tient aussi au fait que les locaux les utilisent comme voies de transport, semant dans leur sillage des tranches de vie bien authentiques. Mais la construction de barrages, notamment sur la Nam Ou, dans le nord, tronçonne de plus en plus les périples. Si bien que la route tend à supplanter le fleuve.

Les secteurs navigables du Mékong

Théoriquement, on peut naviguer toute l'année entre Luang Prabang et Houeisai, en passant par Pakbeng. Il est aussi possible de naviguer entre Paksé et Champasak, jusqu'à l'île de Don Khong, et même Don Khône et Don Det plus au sud, si le niveau d'eau le permet.

La navigation sur la rivière Nam Ou

Moins large que le Mékong, son affluent, la Nam Ou, s'écoule dans une vallée resserrée, bordée de falaises rocheuses érodées. Les monts embrumés, souvent des massifs de karsts (pains de sucre) aux formes grignotées et creusées par le temps, composent un vrai paysage d'estampe chinoise. Maintenant qu'on vous a bien mis l'eau à la bouche, sachez que vous aurez de moins en moins l'occasion de naviguer dessus... dommage, surtout pour les habitants. Le nombre de barrages construits par les entreprises chinoises entrave désormais ces voies de communication ancestrales, entraîne de graves problèmes environnementaux et économiques (moins de poissons et d'algues) et, dans une moindre mesure, prive le voyageur de balades exceptionnelles.
Concrètement, en remontant vers le nord : la liaison entre Luang Prabang et Nong Khiaw n'est déjà plus possible ; elle l'est entre Nong Khiaw et Muang Ngoi (beaux paysages !), elle ne le sera plus entre Muang Ngoi et Muang Khoua d'ici *fin 2018.*

Les différents types de bateaux

Selon votre temps et votre budget, il existe plusieurs types de bateaux pour voyager sur le Mékong et ses affluents.
– **Les petits bateaux privés :** ces *bateaux-taxis* organisent des promenades sur le fleuve à l'heure, à la demi-journée ou à la journée, rarement plus.
– **Les slow boats** *(bateaux lents) :* c'est « l'autobus fluvial laotien ». Il s'agit d'un bateau régulier à moteur, sorte de mini-péniche d'une quarantaine de mètres de long, à faible tirant d'eau. Ils peuvent embarquer une centaine de personnes. Les Laotiens l'utilisent, car il est économique et permet d'embarquer les marchandises. Les passagers sont assis sous une toiture à claire-voie. Et comme la vitesse est lente, on a bien le temps d'apprécier les superbes paysages. On y vend en principe des boissons et petits snacks, mais rien ne vous empêche d'emporter des victuailles.
– **Les speed boats :** ce sont des bateaux rapides de 6-8 personnes, genre hors-bord (non bâchés donc), qui permettent de relier Luang Prabang à Houeisai via Pakbeng, à mi-chemin. Ils fendent la surface de l'eau à 50 km/h, sont bruyants, inconfortables (prévoir un coussin pour protéger le dos, un coupe-vent, un bon vêtement de pluie quand les nuages sévissent, et une bonne dose de crème

solaire par beau temps!) et manquent singulièrement de poésie. En principe, on voyage casqué, ce qui donne des allures d'équipage de bobsleigh. Les *speed boats* séduiront les amateurs de sensations fortes. Mais 6h30 sur de tels engins, c'est long. **On vous déconseille franchement de les emprunter pendant la mousson ou suite à de fortes pluies.** Le Mékong (ou ses affluents) charrie des obstacles dangereux, comme des troncs d'arbres. Ces engins sont propulsés par une bouteille de gaz à l'arrière du bateau ou de l'essence. Le moindre choc violent peut être fatal. Il y a déjà eu des accidents.

– *Les bateaux de croisière Wat Phou et Luang Say :* une formule coûteuse et luxueuse. Il s'agit de longs bateaux en bois à faible tirant d'eau, équipés pour de petits groupes. Des croisières de 3 jours et 2 nuits ont lieu dans le sud du Laos à bord du *Wat Phou* (● vatphou.com ●). Itinéraire : Paksé-Champassak-Vat Phou-région des 4 000 îles, et retour à Paksé en minibus. Également des croisières de 2 jours dans le nord du pays, à bord du *Luang Say* (● mekong-cruises.com ●) entre Luang Prabang et Houeisai, avec nuit à Pakbeng, dans un hôtel-*lodge* de luxe.

– *Les bateaux de croisière Shompoocruise :* là encore, il s'agit de longs sampans en bois qui relient Luang Prabang à Houeisai en 2 jours et 1 nuit, avec des prestations moins luxueuses et moins onéreuses que celles de *Wat Phou* et *Luang Say*. Se reporter à la rubrique « Arriver – Quitter. En bateau » à Luang Prabang.

Train

Le Laos possède actuellement un réseau ferré plutôt modeste : 3,5 km s'étirant entre le pont de l'Amitié et la station de Thanaleng, située à 17 km de Vientiane. De cette gare, vous pouvez rejoindre Vientiane par bus, *tuk-tuk* ou taxi. Cependant, la majorité des voyageurs du rail en provenance de la Thaïlande (Bangkok, Ayutthaya...) continue de descendre à la gare frontalière de Nong Khai.

Projet pharaonique, la liaison ferroviaire Vientiane-Kunming (en Chine) avance à grands pas et devrait voir le jour d'ici 2021. Les travaux ont débuté fin 2016 et s'inscrivent dans un projet tentaculaire dont l'objectif, conduit par la Chine, est de relier le Yunnan (Chine) à Singapour en passant par le Laos et la Thaïlande. À l'horizon 2025, le train passera par Luang Prabang et Boten (à la frontière chinoise) avec continuité possible vers Nong Khai (en Thaïlande), la Malaisie et Singapour : côté laotien, pas moins de 176 tunnels et 154 ponts pour couvrir une distance de 420 km environ.

URGENCES

■ *Police :* ☎ 191.
■ *Pompiers :* ☎ 190.
Le problème de ces 2 numéros, c'est qu'il n'y a pas toujours quelqu'un au bout du fil...

■ *Ambassade de France à Vientiane :* ☎ (21) 26-74-00 et permanence 24h/24 (pour les urgences seulement) : 🖷 020-555-147-51. ● la.ambafrance.org ●

Pour les cartes de paiement

Avant de partir, notez donc bien le numéro d'opposition propre à votre banque (il figure souvent au dos des tickets de retrait, sur votre contrat, ou à côté des distributeurs de billets), ainsi que le numéro à 16 chiffres de votre carte. Bien entendu, conservez ces informations en lieu sûr et séparément de votre carte.

Par ailleurs, l'assistance médicale se limite aux 90 premiers jours du voyage et l'assistance véhicule aux cartes haut de gamme (renseignez-vous auprès de votre banque).

– *Carte Visa :* numéro d'urgence (Europe Assistance) – ☎ (00-33) 1-41-85-85-85 (24h/24). ● visa.fr ●

– *Carte MasterCard :* numéro d'urgence – ☎ (00-33) 1-45-16-65-65. ● mastercardfrance.com ●

– *Carte American Express :* *numéro d'urgence –* ☎ *(00-33) 1-47-77-72-00.* ● *americanexpress.com* ●

Au Laos, se présenter à une agence *Western Union* avec une pièce d'identité.

Il existe aussi un serveur interbancaire d'opposition qui, en cas de perte ou de vol, vous met en contact avec le centre d'opposition de votre banque. *En France :* ☎ *0892-705-705 (service 0,35 €/mn + prix d'un appel) ; depuis l'étranger :* *+ 33-442-605-303.*

Besoin urgent d'argent liquide

Vous pouvez être dépanné en quelques minutes grâce au système *Western Union Money Transfer.* L'argent vous est transféré en moins de 1h. La commission, assez élevée, est payée par l'expéditeur. Possibilité d'effectuer un transfert auprès d'un des bureaux *Western Union* ou, plus rapide, en ligne, 24h/24 par carte de paiement (*Visa* ou *MasterCard*) : on trouve des bureaux affiliés un peu partout au Laos, y compris dans des villes de moyenne importance.
Même principe avec d'autres organismes de transfert d'argent liquide, comme *MoneyGram* ou *PayTop.* Transfert sécurisé en ligne en moins de 1h.
Dans tous les cas, se munir d'une pièce d'identité. Toutefois, en cas de perte/vol de papiers, certains organismes permettent de convenir d'une question/réponse-type pour pouvoir récupérer votre argent. Chacun de ces organismes possède aussi des applications disponibles sur téléphone portable. Consulter les sites internet pour connaître les pays concernés, les conditions tarifaires et trouver le correspondant local le plus proche :
● *westernunion.com* ● *moneygram.fr* ● *paytop.com* ● *azimo.com/fr* ●
– Autre solution, envoyer de l'argent par *La Poste* : le bénéficiaire, muni de sa pièce d'identité, peut retirer les fonds dans n'importe quel bureau du réseau local. Le transfert s'effectue avec un mandat ordinaire international (jusqu'à 3 500 €) et la transaction prend 8-10 jours vers l'international. Plus cher, mais plus rapide, le mandat express international permet d'envoyer de l'argent (montant variable selon la destination – 34 au total) sous 2 jours maximum, 24h lorsque la démarche est faite en ligne. *Infos :* ● *labanquepostale.fr* ●

Pour les téléphones portables

Voici les numéros des quatre opérateurs français, accessibles depuis la France et l'étranger :

– *Orange :* *depuis la France,* ☎ *0800-100-740 ; depuis l'étranger,* ☎ *+ 33-969-39-39-00.*
– *Free :* *depuis la France,* ☎ *3244 ; depuis l'étranger,* ☎ *+ 33-1-78-56-95-60.*

– *SFR :* *depuis la France,* ☎ *1023 ; depuis l'étranger,* ▤ *+ 33-6-1000-1023.*
– *Bouygues Télécom :* *depuis la France comme depuis l'étranger,* ☎ *+ 33-800-29-1000 (service et appel gratuits).*

Vous pouvez aussi demander la suspension de votre ligne depuis le site internet de votre opérateur.

LE LAOS

| VIENTIANE ET LE CENTRE............338 | LUANG PRABANG ET SA RÉGION ....384 | LE NORD.........................422 |
| | | LE SUD.............................461 |

VIENTIANE ET LE CENTRE

- Vientiane 338
  - Vers le sud-est : Wat Xieng Khuan (Buddha Park) • Vers le nord, sur la route de Vang Vieng : Lak Ha Sip Sawg Market, Vang Song et Dan Pha
- Vang Vieng 365
  - Aux alentours

immédiats de Vang Vieng : Tham Chang, Tham Lusy (grotte) et le piton Phapouak
- À l'ouest de Vang Vieng : le piton Pha Ngeun, Golden Flower Cave, Tham Poukham et le Blue Lagoon • À l'est de Vang Vieng : Kaeng

Nyui Waterfall et le canyon de la Nam Po
- Plus loin au nord : Phatang, Tham Xang et Tham Nam (grottes)
- Phonsavan et la plaine des Jarres 376
  - Ban Ang, Nancout, Siang De et Muang Khoune (Old Capital)

VIENTIANE   990 000 hab.   IND. TÉL. : 021

● Plan d'ensemble *p. 340-341* ● Zoom (le centre) *p. 343*

 L'atmosphère paisible de Vientiane, presque engourdie, où le temps semble s'étirer avec indolence, tranche radicalement avec la frénésie des autres capitales des pays voisins. Pourtant, son développement économique s'accompagne de projets immobiliers et de travaux d'aménagement. L'intensification du trafic et la mutation de ses larges avenues, bordées de nombreuses vieilles villas et de bâtiments d'époque coloniale, parfois en péril, révèlent une cité dorénavant sous

l'influence du boom économique qui secoue un Sud-Est asiatique parti à la poursuite du « parrain » chinois, et effaçant progressivement les quelques traces liées à la présence française au temps du protectorat. Progressivement, les coquettes façades un peu défraîchies entourées de jardins broussailleux disparaissent derrière des palissades où s'annoncent les constructions prochaines de complexes commerciaux démesurés surdimensionnés pour cette petite capitale.

À la croisée des chemins, Vientiane troque encore un peu de patine et de pittoresque par ici, contre plus d'animation par là, sans trahir tout à fait sa nature encore indolente et délaisser sa douceur de vivre. C'est là tout son charme. Elle s'anime joyeusement en soirée, avec son marché du soir qui aligne le long du Mékong ses échoppes débordant de textiles et d'objets manufacturés et importés de chez ses grands voisins chinois et vietnamien.

UN PEU D'HISTOIRE

Le nom laotien de Vientiane est *Vieng Chan* ou *Viang Chan*. Il signifierait « ville du santal » ou « ville de la lune », le Mékong réalisant ici un méandre généreux en forme de croissant de lune. *Viang* signifie à la fois « ville » et « forteresse ». Le roi Setthathirat fortifie l'ancien Muang qui existe ici depuis le Xe s et en fait sa capitale en 1563 à la place de Luang Prabang *(Muang Sua)*, jusque-là ville principale du pays.

Prospère au XVIIIe s, Vientiane est presque entièrement **détruite au XIXe s par les Thaïlandais** qui emportent le fameux bouddha d'Émeraude. **L'arrivée des Français marque le renouveau de la ville à la fin du XIXe s.** Quelques bâtiments coloniaux subsistent d'ailleurs, plus ou moins bien entretenus. Ils ont été construits sur le modèle des villas du Midi de la France, avec des tuiles rouges et des frises extérieures en bois. On les trouve essentiellement dans la partie basse de la ville, entre l'ambassade de France et la place Nam Phou...

Après la révolution de 1975, le nouveau régime, soucieux de limiter l'exode rural, n'entreprend rien pour développer Vientiane. Cela n'empêche pas les paysans de s'installer en masse à la périphérie de la ville, dans de simples maisons en bois sur pilotis. Aujourd'hui, c'est peut-être l'aménagement des berges du Mékong, en un grand parc esthétiquement discutable, qui illustre le mieux le remodelage de la ville. La chaussée surélevée a confisqué le panorama dont on jouissait depuis d'anciennes et populaires gargotes sur pilotis, tandis que de nouvelles constructions poussent à sa recherche.

Comment y aller ?

En avion

✈ *Aéroport international Wattay (hors plan d'ensemble par A2) : à env 4 km à l'ouest du centre-ville, sur la route de Luang Prabang.* ● vientianeairport.com ● Il compte 2 terminaux situés côte à côte : le premier accueille les vols internationaux ; le second, les vols intérieurs. Distributeurs de billets dans chacun, bureaux de change dans le terminal international *(tlj 9h-20h30, taux équivalent à celui du centre).* Bureau de poste, achat de cartes SIM locales (téléphone et internet), loueurs de voitures *Avis* et *Sixt*. Resto-buffet au 2e étage. Pas de consigne.

■ *Lao Airlines : à l'aéroport.* ☎ 16-26 ou 21-10-50. Vols quotidiens vers **Luang Prabang, Paksé, Xieng Khouang, Oudom Xai, Luang Nam Tha** et **Savannakhet.**

■ *Lao Skyway :* ☎ *1441* (Call Center). ● laoskyway.com ● À Dessert *Houeisai, Luang Nam Tha, Luang Prabang, Paksé* et *Xieng Khouang.*

– Pour les vols internationaux réguliers vers *Siem Reap* (Cambodge), *Bangkok* (Thaïlande), *Hanoi* (Vietnam), *Kunming* (Chine) et *Yangon* (Birmanie), se reporter au chapitre « Arriver – Quitter ».

Pour se rendre au centre-ville

– *En taxi : comptoir à l'aéroport. Compter 57 000 kips (ou 7 $). Un petit quart d'heure suffit pour rejoindre le centre.*

– *Navette (airport shuttle) :* ● vientianebus.org.la ● Facebook. *Entre l'aéroport (terminal international) et la gare routière de Talat Sao, bus ttes les 40 mn (ou ttes les heures) 8h05-21h35 en direction de l'aéroport. Vers la gare routière centrale, liaisons 9h-22h20 (même fréquence). Env 35 mn jusqu'à la gare routière en passant par les 10 arrêts. Compter 15 000 kips/pers.*

– Plus économique, le *bus (en sortant de l'aéroport à gauche, puis à droite jusqu'à la route ; compter 5 000 kips),* arrêt près du *Khua Din Market (plan d'ensemble E3).* Si vous avez réservé dans un hôtel, vérifiez sur son site si celui-ci n'assure pas une navette gratuite depuis l'aéroport.

LE LAOS

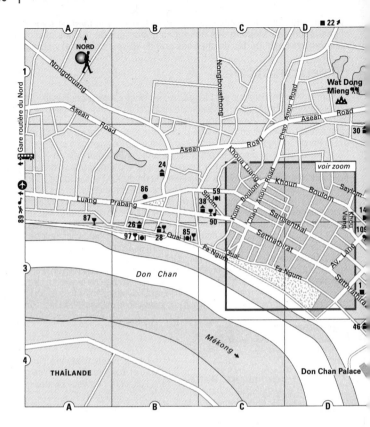

■ Adresses utiles

- **🅱** Lao National Tourism (E2-3)
- **1** Consulat de France (D3)
- **3** Ambassade du Vietnam (F2)
- **4** Ambassade du Canada (hors plan par G1)
- **13** EXO Travel (F1)
- **14** Immigration Office et Joint Development Bank (D2)
- **15** Institut français (E2)
- **18** Consulat de Thaïlande (G2-3)
- **19** Monument Books (E4)
- **✚ 20** Centre médical de l'ambassade de France (E3)
- **22** Jules Classic Adventure (location de motos ; hors plan par D1)
- **46** Pharmacie Paramy (D4)

🏠 Où dormir ?

- **24** Villa Lao (B2)
- **26** Nalinthone Guesthouse (B2-3)
- **28** Hotel Beau Rivage Mékong (B3)
- **29** Jungle House (hors plan par H1)
- **30** Villa Sisavad (D2)
- **38** Dream Home Hostel 1 (C2)
- **44** Heuan Lao Guesthouse (E4)
- **45** Green Park Boutique Hotel (E4)
- **46** Paramy, chambres d'hôtes (D4)
- **47** Villa Manoly (E4)

🍽 Où manger ?

- **57** Pa Kham Tan (E1)

LE LAOS

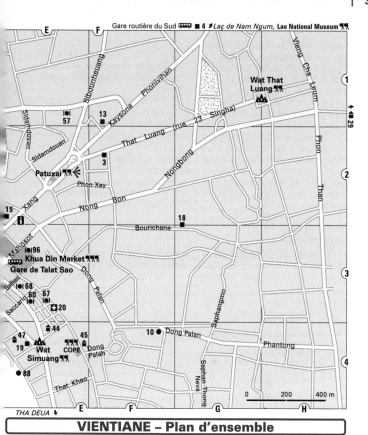

Gare routière du Sud ■ 4 Lac de Nam Ngum, Lao National Museum

Wat That Luang

13
57

Patuxai

3

15

18

96
Khua Din Market
Gare de Talat Sao

68
60 67
20

47
19 Wat
Simuang

44

45
COPE Dong Palah

10 Dong Palan

Phantong

88

0   200   400 m

THA DEUA

VIENTIANE – Plan d'ensemble

LE LAOS

59 Pizza da Roby (C2)
60 PVO (E3)
67 PVO (annexe ; E3)
68 Bistro 22 (E3)
96 Gargotes du marché Khua Din (E3)
97 Gargotes du marché au bord du Mékong (B3)

🍸♪ **Où boire un verre ?**
🕴 **Où sortir ?**

28 The Spirit House (Hotel Beau Rivage Mekong ; B3)
85 Samyeck Pakpasack (B3)
87 Highland Bar (A2-3)

89 Marina Club (hors plan par A2)
90 Wind West (C2)

■ **Loisirs et détente**

10 Piscine du club de fitness Sengdara (F4)
15 Institut français (D-E2)
22 Papaya Spa At Home (hors plan par D1)
86 Piscine du Mercure Vientiane (B2)
88 Piscine du Don Chan Palace (E4)

🕴 **À voir**

109 Morning Market (D3)

Par voie terrestre

– *Le pont de l'Amitié (Mittapab Bridge ou Friendship Bridge) :* à env 20 km au sud-est de Vientiane, il enjambe le Mékong pour relier la Thaïlande au Laos. Frontière ouv tlj 6h-22h sans interruption. Pour traverser le pont, les piétons doivent embarquer dans un bus spécial *(prix fixe, pas cher, 8 fois/j.)* qui s'arrête pour les formalités de sortie de Thaïlande, puis au poste-frontière d'entrée au Laos. 2 passages terrestres maximum (par an) avec la frontière thaïlandaise sont autorisés. Au-delà, un visa thaïlandais est nécessaire.

Pour se rendre au centre-ville

– *Thai-Lao International Bus :* 6 bus/j. relient Udon Thani et Nong Khai à Vientiane (gare routière de Talat Sao). Pour l'achat d'un billet A/R, passeport demandé.
– Alternativement, côté Laos, bus n° 14 *(env 6 000 kips)* toutes les 20 mn vers la gare routière de Talat Sao (marché du matin) ou *tuk-tuk* et taxis, forcément plus chers.
– Noter qu'on peut également franchir la frontière en *train* (2 liaisons/j., à 9h30 et 16h depuis Nong Khai ; formalités aux gares frontalières) et débarquer à Thanaleng (à 13 km de Vientiane).

Orientation

Il est très facile de se repérer dans Vientiane car la ville n'est pas très étendue, et les rues du centre se coupent à angle droit. Les meilleurs points de repère sont : le *Mékong,* bordé par le quai Fa Ngum (fondateur du royaume

---

■ **Adresses utiles**
  ✚ Hôpital Mahosot (D3)
  7 Avis (C3)
  9 Banque pour le Commerce Extérieur Lao et Lao's Passenger Service Co (D3)
  12 Diethelm Travel Laos (C2)
  16 Police (D3)
  17 Consulat honoraire de Suisse (C3)
  65 Book-Café (C2-3)
  112 Baràvin (D3)

🛏 **Où dormir ?**
  23 Sala Inpeng (C3)
  25 Mixay Paradise (C3)
  31 Day Inn Hotel (D2)
  32 Mixok Inn (C3)
  33 Sinnakhone (C3)
  34 Ansara (C3)
  35 Sailomyen cafe & Hostel (D2)
  36 Settha Palace Hotel (D2)
  37 Sunbeam Hotel et Douang Deuane Hotel (C3)
  39 Lao Orchid Hotel (C3)
  40 Vayakorn House (C3)
  42 Khamvongsa (C3)
  43 Mali Namphou Hotel (D3)
  48 Chanthapanya Hotel (C3)

|●| **Où manger ?**
  36 La Belle Époque (resto du Settha Palace Hotel ; D2)
  50 Tango (C2-3)
  52 Ban Vilaylac Restaurant et L'Adresse de Tinay (C3)
  53 Han Sam Euay Nong (C3)
  54 Taj Mahal Restaurant (C-D3)
  55 Le Vendôme (C3)
  56 Lao Kitchen (C2-3)
  58 Via Via (C3)
  61 la Cage du Coq (C3)
  63 Chokdee (C3)
  74 Pho Zap (D2-3)
  75 Xang Khoo (D3)

|●| 🍵 **Où boire un café ? Où manger sandwichs et pâtisseries ?**
  57 Le Banneton (C3)
  66 Joma Bakery Café, Coco & co et Le Trio Coffee (D3)
  77 The Cabana (C3)
  78 Annabelle Cafe (C3)
  84 Sinouk Café (C3)

🍸 **Où boire un verre ? Où sortir ?**
  51 Sticky Fingers (C3)
  62 Khop Chaï Deu (D3)
  69 Noy's Fruit Heaven (C3)
  77 Bor Pen Nyang (C3)
  79 ATMO (C2-3)

🕸 **Achats**
  55 T'shop Laï Gallery – Lao Coco Arts (C3)
  115 Satri Lao, Mixay Boutic et Her Works (C3)
  116 Lao Textiles – Carol Cassidy (C3)
  118 Saoban (C3)
  123 Tounet (C3)

■ **Loisirs et détente**
  36 Piscine du Settha Palace Hotel (D2)
  113 Sasyratn et White Lotus (D3)
  121 Tangerine Garden (C3)
  122 Lao Bowling Centre (D2)

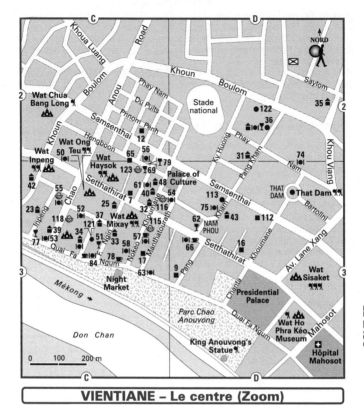

VIENTIANE – Le centre (Zoom)

LE LAOS

du Lane Xang), et la *place Nam Phou*, avec sa fontaine centrale. Le centre-ville est grosso modo délimité par la boucle que forme la rue Khoum Boulom. Il est formé de pâtés de maisons découpés par les rues perpendiculaires au quai Fa Ngum et aux rues Setthathirat et Samsenthai. Même si les noms des rues sont régulièrement indiqués par un panneau en alphabet latin, les locaux se repèrent en général au nom d'un wat (il y en a partout). Pour une adresse, même connue, on précise donc souvent (derrière le wat machin). Toutefois, un bon plan Illustré de la ville peut rendre des services. Enfin, pour ceux qui se baladeraient à vélo, savoir que la plupart des rues sont à sens unique.

Adresses et infos utiles

– *RFI à Vientiane :* 100.5.

Infos touristiques

🚩 *Lao National Tourism* (plan d'ensemble E2-3) **:** 3556, av. Lane Xang, face à l'Institut français. ☎ 21-22-48. ● *tourismlaos.org* ● *ecotourismlaos.com* ● Tlj 8h30-12h, 13h30-16h. Toute une série de panneaux y détaille les attraits touristiques et culturels des différentes provinces

du pays. Peu de documentation, quelques cartes. On peut souvent obtenir de meilleures infos auprès des agences de voyages et hébergements routards.
– *Cartes et plans :* auprès de Monument Books *(plan d'ensemble E4, 40)*. Se procurer les cartes *Hobo*, très bien faites et très détaillées.

Argent, banques, change

Le centre-ville compte de nombreuses banques, officines de change et distributeurs de billets.

Principales banques, officines de change, distributeurs de billets

Lun-ven 8h30-15h30 pour les banques ; nombre de changeurs ferment plus tard et restent ouv le w-e. Dans toutes les banques ci-dessous : service de change des devises courantes et distributeurs de billets 24h/24 (on en trouve un peu partout).

■ *Banques :*
– *Banque Franco-Lao (BFL) :* av. Lane Xang. À côté de l'Institut français. Une annexe plus centrale sur Setthathirat, à côté de la place Nam Phou.*Tlj 8h-20h30.* Personnel anglophone et parfois francophone.
– *Banque pour le Commerce Extérieur Lao (BCEL ; zoom D3, 9) :* 1, rue Pang Kham. ☎ 21-32-00. ● *bcel.com.la* ● Bureau ouv en sem 8h30-15h30, fermé w-e ; kiosque de change donnant sur le quai Fa Ngum, ouv lun-ven 8h30-19h, w-e 8h30-15h30.
– *Joint Development Bank (plan d'ensemble D2, 14) :* 82, av. Lane Xang. Juste à côté de l'Immigration Office et sur Setthathirat, à côté de l'hôtel Mixok Inn *(zoom C3, 32)*. Change et service Western Union.
■ *D'autres distributeurs de billets :* nombreux sur la rue Setthathirat et l'av. Lane Xang. On en trouve un peu partout disséminés en ville, acceptant les cartes *Visa* et *Mastercard*.

Représentations diplomatiques et formalités

■ *Prolongation des visas :* auprès de l'*Immigration Office (plan d'ensemble D2, 14)*, Khoum Boulom et Lane Xang. ☎ 21-96-07. *Près du marché du mat. Lun-ven 8h-12h, 13h-16h.* ● *immi gration.gov.la* ● Voir le chapitre « Laos Utile », rubrique « Avant le départ. Formalités » plus haut.
■ *Police (zoom D3, 16) :* rue Setthathirat, à proximité de la pl. Nam Phou. ☎ *191 ou 1191.* Ils ont l'habitude des touristes et sont plutôt réglos. Mais le mieux, en cas de pépin, est de s'adresser à la réception de votre hôtel ou à votre consulat, qui vous aiguillera.
■ *Consulat de France (plan d'ensemble D3, 1) :* rue Setthathirat (entrée par la rue Gallieni). ☎ 26-74-00. *En cas d'urgence consulaire :* 🖀 020-555-147-51. ● *ambafrance-laos.org* ● *Lun-ven, sur rdv seulement, 9h-12h30, 14h-17h30.* Le consulat de France représente aussi les intérêts des ressortissants belges, néerlandais et luxembourgeois.
■ *Consulat honoraire de Suisse (zoom C3, 17) :* 10/2 rue Manthaturath. ☎ 26-41-60. ● *vientiane@honrep. ch* ● *Lun-ven 9h-11h30.* Dépend de l'ambassade de Suisse à Bangkok, en Thaïlande (☎ 00-66-2-674-69-02).
■ *Ambassade du Canada (hors plan d'ensemble par G1, 4) :* à l'ambassade d'Australie, route de Thadeua, au km 4. ☎ 35-38-34. ● *laos.embassy.gov. au* ● *Service consulaire ouv mar-jeu 13h-14h.*
■ *Consulat de Thaïlande (plan d'ensemble G2-3, 18) :* 15, rue de Bourichane, Ban Ponesinuan. ☎ 45-39-16. ● *vientiane.thaiembassy. org* ● *Lun-ven 8h30-12h.* Pour la plupart des ressortissants occidentaux : visa nécessaire seulement au-delà de 15 ou 30 jours de séjour, selon le mode d'arrivée, terrestre ou aérien. Noter qu'il existe une limitation du nombre d'entrées possibles par la voie terrestre.
■ *Ambassade du Cambodge (hors plan d'ensemble par G4) :* route de Thadeua, au km 2. ☎ 31-49-52. ● *camemb.lao@mfa.gov.kh* ● *Lun-ven 7h30-11h30, 14h30-17h.* Pour le visa, valable 30 jours, compter 30 $, même pour les enfants. Il est délivré le lendemain.
■ *Ambassade du Vietnam (plan d'ensemble F2, 3) :* 85, route de That Luang (rue 23 Singha). ☎ 41-34-00.

LE LAOS

● *mofa.gov.vn/vnem.la* ● *Lun-ven 8h30-17h30.* Les ressortissants français n'ont plus besoin de visa pour séjourner au Vietnam moins de 15 jours.

■ *Ambassade du Myanmar (ex-Birmanie ; hors plan d'ensemble par E4) :* Lao-Thai Rd, Ban Watnak, Sisattanak. ☎ 31-49-10. ● *mmevte@laotel.com* ● *Lun-ven 8h30-12h, 13h-16h30.*

Urgences, santé, pharmacies

À Vientiane

Pour les petits bobos, les deux adresses plus loin feront l'affaire. *En cas de gros pépin,* les médecins se chargeront d'un rapatriement vers la Thaïlande, où la qualité des soins est comparable à la France (lire la rubrique « Santé » dans « Laos utile »). En dehors de Nong Khai de l'autre côté du Mékong, la grande ville thaïlandaise la plus proche est Udon Thani, à 60 km.

▣ *Vientiane Rescue :* ☎ 1623. Service d'ambulances géré par des bénévoles efficaces et créé par un ancien pompier français. Apportent les premiers secours aux accidentés de la route.

▣ *Centre médical de l'ambassade de France (plan d'ensemble E3, 20) :* bd Khouvieng ; l'accès se fait par la grille latérale, dans la petite rue parallèle au bd Kouvieng. ☎ 21-41-50 ou, pour les urgences : 🖺 020-565-547-94 (permanence 24h/24). Consultations sans rdv lun-ven 8h30-12h, 13h30-19h (17h mer) ; w-e 9h-12h, 13h30-17h. Ce cabinet privé compte 2 médecins généralistes, un dentiste, un kinésithérapeute, un orthophoniste, un chirurgien-orthopédiste et un psychothérapeute. Le tarif de la consultation est de 300 000 kips. Soins plutôt chers. La carte *Vitale* française n'est d'aucune utilité, mais vous recevrez tous les formulaires nécessaires pour un remboursement par les assurances. *Pharmacie* sur place.

▣ *Hôpital Mahosot (zoom D3) :* rue Setthathirat ; face au consulat de France. Un hôpital universitaire francophone comptant une annexe pour les étrangers, l'*International Clinic* (☎ 21-40-18 ou 19). Garde médicale 24h/24. Chambres individuelles confortables. Correct pour les petits coups

durs, mais qualité des soins inégale suivant les services et les médecins.

■ *Pharmacies :* en plus de celle du centre médical de l'ambassade de France, la *Paramy Pharmacy (plan d'ensemble D4, 46),* le long de l'hôpital Mahosot. *Tlj 7h30-21h.* Accueil francophone. D'autres le long de Nong Bon *(plan d'ensemble F2),* derrière le marché du mat. Près d'une dizaine de pharmacies recommandables où l'anglais, voire le français, sont baragouinés. Souvent, les médicaments existent en deux versions : essentiellement fabriqués en Asie ou importés de France, ce qui fait passer facilement leur prix du simple au triple mais éloigne d'autant, à priori, le risque de contrefaçons. Savoir qu'il est presque toujours possible d'acheter les médicaments à l'unité (bien vérifier les dates de péremption).

En Thaïlande

▣ *Wattana Hospital :* à *Nong Khai,* à 3 km du pont de l'Amitié (au Laos : Mr Assanai, ☎ 24-00-97). ● *wattana hospital.net* ● Petit hôpital thaïlandais le plus proche de Vientiane. Service satisfaisant mais, tant qu'à faire, mieux vaut aller jusqu'à l'*AEK Udon International Hospital,* qui dispose de plus de moyens. Accueil en français.

▣ *AEK Udon International Hospital :* 555/5, Phosri Rd, à *Udon Thani.* ☎ (0066) 42-34-25-55. ● *aekudon. com* ● À 1h30 de route de Vientiane, sans compter les formalités douanières. En cas de gros pépin, c'est ici (ou carrément à Bangkok) qu'il faut demander à être transféré. Héliport sur le toit de l'hôpital. Près d'une quarantaine de spécialités représentées. Services irréprochables, mais prix élevés, mieux vaut avoir une bonne assurance voyages.

▣ *Bangkok International Hospital :* 2, Soi Soonvijai 7, New Petchaburi Rd, à *Bangkok.* ☎ 00-66-2-310-30-00. ● *bangkokhospital.com* ● En cas d'urgence, des traducteurs sont mis à votre disposition. Un des hôpitaux thaïlandais les plus compétents.

Transports

Consulter également la rubrique « Transports » dans « Laos utile ».
Vientiane, c'est plat et peu étendu : beaucoup de distances peuvent être

facilement parcourues à pied, et encore plus à vélo, mais en faisant attention, la circulation s'est considérablement intensifiée et les gros 4x4 font la loi sans beaucoup se préoccuper du code de la route. Si nécessaire, recourir aux *tuk-tuk* et *jumbos*, plutôt chers ou, plus économique, au service de bus de la ville. On déconseille la moto – dangereuse, sans grand intérêt en ville et pas particulièrement agréable pour les environs.

■ *Bus urbains et de banlieue :* plus de 40 véhicules ont été offerts par le Japon à la municipalité de Vientiane. Pour les lignes et leurs fréquences, se renseigner auprès de votre hébergement.

■ **Tuk-tuk *et* jumbo** *(tuk-tuk collectif) :* ils sont généralement stationnés ou patrouillent autour des marchés et au coin des avenues et rues du centreville... Toujours négocier le prix du trajet avant le départ, car ils ne sont pas si bon marché que ça (20 000 kips par personne pour 1 ou 2 km). Sachez, enfin, qu'il est difficile de trouver des *tuk-tuk* après minuit.

■ *Location de vélos :* la plupart des *guesthouses* et de nombreuses petites agences en proposent. Compter généralement 40-50 000 kips/j. Plus cher pour un VTT, bien sûr. Une bonne agence aux prix légèrement inférieurs : **Lao Bike** *(rue Setthathirath, juste en face du wat Ong Teu ;* ☎ 020-546-743-45 ; ● phoumy2002@yahoo.com ●).

■ *Location de voitures :* compter 50-85 $/j. et 350-420 $/sem pour une voiture avec chauffeur, dans la région de Vientiane exclusivement. Pour un véhicule avec km illimité et autorisation pour tt le pays : prévoir env 100 $/j. et 600 $/sem + 25-30 $/j. pour le chauffeur. Rappelons qu'il est préférable de louer une voiture avec chauffeur. Y penser, par exemple, pour visiter les alentours de Vientiane si l'on est plusieurs. La plupart des grands hôtels et agences de voyages proposent ce genre de service. Voici une agence internationale réputée :
– *Avis (zoom D3, 7) :* rue Setthathirat. ☎ 22-38-67. ● avis.la ● Tlj 8h30-18h (13h le w-e). Propose toute une gamme de véhicules assurance incluse, de la petite voiture au 4x4 rutilant en passant par le minibus, avec ou sans chauffeur (anglophone). Compter 60 $/j. sans chauffeur pour la plus petite catégorie, plein d'essence à ajouter. Également un bureau à l'aéroport.

■ *Location et tours à motos :* compter 80 000 kips/j. pour un petit engin de 50 cm³ semi ou totalement automatique. Filer sur ce genre d'engins pour un grand tour en solo depuis Vientiane est imprudent et exténuant, autant louer sur place à l'arrivée. Pour les motards expérimentés, voici un loueur et organisateur de tour à moto sérieux :
– *Jules Classic Adventure (hors plan d'ensemble par D1, 22) :* 176, Hom 12, Ban Phonekham, Nong Boua Thong Tay area, Sikhothabong. ☎ 020-595-112-95. ● bike-raid-laos.com ● À 5 km du centre-ville ; compter 20 mn de tuk-tuk ; transfert possible. Loc à partir de 35 $/j. Tours variables, se renseigner. Contacter autant que possible à l'avance, le parc s'épuise vite en hte saison. Jean-Louis, un Basque qui a l'aventure chevillée au corps, accueille les clients dans sa belle maison traditionnelle à l'écart de la ville. Location de motos de 250 à 650 cm³. Et organisation de très beaux circuits à moto à travers le pays. Quand on rentre fourbu d'une virée à moto, on peut se faire pouponner sur place au *Papaya Spa at home,* tenu par sa femme : aromathérapie, massages suédois, soins du visage, bains de vapeurs aromatiques... Cadre très reposant.

Agences aériennes

Souvent plus intéressant que de passer directement par les compagnies elles-mêmes, car elles ont des promos (attention, sans changement ni remboursement possibles). Ces agences sont généralement ouvertes du lundi au vendredi de 8h à 17h et le samedi de 8h à 12h. En voici une :

■ *Lao's Passenger Service Co (zoom D3, 9) :* 1, rue Pang Kham. ☎ 213-642. ▣ 020-555-058-53. Résas de tous transports, notamment de billets d'avion domestiques et internationaux, à prix très compétitifs.

Agences de voyages

Elles sont généralement ouvertes du lundi au vendredi de 8h à 12h et de 13h à 17h ; parfois le samedi matin.

■ *Shanti Travel :* ☎ *(00-33)9-70-40-76-17 (en France).* ● *shantitravel.com* ● Une agence dynamique créée par des Français installés en Asie depuis de nombreuses années, à contacter avant votre départ pour organiser votre voyage. Spécialiste du voyage sur mesure, l'équipe partage ses conseils du terrain et crée pour vous des programmes qui correspondent à vos attentes, votre rythme et votre budget. Leur mission ? Vous faire découvrir le Laos et le Cambodge de manière authentique, hors des sentiers battus. Et pour les voyageurs prêts à continuer leur route en Asie du Sud-Est, *Shanti Travel* vous emmène aussi en Birmanie, au Vietnam, en Thaïlande, ou encore en Indonésie.

■ *Van & Tours Service :* ☎ *22-36-63.* 🖳 *020-555-046-04.* ● *laowheels-travel. com* ● Une agence privée dirigée par Christophe Kittirath, un Laotien qui a longtemps vécu en France et qui propose, en dehors des sentiers battus et dans tout le pays, des circuits à la carte (sur devis) de 7 à 22 jours en minivan confortable en compagnie de guides francophones et/ou de chauffeurs anglophones expérimentés. Les nuits sont souvent organisées chez l'habitant. Ses prestations ont leur prix, mais la qualité des services proposés, sa véritable écoute des clients et son souci de montrer un Laos authentique le justifient.

■ *EXO Travel (plan d'ensemble F1, 13) :* 15, Kaysone Rd, Ban Phon Sa Ad, Saysetha. ☎ *45-46-40.* ● *exotravel. com* ● Une agence sérieuse, spécialisée dans les voyages sur mesure, haut de gamme, culturels, comme nature et découverte de l'environnement au Laos et dans les pays voisins. Propose aussi des séjours aventure (trekking, vélo, kayak, moto) ou à thème (ethnies, artisanat...). Accueil en français.

■ *Diethelm Travel Laos (zoom C2, 12) :* ● *diethelmtravel.com/laos* ● Cette agence, dont le siège est à Bangkok, propose des circuits et séjours dans la plupart des provinces du Laos. C'est aussi sans doute la plus chère. Bureaux dans la plupart des pays voisins. Accueil en français.

Supérettes et alimentation

■ *Baràvin (zoom D3, 112) :* 364, rue Samsenthai. ☎ *21-77-00. Tlj sauf dim 8h-20h.* Impossible de manquer l'énorme tonneau en guise de devanture. Grand choix de vins et de spiritueux, essentiellement français.

Presse, livres, cartes postales, photos

■ *Institut français (plan d'ensemble D-E2, 15) :* av. Lane Xang, en face du marché du mat. ☎ *21-57-64.* ● *if-laos.org* ● *Lun-sam 8h30-17h. Entrée libre.* Consultation sur place de journaux et magazines français (avec 8-10 jours de retard). Médiathèque-bibliothèque bien fournie (*lun-ven 9h30-17h30, sam 9h30-16h30*). Cotisation annuelle obligatoire pour tout emprunt de livres. Également des séances de cinéma payantes (*10 000 kips*), dont une pour les enfants (voir le programme sur le site). Concerts et spectacles occasionnels. Petit café-resto sur place, pas mal du tout.

■ *Monument Books (plan d'ensemble E4, 19) :* Setthathirat, en face du Wat Simuang. ☎ *25-21-00. Tlj 9h-20h (18h dim).* Au rez-de-chaussée, les jouets, à l'étage, les livres. Large choix de magazines et de livres en français. Certains sont introuvables en Europe, car écrits par des expatriés. Également une foule de bouquins en anglais sur l'Asie, des beaux livres, guides de voyage, cartes postales.

■ *Book-Café (zoom C2-3, 65) :* 53, rue Hengboon. 🖳 *020-568-937-41. Tlj 8h-20h.* Une attachante petite librairie, avec un rayon occase (achat-vente, échange). Tourisme, histoire, romans, beaux livres, rayon français, etc. Bien fouiller, il y a quelques pépites. Le génie de cette caverne d'Ali Baba n'est autre que Robert Cooper, l'éditeur de la série des Dr Siri, de Colin Cotterill (voir « Livres de route » dans « Laos utile »).

LE LAOS

LE LAOS

Où dormir ?

Tous les hôtels disposent de la wifi.

De très bon marché à bon marché (moins de 200 000 kips / 25 $)

🛏 *Villa Sisavad* (plan d'ensemble D2, **30**) : 117/12 Ban Sisavad. ☎ 212-719. 📠 020-556-214-97. ● *villasisavad. com* ● *Résa à l'avance très conseillée. Doubles « bon marché » avec sdb et AC ; petit déj en sus.* Dans un quartier excentré (à 15 mn du centre en véhicule), cette petite rue tranquille abrite un hôtel au très bon rapport qualité-prix. 2 bâtiments se répartissent une quinzaine de chambres plutôt spacieuses avec clim et frigo. Mais le vrai atout est la petite piscine (à ce prix, c'est une aubaine), bordée de tables ombragées par un toit de chaume. Accueil chaleureux et francophone.

🛏 *Vayakorn House* (zoom C3, **40**) : 91, rue Nokeo Khoumane. ☎ 24-19-11 ou 12. ● *vayakorn.biz* ● *Doubles « bon marché » avec sdb et AC. Pas de petit déj.* Une adresse historique à Vientiane. En plein centre, un bâtiment de 3 étages abrite des chambres simples. Toutes parquetées, propres, avec TV et mobilier un peu élimé, mais de taille très honorable. Seul bémol : la moitié des chambres sont aveugles, les plus lumineuses étant au dernier étage. Annexe récente et de meilleur standing à deux pas de là, sur la rue Hengbounnoy (parallèle) : *Vayakorn Inn* (« *prix moyens* »). Chambres spacieuses, bien équipées, avec balcon et au calme. Déco soignée et service pro.

🛏 *Heuan Lao Guesthouse* (plan d'ensemble E4, **44**) : dans une ruelle en retrait de la rue Samsenthai, juste au carrefour avec la rue Setthathirat. Au pied de la statue de Sisavang Vong, prendre la 1re ruelle du côté de sa main levée (panneau marron). ☎ 21-62-58. ● *agoda.com/heuan-lao-guesthouse/ hotel/vientiane-la.html* ● *Doubles avec sdb, ventilo ou clim « bon marché » ; pas de petit déj mais café et thé offerts.* Dans leur sympathique maison un peu excentrée mais au calme, un gentil

couple accueille les voyageurs dans un esprit pension de famille. Réparties autour de la cour verdoyante un brin foutraque, des chambres correctes, mais salles de bains défraîchies. Bon rapport qualité-prix-accueil de Somboune, artiste-peintre francophone, amoureux des chiens et des chats (il y en a partout !). Louer un vélo sur place est judicieux, vu la distance.

🛏 *Mixay Paradise* (zoom C3, **25**) : 2, rue François-Ngin. ☎ 25-42-23. ● *mixayparadise.com* ● *Doubles sans ou avec sdb, clim ou ventilo et TV, « bon marché » (ht de la fourchette), petit déj compris.* La façade pimpante de cet immeuble à galeries extérieures laisse espérer un intérieur moins banal. La blancheur des murs et carrelages intérieurs lui donne un côté un peu froid. Les chambres, de taille parfois très réduite, disposent d'un peu de mobilier. Demander à en voir plusieurs, car elles sont plus ou moins lumineuses, et parfois avec fenêtres sur couloir ou sur mur. Au rez-de-chaussée, resto avec terrasse où l'on prend le petit déj. Laverie, résa de transports et d'excursion, etc.

🛏 *Sailomyen cafe & Hostel* (zoom D2, **35**) : rue Saylom. 📠 020-783-749-41. *Lit en dortoir « bon marché ». Facebook.* Une adresse soignée, au cadre plaisant, avec son café au rez-de-chaussée, où sont aussi servis les petits déj. Les dortoirs climatisés (mixtes ou séparés) sont impeccables et les rideaux préservent l'intimité de chacun. Salles de bains au cordeau elles aussi. Liseuses pour bouquiner. Location de vélos à côté. Un bon rapport qualité-prix à quelques enjambées du centre.

🛏 *Dream Home Hostel 1* (plan d'ensemble C2, **38**) : 49, rue Sihome. 📠 020-523-263-44. ● *dreamhomeho stel1@gmail.com* ● *Dortoirs « très bon marché », petit déj inclus.* Une atmosphère résolument cool et jeune dans cette auberge à peine en marge du centre-ville. Graffitis des routards de passage aux murs du salon commun, et bar-snack qui déborde sur la rue. La musique, elle aussi s'échappe volontiers de cette joyeuse adresse.

Prix plancher dans des dortoirs de 4 à 16 personnes, mixtes et climatisés, avec rangements sous les lits superposés. Doubles vraiment petites, mais le rapport qualité-prix reste bon. Et la meilleure pizzeria de Vientiane, la *Pizza Da Robby*, n'est qu'à quelques mètres dans la même rue.

≜ **Nalinthone Guesthouse** (*plan d'ensemble B2-3, 26*) : *quai Fa Ngum.* ☎ *24-36-59. Pas de petit dej.* Face au Mékong, ce petit immeuble passe-partout abrite des chambres sans charme mais propres. Les moins chères donnent sur l'arrière mais les hôtes peuvent profiter des balcons avec vue.

≜ **Sinnakhone** (*zoom C3, 33*) : *rue François-Nginn.* ☎ *21-72-99.* ● *sinnak honehotel.webs.com* ● *Doubles « bon marché » (fourchette hte), avec sdb et AC, petit déj compris.* Sur 4 niveaux avec ascenseur, de grandes chambres rénovées, spacieuses et d'un confort très honnête. Attention : les moins chères n'ont pas de fenêtre.

≜ **Mixok Inn** (*zoom C3, 32*) : *188, rue Setthathirat.* ☎ *25-47-81. Doubles « bon marché » avec sdb, petit déj inclus. À une intersection très passante, donc on ne peut plus central.* L'immeuble de 3 étages sans charme particulier est un carrefour pour les baroudeurs qui se retrouvent au café-resto du rez-de-chaussée. Chambres basiques, avec clim, télé, literie ferme et salle de bains. Mieux vaut ne pas avoir le sommeil léger. Résa de bus possible.

Prix moyens (200 000-360 000 kips / 25-45 $)

≜ **Khamvongsa** (*zoom C3, 42*) : *rue Khoun Boulom, Ban Vat Chan.* ☎ *22-32-57.* ● *hotelkhamvongsa.com* ● *Doubles et suites avec kitchenette (jusqu'à 3 pers) ; petit déj inclus.* La maison coloniale a conservé son vieux parquet de bois exotique et ses larges fenêtres sur rue. Au rez-de-chaussée, tout ouvert sur la rue, la réception et le bar-salle de petit déj. Réparties entre la maison et, pour la plupart, dans un bâtiment moderne, les chambres sont spacieuses et élégantes avec leurs tissus lao. Pour les familles, suites avec mezzanine et kitchenette. Tant pis pour

l'absence d'ascenseur, l'ensemble impeccablement tenu a du charme à revendre.

≜ **Sala Inpeng** (*zoom C3, 23*) : *63, rue Inpeng.* ☎ *24-20-21.* ● *salapeng@ gmail.com* ● *salalao.com* ● *Résa indispensable. Pas de petit déj. CB refusées.* En plein centre-ville, non loin du Mékong, le calme de cette rue rappelle le côté village de Vientiane d'autrefois ! Jolies maisonnettes traditionnelles, en bois et sur pilotis, dans un jardin. S'y nichent quelques chambres avec terrasse, déclinées en 3 catégories, selon la taille et la décoration. Toutes sont charmantes, confortables (moustiquaire, bonne literie, TV, clim) et très bien entretenues. Accueil impeccable et dépaysement garanti.

≜ **Villa Manoly** (*plan d'ensemble E4, 47*) : *Soi 2, Ban Phyavat. (rue en terre face au wat Pyavat).* ☎ *21-89-07.* ● *villa-manoly.com* ● Plantée au milieu d'un vaste jardin tropical avec petite piscine, cette villa coloniale au charme suranné est décorée d'un bric-à-brac d'objets traditionnels. Les chambres sont plutôt spacieuses, sobres et bien équipées (frigo, TV). Les plus chères bordent la piscine, les autres donnent sur le couloir.

≜ **Mali Namphou Hotel** (*zoom D3, 43*) : *109, rue Pang Kham.* ☎ *21-50-93.* ● *malivientiane.com* ● *Petit déj inclus.* En plein centre, à proximité immédiate de la place Nam Phou, cette belle *guesthouse* abrite des chambres réparties autour du joli patio verdoyant, situé à l'arrière de l'établissement. Au café ou au resto, les routards du monde entier échangent tranquillement leurs expériences... Petites chambres propres et confortables, la plupart avec balcon, les *deluxe* pouvant accueillir jusqu'à 3 personnes. Parmi les commodités : coffre-fort, frigo et clim dans les chambres. Une adresse fiable et vivante, où l'on est bien accueilli.

≜ **Villa Lao** (*plan d'ensemble B2, 24*) : *Ban Nong Douang.* ☎ *24-22-92.* ● *vil lalaos.com* ● *Depuis la rue Samsenthai, prendre à droite juste avt le Mercure Vientiane (panneau). Doubles sans ou avec sdb et clim « de bon marché à prix moyens ».* Au milieu d'un jardin tropical, 2 charmantes maisons traditionnelles en bois abritent des chambres

LE LAOS

inégales, avec terrasse et parquet à l'étage ou carrelage au rez-de-chaussée. Si le niveau de confort est assuré dans les supérieures, les *standard* sont trop dépouillées pour le tarif : sanitaires à partager, ventilo... Joli jardin pour profiter de la douceur des soirées et un salon à l'ancienne, qui cultive l'atmosphère coloniale. Possibilité de restauration et cours de cuisine. Une adresse qui vaut plus pour le cadre que pour le confort, pas optimal. Un peu excentré, location de vélos sur place.

🛏 *Day Inn Hotel (zoom D2, 31) : 59/3, rue Pang Kham.* ☎ *22-38-48.* ● *day-inn-hotel.com* ● *Doubles avec sdb et AC.* La façade peu reluisante de cet hôtel n'est pas raccord avec l'intérieur plutôt gai avec ses couleurs vives. Espace et confort assurés, mobilier en rotin, balcon ou véranda. Bon accueil.

🛏 *Sunbeam Hotel (zoom C3, 37) : village Watchan.* ☎ *21-66-75.* ● *sunbeam1.hotel@gmail.com* ● *Petit déj inclus.* Un hôtel récent et encore rutilant qui propose des chambres spacieuses, sobres et surtout nickel. Clim et salles de bains impeccables, mais pas d'ascenseur. En contrepartie, belle vue depuis le 4e étage.

🛏 *Douang Deuane Hotel (zoom C3, 37) : rue Nokeo Khoumane.* ☎ *22-23-01.* ● *DD_Hotel@hotmail. com* ● *Fourchette basse de la catégorie.* Pas de révélation architecturale pour cet hôtel fonctionnel qui manque de gaieté. Sur 5 étages (ascenseur), de part et d'autre des larges couloirs, des chambres fonctionnelles, propres, avec clim, frigo, TV et salle de bains. Pratique pour une étape en centre-ville.

🛏 *Paramy, chambres d'hôtes (plan d'ensemble D4, 46) : rue Saccarin, Phiawatt.* ☎ *21-74-01.* ● *palamyp@ yahoo.com* ● *Doubles avec clim et frigo, petit déj inclus.* En face de la clinique internationale, juste à l'arrière de la pharmacie du même nom et chez les mêmes propriétaires francophones. Chambres correctement équipées, mais un peu vieillottes. Espace ouvert et plaisant où se tenir en dehors de sa chambre. Accueil familial parfait. Prêt de vélos.

Un peu plus chic (360 000-550 000 kips / 45-70 $)

🛏 *Chanthapanya Hotel (zoom C3, 48) : 138, rue Nokeo Khoumane.* ☎ *24-14-51.* ● *chanthapanyahotel. com* ● *Petit déj inclus.* En plein centre, un hôtel à la jolie façade en bois. Chambres confortables (salle de bains, clim, téléphone, minibar), calmes et vraiment impeccables. Déco intérieure soignée avec têtes de lits en bois ciselé, lits extra-larges et salles de bains modernes. Éviter toutefois celles dont les fenêtres donnent sur un mur. Piscine sur une terrasse encaissée, bien agréable lors des journées torrides ; salle de fitness et sauna. Accueil gentil et serviable.

🛏 ❦ *Hotel Beau Rivage Mékong (plan d'ensemble B3, 28) : quai Fa Ngum.* ☎ *24-33-50.* ● *hbrm-laos.com* ● Dans un quartier calme, avec une vue imprenable sur les berges aménagées du Mékong. L'hôtel moderne ne paie pas de mine de l'extérieur. Pourtant, ses chambres – toutes différentes – ont du cachet avec leur touche *fifties* et sont très bien équipées. Selon les étages, déco design, à la fois sobre et chaleureuse, avec des éléments modulables, dans les tons roses ou bleus ; très claires, dotées de petits balcons donnant sur le fleuve pour les plus chères, ou sur le jardin pour les autres. Une valeur sûre et originale de Vientiane. Attenant, *The Spirit House* est tout indiqué pour une pression bien fraîche ou un jus de fruits sur la grande terrasse, face au Mékong. Cuisine lao et occidentale servie toute la journée.

Chic (550 000-800 000 kips / 70-100 $)

🛏 *Lao Orchid Hotel (zoom C3, 39) : rue Chao Anou.* ☎ *26-41-34.* ● *lao-orchid.com* ● *Petit déj inclus.* Dans cette rue tranquille, face au wat Chan et à deux pas du Mékong et de ses fabuleux couchers de soleil, voici un hôtel à la silhouette banale qui assure des prestations conformes aux attentes dans cette catégorie :

chambres spacieuses et nickel avec sèche-cheveux, minibar. Déco sobre. Nos préférées sont les plus élevées (ascenseur), ne serait-ce que pour la vue. Également des suites, qui font alors basculer dans la catégorie « Très chic ». Bon petit déj. Personnel pro.

Très chic (plus de 800 000 kips / 100 $)

🛏 I●I **Ansara** *(zoom C3, 34) : rue Wat Chan.* ☎ *21-35-14.* ● *ansarahotel. com* ● *Dans une ruelle calme rejoignant le quai Fa Ngum à l'angle du wat Chan. Résa très conseillée. Doubles 140-160 $; 10-20 % de réduc si résa en direct. Menu déj 2-3 plats.* Une superbe maison coloniale réhabilitée ? Que nenni ! Mais bien une reconstruction particulièrement réussie, à laquelle ont été adjoints 2 bâtiments de résidence plus classique sur l'arrière. Tradition et modernité se marient parfaitement : confort maximal, mobilier et déco combinant le style laotien à l'asiatique contemporain. Toutes les chambres disposent d'un balcon donnant sur le jardin et la grande piscine. Le petit déj, soigné, est servi sur l'élégante terrasse du restaurant *Signature* (formules déjeuner tentantes, cuisine française) ou à l'étage de la maison.

🛏 I●I 🍽 **Settha Palace Hotel** *(zoom D2, 36) : 6, rue Pang Kham.* ☎ *21-75-81 ou 82.* ● *setthapalace.*

com ● *Résa impérative. Doubles à partir de 180 $.* Une grande demeure coloniale des années 1930, rénovée et aménagée avec goût par des architectes talentueux. Chambres luxueuses avec beau plancher, élégant mobilier et pour certaines un balcon. Lits en palissandre, marbre dans les salles de bains, hauts plafonds. La Brasserie *La Belle Époque* sert dans une salle haute de plafond une cuisine de grand-mère (pot-au-feu, jarret d'agneau...) qui comblera toutes les générations nostalgiques de la popote française. Le resto ouvre sur la jolie piscine accessible aux non-résidents (compter 20 $) sise dans un luxuriant jardin. Un parfum rétro du temps du mandat français.

🛏 **Green Park Boutique Hotel** *(plan d'ensemble E4, 45) : 248, Kouvieng Rd, Nongchanch.* ☎ *26-40-97. À 10 mn de marche du centre et en retrait de la route. Résa impérative. Doubles à partir de 130 $.* Des chambres cossues réparties dans de petites maisons. Elles s'articulent autour de la piscine et de bassins, enjambés par des petits ponts. Les standard, avec leur canapé et un joli plancher, sont déjà de bonne taille. Le jardin luxuriant est un plaisir pour les yeux. Une atmosphère et un professionnalisme parfaits pour une escale en amoureux. Spa et salle de gym ; également un resto. Navette toutes les heures (10h-22h) pour le centre-ville.

Où dormir dans les environs ?

🛏 **Jungle House** *(hors plan d'ensemble par H1, 29) : 206, Soi 20, Ban Xokkham.* 🖥 *020-556-100-50.* ● *jun glehouse.la* ● *À 10 km du centre. Passer le grand what Luang, après un pont, tourner à gauche, ensuite, très compliqué, mieux vaut demander aux locaux « wat Xokkham » (prononcer Sokam). Soi 20 est une route en terre 500 m derrière le wat. Résa longtemps à l'avance indispensable. Compter 100 $ pour 2, comprenant le dîner, les boissons et le déj, ainsi que le service de nettoyage du linge ; on se sert comme on veut dans le frigo. Transfert aéroport et navette pour le centre gratuits.* En pleine campagne,

rien n'indique cette *Jungle House* derrière la vieille grille. Et pourtant, dans le jardin tropical se cache une immense villa composée de 4 chambres, réparties dans la maison principale et un cottage. En prime, une grande piscine et une bibliothèque de plus de 500 livres. Cette vraie maison d'hôtes (on mange avec les propriétaires), superbement meublée et décorée, a été créée par Michaël, un Britannique, à l'initiative de nombreuses associations pour personnes handicapées (dont COPE, que l'on peut visiter) et sa femme lao, Dr Xoukiet, qui combat le trafic d'enfants. Une adresse vraiment à part.

LE LAOS

Où manger ?

Ce ne sont pas les restos ni les saveurs qui manquent à Vientiane, malgré sa taille modeste. Des stands de marchés aux gargotes de rue aux établissements plus apprêtés, plats laotiens, vietnamiens ou chinois se côtoient et s'entremêlent. D'autre part, les amateurs de cuisine fusion et les nostalgiques de la cuisine française se réjouiront du choix remarquable d'établissements aux rapports qualité-prix attractifs, surtout au déjeuner.

CUISINES LAOTIENNE, VIETNAMIENNE ET INDIENNE

Bon marché (moins de 25 000 kips / 3 $)

|●| **Gargotes des marchés de Vientiane :** au marché Khua Din (plan d'ensemble E3, **96**), au bord du Mékong (plan d'ensemble B3, **97**) et dans le parc Chao Anouvong (zoom D3) où les familles et amis se fournissent auprès des stands ambulants pour pique-nique. Soupes de nouilles (phó), lap, poulet ou poisson grillé, hot pot et, bien sûr, l'inévitable riz gluant.

|●| **Cantoches de rue :** dans le petit quartier chinois, au croisement des rues Heng Boun et Khoum Boulom (zoom C2), ainsi que le long du quai Fa Ngum (zoom C-D3). On y sert une nourriture populaire sino-laotienne ou « sino » tout court.

|●| **Han Sam Euay Nong** (Les « 3 Sœurs » ; zoom C3, **53**) : rue Chao Anou, en face du wat Chan. Tlj 8h-20h. Cette cantine populaire ouverte sur rue attire l'œil avec ses toiles cirées colorées et ses étals de fruits bientôt pressés en jus. Sous l'auvent sont installées les popotes et quelques tables, qui prolongent une petite salle. Peu d'excentricités à la carte : noodle soups, riz frits, salade de papaye... Fraîcheur et quantité assurées ; solitaires, ne prenez pas de grande portion ! Accueil en v.o.

|●| **Pho Zap** (prononcer Feu Sèp ; zoom D2-3, **74**) : 115, rue Saylom, près du That Dam. Tlj 6h-15h. Une adresse prisée des locaux. Comme eux, ne faites pas attention au cadre, l'essentiel se passe dans les grandes marmites fumantes qui embaument à l'entrée de la salle en longueur. Sans surprise, l'adresse est spécialisée dans les phó, ces soupes vietnamiennes parfumées. Elles sont proposées en 3 tailles et servies sur des toiles cirées. Excellents jus de fruits frais et, pour le dessert, il suffit de traverser la rue pour s'offrir un nam van (fruits dans du lait de coco).

|●| **PVO** (plan d'ensemble E3, **60** et **67**) : 344, rue Samsenthai (en fait, sur une rue sans nom juste derrière). Annexe, rue Kouvieng, une parallèle vers l'est. Tlj 7h-15h (13h30 dim). Fermé dernier dim du mois. 2 adresses voisines pour cette enseigne populaire de cuisine vietnamienne. La première est aménagée à couvert autour d'une ancienne maison en bois de quartier. Ses excellents phó remportent un vif succès auprès d'une clientèle locale. « Des phó, encore ! », direz-vous. Mais il y a autant de versions que de cuistots ! Si vous êtes plutôt bo bun ou autres salades et sandwichs vietnamiens, préférez l'annexe (qui, elle, ne sert pas de phó). Jus de fruits frais et bon marché dans les deux cas.

|●| **Taj Mahal Restaurant** (zoom C-D3, **54**) : juste derrière le palais de la Culture. Tlj sauf dim midi. Sous les dehors modestes d'une terrasse couverte de tôles, ce gentil resto indien propose une savoureuse cuisine. Dans l'assiette, voici donc curries, chicken butter et toute une palanquée d'autres plats typiques du pays de Gandhi, à apprécier sous l'air brassé par les ventilateurs. Prix doux comme l'accueil.

|●| **Pa Kham Tan** (plan d'ensemble E1, **57**) : rue Asean, à côté de la Neerada School. ☎ 020-222-330-18. Lun-ven 9h-2h. Fermé w-e. Derrière un mur, et peu visible de l'extérieur, une cantine populaire qui sert, sous un toit en tôle, une poignée de plats typiquement lao : laap, salade de papaye, soupe, porc grillé accompagné de riz gluant. Également quelques excentricités qu'on vous laisse découvrir... Bananes offertes en dessert. Si le menu n'est pas traduit, faites directement votre choix en

cuisine, ou en montrant les assiettes de vos voisins ! Très couleur locale, frais et sans chichis.

Prix moyens (25 000-60 000 kips / 3-7,50 $)

|●| Lao Kitchen (zoom C2-3, **56**) : rue Hengboon, en face du KP Hotel. ☎ 25-43-32. Tlj 11h-21h30 (dernière commande). Parfait pour s'initier à une cuisine lao, fine, calibrée – si besoin – pour les palais étrangers. La carte détaille parfaitement, en anglais, les ingrédients des *laap* (celui de canard est recommandé), soupes et les plats de riz. Cadre net et plaisant. Mais service parfois débordé.

|●| Xang Khoo (zoom D3, **75**) : 68, rue Pang Kham, au coin de la fontaine de Nam Phou. ☎ 21-93-14. Cette crêperie réputée fait un carton avec ses galettes au sarrasin : savoyarde, végétarienne... c'est un régal. Ces spécialités bretonnantes côtoient des plats laotiens traditionnels et occidentaux. Le tout dans une salle bistrot chaleureuse avec tomettes au sol, grosses poutres au plafond, et large terrasse. Crêpes sucrées pour conclure comme il se doit !

|●| Ban Vilaylac Restaurant (zoom C3, **52**) : derrière le wat Ong Teu. Tlj sauf dim midi 11h30-22h30. Une adresse discrète et raffinée, un peu camouflée derrière son mur végétal et ses loupiotes à la nuit tombée, joliment décorée d'objets traditionnels lao. Spécialités lao-thaïes délicieuses, de la salade de papaye au *tom yam* en passant par le poisson à la citronnelle. Une cuisine saine et parfumée, que la patronne prend le soin d'expliquer. Selon son appétit, on a le choix entre 3 tailles de plats. Calme et reposant.

CUISINES FRANÇAISE ET INTERNATIONALE

De bon marché à prix moyens (moins de 60 000 kips / 7,50 $)

|●| Le Vendôme (zoom C3, **55**) : rue Inpeng, face au temple du même nom. ☎ 21-64-02. Ouv 10h-14h (lun-ven seulement), 17h-22h (tlj). À l'angle de rues presque villageoises, la terrasse couverte et verdoyante qui ceinture la maison coloniale fait vite le plein midi et soir. Les retardataires se consoleront à l'intérieur, qui vaut son pesant de pittoresque : une ambiance digne d'un roman d'Hougron (voir « Livres de route » dans « Laos utile »). Côté cuisine, quelques spécialités bien franchouillardes : filet de porc aux figues, gratins, potages, etc. Bonne franquette assurée, comme l'illustre le plat du jour, vraiment bon marché. Et ne passez pas à côté des soufflés, qui se déclinent en version sucrée. À partager pour ne pas exploser !

|●| Chokdee (zoom C3, **63**) : quai Fa Ngum. ☎ 020-561-034-34. Mar-dim 10h-23h. Avec une effigie de Tintin au Népal à l'entrée, les Belges ne cessent de nous épater ! Car il faut l'avoir, la banane, pour monter sous ces latitudes un resto-bar qui ne démériterait pas au plat pays ! *Waterzooï*, carbonades, moules sont au rendez-vous. D'autres spécialités, accompagnées de frites ou de purée. Tout est bon et bien servi. Rien ne manque, puisque 100 bières belges sont à la carte ! Terrasse, salle et mezzanine avec balcon, décorées de fresques de B.D. Vous l'aurez compris, il fait bon vivre au *Chokdee* et du coup, on y est rarement seul !

|●| Via Via (zoom C3, **58**) : rue Nokeo khoumane. ☎ 020-281-779-32. Tlj sauf sam midi 11h-14h30, 17h30-21h30. Très centrale, cette adresse prisée des touristes assure le job : cuites au feu de bois, les pizzas à pâte fine sont de bonne taille et généreusement garnies. Les pâtes maison ne sont pas en reste et les lasagnes végétariennes, gratinées à souhait, assouvissent un probable manque de fromage ! Ambiance relax en terrasse et service rapide.

|●| Pizza da Roby (plan d'ensemble C2, **59**) : 61, rue Sihome. ☎ 020-599-899-26. Tlj sauf dim 11h30-14h30, 17h30-22h. Les pizzas qui remportent tous les suffrages sont ici, dans cette rue discrète à la lisière du centre. Avouons qu'elles sont extra, mais les pâtes et lasagnes leur font une concurrence sévère. Bravo au chef, italien, bien sûr. Agréable terrasse sous les lampions.

De chic à très chic (plus de 60 000 kips / 7,50 $)

|●| La Cage du Coq (zoom C3, 61) : rue Hengbounnoy. 🖃 020-547-586-45. Tlj sauf mar 11h-14h30, 17h30-21h30. CB refusées. Formule déj à « prix moyens ». Pas de tapage pour ce resto français niché dans une paisible ruelle du centre. Mais comme il en a sous l'aile, sa bonne réputation s'ébruite : la maison coloniale a du cachet, comme la terrasse, intime et pleine de charme avec ses tables hautes, ses coussins et sa jolie déco. Et les abat-jour ne sont autres que les cages de coqs ! La carte décline quelques spécialités gourmandes de l'Hexagone avec une prédilection pour le canard (en nems à l'apéro, c'est un régal). Le chef toulousain ne fait pas l'impasse sur le cassoulet, pardi ! Sympathique carte des vins, dont certains sont servis au verre. Accueil plein d'entrain. Cocorico !

|●| L'Adresse de Tinay (zoom C3, 52) : derrière le wat Ong Teu, voisin de Ban Vilaylac. 🖃 020-569-134-34. Tlj 17h-22h30. Fermé au déj. Menu 160 000 kips. Cadre moderne et agréable pour une cuisine française inventive et métissée, préparée par Tinay, le chef franco-laotien. Menu intéressant mais à l'ardoise, les prix décollent !

|●| 🍷 Tango (zoom C2-3, 50) : rue Setthathirat, en face du Wat Inpeng.

🖃 25-51-85. Tlj sauf mer 10h-22h. Pas de mélodies sud-américaines dans ce Tango, mais une cuisine (encore !) française qui fait la part belle aux viandes et aux fromages, fermiers s'il vous plaît ! Tomme de Savoie en salade, saint-marcellin et reblochon au four... Les carnassiers jettent leur dévolu sur un tartare au couteau, un burger ou un magret accompagné de gratin dauphinois ou d'une ratatouille, pour changer du riz. Également 1 plat du jour à l'ardoise. À arroser d'un verre de vin ou d'un rhum arrangé ! Accueil jovial.

|●| Bistro 22 (plan d'ensemble E3, 68) : 22, rue Samsenthai. 🖃 21-41-29. Fermé sam midi et dim. Formules déj. Ne vous laissez pas décourager par les 10 mn de marche depuis le centre, car la cuisine française est gourmande et vaut bien une embardée à proximité du marché Khua Din. Le cadre ? Résolument bistrot avec ses banquettes le long du mur en briques et ses tables en marbre. À midi, la formule fait mouche avec un bon choix (poisson, viande et plat végétarien) qui ravit la communauté d'expats. Le soir, les prix grimpent, mais si l'on rêve d'une côte de bœuf à partager, d'un tartare, d'un pavé de thon façon tataki (juste saisi) ou d'un plateau de fromages... En dessert, le fondant mi-cuit fait des ravages. Bon choix de vins au verre. Service aux petits oignons.

Où boire un café ?
Où manger sandwichs et pâtisseries ?

🍴 Le Banneton (zoom C3, 57) : rue Nokeo Khoumane, face au resto La Terrasse. 🖃 21-73-21. Tlj 7h-18h30 (13h30 dim). Pour les Vientianais, c'est la meilleure boulangerie-pâtisserie de la ville. Voici la panoplie complète des viennoiseries françaises croustillantes pour vous caler à l'heure du petit déj, avec un café bio vraiment top et de la confiture maison. Également de bonnes tartines gourmandes, des quiches, salades, sandwichs et de délicieux jus de fruits. À emporter ou à savourer sur place, entre les photos en noir et blanc.

🍴 Joma Bakery Café (zoom D3, 66) : 44/4, rue Setthathirat, près de la

fontaine Nam Phou. 🖃 21-52-65. Tlj 7h-21h. On trouve de tout dans cette boulangerie-cafétéria à l'américaine : croissants, cookies, donuts, wraps, et sandwichs. Ambiance très occidentale, comme les prix d'ailleurs, mais c'est bon, frais, et l'intérieur design est plutôt réussi. Ses recoins et la mezzanine attirent du monde.

🍴 Coco & co et Le Trio Coffee (zoom D3, 66) : à côté de Joma. 🖃 030-9621-704. Tlj 8h-17h. Ce café végétarien est surtout une invitation à faire une pause dans un cadre accueillant, sur la mignonne terrasse ou au comptoir. Café fraîchement torréfié, jus de fruits, yaourts et glaces maison, ainsi que des gaufres plutôt honnêtes. À midi, des salades, curries végétariens et *veggie rolls* pour caler une petite faim. Bon accueil.

☕ **The Cabana** (*zoom C3, 77*) : 15-16, *quai Fa Ngum. Tlj 8h-17h.* Face au Mékong, un petit café où la priorité semble être la douceur de vivre. Un côté magazine de déco décalé dans le va-et-vient incessant du quai ! Sol en béton, fauteuils en rotin, mobilier en bois... Pour accompagner un café ou un thé (lao ou *Mariage Frères* !), des bagels, sandwichs ou pâtisseries maison.

☕ **Annabelle Cafe** (*zoom C3, 78*) : *quai Fa Ngum. Tlj 7h-19h.* Est-ce un mirage que cette pâtisserie française chic et choc au bord du Mékong ? On se damnerait pour la tarte au citron autant que pour les éclairs, les millefeuilles ou les tartes aux fruits... Un régal pour les yeux et pour les papilles, à déguster dans de jolies assiettes sur des tables en marbre. Tout indiqué pour une pause sucrée raffinée ou pour un petit déj furieusement gourmand (les viennoiseries ne sont pas en reste). Quelques salades et grignotages salés également. Un écart qui mérite bien la dépense.

☕ ❙●❙ **Sinouk Café** (*zoom C3, 84*) : *au coin du quai Fa Ngum et de la rue François Ngin.* ☎ *312-150. Tlj 7h30-22h.* Le représentant local de la marque de café du plateau des Bolavens, dans le Sud. Un petit look parisien, on peut y prendre le petit déj avec œufs, croissants frais, et/ou pain au chocolat et un café au goût fumé. Également petite restauration, à l'étage ou dans les fauteuils en osier de la terrasse.

Où boire un verre ? Où sortir ?

Pour admirer le coucher du soleil

Avec l'aménagement des berges du Mékong, les gargotes ont quitté le centre. De nouvelles constructions sortent progressivement de terre. Pour retrouver la magie des guinguettes sur pilotis, quand l'astre doré se mire dans le fleuve, il faut pousser plus loin vers l'ouest (*plan d'ensemble B3, 97*). On a quand même trouvé deux adresses qui font de la résistance.

🍸 ❙●❙ **Samyeck Pakpasack** (*plan d'ensemble B3, 85*) : *quai Fa Ngum.* ☎ *21-29-12.* Perchée à l'étage d'un *steak house,* cette terrasse couverte est la seule à perpétuer la tradition des guinguettes aussi près du centre. Surtout, elle a conservé sa vue sur le fleuve. Architecture rudimentaire en bois, tables et bancs à l'avenant, idéal pour siroter une bière en grignotant quelques spécialités du cru. Le soir, groupe live. Populaire et animé.

🍸 **Highland Bar** (*plan d'ensemble A2-3, 87*) : *quai Fa Ngum.* 🏠 *020-529-217-84. Tlj 10h30-23h.* Appréciée des anglophones et des rugbymen, cette guinguette semi-couverte, à l'extrémité ouest du réaménagement de la berge, commande l'une des plus belles vues sur le Mékong, face à la Thaïlande. Idéal pour l'apéro au coucher du soleil. Cuisine lao-thaïe et plats occidentaux sans grand relief. Tenu par un Écossais, le bar diffuse aussi la plupart des événements sportifs.

Bars et pubs

🍸 **Noy's Fruit Heaven** (*zoom C3, 69*) : *rue Hengboon. Tlj 7h-21h.* Dissimulé derrière un monticule de fruits, un bar à jus vitaminé qui propose de délicieux smoothies et salades de fruits frais, pressés sous vos yeux. Également quelques plats lao sains et plutôt savoureux, à consommer dans la salle décorée d'ombrelles multicolores ou sur la petite terrasse.

🍸 **Khop Chaï Deu** (*zoom D3, 62*) : *54, rue Setthathirat, presque à l'angle de la pl. Nam Phou. Tlj 8h-23h.* Une ancienne villa coloniale précédée d'une vaste terrasse entourée de verdure, le cadre est plutôt chouette. Le soir, l'éclairage aux lampions est réussi. On s'installe en plein air, près du bar, à la terrasse de l'étage ou dans les salles climatisées, investies régulièrement par des groupes de pop-rock asiatiques. Les nombreux plats lao-thaïs et internationaux ne font pas d'étincelles... ni de mal : un mets simple accompagne honorablement une *Beerlao* pression.

Y *Bor Pen Nyang* (zoom C3, **77**) : *quai Fa Ngum. Tlj 10h (mais rien ne se passe avt 17h)-minuit.* Bar fréquenté par les expats et les oiseaux de nuit, à découvrir après avoir grimpé les escaliers vers le 4ᵉ étage sur le toit de l'immeuble. Superbe vue sur le Mékong, billard et écrans TV. La nourriture ne vaut pas le coup.

Y IOI *ATMO* (zoom C2-3, **79**) : *rue Hengboon. Tlj sauf dim 10h (16h sam)-23h30.* C'est bien une atmosphère qu'on vient chercher dans ce bar-resto branché aux murs de brique. Un cadre qui se paie, surtout si on accompagne son cocktail de charcuteries, d'un foie gras maison ou d'un plat tendance fusion tiré à 4 épingles. On se contente tout aussi bien d'une bière (lao ou belge) à l'apéro. Concerts 1 samedi par mois.

Y *Beer gardens de la place Nam Phou* (zoom D3) : profitez d'une soirée pour venir vous hydrater sur cette grande terrasse sur estrade, aménagée comme un *beer garden* à la mode thaïlandaise. C'est agréable, mais parcourez tout de même ce qu'on dit du coin dans la rubrique « À voir ».

Y *Sticky Fingers* (zoom C3, **51**) : *rue François Nginn.* ☎ *21-59-72. Tlj 17h (10h le w-e)-23h. Brunch tlj.* Ce pub bien connu et animé draine les voyageurs et résidents étrangers de Vientiane qui s'y retrouvent en soirée pour descendre quelques verres et grignoter des plats « italo-mexicano-libano-américano-asiatiques ».

Y ♪ *Wind West* (plan d'ensemble C2, **90**) : *sur la route de Luang Prabang. Tlj 20h-1h.* Ouvert en 1993, ce fut le premier pub de Vientiane ! Style western, tout en rondins, et essentiellement fréquenté par des Laotiens ; on y écoute de la musique live presque tous les soirs. Fait aussi *steak house.* Bonne ambiance quand il y a de l'assistance.

Discothèques

Les discothèques sont généralement ouvertes tous les soirs (entrée payante), mais l'ambiance n'est souvent au rendez-vous que le week-end, quand les jeunes laotiens font le tour des boîtes. Elle bat son plein vers 22h30. À 23h30, soit 1h plus tard... c'est l'heure officielle maximale de fermeture. Noctambules, rassurez-vous, plusieurs établissements ont la permission de minuit, voire plus. La prostitution est dorénavant commune dans ces lieux, bien qu'elle reste théoriquement réprimée et bien moins développée qu'en Thaïlande. Alors, Messieurs, ne vous étonnez pas si vous vous faites facilement approcher – les belles-de-nuit sont souvent de sortie, mais à vos risques et périls.

🏃 ♪ *Marina Club* (hors plan d'ensemble par A2, **89**) : *route de Luang Prabang, en direction de l'aéroport, 500 m après le* Mercure *; y aller en tuk-tuk. Tlj 21h-1h.* Le temple local de l'électro avec tout ce qu'il faut de lumières laser et de décibels pour attirer les jeunes Laotien(ne)s. Le R'n'B et karaoké du début de soirée fait place ensuite à la house. On peut aussi se faire quelques *strikes* au bowling adjacent. Pas loin de là, la boîte *@t Home* (22h-minuit) joue les vases communicants avec les mêmes ingrédients.

Achats

Plusieurs ***magasins*** proposent aux touristes des objets (assez chic) de décoration inspirés de la tradition laotienne, plutôt chers. Tous se situent dans les principales rues commerçantes du centre-ville : Samsenthai, Setthathirat et Chao Anou. Ceux que nous recommandons garantissent un commerce équitable.

Décoration, divers

⊕ *T'shop Laï Gallery – Lao Coco Arts* (zoom C3, **55**) : *rue Inpeng, à côté du resto* Le Vendôme. ☎ *22-31-78. Tlj 8h-20h (10h-18h dim).* Une boutique d'artisanat solidaire, d'insolites objets à partir de bois recyclé, de coco, de coquille d'œuf (si, si !), bois ou fer, des

LE LAOS

créations contemporaines réalisées avec des matériaux traditionnels, et puis des savons et autres produits de beauté... À l'initiative du sympathique Michel, tout est fabriqué localement, par des dizaines de personnes handicapées qui se réinsèrent par l'artisanat. Bravo !

⊛ **Satri Lao** (zoom C3, **115**) : 79/4, rue Setthathirath. ☎ 24-43-84. • satrilao. laopdr.com • Lun-sam 9h-19h, dim 10h-17h. Sur 2 niveaux, une profusion d'objets de déco, d'artisanat, arts de la table, textiles précieux, antiquités ethniques, et même des savons et produits de beauté. Chic, cher, mais vraiment très beau.

⊛ **Saoban** (zoom C3, **118**) : 97/1, rue Chao Anou. ☎ 24-18-35. • saoban crafts.com • Lun-sam 9h-20h, fermé dim. Un artisanat traditionnel varié, réalisé dans les villages du Laos par une population majoritairement féminine (98 %), est vendu dans cette boutique à prix raisonnables. On y trouve aussi bien des couverts en aluminium que des mobiles cousus main pour les enfants, des bijoux ou des tissus en soie et coton... Et plein d'autres idées astucieuses à chiner.

Tissus et textiles

Le meilleur choix de tissus se trouve sur les marchés. Ne pas hésiter à marchander, dans les limites du raisonnable. On peut voir des ateliers de tissage au nord-est de Vientiane, dans le quartier de Ban Nong Bua Thong. Pour ceux qui peuvent attendre, les marchés de Luang Prabang sont plus agréables et moins chers.

⊛ **Lao Textiles – Carol Cassidy** (zoom C3, **116**) : 82, rue Nokeo Khoumane. ☎ 21-21-23. • laotextiles.com • Tlj sauf sam ap-m et dim 8h-12h, 14h-17h. Dans une grande maison coloniale entourée d'un luxuriant jardin, on y trouve tissus et vêtements aux motifs minutieux, créés sur place par une styliste renommée. Ils sont fabriqués sur des métiers à tisser traditionnels, que l'on aperçoit dans l'atelier à l'arrière. C'est du haut de gamme, donc cher, mais vraiment raffiné.

⊛ **Her Works** (zoom C3, **115**) : rue Nokeo Khoumane. • herworks.la • Tlj 9h-21h. Utiliser les tissus traditionnels pour confectionner ses propres de sacs, pochettes et lancer sa ligne de vêtements, voilà le pari de cette créatrice qui a fait son bonhomme de chemin. Un travail minutieux et des produits dans l'air du temps à des prix raisonnables.

⊛ **Mixay Boutic** (zoom C3, **115**) : 53/55, rue Nokeo Khoumane. ▤ 020-555-052-82. • mixaybboutic.com • Juste à côté du resto La Terrasse. Lun-sam 9h30-19h30 ; fermé dim. Essentiellement de superbes tissus et de l'artisanat local adapté au goût occidental.

⊛ **Tounet** (zoom C3, **123**) : rue Hengboon, à deux pas du palais de la Culture. ☎ 21-50-03. Tlj sauf dim 8h-19h30. Création de modèles maison de pantalons, sacs et écharpes, à partir de tissus lao et d'Asie du Sud-Est. Possibilité de se faire confectionner des pièces sur mesure en 1 semaine. Accueil adorable, en français de surcroît.

Loisirs et détente

Piscines

Certaines piscines d'hôtels sont ouvertes aux non-résidents ; compter environ 10-20 $. On aime bien celle du Settha Palace Hotel (zoom D2, **36**), dont l'environnement luxuriant est plus riant qu'au Mercure Vientiane (plan d'ensemble B2, **86** ; qui offre peu de dégagement). Cette dernière offre toutefois accès au sauna. Autre option, celle au 3e étage du Don Chan Palace (plan d'ensemble E4, **88**), couverte et sans trop de charme malgré la proximité du Mékong, qu'on aperçoit au loin.

En dehors des hôtels, il y a également le grand bassin extérieur de la piscine municipale, à côté du stade ou celle du club de fitness Sengdara (plan d'ensemble F4, **10** ; 5/77, rue Dong Palan ; ☎ 45-21-59 ; env 90 000 kips/j).

LE LAOS

Le bassin est plus petit que celui de la municipale, mais mieux entretenu, et le prix inclut l'accès à la salle de fitness (machines), sauna ; également un bassin enfants.

Massages

Derrière la place Nam Phou, la rue Pang Kam alterne tailleurs et boutiques de massages. Faites vos jeux !

■ *Sasyratn* (zoom D3, 113) : rue Pang Kham. ☎ 21-87-03. Tlj 9h-21h. Cadre plutôt joli, et relaxant. Gamme complète de massages traditionnels, de la tête aux pieds, la plupart pour 90 mn. Éventail complet de soins : manucure, épilation, salon de coiffure. Vous pouvez aussi faire confiance au *White Lotus* juste à côté (🖥 020-582-882-22 ; tlj 9h-22h), dont le cadre simple et traditionnel n'est pas pour nous déplaire. Pour se remettre de la marche, on vous conseille le *foot massage*. Pas cher, et personnel nombreux : il y a donc souvent de la place.

■ *Tangerine Garden* (Spa and Wellness Centre ; zoom C3, 121) : rue Wat Chan, face à l'hôtel Ansara. ☎ 25-14-52. Dans une maison blanche de style colonial, au calme (ça compte !). Toute une gamme de massages pour ressortir totalement zen. Plus cher qu'ailleurs, mais propre et calme.

■ *Papaya Spa At Home* (hors plan d'ensemble par D1, 22) : 176, Hom 12, Ban Phonekham, Nong Boua Thong Tay area, Sikhothabong. 🖥 020-556-105-65. À 5 km du centre, au nord de la ville. Dépaysement, professionnalisme et calme garantis. C'est la contrepartie d'un éloignement tout relatif (un coup de fil, et on vient vous chercher). Accueil en français par Vinh, la proprio, dans une authentique maison traditionnelle lao au milieu des rizières.

Cinéma et bowling

■ *Institut français* (plan d'ensemble E2, 15) : voir « Adresses et infos utiles ». ● if-laos.org ● Projection de films en principe mer (enfants) et ven. Env 10 000 kips. Programmation éclectique de films, qui conviendra aux cinéphiles comme aux voyageurs en mal de culture française. Voir le programme sur leur site ou brochure.

■ *Lao Bowling Centre* (zoom D2, 122) : rue Khoum Boulom. ☎ 22-32-19. Tlj 9h-minuit (parfois jusqu'à 3h le w-e). À peine plus cher après 19h. Un bowling avec des machines des années 1970, où les Laotiens, d'habitude si tranquilles, lancent leurs boules comme des dingues, et demeurent curieux et amusés du jeu des étrangers. Billard également.

À voir

Dans le centre (zoom)

Architecture coloniale, moderniste et Art déco

🏹🏹 Datant du protectorat et des années 1950-1960, le plan urbain de Vientiane dévoile encore quelques bribes d'architecture coloniale en voie de disparition. Même si la mutation de la ville entraîne une chasse à la rentabilité des terrains, difficilement compatible avec la protection du patrimoine, les voyageurs attentifs distingueront plusieurs styles, correspondant à des fonctions très différentes : les grands bâtiments administratifs, le palais présidentiel, les luxueuses villas situées avenue Lane Xang ou rue de la Mission (vers l'ambassade de France et l'église catholique) et les rangées de « compartiments chinois » de l'hypercentre (rue Setthathirath notamment). Ces dernières témoignent d'un habitat typique à toute l'Asie du Sud-Est d'époque coloniale : commerce au rez-de-chaussée, logement au-dessus.

🏹🏹🏹 *Wat Sisaket* (zoom D3) : entre l'av. Lane Xang et la rue Setthathirat. Tlj 8h-17h. Entrée : 10 000 kips. Plusieurs panneaux explicatifs, traduits en français. Pantalon ou jupe longue demandée pour les femmes (prêt possible à l'entrée).

Situé au centre de la ville, dans un jardin paisible, Sisaket (« le cheveu sur la tête ») est à peine inauguré par le roi Anouvong en 1818 que les Siamois déferlent sur Vientiane et la mettent à sac. Ils épargnent cependant le Wat Sisaket pour son style... siamois ! Ce qui fait de ce temple le plus ancien de la ville. Converti en musée et rénové, il fait partie des visites incontournables de la ville.

La principale caractéristique de ce temple est sa profusion de statuettes du Boud- dha, disposées généralement deux par deux, dans des niches creusées dans l'enceinte du cloître et dans les murs du *sim* (sanctuaire). Il y en des milliers, choc visuel garanti ! Les plus anciennes sont en bronze et datent du XVᵉ s. Les autres, en bois ou en argent, remontent pour la plupart aux XVIIIᵉ et XIXᵉ s.

Le temple principal, de style siamois, est entouré d'une colonnade de bois sculpté et possède un toit à cinq pans. En plus des niches à statuettes, des peintures très abîmées illustrant la vie du Bouddha ornent les murs intérieurs du sanctuaire. L'étonnant plafond à caissons et ses décorations florales seraient inspirés du châ- teau de Versailles. Au sol, les carreaux-béton à motifs géométriques sont typiques de l'époque du protectorat. À l'extérieur, derrière le *sim,* mais aussi sous la colon- nade, des gouttières en bois *(hang hod)* en forme de naga (serpent mythique) permettent de recueillir l'eau lustrale dont on arrose les statues lors de la fête du Nouvel An. On aperçoit aussi quelques tombes renfermant des urnes. Dans le petit parc qui entoure l'enceinte extérieure, ne pas manquer le pavillon bibliothèque (Ho Tai) situé le long de l'avenue Lane Xang et son élégante toiture à quatre pans d'inspiration birmane.

🏛 *Wat Ho Phra Kéo Museum (zoom D3) :* Setthathirat. Tlj 8h-17h. Entrée : 10 000 kips. À côté du palais présidentiel, l'ancien temple royal a été cons- truit au XVIᵉ s pour abriter le précieux bouddha d'émeraude (Phra Kéo), qui fut acheminé vers la capitale siamoise à la fin du XVIIIᵉ s suite à un conflit avec un belliqueux voisin. Détruit deux fois, le temple fut reconstruit au XXᵉ s sous le protectorat français et abrite désormais une petite collection d'anti- quités. On traverse un beau jardin avant de gravir l'escalier principal, dont les rampes représentent des nagas. De la fondation originale, subsiste la porte, à côté de celle d'entrée. Nombreuses statues de bouddha en bronze, *apsaras* en terre cuite.

🏛 *King Anouvong's Statue (zoom D3) :* érigée en 2010 au bord du fleuve, la statue représente le roi Anouvong, qui régna au début du XIXᵉ s. Inhabituel qu'un régime marxiste choisisse un ancien roi pour représenter le pays ! Il faut dire que celui-ci s'est illustré pendant son règne en soulevant le joug du Siam, dont le Lane Xang faisait alors partie. La statue est orientée vers la Thaïlande, le bras levé, comme pour mieux maintenir à distance le grand frère voisin...

🏛🏛 *That Dam ou « stûpa noir » (zoom D3) : au bout de la rue Chanta Khoumane.* Cet étrange stûpa, qui doit son surnom aux sombres moisissures clairsemées de végétation qui le recouvrent, est sans doute très ancien. Selon la légende, il serait le gardien d'un dragon à sept têtes qui aurait protégé la ville lors des invasions siamoises. Quand on connaît cette période tragique de l'histoire du Laos, on se dit que sa protection n'a guère été efficace, d'autant que les Siamois l'auraient débarrassé de sa couverture de feuilles d'or. C'est peut-être la raison pour laquelle ce stûpa n'est pas l'objet d'une grande dévotion... En revanche, son histoire fait couler beaucoup d'encre : articles et publications se disputent ses secrets.

🏛🏛 *Wat Mixay (zoom C3) :* un petit temple entouré d'une muraille, de style thaï- landais avec une forte influence chinoise. Remarquer les bas-reliefs des portes du sanctuaire.

🏛🏛 *Wat Ong Teu (zoom C3) : à l'ouest de la rue Setthathirat.* Le temple est situé au centre d'un ensemble de cinq monastères, disposés en croix sur

LE LAOS

les points cardinaux : wat Inpeng (ouest), wat Mixay (est), wat Chanh (sud), wat Haysok (nord). Le wat Ong Teu, lui aussi reconstruit au début du XXᵉ s, a été fondé par le roi Setthathirat. C'est le temple du « bouddha lourd », car il abrite le plus important bouddha en bronze de Vientiane. L'extérieur est surtout remarquable pour sa magnifique porte dorée en bois sculpté. Les motifs représentent des scènes du *Râmâyana*. À l'intérieur, l'imposante statue du Bouddha est flanquée de plusieurs petits bouddhas en bronze dans différentes postures.

🛊🛊 **Wat Inpeng** *(zoom C3) :* un temple intéressant pour sa façade richement parée de bas-reliefs en bois sculpté doré, ornés de mosaïques de verre. L'enceinte du temple abrite une petite école monastique.

🛊🛊 **Wat Haysok** *(zoom C3) :* temple-monastère mandarinal, dont on remarquera au passage l'impressionnante toiture à cinq pans. À l'intérieur, belles peintures du mur au plafond. Notez en ressortant la série de bouddhas, qui chacun adopte une posture différente autour du banian. Très beaux arbres.

🛊 **Wat Chua Bang Long** *(zoom C2) : dans une petite impasse perpendiculaire à la rue Khoum Boulom.* Un temple vietnamien devant lequel s'élève une grande statue blanche immaculée de Kuan-Yin, déesse de la Compassion. Également quelques statuettes très kitsch devant le sanctuaire. Très fréquenté lors du Nouvel an chinois et vietnamien.

À l'ouest *(vers l'aéroport)*

🛊🛊 **Wat Tai Yai** *(hors plan d'ensemble par A2) : sur la route de Luang Prabang, sur la gauche avt de tourner vers l'aéroport.* Construit à la fin du XIXᵉ s dans le style siamois, ce wat est remarquable par ses fines décorations polychromes extérieures. Son sanctuaire abrite l'un des plus imposants bouddhas de Vientiane...

Au nord

🛊🛊 **Wat Dong Mieng** *(plan d'ensemble D1) : au nord de la ville, proche de l'ancien marché Thong Khan Kham.* Construit en 1923, ce temple n'est guère visité. Et pourtant, il est très joliment décoré dans le style lao-thaï. Demander au bonze de service d'ouvrir la porte.

🛊 **Lao National Museum** *(hors plan d'ensemble par G1) : à 8 km env au nord du centre, au bout de la rue Kaysone Phomvihane, un peu avt la gare routière du sud.* Le sympathique musée du centre-ville a déménagé dans une nouvelle construction au gabarit XXL près de la gare routière et du *Kaysone Phomvihane Museum.* À notre connaissance, le musée n'avait toujours pas ouvert au moment du bouclage de ce guide. La collection archéologique et l'évocation des ethnies du pays captiveront-elles suffisamment les visiteurs pour les attirer dans ce lieu éloigné ?

🛊 **Kaysone Phomvihane Museum** *(hors plan d'ensemble par G1) : av. Kaysone Phomvihan, à 7 km env au nord du centre en direction de la gare routière. Tlj sauf lun 8h-12h, 13h-16h. Entrée : 5 000 kips.* Un musée à l'architecture stalinienne à la mémoire du premier président du Laos (dont le visage vous est familier puisqu'il se trouve sur tous les billets à partir de 2 000 kips). Impossible de louper l'imposante statue du bonhomme à l'entrée du musée... On mesure le culte entretenu par le régime autour de ce personnage historique, parvenu au pouvoir en 1975. Seuls les mordus se complairont dans les photos d'archives.

Au nord-est (plan d'ensemble E-H1-2)

🎍🕴️ ← **Patuxai** (**Anousavari** ; *plan d'ensemble E2*) : *au bout de l'av. Lane Xang, faisant face au palais présidentiel. Tlj 8h-17h. Entrée : 3 000 kips.* Un curieux arc de triomphe érigé vaguement à l'image de celui de la place de l'Étoile à Paris, mais dont la décoration est inspirée de la mythologie laotienne ! Édifié à grands frais dans les années 1960 avec du béton américain destiné à construire un aéroport, c'est un monument commémoratif en l'honneur des morts des différentes guerres. Depuis la terrasse au sommet du monument, à laquelle on accède par un escalier (marché artisanal dans les étages), la vue panoramique sur la ville est imprenable. L'esplanade au pied du Patuxai est équipée de fontaines musicales qui se déchaînent théoriquement à 18h en semaine et dès 9h jusqu'au soir le week-end. Ce spectacle est très populaire en ville...

🕴️🎍 **Wat That Luang** (*plan d'ensemble G-H1*) : *à env 4 km à l'est du centre-ville. Tlj 8h-12h, 13h-16h. Entrée : 10 000 kips.*
Ce grand stûpa doré haut de 40 m est le monument sacré le plus important du Laos, et le symbole du pays. Sur l'esplanade bétonnée, l'immense bâtiment sur le flanc droit du temple est le Parlement lao. Également plusieurs monastères bouddhiques en activité.
Le wat That Luang a eu une histoire mouvementée, mis à mal à travers les siècles par les Siamois, Birmans et autres envahisseurs. D'après la légende, au IIIe s de notre ère, un stûpa bouddhique s'élevait déjà à cet emplacement, mais les fouilles entreprises n'ont rien révélé de plus ancien qu'un temple khmer daté du XIe s. Le stûpa actuel fut édifié au milieu du XVIe s, lorsque Vientiane devint capitale du royaume. Sa restauration, réalisée par les Français au début du XXe s, est plutôt clinquante avec sa peinture dorée. Le stûpa, dont la base mesure 68 m de côté, est entouré d'un cloître (2 entrées). Certains prétendent que le Wat That Luang contiendrait un cheveu du Bouddha, mais rien n'y fait allusion. Les visiteurs n'accèdent qu'à la 1re terrasse. Les autres sont réservées aux moines. La fête du That Luang a lieu mi-novembre (voir la rubrique « Fêtes et jours fériés » au chapitre « Laos : hommes, culture, environnement »). Des bonzes, venus de tout le pays, habitent alors dans les loges qui entourent le cloître et y reçoivent des offrandes des fidèles. À l'extérieur, toutes les ethnies du pays et ambassades étrangères viennent se présenter. Et il se tient une véritable foire, avec montreurs d'animaux, manèges, jeux d'adresse, loteries et attractions diverses.

Au sud-est du centre (plan d'ensemble E4)

🕴️🎍 **Wat Simuang** (*plan d'ensemble E4*) : *à l'angle des rues Setthathirat et Samsenthai, avt le début de la route de Thadeua.*
Entouré de verdure, voici le temple (tout jaune) le plus vénéré de la ville, parce qu'il abrite le *Lak Muang* (pilier tutélaire). Selon la légende, cette lourde pierre aurait été plantée en terre en écrasant une jeune femme enceinte ! Elle s'était, paraît-il, offerte en sacrifice... Plus probablement, il s'agit d'une ancienne borne khmère autour de laquelle le sanctuaire initial fut construit au XVIe s, détruit en 1868 et reconstruit en 1915.
Très coloré, un peu dans le style hindou, le wat Simuang est aujourd'hui le temple de la chance et de la divination. Les autochtones (et sympathisants !) viennent y faire des vœux, puis reviennent s'ils sont exaucés pour faire une offrande sous forme de billets de banque, de couronnes de fleurs ou de fruits. D'où la présence de marchands de fleurs tout autour du temple. Devant le sanctuaire se dresse une surprenante statue du roi Sisavang Vong, à l'allure martiale, réalisée par un sculpteur soviétique dans les années 1960. Il en existe une copie dans les jardins du Palais royal de Luang Prabang.

🏹 **Morning Market** *(plan d'ensemble D3, 109)* : *av. Lane Xang. Tlj 7h-16h env.* Derrière le *Talat Sao Shopping Mall,* le *Morning Market,* tout bétonné, abrite tous types de marchandises. Surtout de l'électro-ménager, mais en cherchant, vous trouverez quelques accessoires et tissus. Le *Khua Din Market* voisin est plus intéressant.

🏹🏹🏹 **Khua Din Market** *(plan d'ensemble E3)* : *derrière le marché du mat et à côté de la station de bus. Tlj 5h-18h env mais son animation décline vers 14h.* C'est ici que les paysans viennent vendre leurs produits frais dans une atmosphère joyeuse et haute en couleur, pleine de tous les parfums (et puanteurs !) de l'Orient. Les marchandises sont exposées par catégories. Superbe travail des fleuristes découpant et modelant patiemment des feuilles de bananiers avec des assemblages destinés aux offrandes lors des mariages. Énorme boucherie en plein air avec boudins en cubes trempant dans l'eau, enfilade d'œufs sur des brochettes avec poussins à l'intérieur, étals d'insectes, œufs de fourmis, etc. À la poissonnerie, on verra des poissons gluants à tête de serpent qui frétillent dans des bassines, d'énormes poissons-chats débités au hachoir, des anguilles, grenouilles et autres batraciens... Le rayon des fruits et légumes est le plus coloré, celui du tabac et des écorces le plus odorant. Pour se restaurer : des gargotes bon marché et des étals, où l'on est tout surpris de trouver de vrais pains à la française et des sandwichs.

🏹🏹🏹 **COPE Visitor Centre** *(plan d'ensemble E4)* : *sur Khou Vieng Rd, en face de l'hôtel* Green Park. ☎ 21-84-27. ● copelaos.org ● *Tlj 9h-18h. Visite guidée gratuite.* Cette ONG laotienne, trait d'union entre les fondations internationales et les besoins locaux, fabrique des prothèses et offre des soins aux personnes victimes des munitions non explosées. Entre 1964 et 1973, 2 millions de tonnes de bombes ont été larguées par les États-Unis sur le sol du Laos ! Des chiffres effrayants et des dégâts terribles... Le centre, installé sur le site du CMR *(Centre for Medical Rehabilitation,* avec un stade adapté aux personnes handicapées), présente une exposition permanente émouvante : photos, sculptures, vidéos, etc. Sur place, une petite boutique contribue à l'autofinancement de l'organisation. Possibilité de boire un verre au **Karma Cafe,** paillote au toit de chaume qui vend aussi des glaces maison.

DANS LES ENVIRONS DE VIENTIANE

Mis à part pour le Buddha Park, la location de voiture avec chauffeur est le moyen le plus adapté pour explorer les environs.

Vers le sud-est

🏹🏹🏹 🏃 **Wat Xieng Khuan (Buddha Park** *; hors plan d'ensemble par E4)* : *à 24 km au sud-est de Vientiane en longeant le Mékong par la route de Thadeua. Bus n° 14 depuis la gare routière Talat Sao (voir « Quitter Vientiane »), direction Thadeua ; le bus s'arrête devant le parc. Plus rapide, mais un peu plus cher, prendre un tuk-tuk directement de Vientiane ou un tour organisé par une agence ou un hôtel (env 70 000 kips). Tlj 9h-17h. Entrée : compter 15 000 kips avec le droit photo.* Voici le terrain de jeux original de Luang Pu, qui remit le couvert de l'autre côté de la frontière, à Nong Khai en Thaïlande après avoir quitté le Laos en 1975. Bonhomme un peu farfelu, sorte de Facteur Cheval laotien et décédé en 1996, il souhaitait unifier bouddhisme et hindouisme ! Joignant l'acte à la parole, il convoqua ici les panthéons de ces deux religions pour créer plus de 200 statues, dont plusieurs dizaines sont remarquables. La naïveté et l'étrangeté de ces œuvres en béton armé datant des années 1950 ne laissent personne indifférent. En vedette, un gigantesque bouddha couché.
Le wat Xieng Khuan, c'est aussi un jardin public avec une jolie vue sur le Mékong, lieu de promenade dominicale privilégié.

Vers le nord, sur la route de Vang Vieng

🍴 *Lak Ha Sip Sawg Market* : à env 50 km de Vientiane, sur la route 13. Un petit marché authentique, tenu par des Hmong poussés jusqu'ici par la guerre dans les années 1960. Très coloré avec ses fruits, légumes, vêtements, viandes et poissons séchés, il donne aussi l'occasion de casser une petite croûte dans ses popotes odorantes.

🍴 *Vang Song* : à env 60 km de Vientiane, sur la route 13, prendre la bifurcation indiquée sur la droite, c'est à env 3 km. Entrée : 20 000 kips/véhicule. Un étonnant petit groupe de bouddhas sculptés au XVIe s dans une falaise émergeant de la jungle, sur un site occupé dès l'époque môn. *Vang Song* signifie « palais des éléphants » : un cimetière d'éléphants aurait été découvert dans une grotte à proximité...

🍴 *Dan Pha* : non loin de Phonhong (sur la route 13, à 70 km de Vientiane). Site naturel très joli, constitué d'un plateau de grès rose entaillé par une petite rivière. Quelques bouddhas gravés.

Où dormir entre Vientiane et Vang Vieng ?

🛏 🍽 *Namlik Eco-village* : à env 85 km de Vientiane. En bus (en direction de Vang Vieng depuis la gare du nord à Vientiane), demander au chauffeur de vous déposer au village de Senxoum, au km 80 sur la route 13. Pour les 7 km restants, le gérant vient vous chercher. ☎ 020-7712-71-78. Compter env 300 000 kips la double, petit déj et activités incluses. En pleine nature, des bungalows sur pilotis, prolongés par une large terrasse avec hamac en surplomb de la rivière Nam Lik (qu'on aperçoit plus ou moins derrière les arbres). Celui qui a la meilleure vue est en bas, au plus près de la rivière. Dans chacun, possibilité de loger 3 personnes, voire 8 pour l'un d'entre eux. Salle de bains et eau chaude, mais on vient avant tout pour une expérience hors du commun. À vélo (prêtés sur place), on rejoint facilement un village de tisserands. Inclus dans le prix, randonnées accompagnées, jeux enfants, kayak, billet et baby-foot. En supplément, tubing et tyrolienne. Joli resto dans les bois, et accueil chaleureux de Patric et son équipe. Passez au moins 2 nuits sur place, pour profiter au mieux de ce jardin d'Éden !

QUITTER VIENTIANE

– Amoureux du Mékong, sachez qu'il n'y a plus aucun service régulier de bateau ou de cargo au départ de Vientiane, que ce soit vers le nord ou le sud. Et pas de croisières non plus.
– Une myriade d'agences et tous les hébergements ou presque disposent d'un service de réservation de transport. Pour le bus et le train, c'est assurément plus pratique que de se rendre dans les gares éloignées du centre pour acheter son billet. D'autant plus que le *tuk-tuk* n'est pas donné. Pour l'avion, ne pas oublier de comparer les prix avec ceux proposés directement par les compagnies. Les fréquences données ici peuvent varier, le mieux est donc de s'informer sur place.

En bus

– Les agences et les hébergements proposent presque systématiquement le *pick-up* (ramassage) des voyageurs. Le rendez-vous est généralement fixé 1h avant le départ. À privilégier !
– En dehors des départs listés plus bas, d'autres formules privées existent, parfois en minivan. Pour Vang Vieng, c'est la meilleure option, on vient vous chercher à l'hôtel. Se renseigner auprès des agences.
– *Liaisons internationales* : voir « Arriver – Quitter », au début du guide, pour les formalités d'entrée concernant les pays voisins.

LE LAOS

Vientiane compte 3 gares routières principales.

🚌 **Gare routière Talat Sao** (plan d'ensemble E3) : derrière le marché du mat. Un nouveau bâtiment qui doit accueillir l'ensemble des lignes était encore en construction lors de notre passage. En attendant, les bus se garent dans les rues tout autour. Départ pour les villes des environs, la Thaïlande et des bus locaux desservant le pont de l'Amitié (Friendship Bridge).

➤ **Aéroport :** 3 lignes desservent l'aéroport (préciser l'arrêt au chauffeur), celle de Thong Pong, de Nong Theng et de That Hong.

– Également une navette **(airport shuttle)** qui dessert l'aéroport depuis la gare en passant par une dizaine de stations en centre-ville. Tlj 8h05-21h35, ttes les 40 mn ou ttes les heures. Durée : 35 mn. Prix : 15 000 kips/pers.

➤ **Pour le pont de l'Amitié** (frontière thaïlandaise ; 20 km) : départ du bus n° 14 ttes les 20 mn. Env 30 mn de trajet. Si votre seule ambition est de vous rendre en Thaïlande, il est plus pratique de prendre un bus direct pour Bangkok, Udon Thani ou Nong Khai.

➤ **Pour wat Xieng Khuan** (Buddha Park ; 24 km) : départ du bus n° 14 ttes les 20 mn, 6h30-17h30. Compter 40 mn.

➤ **Pour Nong Khai** (Thaïlande) : 6 bus/j., 7h30-18h. Prévoir 1h30 de trajet.

➤ **Pour Udon Thani** (Thaïlande) : généralement 8 bus/j., 8h-18h. Trajet : 2h30. D'Udon Thani, changement pour Bangkok, Chiang Mai ou Chang Rai.

➤ **Pour Bangkok** (Thaïlande) : 1 bus de nuit vers 18h.

🚌 **Gare routière du Sud** (New Southern Bus Station ; hors plan d'ensemble par G1) : à env 10 km au nord-est du centre-ville, sur la route 450. Pour s'y rendre, tuk-tuk ou une dizaine de bus (n°s 23 et 29 de la gare Talat Sao). Départ pour les villes du Sud-Laos. Distributeur de billets sur place et petites gargotes. Ce terminal dessert les villes du sud et les frontières vers le Vietnam et le Cambodge.

➤ **Pour Thakhek** (330 km) : 5 bus/j.,

4h-13h env, normaux ou VIP. Compter 5-6h de route. Sachez aussi que la plupart des bus pour Savannakhet et Paksé s'arrêtent à Thakhek.

➤ **Pour Kong Lor** (village et grotte ; env 350 km) : 1 bus/j., le mat. Compter 7-8h de trajet.

➤ **Pour Savannakhet** (483 km) : 5h30-20h30 env, 10 bus/j. env, surtout le mat (jusqu'à 9h), normaux ou 3 bus VIP. Prévoir 8-11h de trajet.

➤ **Pour Paksé** (736 km) : 10h-16h env, 14 bus/j. normaux, ainsi qu'en VIP avec couchettes. Compter 10-15h de route.

➤ **4 000 îles** (808 km) : 1 bus/j., dans la matinée. Compter 18h de route. Mieux vaut diviser le trajet en plusieurs étapes.

➤ **Pour Veun Kham** (frontière du Cambodge ; 890 km) : 1 bus/j., dans la matinée. Env 20h de route. Autant fractionner le trajet. Visa on arrival cambodgien disponible à la frontière. Voir avertissement dans « Le district de Siphandone. Arriver – Quitter », plus loin.

🚌 **Gare routière du Nord** (hors plan d'ensemble par A2) : à 10 km au nord-ouest du centre-ville, sur la route T2 appelée aussi station de Luang Prabang. ☎ (030) 526-21-11. Pour s'y rendre, bus n° 8 de la gare de Talat Sao. Départs pour les villes de tout le nord du pays et la Chine.

➤ **Pour Vang Vieng** (160 km) : ttes les heures en minivan, 13h-16h.

➤ **Pour Luang Prabang** (384 km) : 6h30-20h env, à peu près 10 bus/j., express VIP ou avec couchettes et AC. 8-12h de route.

➤ **Pour Luang Namtha** (676 km) : 2 bus/j. (clim). Compter 24h de trajet. Autant faire étape en route.

➤ **Pour Oudom Xai** (580 km) : 6h45-17h env, 4 bus/j., normaux ou VIP avec clim. Compter respectivement 12 et 15h de route.

➤ **Pour Phongsaly** (815 km) : généralement, 2 bus/j. (clim), tôt le mat et en soirée (couchette). Env 26h de route. On conseille vraiment de fractionner le trajet.

➤ **Pour Xieng Khuang** (Phonsavan ; 375 km) : 6h30-20h env, 6 bus/j., express ou VIP. Compter 10-11h de route.

➤ *Pour Houeisai (895 km) :* 2 bus/j. (clim), vers 10h et 17h. Compter 24h de route. On conseille donc de faire étape...

➤ *Pour Kunming (Chine) :* 2 bus/j., à 14h et 18h normalement. Compter au moins 36h.

➤ *Pour le Vietnam :* 18h30-20h env, normalement 3 bus/j. pour *Hanoi* (env 24h) et *Da Nang* (env 24h) et 1 bus/j. pour *Vinh* (env 17h de trajet) et *Hué* (env 22h).

🚌 *Gare de Sikhaï :* au nord de l'aéroport. S'y rendre en tuk-tuk. *Pick-up* ttes les 15 mn, tte la journée pour *Vang Vieng.* Arrêts fréquents en route. Durée : 3h30.

🚌 *Pour le Vietnam :* plusieurs compagnies privées proposent des bus modernes et climatisés à destination des grandes villes du Vietnam. Départs quotidiens de Vientiane (service de *pick-up* à votre hébergement). Horaires, prix des billets et infos affichés dans la plupart des agences de voyages du centre-ville et des *guesthouses.* Renseignez-vous autant que possible sur les conditions de transport, les éventuels changements de bus, etc. *Attention,* il est nécessaire d'obtenir un visa auprès d'un consulat du Vietnam avant d'y entreprendre un voyage.

En train

➤ *Pour Bangkok :* départ de Thanaleng (20 km de Vientiane) 1 fois/j. en fin d'ap-m jusqu'à Nong Khai (Thaïlande). La ligne est en train d'être prolongée jusqu'au centre-ville de Vientiane ;

À suivre ! Idem dans l'autre sens Vientiane-Bangkok. Durée : env 12h.

En avion

✈ *Aéroport international Wattay (hors plan d'ensemble par A2) :* à env 3 km à l'ouest du centre-ville, sur la route de Luang Prabang ; dans les embouteillages, le tuk-tuk *est plus habile.* Pour les liaisons et leurs fréquences, voir la rubrique « Transports » dans « Laos utile ».

– Tuyau : pour Bangkok, il peut être plus économique de rejoindre Udon Thani (en Thaïlande, à seulement 50 km au sud du pont de l'Amitié) d'où plusieurs vols/j. (durée 1h05) rejoignent Bangkok, affrétés par *Thai Smile* et les compagnies *low-cost Nok Air* et *Air Asia.*

– Attention, certaines de ces liaisons sont aléatoires et dépendent de l'affluence, des avions... et de plein d'autres imprévus ! Les liaisons et fréquences, ci-dessous, ne sont données qu'à titre indicatif.

Avec *Lao Airlines :* ● laoairlines.com ●

➤ *Pour Luang Prabang :* en moyenne 4 vols/j. Durée : 45 mn.

➤ *Pour Xieng Khouang :* 1 vol/j. Durée : 30 mn.

➤ *Pour Oudom Xai :* 1 vol/j. Durée : 50 mn.

➤ *Pour Luang Nam Tha :* 1 vol/j. Durée : 1h.

➤ *Pour Paksé :* 2-3 vols/j. Durée : 1h15.

➤ *Pour Savannakhet :* 1 vol/j. Durée : 1h.

LE LAOS

VANG VIENG   25 000 hab.   IND. TÉL. : 023

● Plan *p. 367* ● Les environs de Vang Vieng *p. 373*

À 160 km au nord de Vientiane sur la route de Luang Prabang, la verdoyante région de Vang Vieng est baignée par la rivière Nam Song que bordent de spectaculaires formations karstiques, truffées de grottes et flanquées de falaises abruptes faisant parfois penser aux motifs de la peinture chinoise sur soie.

IL ÉTAIT UNE FOIS VANG VIENG

Peuplé en partie de Hmong, ce cadre enchanteur, sorte de mini-« baie d'Along terrestre » ou de « Guilin » du Laos, ne pouvait qu'attirer le tourisme. En l'absence de tout contrôle, l'affaire prit au fil du temps une drôle de tournure avec l'arrivée en masse de jeunes *backpackers* en mode défoulement, façon *spring break* (semaine de relâche estudiantine donnant lieu à divers excès). De multiples activités pseudo-sportives virent le jour, accompagnées de tout un cérémonial à base d'alcool et de drogue (dure aussi...) à gogo. Parallèlement, les exigences simples de cette communauté quant à l'hébergement et à la nourriture (muesli, hamburger, etc.), secondaires par rapport à la défonce, entraînèrent un nivellement de l'offre vers le bas. *Guesthouses* et restos se clonèrent à l'infini, étouffant charme et pittoresque.

VANG VIENG EST MORT, VIVE VANG VIENG

Pour de nombreux participants, le réel intérêt du *tubing* de Vang Vieng (descente de la rivière avec une chambre à air de camion) consistait à s'arrêter en route dans de petits bars, pour écluser cocktails ou *shake* à la marijuana, prendre des bains de boue et se tester sur des tyroliennes insensées, pour finir par une parade en maillot de bain dans les rues du village. Dans ce contexte de défonce qui a fait la réputation de Vang Vieng, plusieurs accidents mortels donnèrent l'alerte.

En 2012, le gouvernement, inquiet de cette image peu reluisante, sonna la fin de la récré et décida de faire le ménage, y compris au sein des autorités du district, complices de ces dérives : fermeture d'une vingtaine d'établissements, chasse aux dealers, répression de la consommation de drogue et instauration de nouvelles réglementations. L'administration nationale du tourisme laotien a réagi en mettant sur pied un programme de sensibilisation qui recommande aux touristes « de respecter et de suivre strictement les règles, la tradition et la culture du peuple lao », tout en encourageant les populations locales à maintenir l'identité lao et son mode de vie. Vous verrez des affiches et des brochures qui vont dans ce sens, en stigmatisant les comportements déplacés.

Aujourd'hui, si la ville est revenue dans les clous et tente de redorer son blason, elle garde quelques traces de son passé tapageur. Mais le cadre, lui, n'a pas changé : le panorama en dents de scie des falaises domine toujours.

Et il suffit de faire quelques kilomètres pour retrouver un paysage resté authentique, juste jalonné de villages pittoresques. Et demain ? Le bon sens et la raison continueront-ils de prévaloir ? Cela semble être le cas, et la construction d'hôtels nouveaux indique une volonté d'améliorer l'offre vers le

LIMA 6, SITE 27

Entre le village et la route 13, un terrain de gravier de plus de 1 500 m de long sur 200 m de large est le vestige d'une piste d'aviation secrète utilisée par la CIA durant le conflit vietnamien. Les avions et hélicos de la compagnie Air America y débarquaient le matériel destiné à approvisionner les troupes royalistes laotiennes et les Hmong en lutte contre le Pathet Lao communiste. Tout cela dans le plus grand secret et à l'insu du Congrès de Washington pour qui il n'y avait aucun combattant américain au Laos.

haut. Disons que si le Vang Vieng new-look réussit à fidéliser une clientèle plus variée, plus bobo que destroy, sensible au dépaysement, portée sur les balades et les activités sportives bien organisées, son avenir devrait être assuré. En tout cas, on vous suggère, sans hésiter, d'inscrire cette étape séduisante dans votre itinéraire.

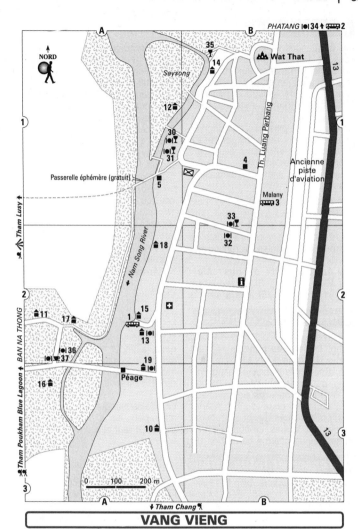

PHATANG |●| 34 ↑ 🚌 2

VANG VIENG

LE LAOS

■ **Adresses utiles**

🛈 Office de tourisme (B2)
🚌 1 Station de bus touristique (A2)
🚌 2 Gare routière nord (hors plan par B1)
🚌 3 Malany Villa (arrêt de bus ; B1)
4 Banque pour le Commerce Extérieur Lao (BCEL ; B1)
5 Tubing Station (A1)

🏠 **Où dormir ?**

10 Jammee Guesthouse (A3)
11 Maylyn Guesthouse (A2)
12 Many Riverside (A1)
13 Villa Nam Song (A2)
14 Champalao bungalows (B1)
15 Thavonsouk Resort (A2)
16 Chez Mango (A3)
17 Vieng Tara Villa (A2)
18 Vansana Vang Vieng Hotel (A2)
19 Riverside Boutique Resort (A3)

|●| 🍷 **Où manger ? Où boire un verre ?**

19 Le Crabe d'Or (A3)
30 Otherside, Banana et River Hills (A1)
31 Vamphaxay Restaurant (A1)
32 Happy Mango (B2)
33 The Rising Sun-Gary's Irish Bar (B1-2)
34 Organic Mulberry Farm Café (hors plan par B1)
35 Earth bar (B1)
36 Pizza Luka (A2)
37 Lotus Restaurant (A2-3)

Arriver – Quitter

Les fréquences varient selon les saisons, et les horaires peuvent évoluer rapidement. Attention aux longs trajets, ils sous-entendent parfois un changement de véhicule et peut-être de longues attentes. Autant scinder son voyage.

À Vang Vieng, plusieurs compagnies privées affrètent des véhicules, allant du van au bus VIP. Achat des billets auprès des hébergements ou des nombreuses petites agences. Ramassage des voyageurs inclus.

🚌 **Gare routière nord** (hors plan par B1, **2**) : près du marché, à env 2 km. Pour s'y rendre, en tuk-tuk, compter 10 000 kips/pers. Mais il existe de nombreuses formules de ramassage en ville.

🚌 **Autres arrêts de bus : Malany Villa** (plan B1, **3**), **Thavonsouk Resort** (plan A2, **15**) et **station de**

bus touristique (plan A2, **1**). Les bus venant de Vientiane vous déposeront normalement à l'un de ces endroits. Pratique, le centre-ville est tout près.

➤ **Luang Prabang** (185 km) : de la gare routière nord, 2 bus locaux, en 6h de trajet et 1 express. Agences privées, 3 à 4 bus/j. dont 2 de nuit. Durée du trajet : 4 à 6h pour la nouvelle route.

➤ **Vientiane** (160 km) : de la gare routière nord, 7h-15h30 env, 3 bus/j. Compter 3h30-4h selon bus.

➤ **Phonsavan** (plaine des Jarres ; env 200 km) : de la gare routière nord, 1 minibus local/j., vers 9h normalement. Compter env 8h de voyage (arrêts fréquents).

➤ **Thakhek :** 1 bus/j., en début d'ap-m. Compter 10h de trajet.

➤ **Autres destinations du Sud-Laos :** long... autant faire étape à Vientiane.

S'orienter, se déplacer

Aucun nom de rue n'est indiqué à Vang Vieng. Les 2 rues principales filent nord-sud, parallèlement à la Nam Song et à la nationale Vientiane-Luang Prabang, qui borde tout ce beau monde à l'est, au-delà de la longue esplanade de l'ancienne piste d'atterrissage. Des petites rues perpendiculaires coupent les artères. La bourgade n'a en soi pas de charme particulier. Un

simili-« centre-ville » s'est développé dans la partie nord du quadrillage, autour de la rue est-ouest qui se termine par un coude et une descente jusqu'à la passerelle qui franchit la rivière, juste sous l'île Saysong.

La ville se parcourt facilement à pied, mais pour les excursions vers les grottes, il vaut mieux louer un vélo ou une moto.

Adresses et infos utiles

■ **Office de tourisme** (plan B2) : lun-ven 8h30-11h30, 14h-16h. Fermé sam-dim. Malgré le manque de moyens, quelques brochures et de la bonne volonté pour donner des infos utiles en anglais basique.

✉ **Poste** (plan B1) : à l'intersection centrale. Lun-ven 8h-12h, 13h-16h. Transfert d'argent par Western Union possible. ATM à proximité.

■ **Banque pour le Commerce Extérieur Lao** (BCEL ; plan B1, **4**) : tlj 8h30-15h30. Service de change, distributeur de billets 24h/24 et retrait possible au guichet avec une carte de paiement (sauf le week-end dans ce dernier cas). D'autres distributeurs automatiques

dans la ville, notamment à la Banque Franco-Lao, tout proche de la poste.
■ **Pharmacie** (plan A2) : face à l'hôpital.
■ **Location de vélos, motos et tuk-tuk :** auprès de nombreuses boutiques et hébergements. Compter 50 000-70 000 kips pour un vélo (standard ou mountain bike) pour la journée, 50 000-80 000 kips pour une petite moto (type scooter ou semi-automatique). Affréter un tuk-tuk pour la journée revient à 150 000 kips.
– **Plan de la région :** celui réalisé par Hobo Maps est quasi incontournable par sa couverture étendue, sa précision et son côté pratique. En vente dans les hôtels et guesthouses.

Où dormir ?

Si vous n'avez pas réservé à l'avance, évitez de suivre les rabatteurs qui sévissent au terminal des bus. La ville est petite, on peut trouver un hébergement à son goût sans trop marcher.

De très bon marché à bon marché (moins de 150 000 kips / 19 $)

🛏 **Chez Mango** (plan A3, 16) : ☎ 020-544-357-47. ● chezmango.com ● *À 400 m à peine du centre et déjà dans un autre monde ; prendre le pont payant, franchir le suivant, c'est sur la gauche par un petit chemin (panneau). Bungalows sans ou avec sdb « très bon marché » ; petit déj non compris.* Dans un jardin apaisant, à l'ombre des papayers et des manguiers, 6 bungalows rustiques sur pilotis, dont 2 plus spacieux et aménagés avec sanitaires et moustiquaire. Literie ferme, mais ensemble impeccablement tenu et animé par Noé, un sympathique coursier parisien qui a décidé d'abandonner son métier pour délivrer, cette fois-ci, son amour de la région. Propose un forfait avec excursion en jeep : lire la rubrique « À voir. À faire ».

🛏 **Jammee Guesthouse** (plan A3, 10) : *à 10 mn de marche du centre, au sud du village, bien fléché.* ☎ 020-528-429-78. ● jammeeguesthouse@hotmail.com ● *Doubles avec sdb « bon marché ».* Bien au calme, une grande maison familiale de 16 chambres claires et bien équipées. Optez pour celles à l'étage, à moins que vous ne préfériez celles du rez-de-chaussée (sur l'avant surtout !) avec une miniterrasse. Déco passe-partout, duvets sur les lits (un peu durs). Terrasse pour le petit déj, avec succulentes salades de fruits. Laverie. Organisation d'excursions et grotte de Chang à proximité. Accueil sympathique. Bon resto à proximité immédiate si l'on ne veut pas trop s'éloigner le soir.

🛏 **Maylyn Guesthouse** (plan A2, 11) : *sur la rive droite de la Nam Song ; prendre le pont à péage, puis la 2ᵉ passerelle et tourner à droite (panneaux).* ☎ 020-556-040-95. *Téléphoner en arrivant pour savoir s'il y a de la place. Doubles*

sans ou avec sdb « très bon marché » ; petit déj basique non compris. Géré par un couple irlando-laotien. Malgré un peu de rugosité dans l'accueil, cette adresse reste différente et dépaysante. Bungalows répartis dans le jardin de lataniers, ceux du fond profitant d'une très belle vue sur les falaises, et petites maisons multichambres (en dur et avec salles de bains, plutôt confortables mais peu insonorisées). Autant visiter avant de choisir. On y vit en compagnie de colibris et de papillons, ce qui compense le confort basique. Entretien aléatoire mais trois plancher. Pavillon bar-resto à l'entrée, panneau d'infos et échanges de tuyaux garantis.

🛏 **Many Riverside** (plan A1, 12) : *sur l'île de Saysong (accès par les passerelles).* ☎ 020-544-445-25. *Doubles avec sdb « bon marché ».* L'agrément majeur est sa situation sur l'île de Saysong, à l'écart de l'agitation et si proche du centre. À ce prix, on a apprécié la chambre carrelée de taille honnête, propre, avec salle de bains privative, clim et télé. Sympathique terrasse agrémentée de chaises massives, prolongée par un jardin gentiment désordonné. Laverie.

De prix moyens à chic (150 000-500 000 kips / 19-62 $)

🛏 **Champalao bungalows** (plan B1, 14) : *au bord de la rivière.* ☎ 51-16-98. ● bungalows_champalao9@hotmail.com ● *Doubles à « prix moyens », mais aussi quelques chambres « bon marché » avec sdb à partager.* Dans un coin paisible au nord de la ville, un couple discret originaire de Thaïlande a construit de beaux bungalows traditionnels avec terrasse sur l'île de Seysong, de l'autre côté de la rivière, qu'on enjambe par une passerelle. Une poignée de chambres économiques à l'étage de la maison principale (salle de bains à partager). Moustiquaire, ventilo, hamac et clim dans les plus chères, qui peuvent accueillir 4 personnes. Plusieurs catégories, il y en a vraiment

LE LAOS

pour tous les budgets avec un dénominateur commun : le charme ! Calme et volupté sont ici les maîtres-mots.

⌂ *Vansana Vang Vieng Hotel (plan A2, 18) : au bord de la rivière, entre les 2 ponts.* ☎ 51-15-98. ● vansanahotelgroup.com ● *Doubles avec sdb, clim à prix « chic » ; petit déj inclus.* Un hôtel de chaîne quelconque, qui remplit sa palanquée de chambres avec des groupes. Pas de révélation esthétique, mais un choix intermédiaire pour qui veut profiter d'une piscine dans un jardin tropical soigné. Outre le confort standardisé des chambres (minibar, bouilloire), c'est la vue sur la rivière qui mérite une halte. Évitez les chambres sur l'arrière. Accueil anglophone.

⌂ |○| *Villa Nam Song (plan A2, 13) : au bord de la même rivière, par le même chemin que* Thavonsouk, *côté opposé.* ☎ 51-16-37. ● villanamsong.com ● *Doubles dans la catégorie « chic », petit déj compris. Formules ½ pens.* Sur un terrain abondamment fleuri de la berge de la Nam Song, planté de bananiers et de manguiers, une quinzaine de chambres réparties dans une longue bâtisse de plain-pied, tournée vers la rivière et les falaises mais située en retrait. Confort et équipement corrects et jolies terrasses qui prolongent la plupart des chambres. Le resto *La Vérandah* a investi un grand pavillon et une belle terrasse. Une adresse bien située (son meilleur atout) mais aux prix trop élevés pour les chambres sur l'arrière, face à un mur (à éviter !). Bon accueil.

⌂ *Thavonsouk Resort (plan A2, 15) : au bord de la Nam Song, au niveau des barques à moteur. Accès par un chemin en terre.* ☎ 51-10-96. ● thavonsouk. com ● *Doubles à prix « chic », petit déj inclus.* Les bungalows installés le long des berges avec vue sur les montagnes jouissent d'une vue extra et sont entourés d'une pelouse verdoyante. Les chambres les plus agréables sont ici,

mais gare à la nuisance des barques dont le moteur vrombit dès l'aube. Les chambres en 2ᵉ ligne n'ont ni le même confort, ni la même vue, et les salles de bains sont franchement minimalistes. Bar-resto où l'on s'attarde seulement pour la vue imprenable sur les falaises. Le petit déj ne vaut pas un clou. Souvent réservé pour les groupes.

Très chic (plus de 500 000 kips / 62 $)

⌂ *Vieng Tara Villa (plan A2, 17) : face à la rivière.* ▤ 020-555-181-55. ● viengtara.com ● *Doubles 100-140 $, petit déj inclus.* Un cadre magique sur la rive droite de la rivière. Chambres sur pilotis au-dessus des rizières verdoyantes, avec une terrasse pour profiter de la vue évidemment superbe sur les karsts. Pour d'autres, le réveil se fait devant la rivière, celles face au jardin sont plus classiques. Quoi qu'il en soit, un lieu apaisant pour un établissement de charme et de confort.

⌂ *Riverside Boutique Resort (plan A3, 19) : juste avt le péage du pont, sur la droite.* ☎ 51-17-26. ● riverside vangvieng.com ● *Doubles 160-200 $ en saison, petit déj inclus.* Un cadre enchanteur en bord de rivière ! Et rien ne semble entraver cette délicieuse harmonie où tout concourt au bien-être des sens. Les bâtiments – sur 2 niveaux et répartis autour de la piscine – s'insèrent dans un jardin tropical de toute beauté. Au diapason, les chambres, raffinées mais sans luxe ostentatoire, sont sans fausse note : immenses, avec tomettes au sol, tissus provenant de différentes ethnies, mobilier exotique, balcon et vue imprenable sur la rivière et les montagnes... On en est restés babas... Excellent resto *Le Crabe d'or,* à prix démocratiques (voir plus bas « Où manger ? »).

Où dormir chic dans les environs ?

⌂ |○| *Sanctuary Nam Ngum beach resort : à 25 km avt Vang Vieng en venant de Vientiane, après le village de Tha Heua.* ▤ 020-52-20-21-07. ● sanctuaryhotelsandresorts.com ●

Doubles 50-99 US$. Navette gratuite pour Vang Vieng. Un havre de sérénité à 15 mn de Vang Vieng, au bord d'un immense lac artificiel (27 km de long). Une vingtaine de bungalows au toit de chaume répartis sur une presqu'île donnent sur les eaux bleutées du lac. 2 catégories de chambres, avec un confort aux petits oignons dans chacune : grandes salles de bains, béton ciré au sol, chaussons, terrasse avec transats, idyllique pour le coucher du soleil. Les *deluxe* sont plus éloignées des barques à moteur utilisées par les pêcheurs (peignoir dans celles-ci), et les suites peuvent accueillir 4 personnes. Baignade dans le lac ou dans la piscine flottante. Prix moyens au resto pour une cuisine savoureuse : poissons grillés, salades parfumées... Accueil charmant et nombreuses propositions de balades, sur le lac, à pied ou à vélo. Ne manquez pas le marché du village de pêcheurs Tha Heua !

Où manger ? Où boire un verre ?

Vang Vieng souffre encore de son passé touristique *low-cost*. En attendant l'apparition d'une scène culinaire à la hauteur des paysages alentour, voici quelques bons plans, et d'autres sans aucun génie mais bien placés. Vous ne mourrez pas de faim à Vang Vieng, mais vous ne ferez pas de repas inoubliables non plus.

Plusieurs des hébergements que nous listons disposent de restaurant : voir « Où dormir ? ».

Bon marché (moins de 25 000 kips / 3 $)

|●| ☂ Otherside, Banana et River Hills *(plan A1, 30) : tt proches du carrefour qui sert de centre, à proximité de la passerelle gratuite.* Côté rivière, en surplomb de l'île Saysong, 3 restos-bars contigus et identiques : terrasse couverte filant jusqu'en surplomb de la rivière, équipée de 2 longues estrades face à face, où l'on se prélasse sur des matelas autour de tables basses. Sympa pour boire un *smoothie* dans une atmosphère relax, mais pas de révélation gastronomique. À côté, **Vamphaxay Restaurant** *(plan A1, 31)* surplombe les passerelles. Niveau cuisine, c'est toujours un peu pareil, mais la vue dégagée fait la différence.

|●| ☛ Lotus Restaurant *(plan A2-3, 37) : après le pont qui fait suite à celui à péage, à l'angle du chemin perpendiculaire, sur la droite. Tlj du mat au soir.* Une simple paillote agrandie, équipée d'une poignée de tables et d'une petite terrasse. Convivialité laotienne et française garantie par le couple mixte qui gère les lieux. Madame prépare une poignée de plats authentiques peu onéreux : *laap*, soupe à la mode lao ou vietnamienne, filet de poisson aux épices, herbe et citron. Monsieur discute avec les convives et leur donne les tuyaux du moment. Omelettes et petit déjeuner aussi.

Prix moyens (de 25 000 à 60 000 kips / 3-7 $)

|●| Pizza Luka *(plan A2, 36) : sur la rive droite de la rivière, à côté du Lotus restaurant.* Un resto avec des tables en plein air et un vrai four à bois d'où sortent de délicieuses pizzas à pâte fine. Yasmina et Tone proposent aussi des lasagnes et salades à arroser d'un vin italien. Ambiance conviviale dans le joli jardin, et accueil charmant.

|●| Happy Mango *(plan B2, 32) : dans une rue face à la poste, face au Gary's Irish bar. Ouv tlj.* Une échoppe à jus sur la rue, et quelques tables en bois blond dans une petite salle. Un cadre pimpant pour se régaler d'une cuisine thaïlandaise enlevée. Difficile de faire son choix, tout est fameux ! Salades (au canard notamment), incontournables pad thaï et *curries*. Si vous redoutez les épices, précisez-le à la commande. Vous nous direz des nouvelles du *mango sticky rice* en dessert ! Pour arroser le tout, jus de mangue ou vins argentins. Accueil anglophone adorable et pro. Notre coup de cœur à Vang Vieng.

|●| ☂ The Rising Sun-Gary's Irish Bar *(plan B1-2, 33) : sur la 1re parallèle au sud de l'axe est-ouest du centre-ville. Tlj du petit déj à tard le soir.* Ce pub qui distille musique et bonne humeur est facilement repérable avec sa bouteille géante à l'entrée. Burgers et baguettes voisinent avec les spécialités irlandaises pour un résultat convaincant : *fish and chips*,

LE LAOS

irish stew, petit déj irlandais complet. TV branchée sur le sport, billard, fléchettes, personnel anglo-saxon chaleureux et *live music* le soir. Parmi les mousses disponibles, la Guinness syndicale, bien sûr.

Y Earth bar *(plan B1, 35)* : *au nord du centre en longeant la rivière, face à l'île Seysong. Tlj 17h-23h.* Happy hours *18h-21h.* Les amateurs de couchers de soleil apprécieront le jardin-terrasse qui surplombe la rivière. Un spot décontracté et résolument jeune, où l'*happy hour* fait oublier l'inconfort des rondins de bois et des pierres rugueuses. Pour se remplir l'estomac, les burgers tiennent la rampe.

â I●I Organic Mulberry Farm Café *(hors plan par B1 et plan « Environs de Vang Vieng », 34)* : *à env 5 km au nord du centre par la nationale. Jouxte le départ du tubing.* ☎ *51-12-20. Petit déj complet et menu 3 plats.* Depuis qu'il y a moins de déjantés du *tubing*, on a tout loisir d'apprécier ce beau coin au bord de l'eau. Cette ferme bio est réputée pour sa production de thé à base de feuilles de mûriers à soie, et ses fromages de chèvre ! Alors, si un sandwich au fromage de biquette toasté, accompagné d'un thé ou d'un jus de mûres vous fait saliver... Original et bon. Le reste de la carte est principalement élaboré à partir de produits maison. Nombreux plats végétariens. Cette ferme un peu bohème est aussi engagée dans un projet éducatif qui dispense aux jeunes des cours d'anglais. Pas mal de bonnes idées qui mériteraient d'être mieux abouties. Possibilité de dormir sur place, en chambre double ou en dortoir avec les volontaires qui mettent la main à la pâte pour un prix très serré.

Chic (de 60 000 à 100 000 kips / 7,50-12,50 $)

I●I Le Crabe d'Or *(plan A3, 19)* : *au Riverside Boutique Resort. Ouv tlj. Menu dégustation 125 000 kips et carte.* Si le budget vous ferme la porte des chambres, celles du restaurant et du bar sont nettement plus accessibles pour un cadre qui fait figure d'exception à Vang Vieng. Qu'on est bien, attablé en terrasse, au rez-de-chaussée ou à l'étage en surplomb de la rivière ! Le cadre est sublime avec ses lampions dans les arbres, son mobilier en rotin au charme colonial, sa vaisselle raffinée et ses tables espacées. Carte variée : lao et occidentale. L'occasion de goûter des spécialités bien mitonnées : *Or Lam, Mok Pa...* Un ravissement pour les yeux et les papilles à un prix très raisonnable.

À voir. À faire

En plus d'apprécier le panorama depuis le centre, il faut absolument investir les environs et franchir le pont sur la rivière. Dans un paysage karstique, on découvre des villages, une trentaine de grottes, des lagons, des cascades et une jungle à la verticalité tortueuse. Pour peu, on pourrait se prendre pour Indiana Jones.

– Les *guesthouses* et les petites agences proposent des tours guidés. C'est une option valable, voire impérative pour les activités plus ou moins sportives. Mais la balade solo est envisageable, à pied, en louant un vélo ou une petite moto. Hormis les bruyants buggys qui pullulent sur les pistes et les chemins souvent chaotiques, assez peu de trafic.

– Avant de vous lancer, munissez-vous du plan *Hobo Maps* en vente dans la plupart des hôtels et *guesthouses*. N'oubliez pas de bonnes chaussures, on n'escalade pas les pitons en tongs.

– **La plupart des sites sont payants, ainsi que les ponts principaux** *(plan A2-3)*, **au sud du centre** pour les voitures comme pour les vélos et les piétons. Pour traverser la rivière Nam Song en évitant le péage, empruntez la **passerelle gratuite** *(plan A1)* située sous l'île de Seysong. C'est un pont éphémère qui est détruit à la saison des pluies et reconstruit tous les ans. Pour les grottes, un guide local peut être nécessaire, selon la profondeur des explorations. Garder toujours une frontale ou une lampe torche sur vous, même s'il y en a parfois à louer.

– Pendant la mousson, plusieurs grottes sont inaccessibles, les baignades impossibles et le trekking trop dangereux.

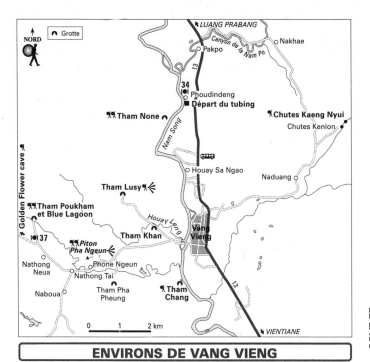

ENVIRONS DE VANG VIENG

Aux alentours immédiats de Vang Vieng

🎯 **Tham Chang** (grotte) **:** à 1 km au sud du centre. À pied, suivre la route qui longe la rivière et prendre la piste (indiquée). Petit droit d'entrée (+ cher pour les 2 roues et les voitures) à régler au Vang Vieng Resort, avt d'atteindre la grotte proprement dite, ouv lun-ven 8h-11h, 13h-16h, w-e 8h-16h. Tarif : env 15 000 kips/pers. L'excursion est facile à pied et le lieu est très fréquenté : y aller le plus tôt possible. 147 marches en béton mènent à la grotte, éclairée comme une attraction foraine. Ancien refuge contre les brigands, elle n'est pas très impressionnante, mais l'un des 2 chemins aménagés mène à un belvédère d'où la vue sur les alentours est sympa. Baignade dans une source d'eau au pied de la grotte.

🎯 🔙 **Tham Lusy** (grotte) **et le piton Phapouak :** traverser la Nam Song par la passerelle gratuite et suivre, derrière les bungalows de Cliff View, les panneaux (on part à droite, vers le nord) pour Tham Lusy. Entrée : 10 000 kips pour chaque site. Loc de lampe frontale à 10 000 kips de plus. Depuis la passerelle gratuite, compter environ 15 mn pour rejoindre l'accès au piton Phapouak, situé au milieu des champs. L'escalade, en 30 minutes environ, est un peu difficile à cause des rochers très escarpés, et les échelles de fortune un peu branlantes. Du sommet où est planté un drapeau orange, vue splendide sur Vang Vieng et sa vallée. Baignade possible dans la grotte. La grotte de Tham Lusy est 1 km plus loin.

À l'ouest de Vang Vieng

Filant entre rizières vert émeraude, falaises abruptes couvertes de jungle et à travers plusieurs petits villages aux maisons sur pilotis, cette excursion circulaire est devenue très populaire. À parcourir à moto ou à vélo (pour les plus sportifs ; compter près de 1h sur un chemin rocailleux), les distances étant trop grandes à pied. Le départ se situe au niveau de *Maylyn Guesthouse (plan Vang Vieng A2, 11)*. Une fourche se trouve à environ 4 km. Avant de l'atteindre, les plus toniques quitteront leur monture pour gravir le piton *Pha Ngeun*.

Le piton Pha Ngeun : *entrée 10 000 kips.* La grimpette (compter 45-60 mn) est très raide et pénible par grosses chaleurs ; le véritable sommet s'atteint après deux étapes, ponctuées de pavillons. Un remarquable panorama à 360° sera votre récompense.

➤ De retour sur la piste, on suggère de prendre sur la gauche (sud) ; cela réduit le risque de se planter de chemin, il suffira de prendre toujours à main droite. Traversée de plusieurs villages avec écoles, dispensaires et petits temples, longues falaises sur la gauche. Arrivée à un pont péage après le resserrement de la vallée. Avant que la piste ne s'incurve et ne grimpe, repérer le chemin qui descend sur la gauche. Il franchit la petite rivière et après quelques kilomètres, débouche sur un deuxième village encapsulé dans un panorama karstique, digne d'un pays perdu. De retour sur la piste principale, filant vers l'est et Vang Vieng cette fois, le spectacle recommence... Après environ 2 km, ne pas manquer le petit panneau sur la gauche marqué « *Golden Flower Cave* ».

Golden Flower Cave *(hors plan) : à 600 m de la piste, après avoir franchi une petite rivière, souvent asséchée. Entrée : 10 000 kips.* La grotte est toute petite, mais le lieu est entretenu comme un vrai paradis, par un vieux gardien adorable parlant quelques mots de français.

➤ De retour encore sur la piste, trois renversants pitons, 2 km plus loin, méritent une pause photo ! Encore 2 km et, avant le village de Nathong, bifurcation sur la gauche pour la grotte Tham Poukham et le Blue Lagoon.

Tham Poukham et le Blue Lagoon : *à 6 km du centre de Vang Vieng. Tlj 7h30-17h. Entrée : 10 000 kips. Guide 50 000 kips jusqu'à 4 pers ; loc frontale 10 000 kips. Pour l'accès à la grotte, avoir de bonnes chaussures et de l'eau.* Vous voici sur l'un des sites les plus connus de Vang Vieng. Surfréquenté, le Blue Lagoon s'est transformé en parc aquatique avec toboggans d'un côté, zipline (tyrolienne) de l'autre, ce qui lui fait perdre pas mal de charme. Équipés d'un gilet de sauvetage, les candidats au grand plouf depuis une branche d'arbre haut perchée défilent à la queue leu leu, à renfort de cris et d'applaudissements... Ils chercheraient à imiter le héros d'un téléfilm coréen ! Dans ces conditions, le lac aux eaux turquoise ne vend plus vraiment du rêve... Ne fuyez pas, l'accès à la magnifique grotte se fait un peu plus loin. On l'atteint au prix d'une sacrée grimpette sur un sentier bien raide jalonné de marches, mais assisté de rampes et sans difficultés insurmontables. La première salle, à demi éclairée par la lumière naturelle, est impressionnante par ses dimensions et abrite un superbe bouddha couché. On peut s'enfoncer dans la grotte en suivant les flèches peintes sur les rochers, à condition d'avoir une frontale car aucun chemin n'est tracé. Très peu de monde, et pierres parfois glissantes. Sans être pétochard, il est plus rassurant de louer les services d'un guide.

🍴🍷 Plusieurs **pavillons et petites échoppes** pour manger ou boire un verre.

🍴🍷 **Sae Lao** *(plan « Environs de Vang Vieng », 37) : à 500 m avt le* Blue Lagoon, *sur la gauche.* ● *saelao project.com* ● *Tlj 9h-17h.* Un café-restaurant agréable, avec sa terrasse en bambou qui s'avance au bord d'un petit lac. Très plaisant pour se désaltérer d'un jus frais ou manger un plat sain. Vous soutiendrez en plus un projet de développement des communautés locales, leur fer de lance étant l'apprentissage de l'anglais.

À l'est de Vang Vieng

Compter 15 km en tout. Départ bien indiqué depuis la nationale 13, légèrement au nord du centre, au niveau de la grande antenne de télécommunication (panneau). L'occasion de découvrir un paysage différent, toujours accidenté mais un peu moins échevelé. En route, de petits étangs patrouillés par des canards, des champs clôturés de bambou et un village. Bifurcation indiquée pour la cascade.

✱ *Kaeng Nyui Waterfall :* à 7 km de Vang Vieng. Tlj 8h30-16h30. Accès : 10 000 kips/pers. À l'entrée, une zone de gargotes et de petits pavillons typiques, populaire le week-end. À partir de là, compter 15 mn de montée facile sur un sentier bien aménagé pour atteindre la chute. En saison sèche, un simple filet d'eau lèche la paroi, ce qui ne gâche pas pour autant le plaisir de se trouver en pleine nature.

➤ Revenu sur la piste, continuer vers le nord. Après un petit village, veiller à prendre à gauche au lieu de continuer tout droit. Peu de temps après, on entre dans le *beau canyon de la Nam Po,* sûr ainsi d'avoir pris la bonne option. La piste retrouve la nationale environ 2 km au nord de l'*Organic Mulberry Farm Café* (voir « Où manger ? »).

Plus loin au nord

✱ *Phatang :* à env 17 km, sur la route de Luang Prabang. Phatang est un village situé dans un écrin de collines calcaires superbes. L'une d'elles, isolée et ressemblant à une dent sortant du sol, donne son nom au village. En prenant un des chemins qui rentrent dans le bourg après le pont et le temple, on peut facilement faire une petite balade en solo.

✱ *Tham Xang et Tham Nam* (grottes) : à 14 km env, bifurcation vers l'ouest depuis la nationale, juste avt un petit temple. Entrée : 10 000 kips par grotte et 5 000 kips pour le pont. Nombre d'agences incluent cette excursion aux sorties kayak et rando (voir plus bas « Activités (plus ou moins...) sportives. Combiné trekking, kayak et grottes »). Petite, *Tham Xang* est proche de la rive droite de la Nam Song. À visiter le matin, pour profiter d'un éclairage naturel. À environ 1 km plus loin vers l'ouest, *Tham Nam* est traversée par une rivière, qui s'assèche toutefois au point culminant de la saison sèche. On s'y laisse flotter sur environ 500 m, aidé d'une chambre à air et guidé par un câble. Fun !

Activités (plus ou moins...) sportives

Pour faire votre étude de marché, vous n'aurez que l'embarras du choix : tous les hôtels, *guesthouses* et agences fournissent des prestations plus ou moins similaires, incluant le tubing, le kayak et la visite de grottes dans une journée bien chargée. Un conseil : ne perdez pas trop de temps à comparer, les prix sont sensiblement identiques partout...

✱✱ *Descente en bouées (tubing) sur la Nam Song :* se rendre à la Tubing Station *(plan Vang Vieng A1, 5)* ou résa auprès de sa guesthouse *ou des petites agences, qui passent alors vous chercher à l'hôtel. Descente 9h-16h (dernier départ). Tarif : 60 000 kips/pers, transport et gilet de sauvetage compris, plus une caution de 60 000 kips pour la chambre à air. Attention : amende de 60 000 kips si vous la rendez après 20h. Se munir d'un sac étanche (en vente

LE LAOS

dans de nombreux commerces voisins). Trajet motorisé jusqu'au point de départ 6 km au nord du centre, d'où l'on se laisse flotter paresseusement sur 4 km, sur la Nam Song jusqu'à Vang Vieng. Cela prend environ 3h en saison sèche, la moitié quand les eaux sont plus hautes et rapides. Inextricablement liée à Vang Vieng, cette activité donna lieu à des débordements annexes, parfois tragiques (voir l'intro de Vang Vieng). Aujourd'hui pratiquée de manière indolente, elle est absolument sans danger (hors gros débit de la saison des pluies en juillet-août) et assurément rafraîchissante.

🛶 **Tour en barque motorisée :** *embarquement sur la berge, au niveau de Tha-vonsouk (voir « Où dormir ? »). Prévoir 80 000 kips pour 2 pers. Durée : env 30 mn.* Si flotter est encore trop fatigant... Parcours de 5 km.

🛶🛶 **Excursions en jeep :** dans sa jolie jeep jaune, Noé *(Chez Mango,* voir la rubrique « Où dormir ? ») s'affranchit des sentiers battus et vous emmène en balade sur 1 journée *(9h-17h ; compter env 20 $/pers),* même en basse saison. Il vous fera partager sa connaissance de la région et son amour pour son pays d'adoption.

🛶🛶 **Combiné trekking, kayak et grottes :** *organisé par ttes les agences et gues-thouses, c'est un classique. Compter 150 000 kips/pers, guide compris.* Départ en *tuk-tuk* vers 8h30, *tubing* dans la grotte Tham Nam, petit tour à Tham Xang et descente en kayak sur environ 13 km dans un cadre somptueux. Retour vers 16h. À signaler que le kayak peut être assez périlleux pour des débutants lorsqu'en saison des pluies la rivière est gonflée et devient très rapide.

🛶🛶 **Escalade** – **Adam's Climbing School** *(plan A2) :* ☎ 020-288-89-92 ou 020-565-644-99. ● *vangviengclimbing.com* ● *½ journée (départ à 9h ou 14h) ou 1 j. complet (9h-18h), respectivement 180 000 et 260 000 kips, tt compris et matos fourni.* Monté par des Laotiens anglophones qui se sont formés à l'étranger et ont une grosse expérience. Bon matériel, sérieux. La demi-journée est parfaite pour une initiation. De nombreuses voies allant du 5A au 6C.

🛶🛶 **Montgolfière :** *résas dans les hôtels, agences et en direct.* ☎ 020-558-967-99. ● *chanthaphoneinsarn@hotmail.com* ● *2 vols/j., à 6h et 16h30. Compter 90 $/pers pour un vol de 35 mn, pick-up et drop off à l'hôtel inclus.* Aube ou crépuscule ? On n'a pas tranché ce dilemme, mais quand la météo ne joue pas les trouble-fête, il y a plus de lumière le matin. Un magnifique voyage dans les airs, opéré par une escouade chinoise bien rodée. Et depuis la terre ferme, le ballet multicolore est magnifique ! Également des survols en ULM, mais on est moins fan du moteur.

🛶 **Tyrolienne (zipline) :** *à la grotte Tham None, proche du départ du tubing. Compter 20 $/pers, et parfois inclus une journée d'excursion.*

PHONSAVAN ET LA PLAINE DES JARRES

IND. TÉL. : 061

La province montagneuse de Xieng Khouang, très éprouvée par les bombardements américains dans les années 1960, a subi d'importantes modifications de sa population. Son ancienne capitale, Xieng Khouang, a été totalement détruite et remplacée par la ville nouvelle de Phonsavan. Peu touristique et à l'écart des circuits, elle est peuplée de minorités thaïe et hmong. On y pratique la culture du riz d'altitude sur brûlis et celle du pavot. La province est, en effet, grosse productrice d'opium.

Elle peut aussi constituer un point de passage vers le Vietnam via le poste-frontière de **Nam Khan**, mais si l'on vient de Luang Prabang, la route constamment sinueuse représente une étape longue et éprouvante.
À une altitude moyenne de 1 000 m, ce haut plateau garantit un climat agréable sans chaleur excessive, mais en hiver les températures nocturnes sont très fraîches ; s'équiper donc en conséquence.

UN PEU D'HISTOIRE

La province fut longtemps indépendante avant de passer sous influence vietnamienne. Au XIXᵉ s, elle fut tour à tour le théâtre d'expéditions de bandits chinois et de raids vietnamiens. Durant la guerre au Vietnam, Xieng Khouang fut l'une des premières provinces à être libérées grâce à l'aide massive des Nord-Vietnamiens, qui considéraient la région comme stratégique. Ils y installèrent plusieurs batteries de DCA qui justifièrent aux yeux des Américains leurs bombardements intensifs. Après 1975, de nombreux Vietnamiens sont venus s'installer dans la province, et un nombre important de conseillers soviétiques y avait établi leurs quartiers. Le centre d'intérêt principal de la région est archéologique. La célèbre plaine des Jarres se trouve en effet dans cette région. Ces grosses pierres creusées, regroupées en plusieurs sites, parsèment une plaine à la végétation rase, battue par les vents. On n'en connaît pas vraiment l'origine, ce qui confère à ces sites un petit parfum de mystère.

Les ravages de la guerre

L'autre raison de s'y rendre est de constater par soi-même ce qu'une guerre peut générer comme conséquences funestes à long terme. Car on ne le rappellera jamais assez, le Laos fut le pays le plus bombardé de l'histoire par habitant. Le sol regorge encore de ces munitions – environ 270 millions – non désamorcées (UXO, *unexploded ordonance*, en anglais) qui font toujours des victimes chaque semaine parmi les agriculteurs, les ouvriers de chantier et surtout les enfants (40 %). Et l'on estime que le sol de la plaine des Jarres contient encore près de 80 millions de bombes à fragmentation, non désamorcées, et qu'il faudra 150 ans pour venir à bout du déminage...
En 2008, une conférence internationale à Dublin a convenu d'interdire les munitions à fragmentation. Jusqu'à présent 111 pays ont ratifié le traité ; les États-Unis, la Russie, la Chine et Israël ne l'ont toujours pas signé. Lire plus loin à la fin de la rubrique « Histoire », la partie consacrée aux bombes américaines.
Vous pouvez, si vous le souhaitez, apporter une contribution au programme de déminage en finançant, entre autres, l'achat de matériel, comme les détecteurs de métaux.
Voir ● *maginternational.org* ●

PHONSAVAN

> ● Plan *p. 378-379*

Ville moderne sans charme aucun, mais camp de base incontournable pour la visite des célèbres sites de la plaine des Jarres. Intéressantes balades aux alentours et nombreux villages hmong et thaï. Pour dormir, quelques adresses sur les collines dominant la ville, mais tout se concentre vers l'est sur l'artère principale, la route 7.

Arriver – Quitter

Par la route

Depuis Vang Vieng ou Luang Prabang (par Phou Khoun), la route traverse de magnifiques paysages : montagnes, villages de minorités... Attention : nombreux virages ! On peut vite avoir le tournis...

LE LAOS

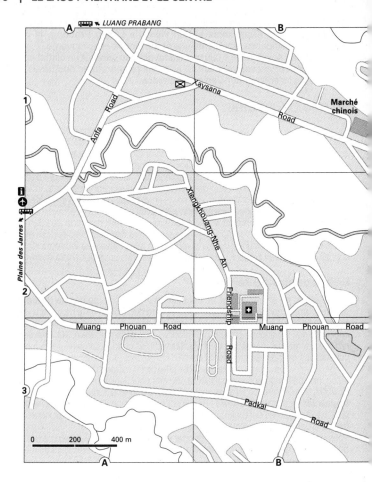

- ■ **Adresses utiles**
  - ℹ Xieng Kouang Provincial Tourism Department (hors plan par A2)
  - 3 Lao Development Bank (C3)
  - 4 Lao Airlines (C2-3)

- ⌂ **Où dormir ?**
  - 11 Dokhoune Guesthouse et Nice Guesthouse (D2)
  - 12 Hôtel Koukham (D2)
  - 13 White Orchid Guesthouse (D2)
  - 14 Auberge de la Plaine des Jarres (D3)
  - 15 Namchai Guesthouse (D2)
  - 16 Hôtel Phouchan (hors plan par D2)

Route Phonsavan-Vientiane

Deux possibilités :

➢ reprendre le même parcours, c'est-à-dire route 7 jusqu'à Phou Khoun, puis rejoindre la route 13 jusqu'à Vientiane en passant par Vang Vieng ;

➢ si vous êtes en 4x4, il existe une route vers le sud, enfin... plutôt une

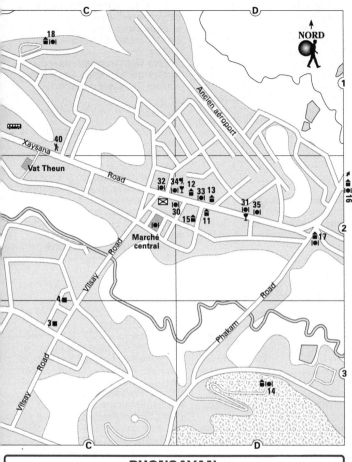

PHONSAVAN

17 Saing Savanh (D2)
18 Vansana Plain
of Jars Hotel (C1)

|●| ☻ **Où manger ?**
☼ **Où boire un verre ?**
Où sortir ?

30 Phonekeo et
Simmaly (C-D2)
31 Bamboozle (D2)

32 Sanga (C2)
33 Phonexay (D2)
34 MAG (C-D2)
35 Nisha (D2)
40 Chittawan (C1)

☻ **À voir**

34 MAG Visitor
Information
Centre (C-D2)

ancienne route que les Français ont tracée : Phonsavan-Paksan (sur le Mékong), via Mouang Khoun et Tha Viang (voir la carte du Laos). Route fort jolie, avec rivières et cascades pour vous accompagner. Attention, c'est vraiment de la piste pour le moment, et praticable uniquement en saison sèche (4x4 obligatoire !). Très pittoresque, on traverse une forêt tropicale, beaucoup moins de virages et de montagnes. Ils sont d'ailleurs en train d'en retaper une partie, notamment avant d'arriver à Paksan (env 50 km). Une fois finie, cette route sera l'axe principal qui reliera la capitale à Phonsavan, et ça fera gagner du temps ! Route pour le moment réservée aux passionnés de piste (motards et 4x4). Pas de problèmes de sécurité, de plus en plus de touristes s'y lancent.

En bus

🚌 **Terminal des bus :** à env 3 km à l'ouest du centre, sur la route 7.

➢ **Pour Vientiane :** 6 bus/j. Durée : 10-12h en bus ordinaire et 8h en bus VIP (le mat).

➢ **Pour Luang Prabang :** 9-10h de route en bus ordinaire. En bus VIP (le mat), compter 7-8h de trajet.

➢ **Pour Vang Vieng :** 2 bus VIP/j., le mat. Compter 6h de route ou 8h en minibus.

➢ **Pour Vinh (Vietnam) :** via le poste-frontière de Nam Khan. Lire « Arriver – Quitter », au début du guide.

En avion

✈ Avec *Lao Airlines,* l'avion reste le moyen le plus rapide pour se rendre dans la province de Xieng Khouang, mais seulement au départ de Vientiane. L'aéroport de Phonsavan (il s'agit plutôt d'un terrain d'aviation) ne dispose que d'un équipement sommaire. En conséquence, les horaires d'aller et de retour varient beaucoup en fonction des conditions météo.

➢ **De Vientiane :** 1 vol/j. Durée : env 30 mn.

Adresses et infos utiles

ℹ Xieng Kouang Provincial Tourism Department (hors plan par A2) : sur la route vers la plaine des Jarres. ☎ 31-22-17. ▌ 020-587-46-89. Lun-ven 8h-11h30, 13h30-16h. Assortiment de bombes (neutralisées !) dans la cour d'entrée équipée d'une piste de pétanque ! Office de tourisme provincial, avec un maigre matériel à disposition. Organise des excursions.

■ **Soukdavan Currency Exchange** (plan C-D2) : rue principale, à côté du resto Simaly. ☎ 31-24-09. 8h-18h. Change et transfert d'argent.

■ **Lao Development Bank** (plan C3, **3**) : Vilsay Rd, à 500 m sur la droite, dans la rue partant de la poste.

■ **Lao Airlines** (plan C2-3, **4**) : Vilsay Rd, juste à côté de Lao Development Bank. ☎ 31-20-27 et 31-21-07 (à l'aéroport).

🏥 L'**hôpital** (plan B2) est une coopération entre le Laos et la Mongolie. Les gens d'ici l'appellent d'ailleurs « l'hôpital mongol »... Correct pour petits bobos et petite chirurgie (plus échographie et appareil de radiologie).

■ **Clinique-pharmacie du Dr Sivay** (plan C2) : en plein centre, juste en face de la poste centrale. ▌ 020-566-00-25. Ouv tte la journée. Consultation clinique : 6h-8h, 12h-14h, 17h-20h. S'il n'est pas à la clinique, en cas d'urgence, sa femme peut l'appeler à l'hôpital où il travaille également. Le Dr Sivay a un diplôme français. Il parle le français et un peu l'anglais. C'est le meilleur ici ! Service d'échographie.

Où dormir ?

En hiver (décembre-février), les nuits peuvent être très fraîches et rares sont les hébergements qui proposent un chauffage ou une couette sur les lits. Ne pas hésiter à demander des couvertures supplémentaires et prendre donc ses précautions.

Bon marché (80 000 150 000 kips / 10-19 $)

🏠 **Nice Guesthouse** (plan D2, **11**) : rue principale. ☎ 31-24-54. ▌ 020-561-62-46. ● nice_guesthouse@hotmail.com ●

L'archétype du petit hôtel sympa, propre, méticuleusement tenu. Tout en longueur, une quinzaine de chambres, avec ventilo et TV, et même baignoire pour certaines, propres et un accueil affable : que demander de plus ?

🏠 *Dokhoune Guesthouse (plan D2, 11) : rue principale.* ☎ 31-21-89. 📠 020-563-47-92. *Chambres avec sdb (eau chaude), sans petit déj.* L'un des hôtels les plus importants de la ville. Dans un bâtiment moderne en retrait de la rue, environ 60 chambres assez spacieuses, mais vieillottes et certaines fenêtres donnent sur le couloir. De l'autre côté de la rue, presque en face, une annexe de 3 étages aux chambres récentes plus confortables *(10-15 $).* Le proprio tient aussi une agence de voyages et de location de voitures.

🏠 |●| *Saing Savanh (plan D2, 17) : tt au bout de la rue principale, au carrefour.* ☎ 21-11-31. 📠 020-563-44-01. *Doubles sans ou avec sdb (eau chaude).* Chambres modestes à la propreté acceptable, les moins chères ont des toilettes « à la chinoise ». Resto à côté correct.

🏠 *Hôtel Koukham (plan D2, 12) : rue principale.* ☎ 21-12-16. *Doubles « très bon marché ».* En dernier choix dans cette catégorie, une modeste pension à la propreté acceptable. 11 chambres très basiques, aux sol dallé et salle de bains carrelée et TV. Réception parlant un peu l'anglais.

🏠 *Namchai Guesthouse (plan D2, 15) : Navieng Rd, un peu en retrait de la rue principale.* ☎ 31-20-95. ● *sson luni@gmail.com* ● *Doubles avec ventilo ou AC, sans petit déj, mais thé et café à dispo.* Dans 2 bâtiments récents à étages, de grandes chambres claires, au mobilier sommaire. Anglais basique pour converser. Un bon rapport prix-qualité-situation.

🏠 *White Orchid Guesthouse (plan D2, 13) : rue principale, à l'angle de la rue menant à l'ancien aéroport.* ☎ 31-24-03. 📠 025-533-85-43. ● *knovahang@yahoo.com* ● *Doubles et familiales pour 3-4 pers, petit déj compris.* D'abord, une plaisante façade vert pâle, ensuite, un confort intérieur et un accueil conformes à la première impression. Chambres

pour tous les budgets, au bon rapport qualité-prix. Patron hospitalier et parlant bien l'anglais. Transfert vers l'aéroport possible.

Chic (300 000-500 000 kips / 37-62 $)

🏠 |●| *Vansana Plain of Jars Hotel (plan C1, 18) : dominant la ville sur une colline, l'hôtel moderne de petit standing de la ville.* ☎ 21-31-70 ou 73. ● *vansanahotel-group.com* ● Bien fléché depuis la route principale (à env 400 m). Petit déj compris. Difficultés pour se faire comprendre en anglais à la réception. Côté hébergement, 2 bâtiments tout en longueur. Chambres de bon confort avec vue sur la ville depuis le balcon. Resto très moyen et service escargot. Navette à disposition. Le matin, de là-haut, émouvante découverte de la ville dans les brumes matinales.

🏠 |●| *Auberge de la Plaine des Jarres (plan D3, 14) : sur une colline au sud-est de la ville.* 📠 020-235-333-33. ● *plainedesjarres.com* ● Loin de tout. On dort dans des chalets en pierre sur pilotis avec cheminée, certains avec une vue superbe sur la campagne. Une quinzaine de chambres doubles avec salon. Si l'hébergement est encore acceptable, bien qu'assez cher, dommage que l'entretien laisse à désirer. Le patron parle le français, mais l'accueil est inégal et les prestations du resto sont franchement décevantes, malgré le cadre.

🏠 |●| *Hôtel Phouchan (hors plan par D2, 16) : dans une pinède, sur une colline à 2 km de la ville par une piste. Petit déj compris. Fourchette basse.* Vastes chalets en bois de style finlandais (les proprios d'origine étaient scandinaves), qui s'accordent bien avec le paysage et comprenant chacun 3 chambres confortables assez spacieuses et joliment décorées. Terrasses avec panorama. Resto. Personnel non anglophone. Même s'il est apprécié des locaux pour célébrer les mariages, le site manque manifestement d'entretien. Dommage.

LE LAOS

Où manger ? Où boire un verre ? Où sortir ?

Attention, les adresses ferment tôt.

Bon marché (moins de 25 000 kips / 3 $)

|●| Dans le pittoresque *marché central* (plan C2), plusieurs gargotes permettent de se restaurer sommairement mais convenablement.

|●| *Phonekeo* (plan C-D2, 30) : rue principale. Resto sino-laotien. Grands posters et chromos aux murs, gros ventilos, longues tables où une clientèle mélangée se régale d'une copieuse cuisine traditionnelle à prix très bas. Quelques spécialités : le *lap* (abondant !), la soupe de poisson (genre *tom yam* moins épicé), le riz frit traditionnel ou de bonnes frites avec la viande de son choix.

|●| *Simmaly* (plan C-D2, 30) : tout proche, même genre, même prix que le *Phonekeo* pour des portions aussi généreuses.

|●| ♈ *Bamboozle* (plan D2, 31) : rue principale. Fréquenté pour le petit déj par les touristes et les expats. Murs de bambou, déco *funny*. Cuisine plutôt occidentale : hamburgers et pizzas, mais aussi quelques plats lao. Se transforme en bar le soir jusqu'à 23h ; bonne ambiance assurée par le patron écossais.

|●| *Nisha* (plan D2, 35) : rue principale, le dernier vers l'est. Tlj 6h-22h. Un resto au cadre plus que banal qui propose une palette complète des classiques de la cuisine indienne, dont les rituels *samossas*, *chicken tikka* et currys accompagnés de pain *nan* à l'ail ou au fromage et d'un onctueux lassi. Plats végétariens aussi. Service souriant.

|●| *Sanga* (plan C2, 32) : rue principale. ☎ 31-23-18. Un des favoris des routards aussi. Prix plancher. Propre, sol dallé, nappes en tissu. Cuisine lao bien tournée. Goûter au *lap* de porc, aux *spare ribs* et nouilles sautées aux légumes, au poulet parfumé aux herbes servi généreusement. Il y a même de l'anguille grillée, plutôt rare ! Quelques tables dehors.

|●| *Phonexay* (plan D2, 33) : rue principale, juste en face de la Nice Guesthouse. ☎ 21-21-87. Carte assez courte, assortiment moins large que le *Sanga*, mais correcte quand même. Sandwichs et *fruit shakes*. Très bon marché. Bon accueil.

|●| ♈ *MAG* (plan C-D2, 34) : rue principale. Un des QG des expats et des démineurs qui travaillent pour l'ONG d'à côté. D'ailleurs, pour vous mettre dans l'ambiance, le décor est composé de mines et de grosses bombes (désamorcées, ça va de soi). En revanche, la carte a bonne mine, bien qu'un peu chère pour le coin (mais votre contribution va à une bonne cause !). L'occasion d'y boire un verre ou de manger un peu à l'européenne. Petit déj, soupes, snacks, spaghettis à la bolognaise, pizza, *fish & chips*, BBQ et les classiques plats laotiens. Terrasse extérieure.

♈ *Chittawan* (plan C1, 40) : rue principale, un peu avt le marché chinois, du même côté. Ouv 20h-minuit. Annexe de l'hôtel du même nom, la boîte disco la plus populaire. Bruyante à souhait.

À voir. À faire

♈♈ *MAG Visitor Information Centre* (plan C-D2, 34) : *rue principale*. Lun-ven 8h-20h, w-e 16h-20h. Salle d'expo de l'ONG britannique, active dans le déminage dans le monde entier. Elle présente à l'aide de dioramas et de panneaux explicatifs l'historique des bombardements de la région, les conséquences sur la santé et la vie quotidienne de la population, le travail des démineurs. Description détaillée de toutes les variétés d'engins mortifères. Les pièces d'artisanat que vous y achèterez serviront, modestement, au financement de cette œuvre ô combien utile. On peut prolonger la visite au café adjacent. Juste à côté, le *UXO Survivor Information Centre* aborde le sujet des munitions non explosées du point de vue médical et décrit les différents types de prothèses nécessaires à la survie des victimes des bombes antipersonnel. Poignant.

🦌 *Le marché central (plan C2) :* c'est la principale attraction de la ville. On y trouve tout ce qui se mange dans la région : écureuils, porcs-épics (plus rares quand même), coqs sauvages, œufs de fourmis en saison (pleins de protéines), viande de cerf, cochons d'Inde, etc. On peut aussi y déguster de très bons beignets et des brioches farcies à la viande, cuites à la vapeur.

🦌 Il existe aussi un *marché couvert* (construit par les Chinois), dans la rue principale *(plan B1),* où l'on vend les articles de bazar habituels. L'endroit rêvé pour acheter des étoffes, des bijoux traditionnels et des boîtes en argent ciselé. Une curiosité : les bijoutiers exposent souvent ostensiblement de nombreux lingots d'argent dans leurs vitrines... quasi pas protégées !

LA PLAINE DES JARRES

On se perd en conjectures sur l'origine et la fonction des jarres, ces récipients de pierre de forme cylindrique et de taille variable. On ne les a pas datées avec précision, mais on suppose que leur origine remonte au Ier s av. J.-C. (pour les plus anciennes). Toutes les hypothèses ont été émises pour expliquer leur fabrication, y compris les plus farfelues. Une légende locale prétend que les jarres auraient été non pas creusées mais moulées à partir d'un mélange de pierre écrasée, de canne à sucre et de peau de buffle ! Elles auraient ensuite été cuites dans une grotte située sur l'un des sites, dont la voûte est percée d'une sorte de cheminée. Cette version ne tient pas la route une seconde, car même l'œil le moins averti aperçoit les traces de coups de burin à l'intérieur des jarres, preuve qu'elles ont été taillées et creusées dans de grosses pierres.

Tout le mystère réside dans le fait que les jarres sont en grès, une pierre que l'on ne trouve pas à proximité des sites. On en compte plusieurs centaines. Leur poids varie de 500 kg à 6 t, ces dernières pouvant abriter 6 hommes. Nombre d'entre elles ont été pulvérisées par les bombardements américains ou pillées et emportées, les cratères voisins en attestent. Il en reste cependant suffisamment pour que le visiteur se fasse une idée.

En ce qui concerne leur fonction, l'hypothèse la plus vraisemblable est un usage funéraire. La plupart des sites où sont concentrées les jarres sont sur des buttes. Or, on sait que les hommes des civilisations mégalithiques enterraient leurs morts dans des tumulus. Par ailleurs, on sait aussi que les jarres étaient fermées à la manière de sarcophages, comme l'attestent les couvercles de pierre que l'on rencontre encore ici et là. Enfin, le fait que les jarres soient regroupées et de taille variable laisse à penser que leur disposition servait à marquer la hiérarchie sociale d'un groupe. Il ne s'agit là, cependant, que de pures hypothèses.

À voir

🦌 *Ban Ang (ou « site n° 1 ») : à Thong Hai Hin, à quelques km au sud-ouest de Phonsavan, non loin de l'aéroport. Accès possible en* tuk-tuk. *Mars-sept, tlj 8h-16h ; le reste de l'année, tlj 7h-17h. Entrée : 15 000 kips.* À la billetterie, expo dédto sur les destructions des bombardements américains. C'est le site le plus vaste et le plus important, puisqu'on y dénombre 344 jarres. En haut du premier chemin accessible en voiturette électrique, ancien trou de bombe et une des plus grosses jarres du site (6 t). C'est également l'une des seules à posséder un col bien dessiné. Dans le coin, plusieurs dizaines d'autres jarres, de tailles variables. En contrebas, sous une petite colline rocheuse, on aperçoit l'entrée de la grotte. Celle-ci ressemble à un trou creusé artificiellement. Dans la voûte, trois cheminées communiquent avec le sommet de la colline. C'est là que les jarres auraient été fabriquées. En chemin, vers la colline en face, on

LE LAOS

découvre la seule jarre sculptée (la n° 217). En un style très primitif, un homme avec les bras levés. Sur sa droite, à terre, un couvercle partiellement enterré. Devant, une jarre arborant encore le sien.
– Sur place, petite cafétéria et boutique d'artisanat local.

⚔ Nancout (ou **Phou Sala Tau** ; « **site n° 2** ») **:** *entrée 15 000 kips. Cafet' avec boissons pour faire provision d'eau avt d'affronter la grimpette.* Plus ramassé, situé sur deux petites collines. À gauche du chemin, la première, boisée, porte le nom de « colline des Cabanes » ou « des Tables » (parce que certaines jarres sont horizontales). Le site en compte 68 seulement. Vous noterez aussi que beaucoup de jarres semblent n'être creusées qu'aux deux tiers... Tout en haut, s'il n'y a pas de groupe, atmosphère d'intimité pour les découvrir et belle vue sur les environs. Dans l'une des jarres, un arbre a poussé, ce qui l'a fait éclater. Sur la deuxième colline, un bel ensemble de jarres et juste un petit bosquet d'arbres. Vaste panorama également. Là aussi, l'une de jarres arbore une figure d'homme.

⚔ Siang De (ou « **site n° 3** ») **:** *le plus éloigné, à Ban Lat Khai, à l'ouest de Phonsavan (à 40 km env). Entrée : 10 000 kips. Petit resto à côté de la billetterie.* Petit groupe de jarres en haut d'une colline. Son intérêt réside plutôt dans son approche. On laisse le véhicule au parking et on entame une agréable petite balade de 1 km par les rizières et deux ponts de bois de niveaux différents (un pour chaque saison). C'est la région d'élevage de chevaux semi-sauvages.

⚔ Muang Khoune (Old Capital) **:** *à 32 km au sud-est de Phonsavan. Visite incluse dans la plupart des circuits guidés ou trajet en minivan depuis le marché chinois.* Intéressante pour son atmosphère un peu décadente. Au centre de cette vieille capitale, appelée autrefois Xieng Khouang, les ruines du *wat Vat Phia* du XVIᵉ s, encore occupé par une statue du Bouddha, seul au milieu de colonnes calcinées et épargné comme par miracle par les bombes américaines.
Un peu plus loin, les ruines de la riche demeure d'un médecin français du temps du protectorat. Plus intéressant, le très ancien stûpa *That Foun (entrée : 10 000 kips)* sur la colline au-dessus de l'école. D'une hauteur de 25 m avec sa flèche penchée, il date du XVIᵉ s. Aujourd'hui, c'est une pathétique ruine perdue dans la nature, envahie par la végétation et qui se dégrade inéluctablement. On devine encore l'élégance de l'architecture et la finesse du décor. L'immense trou au milieu fut creusé par les fameux Pavillons noirs, en 1827. Bien sûr, ils ne possédaient pas une âme d'archéologue et recherchaient le trésor de l'empereur indien Asoka. Noter qu'à l'intérieur ils creusèrent même en hauteur. À moins de 1 km un peu plus haut, à gauche, sur la crête, un autre vestige de stûpa, le carré *That Chom Phet* datant de l'époque Cham.

LUANG PRABANG ET SA RÉGION

● **Luang Prabang** **385**
  ● La rive droite du Mékong : Ban Xieng Men, wat Xiengmene Saiyasetharam, wat Chomphet, wat Long Khoun et wat Tham (la grotte sacrée de Sakarindh) ● Excursion en amont du Mékong, vers les grottes de Pak Ou : Ban Xan Hai, Pak Ou Caves et la rivière Nam Ou ● Excursion en aval du Mékong : les pêcheurs et orpailleuses du Mékong ● À l'est : Elephant Village ● Au sud : Tad Sae, Tad Thong, Nahm Dong Park, Tad Kouang Si et Laos Buffalo Dairy ● Encore plus au sud : Elephant Conservation Center à Sayaboury

LUANG PRABANG   44 000 hab.   IND. TÉL. : 071

● Plan d'ensemble *p. 386-387* ● Zoom (centre-ville) *p. 388-389*
● Les environs de Luang Prabang *p. 417*

⊗ **Des collines verdoyantes et des monts couverts de forêts forment le cadre naturel de cette ville, troisième du pays par sa taille mais première par sa beauté. C'est tout d'abord un site exceptionnel. Luang Prabang s'étend sur une langue de terre, tout en longueur, au confluent du fleuve Mékong et de la rivière Nam Khan. Le climat est une raison de s'y sentir bien. À environ 600 m d'altitude, en saison sèche (de novembre à février) la chaleur est supportable, et l'air agréablement frais le soir.** Sur les plans historique et culturel, c'est la ville la plus riche du Laos. Peu de bâtiments modernes, et pas du tout en hauteur, car ils doivent respecter les codes de l'architecture locale. Une ville totalement horizontale, donc, une véritable splendeur. Elle a été classée au Patrimoine mondial de l'humanité par l'Unesco, ceci expliquant cela. Ville fluviale, ville royale à taille humaine, Luang Prabang se visite facilement à pied, même si bon nombre enfourchent leur biclou pour se promener dans les proches environs.

UN PEU D'HISTOIRE

Le nom originel de Luang Prabang est *Jawa,* désignant un endroit indianisé ou entouré de jungle ou d'eau. La ville ne prit son nom définitif qu'en 1491, en l'honneur du grand bouddha d'or fin, arrivé 2 ans auparavant. *Luang* signifie « grand » et *Prabang* (ou *Phabang*) « statue d'or sacrée ».
Elle devint capitale du royaume du Laos jusqu'en 1563, date à laquelle le roi Setthathirat décida de s'établir à Vientiane, avant de retrouver son titre après l'éclatement du pays en trois royaumes, à la fin du XVIIe s.
Longtemps suspectée de sympathie envers la royauté par le nouveau pouvoir établi en 1975, la ville, sévèrement contrôlée, ne fut approvisionnée en électricité durant la journée qu'à partir de 1990. Auparavant, les petites entreprises devaient faire tourner leurs groupes électrogènes pendant la nuit. Aujourd'hui sortie de deux décennies (1975-1995) de marasme économique, la ville ouvre à présent ses bras au tourisme, qui constitue la source majeure de ses revenus.

UNE VILLE FRAGILE À PROTÉGER

Son classement au Patrimoine mondial de l'humanité assure la protection de la ville et de son environnement naturel, ce qui inclut la vieille ville (centre historique), les berges de la Nam Khan et les collines autour du Mékong. Plusieurs bailleurs de fonds (en particulier la région Centre et la ville de Chinon, mais aussi l'Agence française de développement, l'Union européenne et l'Unesco) soutiennent un ambitieux programme de mise en valeur. L'ensemble est géré par le département du Patrimoine mondial de Luang Prabang. Il définit les règles

LE LAOS

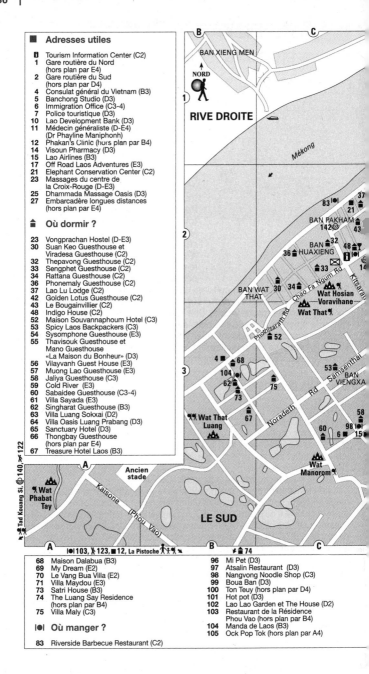

■ **Adresses utiles**

🛈 Tourism Information Center (C2)
1 Gare routière du Nord (hors plan par E4)
2 Gare routière du Sud (hors plan par D4)
4 Consulat général du Vietnam (B3)
5 Banchong Studio (D3)
6 Immigration Office (C3-4)
7 Police touristique (D3)
10 Lao Development Bank (D3)
11 Médecin généraliste (D-E4) (Dr Phayline Maniphonh)
12 Phakan's Clinic (hors plan par B4)
14 Visoun Pharmacy (D3)
15 Lao Airlines (B3)
17 Off Road Laos Adventures (E3)
21 Elephant Conservation Center (C2)
23 Massages du centre de la Croix-Rouge (D-E3)
25 Dhammada Massage Oasis (D3)
27 Embarcadère longues distances (hors plan par E4)

🏠 **Où dormir ?**

23 Vongprachan Hostel (D-E3)
30 Suan Keo Guesthouse et Viradesa Guesthouse (C2)
32 Thepavong Guesthouse (C2)
33 Sengphet Guesthouse (C2)
34 Rattana Guesthouse (C2)
36 Phonemaly Guesthouse (C2)
37 Lao Lu Lodge (C2)
42 Golden Lotus Guesthouse (C2)
43 Le Bougainvillier (C2)
48 Indigo House (C2)
52 Maison Souvannaphoum Hotel (C3)
53 Spicy Laos Backpackers (C3)
54 Sysomphone Guesthouse (E3)
55 Thavisouk Guesthouse et Mano Guesthouse «La Maison du Bonheur» (D3)
56 Vilayvanh Guest House (E3)
57 Muong Lao Guesthouse (E3)
58 Jaliya Guesthouse (C3)
59 Cold River (E3)
60 Sabaidee Guesthouse (C3-4)
61 Villa Sayada (E3)
62 Singharat Guesthouse (B3)
63 Villa Luang Sokxai (D2)
64 Villa Oasis Luang Prabang (D3)
65 Sanctuary Hotel (D3)
66 Thongbay Guesthouse (hors plan par E4)
67 Treasure Hotel Laos (B3)
68 Maison Dalabua (B3)
69 My Dream (E2)
70 Le Vang Bua Villa (E2)
71 Villa Maydou (E3)
73 Satri House (B3)
74 The Luang Say Residence (hors plan par B4)
75 Villa Maly (C3)

🍴 **Où manger ?**

83 Riverside Barbecue Restaurant (C2)
96 Mi Pet (D3)
97 Atsalin Restaurant (D3)
98 Nangvong Noodle Shop (C3)
99 Boua Ban (D3)
100 Ton Teuy (hors plan par D4)
101 Hot pot (D3)
102 Lao Lao Garden et The House (D2)
103 Restaurant de la Résidence Phou Vao (hors plan par B4)
104 Manda de Laos (B3)
105 Ock Pop Tok (hors plan par A4)

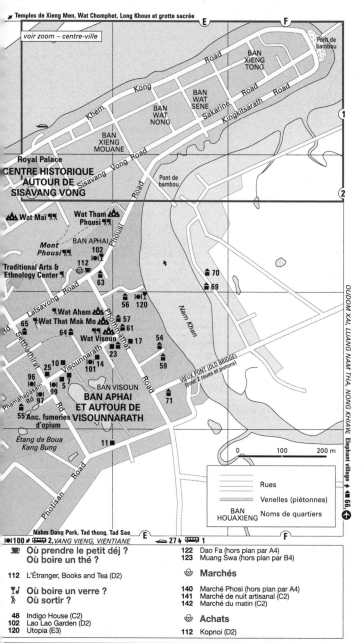

LUANG PRABANG – Plan d'ensemble

Temples de Xieng Men, Wat Chomphet, Long Khoun et grotte sacrée

voir zoom – centre-ville

BAN XIENG TONG

Pont de bambou

Road

Kong Road

Khem

BAN WAT SENE

Sakarine Road

Kingkitsarath Road

BAN WAT NONG

BAN XIENG MOUANE

Royal Palace

CENTRE HISTORIQUE AUTOUR DE SISAVANG VONG

Sisavang Vong Road

Pont de bambou

Wat Maï

Wat Tham Phousi

Mont Phousi

BAN APHAI
102
112
63

Traditional Arts & Ethnology Center

70
69

Phousi Road

Latsavong Road

Wat Aham
Wat That Mak Mo
57
61
56 120

Nam Khan

65
64
Wat Visoun
54
Phamahapassam Rd
Setthathirat Rd
23
17
59

25 10
101
14
5

96
99
97

BAN VISOUN
BAN APHAI ET AUTOUR DE VISOUNNARATH

VIEUX PONT (OLD BRIDGE)
(pour 2 roues et piétons)

71

55 Anc. fumeries d'opium

Etang de Boua Kang Bung

11

Photisan Road

0   100   200 m

Rues

Venelles (piétonnes)

BAN HOUAXIENG Noms de quartiers

OUDOM XAI, LUANG NAM THA, NONG KHIAW, Elephant village ▲ 66.

Nahm Dong Park, Tad thong, Tad Sae

100 2, VANG VIENG, VIENTIANE   27 1

Où prendre le petit déj ?
Où boire un thé ?

112 L'Étranger, Books and Tea (D2)

Où boire un verre ?
Où sortir ?

48   Indigo House (C2)
102 Lao Lao Garden (D2)
120 Utopia (E3)

122 Dao Fa (hors plan par A4)
123 Muang Swa (hors plan par B4)

Marchés

140 Marché Phosi (hors plan par A4)
141 Marché de nuit artisanal (C2)
142 Marché du matin (C2)

Achats

112 Kopnoi (D2)

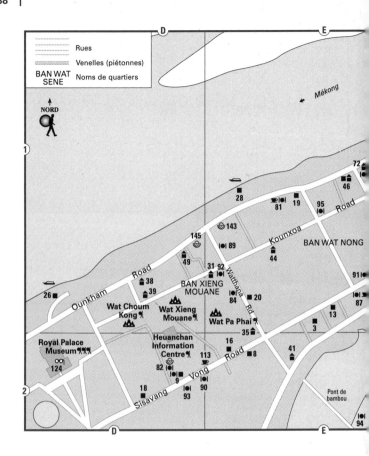

■ Adresses utiles

3 Luang Say (E1)
8 Banque Franco-Lao (E2)
9 Banque pour le Commerce Extérieur Lao (D2)
13 Bouaphanh Souttaphong Pharmacy (E1)
16 Bangkok Airways (E2)
18 All Lao Travel Service et Tiger Trail (D2)
19 EXO Travel (E1)
20 Institut français (E1)
22 Cinéma Sang au Victoria Xiengthong Palace (F1)
24 Peninsula Sauna & Massages (F1)
26 Embarcadère des ferries pour la rive droite du Mékong (D1)
28 Embarcadère des bateaux pour Pak Ou (E1)
29 Débarcadère des bateaux en provenance de Pak Ou (F1)
46 Shompoocruise (E1)

â Où dormir ?

31 Namsok Guest House (E1)
35 Heritage Guesthouse et Villa Saykham (E1-2)
38 View Khem Khong Guesthouse (D1)
39 Xieng Mouane Guesthouse (D1)
40 Sok Xai Guesthouse et The View Pavilion (F1)
41 Saynamkhan Hotel (E2)
44 Villa Chitdara (E1)
45 Villa Senesouk (E-F1)
46 Chitdara 2 Mekong (E1)
49 Sala Prabang (D1)
50 The Apsara (E1)
51 Les 3 Nagas (E1)

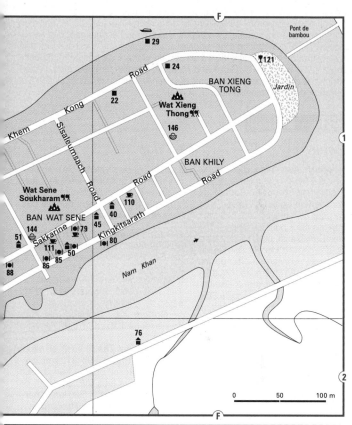

LUANG PRABANG – Zoom (Centre-ville)

LE LAOS

72 The Belle Rive Hotel (E1)
76 The Apsara Rive Droite (F2)

|◉| **Où manger ?**

9 Coconut Garden (D2)
72 The Belle Rive Terrace (E1)
79 Petit resto sans nom (E1)
80 Ton Kham Wan et Rosella Fusion (F1)
81 Mekong Fish (E1)
82 Artisans Café (D2)
84 Café Toui (E1)
85 Tamarind (E1)
86 Bamboo Tree (E1)
87 Café Ban Vat Sene (E1)
88 Tamnak Lao (E1)
89 Khaiphean (E1)
90 Casa Lao (D-E2)
91 Luang Prabang Kitchen (E1)
92 Pak Houay Mixay Restaurant (E1)
93 Tangor (D2)
94 Dyen Sabai (E2)
95 L'Éléphant (E1)

🍵 **Où prendre le petit déjeuner ?
Où boire un thé ?**

81 Mekong Fish (E1)
87 Café Ban Vat Sene (E1)
110 Le Banneton (F1)

111 The Scandinavian Bakery (E1)
113 Croissant d'Or (D-E2)

🍷 ∞ **Où boire un verre ?
Où sortir ?
Où voir un spectacle ?**

121 Viewpoint Café (F1)
124 Royal Ballet Theater (D2)

🕸 **Achats**

82 Artisans Café (D2)
143 Orange Tree (E1)
144 Ock Pop Tok (E1)
145 Phothisak Rattanakone (D1)
146 Papier artisanal (F1)

de préservation du site, initie et coordonne les actions de sauvegarde, depuis l'aménagement des berges du Mékong et de la Nam Khan jusqu'à la remise en état des venelles transversales (y compris le système d'écoulement des eaux), en passant par la conception d'un mobilier urbain spécifique. Il est aussi chargé de la restauration ou la rénovation d'un certain nombre de bâtiments (la belle maison de bois princière du Ban Xieng Mouane, certains temples, etc.), l'éclairage nocturne des plus beaux monuments, la sensibilisation de la population à la préservation du patrimoine immobilier et écologique...

Arriver – Quitter

En avion

✈ **Aéroport** (hors plan d'ensemble par E4) : à 4 km du centre-ville. ● luangprabangairport.com ● Possibilité d'obtenir le visa laotien à l'arrivée. Visa délivré pour 30 j. moyennant 30 $ pour les Français (35 $ pour les Belges, 42 $ pour les Canadiens), plus 1 $ de taxes. Prévoir une photo d'identité. Dans le hall de l'aéroport : service de **change** (en principe, tlj 9h-19h ; même taux que les banques de Luang Prabang) et distributeur. Possibilité d'acheter une **carte SIM.**

➤ **Vientiane :** 3-4 vols/j. avec Lao Airlines.

➤ **Paksé :** 1 vol/j. avec Lao Airlines.

➤ Pour les vols internationaux vers **Bangkok, Chiang Mai, Siem Reap, Jinghong** (Yunnan), **Chengdu, Hanoi** et **Singapour,** se reporter au chapitre « Arriver – Quitter » au début du guide.

■ **Lao Airlines** (plan d'ensemble C-D3-4, **15**) : Phamahapasam Rd. ☎ 21-21-72. À l'aéroport : ☎ 21-21-73. ● laoairlines.com ● Lun-ven 8h-12h, 13h-17h. Il peut être utile de vérifier les horaires de vol avant le départ.

■ **Bangkok Airways** (zoom E2, **16**) : 57/6, Sisavang Vong Rd. ☎ 25-33-34. À l'aéroport : ☎ 25-32-53. ● bangkokair.com ● Tlj 9h-13h, 14h-18h.

Rejoindre le centre-ville

➤ **En minivan collectif :** ticket à acheter dans le hall de l'aéroport, juste avt la sortie. Tarif (fixe) : 50 000 kips incluant les bagages, valable pour 3 personnes se rendant au même hôtel. Notez que dans le sens ville-aéroport, le prix s'élève à 55 000 kips.

– Les tuk-tuk sont habilités à conduire les voyageurs de la ville à l'aéroport, mais ne peuvent pas embarquer de passagers à l'aéroport.

En bus

Il existe 2 gares routières. De nombreuses agences au centre-ville proposent également des minibus pour les principales villes (plus chers que les bus, mais plus rapides aussi).

🚌 **Gare routière du Nord** (Northern Bus Terminal ; hors plan d'ensemble par E4, **1**) : à 2-3 km de Luang Prabang. ☎ 25-27-29. Compter env 50 000 kips le tuk-tuk entre le centre-ville et la gare. Bus vers le nord du pays :

➤ **Oudom Xai :** 3 bus/j., 2 le mat, l'autre dans l'ap-m. Trajet : env 5 h (200 km).

➤ **Luang Nam Tha :** 1 bus/j. en début de matinée. Trajet : 8-9h (310 km).

➤ **Houeisai :** 2 bus/j., l'un en fin d'ap-m, l'autre (bus VIP) en début de soirée. Trajet : env 13h (500 km). Changement possible pour la **Thaïlande.**

➤ **Phongsaly :** 1 bus/j., en milieu d'ap-m. Trajet : env 14h.

➤ **Nong Kiaw :** 3 départs/j., le mat. Trajet : env 4h (150 km).

🚌 **Gare routière du Sud** (Bannaluang Bus Station ; hors plan d'ensemble par D4, **2**) : à 2-3 km de Luang Prabang. ☎ 25-20-66. Env 30 000 kips le tuk-tuk entre le centre-ville et la gare. Bus vers le sud du pays :

➤ **Vientiane, via Vang Vieng :** une dizaine de départs/j., 7h-20h30, dont 5 bus VIP (couchettes pour celui de 20h30). Trajet 8-10h selon le bus (320 km). Compter plutôt 12h en minivan.

➤ **Phonsavan :** 1 départ/j., le mat. Trajet : env 7h (260 km).

➤ **Hanoi** (Vietnam) **:** 1 bus/j., en fin d'ap-m. Trajet : 24h min...

En bateau

🛶 **Embarcadère longue distance** *(hors plan d'ensemble par E4, 27) : Ban Don Mai, à 10 km env de Luang Prabang. Compter env 70 000 kips le tuk-tuk pour relier embarcadère et centre-ville.* Moins cher au retour : env 20 000 kips avec arrêt face à l'office de tourisme. C'est de là que partent les *slow boats* et les *speed boats* pour **Pakbeng** et **Houeisai.** De nombreuses agences à Luang Prabang vendent les tickets de bateau, transfert jusqu'à l'embarcadère inclus, moyennant une commission. Pour les horaires, prix et durées de trajet, ainsi que les possibilités de croisières, voir plus loin « Navigation sur le Mékong » dans le chapitre « Le Nord »).

Orientation

Compte tenu de ses dimensions réduites, on ne risque pas de se perdre à Luang Prabang. La partie historique de la ville et les principaux monuments classés se trouvent dans la presqu'île formée par le confluent de la Nam Khan et du Mékong. Cette langue de terre, dominée par le mont Phousi, est traversée sur toute sa longueur par la rue Sisavang Vong (ou rue Phothisarath), qui devient, au bout de la péninsule, la rue Sakkarine, et par la rue Khem Kong, qui longe le fleuve, aussi appelée Souvannabanlang, Ounkham ou Manthathoulat. Mais tout le monde la connaît sous le nom de Mekong Rd (appellation aussi utilisée dans le guide pour éviter toute confusion).
L'autre axe important est la rue Kitsarath Setthathirat qui part du Mékong, coupe la rue Phothisarath à hauteur de la poste.
Le rêve pour les trekkeurs urbains, tout est quasiment accessible !

Transports

– **Tuk-tuk** *collectifs ou* **jumbos** *:* ces véhicules à moteur ont 3 ou 4 roues, c'est variable. On les trouve un peu partout dans la rue, il suffit de les héler. On peut aussi, quand on est plusieurs, en louer un pour la journée pour réaliser les quelques excursions que l'on propose. Pour un petit déplacement en ville, tout dépend des talents du négociateur, mais prévoir environ 20 000 kips le trajet. Attention, on vous propose souvent des prix **par personne.** Bien préciser que la course vaut pour le nombre total de personnes à transporter.
– *Location de vélos :* très bien pour découvrir la ville. Voir « Adresses utiles ». Un rappel : éviter de mettre ses affaires dans le panier, à cause des vols à l'arraché.
– **E-Bus :** sorte de *tuk-tuk* électrique qui sillonne la ville avec un maximum de 7 passagers à bord. Circule 7h-19h, en principe ttes les 10 mn. Prix : 3 000 kips en achetant les billets auprès des hébergements, certains restos ou boutiques (s'y procurer aussi le plan des lignes), 5 000 kips directement dans le véhicule. Il existe 3 lignes : la *verte* longe les rives du Mékong et fait le tour de la presqu'île, c'est la plus pratique ; la *jaune* descend plus au sud, jusqu'aux marchés Phosi et chinois ; la *rouge,* plus excentrée, dessert notamment les universités.

Adresses utiles

Infos touristiques et services

🅱 **Tourism Information Centre** *(plan d'ensemble C2) :* Sisavang Vong Rd, en face de la grande poste. ☎ 21-24-87. ● *tourismluangprabang. org* ● Tlj 8h (9h le w-e)-11h30, 13h30-16h (15h30 le w-e). Vous y trouverez un plan de la ville gratuit (bien fait), les horaires de bus et de bateaux. Accueil en anglais, mais pas vraiment utile. On essaiera aussi de vous vendre des excursions.

– *Plan de la ville :* mieux que celui donné par l'office de tourisme, celui réalisé par *Hobo Maps* est particulièrement complet et pratique. Également une carte des environs très pratique, notamment pour les excursions à vélo (kilométrage, état de la route, côtes...). Certaines *guesthouses* les vendent, sinon on les trouve parfois à l'office de tourisme, à l'aéroport et sur ● *hobo maps.com* ●

■ *Consulat général du Vietnam* (*plan d'ensemble B3, 4*) : *Phothilasath Rd.* ☎ 21-24-87. *Lun-ven 8h-11h30, 13h30-17h.* Visa à une ou plusieurs entrées, valable de 1 à 30 j., délivré en 24, 48 ou 72h : compter 40-75 $ selon la formule retenue ; + 55 $ pour une délivrance immédiate.

■ *Banchong Studio* (*plan d'ensemble D3, 5*) : *Ban Vixoun, Setthatirath Rd.* *Tlj sauf dim 8h-21h.* Intéressant pour les cartes mémoire et se faire faire des photos d'identité pour les visas.

■ *Immigration Office* (*plan d'ensemble C3-4, 6*) : *Phamahapasam Rd.* ☎ 21-24-53. *Lun-ven 8h-11h15, 13h45-16h.* Possible de faire prolonger son visa (20 000 kips/j. supplémentaire).

■ *Police touristique* (*plan d'ensemble D3, 7*) : *Visounnarath Rd.* ▤ 030-57-89-137. *Mêmes horaires que l'*Immigration Office.

■ *Location de vélos et de VTT :* on en trouve un peu partout, notamment dans les boutiques des rues Sisavang Vong et Visounnarath, ainsi que dans la plupart des *guesthouses* de Ban Houaxieng et de Ban Wat That (*plan d'ensemble C2*). Bien vérifier les pneus et les freins avant d'enfourcher son destrier ! En gros, compter 20 000 kips/j. pour un vélo de ville, 40 000-60 000 kips/j. selon le modèle pour un VTT. Bien vérifier les freins.

■ *Location de mobylettes et motos :* plusieurs loueurs dans la rue Sisavang Vong. Compter 120 000-360 000 kips selon le modèle (casque fourni, essence en supplément). Bien vérifier l'état des machines.

Change

■ *Banque Franco-Lao* (*zoom E2, 8*) : *Sisavang Vong Rd.* ☎ 26-01-72 ou 73. *Tlj 8h30-11h30, 15h-19h.* Change (le meilleur taux de la ville), transfert d'argent et distributeur de billets (carte *Visa* seulement).

■ *Banque pour le Commerce Extérieur Lao* (*zoom D2, 9*) : *Sisavang Vong Rd.* ☎ 25-29-83. *Lun-ven 8h30-15h30.* Distributeur de billets.

■ *Lao Development Bank* (*plan d'ensemble D3, 10*) : *Visounnarath Rd.* ☎ 21-21-85. *Lun-ven 8h-15h30.* Bureau de change indépendant sur la rue même. Accepte les cartes *Visa* et *MasterCard* (sauf le week-end), à condition de retirer au minimum 100 $. Service de *Western Union*.

■ *Bureaux de change :* nombreux dans la Sisavang Vong Rd (zoom D-E2). *Tlj 8h-19h env* (certains fermés dim). Les taux sont sensiblement les mêmes, mais toujours recompter ses billets au comptoir.

Urgences, santé

✚ *Luang Prabang Provincial Hospital* (*hors plan d'ensemble par A4*) : sur la route de Kouang Si, près du bowling. ☎ 25-40-25 ou 27 (mais pas d'anglais parlé). S'y rendre directement demander « *hong mor kweng phou mok* ». Le service des urgences est géré par la chaîne des hôpitaux thaïlandais « *Bangkok Hospital* ». Mais en cas de gros problème, contacter son assurance qui prendra (ou pas) la décision d'une évacuation par avion vers Bangkok, où les hôpitaux sont de bon niveau.

Pour les cas moins graves, voici 2 médecins généralistes qui consultent le soir en semaine à partir de 17h :

■ *Dr Phayline Maniphonh* (*plan d'ensemble D-E4, 11*) : *Ban Thatbosoth, Souvannabalang Rd*, quasi en face de Lao Woman's Union. ▤ 020-557-721-44. Elle parle le français et consulte chez elle.

■ *Phakan's Clinic* (*hors plan d'ensemble par B4, 12*) : 111, Kaisone Phomvihan Rd, Ban Phonkham. ☎ 25-47-81. ▤ 020-555-582-80. Généraliste chinois anglophone.

■ **Bouaphanh Souttaphong Pharmacy** (zoom E1, **13**) : Sisavang Vong Rd, en face de l'école primaire. ☎ 25-22-52. Tlj sauf dim 8h-11h30, 12h30-21h. Peut dépanner en cas de petits bobos. Les proprios, très sympas, parlent le français.

■ **Visoun Pharmacy** (plan d'ensemble D3, **14**) : Visounnarath Rd. ☎ 25-24-84. Lun-sam 7h30-13h, 15h-21h. On saura vous conseiller en anglais.

Agences de voyages

■ **Khoaviet Travel** : n° 66, Unit 5, Ban Viengsay. ▤ 020-98-00-07-52. ● khoaviettravel.fr ● Depuis 2004, bonne agence francophone réputée. Prix raisonnables, bon sens du service, service clientèle disponible 24h/24, excursions et tours dans tout le pays, ainsi qu'au Vietnam et au Cambodge.

■ **Asia my way** : ● asia-myway.com ● L'agence francophone, pionnière des voyages en Asie du Sud-Est, propose des circuits sur mesure en adéquation avec vos envies d'évasion : du programme culturel à la randonnée plutôt axée aventure hors des sentiers battus, en solo, couple ou famille, ou entre amis. Également spécialiste des circuits en combiné avec le Cambodge, la Thaïlande, la Birmanie et le Vietnam.

■ **Off Road Laos Adventures** (plan d'ensemble E3, **17**) : 29/2 Chaosomphou Rd, Ban Visoun. ☎ 25-46-95. ● offroadlaosaventures.fr ● Résa 1 mois avt conseillée pour une question d'organisation. Gérée par une équipe franco-laotienne, l'agence s'est spécialisée (comme son nom l'indique) dans des circuits vraiment hors des sentiers battus, dans tout le pays et même des combinés Laos-Cambodge. À pied, en bateau sur les rivières sauvages ou à moto (250 cc, permis demandé), elle ouvre de nouvelles pistes pour aller à la rencontre des tribus et participe au développement des villages selon les attentes de la population. La longueur et la difficulté de chaque trek sont étudiées en fonction de la demande. Pour les grands sportifs, ça peut aller jusqu'au trail, qu'elle organise chaque année sur 5 jours (125 km de piste). Prix pas donnés mais justifiés.

■ **EXO Travel** (zoom E1, **19**) : Mekong Rd. ☎ 25-46-98. ● exotravel.com ● Tlj sauf dim. Une agence sérieuse organisant des séjours sur mesure, plutôt haut de gamme, axés aussi bien culture que nature. Une autre adresse à Vientiane (et partout en Asie du Sud-Est).

■ **All Lao Travel Service** (zoom D2, **18**) : 13/7, Sisavang Vong Rd. ☎ 25-35-22. ● alllaoservice.com ● Tlj 8h-21h30. Petite agence laotienne sérieuse. Propose tous les services possibles : billets de bus express, minivan, bateau et avion pour les principales villes du Laos, mais aussi pour le Vietnam, la Thaïlande, le Cambodge et la Chine. Commissions raisonnables. Infos sur les excursions : randonnées (trekking), rafting sur les rivières et balades à VTT.

■ **Tiger Trail** (zoom D2, **18**) : Sisavang Vong Rd. ☎ 25-26-55. ● laos-adventures.com ● Tlj 8h-21h. Agence spécialisée dans l'écotourisme. Surtout intéressant pour le kayaking et ses sorties à VTT (location seule possible). D'autres excursions plus classiques.

■ **Inter Lao Travel** : Koun Xoau Rd, n° 3, unit 1, Ban Phoneheuang. ☎ 21-20-34. ▤ 020-555-145-05. ● interlao.com ● Gamme étendue de services dans la plupart des provinces du pays. Prestations irréprochables.

Divers

■ **Institut français** (zoom E1, **20**) : Ban Wat Nong. ☎ 25-39-24. ▤ 020-555-264-74. ● if-laos.org ● Tlj sauf sam ap-m et dim, 9h-12h, 14h-19h. C'est l'ancien logement de fonction du directeur de l'école primaire dans les années 1950. Pour la petite histoire, sachez que Pierre Desproges y passa une partie de son enfance (son père était le directeur de l'école). Propose des expos temporaires gratuites. Ne pas hésiter à y déposer un bon bouquin ; il s'agit de la seule petite bibliothèque francophone, et c'est donc pour les enfants et ados qui apprennent le français le seul moyen de lire dans notre langue.

■ **Cinéma Sang** : à 18h30 au Sanctuary Hotel (plan d'ensemble D3, **65**),

LE LAOS

à 19h au Victoria Xiengthong Palace *(zoom F1, 22)*. ☎ 21-37-79. ● cinema luangprabang.com ● *Entrée gratuite (mais achat d'une boisson demandée). Durée : 1h25.* Projection sur grand écran d'un film muet culte de 1924, *Chang,* tourné dans le nord du Laos par deux cinéastes qui ont vécu 18 mois dans une famille laotienne (par ailleurs réalisateurs du mythique long-métrage *King Kong*). Le film raconte la vie de Kru et des siens face aux périls de la jungle.

■ *Massages du centre de la Croix-Rouge (plan d'ensemble D-E3, 23)* : Visounnarath Rd. ☎ 25-28-56. *Tlj 9h-21h.* L'une des options les moins chères pour se faire masser à Luang Prabang tout en faisant une B.A.

■ *Peninsula Sauna & Massages (zoom F1, 24)* : Souvanhakhampong Rd,

wat Xieng Thong. ☎ 25-34-11. 🖩 020-556-752-82. *Tlj 9h-20h. Sauna et massages.* Les masseurs qui travaillent ici ont été formés par Mme Somchit, qui mène son affaire avec efficacité. Des massages de qualité, mais très toniques (mieux vaut être prévenu !).

■ *Dhammada Massage Oasis (plan d'ensemble D3, 25)* : juste avt le carrefour entre Setthatirath et Visounnarath Rd. ☎ 21-26-42 et 25-29-33. *Tlj 9h30-22h. Massages 40 mn-2h.* Différents massages, tous de bon niveau : orientaux (dynamiques), à l'huile (plus doux), aux herbes ou partiels (tête, visage, pieds).

■ *Laveries :* dans les *guesthouses* ou dans les ruelles descendant vers le Mékong où sont concentrées les *guesthouses* pour routards.

Où dormir ?

Dans le centre historique, autour de la rue Sisavang Vong *(zoom et plan d'ensemble C-D2-3)*

Très bon marché (moins de 100 000 kips / 12,50 $)

Au détour des rues Ban Wat That et Ban Houaxieng, les *guesthouses* sont à touche-touche. Ne pas hésiter à négocier les prix. Elles proposent quasi toutes un service de laverie.

🛏 *Viradesa Guesthouse (plan d'ensemble C2, 30)* : Ban Wat That. ☎ 25-22-32. 🖩 020-556-801-81. ● laos0309012602@gmail.com ● *Dortoir « très bon marché », doubles « bon marché ». Pas de petit déj.* La pension est un amalgame de bâtiments imbriqués au bord d'une venelle qui descend vers le fleuve. Dortoirs de 3 et 4 lits avec salle de bains extérieure et ventilo, intéressant pour les petits budgets. Les doubles bénéficient de la clim et d'une salle de bains privée. Ambiance auberge de jeunesse.

Bon marché (100 000-200 000 kips / 12,50-25 $)

🛏 *Thepavong Guesthouse (plan d'ensemble C2, 32)* : Ban Houaxieng, près de Kaemkong Rd. 🖩 020-553-144-59. *Pas de petit déj, mais café, thé et eau gratuits.* Ce lieu verdoyant est tenu par un vénérable papi, qui parle un peu le français. Il propose des chambres de taille modeste, bien tenues, avec un balcon pour celles de l'étage. Celles du rez-de-chaussée, près du hall, sont logiquement plus bruyantes. À éviter si possible. On aime le petit jardin à l'avant qui donne envie de se poser. Bon rapport qualité-prix.

🛏 *Sengphet Guesthouse (plan d'ensemble C2, 33)* : Ban Houaxieng. ☎ 25-35-34. 🖩 020-557-702-98. *Doubles avec sdb privée ou commune, ventilo ou clim. Pas de petit déj.* Dans une ruelle calme, une maison qui dégage une sympathique intimité. D'une grande simplicité, les chambres sont assez petites, et certaines du rez-de-chaussée donnent sur un mur (l'étage est plus lumineux), mais la propreté est indéniable. Bons lits, accueil et atmosphère familiale. Petite terrasse ombragée juste devant. Location de vélos et de motos.

⬗ **Rattana Guesthouse** (plan d'ensemble C2, **34**) : 3/2, Kok Sack Rd, Ban Wat That. ☎ 25-22-55. 🖳 020-567-54-58. ● rattana.laopdr.com ● Doubles avec sdb, ventilo ou AC et TV câblée ; petit déj en plus. 2 petits bâtiments mitoyens (l'un en bois, l'autre moderne) offrent de modestes chambres, mais avec un balcon pour la partie moderne. Attention, d'autres, notamment dans l'ancienne bâtisse, ne possèdent pas de fenêtre et le ménage pourrait être plus zélé. Équipement correct toutefois. Réception anglophone et patronne francophone, qui vous donnera plein d'infos, si elle est là. Atmosphère familiale. Services de laverie, location de vélos et minivan (avec chauffeur).

⬗ **Heritage Guesthouse** (zoom E1-2, **35**) : 66/6, Ban Xieng Mouane. ☎ 25-25-37. ● moradok2003@yahoo. com ● Doubles sans ou avec AC entre « bon marché » et « prix moyens ». Une adresse qui présente le double avantage d'être au centre, tout en étant au calme. Dans une ancienne demeure, une quinzaine de chambres un peu petites, avec TV pour certaines et salle de bains. Celles du rez-de-chaussée se révèlent, comme bien souvent, humides. Les plus chères sont à l'étage. On aime bien le petit charme qui se dégage des lieux. Accueil aimable.

⬗ **Phonemaly Guesthouse** (plan d'ensemble C2, **36**) : 031/2 Ban Houaxieng. ☎ 25-35-04. 🖳 020-556-706-45. Doubles avec sdb. Pas de petit déj, mais café et bananes en libre-service. Ancienne maison tout en bois, dont le balcon couvert à l'étage dessert des chambres propres et correctement équipées, plus lumineuses que celles du rez-de-chaussée (au même prix).

⬗ **Namsok Guest House** (zoom E1, **31**) : Ban Xieng Mouane, Sisavang-thana Rd. ☎ 25-44-26. 🖳 020-999-909-01. Doubles avec sdb et clim, petit déj inclus. Fourchette hte, limite « prix moyens ». Dans un quartier paisible et tranquille. Une petite structure familiale, un peu en retrait de la rue. 6 chambres pas trop grandes, mais au sol carrelé. Accueil discret.

⬗ **Suan Keo Guesthouse** (plan d'ensemble C2, **30**) : Ban Wat That.

☎ 25-47-40 ou 25-44-04. Pas de petit déj. Une dizaine de chambres dans 2 maisons, la plupart carrelées, avec gros ventilo (ou clim) et eau chaude. Pas l'extase, mais le 1er étage, tout en bois, possède un certain charme. Mieux vaut toutefois ne pas tomber sur un voisin qui ronfle (parois minces). Ensemble propre et accueil avenant.

Prix moyens (200 000-400 000 kips / 25-50 $)

⬗ **Lao Lu Lodge** (plan d'ensemble C2, **37**) : Ban Pakham. ☎ 25-56-78. ● lao lulodge.com ● Doubles avec sdb et clim, petit déj compris. Une maison dans une ruelle sans circulation et au bord d'un jardin luxuriant. Une douzaine de chambres confortables, plutôt spacieuses, propres et soignées. On apprécie la déco à base de tissus laotiens. Quelques tables pour se poser à l'extérieur. Bon accueil. Une adresse où le souci de bien faire semble permanent. Un excellent rapport qualité-prix, juste à côté du marché du matin. M. Bo, le propriétaire, possède aussi une agence de voyages sérieuse.

⬗ **View Khem Khong Guesthouse** (zoom D1, **38**) : 01/10, Ban Xieng Mouane, Mekong Rd (Khem Kong Rd). 🖳 030-515-50-74. ● viewkhemkhong guesthouse.wordpress.com ● Doubles avec sdb et clim, petit déj en plus. Face au Mékong, une maison traditionnelle constituée de petites chambres calmes et propres, à la literie récente. Au rez-de-chaussée, comme souvent, elles sont plus sombres. L'ensemble est bien tenu par Éric, un Français. Repas (du petit déj au dîner) servis en terrasse sur la rive dominant le fleuve. Mais service plus long que d'habitude.

⬗ **Xieng Mouane Guesthouse** (zoom D1, **39**) : 86/6, Ban Xieng Mouane. ☎ 25-21-52. ● xieng mouane@yahoo.com ● Doubles avec sdb, ventilo et AC. Pas de petit déj, mais thé et café à dispo. Dans une rue calme, face au wat Xieng Mouane. Cette vieille maison coloniale, patinée par le temps, a gardé fière allure et son cachet reste intact. Un bâtiment côté rue, un autre à l'arrière (plus récent, chambres au même prix, avec balcon)

LE LAOS

donnant sur le jardin verdoyant, plein de senteurs de jasmin. Déco des chambres le plus souvent agréable. Bon accueil.

≜ *Villa Saykham* (zoom E1-2, *35*) : *Watthana Rd, à côté de l'Heritage Guesthouse.* ☎ *25-42-23.* ● *villa saykham@laopdr.com* ● *Doubles avec sdb et clim ; également des familiales pour 3 et 4.* Bien placé et plutôt au calme, même si le monastère qui jouxte l'hôtel assure de temps en temps un réveil matinal... Les chambres, bien tenues et à la déco traditionnelle, sont réparties dans 2 bâtiments. Comme toujours, préférez celles en étage. Juste un bémol sur le petit déj, frugal.

≜ *Sok Xai Guesthouse* (zoom F1, *40*) : *Sakkarine Rd.* ☎ *25-43-09.* ▤ *020-591-222-32.* ● *gm.sokxailpq@ yahoo.com* ● *Petit déj inclus.* Dans la rue principale, mais au calme, cette maison à l'architecture tradition-nelle rénovée abrite une poignée de chambres à la déco sobre, égayée par de jolis tissus laotiens. Bon confort. Vue sur les temples pour certaines chambres ainsi que depuis le balcon commun situé à l'étage. Le petit déj se prend sur la terrasse, au bord de la rue. Accueil aimable.

≜ *Saynamkhan Hotel* (zoom E2, *41*) : *Ban Wat Sene.* ☎ *21-29-76.* ● *saynamkhanhotel-luangprabang. com* ● *Doubles sans ou avec vue sur la rivière, petit déj inclus.* Chambres réparties au sein de 2 maisons à proxi-mité de la Nam Khan. Certaines sont un peu exiguës. On a un petit faible pour les chambres aménagées dans l'ancienne demeure en bois. Préférez celles de l'étage : au rez-de-chaussée, elles sont humides, surtout les salles de bains. Les plus chères bénéficient d'une vue sur la rivière et d'un balcon pour en profiter. Loue des vélos.

≜ *Golden Lotus Guesthouse* (plan d'ensemble C2, *42*) : *Ban Pakham.* ☎ *21-30-54.* ● *goldenlotusgues thouse.blogspot.com* ● *Presque en face du wat Maï. Pas de petit déj.* Dans une ruelle envahie par les étals du marché du matin, cette maison de quartier abrite des chambres confor-tables. Sols carrelés, salle de bains nickel, clim et ventilateur. En revanche, pas de balcon, mais une table pour

se poser dans le semblant de jardin. Préférer les chambres à l'étage pour ne pas être dérangé par la télé au rez-de-chaussée, au moment de la sieste, par exemple...

Un peu plus chic (320 000-550 000 kips / 40-70 $)

≜ *Le Bougainvillier* (plan d'ensem-ble C2, *43*) : *Ban Pakham.* ▤ *020-954-912-41.* ● *bougainvillier-lp.com* ● *Doubles avec sdb, AC et frigo, petit déj inclus.* Au cœur de la vie laotienne, juste devant le marché du matin. Chambres accueillantes et bien équi-pées, réparties dans 2 maisons de part et d'autre du jardin. Délicieux petit déj (hmm, le tapioca au lait de coco !) servi en terrasse. Parfait avant d'enta-mer la découverte de la ville. L'équipe franco-laotienne est d'ailleurs de très bon conseil sur les visites et excursions alentour (elle connaît les prestataires sérieux). On peut aussi se poser avec une B.D. ou l'un des nombreux livres sur le Laos de la belle bibliothèque, tranquillement installé dans le jardin, en admirant le mont Phousi. Un très bon rapport qualité-prix. Bref, une petite adresse comme on les aime.

≜ *Villa Chitdara* (zoom E1, *44*) : *Ban Wat Nong.* ☎ *25-49-49.* ● *villachitdara. com* ● *Doubles avec sdb, clim et ven-tilo, petit déj inclus.* Dans ses maisons en bois à la belle architecture, la sym-pathique propriétaire franco-laotienne accueille ses hôtes avec attention. Elle propose des chambres de bon confort (literie de qualité, balcon ou terrasse privée, les plus récentes sont plus spa-cieuses). Le petit déj se prend sur une belle terrasse en bois. Le quartier est plaisant, la rue calme et l'endroit a de l'allure. Loue des vélos. Une adresse où l'on se sent bien.

≜ *Villa Senesouk* (zoom E-F1, *45*) : *Sakkarine Rd, face au wat Sene.* ☎ *21-20-74.* ▤ *030-992-305-95.* ● *luangphabang.com/senesouk* ● *Doubles avec sdb, ventilo et AC. Pas de petit déj.* Dans le quartier histo-rique, une jolie maison ancienne, bien rénovée. Bon accueil d'une famille laotienne. Une vingtaine de chambres avec ventilo, clim, douche et w-c. Au

1er étage, elles sont plus chères et donnent sur la pagode de l'autre côté de la rue. D'autres chambres sur la cour à l'arrière, plus calmes et tout en bois. La bonne tenue de l'ensemble et la régularité d'année en année en font une bonne adresse.

≜ **Chitdara 2 Mekong** (zoom E1, 46) : 18/02, Mekong Rd (Khem Kong). ☎ 21-28-86. • villachitdara2.com • Petit déj inclus dans le prix. Face au Mékong, une ancienne maison convertie en guesthouse. Vue sur le fleuve pour les plus chères. Dommage toutefois qu'il n'y ait pas de véritable terrasse ni de jardin pour se poser. Axel, le sympathique patron laotien, possède aussi l'agence Shompoo-cruise (lire plus loin dans le chapitre « Le Nord », « Navigation sur le Mékong »).

De chic à très chic (plus de 550 000 kips / 70 $)

≜ **The View Pavilion** (zoom F1, 40) : Ban Khili, Sakkarine Rd. ☎ 25-39-18. • theviewpavilion.com • Doubles 100-120 $, petit déj compris. 2 élégants bâtiments, dans le plus pur style lao. Une petite dizaine de chambres spacieuses, bien calmes, en retrait de la rue, la plupart plein soleil. Petite terrasse sous véranda et large pelouse devant. Décor raffiné et coloré, avec lits sculptés, plancher en bois rouge, douche à l'italienne, baignoire design à remous (bath tube) dans la chambre et tout le confort rêvé. Resto.

≜ **Indigo House** (plan d'ensemble C2, 48) : rue Sisavang Vong, Ban Pakarm. ☎ 21-22-64. • indigohouse.la • Résa conseillée (souvent complet). Doubles 65-95 $ selon catégorie et saison. Un hôtel moderne à l'architecture plaisante, et, surtout, de belles chambres spacieuses et tout confort dans les tons bleutés, au style élégant et sobre tout à la fois. Plaira à ceux qui souhaitent résider directement au cœur de l'animation (du moins tant que le marché de nuit ne déménage pas à l'ancien stade). Café et bakery au rez-de-chaussée.

≜ **Sala Prabang** (zoom D1, 49) : 102/6, Ounkham Rd, Ban Xieng Mouane. ☎ 25-24-60 ou 25-40-87. • salalao.com • Doubles avec clim 80-110 $, petit déj inclus. Également des studios. Le patron est architecte d'intérieur, le résultat est plutôt réussi. Demeure du XIXe s restaurée en hôtel de charme : boiseries, beaux carrelages anciens (français !), simplicité, confort et élégance. Quelques chambres donnent sur le Mékong (avec balcon et vue superbe), les autres sur l'arrière (plus calmes). Le succès aidant, il s'est enrichi d'annexes dans d'autres maisons du quartier (une quarantaine de chambres). Attention, certaines sont vraiment petites et les prix ont singulièrement grimpé. Accueil charmant, cependant. Terrasse au bord du fleuve pour le petit déj.

≜ |●| **The Apsara** (zoom E1, 50) : rue Kingkitsarath, Ban Wat Sene. ☎ 25-46-70. • theapsara.com • Doubles 85-140 $, petit déj et taxes compris. Un hôtel de charme en surplomb de la Nam Khan, avec vue sur les collines et qui la joue design décontracté, d'ailleurs les parties communes se révèlent plutôt quelconques. En revanche, les 2 bâtiments abritent des chambres spacieuses avec sol en bois rouge. Dans l'édifice principal, ce sont les superior, équipées de lits immenses tant en largeur qu'en hauteur. Toutes sont décorées dans le style colonial avec quelques notes modernes (mais pas de TV) et toutes possèdent une vue sur la rivière. Fait aussi resto.

Spécial folie

≜ **Les 3 Nagas** (zoom E1, 51) : 97/5, rue Sakkarine, Ban Wat Nong. ☎ 25-38-88. • sofitel.com/9641 • Au milieu de la péninsule, très bien situé. Doubles 120-230 $; également des suites. Une belle maison coloniale rénovée avec raffinement et attention, tant pour les matériaux que pour les détails : le bois ici est roi. Tout confort évidemment (salles de bains vraiment superbes), et la plupart des chambres disposent d'un balcon privé (et/ou d'une terrasse), d'un petit salon et parfois d'un lit à baldaquin. Un autre bâtiment de l'autre côté de la rue, tout

LE LAOS

aussi ancien et tout aussi joliment restauré, abrite une partie des chambres. Restaurant sur place. Possibilité d'utiliser la piscine de l'hôtel *Sofitel*, situé à l'extérieur de la péninsule.

≜ **Maison Souvannaphoum Hotel** *(plan d'ensemble C3, 52) :* rue Phothisarath (ou Suranaphoum), dans le prolongement de la rue Sisavang Vong, au niveau de la fontaine. ☎ 25-46-09. ● angsana.com ● *Doubles 160-250 $, petit déj inclus.* Ancienne villa princière superbement rénovée, dans un parc-jardin élégant. Tout a été refait dans des tons clairs modernes, mariant design et tradition laotiens dans le mobilier et la décoration. Tout confort, évidemment, et service très professionnel, mais les salles de bains, plutôt raffinées, sont petites pour le standing. Autant le savoir, atmosphère chicos et quelque peu empesée ! Dispose également d'un spa et d'une piscine, malheureusement étroite et sans véritable espace autour. Le resto propose, cependant, une carte à prix beaucoup plus raisonnables.

Ban Aphai et autour de la rue Visounnarath
(plan d'ensemble C-D-E2-4)

Très bon marché (moins de 100 000 kips / 12,50 $)

≜ **Spicy Laos Backpackers** *(plan d'ensemble C3, 53) :* 46, Hnuay 04, Samsenthai Rd, Ban Thong Cha Leaun. ☎ 21-25-00. 🖥 020-225-555-93. *Dortoir 7-10 lits avec ou sans sdb ; AC en plus. Petit déj possible.* À 2 coups de tongs de Dara Market, dans un ancien bâtiment colonial qui fut une résidence princière. Aujourd'hui, si l'hébergement n'a rien de princier (pas de chambre privée mais de simples dortoirs exigus et plutôt humides, avec salle de bains), on y trouve de l'ambiance, de quoi lier connaissance (table de ping-pong, badminton, billard), une pièce où regarder un film... Service de linge, *lockers*, TV câblée dans la salle commune, etc. Accueil détendu et ambiance communautaire, vraiment *roots*.

≜ **Vongprachan Hostel** *(plan d'ensemble D-E3, 23) :* Visounnarath Rd. 🖥 020-971-574-68. *Dortoirs « très bon marché », petit déj inclus.* L'établissement a deux atouts majeurs : son excellent emplacement et la propreté des lieux... Même si l'accueil est souvent en v.o. et le flux de routards qui y transitent important, le personnel se met en quatre pour vous aider. Tous les classiques du genre : casiers, transferts, location de vélos, excursions... et les plus : clim, terrasse sur le toit et billard gratuit.

≜ **Sysomphone Guesthouse** *(plan d'ensemble E3, 54) :* 22/4, Ban Visoun. ☎ 25-25-43. 🖥 020-598-123-23. ● sysomphone.weebly.com ● *La plupart des chambres sont « très bon marché », celles avec sdb et AC « bon marché » ; petit déj possible.* Au fond d'une impasse, dans un quartier tranquille et pourtant près du centre-ville. Des chambres assez sommaires, reparties dans 2 bâtiments. Dans le 1er, elles ont des parois en bois, des sanitaires communs, un ventilo si on ajoute quelques kips. Dans le 2nd, elles sont plus récentes, un peu plus chères aussi. Attention, au rez-de-chaussée, elles peuvent sentir l'humidité. L'avantage de l'adresse, c'est le calme.

Bon marché (100 000-200 000 kips / 12,50-25 $)

≜ **Thavisouk Guesthouse** *(plan d'ensemble D3, 55) :* Phamahapasam Rd. ☎ 25-20-22. 🖥 020-915-522-22. *Haut de la fourchette.* Une *guesthouse* qui a réussi le virage de la rubrique « hébergement familial » à celle du mini-hôtel. Chambres simples avec clim et salle de bains carrelée. En choisir une située dans le bâtiment à l'arrière car la rue est bruyante dès les premières heures de la journée.
– Et si l'adresse est complète, se reporter sur la **Mano Guesthouse « La Maison du Bonheur »** *(plan d'ensemble D3, 55) :* Ban Viengxay. ☎ 25-31-12. *Same-same* pour le type de prestations et la catégorie de prix.

≜ **Vilayvanh Guest House** *(plan d'ensemble E3, 56) :* Ban Aphai. ☎ 25-27-57. 🖥 020-555-476-96.

Quartier agréable et populaire de vénérables demeures en bois et coqs matinaux, le tout noyé dans la végétation. Autre qualité, proche de l'*Utopia*, le café le plus insolite de la ville ! Maison en bois dans un jardin, offrant une dizaine de chambres propres et de confort correct. Clim, TV câblée. Seules les 2 au rez-de-chaussée sur l'arrière ne bénéficient pas d'une vue terrible. Bon accueil.

≜ *Muong Lao Guesthouse* (plan d'ensemble E3, 57) : Ban Aphai, Phommathat Rd. ☎ 25-27-41. 📱 020-566-996-44. En face du wat Visoun. Doubles avec sdb, ventilo ou clim, petit déj en sus. Gentille petite pension offrant des chambres très simples à la literie ferme et aux salles de bains qui commencent à dater. Essayer d'avoir la n° 9, sur l'arrière, certes pas très grande mais tout en bois, avec clim et une belle, vraie salle de bains. Certaines avec terrasse. Sachez toutefois que la rue est bruyante en journée.

≜ *Jaliya Guesthouse* (plan d'ensemble C3, 58) : 070/2, Phamahapasam Rd, Ban Viengxay. ☎ 25-21-54. 📱 020-775-533-11. Pas de petit déj. On prononce « Tialinia Guesthouse ». Bâtiment en béton sans charme particulier, mais intérieur propre, avec des chambres équipées de clim et ventilo ; douche (chaude) et w-c à l'intérieur. Une grande cour verdoyante (c'est là son principal atout) accueille des chambres de plain-pied et beaucoup plus calmes que celles qui donnent sur la rue (très passante en journée). L'accueil fluctue du médiocre au plutôt sympa.

Prix moyens (200 000-400 000 kips / 25-50 $)

≜ *Cold River* (plan d'ensemble E3, 59) : 01/5, Ban Meuna. 📱 020-9881-55-28. ● coldriverluangprabang. com ● Doubles avec sdb, ventilo, clim et TV. Également des familiales. Au fond d'une impasse, à l'abri de la circulation, une adresse tenue par Ruddy et Marion, une famille française très sympa. On aime bien la déco des chambres, sobre et lumineuse, réhaussée par un design hmong original. D'autant plus agréable que la

plupart profitent d'une vue partielle ou totale sur la Nam Khan. L'ambiance relax alliée au confort et à l'excellente tenue générale font du lieu une vraie *guesthouse* dans l'esprit, se rapprochant d'un hôtel par la qualité des prestations. Un très bon point de chute.

≜ *Sabaidee Guesthouse* (plan d'ensemble C3-4, 60) : 70, Thammikarat Rd. ☎ 25-31-43. 📱 020-556-721-97. ● sabaidee-hotel.com ● Doubles avec sdb, ventilo ou AC et TV câblée (certaines avec frigo). Petit déj inclus. À proximité du wat Monorom, au fond d'un beau jardin ombragé et apaisant. Suffisamment en retrait de la rue pour ne pas être importuné par la circulation. D'une blancheur immaculée, les chambres sont classiques et parfaitement tenues. Location de vélos. Accueil sympathique, parfois en français.

≜ *Villa Sayada* (plan d'ensemble E3, 61) : Ban Aphai, Phommathat Rd, en face du wat Visounnarath (Visoun pour les intimes). ☎ 25-48-72. ● xiraque2951@gmail.com ● Doubles standard ou deluxe avec sdb, clim et TV câblée. Pas de petit déj. Une très jolie *guesthouse* en bois, tenue par un Japonais anglophone, qui abrite de vastes chambres avec mobilier et linge de maison raffinés et petites touches de soie colorée en guise de déco. Les standard se trouvent à l'arrière ; ça tombe bien, sur rue, les chambres sont bruyantes. Petite préférence pour celles en étage, face aux arbres. Certaines doubles assez grandes conviendront parfaitement aux familles (ou aux amis). Balcon privé et/ou petite terrasse.

≜ *Singharat Guesthouse* (plan d'ensemble B3, 62) : Noradteh Rd (ban Thad Luang). 📱 020-596-419-23. ● singharatguesthouse@hotmail.com ● Haut de la fourchette. Il a vraiment du charme ce quartier où les demeures transformées en riches hôtels. Cette *guesthouse* est une bonne option pour y séjourner sans trop se ruiner. Les chambres y sont de taille honorable. Déco soignée où le mobilier en bois foncé donne du peps au lieu. Et côté confort, clim et minibar complètent un tableau plus qu'estimable... Accueil gentil.

≜ *Villa Luang Sokxai* (plan d'ensemble D2, *63*) : Phousi Rd. ☏ 020-522-211-14. ● *villa-luangsokxay.com* ● *Dans une ruelle, vers la rivière. Doubles avec sdb, AC. Pas de petit déj, mais thé et café à dispo.* Petit hôtel sur un étage, dans un coin animé qui compte pas mal de bars (mais à 23h30, tout le monde rentre chez soi). Une poignée de chambres d'un certain charme et bien équipées : déco soignée, grand lit (matelas ferme), AC, TV câblée, service de linge, etc. Grand balcon collectif au carrelage en damier. Location de vélos.

D'un peu plus chic à chic (320 000-800 000 kips / 40-100 $)

≜ *Villa Oasis Luang Prabang* (plan d'ensemble D3, *64*) : Setthatirah Rd, dans une petite impasse perpendiculaire à la rue Visounnarath. ☏ 020-974-520-59 et 020-979-842-79. ● *mrhoangvillaoasis@gmail.com* ● *Catégorie « Un peu plus chic ». Petit déj inclus.* En face d'un petit étang où fleurissent les lotus, une douzaine de chambres avec terrasse ou balcon privé. Les standard sont plus anciennes, mais au même prix que les plus récentes décorées de belles photos. Tout confort et calme absolu que viendront seuls perturber quelques cris d'oiseaux ou de gallinacées. Petite terrasse au bord de l'eau pour bouquiner ou prendre un verre. Une vraie petite oasis.

≜ *Sanctuary Hotel* (plan d'ensemble D3, *65*) : Kitsarath Setthathirat Rd. ☏ 21-37-77. ● *sanctuaryhotelsand resorts.com* ● *Catégorie « Chic », limite « Très chic » en hte saison. Petit déj inclus.* À deux pas du centre, de jolis bâtiments de style colonial aux boiseries sombres bordent un paisible étang où des lotus ont pris leurs aises. Les palmiers et gommiers du parc s'y miroitent aussi. Les chambres, toutes dotées d'un balcon ou d'une terrasse de plain-pied, sont de taille moyenne, bien agencées et équipées : sols de terre cuite et couleurs douces aux murs. Personnel attentif et prestations vraiment de qualité.

Plus loin du centre

D'un peu plus chic à chic (320 000-800 000 kips / 40-100 $)

≜ *Thongbay Guesthouse* (hors plan d'ensemble par E4, *66*) : Ban Vieng May, Vat Sakem. ☏ 25-32-34. ● *thongbay-guesthouses.com* ● *Transfert gratuit avec le centre plusieurs fois/j. ; sinon, on peut y aller en marchant 15 mn ou louer un vélo. « Un peu plus chic ».* Une guesthouse tenue par un couple suisse allemand-lao, un chouia excentrée et en surplomb de la rivière. Les bungalows en bois sont bien arrangés et intégrés à leur environnement, la végétation abonde, et un gazon digne de celui d'un golf entoure un petit bassin poissonneux. Bref, calme et verdure, on se croirait en pleine nature et, pourtant, on est qu'à quelques coups de tongs de l'animation. Atmosphère sympathique. Resto sur place. Une de nos plus belles adresses.

≜ *Treasure Hotel Laos* (plan d'ensemble B3, *67*) : 51/3, That Luang Village. ☏ 26-06-61. ● *treasurehotellaos.com* ● *« Chic. » Petit déj inclus.* Le long d'une allée agréablement fleurie, une enfilade de chambres au calme, toutes identiques et un peu sombres, mais grandes, largement carrelées et confortablement meublées. Déco soignée, douche à l'italienne, lits *king size*, clim et ventilo ; demander la chambre à l'étage, immense. Dommage qu'il n'y ait pas de véritable jardin pour se poser.

≜ *Maison Dalabua* (plan d'ensemble B3, *68*) : Phothisarath Rd, Ban That Luang. ☏ 25-55-88. ● *maison-dalabua. com* ● *Doubles à prix « chic », petit déj inclus ; bungalows « très chic ».* Aidée par une équipe de Français, Toune a transformé son ancienne maison de famille en un bel endroit pour passer un séjour au calme parfait. On accède aux chambres par un ponton en bois qui serpente au-dessus d'un petit étang paysager dans lequel fleurissent des lotus (*Dalabua* signifie « princesse des lotus »). Le lieu est paisible et verdoyant. Depuis le ponton, la perspective sur le mont Phousi est remarquable. De belles chambres confortables (terrasse et vue sur l'étang pour les plus chères). Également des bungalows en bois avec terrasse sur pilotis donnant sur un second petit étang. Très bon petit déj (confiture maison, café bio, etc.). Piscine, spa, massages et prêt de vélos.

▲ **My Dream** (plan d'ensemble E2, **69**) : de l'autre côté de la Nam Khan. On y accède par le vieux pont en 2-roues ou à pied (ne pas avoir le vertige), sinon navette de l'hôtel et prêt de vélos. ☎ 25-28-53. ● mydreamresort.com ● Doubles à prix « chic », bungalows et villas « très chic » ; petit déj inclus. Également des unités familiales avec 2 chambres. On est ici dans un village, très proche de la ville, mais plus au calme et gros atout : une piscine dans un cadre nature à la fois élégant et charmant pour un prix encore sage. Idéal pour se relaxer après avoir arpenté le pays. Certaines chambres profitent d'une vue sur la rivière et le jardin juste devant. Toutes possèdent un très bon niveau de confort. Ensemble vraiment agréable, à l'image de l'accueil.

▲ **Le Vang Bua Villa** (plan d'ensemble E2, **70**) : de l'autre côté de la Nam Khan, quasi en face de My Dream. ☎ 25-31-98. ● levangbuavilla.com ● Doubles « un peu plus chic » avec sdb et AC. Navette et prêt de vélos. Là encore pour ceux qui veulent profiter d'une piscine sans trop se ruiner. Moins chères et moins chic que celles de son voisin My Dream, les chambres, bien qu'un peu sombres et sans vue, sont correctement équipées.

Très chic (plus de 800 000 kips / 100 $)

▲ **Villa Maydou** (plan d'ensemble E3, **71**) : Ban Meuna. ☎ 25-46-01 ou 02. ● villamaydou.com ● À deux pas du vieux pont piéton et pas loin du centre, au bout d'une allée. Doubles 95-120 $; petit déj compris. Resto sur place. Prêt de vélos. Dans un séduisant jardin tropical, tout à côté d'un vénérable temple (gong le matin de bonne heure pour certaines chambres !), 4 grandes

demeures de style traditionnel, dont 2 classées, restaurées avec goût et offrant de superbes chambres tout confort (mais pas de TV). Les 2 autres sont récentes. Bois précieux et mobilier de style colonial, broderies et peintures en prime. L'ensemble possède beaucoup de charme. Service alerte et anglophone – ou francophone quand c'est le patron. Un lieu empreint d'une atmosphère sereine. L'une de nos belles adresses.

▲ **The Belle Rive Hotel** (zoom E1, **72**) : 99, Ban Phon Heuang. ☎ 26-07-33. ● thebellerive.com ● Doubles 95-160 $, également des suites. Situation exceptionnelle pour ces belles maisons coloniales posées au bord du Mékong. Elles abritent 13 chambres spacieuses à la déco à la fois cosy et raffinée, toutes différentes et bénéficiant de tout le confort. Toutes profitent d'une vue sur le fleuve. Grandiose ! Prêt de vélos et excursions organisées. Bon resto (voir plus loin « Où manger ? »).

Spécial folie

▲ **Satri House** (plan d'ensemble B3, **73**) : 57, rue Phothisarath, Ban That Luang. ☎ 25-34-91. ● satrihouse. com ● Doubles 125-260 $, petit déj inclus ; suites plus chères. Tout bonnement superbe ! Dans un jardin agréablement dense, pas moins de 7 magnifiques bâtiments coloniaux restaurés, dont l'un, construit au début du XXe s, est classé au Patrimoine mondial de l'Unesco. L'ambiance se rapproche bien plus d'une maison d'hôtes de luxe et de charme que d'un hôtel. Toutes les chambres sont différentes, décorées de meubles et bibelots anciens, dotées de salles de bains originales très réussies. Devant la maison principale, terrasse accueillante, et chaises longues autour des 2 piscines. Également un bassin aux lotus. Superbe spa. La direction est française.

▲ **The Luang Say Residence** (hors plan d'ensemble par B4, **74**) : 4-5, Ban Phonepheng. ☎ 26-08-91. ● luang sayresidence.com ● Doubles 190-500 $; voir les offres sur Internet. Une vingtaine de grandes chambres avec terrasse, réparties dans 5 maisons d'inspiration coloniale. Très belle piscine entourée de teck, et parasols identiques à ceux autrefois utilisés par les explorateurs perchés sur les éléphants. Quant à la maison de maître et son porche monumental, elle abrite, outre une poignée de chambres, un élégant hall atrium circulaire, un restaurant, une bibliothèque-fumoir et une véranda. Bois exotique, lin, soie... se conjuguent pour parfaire le raffinement de l'hôtel, sur lequel plane encore l'esprit des explorateurs du XIXᵉ s.

🏠 *Villa Maly* *(plan d'ensemble C3, 75)* : *Ban That Luang, Thammanikalat Rd.* ☎ *25-39-03.* ● *villa-maly.com* ● *Doubles 220-360 $, petit déj inclus.* Dans l'ancienne résidence réaménagée de la princesse Khampieng et du prince Khamtan, le petit-fils du roi Zakarine au XIXᵉ s. Une trentaine de chambres au style colonial, tout confort (on a envie de se lover dans les couettes épaisses des lits à baldaquin), au milieu d'un grand jardin tropical avec la piscine centrale. Atmosphère « lune de miel » garantie.

🏠 *The Apsara Rive Droite* *(zoom F2, 76)* : *Ban Phanluang.* ☎ *21-30-53.* ● *theapsara.com* ● *Accès par le pont ou en bateau depuis l'autre hôtel Apsara situé sur la péninsule. Doubles env 150-200 $, petit déj compris.* Un peu excentré, certes, mais quel cadre ! Seulement 9 chambres spacieuses et archi-confortables, avec vue sur les beaux jardins ou la rivière depuis la terrasse ou le balcon. Une piscine, un resto et un bar viennent compléter le tableau.

Où manger ?

Dans le centre historique, autour de Sisavang Vong *(plan d'ensemble C2 et zoom)*

Bon marché (moins de 25 000 kips / 3 $)

Comme partout au Laos, il est possible de se restaurer à très bon compte **sur les étals des marchés.** Le soir venu, entre 17h et 22h environ, en bas de la rue Kitsarath Setthathirat *(plan d'ensemble C2),* les étals proposent des plats cuisinés à emporter. D'autres étals dans une ruelle longeant l'hôtel *Indigo (plan d'ensemble C2, 48),* aux mêmes heures. Longues tables avec toile cirée, où l'on déguste poulet ou cochon laqué dans des feuilles de bananier, poissons grillés au charbon de bois. Stands végétariens également.

|●| 🍵 *Petit resto sans nom* *(zoom E1, 79)* : *face au wat Sene. Tlj à partir de 6h, ferme quand il n'y a plus rien, souvent vers midi.* Pour un petit déj traditionnel ou une pause entre 2 visites, on avale vite fait une soupe de nouilles sans se ruiner.

|●| *Ton Kham Wan* *(zoom F1, 80)* : *sur la Nam Khan River, pas d'enseigne,* mais jouxte le Rosella Fusion. *Tlj 7h-22h.* Un petit resto local proposant de bons plats laotiens, tout simples. Vin au verre, cocktails et bière. Une adresse impeccable pour les petits budgets qui veulent se restaurer en terrasse au bord de la rivière.

|●| *Mekong Fish* *(zoom E1, 81)* : *Mekong Rd.* ☎ *25-24-46. Tlj 7h30-22h30.* Au bord du Mékong, une des plus belles terrasses ombragées. Cuisine goûteuse, éclectique et bien servie : des pizzas aux plats laotiens, le choix est large. Excellent service.

|●| *Artisans Café* *(zoom D2, 82)* : *Ban Choum Khong.* 📱 *020-555-711-25. Tlj sauf dim 9h-18h.* Inséré dans un quartier paisible, au bord d'une ruelle ombragée et pavée, l'endroit dégage beaucoup de sérénité. Quelques tables sont posées dans un petit mais agréable jardin pour déguster des plats légers et frais, parfois à base de légumes et herbes du potager. Le lieu accueille aussi le siège de *Puang Champa,* une association culturelle dédiée à la musique et à la danse, ainsi qu'une boutique (voir plus loin « Achats »).

|●| *Riverside Barbecue Restaurant* *(plan d'ensemble C2, 83)* : *Pakham Rd. Tlj 17h30-21h30.* Son barbecue *(hot pot)* et son buffet à volonté remportent

un franc succès, tant auprès des familles chinoises et thaïlandaises que des touristes. Il s'agit d'une plaque chauffante sur charbon de bois pour faire frire la viande et les fruits de mer, doublée d'un bassin circulaire dans lequel cuisent les légumes. Les serveurs gèrent les braises. Ambiance populaire et pleine de vie qui favorise les échanges.

Prix moyens (25 000-60 000 kips / 3-7,50 $)

|●| *Tamarind* (zoom E1, 85) : le long de la rivière Nam Khan. ☎ 21-31-28. 📱 020-777-704-84. Tlj sauf dim 11h-16h, 17h30-21h. Résa fortement conseillée. Ts les ven, barbecue laotien de poissons. La jolie salle décorée de belles photos s'ouvre sur une agréable petite terrasse en surplomb de la rue, et le soir quelques tables sont même installées au-dessus de la rivière. Dans l'assiette, cuisine lao par excellence. Grande spécialité : le *lao BBQ fish feast*... Ne vous privez pas d'un délicieux dessert : riz gluant à la noix de coco, au sésame et à la banane, banana split yaourt et sauce tamarin... Comme boisson, on peut opter pour un jus au tamarin, à la cannelle, au jujube... Très bon service. Petit coin épicerie. On peut aussi participer à un cours de cuisine dans un lieu enchanteur, à la campagne, ou se faire accompagner pour une virée sur le marché.

|●| *Café Toui* (zoom E1, 84) : Ban Xieng Mouane, Watthana Rd. 📱 020-5657-67-63. Tlj 10h-22h. Une petite salle prolongée par une terrasse couverte et réhaussée par des plantes vertes et une déco nature. Un cadre reposant donc pour une cuisine parfumée, dans la tradition : *laap*, curry, *mok pa* (poisson à la vapeur) et quelques plats végétariens. Pour patienter, on vous apporte des *khaiphaen*, l'occasion de goûter aux fameuses algues du Mékong saupoudrées de sésame, que les autres restos font payer. Service souriant.

|●| *Rosella Fusion* (zoom F1, 80) : au bord de la Nam Khan River. ☎ 020-7777-57-53. Tlj sauf dim 10h30-22h30.

Superbe cadre paisible, verdoyant et ombragé pour une cuisine lao de grande qualité, servie généreusement. Quelques spécialités : le *tom yum pa* au poisson (bouillon parfumé à souhait), le *mok pa* (poisson à la vapeur), et surtout le *muu pad sikai,* porc à la citronnelle, poivre et basilic aux légumes de saison. Le tout, sans ajout de glutamate. Service jeune, vraiment sympathique et un remarquable rapport qualité-prix (cuisine occidentale plus chère). En prime, terrasse surplombant la rivière.

|●| *Bamboo Tree* (zoom E1, 86) : Ban Wat Sene, Sakkarine Rd et Kingkitsarath Rd. ☎ 25-37-47. Tlj 9h-22h. 2 salles, l'une au bord de la rue principale, l'autre, juste en contrebas, face à la Nam Khan, plus paisible. Dans les deux cas, même cuisine goûteuse et joliment présentée qui décline quelques recettes originales : les aubergines à la noix de coco et la salade de poulet épicée et riz frit côtoient le traditionnel *mok pa*. Pour un éventail plus complet, on choisit un plateau de dégustation.

|●| *Café Ban Vat Sene* (zoom E1, 87) : Ban Wat Sene, Sakkarine Rd. ☎ 25-24-82. Tlj 6h30-22h30. Même maison que *L'Éléphant* (voir plus loin), donc prestations et déco soignées (peintures, beaux objets, mobilier tressé), dans une vénérable maison coloniale rénovée. Carte de snacks, quiches, tartes salées et de petits plats laotiens bien tournés, propres à quelques minorités ethniques (intéressant). Terrasse sympa. On aime aussi venir prendre son petit déj pour savourer de vrais croissants. Pas donné, mais si bon...

|●| *Coconut Garden* (zoom D2, 9) : Sisavang Vong Rd. ☎ 26-04-36. Une escale qui fait le plein tous les jours en saison. On peut s'installer dans une cour donnant sur la rue, à l'intérieur, ou encore au jardin de l'autre côté. Dans l'assiette, plats lao, thaïs et européens de bonne facture et bien présentés. Bambou farci au porc et aux herbes cuit à la vapeur puis frit, mets cuits dans une feuille de bananier, *phó* vietnamien, pâtes, quiches et pizzas. Desserts goûteux également. *Lounge bar.* Une affaire qui roule, mêmes proprios que *L'Éléphant*.

LE LAOS

|●| *Tamnak Lao* (zoom E1, **88**) : *Ban Wat Sene, Sakkarine Rd.* ☎ 25-25-25. *Tlj 10h-22h.* Au bout de la presqu'île, dans un coin plus animé en journée que le soir, on s'installe en terrasse au bord de la rue ou au balcon pour choisir des plats typiquement laos parmi une carte longue comme le Mékong. Avantage : chaque spécialité est expliquée avec les ingrédients qui la composent... ça aide. Les assiettes arrivent ensuite, parfumées et à la présentation soignée. Le resto donne aussi des cours de cuisine.

|●| *Khaiphean* (zoom E1, **89**) : *Ban Xieng Mouane, Watthana Rd.* 🖺 030-515-52-21. *Tlj sauf dim 11h-21h30 (fermeture de la cuisine).* L'ONG *Friends-International* (● childsafe-international. org ●) permet à des jeunes défavorisés de se former aux métiers de la restauration. Chaque élève fait équipe avec un prof et doit, avant tout, dépasser la barrière de la langue. Ils proposent à la carte des tapas et quelques plats, parfois originaux, mais demander les *specials* du mois, un peu moins chers. Bon, créatif, le tout dans un cadre agréable et coloré. Petit coin boutique également.

|●| *Casa Lao* (zoom D-E2, **90**) : *Ban Xieng Mouane, Sisavangvong Rd.* 🖺 020-228-412-64. *Tlj 11h-23h.* Des tapas ! Au Laos ? Il y avait un créneau à prendre, et c'est (bien) fait. Des *laap*, des *dips*, des *wraps* (en feuille de banane), et zou, ça fait un bon petit cale-dent local dans le fond et occidental dans l'idée. Pas de quoi nourrir un éléphant, mais on se fait gentiment plaisir au palais. Agrémenté d'une agréable terrasse sur rue, avec sièges en rotin, une salle en longueur avec mezzanine, adorablement décorée, et on se dit alors : *pura vida* !

|●| *Luang Prabang Kitchen* (zoom E1, **91**) : *Sakkarine Rd.* ☎ 26-06-86. *Tlj midi et soir jusqu'à 22h30.* Peut flirter avec la catégorie « Chic ». Légèrement en contrebas, une grande et vénérable demeure de 1854. Salle ouverte, bien ventilée à la déco dépouillée. Cuisine lao typique élaborée avec sérieux : *tom yam seafood, phapet* (porc, poulet, bœuf sauce noix de coco, oignons, aubergine, maïs, citronnelle), filet de poisson vapeur au citron... Sauces maison parfumées à souhait. Également pâtes et pizzas. Belle carte des vins.

|●| *Pak Houay Mixay Restaurant* (zoom E1, **92**) : *Ban Xieng Mouane, Sothikhoummane.* ☎ 21-22-60. Un resto traditionnel dans une maison en bois et bambou ouverte sur les côtés, pas très intimiste. Quelques spécialités : le curry de poisson aux chanterelles, l'*olam* (ragoût aux légumes), la traditionnelle saucisse de porc de Luang Prabang (c'est le moment ou jamais de la goûter !).

Chic (60 000-100 000 kips / 7,50-12,50 $)

|●| *Tangor* (zoom D2, **93**) : *63, rue Sisavang Vong.* ☎ 26-07-61. 🖺 020-956-072-62. *Tlj 11h-23h.* Cadre cosy et lumière tamisée, de beaux tableaux ornent les murs. Les citations de Baudelaire et de Hemingway sur le vin expriment la philosophie des lieux. Dans ce resto tenu par Thibault et Marie, deux Français, on découvre une cuisine créative, élaborée à base de bons produits et joliment présentée. Carte plutôt courte, mais qui change régulièrement. Pour couronner le tout, bande-son sympa et agréable terrasse.

|●| *Dyen Sabai* (zoom E2, **94**) : *de l'autre côté de la rivière Nam Khan.* ☎ 41-01-85. 🖺 020-551-048-17. On traverse la rivière par le frêle pont de bambou (payant : 5 000 kips). À la saison des pluies, le pont n'existant plus, on traverse en barque (traversée gratuite), ou l'on fait le tour par le vieux pont. *Tlj 8h-23h (saison humide 12h-23h).* Happy hours *12h-19h.* Les tables sont installées en surplomb de l'eau, sur des terrasses sur pilotis, au milieu des bambous. À la carte, une excellente cuisine asiatico-occidentale, des combinaisons de saveurs originales, de beaux légumes, un choix étendu de mets. On s'y sent vraiment bien. C'est d'ailleurs un des rares endroits où se retrouvent les jeunes Laotiens. Petite boutique, jolis éclairages le soir et atmosphère extra. Il faut aussi souligner l'accueil adorable de Nathalie, une Québécoise tombée en amour avec le Laos. Une de nos meilleures adresses. À propos, ne pas oublier de plonger dans la « *pistoche* » de Nathalie (voir plus loin).

I●I *The Belle Rive Terrace (zoom E1, 72) :* 99, Ban Phon Heuang. ☎ 26-07-33. *Tlj midi et soir jusqu'à 22h30.* Une des plus belles terrasses, au bord du Mékong. Abondamment fleurie, tables bien séparées (avec parasol). Atmosphère un peu chic. Cuisine sérieuse, avec une judicieuse utilisation des herbes (et modérée pour les piments). Carte assez courte avec quelques spécialités : le *sa pla* (poisson cuit aux herbes locales et citron vert), le *kaeng khiaw waan* (curry vert à la noix de coco, aubergine, citronnelle), *laab kai, steak lao*... Addition raisonnable.

Très chic
(plus de 100 000 kips / 12,50 $)

I●I *L'Éléphant (zoom E1, 95) :* Ban Wat Nong, Kounxoa Rd. ☎ 25-24-82. *À env 100 m du Mékong, en face du wat Nong Sikhounmuang. Tlj 7h-22h* (réserver). Plats 40 000-200 000 kips. L'adresse chic et réputée de Luang Prabang. Dans un bâtiment des années 1960, avec une agréable terrasse (surtout le soir) et une grande salle aérée. Décor sobre et élégant tout à la fois. Clientèle à dominante occidentale et pléthore de serveurs. Cuisine élaborée et fine. Carte essentiellement française et un menu dégustation laotien d'un excellent rapport qualité-prix !

Ban Aphai et autour de la rue Visounnarath
(plan d'ensemble D-E2-3)

Pour info, sachez que c'est du côté du quartier de Ban Aphai que l'animation se prolonge le plus, et donc que vous pourrez dîner le plus tard (service jusqu'à environ 23h).

Bon marché (moins de 25 000 kips / 3 $)

I●I *Mi Pet (enseigne jaune au cadre rouge, en bas ; plan d'ensemble D3, 96) :* Phamahapasam Rd, en face de l'Atsalin Restaurant. *Tlj sauf dim 9h30-23h30.* Tout est fait maison : les nouilles servies

en soupe ou *fried,* les raviolis et surtout les *salapao* (entre le beignet et la pâte à pain, farci au porc, cuit à la vapeur, disponible dès 15h). Une institution du quartier.

I●I *Atsalin Restaurant (plan d'ensemble D3, 97) :* Phamahapasam Rd. ☎ 296-15-55. *Tlj sauf dim 9h-22h.* Petit resto lao-chinois avec une salle à manger ouverte, très propre. Riz et nouilles aux crevettes et seiches, légumes sautés au wok, etc. À déguster sur place, en salle ou en terrasse.

I●I *Nangvong Noodle Shop (plan d'ensemble C3, 98) :* Phamahapasam Rd. *Tlj 7h-15h.* Dans un quartier habité par les Vietnamiens qui ont immigré au Laos dans les années 1970, ce petit resto est réputé pour sa soupe de nouilles au porc et au bœuf.

I●I *Boua Ban (plan d'ensemble D3, 99) :* Visounnarath Rd. *Lun-sam 10h-22h.* Là encore une adresse qui possède une bonne réputation dans le quartier et qui, en plus de la cuisine lao traditionnelle, propose quelques plats thaïs.

I●I 🏵 *Ton Teuy (hors plan d'ensemble par D4, 100) :* Photisan Rd. *Non loin de Ban Aphai (à une centaine de mètres après le cadre du plan d'ensemble). L'un-sam 10h-22h.* Tenu par 3 sœurs, qui gèrent chacune une partie : resto, boulangerie et glacier. De l'entrée au dessert, on commande à chacun des comptoirs avant de s'installer en terrasse. C'est la cantine des salariés du coin. Très propre (la cuisine se fait avec des gants !), on y mange une assiette de poulet, canard ou porc au riz, à moins d'opter pour un sandwich à la boulangerie (pour un pique-nique, par exemple), et on conclut par une glace maison au lychee, au pandanus ou au fruit de la passion. Bons jus de fruits également.

I●I *Hot Pot (plan d'ensemble D3, 101) :* Visounnarath Rd, repérer la terrasse recouverte de bâches. *Le soir, 18h-22h en principe.* L'adresse ne paie pas de mine mais les Laotiens y apprécient le *hot pot* aux coquilles Saint-Jacques et aux moules.

Prix moyens (25 000-60 000 kips / 3-7,50 $)

I●I *Lao Lao Garden (plan d'ensemble D2, 102) :* Phousi Rd, Ban Aphai.

LE LAOS

Tlj 8h-23h30. Un des restos préférés des jeunes Européens pour son cadre coloré, ses recoins tamisés, la végétation entre les tables (presque toutes en plein air) et son barbecue. Grand choix à la carte, du sandwich au poisson-chat, mais le service est très lent. Pour boire un verre, plusieurs bars ; *happy hours* à partir de 16h jusqu'à la fermeture. Billard, musique forte et souvent blindé (c'est d'ailleurs parfois un peu l'usine).

|●| ⍰ **The House** *(plan d'ensemble D2, 102)* : Phousi Rd, Ban Aphai. Tlj sauf mar 17h-23h. Un resto belge ? Ça existe ! Le proprio, originaire du plat pays, est chaleureux, et l'atmosphère du resto est à son image ; service très aimable, et feu dehors le soir au milieu des tables, au-dessus desquelles se balancent de jolies lanternes. Les amateurs de blondes et de brunes seront à la fête : *Maredsous, Chimay, Duvel...* Quant au resto, il y en a pour tous les goûts : *stoofvlees* (carbonade de bœuf à la bière... plus cher), porc sauce moutarde de Dijon, curry lao ou saucisse de Luang Prabang, pâtes, pizzas et glaces maison. Et si le cœur vous en dit, vous pourrez vous lancer dans une partie de pétanque (avant les bières, c'est mieux !). Quelques tables en terrasse.

Plus loin, au sud de la ville

Chic (60 000-100 000 kips / 7,50-12,50 $)

|●| **Manda de Laos** *(plan d'ensemble B3, 104)* : près de la Maison Dalabua *(voir « Où dormir ? »)*. Tlj midi et soir. Dans la partie basse de la fourchette. Une adresse un peu excentrée,

qui vaut le détour, tant pour le cadre que pour la cuisine. Tables joliment dressées face à un étang scintillant de bougies la nuit, hors du temps et des années qui passent. Atmosphère raffinée et intimiste qui n'a rien de guindé. On y savoure une cuisine goûteuse, fusion et joliment présentée. Entre autres spécialités, le bambou farci au porc *(eua nor mai pork)*. Accueil et service très à la hauteur.

|●| **Restaurant de la Résidence Phou Vao** *(hors plan d'ensemble par B4, 103)* : au sud de la ville, au bout de la rue Kaisone (Phou Vao). ☎ 21-25-30. Résa impérative. Tlj 11h30-15h, 18h-22h. L'une des meilleures tables de la ville. Vaut surtout en soirée, pour un tête-à-tête en amoureux ou un excellent repas entre amis. Cuisine lao-franco-méditerranéenne de haute volée, absolument délicieuse. Saveurs inédites, présentations impeccables, le chef s'amuse et aiguise les papilles de ses convives. Cadre intérieur sobre et élégant. Mais on vient surtout pour la terrasse, au bord de la piscine, illuminée de ses multiples lucioles, avec, en toile de fond surréaliste, le mont Phousi et ses temples, semblant flotter au loin. Service aux petits soins.

|●| 🏠 **Ock Pop Tock** *(hors plan d'ensemble par A4, 105)* : juste après le marché Phousi, tourner dans le chemin à droite. ☎ 21-25-97. Délicieuse cuisine servie sur une grande terrasse en bois offrant une vue exceptionnelle sur le Mékong et les montagnes. Le complexe abrite également un atelier de confection (voir plus loin la rubrique « Achats »), une boutique, ainsi qu'un petit hôtel de 4 chambres pour l'instant *(60-115 $)*, dont 2 avec un balcon donnant sur le fleuve.

Où prendre le petit déjeuner ? Où boire un thé ?

🍵 **Café Ban Vat Sene** *(zoom E1, 87)* : Ban Wat Sene, Sakkarine Rd. ☎ 25-24-82. Tlj 6h30-22h. Voir « Où manger ? » plus haut. Excellentes formules très complètes, à déguster en lisant quelques journaux ou en pianotant sur son portable. Croissants, muffins, délicieux pain perdu, tatin à la banane, tartelette à la noix de coco, etc.

🍵 **The Scandinavian Bakery** *(zoom E1, 111)* : Sakkarine Rd. ☎ 25-22-23. Tlj 6h-22h. Grand choix de pâtisseries et gâteaux secs. Également, burgers, pizzas, pâtes... Produits frais. Le rendez-vous des routards anglophones. Quelques tables en terrasse.

🍵 **L'Étranger, Books and Tea** *(plan d'ensemble D2, 112)* : Phousi Rd, Ban

(texte dans la marge gauche verticale) **LE LAOS**

Aphai. Lun-sam 7h-22h, dim 10h-22h. Une librairie où l'on peut boire un verre. Au 1er étage, il y a même des fauteuils pour profiter du film du soir (projection à 19h). Bon petit déj dans un lieu agréable. L'endroit accueille aussi la boutique *Kopnoi* (voir plus loin « Achats »).

🍴 *Le Banneton (zoom F1, 110) :* 03/46, Sakkarine Rd. Tlj 6h30-20h30 (18h mar). Cadre patiné, grands volets en bois, vieilles photos. Viennoiseries, salades, sandwichs et bon jus d'orange. Quelques tables en terrasse. Tout de même pas donné.

🍴 *Croissant d'Or (zoom D-E2, 113) :* 102, Sisavang Vong Rd, face à la Banque Franco-Lao. ☎ 21-25-55. Tlj sauf mar 7h-21h. Pour déguster de bons croissants et pains au chocolat, ainsi que des gâteaux qui fondent dans la bouche.

🍴 *Mekong Fish (zoom E1, 81) :* voir « Où manger ? ». Idéal pour prendre le petit déj, au bord du Mékong !

Où boire un verre ? Où sortir ? Où voir un spectacle ?

Bars

🍽️ 🍴 *Utopia (plan d'ensemble E3, 120) :* Kingkitsarath Rd, Ban Aphai. ☎ 020-238-817-71. Tlj 8h-23h30. Noyé dans une orgie de plantes tropicales, avec un super *river view deck* dominant la placide Nam Khan (matelas et coussins pour descendre une vieille *Lao* dans une béatitude totale). Et pour les autres contemplatifs, sous la grande paillote, d'autres coins tout aussi relax, environnés d'une collection éclectique d'objets parfois difficilement identifiables. Peu de sièges, on est obligé de s'allonger ! Certains en profiteront pour suivre les cours de yoga. Pour les plus sportifs, sur le côté, un vrai terrain de beach-volley avec des matchs d'enfer très suivis... Et le convivial bar servant des cocktails extra dans une atmosphère tellurique. Bonne cuisine en prime : sandwichs, snacks, *steak and chips, thai green curry,* pizza au feu de bois et le célèbre *hungry cyclist burger...* Une adresse où tout le monde va, tôt ou tard.

🍽️ *Lao Lao Garden (plan d'ensemble D2, 102) :* voir « Où manger ? ».

🍽️ *Viewpoint Café (zoom F1, 121) :* au bout de la péninsule. Tlj 7h-22h. Le café du *Mekong Riverview Hotel.* Ombragé par des cocotiers, une terrasse qui surplombe la confluence de la Nam Khan et du Mékong. Atmosphère paisible et belle vue. Parfait pour une pause en journée. Bien entendu, on paie le cadre... Fait aussi resto.

🍴 🍽️ *Indigo House (plan d'ensemble C2, 48) :* rue Sisavang Vong. Voir « Où dormir ? ». Tlj 6h30-22h. Immanquable au début de la rue commerçante. On craque pour la terrasse du 3e étage qui vaut le coup d'œil (attention, elle ferme à 21h). On commande un verre en bas qu'on monte pour profiter de l'animation de la rue, perché sur un haut tabouret ou pour se la jouer farniente, allongé sur les nattes. Au rez-de-chaussée, plats ou snacks internationaux et étals de gâteaux sur le trottoir pour séduire le chaland.

Discothèques

🕺 *Dao Fa (hors plan d'ensemble par A4, 122) :* à 3 km du centre-ville, sur la N13, près du shopping mall. Les taxis connaissent. Ferme vers 0h30. Entrée gratuite. Jeunes Laotiens et étrangers s'y trémoussent joyeusement. Musique thaïe, laotienne (en live) et occidentale. À noter également dans le même secteur *U Pub* et *Heart Beat.*

🕺 *Muang Swa (hors plan d'ensemble par B4, 123) :* Phou Vao Rd. Tlj jusqu'à 23h30. Entrée gratuite. Le dancing à la laotienne. Ambiance joviale et sympa.

Spectacles

🎭 *Royal Ballet Theater (Théâtre Phalak Phalam ; zoom D2, 124) :* dans l'ancien Palais royal. ☎ 25-37-05. ● phralakphralam.com ● Lun, mer, ven et sam à 18h. Entrée : 100 000-150 000 kips selon emplacement.

Billets en vente au guichet d'entrée du Palais royal. Durée : 1-2h selon spectacle. Petite buvette. Des spectacles de danses traditionnelles représentant des scènes du *Râmâyana.* On y va aussi pour le petit côté kitsch et amateur.

Les marchés

⚜ **Marché Phosi** *(hors plan d'ensemble par A4, 140) : à 1,5 km env au sud-ouest de la ville. Y aller en* tuk-tuk. C'est le plus intéressant. Grand marché de produits frais. Derrière le bâtiment qui déborde de stands de fringues, aller découvrir les petits étals d'alimentation. On y trouve à peu près tout ce qui se mange au Laos, c'est dire... De la sauce au piment confit, des algues du Mékong à faire frire, etc.

⚜ **Marché de nuit artisanal** *(plan d'ensemble C2, 141) : sur Sisavang Vong Rd, le soir, à partir de 16h30 et jusqu'à 21h30-22h.* **Devrait déménager fin 2018, début 2019** *sur le terrain vague (ancien stade ; plan d'ensemble B4).* Toute la rue est envahie de sacs, vêtements et pièces de tissu à motifs traditionnels, mais aussi d'objets et de papeterie de moins en moins *made in Laos,* de plus en plus *in China* ou Vietnam. Autre précision : malgré ce que prétendent les vendeurs, on ne trouve pas de bijoux en argent pur, mais uniquement en alliage.

⚜ **Marché du matin** *(plan d'ensemble C2, 142) : autour du wat Maï et dans le quartier de Ban Pakham, tlj 6h-12h.* Légumes, poissons, viande, thé, quelques sacs et vêtements. Les lève-(très) tôt ne manqueront de venir voir les commerçants installer leurs étals dès 5h30, alors qu'il fait encore nuit, pour savourer une atmosphère unique à la fois paisible et affairée, à la lueur de quelques faibles loupiotes.

Achats

⚜ **Ock Pop Tok** *(zoom E1, 144) : Sakkarine Rd, près de l'hôtel* 3 Nagas, *de part et d'autre de la rue.* ☎ 25-32-19. ● ockpoptok.com ● *Tlj 8h-20h.* Lorsqu'une Laotienne et une Britannique décident de travailler ensemble, cela donne *Ock Pop Tok* (« l'Est rencontre l'Ouest »). Aujourd'hui, 400 femmes des villages alentour sont employées dans l'entreprise textile selon les principes du commerce équitable. Dans les 2 boutiques du centre-ville, on trouve principalement des tissus et de la confection en soie, mais aussi en coton. Très bonne qualité et... très cher. Ne pas manquer non plus la visite de l'atelier – un peu excentré – avec restauration sur place dans un environnement enchanteur (voir plus haut « Où manger ? Plus loin, au sud de la ville ») ; départs gratuits de la boutique plusieurs fois par jour, de 9h à 15h. En s'organisant à l'avance, on peut aussi participer à d'intéressants ateliers (teinture naturelle, tissage au métier à tisser ou vannerie).

⚜ **Orange Tree** *(zoom E1, 143) : house n° 67, Ban Wat Nong, le long du quai du Mékong. En principe, tlj sauf dim 10h-18h... quand le patron n'est pas fatigué !* Un humour qu'on retrouve dans les objets détournés à vendre dans sa jolie boutique. Bric-à-brac chic et sympa. Pas mal d'objets début XXᵉ s, et de l'artisanat équitable.

⚜ **Phothisak Rattanakone** *(zoom D1, 145) : 4, Ban Xieng Mouane, dans la rue qui longe le Mékong.* ☎ 21-26-54. *Tlj 8h-19h.* L'un des meilleurs bijoutiers de Luang Prabang. Son père a façonné la couronne du roi. Une visite à son atelier s'impose, ne serait-ce que pour le voir travailler. Ses prix sont relativement élevés, mais on comprend une fois qu'on l'a vu à l'œuvre.

⚜ **Kopnoi** *(plan d'ensemble D2, 112) : Phousi Rd, Ban Aphai.* ● kopnoi.com ● *Lun-sam 7h-22h, dim 10h-22h. Même local que l'Étranger (voir plus haut, « Où prendre le petit déjeuner ?... »).* Contemporain, design laotien, meubles, tissus, vêtements, objets d'art, petits cadeaux. Assez cher là aussi, mais de grande qualité. Expos temporaires à l'étage.

⚜ **Papier artisanal** *(zoom F1, 146) : SA Handicraft Shop, derrière le wat Xieng Thong. Tlj jusqu'à 19h env.* Une échoppe qui ne paie pas de mine, où l'on trouve des petits souvenirs en papier de mûrier à rapporter : carnets, lampes, feuilles...

⚜ **Artisans Café** (zoom D2, **82**) : Ban Choum Khong. ☎ 020-555-711-25. Tlj sauf dim 9h-18h. La boutique se fournit auprès de 3 communautés villageoises au nord de Luang Prabang, qui confectionnent un très bel artisanat textile : quelques vêtements, mais surtout des coussins, écharpes, nappes et serviettes, à partir d'un coton de bonne qualité. Ne pas manquer d'aller jeter un œil à l'étage de la vénérable demeure en bois. Il abrite l'association culturelle **Puang Champa** qui s'est donné pour mission de préserver et transmettre les arts du spectacle laotiens (musique et danse). Ses membres se sont déjà produits plusieurs fois en France.

⚜ On peut aussi trouver des piastres de commerce, monnaie d'argent de l'Indochine française, chez les **bijoutiers du marché central.** Celles qui ont été frappées entre 1890 et 1910 ont un titrage en argent supérieur à celles émises dans les années 1920. Attention, cela a bien entendu suscité une petite industrie du faux (donc, ne pas les payer trop cher).

⚜ Pas mal de **magasins d'antiquités,** notamment dans la rue Sisavang Vong : vieux tissus, poids et balances à opium, pipes, etc. On ne saurait trop vous recommander d'être prudent, d'abord parce qu'une arnaque est toujours possible, et surtout parce que certains de ces objets sont des pièces uniques du patrimoine laotien et doivent le rester.

À voir. À faire

Dans le centre historique, autour de Sisavang Vong (plan d'ensemble C-D2, C3 et zoom)

LE LAOS

L'entrée de la plupart des grands temples est fixée à 20 000 kips. D'autres, de moindre importance, sont gratuits. Se promener dans le jardin entourant le temple est généralement gratuit.

🎋🎋 **L'ascension du mont Phousi** (plan d'ensemble D2) : accès soit par les escaliers situés dans la Sisavang Vong Rd, face à l'ancien Palais royal, soit par la Phousi Rd, côté Nam Khan. Le mieux consiste à monter d'un côté et redescendre par l'autre. Entrée : 20 000 kips/pers.

Nous conseillons de commencer la visite de Luang Prabang par l'ascension du Phousi pour jouir depuis son sommet d'une belle vue sur la ville. Les temples sont malheureusement cachés par les arbres, mais on bénéficie tout de même d'un joli panorama sur le Mékong. Le meilleur moment pour y monter est la tombée de la nuit, lorsque le ciel rougeoie encore. Vous n'y serez, en revanche, pas tout seul.

– En arrivant côté Sisavang Vong (accès le plus court), on prend les billets au pied des marches, juste avant de démarrer l'ascension. Sur la droite se trouve le wat Pa Houak, temple de petite taille très ancien, dont la façade comporte de belles sculptures en bois. Il renferme d'anciens manuscrits sacrés que l'on peut demander à voir si l'on a la chance de rencontrer le gardien. À mi-chemin, on peut faire halte sur une terrasse plantée d'un banian qui incarne l'arbre de l'Illumination.

– Si on choisit l'ascension côté Phousi Road, affutez vos mollets : l'escalier comporte 328 marches. Bon, pas trop difficile quand même. On passe devant le wat Tham Phousi (on en parle plus loin), avant de prendre ses billets à mi-parcours. Le chemin est jalonné de statues du Bouddha, chacune associée à un jour. Voir aussi l'empreinte du pied du Bouddha.

– C'est au sommet du Phousi, au milieu d'un petit chaos de rochers, qu'est planté le that wat Chomsi, stûpa de 20 m de hauteur, érigé sur une pyramide à trois gradins. Construit au début du XIXe s, il a été restauré au temps du protectorat. Il est surmonté d'une fine flèche dorée que l'on aperçoit de loin. Le *that wat Chomsi* est le point de départ d'une procession aux flambeaux, qui a lieu au moment du Nouvel an laotien. Côté vue, vers l'est, tout doré sur son fond de verdure, on aperçoit le *wat Pa Phone Phao* (temple de la Méditation). Il était entouré de sanctuaires et de temples. Aujourd'hui, il n'en reste que cinq.

Royal Palace Museum *(l'ancien Palais royal et le musée ; zoom D2) :* *entrée par la Sisavang Vong Rd. Tlj 8h-11h30, 13h30-16h ; dernier billet 30 mn avt fermeture. Entrée : 30 000 kips. Photos interdites. Tenue correcte exigée, pantalon et bras couverts (sinon, on vous prête une chemise pour quelques kips). Consigne gratuite pour les sacs et appareils photo (interdits dans l'enceinte).*

– Dans l'enceinte, sur la droite, se trouve **le temple qui abrite le bouddha d'Or** (GRATUIT). Pour les Laotiens, l'ancien Palais royal est moins important que le bouddha d'Or (*Phabang* ou *Prabang*), sous la protection duquel le Laos est encore aujourd'hui très officiellement placé. La statue pèse 50 kg et mesure 83 cm de hauteur. D'après la légende, elle aurait été coulée à Ceylan au début de l'ère chrétienne et aurait été offerte à Fa Ngum, fondateur du Lane Xang, par le roi khmer Phaya Sirichantha. Selon les mauvaises langues, la statue que l'on voit au cours de la visite n'est qu'une copie ; le vrai bouddha se trouverait quelque part en lieu sûr à Vientiane. Cette version est d'autant plus crédible que le peuple a la hantise de se faire voler une nouvelle fois ce bouddha par les Thaïlandais, comme ce fut déjà le cas au XVIIIe s. La statue est entourée de tambours en bronze pour la guerre, et pour amener la pluie, ainsi que de défenses d'éléphant sculptées et de paravents brodés par la reine. Grande débauche de sculptures et ciselages dorés.

– **À l'entrée du parc,** sur la gauche, une statue du roi Sisavang Vong, réplique de celle qui se trouve à Vientiane, rappelle que celui qui régna au moment de l'indépendance du pays fut l'artisan de la réunification.

La visite

Le palais fut construit en 1904, sous le protectorat français.

– La **première salle** est celle dite **du Protocole.** Le trône du moine suprême est à l'avant-plan, devant celui du roi, pour rappeler que le chef religieux était le personnage le plus important du royaume. De très beaux bouddhas datant des XVIIe et XVIIIe s sont exposés dans des vitrines. Ils proviennent tous des temples et des monuments de Luang Prabang aujourd'hui détruits.

– **Salle de réception du roi :** à droite de l'entrée. Elle est décorée de magnifiques peintures sur toiles de style Art déco, réalisées en 1930 par Alix de Fautereau, une artiste française. Les panneaux représentent des scènes colorées de la vie villageoise laotienne aux différentes heures de la journée. La peinture la plus représentative est une scène de marché dans laquelle on reconnaît les différentes minorités à leurs habits. Les Hmong sont en noir, portant des paniers dans le dos. Les Akha sont debout à droite et les Laos sont accroupis. Deux panneaux sculptés et dorés retracent l'épopée du *Râmâyana.*

– **Couloir des tambours de bronze :** ils datent de 600 à 1 000 ans et étaient destinés à rassembler les soldats pour la guerre, et à amener la pluie. Plusieurs sont d'ailleurs décorés de grenouilles, qui symbolisent la mousson (vie, fertilité, prospérité).

– Derrière la salle du Protocole, la **salle du Trône** a été richement décorée en 1960 avec de magnifiques motifs en mosaïque de verre représentant la vie quotidienne et l'histoire du Laos. Le trône est en bois doré à la feuille. Le dernier roi, Sisavang Vathana, ne s'y serait jamais assis car il n'aurait jamais été couronné. C'est du moins ce que dit l'histoire officielle... Impossible de tout décrire. Apprécier le coffre-fort, près du trône. Belle collection de sabres. Vitrine centrale, ravissantes statuettes du XIXe s. Toutes celles des siècles précédents ont été volées par les Pavillons noirs. Bouddhas en cristal de roche des XVe et XVIe s, qu'on trouva à l'intérieur de la « Pastèque », le *that Mak Mo* (le « temple Pastèque »).

– *Salle de la bibliothèque du roi :* beaucoup de livres concernant la politique chinoise. Manuscrits sur feuille de palme. Dans le couloir qui suit, sceaux royaux (ivoire et cuivre) et vieux billets. Costume de la reine en soie et richement orné.

– *Chambre à coucher de la reine,* suivie de celle *du roi.* Noter la grande sobriété du décor. Dans celle de la reine, un portrait de la dernière famille royale (en haut, le roi et la reine ; au deuxième rang, le fils décédé). Les quatre autres membres de la famille vivent en France.

– *Salle des instruments de musique :* plus une petite collection de masques et de vêtements de danseurs du *Râmâyana.* Coffres à manuscrits en feuilles de palme joliment décorés et travaillés.

DITES-LE AVEC DES FLEURS

Sisavang Vong n'avait rien moins que 15 femmes, qui toutes avaient leur propre demeure en ville. Il faisait appeler l'une ou l'autre au gré de son humeur. L'heureuse élue arrivait au palais avec un bouquet de fleurs de frangipanier blanches ou rouges, tenant lieu de code : fleurs rouges, elle était indisposée ; blanches, elle pouvait passer la nuit avec lui.

– Dans la *salle de réception de la reine,* peinture en pied du dernier roi Sisavang Vong réalisée en 1967 par une artiste russe. D'autres peintures représentent son fils et la reine Khamphouy.

– Dans la *salle de réception du secrétaire du roi* sont exposés les cadeaux offerts aux souverains par les chefs d'État et gouvernements étrangers. Remarquer la somptueuse argenterie birmane et cambodgienne, le magnifique nécessaire de bureau thaïlandais, un boomerang aborigène, la belle porcelaine japonaise, le sac à main en rubis pour la reine et... les pin's russes ! On peut voir également un morceau de pierre de lune offert par les Américains, à côté d'une maquette d'*Apollo 11,* exposés dans une vitrine.

Dans le parc, les semaines qui précèdent le Nouvel an laotien (mi-avril), des troupes de danseuses répètent en fin d'après-midi les spectacles qui seront donnés pour les festivités. Tout au fond du parc, sur la droite en se dirigeant vers le Mékong, des bâtiments renferment les cinq automobiles de l'ancien roi, dont une DS.

🎋 *Wat Choum Kong (zoom D1) :* remarquer les deux sculptures en granit d'inspiration chinoise, devant l'entrée. L'intérieur est décoré de fresques polychromes modernes de style naïf. Jardin avec statues du Bouddha, très apaisant.

🎋 *Wat Xieng Mouane (zoom D1) :* date de la fin du XIXe s. Façade avec fresques, portes et encadrements ciselés. Ce petit sanctuaire décoré de mosaïques de verre et de bouddhas d'or peints au pochoir contient de très belles statues dorées debout. Le bouddha central date de 1853. Noter ce petit bouddha de bronze, à gauche de l'autel, datant du XVIe s. Dans l'enceinte du temple, une école d'artisanat destinée aux jeunes bonzes et patronnée par l'Unesco, afin d'assurer la transmission des techniques traditionnelles de sculpture, peinture, pochoir, etc. Prière tous les jours à 17h30.

🎋 *Heuanchan Information Centre (Villa Xieng Mouane ; zoom D1-2) :* lun-ven 8h-12h, 13h-16h. Entrée : 50 000 kips. Un bel exemple de restauration d'une vaste demeure traditionnelle en bois, sur pilotis, princière de surcroît, au milieu d'un beau jardin. La structure, composée d'un bâtiment principal et d'un bâtiment mitoyen qui accueille la cuisine, a été conservée. À l'intérieur, expo photos, objets et plusieurs costumes traditionnels.

– Près de l'édifice, petit centre d'information avec quelques panneaux explicatifs en français, et à côté, un beau temple. Et sur le plan pratique, on trouve aussi un café, bien agréable.

🎋 *Wat Pa Phai (zoom E1) :* entrée noyée sous les bougainvillées. Belles fresques représentent des scènes villageoises sur la façade du sanctuaire.

LE LAOS

🐾 **Wat Sene Soukharam** *(zoom E1) : au bord de la Sisavang Vong Rd.* C'est le « temple des 100 000 trésors ». Construit en 1718 par le roi Kitsarath avec un toit à trois pans et 100 000 pierres du Mékong, rénové dans le style thaïlandais. Deux tigres en pierre gardent l'entrée du sanctuaire. Dans une petite chapelle sur le côté, un bouddha de 8 m, de facture moderne, dont la position des mains implore la pluie. À l'extérieur, on remarque deux belles pirogues de course, richement décorées au pochoir. Elles participent à la fameuse fête *Ho Khao Padap,* sur la rivière Nam Khan, en août-septembre. Enfin, on peut apercevoir, derrière les gongs, un char de cérémonie.

🐾 **Wat Xieng Thong** *(zoom F1) : presque au bout de la péninsule. Ouv 6h-18h. Entrée : 20 000 kips. Se couvrir les épaules et les genoux, sinon loc de jupes possible.*
Cet ensemble d'édifices sacrés de la « ville de l'arbre de l'Illumination » est le plus riche de Luang Prabang. Leur bon état de conservation tient au fait que depuis le XVIe s ils étaient placés sous la sauvegarde de la royauté. Le wat Xieng Thong a été construit en 1560 par le roi Setthathirat dans le but de commémorer la mémoire de Tao Chanthaphanith, un commerçant originaire de Vientiane qui, bien avant l'arrivée du roi Fa Ngum, avait été, d'après la légende, élu roi de Luang Prabang.
– Dans la partie ouest (côté Mékong) de l'enceinte se dresse la **chapelle du boud-dha couché,** aussi appelée la « chapelle rouge ». C'est un édifice élégant, orné de mosaïques de verre d'inspiration japonaise, datant de 1957, construit à l'occasion du 2 500e anniversaire du Bouddha. Il abrite un très ancien bouddha qui fut montré à Paris lors de l'Exposition coloniale de 1931. Les petits bouddhas sont des dons de villageois. Sur les murs, pochoirs à la feuille d'or, réalisés par les élèves de l'école des beaux-arts de Luang Prabang.
– Juste à côté, l'édifice principal, la **chapelle du bouddha sacré** (que l'on sort chaque année pour le Nouvel An). Ce sanctuaire est caractéristique de l'architecture de Luang Prabang, avec ses pans de toits qui descendent presque jusqu'au sol. Sur la façade arrière, on peut admirer la très belle mosaïque de verre représentant l'arbre de l'Illumination (l'arbre de la *bodhi*).
À l'intérieur, la décoration au pochoir doré sur fond noir raconte la légende de Tao Chanthaphanith. Au plafond est suspendue une longue gouttière en bois destinée à recevoir l'eau lustrale. Elle sert à asperger le grand bouddha sorti du temple à l'occasion du Nouvel An. À l'entrée, mur latéral de droite, représentation du paradis : on danse dans la maison céleste.
– Au fond de l'enceinte de la pagode, la **chapelle du char funéraire du roi** Sisavang Vong présente une façade décorée de bas-reliefs en bois doré, évoquant des scènes du *Râmâyana* lao. Construite en 1960, juste après la mort du souverain (en 1959), elle abrite un étrange char, haut d'une dizaine de mètres, monté sur des pneus (pour rouler) et sculpté de têtes de dragons. Ce char contient l'urne funéraire du roi la plus importante (sans ses cendres, déposées au That Luang).

🐾 **Wat Maï** *(plan d'ensemble D2) : au bord de Sisavang Vong Rd. Entrée du temple : 10 000 kips. Jardin en accès libre.* Construit entre la fin du XVIIIe et le début du XIXe s, ce très beau temple, également appelé *Banpakham*, était celui du patriarche suprême, que le régime appelle désormais le « président des moines » (l'ancien est mort après la révolution de 1975, à Bangkok). C'est là que le bouddha d'Or est exposé à la vénération des foules à l'occasion du Nouvel An. Le sanctuaire, rénové en 1970, est coiffé d'une toiture à cinq pans surmontée de trois parasols. Leur nombre augmente en fonction de l'importance sociale des donateurs. En façade, des bas-reliefs en ciment doré représentent des scènes de la vie rurale et de la vie quotidienne des Laotiens. On y voit les principaux animaux du pays : cerf, tigre, rhinocéros, éléphant.
À l'arrière du temple, sous un abri, l'immense pirogue (de 50 rameurs) est sortie au moment de la course sur la Nam Khan qui a lieu pendant la pleine lune d'août-septembre.

🕯 *Wat Hosian Voravihane* (*plan d'ensemble C2*) : *Chao Fa Ngum Rd.* C'est un temple imposant, richement décoré, datant du début du XXᵉ s. On y accède par des escaliers aux rampes moulées en forme de nagas. Sur la façade, des dessins naïfs évoquent la vie du Bouddha et les horreurs de la vie.

🕯 *Wat That* (*plan d'ensemble C2-3*) : *derrière le wat Hosian Voravihane*. Il a été reconstruit au début du XXᵉ s sur l'emplacement d'un ancien sanctuaire du XVIᵉ s. Beaux bas-reliefs en bois sculpté en façade.

🕯🕯 *Tak Bat* (*l'aumône des moines*) : dans la rue Sisavang Vong, au lever du soleil. L'aumône des moines, pratiquée depuis la nuit des temps, est aujourd'hui essentiellement tournée vers les bouddhistes étrangers (surtout thaïs et coréens). Ce qui n'empêche pas les visiteurs de tous horizons de s'y associer. Quant aux appareils photo qui crépitent, c'est un autre rituel auquel les moines ont dû s'adapter, parfois malgré des abus. Mais pour ne pas gêner la progression

> ## POURQUOI LES MOINES PORTENT-ILS UNE ROBE ORANGE SAFRAN ?
>
> *Selon les règles du « Vinaya » (le code monastique), la robe doit être teinte à l'aide d'une matière la moins onéreuse possible et facilement trouvable par un moine itinérant sans ressources. À l'époque du Bouddha, la teinte safran (ou d'autres tons proches de la terre) était la plus facile à se procurer.*

et la spiritualité du mouvement, il convient de garder une certaine distance en signe de respect (se mettre sur le trottoir d'en face, par exemple) ou participer en s'agenouillant auprès des autres donateurs en ayant prévu un bol de riz (et une cuillère) ou d'autres victuailles à acheter de préférence au marché du matin ou dans les échoppes alentour. Certains Laotiens perpétuent le rituel, en toute discrétion, dans les ruelles adjacentes. Sortir un appareil serait ici, en revanche, très mal venu. Autant se faire discret.

🕯🕯 *Coucher du soleil sur le Mékong* : *compter env 150 000 kips la pirogue pour 1h.* À négocier auprès des bateliers qui se tiennent sur la promenade au bord du fleuve et qui ne manquent pas d'alpaguer le chaland.

Ban Aphai et autour de la rue Visounnarath
(plan d'ensemble D-E2, D3-4)

🕯🕯 *Wat Tham Phousi* (*plan d'ensemble D-E2*) : *Phousi Rd, Ban Aphai.* Sorte de grotte qui abrite un bouddha en méditation. Les jeunes bonzes insisteront sûrement pour vous montrer cinq rochers, qui représentent la main du Bouddha, et, plus loin, un bloc de pierre informe qui serait son pied. De là, un petit chemin en direction du nord mène au *wat Pakhé,* temple du XVIIIᵉ s. Noter la porte dorée à gauche, où l'on voit, sculptés, deux personnages européens, des Hollandais, premiers visiteurs de Luang Prabang. À l'intérieur, fresques bien abîmées qui racontent la vie de l'époque. Devant, un vieux *wat* ruiné du XVIᵉ s.

🕯🕯 *Wat Visoun* (*plan d'ensemble D3*) : *Visounnarath Rd. Tlj 8h-18h. Entrée : 20 000 kips, valable pour le That Mak Mo et le wat Aham.* C'est le plus ancien temple de Luang Prabang. Il abritait le *Prabang* avant l'arrivée des Pavillons noirs. Son origine remonte au XVIᵉ s, mais il a été presque entièrement reconstruit en 1898. Il ne ressemble à aucun autre temple, avec ses fenêtres à balustres en bois inspirées du Vat Phou, temple khmer situé dans le sud du pays. L'intérieur contient un grand nombre de statues, dont une du Bouddha en méditation, ainsi que des stèles anciennes.

– *That Mak Mo* (*plan d'ensemble D3*) : *dans la même enceinte que le wat Visoun.* Stûpa de pierre édifié sur l'ordre de l'épouse du roi Visounnarath, en forme de pastèque (mais non, pas la femme du roi, le temple !). C'est là qu'on trouva les bouddhas de cristal de roche qu'on peut voir au Palais royal. Il n'est malheureusement ni restauré ni entretenu.

– **Wat Aham** (plan d'ensemble D3) : Phommathat Rd. Séparé du wat Visoun par un beau portique sur lequel veillent deux héros du Râmâyana.

🏃 🏃 **Traditional Arts & Ethnology Centre** (**TAEC** ; plan d'ensemble D2) : Ban Khamyong. ☎ 25-33-64. ● taeclaos.org ● Tlj sauf lun 9h-18h. Entrée : 25 000 kips. Petit fascicule en français. Ce petit musée privé, très bien fait et assez interactif, est consacré aux minorités du Nord-Laos : Akha, Hmong, Tai dam, Khamu (ethnie majoritaire à Luang Prabang)... On y découvre l'origine de chacun de ces peuples, leur habitat et leurs modes de subsistance d'hier et d'aujourd'hui. Vêtements, objets, photos, textes, vidéos... Notamment les coiffes particulièrement élaborées des Akha et les jupes plissées des Hmong. Régulièrement, une expo temporaire. Également un peu d'artisanat.

|●| Pour conclure, on peut se poser au Patio Café, pour un bon déjeuner ou un jus frais.

Au sud du centre historique

🏃 **Wat Manorom** (plan d'ensemble C4) : le sanctuaire contient la plus imposante statue du Bouddha en bronze du Laos. Elle date du XIVe s et atteint, paraît-il, les 3 t. Mais il est probable que personne ne l'ait jamais pesée.

🏃🏃 **Wat That Luang** (plan d'ensemble B3) : entrée payante. C'est le grand reliquaire de Luang Prabang, datant du début du XXe s, où reposent les cendres de Sisavang Vong et de sa famille.

🏃 **Wat Phabat Tay** (pagode vietnamienne ; plan d'ensemble A4) : entrée payante. La pagode, moderne, de style vietnamien, n'a pas grand intérêt. En revanche, on jouit d'un splendide panorama (surtout au coucher du soleil) des escaliers taillés dans la falaise qui domine le Mékong.

🏃 🏃 **La Pistoche** (hors plan d'ensemble par B4) : Ban Phong Pheng. ☎ 26-09-43. 🔲 020-596-612-04. Y aller en tuk-tuk. Tlj 10h-22h. Happy hours sur les cocktails 12h-19h. Entrée : 30 000 kips (même prix enfants et adultes) ; un dépôt (remboursable) de 50 000 kips donne droit à un crédit sur les consommations. Parking payant sur un terrain voisin (proprio différent). La seule piscine publique, dans un environnement sympa, gérée par l'équipe du Dyen Sabai (voir « Où manger ? »). Le complexe regroupe 4 piscines (2 grands bassins et 2 piscines pour enfants avec jeux d'eau), un solarium, des hamacs et chaises longues au cœur de la végétation... Bar convivial et bon resto. Excellents cocktails. Terrain de pétanque... Une majorité de touristes et d'expats, ainsi que des Laotiens le week-end : bonnes occasions de rencontres. Le seul endroit à Luang Prabang où l'on peut s'exposer en bikini.

De l'autre côté de la Nam Khan

🏃 **Balade :** une boucle sympa à faire le matin ou en fin de journée. Attention, les ponts de bambou disparaissent à la saison des pluies (ou lors de lâchers d'eau du barrage en amont). Compter environ 2-3h. Mode d'emploi : traverser le pont de bambou (zoom E2) qui enjambe la rivière (payant : 5 000 kips l'A/R ; ticket valable pour le retour par le même pont, sinon celui situé au bout de la péninsule – zoom F1 – coûte 10 000 kips). Suivre la route bitumée à gauche, juste au-dessus du resto Dyen Sabai (zoom E2, **94**). On traverse alors un paisible village, sans longer la rivière. Un peu plus loin, on parvient à la confluence de la Nam Khan et du Mékong. De là, poursuivre le chemin sur la droite pour rejoindre **Ban Xangkhong** *(hors plan d'ensemble par F1),* situé à 800 m environ. Un village tout en longueur, une véritable pépinière de tissage de soie et fabrication de papier traditionnel. On voit les artisans travailler sur leurs métiers à tisser. On peut acheter leur production, moins chère que dans le centre de Luang Prabang. Le long de la balade, quelques jolis temples et maisons traditionnelles. Pour revenir à Luang Prabang, retourner sur ses pas et emprunter le deuxième pont de bambou *(payant)* situé au bout de la péninsule. Bien entendu, la balade peut se faire dans l'autre sens.

Manifestations

– **Fête des pirogues** *(Ho Khao Padap)* **:** *au moment de la pleine lune d'août-sept.* Superbe course sur la Nam Khan à laquelle participent 17 pirogues, représentant chacune un temple. Elles sont propulsées par 50 rameurs.
– **Nouvel an Hmong** *(Kin tjieng)* **:** *10 j. à la nouvelle lune de déc ou janv, à Ban Khoua Thii Nung, un village aux portes de Luang Prabang, 200 m après la gare du sud (hors plan d'ensemble par D4).* Y aller en tuk-tuk. Les participants arborent leurs costumes traditionnels, les jeunes jouent au *katow* (balle en osier). C'est aussi l'occasion pour filles et garçons de lier connaissance et peut-être de s'engager, bref, comme dans toutes les fêtes du monde.

DANS LES ENVIRONS DE LUANG PRABANG

Excursions

LE LAOS

Il vous suffira bien souvent de traîner près du Mékong, à hauteur de la rue Kitsarath Setthathirat *(plan d'ensemble C2),* ou encore de vous rendre au terminus des pick-up jouxtant le marché nocturne artisanal *(plan d'ensemble C2, 141)* pour vous voir proposer un guide et un moyen de transport pour les différents sites. Si vous êtes seul, passer par une agence se révélera plus économique. Enfin, si vous n'avez qu'une journée pour visiter les environs, privilégiez Pak Ou et les chutes de Kouang Si.

En bateau

La rive droite du Mékong

À peine débarqué de l'autre côté du fleuve, on se retrouve en pleine campagne, dans un environnement paisible et peu touristique. Autre atout : la succession ininterrompue de petits villages qui s'étirent sur près de 2 km en surplomb du Mékong est jalonnée de beaux temples, chacun avec ses attraits particuliers. On croise moines et moinillons, des femmes qui tiennent de petites échoppes... Une balade vraiment agréable pour se mettre au vert et au calme à seulement quelques encablures de Luang Prabang.

➤ **Pour s'y rendre :** la solution la plus économique consiste à prendre le **ferry** *(zoom D1, 26).* Embarquement devant l'ancien Palais royal. Il arrive au village de Xieng Men *(plan d'ensemble C1).* Compter 5 000 kips par personne (prix fixe) ; 10 000 kips avec un vélo. Sinon, s'adresser à l'un des nombreux propriétaires de barques, au même endroit. On les trouve aussi au départ des bateaux pour Pak Ou *(zoom E1, 28).* Il suffit de demander aux bateliers de faire la traversée. Dans ce cas, il faut négocier *(sur la base de 5 000 kips/pers).* On trouve sans problème des bateaux pour le retour.

➤ Du débarcadère, monter vers **Ban Xieng Men,** puis prendre le 1er chemin à droite, parallèle au fleuve, et traverser le pont de bois. On débouche sur une venelle bétonnée (par l'Agence française de développement) qu'on emprunte jusqu'au pied du Wat Chomphet. Ensuite, un sentier à travers la forêt mène au wat Long Khoun et à la grotte sacrée de Sakharind. Compter environ 2 km de bout en bout.

🏯 ***Wat Xiengmene Saiyasetharam :*** *1er temple sur la gauche, à env 10 mn du débarcadère. Entrée : 10 000 kips. S'il est fermé, demander les clés à la maison d'en face.* Ensemble monastique avec un temple du XVIe s restauré, un peu poussiéreux, mais non dénué d'attraits : portes sculptées, beau plafond peint et colonnes dorées à la feuille d'or.

🏯 ***Wat Chomphet :*** *à env 5 mn à pied du wat Xiengmene, au sommet de la colline Phouphet. Pour y accéder, une belle grimpette d'une centaine de hautes marches. Droit d'entrée : 10 000 kips.* Datant de 1888, le temple mêle l'art chinois et thaï, mais il est bien décrépit. Il a servi d'observatoire militaire pendant de nombreuses années. Et pour cause, l'emplacement est stratégique : belle vue sur le Mékong et le mont Phousi en face, seule raison qui encourage à grimper jusque là-haut.

🏯🏯 ***Wat Long Khoun :*** *à 15 mn à pied du wat Chomphet (30 mn env du débarcadère). Après le wat Chomphet, le béton cède la place à un chemin de terre. Entrée : 10 000 kips.*
C'est le plus intéressant de tous. Ce petit ensemble monastique et le temple ne présentent pas une architecture exceptionnelle (à part le pignon ouvragé) ; ce sont les fresques à l'intérieur qui sont le vrai but de la balade. Joli portail d'entrée entouré de deux soldats chinois symbolisant les célèbres Pavillons noirs (des pirates chinois venus du Vietnam qui ravagèrent la région en 1887).
Passé le portail, on découvre à gauche les fresques les mieux conservées. Le grand panneau de gauche évoque un épisode important de la vie du Bouddha. Après avoir idéalisé les choses à l'intérieur de son palais, le Bouddha découvre la vraie vie dehors.
Dans la « B.D. » du haut, on distingue un char, des chevaux et le prince qui semble exécuter une sorte d'élégant ballet. A-t-il été attaqué ? L'empêche-t-on de sortir ? En tout cas, noter la beauté incandescente des femmes dans les scènes inférieures, notamment les musiciennes à gauche. Elles dorment, dénudées, exhibant leurs charmes opulents (métaphore de la « vie irréelle »). Tout n'est que finesse dans les traits et les couleurs. À gauche des musiciennes, une ravissante représentation d'éléphants et de tigres s'abreuvant dans les cascades. Plus à gauche, une autre fresque, hélas assez dégradée, montre une scène dynamique de bataille, des gens essayant de sortir des flots d'un torrent, des éléphants de remonter le courant... D'autres scènes à découvrir, le plus souvent à deviner. L'ensemble mériterait vraiment d'être restauré !
Un petit sentier permet de rejoindre ensuite la grotte 200 m plus loin (fléché).

🏯 ***Wat Tham*** *(la grotte sacrée de Sakarindh) :* *en face d'un temple récent, d'un rouge vif. Grimper quelques marches. Souvent fermée, demander les clés au temple de Long Khoun. Parfois, des enfants proposent d'éclairer le lieu, moyennant un petit pourboire.* C'est dans cette grotte que le roi Sakarindh est resté à méditer durant 3 jours avant son couronnement, au XIXe s. Il s'agit d'une profonde grotte dont les escaliers qui s'enfoncent semblent ne jamais finir. Ses recoins cachent de multiples bouddhas au regard éternel et bienveillant. En contrebas, une excavation contient des statues en bois datant du XVIe s. Une source d'eau sacrée servant à asperger les statues au moment du Nouvel an se trouve à l'intérieur de la grotte.

➤ ***Pour rejoindre Luang Prabang :*** soit retourner à l'embarcadère principal d'où part le ferry, soit monter dans une pirogue privée depuis les embarcadères qui se trouvent au pied des deux derniers temples *(compter dans ce cas autour de 10 000 kips/pers, moins de concurrence de ce côté !).*

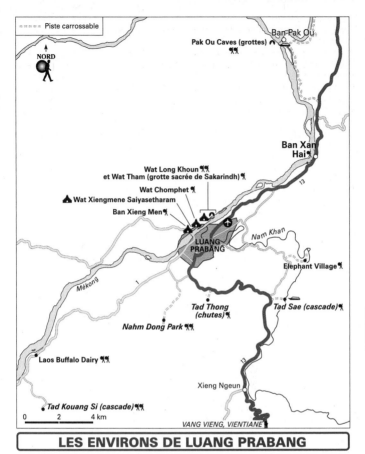

LES ENVIRONS DE LUANG PRABANG

LE LAOS

Excursion en amont du Mékong, vers les grottes de Pak Ou

La balade en bateau permet d'observer la vie au bord du fleuve. Lorsqu'il est à son plus bas niveau, on aperçoit notamment des pêcheurs et des orpailleurs (lire également plus bas).

➤ *Pour s'y rendre :* un bateau part le matin de l'*embarcadère pour Pak Ou (zoom E1, 28)* à Luang Prabang. En principe, il s'arrête en chemin à Ban Xan Hai. *Compter autour de 80 000 kips/pers jusqu'à 5 pers ; 65 000 kips/pers si plus de 5 ; ou louer un bateau à la demi-journée à ce même embarcadère. Essayer de se grouper. Dans ce cas, compter env 370 000 kips pour le bateau. Se renseigner aussi sur les tarifs pratiqués auprès d'autres touristes. Compter env 3-4h pour faire l'A/R et visiter tranquillement.*
Ceux qui voudront visiter d'autres sites dans l'après-midi (voir plus loin « Excursion en aval du Mékong ») loueront le bateau pour quelques heures de rab' et quelques kips de plus.

🍴 *Ban Xan Hai : village quasi à mi-chemin entre Luang Prabang et Pak Ou. Les bateaux s'y arrêtent à l'aller. On y accède par des escaliers rudimentaires taillés dans la falaise.*

Très touristique. Ici, les femmes distillent et vendent l'alcool de riz ou *lao-lao whisky* (50°), la boisson alcoolisée la plus populaire du Laos. On le prépare en faisant fermenter du riz gluant cuit, mélangé à de la levure et de l'eau, dans de grosses jarres. Au bout de 8 jours, l'amidon du riz s'est transformé en alcool sous l'effet de la levure. On obtient alors une sorte de vin de riz sucré, le *lao rice wine* (15°), qui, dégusté tel quel, ressemble au vin nouveau. C'est cette boisson que les femmes distillent en la faisant bouillir dans des fûts métalliques posés sur des braises. La vapeur d'alcool se condense au contact de l'eau froide sans cesse renouvelée sur le couvercle du fût. Des enfants vont puiser l'eau dans le Mékong et la remontent dans des seaux portés en balancier. On peut déguster et acheter la production locale, très bon marché, souvent présentée avec un scorpion ou un serpent à l'intérieur de la bouteille.

Le village est composé de 2 longues rues bordées de boutiques proposant à peu près les mêmes choses. D'ailleurs, on retrouve la plupart des exposants au marché de nuit de Luang Prabang.

🍴🍴 *Pak Ou Caves (grottes) : à 35 km en amont de Luang Prabang. Le bateau accoste au pied des escaliers en pierre qui conduisent à la grotte du wat Tham Ting, la « grotte des Stalactites ». Il est aussi possible de venir en minibus (départ du parking au carrefour de la poste, 8h-14h) ou en camionnette bâchée, à prendre n'importe où en ville ou le long du Mékong. Dans ce cas, compter env 1h de trajet et autour de 250 000 kips l'A/R pour 1-5 pers, plus 13 000 kips/pers pour la traversée en bateau, la grotte se trouvant de l'autre côté du Mékong (guichet dans le village). Prévoir une lampe de poche, surtout pour la grotte du centre (on peut en louer une sur place). Entrée : 20 000 kips. Un abri pour le pique-nique a été aménagé entre les 2 grottes, au niveau des toilettes (payantes).*

Le site bouddhique le plus célèbre des environs de Luang Prabang. Il s'agit de plusieurs grottes sacrées, situées dans une falaise abrupte en aplomb du Mékong et trouée à sa base.

On accède à la première grotte (il y en a deux) par une volée de marches où trônent des centaines de bouddhas de toutes tailles. C'est un lieu de pèlerinage qui fut longtemps habité par des ermites. Lors des fêtes du Nouvel An, on y apporte des statues, d'où le nombre impressionnant de statuettes amoncelées dans l'entrée de la grotte. Sur la droite, une formation rocheuse rappelle la forme d'un éléphant. En contrebas, il est possible de se faire dire la bonne aventure. Il suffit de tirer au sort des bouts de papier couverts de formules magiques en laotien.

En sortant de la grotte, redescendre d'un niveau et prendre à droite les escaliers menant à la *grotte du wat Tham Poum,* « la grotte du Centre », située beaucoup plus en hauteur que la première (on a compté 200 marches entre les deux !). Belle vue sur la vallée du Mékong. La grotte du wat Tham Poum fut découverte par Francis Garnier. Elle est plus profonde que la précédente : elle s'enfonce sur 54 m. À l'entrée, un bouddha à gros ventre. La légende raconte que ce bouddha était un très bel homme courtisé par toutes les femmes, ce qui le troublait pour méditer. Il pria longuement les dieux afin de devenir moins séduisant. Ses vœux furent exaucés, les dieux lui donnèrent ce gros ventre. En pénétrant à l'intérieur, on note sur la droite une frise de bouddhas à la feuille d'or. À gauche, vestiges d'un petit aqueduc en bois sculpté qui amenait l'eau pour laver les bouddhas. Aux deux bouts, un cygne et un dragon. Dans les anfractuosités, des milliers de bouddhas (plus de 6 000) de toutes tailles. Sur la droite, un corps de lion sculpté dans la pierre, qui semble garder le sanctuaire.

🍽 Quelques restos sur pilotis se sont installés en face de la grotte de Pak Ou. Pour un repas avec vue sur un paysage d'une douce sérénité.

➢ En repartant sur Luang Prabang, on peut faire un crochet en bateau par la **rivière Nam Ou** qui se jette dans le Mékong à la hauteur de Pak Ou. Le détour vaut la peine pour le splendide paysage offert par les spectaculaires falaises de calcaire qui surplombent la rivière.

À Luang Prabang, le débarquement s'effectue, en principe, plus en amont (*zoom F1, 29*).

Excursion en aval du Mékong

En louant une barque pour quelques heures au même endroit que pour Pak Ou, il est possible de faire une très belle balade en aval du Mékong et de visiter plusieurs sites vierges de toute présence touristique de masse.

🦌 **Les pêcheurs et les orpailleuses du Mékong :** en continuant la descente du fleuve, on aperçoit des pêcheurs. Certains utilisent de petits filets qu'ils étendent en s'enfonçant dans l'eau jusqu'à la poitrine. D'autres pêchent à l'épervier. Les prises sont assez maigres en période de basses eaux. Elles sont conservées dans des petites nasses en osier tressées par les pêcheurs, sur les berges du fleuve. Un

> ## CHERCHEUSES D'OR
>
> *Les femmes qui habitent le long du Mékong creusent la terre du rivage, puis la lavent pour en extraire une fine poussière noire où scintillent quelques paillettes d'or. Cette poussière est ensuite mise au contact du mercure, qui dissout l'or. Puis le mercure est chauffé. En s'évaporant, il libère l'or, qui est vendu aux bijoutiers de la ville.*

peu plus loin, sur la rive gauche, on rencontre des orpailleuses, essentiellement en avril, mai et juin, avant les hautes eaux. Image hautement emblématique du Mékong.

Balade en *tuk-tuk,* scooter ou minibus

Difficile de tout faire dans la journée, d'autant que la cascade de Khouang Si est assez loin. Pour avoir une idée des prix, compter par exemple 350 000 kips pour la visite de Kouang Si et Tad Sae en *tuk-tuk* ou 120 000 kips la location d'un scooter à la journée. À plusieurs, on peut louer un minibus de 9 places. Dans ce cas, prévoir environ 600 000 kips pour Kouang Si et Tad Sae.

À l'est

🦌 🐘 **Elephant Village :** *à env 18 km de Luang Prabang. Sur les derniers kms, piste bien signalée côté gauche de la route principale. Bureau en ville, près de la BCEL (zoom D2, 9). ☎ 25-24-17. 🖥 030-51-40-614. ● elephantvillage-laos.com ● Tlj 7h30-16h. Résa obligatoire. Entrée : 10 $. Excursion en bateau jusqu'à Tad Sae possible. Déj sur place : 12 $ et utilisation de la piscine (jusqu'à 15h) : 10 $.*

Dans un environnement magnifique, au bord de la Nam Khan, qui justifie à lui seul la visite, le complexe touristique recueille une quinzaine de pachydermes, dont 2 éléphanteaux (un né sur place). Leurs cornacs ont tous travaillé dans l'industrie forestière avant de devenir salariés du camp, au côté d'employés des villages voisins. La plupart des activités impliquent de grimper sur le dos de l'animal (balades, bain), mais dans le but de concilier bientraitance, maintien d'une activité pour les éléphants et demandes touristiques, certaines promenades se font à cru (sans nacelles). À vous de voir (lire aussi dans la rubrique « Faune », plus loin, le texte consacré aux éléphants). Mais on peut très bien venir jusque-là en se « contentant » de s'instruire et d'observer ces animaux exceptionnels.

Sans rapport, le fondateur allemand était aussi un passionné de voitures anciennes. On peut voir les différents modèles qu'il a achetés partout dans le pays (sans les retaper), dans un bâtiment au fond du camp, avant le resto.

Des kiosques en surplomb de la rivière offrent un cadre majestueux pour boire un thé face aux montagnes.

|●| ♙ Shangri Lao : *au fond du camp. Resto à « prix moyens », accessible à ts, sur résa.* Une poignée de magnifiques bungalows s'ouvrent sur la rivière grâce à de larges baies vitrées. Mais il faudra casser sa tirelire pour en profiter. Plus abordable, le resto situé face à la Nam Khan et la piscine. Ne pas manquer de grimper sur la terrasse pour la superbe vue.

Au sud

♣ ♙ Tad Sae (cascade) : *de Luang Prabang, suivre la route 13 en direction du sud sur env 15 km. On s'y rend en scooter, tuk-tuk ou vélo pour les plus courageux, puis 5 mn de bateau (10 000 kips/pers) au départ du parking de Ban Aen (payant). Tlj 8h-17h. Entrée : 15 000 kips.* Site très touristique aménagé de restos et cafés sur pilotis qui dénaturent les deux premiers bassins. Malgré tout et s'il n'y a pas trop de monde, l'endroit reste agréable et les vasques d'un bleu turquoise laiteux sont rafraîchissantes. Plusieurs activités sur place : balade à dos d'éléphant (on ne recommande pas) et survol des chutes en tyrolienne *(ziplines)*. Pour plus de tranquillité, il est possible d'accéder à une troisième cascade (chemin fléché sur la gauche à partir du 1er bassin) ou de longer la rivière en remontant le chemin à condition d'être correctement chaussé. On se retrouve alors vite seul.

♣ Tad Thong (chutes) : *à 5,8 km de Luang Prabang. À 3 km de la ville, après la pagode vietnamienne de Phabat Tay, bifurquer à droite et continuer sur encore 2,8 km de piste. Droit d'entrée : 20 000 kips.* Contrairement à Tad Sae, le site n'est pas aménagé, hormis de hautes et vieilles marches envahies par la végétation qui permettent de grimper jusqu'à la 1re cascade. Compter environ 45 mn. On peut s'y baigner lorsque l'eau est assez haute, et poursuivre le long d'un sentier qui mène jusqu'au village khmu de *Houay Thong.* Pour rejoindre la 2e cascade, mieux vaut revenir au point de départ et emprunter l'autre chemin (voir le plan à l'entrée du site). On peut aussi se poser à l'entrée du parc dans un des cabanons sur pilotis, rustiques, disposés autour du lac et siroter un verre. Une escapade sans prétention, mais sympa et peu fréquentée.

♣♣ ♙ Nahm Dong Park : *à 10 km au sud de Luang Prabang.* ☎ *020-9999-08-06 (Lé parle le français) ou 020-5610-82-07 (Kéo).* ● *nahmdong.com* ● *4 km après la sortie sud-ouest de la ville, ne pas prendre la direction des chutes de Kouang Si, mais tourner à gauche, puis passer devant le Santi Resort et bifurquer à droite à la jonction suivante. Au bout de 1 km, le goudron devient une piste carrossable. Après l'indication sur la droite, continuer sur encore 5 km. Tlj 9h-17h. Entrée : 20 000 kips.* Parc de 10 ha situé dans une belle vallée encaissée. On y vient pour le cadre, l'accrobranche (dès 7 ans), le pont suspendu (pour ceux qui ont le vertige, il apporte déjà son lot de sensations : à tenter néanmoins pour la vue). Plus rassurant, une promenade le long de la cascade jusqu'à la rivière où l'on peut se baigner quand il y a suffisamment d'eau. D'autres activités sur résa : treks, massages et *cooking class.*

|●| Resto : *« prix moyens ».* Kiosques aménagés près de la rivière dans un cadre luxuriant. On s'attable devant quelques plats à base de légumes bio du potager et de fruits du jardin (bananes, papayes). Goûtez aux frites de patates douces, aux rouleaux de printemps et autres BBQ de viande ou de poisson.

♣♣ Tad Kouang Si (cascade) : *à env 30 km de la ville, vers le sud-ouest. Au départ de Luang Prabang, on peut s'y rendre en louant un scooter, un tuk-tuk ou un minibus à la demi-journée, une pirogue à moteur et même un vélo pour les plus sportifs (avec des vitesses qui fonctionnent pour affronter le relief). La route traverse des villages hmong, des rizières et des forêts. Tlj 8h-17h30. Entrée : 20 000 kips. Attention, sol très glissant, prévoir de bonnes chaussures. Les amateurs de quiétude arriveront avt 9h ou 10h.*

Endroit très agréable, bien que très touristique. Depuis le parking, prendre le sentier aménagé sur la droite qui mène d'abord à un centre de protection des ours, puis de piscine naturelle en piscine naturelle, au pied des chutes. Là, w-c et aire de pique-nique où les groupes organisent leur repas. Baignade autorisée tout en haut ou tout en bas, dans les bassins naturels (cabines pour se changer).

En haut, les plus courageux traverseront la rivière pour emprunter un sentier de 3 km qui mène à la résurgence de la source et à une petite grotte. Balade sympa à travers la forêt avec des panneaux aux embranchements.

I●I À la dernière chute, gargote, sinon resto en dur en contrebas. Également à l'entrée, après le parking, nombreux restos populaires.

– On peut aussi jeter un œil au village juste avant l'arrivée au parking : maisons sur pilotis, moulin à eau et encore des piscines naturelles ! Et on peut même y loger :

I●I **Carpe Diem Restaurant :** petit chemin en terre à droite, 100 m avt l'entrée des chutes. ☎ 020-98-676-741. Tlj 9h-17h. Un endroit extraordinaire composé d'un ensemble de terrasses sur multiples niveaux autour d'une petite chute (piscine naturelle au pied). L'équipe franco-suisse nous régale d'une cuisine raffinée préparée par un jeune chef niçois.

🛏 I●I **Vanvisa Guesthouse – At the Falls Lodge :** à **Ban Thapene** ; prendre à gauche à la sortie du parking de Khouang Si, c'est à 5 mn à pied. ☎ 020-554-081-33. ● vandara2@hotmail.com ● Doubles avec sdb env 40 $. Repas sur demande. Plongée dans la verdure, au pied d'une petite chute d'eau, cette pension familiale possède 7 bungalows à la déco rustique non dénuée de charme, confortables avec matelas bien épais et salle d'eau. Également 2 chambres au rez-de-chaussée de la maison, mais plus petites et sombres. Cuisine laotienne. Possibilité de se baigner dans la rivière juste devant la guesthouse. Repos assuré et bon accueil.

🍴🍴 **Laos Buffalo Dairy :** à l'entrée de Ban Muang Khay, à env 20 km de la sortie de Luang Prabang, sur la route de Kouang Si (10 mn env avt les chutes). ☎ 020-52-30-24-75. ● laosbuffalodairy.com ● Tlj 9h30-17h30. Prix : 50 000 kips (2 boules de glace offertes) ; 100 000 kips pour une visite guidée comprenant une démonstration de traite, le nourrissage des buffles (à la bouteille pour leurs petits) et un tea time (gâteaux, glace maison et thé ou café). Créée par une équipe australo-américaine. C'est la seule laiterie de lait de bufflonne au Laos. Elle achète le lait aux fermiers locaux, ce qui leur assure un revenu décent et fabrique de la mozarella, ricotta, feta, yaourts, ainsi que de délicieuses glaces. Visite du complexe, dégustation, café avec possibilité de se restaurer et vente de fromages sur place.

Encore plus au sud : à Sayaboury

■ **Elephant Conservation Center :** Bureau à Luang Prabang, Mekong Road Rd, Ban Pakham (Visitors' Center ; plan d'ensemble C2, **21**). ☎ 25-23-07. ● elephantconservationcenter.com ● Tlj 9h-19h. En hte saison, résa plusieurs sem avt conseillée, mais c'est parfois possible à la dernière minute, tentez votre chance ! Compter 205 $ pour 2 j. (durée min), tt compris (même le trajet en minivan et le bateau). Le centre est basé dans la province de Sayaboury, à 2h30 au sud-ouest de Luang Prabang. Il s'agit du seul centre de conservation des éléphants au Laos. Son but est d'assurer la survie des éléphants domestiques, et par là même de toute l'espèce, en les soignant et en favorisant la procréation. Tout est fait pour le bien-être de l'animal, en référence à la charte internationale des « 5 droits fondamentaux des animaux ». Il est financé, pour l'essentiel, par les visiteurs qui se déplacent pour les observer dans leur habitat naturel et les différentes zones qui leur sont consacrées : socialisation, reproduction, nursing, enrichissement sensoriel, hôpital. Pas de balade à dos d'éléphant, de spectacles ou de baignade avec les animaux, mais une immersion fascinante dans leur territoire en tant qu'observateur. Lire aussi les infos sur les éléphants travailleurs dans la rubrique « Faune ».

LE LAOS

LE NORD

Navigation sur le Mékong..................422	au sud-ouest de Luang Nam Tha : That Luang Namyha, That Phum Phuk, Ban Nam Ngen, Ban Phieng Ngam et excursions dans la réserve naturelle de la Nam Tha
● **Pakbeng** 423	
● **Houeisai (province de Bokeo)** 430	
• The Gibbon Experience	
● **Luang Nam Tha**............435	
• Au nord de Luang Nam Tha : Nam Dee Waterfall, les villages ethniques • À l'ouest et	● **Boten** 441
	● **Oudom Xai (Muang Sai)** 442

● Nong Khiaw..................446
● Muang Ngoi.................450
La province de Phongsaly...................453
● Muang Khoua 453
● Boun Tai......................456
● Phongsaly ....ⁱ.......456
• Les plantations de thé de Ban Komaen
• Randonnée en solo vers les villages phounoy

● Carte p. 424-425

NAVIGATION SUR LE MÉKONG

 De Luang Prabang à Pakbeng et Houeisai, voilà une belle occasion de remonter ce fleuve mythique en sampan, sur une portion encore bien préservée. Le Mékong se montre tour à tour étroit, puissant, cisaillé de paravents de rocs noirs, de feuilletage de schistes et de récifs en socs de charrue. On y voit tout du long d'intéressantes scènes de vie, hameaux perdus en pleine forêt, villages flottants de péniches, pêcheurs en équilibre sur quelque pirogue, orpailleuses affairées à tamiser leur butin au bord du fleuve, buffles, gorges,

rapides, quelques pains karstiques (pas la baie d'Halong non plus !) : bref, le dépaysement à chaque méandre. Une balade qu'on préfère largement effectuer en *slow boat,* pour laisser le temps au temps et partager ce trajet avec un mélange de voyageurs et de villageois, parfois accompagnés de chargements improbables !

Infos pratiques

Pakbeng se situe à mi-chemin entre Luang Prabang et Houeisai. *La navigation entre Luang Prabang et Pakbeng est indéniablement la plus intéressante.* La portion jusqu'à Houeisai concernera les lecteurs qui filent vers la Thaïlande. Les autres peuvent rejoindre depuis Pakbeng, en bus, les villages du nord.

➢ *En slow boat :* env 110 000 kips/pers pour chacun des 2 tronçons. En hte saison, résa bien avt conseillée, de préférence le plus à l'avant du bateau pour s'éloigner du moteur.
Les bateaux quittent *Luang Prabang* tlj en début de matinée *pour Pakbeng* (trajet : 8-9h). *Depuis Pakbeng,* départ tlj le mat *pour Houeisai* (trajet : 7-8h),

départ le matin également et même durée dans l'autre sens pour Luang-Prabang. *Depuis Houesai,* départ tlj en fin de matinée *pour Pakbeng* (trajet : 6-7h, on descend le fleuve). Dans les 2 cas, on passe la nuit à Pakbeng.

➤ *En speed boat :* env 200 000 kips/pers pour chaque tronçon. Sinon, il est possible d'en privatiser un (près de 140-150 $). Depuis les 3 villes, les bateaux partent quand ils sont pleins. Passer la veille par une agence peut permettre de constituer un groupe suffisant et d'éviter l'attente. Gilet de sauvetage et casque intégral obligatoires. Bien se protéger du soleil ou de la pluie (pas de toit sur ces hors-bord). Petit rappel : **on vous déconseille de les emprunter pendant la mousson ou après de fortes pluies** (lire la rubrique « Transports. Bateau » dans la partie « Laos utile »).

Le *speed boat* est la seule option pour relier Luang Prabang à Houeisai dans la journée. Prévoir alors 6h30 de bateau (éprouvant !) avec tout de même une pause déjeuner à Pakbeng. *Depuis Luang Prabang ou Houeisai* départ le mat *vers Pakbeng.* Pakbeng est à env 3h30 de Houeisai et 3h de Luang Prabang (le sens du courant influe peu sur la rapidité de ces bateaux). *Depuis Pakbeng,* départ en début d'ap-m *vers Luang Prabang* comme *vers Houeisai.*

➤ *En bateau de croisière :*

■ *Shompoocruise (zoom Luang Prabang, E1, 46) :* 18/2, Ounkham Rd.

☎ *21-31-89.* ● *shompoocruise. com* ● *Tlj sauf dim 8h30-17h30. Pas d'activité en juin.* Compter 130 $/pers le trajet complet entre Luang Prabang et Houeisai (150 $/pers dans l'autre sens) ; 80 $/pers entre Luang Prabang et Pakbeng, même tarif entre Pakbeng et Houeisai (90 $/pers dans l'autre sens), déj et visite des grottes de Pak Ou compris. Possibilité de louer le bateau en entier. Une agence tenue par Alex, un Franco-Laotien. Même principe que les *slow boats,* même temps de trajet avec une nuit à Pakbeng (logement non compris), mais, sur le bateau (8 à 40 personnes), le confort est meilleur. Des arrêts pour la visite de villages ethniques sont prévus. Un bon compromis, à mi-chemin entre *slow boats* et croisière de luxe.

■ *Luang Say (zoom Luang Prabang, E1, 3) :* 50/4, Sakkarine Rd. ☎ *25-25-53.* ● *mekong-cruises.com* ● *luangsay. com* ● *Tlj 8h30-19h. Pas d'activité en juin.* Compter env 300-540 $/pers, tt compris (repas, logement, guides et entrées des sites) ; ½ tarif moins de 12 ans (gratuit en basse saison). Croisières de charme de 2 jours avec 1 nuit à Pakbeng au très beau *Luang Say Lodge.* Visite des grottes de Pak Ou. Les bateaux accueillent 40 personnes maximum. Possibilité de s'arrêter à Pakbeng, mais retour par ses propres moyens. D'autres croisières plus longues sont également proposées.

LE LAOS

PAKBENG

IND. TÉL. : 081

● Plan *p. 427*

À une grosse journée de *slow boat* de Luang Prabang (soit environ 150 km au nord-ouest). Les bateaux arrivent en fin d'après-midi et repartent le lendemain en début de matinée. La plupart des touristes suivent le mouvement. Du coup, en journée, cette bourgade khamu accrochée à flanc de montagne prend des airs de village tranquille qui vaque paisiblement à ses occupations, autour de sa rue principale au long de laquelle essaiment habitations et commerces. Malin qui marque une pause, pour

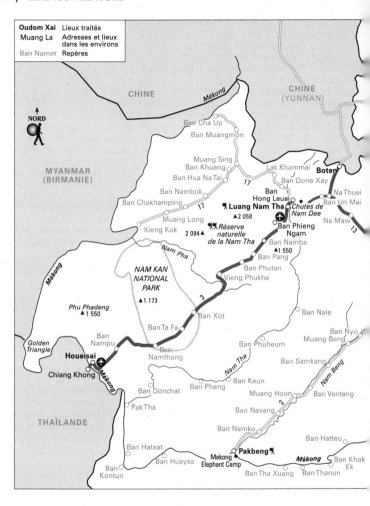

profiter du lieu et, pourquoi pas, partir à la rencontre des pachydermes du Mekong Elephants Center ?

Arriver – Quitter

En bateau

⛵ **Embarcadère** (plan A2) : au bout de la rue principale. Pour les horaires, durées et prix de navigation, se reporter au début du chapitre « Le Nord. Navigation sur le Mékong ».

En bus

🚌 **Gare routière** (hors plan par B1) : à 3 km env de l'embarcadère.
➢ **Oudom Xai :** 3 bus/j. Trajet : 3h30-4h (140 km). Route bitumée.

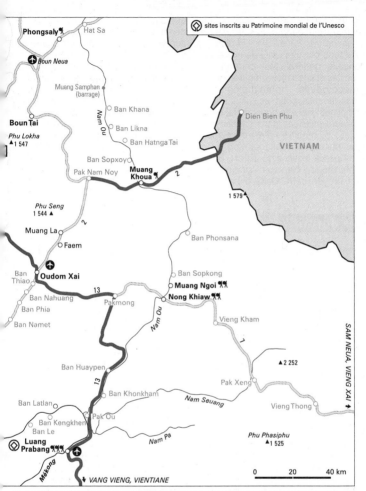

LE NORD DU LAOS

LE LAOS

Adresses et infos utiles

i Tourist Office (plan A2) **:** à 50 m de l'embarcadère. ☎ 020-228-524-80. Horaires variables. Infos sur la région, horaires des bateaux.

■ **Agricultural Promotion Bank** (plan B1, **1**) **:** le long de la route principale, à 1 km env de l'embarcadère. Lun-ven 8h-15h. Change dollars et bahts, mais pas les euros. Service

Western Union et **distributeur** il en existe 2 autres dans la rue principale (plan B1, **2**). Possibilité de changer des devises au guichet de la **BCEL** (plan B1, **4**). Lun-ven 9h-15h. Attention, avoir des billets impeccables.

■ **Les Médecins de Chinguetti – Pakbeng** (plan A2, **3**) **:** de l'embarcadère, 1re route qui monte à gauche, à env 400 m. ● new.medecinsde chinguettipakbeng.com ● Tlj selon présence des bénévoles. Un dispensaire tenu par une ONG de médecins français, généralistes, chirurgiens-dentistes et aussi moins régulièrement, gynécologues, ophtalmologistes, sages-femmes, pharmaciens et autres disciplines, qui effectuent à Pakbeng plusieurs missions dans l'année. Un projet « bien naître » s'est développé avec succès en collaboration avec les hôpitaux laotiens du district. Bientôt, le projet « bien voir » complétera l'activité de cette ONG dynamique qui s'implique également dans le dépistage et l'éducation sanitaire auprès de la population. Les Laotiens viennent de loin pour s'y faire soigner gratuitement. Les médecins se rendent aussi dans des villages qui longent le Mékong et dans ceux des montagnes environnantes. Ils assurent aussi des consultations pour les étrangers de passage. Le dispensaire peut être visité sur demande. Et n'hésitez pas à déposer stylos, brosses à dents et dentifrices, toujours très demandés.

– **Marché** (plan A-B1) : en léger retrait de la rue principale. Tlj.

Où dormir ?

Hôtels et guesthouses s'égrènent le long des deux rues qui partent de l'embarcadère. En haute saison, il y a parfois du monde sur les bateaux et les établissements sont vite pleins : réservez. En tout cas, dès votre arrivée, ne pas traîner pour chercher une chambre. Certains voyageurs ont parfois dû trouver refuge auprès d'un temple.

De très bon marché à bon marché (moins de 150 000 kips / 19 $)

▲ **Monsavanth Guesthouse** (plan A2, 11) : à 150 m de l'embarcadère. ☎ 21-26-19. 🖥 020-577-19-35. « Bon marché. » Chambres donnant toutes sur la rue, d'une rigoureuse simplicité mais vraiment nickel ; murs blanc immaculé, salle de bains carrelée. Pour le petit déj (en supplément), rendez-vous à la Monsavanth Bakery, juste en face. L'adresse la plus chère de la catégorie, mais pour le prix, c'est une excellente affaire ! Seul hic : l'endroit est vite plein.

▲ **Meksavanh** (plan A2, 12) : à 200 m de l'embarcadère. 🖥 020-557-823-90. « Très bon marché ». Au rez-de-chaussée, les chambres donnant sur le couloir d'accès au resto sont peu sexy. On leur préfère celles à l'étage, réparties le long d'une jolie coursive en bois, dont l'extrémité offre une vue sur le Mékong. Fait aussi resto. Un rapport qualité-prix honnête.

▲ **Vatsana Guesthouse** (plan A1, 13) : à 200 m de l'embarcadère. ☎ 21-23-02. 🖥 020-957-389-16. « Très bon marché ». Agréable guesthouse dans la maison familiale en bois où les propriétaires disposent d'une poignée de chambres sommaires, assez sombres et équipées d'un lit et d'un simple ventilo (salles de bains communes). Ce sont aussi les moins chères. Ceux qui veulent plus de confort opteront pour une chambre dans le bâtiment moderne, juste à côté. Fait resto.

▲ **Donevilasak Guesthouse** (plan A1, 14) : à 250 m de l'embarcadère. ☎ 21-23-15. Doubles avec ou sans sdb, ventilo ou clim. Cette guesthouse offre le gros avantage de proposer des chambres à différents budgets dans 3 bâtiments. Les routards désargentés choisiront celles en bois de la maison familiale, pas immenses et rustiques (insister pour les voir !). Les autres préféreront les chambres situées dans les bâtiments modernes pour bénéficier de plus de confort et d'intimité.

▲ **Syvongsak Guesthouse** (plan A2, 15) : à 150 m de l'embarcadère. ☎ 21-23-00. 🖥 020-576-23-39. « Bon marché ». Pas de petit déj. Établissement récent, aux chambres sans charme, mais nickel et avec salle de bains. En revanche, pas de vue sur le fleuve, ni de balcon, ni d'endroit pour se poser ailleurs que dans la chambre.

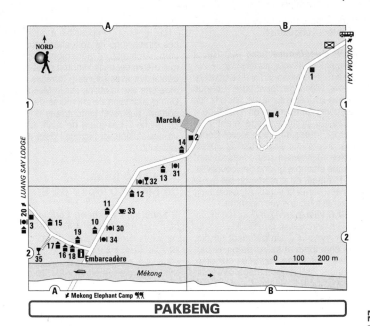

PAKBENG

■ **Adresses utiles**

🛈 Tourist Office (A2)
1 Agricultural Promotion Bank (B1)
2 Distributeurs (B1)
3 Les Médecins de Chinguetti – Pakbeng (dispensaire ; A2)
4 BCEL (B1)

🛏 **Où dormir ?**

10 DP Guesthouse (A2)
11 Monsavanth Guesthouse (A2)
12 Meksavanh (A2)
13 Vatsana Guesthouse (A1)
14 Donevilasak Guesthouse (A1)
15 Syvongsak Guesthouse (A2)
16 Poy Latha Guesthouse (A2)
17 BKC Villa (A2)
18 Mekong Riverside Lodge (A2)
19 Phet Sok Xay Hotel (A2)
20 Sanctuary Pakbeng Lodge (hors plan par A2)

|●| 🍺 **Où manger ?**
Où prendre le petit déjeuner ?
Où boire un verre ?

20 Restaurants du Pakbeng Lodge (hors plan par A2)
30 Sabaïdee (A2)
31 Restaurant Dockhoune (A1)
32 Ounhouan (A1)
33 Monsavanth Bakery (A2)
34 Hassan Restaurant (A2)
35 Happy Bar (A2)

Ce n'est pas la *guesthouse* la plus charmante, mais l'accueil y est agréable et elle peut dépanner.
🛏 *Poy Latha Guesthouse (plan A2, 16) :* à 100 m env de l'embarcadère. 🖥 *020-566-427-57. Doubles sans ou avec sdb. « Très bon marché ».* Petite structure familiale aux abords un peu brouillons. Mais ce sont les chambres parmi les moins chères de Pakbeng ! Une seule jouit d'une vue sur le fleuve,

tout comme la terrasse. Un des points forts du lieu, même si l'ensemble reste sommaire.

De prix moyens à chic (150 000- 500 000 kips / 18-62 $)

Ces hébergements pratiquent tous des prix incluant le petit déjeuner.

Hors saison, possibilité de tarifs discountés... chouette !

🛏 **DP Guesthouse** (plan A2, **10**) : à 40 m env. de l'embarcadère. ☎ 21-26-24. 📱 020-593-055-55. ● duangpasert. com ● Milieu de fourchette. Longue bâtisse qui s'étire sur la rue. Les prix des chambres grimpent selon « l'altitude », celles du premier étage étant plus chères. Toutes sont sobrement décorées, propres sur elles et bien équipées. Tables et chaises disposées devant chaque chambre le long des coursives. Au 1er étage, on a même un œil sur le fleuve... par-delà la rue. Agréable petit déjeuner avec une vue plaisante.

🛏 **BKC Villa** (plan A2, **17**) : à 100 m env de l'embarcadère. 📱 020-551-180-80. « Prix moyens ». Un bâtiment en dur, aux chambres et salles de bains carrelées, très clean, réparties sur deux niveaux. Celles de l'étage avec lits séparés bénéficient même de la vue sur le Mékong. Le hic ? Le bar juste en contrebas qui pousse ses décibels jusqu'au milieu de la nuit. L'adresse reste toutefois un bon compromis entre emplacement, vue, confort et prix.

🛏 **Mekong Riverside Lodge** (plan A2, **18**) : à 80 m env de l'embarcadère. ☎ 21-40-10. 📱 020-551-710-68. ● mekongriversidelodge.com ● Catégorie « Chic ». Un ensemble charmant de 5 bungalows aux murs tressés en bambou, face au Mékong. Les chambres les plus chères sont spacieuses et disposent d'une vraie terrasse privée, sans oublier la vue d'anthologie sur le fleuve. Là, on peut passer une grande partie de la soirée, à rêvasser... Le resto de la maison, aux accents venus d'Inde, se situe de l'autre côté de la rue.

🛏 **Phet Sok Xay Hotel** (plan A2, **19**) : à 80 m env de l'embarcadère. ☎ 21-22-99. ● phetsokxaihotel.com ● « Prix moyens ». Impossible à rater vu ses dimensions inhabituelles pour le coin. Architecture néocoloniale pas mal bétonnée, mais l'endroit n'est pas déplaisant avec sa vaste terrasse qui offre une vue lointaine sur le Mékong. Une quarantaine de chambres de bon confort, petites et lambrissées du sol au plafond. Les jours de rush, c'est un peu l'usine, et l'accueil peut s'en ressentir.

Très chic (plus de 500 000 kips / 62 $)

🛏 **Sanctuary Pakbeng Lodge** (hors plan par A2, **20**) : à 400 m env de l'embarcadère, par la rue de gauche. ☎ 21-23-04. ● sanctuaryhotelsandre sorts.com ● Doubles 100-160 $ avec petit déj (quasi-moitié prix en basse saison). Grand et bel hôtel, au calme parfait, en surplomb du Mékong. Chambres élégantes et confortables aménagées avec le plus grand soin. Toutes disposent d'un balcon ou d'une terrasse pour admirer à l'envi le fleuve, du point du jour au somptueux coucher du soleil. Un verre à la main, on se sent alors vraiment privilégié. Les deluxe et les suites, plus que spacieuses, offrent une appréciable intimité, dans un bâtiment juste en contre-haut. Agréable salle de resto aérée avec vue sur le jardin verdoyant, le Mékong et les éléphants qui s'ébrouent dans les eaux du fleuve vers 7h30. On y savoure une cuisine goûteuse. Massages, boulodrome, badminton, différentes excursions et accès direct aux rives du Mékong. Géré par des Français. C'est une adresse dont on se souvient.

Où manger ? Où prendre le petit déjeuner ? Où boire un verre ?

Prix moyens (25 000-60 000 kips / 3-7,50 $)

🍴 **Sabaïdee** (plan A2, **30**) : rue principale. Dans la partie basse de la fourchette. Tenu par un couple plutôt sympa. Elle en cuisine, lui au service et faisant de réels efforts pour parler le français. Comme, en outre, sa cuisine est bonne, on vous recommande cette petite adresse. Goûteuse soupe au potiron (pumpkin) et plats classiques servis généreusement. Salle avec vue sur le Mékong.

|●| Restaurant Dockhoune (plan A1, 31) : à 200 m de l'embarcadère. Tlj jusqu'à 22h env. Dans la partie basse de la fourchette. Agréable petit resto au cadre soigné proposant une cuisine classique et correcte. Une poignée de tables occupe la terrasse, au bord de la rue, pour regarder passer les gens, passer les gens, passer les gens...

|●| �␣ Ounhouan (plan A1, 32) : à 200 m de l'embarcadère. Un resto au cadre un peu plus sophistiqué que les autres avec ses murs de bambous dressés et son plafond égayé de lanternes en papier multicolore. Bonne cuisine et grand choix de plats traditionnels. Parfait également pour boire un coup avec un personnel qui n'hésitera pas à poser devant vous un petit free shot de whisky arrangé. Musique plutôt cool à un niveau sonore qui ne la ramène pas. Une adresse « wok N' Roll » : on aime !

|●| Hassan Restaurant (plan A2, 34) : à 150 m de l'embarcadère. Hassan, le patron souriant et serviable, propose une bonne cuisine où l'Inde du sud est à l'honneur, histoire de changer de régime (que les « laophiles » se rassurent, il y a aussi quelques spécialités du cru). Tables généralement nappées de tissus madras... selon l'humeur du temps.

␣ Monsavanth Bakery (plan A2, 33) : à 150 m de l'embarcadère. Tlj 6h-22h. Muffins, bagels, croissants aux pommes et au chocolat, café expresso, etc. Parfait pour le petit déj, la vue sur la vallée et le fleuve en prime.

♀ Happy Bar (plan A2, 35) : à 150 m de l'embarcadère, 30 m en contrebas du chemin. Un des rares lieux de Pakbeng animés relativement tard. Les backpackers se déhanchent, certains jouant leur propre programmation en branchant leur smartphone : ce qui dépare un chouia avec le calme du patelin.

Chic (60 000-100 000 kips / 7,50-12,50 $)

|●| Restaurants du Pakbeng Lodge (hors plan par A2, 20) : voir « Où dormir ? », plus haut. Résa préférable. Pas de carte ; menu fixe env 12 $. Même si vous n'y logez pas, n'hésitez pas à y dîner. Vous aurez le choix entre deux restaurants : le bien nommé **Sunset,** sur la crête, parfait pour son point de vue panoramique et son intimité, et le tout aussi bien nommé **Mékong,** plus proche du fleuve, de son activité et de ses jardins maraîchers. Dans les deux, la cuisine est same same : goûteuse et généreuse en partie à base de légumes du jardin.

À faire

🐘 Mekong Elephant Park (hors plan par A2) : résa auprès du Sanctuary Pakbeng Lodge (plan A2, 20) ; voir « Où dormir ? », plus haut. ● sanctuaryhotelsandresorts.com ● Tlj 9h-17h. Entrée au parc : 12 $; réduc enfants Nombreuses activités pour petits et grands à visée pédagogique et ludique. Restauration sur place.

L'établissement, géré par des Français, propose une sensibilisation au milieu de vie des éléphants et des populations

LE *MUSTH* DE L'ÉLÉPHANT

L'éléphant mâle, sujet à d'étonnantes crises de fringale (le musth), se met à manger bien plus que de raison. Conséquence inattendue, cette goinfrerie provoque une brusque montée de testostérone. Ses tempes se couvrent alors d'un musc blanc, puis rouge. Il devient très agressif. Or, cet appétit n'a rien de vraiment sexuel : même madame éléphant doit bien se tenir... à l'écart. Vraiment pas le must !

locales. Les cornacs ont établi leur village dans la forêt au cœur du parc, de l'autre côté du Mékong. On peut visiter le site au gré d'un petit parcours botanique et/ou faire des balades le long de sentiers éducatifs balisés en traversant des paysages magnifiques de forêt avec la vallée du Mékong en toile de fond. Ferme de l'ethnie Hmong, exposition d'outils des cornacs, ateliers artisanaux, aire pour enfants se trouvent également sur place. Observation des éléphants en toute liberté dans leur aire de loisirs, le *check up* de leurs soins quotidiens et leur bain, véritable instant de complicité entre l'éléphant et son dresseur.

HOUEISAI (PROVINCE DE BOKÉO) IND. TÉL. : 084

● Plan p. 431

Ville frontière, étendue sur la rive, entre fleuve et forêt, dans le mythique Triangle d'Or. Y transitent les marchandises de Chine, qui rejoignent la Thaïlande par un pont enjambant le Mékong depuis 2013. Pas un charme fou, mais beaucoup de voyageurs y font une halte obligatoire entre les villages du nord, la Thaïlande, ou l'embarquement pour une croisière sur le Mékong jusqu'à Pakbeng et Luang Prabang.

Arriver – Quitter

En bateau

Possibilité d'acheter les billets dans les agences du centre-ville, moyennant une petite commission. Ce n'est pas nécessaire pour les *slow boats*. En revanche, c'est avantageux pour les *speed boats* car les agences regroupent les demandes (les bateaux partent une fois pleins). Pour les horaires et les prix de navigation, voir plus haut « Circuler sur le Mékong ».

➤ **Embarcadère des slow boats** *(plan A1, 1) : à 1 km env au nord de Houeisai. Guichet (tlj 8h-16h) à 50 m au-dessus de l'embarcadère. Compter env 15 000 kips/pers en tuk-tuk pour rejoindre le centre-ville (moins si on est plusieurs).*

➤ **Embarcadère des speed boats** *(hors plan par A2, 2) : à 2,5 km env au sud de Houeisai. Compter env 20 000 kips/pers en tuk-tuk pour rejoindre le centre-ville (moins si on est plusieurs).*

En bus

➤ **Gare routière Keo Champa** *(hors plan par A2, 3) : à 3 km env au sud de Houeisai. Ts les départs se font avt 16h. Compter 15 000-20 000 kips/pers pour rejoindre le centre-ville en tuk-tuk.*

➤ ***Luang Nam Tha :*** 2 bus/j., le mat et vers midi. Trajet : env 4h (170 km).

➤ ***Oudom Xai :*** 1 bus/j., le mat. Trajet : env 7h (330 km).

➤ ***Luang Prabang :*** 2 bus/j., dont un VIP en milieu d'ap-m. Trajet : env 13h (500 km).

➤ ***Vientiane :*** 1 bus/j., le mat. Trajet : env 27h (!).

➤ **Gare routière Pethaloun** *(hors plan par A2, 4) : à 4 km env au sud de Houeisai. Compter 20 000 kips/pers pour rejoindre le centre-ville en tuk-tuk.*

➤ ***Luang Nam Tha :*** 1 bus/j., le mat. Trajet : 3h30 (200 km).

➤ ***Luang Prabang :*** 1 bus/j., en fin d'ap-m. Trajet : env 12h (500 km).

➤ ***Oudom Xai :*** 2 bus/j., mat et ap-m. Trajet : env 6h (330 km).

➤ ***Vientiane :*** 1 bus VIP/j., le mat. Trajet : env 20h (900 km).

➤ Pour les trajets vers ***Hanoi*** et ***Diên Biên Phu*** (Vietnam), mais aussi à destination de ***Chiang Rai*** (Thaïlande), se reporter à la rubrique « Arriver – Quitter » au début du guide.

De/vers la Thaïlande

Les touristes étrangers doivent emprunter le pont situé à 8 km au sud de Houeisai (ouv 6h-22h, mais ferme parfois plus tôt que prévu ; mieux vaut se présenter avt 21h). Seuls les locaux

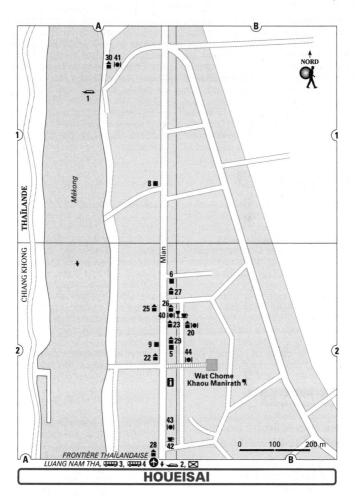

HOUEISAI

■ **Adresses utiles**

🛈 Tourist Office (A2)
🚤 **1** Embarcadère des *slow boats* (A1)
🚤 **2** Embarcadère des *speed boats* (hors plan par A2)
🚌 **3** Gare routière Keo Champa (hors plan par A2)
🚌 **4** Gare routière Pethaloun (hors plan par A2)
5 Banque pour le Commerce Extérieur Lao (A2)
6 Phong Savanh Bank (A2)
8 Lao Red Cross (A1)
9 The Gibbon Experience (bureau ; A2)

🏠 **Où dormir ?**

20 Daauw Home Restaurant & Homestay (B2)
22 Guesthouse BAP (A2)

23 Little Hostel (A2)
25 Sabaydee Guesthouse (A2)
26 Oudomphone Guesthouse 2 (A2)
27 Thanormsab Guesthouse (A2)
28 Kaupjai Guesthouse (A2)
29 Thaveesinh Hotel (A2)
30 Houayxai Riverside Phonevichith Hotel (A1)

🍽 🍺 **Où manger ?**
🍷 **Où prendre le petit déjeuner ?**
Où boire un verre ?

20 Daauw Home Restaurant & Homestay (B2)
40 Bar How ? (A2)
41 Restaurant Latsouly (A1)
42 Dream Bakery (A2)
43 Bokeo Café (A2)
44 La Terrasse (B2)

utilisent des traversiers vers Chiang Khong, en Thaïlande, depuis l'embarcadère du centre-ville.

➢ Les lecteurs qui prennent un bus direct de Houeisai (Phetaloun) vers **Chiang Rai** ou **Chiang Mai** se contentent de descendre du bus avant chaque poste frontière, pour remonter dans le même véhicule après. Les autres rejoignent le poste-frontière laotien en *tuk-tuk* (compter 20 000-25 000 kips/pers), passent la douane et prennent un autre *tuk-tuk* (env 6 000 kips/pers ou 25 Bts) pour traverser le pont jusqu'à la douane thaïlandaise. Juste au-delà, *tuk-tuk* pour **Chiang Khong** ou minivans pour **Chiang Rai** et **Chiang Mai** (pour plus de détails, lire le chapitre « Arriver – Quitter » en début de guide).

➢ En venant de Thaïlande, possibilité d'obtenir le visa laotien au poste-frontière. Bureaux de change et distributeur.

Adresses utiles

🛈 **Tourist Office** *(plan A2)* : *rue principale.* ☎ 21-11-62. *Lun-ven 8h-12h, 13h30-16h.* Quelques infos à glaner. Ni trop efficace, ni toujours ouvert.
■ **Banque pour le Commerce Extérieur Lao** *(plan A2, 5)* : *rue principale. Lun-ven 8h30-15h30.* Change et retrait d'argent au guichet avec les cartes de paiement internationales. Distributeur.
■ **Phong Savanh Bank** *(plan A2, 6)* : *rue principale. Tlj 8h30-16h30 (guichet de change sur le côté gauche de la banque le w-e).* Retrait d'argent au guichet avec cartes de paiement internationales, change et distributeur.

■ **Lao Red Cross** *(plan A1, 8)* : *dans la rue principale, à 400 m env du centre-ville, en allant vers l'embarcadère des slow boats.* ☎ 21-19-35. *Sauna : tlj 16h-20h30 ; massages : tlj 14h (10h30 le w-e)-21h.* Compter 50 000-70 000 kips selon massage ; 20 000 kips pour le sauna (tt est fourni). Sauna aromatisé aux plantes avec 2 cabines non mixtes. Propose aussi des massages aromatiques ou thérapeutiques, pratiqués dans la pure tradition laotienne. Les fonds contribuent à financer le programme de la Croix-Rouge dans la région. Très relaxant !

Où dormir ?

Très bon marché (moins de 80 000 kips / 10 $)

🏠 **Little Hostel** *(plan A2, 23)* : *rue principale.* 🖥 030-520-63-29. ● *littlehostel.wordpress.com* ● Voilà une micro-AJ qui tient les promesses des grandes. Seulement 2 dortoirs (mixtes) de 4 lits gigognes s'y partagent les sanitaires (eau chaude) et la grande salle du rez-de-chaussée. Bon équipement (casiers fermés, liseuses, draps...) et services (laverie, location de vélos, snack...). Le tout couronné par l'accueil souriant et arrangeant de Nok, la proprio laotienne qui a pas mal voyagé.

Bon marché (80 000-150 000 kips / 10-19 $)

🏠 |●| **Daauw Home Restaurant & Homestay** *(plan B2, 20)* : *dans une* ruelle parallèle à la rue principale. 🖥 030-904-12-96. ● *projectkajsiablaos. org* ● Fléché depuis l'escalier qui mène au temple. Cette fondation qui vient en aide aux femmes des tribus hmongs propose des hébergements aux voyageurs de passage. Soit des cabanes tout confort, soit une grande tente, le tout sur une pente où subsistent quelques arbres. Petit resto également (carte très limitée), à l'ambiance un peu baba, où l'on croise les membres de la communauté ainsi que quelques Occidentaux qui paient pour travailler ici (et ça n'est pas donné). Pour excuser les prix un peu surévalués de l'ensemble, on se dira que l'on contribue à une action humanitaire.

🏠 **Guesthouse BAP** *(plan A2, 22)* : *rue principale.* ☎ 21-10-83. Une *guesthouse* tenue par Mme Chan Pheng, une mamie de caractère, qui parle le français. Ici, on ne demande pas à voir les chambres avant de les prendre. C'est comme ça ! Si on n'est pas prévenu, ça peut surprendre. Mais il faut généralement peu de temps pour que la mine quelque peu fermée du premier contact laisse place à un généreux sourire. Les chambres sont correctement équipées de ventilo et d'une salle de bains privée. Plancher ou sol carrelé. Préférer celles donnant sur l'arrière, plus calmes. Fait aussi bar.

☖ *Sabaydee Guesthouse* (plan A2, 25) : rue principale. 🖳 020-569-294-58. Propreté parfaite et bon confort : literie de qualité, douche et w-c (sol carrelé et eau chaude) dans la chambre (généralement spacieuse), ventilo ou clim. Pour le même prix, essayer d'en avoir une à l'arrière, côté jardin et Mékong. Terrasse au dernier étage pour se poser. Accueil un brin machinal.

☖ *Oudomphone Guesthouse 2* (plan A2, 26) : rue principale. ☎ 21-13-08. 🖳 020-556-831-54. Fourchette basse ; pas de petit déj. Pension classique, fonctionnelle, offrant des chambres correctes, assez spacieuses, avec sol et salle de bains carrelés, ventilo... La plupart occupent l'ancien bâtiment à l'arrière, du coup, elles sont protégées de la circulation. Côté rue, les chambres sont plus récentes, plus chères et plus bruyantes.

☖ *Thanormsab Guesthouse* (plan A2, 27) : rue principale. ☎ 21-10-95. 🖳 020-557-844-69. Pas de petit déj. Maison séparée de la route par une cour bétonnée. Les chambres, équipées de ventilo ou d'AC, de salle de bains carrelée et eau chaude, sont propres et nettes. Bonne surprise, celles situées à l'arrière de la maison donnent sur une pelouse et des arbres.

☖ *Kaupjai Guesthouse* (plan A2, 28) : rue principale. 🖳 020-556-831-64. Pas de petit déj. Une *guesthouse* relativement récente au confort très honorable. Une quinzaine de chambres carrelées, propres et spacieuses, dotées d'une salle de bains et d'une clim pour les plus chères. Au dernier étage, terrasse pour admirer le Mékong et le coucher du soleil.

☖ *Thaveesinh Hotel* (plan A2, 29) : rue principale. ☎ 21-15-02. 🖳 020-556-33-33. ● thaveesinh.info@gmail.com ● Doubles avec sdb, ventilo ou clim ; pas de petit déj, mais café et thé offerts. Petit immeuble central de style sino-thaïlandais, avec des balcons donnant sur la rue. Les chambres donnant sur l'arrière sont plus calmes, même si elles sont plus sombres. Sur le toit, terrasse qui offre une vue sur le Mékong. Une adresse classique et bien tenue.

Chic (300 000-500 000 kips / 37-62 $)

☖ *Houayxai Riverside Phonevichith Hotel* (plan A1, 30) : à 1 km env au nord du centre-ville, près de l'embarcadère des slow boats. ☎ 21-17-65. 🖳 020-554-837-29. ● houayxairiverside.com ● Bas de la fourchette. Emplacement privilégié pour ce petit hôtel à l'écart du centre-ville et au bord du Mékong. Au petit déj, depuis la terrasse, on ne se lasse pas de contempler le trafic des bateaux sur l'eau. L'endroit est calme. Côté chambres, c'est tout bon. Les moins chères, avec ventilo, occupent l'ancien bâtiment. Elles sont bien tenues, et les murs orange donnent la pêche. Accueil familial sans entrain. Fait aussi resto.

LE LAOS

Où manger ? Où prendre le petit déjeuner ? Où boire un verre ?

Bon marché (moins de 25 000 kips / 3 $)

I●I *Bokeo Café* (plan A2, 43) : rue principale. Tlj jusqu'à 21h30. On aime bien cette (toute) petite adresse avec mini terrasse sur rue et petite salle coquette, son accueil familial et serviable, sa cuisine à la fois diversifiée et goûteuse, sa musique d'ambiance... enfin, quand le karaoké n'a pas la mauvaise idée de miauler trop fort, quand même !

Prix moyens (25 000-60 000 kips / 3-7,50 $)

l●l *La Terrasse (plan B2, 44) :* à 20 m à gauche du premier palier de l'escalier d'accès au temple. *Tlj 16h-22h. Fourchette basse.* On mange sur des tables, soit normales avec chaises, soit basses avec coussins, réparties sur deux agréables... terrasses. Faites de bois, elles se dissimulent dans la verdure, jusqu'à faire oublier l'agitation de la ville pour déguster son plat. La carte, pas pléthorique, propose une cuisine savoureuse généreusement servie. Les quelques jeunes expatriés de la ville en ont fait leur quartier général.

l●l ▼ ☕ *Bar How ? (plan A2, 40) :* rue principale. *Tlj jusqu'à 23h.* Un p'tit resto au cadre soigné, mais à l'accueil malheureusement peu souriant et vite dépassé. On peut se poser en salle ou en terrasse au bord de la rue. La carte propose une bonne cuisine lao. Les amateurs de cocktails repéreront l'adresse pour la quinzaine de shooters de *lao whisky* (fait maison), arrangés au kiwi, à la pomme, à la menthe, au gingembre, etc. Pas mal non plus pour prendre le petit déj.

l●l *Restaurant Latsouly (plan A1, 41) :* à deux pas de l'embarcadère des *slow boats. Ouv de midi à la fin d'ap-m.* Latsouly sert de bonnes soupes locales et des plats laotiens à prix doux. Vue sur les bateaux et le fleuve.

l●l Voir également dans la rubrique « Où dormir ? », plus haut, le *Daauw Home.*

☕ *Dream Bakery (plan A2, 42) :* rue principale. *Tlj sauf dim 7h-20h (19h sam).* Cafés, thés, jus de fruits frais et nombreuses pâtisseries pour le petit déj. Également des sandwichs en journée.

À voir. À faire

🧍 *Wat Chome Khaou Manirath (plan B2) :* au sommet de la colline. On y accède par un escalier naga d'une centaine de mètres. Le temple, prospère, est habité par de nombreux novices. De là-haut, la vue englobe le Mékong et la rive thaïlandaise. Encore plus belle au coucher du soleil.

DANS LES ENVIRONS DE HOUEISAI

– *The Gibbon Experience :* bureau en centre-ville (plan A2, 9), dans la rue principale. ☎ 030-574-58-66. ● gibbonexperience.org ● *Tlj 8h-17h. Pas d'activité de mi-août à mi-sept. Compter 190-300 €/pers selon programme, tt compris (transport, activités, repas et hébergement). Attention, il est nécessaire d'être en bonne condition physique.*
Jean-François Reumaux, un Français, a monté cet original projet pour contribuer à la préservation de la forêt de Bokeo. Cette démarche, soutenue par les autorités laotiennes, a abouti, en 2008, à la création du Nam Kan National Park. Une partie des bénéfices finance le fonctionnement du parc et différentes actions de protection des milieux naturels ou de soutien auprès des villageois.
The Gibbon Experience propose de vivre 2 ou 3 jours dans la forêt tropicale. Plusieurs parcours ont été aménagés dans un petit secteur du parc national. On alterne balade à pied en compagnie d'un guide (mais tous ne se valent pas), et voltige d'arbre en arbre arrimé à des tyroliennes (près de 20 km de câble ont été tirés). La nuit se passe dans des maisons de 8 à 14 personnes, perchées dans les arbres à 40 m du sol, au niveau de la canopée ! Côté confort : c'est un lit, une moustiquaire et une douche froide. Certaines cabanes sont au cœur des arbres, d'autres offrent une vue plus panoramique. Une expérience vraiment sportive, pour l'organisme comme pour le porte-monnaie.

LUANG NAM THA

IND. TÉL. : 086

● Plan *p. 437*

À une soixantaine de kilomètres au sud de la frontière chinoise (Yunnan) et à 120 km au nord-ouest d'Oudom Xai, Luang Nam Tha, capitale de la province du même nom, est une grosse bourgade-carrefour posée dans une plaine d'altitude où, en saison sèche, le climat est plus tempéré que tropical. En saison humide, la chaleur peut être très lourde.

Le centre vivant, où se mélangent routards, habitants des villages et commerçants chinois, abrite le marché ainsi que les hôtels et restos. Faute de véritable patrimoine architectural, Luang Nam Tha est un bon camp de base pour organiser un trek dans la réserve naturelle de la Nam Tha et découvrir les villages de la région. D'ailleurs, les agences spécialisées dans l'écotourisme fleurissent.

Arriver – Quitter

En bus

🚌 **Gare routière longue distance** *(hors plan par B2, 1)* : *à 8 km env au sud du centre-ville. Compter env 20 000 kips/pers en tuk-tuk pour s'y rendre.* Liaisons avec :

➢ **Houeisai :** 3 bus/j., le mat, le midi et l'ap-m. Trajet : env 4h (170 km).

➢ **Oudom Xai :** 3 bus/j. Trajet : env 3h (120 km).

➢ **Luang Prabang :** 1 bus/j., le mat. Trajet : env 8h (310 km).

➢ **Vientiane :** 2 bus le mat (express). Trajet env 22h (700 km).

➢ **Diên Biên Phu** *(Vietnam) :* 2 bus/j., tôt le mat. Trajet : env 9h (325 km).

➢ **Muengla** *(Chine) :* 1 bus/j., le mat. Trajet : env 3h (125 km).

🚌 **Gare routière petite distance** *(plan B2, 2)* : *à la sortie de la ville.* Liaisons avec :

➢ **Boten** *(frontière chinoise) :* 6 minibus/j., 8h-15h30. Trajet : env 1h30 (50 km).

En avion

✈ **Aéroport** *(hors plan par B2)* : *à 5 km env au sud de la ville. Compter env 20 000 kips/pers en tuk-tuk pour s'y rendre.*

➢ **Vientiane :** 1 vol/j., l'ap-m, avec *Lao Airlines.*

Adresses utiles

🛈 **Tourist Office** *(plan B1)* : ☎ 21-30-21. ● *luangnamtha-tourism-laos.org* ● *Lun-ven 8h-11h30, 13h30-16h.* Grande maison en bois. Panneaux d'affichage sur les randos dans les villages, plan de la ville et des environs. Télécharger également sur ● *luangnamthaguide.com* ● un petit *guide électronique* de la région bien fait, édité par le *Bamboo Lounge* (voir plus loin).

■ **Banque pour le Commerce Extérieur Lao** *(plan B2, 3)* : à côté du marché nocturne. *Lun-ven 8h30-15h30.* Retrait d'argent au guichet avec carte de paiement. Bureau de change (dollars et euros) et distributeur.

■ **Lao Development Bank** *(plan B2, 4)* : *rue principale.* ☎ 31-20-73. *Lun-ven 8h30-15h30.* Change devises et chèques de voyage. Distributeur. Service *Western Union.*

■ **Immigration Office** *(plan A1, 5)* : *un peu à l'écart du centre-ville.* ☎ 21-21-04. *Lun-ven 8h-11h30, 13h-16h.* Pour faire prolonger son visa.

■ *Lao Airlines* (plan B2, **6**) : *rue principale.* ☎ 21-20-72 ou 21-21-86. *Tlj sauf dim 8h-12h, 13h-17h.*

■ *Location de vélos, VTT et motos* (plan B2) : *plusieurs loueurs sur la rue principale (horaires et tarifs similaires). Tlj 7h-19h env. Compter 10 000 kips/j. pour un vélo de ville ; 25 000 kips/j. pour un VTT. À partir de 50 000 kips/j.* pour une moto 100 cm^3 (essence en supplément).

– *Marché* (plan A2) : *à l'écart de la route principale. Tlj 8h-16h30 env.* Assez grand et intéressant pour ses couleurs locales. *Marché nocturne (Night Market ; plan B1-2),* en plein centre-ville *(tlj 17h-21h30 env).*

Où dormir ?

Très bon marché (moins de 80 000 kips / 10 $)

🛏 *Soulivong Guesthouse* (plan B1, **10**) : *rue parallèle à la rue principale.* ☎ 31-22-53. *Pas de petit déj.* Bâtiment en béton de 2 étages, qui abrite une dizaine de chambres basiquissimes, avec ventilo et toilettes (à la chinoise) à l'intérieur ou à l'extérieur (douche, en principe avec eau chaude). Rien d'extraordinaire, mais l'endroit est calme et l'entretien correct. D'ailleurs, les portraits de Marx, Lénine et même Staline veillent au bon ordre du lieu !

Bon marché (80 000-150 000 kips / 10-19 $)

🛏 *Zuela Guesthouse* (plan A1, **18**) : *au fond de l'impasse juste en face du marché nocturne.* ☎ 020-558-866-94. *Doubles avec sdb, ventilo ou clim, lockers.* Jolis bâtiments tout en briques vernies et bois, aux toits ourlés de lambrequins. L'endroit est charmant. Comme l'édifice est en retrait de la route, pas de nuisance liée à la circulation (c'est appréciable !). Les chambres, décorées de tissus traditionnels, tiennent toutes leurs promesses. Celles à l'étage sont plus lumineuses. Resto dans la même cour (où on prend le petit déj). Location de vélos. Un excellent rapport qualité-prix.

🛏 *Adounsiri Guesthouse* (plan A2, **12**) : *dans une rue parallèle à la rue principale.* ☎ 020-554-455-32. ● *adoun siri@yahoo.com* ● *Doubles avec sdb et ventilo dans la partie basse de la fourchette.* Agréable *guesthouse* familiale d'une quinzaine de chambres dans 2 bâtiments protégés de la rue par une haie végétale. Avec la cour et les tables pour se poser, l'endroit est avenant. Chambres vraiment bien tenues. On salue les petits efforts de déco. Accueil aimable. À ce prix-là, malgré l'absence de clim, c'est une vraie bonne affaire.

🛏 *Oudomsinh Hotel* (plan B1, **13**) : *au fond d'une impasse partant de la rue principale, à env 100 m du centre.* ☎ 030-471-71-211. *Pas de petit déj.* Sorte de motel autour d'une grande cour ombragée qui propose 2 types de chambres. Des bungalows tout en bois, avec un p'tit charme, douche et toilettes à la chinoise. Terrasse intime donnant sur la rivière en contrebas. À ce niveau de prix (à la limite du « très bon marché »), c'est une des bonnes affaires de la ville. Il y a aussi les chambres (« bon marché ») dans 2 bâtiments en dur, face à face et tout en longueur, plus modernes et plus confortables. Une adresse calme, en retrait de l'animation de la ville.

🛏 *Thoulasith Guesthouse* (plan B2, **17**) : *accès par une ruelle discrète qui part de la rue principale.* ☎ 21-21-66. ☎ 020-222-9-34-44. ● *infothou lasith@gmail.com* ● *Pas de petit déj.* Cette *guesthouse* qui se dissimule en retrait de la rue principale est une vraie bonne surprise. Posés au bord d'un jardin verdoyant et calme, les 2 bâtiments relativement récents comptent une quinzaine de chambres nickel. Certaines salles de bains sont même mignonnes. Terrasse pour se prélasser. L'accueil est aimable, les prix s'avèrent très raisonnables. Un endroit où l'on se pose avec plaisir, mais en ayant pris soin de bien visiter la chambre au préalable : certaines sont mal aérées.

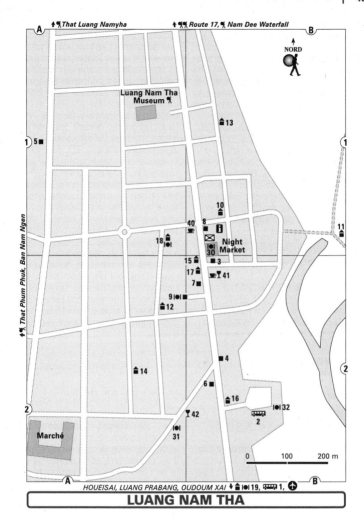

↑⚑ *That Luang Namyha*   ↑⚑⚑ *Route 17,* ⚑ *Nam Dee Waterfall*

NORD

Luang Nam Tha Museum ⚑

⬆13

↑⚑ *That Phum Phuk, Ban Nam Ngen*

1) 5■

10 ⬆

40 Ⓘ 8

18 ⬆ Ⓘ◉Ⓘ

✉ 30   **Night Market**

15 ⬆   3

17 ⬆ ☕🍸 41

7 ■

9 Ⓘ◉Ⓘ

12 ⬆

⬆14

4 ■

6 ■

⬆16

🍸 42

Ⓘ◉Ⓘ 31

◉Ⓘ◉ 32

🚌 2

0   100   200 m

LE LAOS

Ⓐ   *HOUEISAI, LUANG PRABANG, OUDOUM XAI* ↓⬆ Ⓘ◉Ⓘ 19, 🚌 1, ✛   Ⓑ

Marché

LUANG NAM THA

■ **Adresses utiles**

ⓘ   Tourist Office (B1)
🚌 1   Gare routière longues distances (hors plan par B2)
🚌 2   Gare routière petites distances (B2)
3   Banque pour le Commerce Extérieur Lao (B2)
4   Lao Development Bank (B2)
5   Immigration Office (A1)
6   Lao Airlines (B2)
7   Discovering Laos (Namtha Riverside Experience ; B2)
8   Green Discovery (B1)

9   Forest Retreat Laos (A2)

⬆   **Où dormir ?**

10   Soulivong Guesthouse (B1)
11   Phou Iu III (B1)
12   Adounsiri Guesthouse (A2)
13   Oudomsinh Hotel (B1)
14   Tavyxai (A2)
15   Khamking Guesthouse (B2)
16   Amandra Villa (B2)
17   Thoulasith Guesthouse (B2)
18   Zuela Guesthouse (A1)
19   The Boat Landing Guesthouse & Restaurant (hors plan par B2)

Ⓘ◉Ⓘ   **Où manger ?**

9   Minority Restaurant (A2)
18   Zuela Restaurant (A1)
30   Restos du marché nocturne (B1-2)
31   Aimsabaiy (A2)
32   Two Sisters Restaurant (B2)

☕🍸   **Où prendre le petit déjeuner ? Où boire un verre ?**

40   Manikong Bakery Cafe (B1)
41   Bamboo Lounge (B2)
42   Chill Zone (A-B2)

🛏 *Tavyxai (plan A2, 14) : dans une rue parallèle à la rue principale.* 🖨 *030-510-32-98. Doubles avec sdb, clim ou ventilo ; pas de petit déj.* Grosse villa cossue avec façade à colonnes qui en jette un peu. Chambres assez spacieuses et bien équipées... Petite terrasse au 1er étage pour prendre l'air. Un rapport qualité-prix honnête.

🛏 *Khamking Guesthouse (plan B2, 15) : rue principale, en face du marché nocturne.* ☎ *31-22-38.* 🖨 *020-22-39-07-77. Doubles avec sdb, clim et ventilo ; pas de petit déj.* Bâtiment sans charme, offrant des chambres plus lumineuses à l'étage et plus calmes à l'arrière. Car, située en plein centre, l'adresse n'est pas toujours très zen.

Prix moyens (150 000-300 000 kips / 18-37 $)

🛏 *Phou lu III (plan B1, 11) : à l'est du centre-ville.* 🖨 *020-55-42-27-03* ● *phouiutravel@gmail.com* ● *Resto sur résa pour les résidents.* En lisière de la ville, dans un quartier qui sent déjà la campagne, agréable écolodge que ne renieront pas ceux qui cherchent un peu de calme. Les bungalows proposés sont à la fois vastes, bien équipés et construits en matériaux traditionnels : certes, les grincheux trouveront que les murs en bambou tressé isolent insuffisamment du chant du coq. Chacun a sa terrasse face au vaste jardin un peu en devenir. Pour ne rien gâcher, l'accueil est serviable.

🛏 *Amandra Villa (plan B2, 16) : au sud du centre, en léger retrait de la rue principale.* ☎ *21-24-01.* 🖨 *020-98-08-88-78.* ● *amandrahotels.com* ● Bâtiment tout en bois avec une coquette terrasse dans la verdure. Les chambres offrent une bonne gamme de confort, équipées de salles de bains proprettes... ensuite, ventilo ou clim, taille et déco font le reste. Les *deluxe,* très grandes, décorées de nattes et bambou aux murs disposent d'un coin salon. Les catégories inférieures, avec leurs murs blancs, ne sont pas pour autant négligées. Et si vous avez un bus local à prendre, la gare routière est juste à côté.

Où manger ?

De bon marché à prix moyens (moins de 60 000 kips / 7,50 $)

🍽 *Restos du marché nocturne (plan B1-2, 30) : rue principale. Tlj jusqu'à 21h30 env. « Très bon marché. »* Idéal pour se sustenter de *noodle soups,* brochettes, bols de riz, assis sur un banc. Ambiance populaire, pleine de vie.

🍽 *Minority Restaurant (plan A2, 9) : au fond d'une impasse qui part de la rue principale. Tlj jusqu'à 22h30 env. « Prix moyens ».* Terrasse en bois, aérée et tranquille (pas le moindre bruit de circulation) avec un éclairage tamisé pour une atmosphère intime le soir venu. Les jeunes femmes qui s'activent derrière les fourneaux préparent une cuisine goûteuse. On y croise les clients de l'agence *Forest Retreat :* impec pour avoir quelques tuyaux sur les activités dans le coin.

🍽 *Two Sisters Restaurant (plan B2, 32) : à la gare routière petites distances. « Bon marché. » Tlj jusqu'à 23h env. « Bon marché ».* Un resto tout en bois qu'on aime bien. Certes, on est juste à côté de la gare routière, mais il y a peu de bus, et on ne mange pas le nez dans les hydrocarbures. La terrasse avec ses bouquets de verdure est même plaisante. Cuisine laotienne de bon aloi, appréciée des locaux. Le *buffalo steak* est savoureux. Une adresse bienvenue pour prendre un peu de large par rapport au centre-ville.

🍽 *Zuela Restaurant (plan A1, 18) : le resto de la Zuela Guesthouse (voir « Où dormir ? »). Tlj jusqu'à 22h30. Haut de la fourchette.* Cuisine lao et internationale correcte (soupe, pizzas, burgers, steak, etc.). On vient avant tout pour le cadre paisible.

🍽 *Aimsabaiy (plan A2, 31) : entre marché et rue principale. Tlj jusqu'à 22h env. « Prix moyens. »* Une adresse très locale, en retrait du centre-ville et de ses adresses routardes. La classe moyenne locale vient remplir cette grande salle lambrissée du sol au plafond et largement ouverte sur la campagne par de grandes baies vitrées. On y savoure des spécialités assez *hot-spicy*, à choisir sur les photos du menu (pas en anglais, vous l'avez saisi).

Où dormir ? Où manger dans les environs ?

🏠 🍴 **The Boat Landing Guesthouse & Restaurant** *(hors plan par B2, 19) : Ban Kone ; à 6 km au sud de la ville et à 1 km de l'aéroport.* ☎ 31-23-98. ● *theboatlanding.com* ● *Doubles 50-55 $ selon saison, petit déj compris. Resto à « prix moyens ».* Une dizaine de bungalows traditionnels en bois et rotin, avec terrasse individuelle, face à la rivière Nam Tha. Confortables et pleins de charme, tout comme l'environnement que constitue l'agréable jardin tropical. Jolis couvre-lits en coton tissé. Des panneaux solaires assurent des douches chaudes. C'est aussi l'occasion de déguster une cuisine laotienne raffinée dans une belle salle ouverte sur la rivière. Location de vélos. Une vraiment belle adresse, à l'écart de tout.

Où prendre le petit déjeuner ?
Où boire un verre ?

🍹 **Manikong Bakery Cafe** *(plan B1, 40) : rue principale. Tlj 6h30-23h.* Très bien pour prendre le petit déj (croissants, muffins, toasts et confiture, etc.), voire un p'tit noir en journée. Propose également des sandwichs et pizzas en journée.

🍹 🍷 **Bamboo Lounge** *(plan B2, 41) : rue principale.* 📱 *020-556-800-31. Tlj jusqu'à 23h.* Une terrasse abritée de la rue par un mur de plantes vertes, deux petites salles, une équipe féminine sympa issue des villages voisins, on passe ici pour croiser d'autres routards, prendre un petit déj, un verre, voire un plat italien (il y a même un four à pizza pour le soir). Une partie des bénéfices est reversée à des programmes scolaires pour les gamins du coin.

🍷 **Chill Zone** *(plan A-B2, 42) : entre marché et rue principale. Tlj 15h-23h.* On a l'embarras du choix pour boire un coup : des tables basses avec minitabourets, des mange-debout autour de fûts aménagés ou des tables classiques. Le tout sur une grande plateforme ouverte à toutes les moussons (couverte d'un toit, quand même !), avec vue dégagée sur l'horizon montagneux.

À voir. À faire à Luang Nam Tha et dans les environs

🍴 **Luang Nam Tha Museum** *(plan A1) : rue principale. Lun-ven 8h15-11h15, 13h15-15h30. Entrée : 10 000 kips.* Petit musée un peu fourre-tout : poteries, bouddhas en bronze, objets de la vie quotidienne, instruments de musique, costumes traditionnels, anciens billets de l'Indochine française qui ont circulé jusqu'en 1977-1978, etc.

Au nord de Luang Nam Tha *(hors plan par A1)*

🍴 **Nam Dee Waterfall** *(chutes de Nam Dee) : à 9 km env de Luang Nam Tha. En tuk-tuk, compter 120 000 kips l'A/R avec attente du chauffeur. Sinon, louer un VTT ou une moto (si on fait la boucle vers les villages). Prendre la direction de Muang*

LE LAOS

Sing ; à la sortie de la ville, au rond-point, bifurquer à droite (passer sur le pont), puis prendre la route à gauche env 1 km plus loin à la station-service ; ensuite, c'est tt droit. Les chutes sont juste à la sortie du village de Nam Dee, 200 m après le guichet d'entrée. Si vous êtes perdu (on ne sait jamais...), demandez : « Nam dtok tat you sai ? » (« Où sont les chutes ? »). Droit d'entrée : 10 000 kips ; 5 000 kips pour le vélo. Les chutes n'ont rien d'extraordinaire, mais c'est l'occasion d'une agréable balade. Le village est peuplé par des Lanten, qui utilisent encore les caractères chinois dans l'écriture.

🎥🎥 *Les villages :* ils essaiment la route 17 en direction de Muang Sing, sur une trentaine de kilomètres à partir de Luang Nam Tha (il y en a au-delà, mais c'est une autre aventure...). La route, plutôt bonne, grimpe pépère en suivant globalement le cours de la Nam Tha. Outre quelques bananeraies et de rares pans de « vraie » forêt, les pentes des collines sont couvertes de plantations d'hévéas. Des rizières en terrasses se nichent parfois dans la vallée encaissée. Les premiers villages sont **Ban Hong Leuai** *(km 5)*, puis **Ban Phin Ho** *(km 11).* Tous deux sont peuplés de **Lanten** dont l'activité est dominée par le tissage et la teinture : les toiles sont imbibées à la louche (au sens propre !) de teinture, souvent tirée des indigotiers qui fleurissent dans les montagnes alentour, avant de sécher à tous les vents sur des structures en bambou. L'habitat traditionnel sur pilotis, avec ses murs de bambou tressé, laisse peu à peu la place au ciment, plus moderne, plus confortable.

En poursuivant la route, on atteint **Ban Done Xay** *(km 17-18),* peuplé de **Khamu** (ou Khmu) cette fois. À l'entrée et à la sortie, à l'écart du hameau, notez les jolis greniers, dont les pilotis sont équipés de savants systèmes pour éviter que quelque pirate à quatre pattes vienne se remplir la panse du butin de l'année. Au long de la rue principale en terre battue, les villageois vaquent : on saisit ici le terme de « communauté », tant les activités sont menées ensemble. Avec un peu de chance, on assiste au travail de crochet de quelques vieilles dames qui fument fièrement la pipe. Cette ethnie est reconnue pour sa connaissance des plantes et son travail de vannerie.

Retour à la route pour rejoindre le village de **Lak Khammai** *(km 27)* de la communauté **Akha.** Le hameau est perché sur la colline de l'autre côté de la rivière (à 300 m de la route, accès à moto un peu scabreux). Ici, pas de pilotis, les habitations sont de plain-pied. Sans cheminée, non plus, on voit la fumée du foyer s'échapper comme elle peut par la base des toits de paille. Le village préserve encore bien sa typicité, avec quelques constructions cylindriques en bambou.

On finira ici ce tour d'horizon des ethnies implantées dans ces collines qui accueillent également des villages de l'ethnie Hmong (autrement appelés Méo). Un peuple montagnard animiste dont une forte communauté a dû s'exiler après la guerre d'indépendance (pour son soutien à la France). Elle compte encore à ce jour 2 000 âmes en Guyane française.

À l'ouest et au sud-ouest de Luang Nam Tha
(hors plan par A1)

🎣 Autre circuit en boucle de 15 à 20 km qui nécessite une bonne demi-journée. Négocier un *tuk-tuk* ou louer un VTT. Vous devrez demander votre chemin, sachant que peu de villageois parlent l'anglais.

La balade commence par **That Luang Namyha** *(hors plan par A1),* à 1,5 km environ du centre-ville. On peut d'ailleurs le visiter en aller-retour depuis le centre-ville, sans faire toute la balade décrite. Il s'agit d'un joli stûpa doré, perché au sommet d'une colline. Intéressant pour le point de vue sur la ville et les environs. En poursuivant plus au sud, la route longe forêts d'hévéas (avec les petits bols collecteurs de latex) et rizières. 4 km plus loin, on arrive à **That Phum Phuk,** un stûpa accessible par un escalier de 175 marches. Il a été construit pour remplacer l'ancien stûpa édifié au XVIIe s et détruit par les bombardements américains, dont il reste d'ailleurs quelques vestiges. Un lieu ombragé, empreint de sérénité.

Reprendre vers le sud, puis à gauche et tout de suite à droite. Après 1 km de piste, on atteint le hameau de **Ban Nam Ngen,** un village de tisserands. Toutes les familles, ou presque, ont un métier à tisser. On peut les observer à l'ouvrage. D'autres distillent le *lao-lao*, l'alcool national à base de riz. À 1,5 km de là, petit arrêt à **Ban Phieng Ngam,** où les tisserands ont ouvert un magasin pour vendre foulards, écharpes, couvertures, etc. confectionnés dans les villages du coin. De là, encore quelques coups de pédales (sur 2 km) pour rejoindre la route principale, à 6 km au sud de Luang Nam Tha, juste au niveau de l'aéroport.

%% *Excursions dans la réserve naturelle de la Nam Tha :* compter env 40-50 $/pers pour un trek d'une journée, sur la base de 4 pers (55-75 $/pers sur la base de 2 pers) ; env 65 $/pers pour un trek de 2 j. sur la base de 4 pers (env 75 $/pers sur la base de 2 pers). Plusieurs agences proposent des excursions dans ce parc, toute l'année. Elles durent généralement de 1 à 3 jours et combinent, selon vos souhaits, trek (marche de 4 à 6h par jour), balade à bord de pirogue à moteur, virée à VTT, en raft ou en kayak, et découverte de villages ethniques. La nuit se passe dans une hutte villageoise ou sous une tente. On part en petit groupe (maxi huit personnes), en compagnie de guides (un guide pour quatre personnes). Les tarifs incluent le transport, les droits d'entrée, les repas, l'eau (bien se faire préciser le nombre de bouteilles d'eau prévues), le logement (sac de couchage généralement fourni) et les guides. Prévoir un sac à viande, de bonnes chaussures, un répulsif contre les moustiques et des vêtements chauds (le contraste des températures entre le jour et la nuit est souvent saisissant de novembre à février). En 1 jour, on ne pénètre que très peu dans le parc même, il faut au moins 2 jours pour en profiter pleinement. Ne pas hésiter à comparer les prestations de plusieurs agences. En voici trois plébiscitées *(ttes ouv tlj 8h-20h)* :

■ *Discovering Laos* (Namtha Riverside Experience ; plan B2, **7**) : rue principale. ☎ 21-20-47. 📱 020-229-903-44. ● namtha-river-experience-laos. com ● Organise différents treks mixant marche et kayak.
■ *Green Discovery* (plan B1, **8**) : rue principale. ☎ 21-14-84. ● greendiscoverylaos.com ● Une grosse agence spécialisée dans l'écotourisme. Programmes variés mais pas donnés.
■ *Forest Retreat Laos* (plan A2, **9**) : rue principale. 📱 020-555-600-07. ● forestretreatlaos.com ● Organise différents treks et parcours écotouristiques.

BOTEN

Pour les étrangers, Boten reste l'unique point de passage terrestre entre la Chine et le Laos. Un kiosque de la *Lanexang Bank* permet d'acquérir ses premiers yuans (monnaie chinoise), mais vous pouvez aussi vous adresser aux particuliers qui attendent après le poste-frontière chinois.

Arriver – Quitter

➢ *Luang Nam Tha (50 km) :* 6 minibus/j., 8h-15h30. Trajet : env 1h30.
➢ *Oudom Xai (100 km) :* 1 départ/j., le mat. Trajet : env 4h (100 km).

LE LAOS

Premiers pas en Chine

L'ensemble des formalités frontalières entre Laos et Chine s'effectue en général très rapidement et sans problème (sans commission...).

Le passage est possible entre 8h30 et 16h30 (heure laotienne). Des *tuk-tuk* assurent la traversée du *no man's land* qui sépare les 2 pays (env 1 km).

– *Attention :* en venant de Chine, le *visa on arrival* laotien s'obtient sur place (voir la rubrique « Avant le départ – Formalités » en début de guide). En revanche, dans l'autre sens, **le visa chinois ne s'obtient pas sur place.** Il faut le demander auprès des ambassades chinoises dans votre pays (avant de venir) ou au plus proche, à Vientiane, Chiang Mai ou Bangkok.

OUDOM XAI (MUANG SAI)   IND. TÉL. : 081

● Plan *p. 443*

À 120 km au sud-est de Luang Nam Tha et environ 200 km au nord de Luang Prabang, c'est un point de passage obligé pour ceux qui veulent aller plus au nord. Cette petite « capitale » provinciale dynamique et sans grand charme est entourée de collines verdoyantes qui lui servent d'environnement agréable (c'est au moins ça !). En partie bombardée par l'aviation américaine entre 1963 et 1966, elle est hâtivement rebâtie en cahutes sur pilotis après la guerre. Puis devient une plaque tournante du commerce avec le Vietnam, la Chine et la Thaïlande grâce à un solide réseau routier, financé en grande partie par la Chine : un résumé de ce qu'a connu le nord du pays depuis 30 ans.

Arriver – Quitter

En bus

La ville compte 2 gares routières, toutes 2 situées au sud du centre. Certains rares bus relient à la fois les deux gares.

Gare routière « du nord » (hors plan par B2, *1*) : *rue principale, à 600 m au sud du centre-ville. Tuk-tuk pour s'y rendre.* Liaisons avec :

➤ **Boten** (frontière chinoise) et **Muengla** (Chine) : 1 bus/j., en début de mat. Trajet : respectivement env 4h (100 km) et 6h (160 km).

➤ **Diên Biên Phu** (Vietnam) : 1 bus/j., en début de mat. Trajet : env 7h (210 km).

➤ **Luang Nam Tha :** 3 bus/j., 2 le mat, le 3e en milieu d'ap-m. Trajet : env 4h (120 km).

➤ **Muang Khoua :** 3 départs/j., 2 le mat et 1 l'ap-m. Trajet : env 3-4h (100 km).

➤ **Phongsaly :** 1 bus/j., en début de mat. Trajet : 7-8h (215 km).

Gare routière « du sud » (hors plan par B2, *2*) : *sur la route de Luang Prabang, à 6 km au sud du centre-ville. Y aller en* tuk-tuk. Liaisons avec :

➤ **Luang Prabang :** 3 départs/j., le mat, le midi et en milieu d'ap-m. Trajet : env 5h (200 km).

➤ **Nong Khiaw :** 1 bus/j., le mat. Trajet : env 4h (110 km).

➤ **Pakbeng :** 2 bus/j., le mat. Trajet : 4h env (140 km). Route bitumée mais nombreux nids-de-poule.

➤ **Vientiane :** 4 bus/j., 1 le mat, 3 l'ap-m (dont 2 VIP). Trajet : 15-17h (650 km).

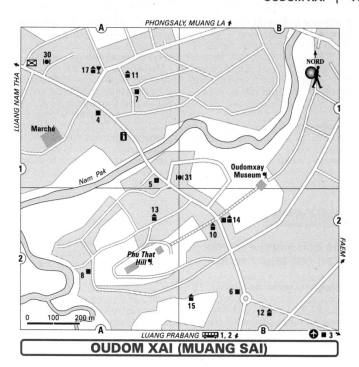

OUDOM XAI (MUANG SAI)

LE LAOS

■	Adresses utiles
ff	Tourist Office (A1)
1	Gare routière « du nord » (hors plan par B2)
2	Gare routière « du sud » (hors plan par B2)
3	Lao Airlines(hors plan par B2)
4	Lao Development Bank (A1)
5	Banque pour le Commerce Extérieur Lao (A1)
6	Indochina Bank (B2)
7	Public Security Office – Immigration & Tourism (A1)
8	Lao Red Cross (A2)

Où dormir ?

10 Vilavong Guesthouse et Villa Keoseumsack (B2)
11 Hongfa Guesthouse (A1)
12 Say Lomyen Guesthouse (B2)
13 Oudomphet Guesthouse (A2)
14 Litthavixay Guesthouse (B2)
15 Xaysana Hotel (B2)
17 Charming Laos Hotel (A1)

Où manger ?
Où boire un verre ou prendre un café ?

17 Café Sinouk (A1)
30 Souphailins Restaurant (A1)
31 Kanya Restaurant (A-B1)

En avion

✈ **Aéroport** *(hors plan par B2) :* à 600 m env à l'ouest du centre-ville.

➢ *Lao Airlines* et *Lao Skyway* assurent chacun 1 vol/j., le mat et en début d'ap-m, pour **Vientiane.**

Adresses utiles

ff Tourist Office *(plan A1) : rue principale.* ☎ 21-24-83. ● *oudomxay. info* ● *Lun-ven 8h30-12h,* 13h30-16h30. Pas mal de renseignements sur la région. Horaires des bus. Et surtout la bonne idée d'un panneau d'affichage très complet à l'extérieur (consultable à toute heure).

■ *Lao Airlines (hors plan par B2, 3) :* à 600 m env du centre-ville, juste avt l'entrée de l'aéroport, sur la gauche. ☎ 31-21-46. Horaires variables. Également un *bureau en ville (au rdc de la Litthavixay Guesthouse ; plan B2, 14 ; ☎ 21-21-75).*

■ *Banques : rue principale. Lun-ven 8h15-15h30. Lao Development Bank (plan A1, 4) ; Banque pour le Commerce Extérieur Lao (plan A1, 5) ; Indochina Bank (plan B2, 6).* Change au guichet et distributeur.

■ *Public Security Office – Immigration & Tourism (plan A1, 7) :* ☎ 030-200-60-02. Lun-ven 8h-11h30, 13h-16h. Pour faire prolonger son visa.
– *Marché (plan A1) :* à 200 m du croisement central de la ville. Tlj. Marché aux fruits et légumes, poissons et viandes.
■ *Lao Red Cross (plan A2, 8) :* dans la rue qui contourne le Phu That. ☎ 31-23-91. Tlj 15h-19h. Sauna et massages à prix fort intéressants, pratiqués dans la pure tradition laotienne. Les fonds contribuent à financer le programme de la Croix-Rouge dans la région.

Où dormir ?

Très bon marché (moins de 80 000 kips / 10 $)

🛌 *Hongfa Guesthouse (plan A1, 11) :* à 150 m du croisement central. ☏ 020-22-03-69-99. Dans la partie basse de la fourchette. Pas de petit déj. Dans un bâtiment surplombant un square, légèrement en retrait de l'agitation urbaine, une vingtaine de chambres réparties sur 3 niveaux. Au programme de chacune, salle de bains, ventilo et séance de langage des signes (les proprios parlent deux... allez, trois mots d'anglais).

🛌 *Litthavixay Guesthouse (plan B2, 14) :* rue principale, au pied des escaliers qui mènent au musée. ☎ 21-21-75. ☏ 020-987-200-00. ● litthavixay@ yahoo.com ● Dans la partie basse de la fourchette. Un hôtel qui tire bien son épingle du jeu en proposant des chambres aux meubles dépareillés, parfaitement tenues. On sent le souci de la propreté. Toutes disposent d'une salle de bains avec douche chaude. En revanche, certaines ont le mur de la maison mitoyenne comme seul horizon. Préférer celles situées au fond du bâtiment, un peu plus éloignées de la rue bruyante. Bon accueil.

🛌 *Say Lomyen Guesthouse (plan B2, 12) :* quartier Phoosai, près du rond-point. ☎ 21-13-77. Pas de petit déj. 2 bâtiments côte à côte d'une trentaine de chambres sans prétention et quelque peu défraîchies. Salles de bains carrelées, eau chaude. Intéressant pour les chambres avec ventilo (pour la clim, il y a mieux ailleurs). Accueil en v.o.

🛌 *Vilavong Guesthouse (plan B2, 10) :* rue principale. ☎ 21-25-03. Pas de petit déj. Une grande demeure particulière, en léger retrait de la rue. Les chambres du rez-de-chaussée sont un peu moins chères, mais moins lumineuses aussi. Dommage que, ces derniers temps, le lieu pâtisse d'un manque d'entretien.

Bon marché (80 000-150 000 kips / 10-19 $)

🛌 *Oudomphet Guesthouse (plan A2, 13) :* dans une rue perpendiculaire à la route principale. ☎ 31-22-36. ☏ 020-556-854-55. ● pathoomphone@ gmail.com ● Dans la partie basse de la fourchette. Pas de petit déj. Une guesthouse bien tenue, située au bord d'une rue peu passante, ce qui est appréciable. Les chambres sont certes classiques (salle de bains avec eau chaude, ventilo ou clim) mais bien propres. 2 petits balcons communs pour se poser. Un rapport qualité-prix honorable.

🛌 *Xaysana Hotel (plan B2, 15) :* dans une rue perpendiculaire à la rue principale. ☏ 020-22-515-57-37. Pas de petit déj. Hôtel moderne à 100 m environ à l'écart de l'animation du cœur de la ville, donc relativement calme. Les chambres carrelées, propres, classiques et lumineuses avec ventilo qui s'étagent sur 3 niveaux sont appréciées des hommes d'affaires chinois.

De prix moyens à chic (150 000-500 000 kips / 19-62 $)

🛏 *Villa Keoseumsack* (plan B2, **10**) : rue principale. ☎ 31-21-70. ● keoseumsack@hotmail.com ● « Prix moyens ». L'élégante façade en bois cache des chambres réparties dans un édifice à l'arrière du bâtiment principal, à l'écart de la circulation. Petite préférence pour celles à l'étage, plus lumineuses, mais aucune n'est parfaitement isolée. Une adresse néanmoins très correcte, doublée d'un accueil gentil comme tout.

🛏 *Charming Laos Hotel* (plan A1, **17**) : à 100 m du croisement central de la ville. ☎ 21-28-81. ● charminglaoshotel.com ● Doubles « chic » (partie hte de la fourchette), petit déj inclus. Transfert gratuit depuis l'aéroport. L'hôtel chic et confortable d'Oudom Xai, dont le gérant laotien parle particulièrement bien le français. Les chambres moquettées sont plaisantes, joliment aménagées, et répondent au standing international avec ce qu'il faut de déco à la mode chic laotien. On apprécie le jardin verdoyant dans lequel il est reposant de prendre l'apéro ou de dîner. En revanche, mention « pourrait mieux faire » pour le petit déj.

Où dormir dans les environs ?

De bon marché à prix moyens (80 000-300 000 kips / 10-37 $)

🛏 I●I *Hotel Lhakham* : dans le village de *Muang La*, à 30 km env au nord de Oudom Xai, sur la route de Phongsaly. À la sortie du village, chemin sur la gauche. 🖥 020-555-559-30 et 020-588-415-61. ● lhakhamhotel@gmail.com ● Doubles avec sdb, petit déj compris. Resto sur place, avec résa la veille pour les non-résidents. Source chaude payante, résa obligatoire 2h avt, accessible aux non-résidents. En plus de chambres spacieuses alignées le long de la rivière, d'une terrasse pour profiter du cadre et d'une déco un peu originale (bambou géant en guise de pied de lampe), l'hôtel possède sa propre source chaude, une des particularités du village. Les bassins individuels ont été creusés dans des bâtiments aux larges vitres, donnant un peu l'impression qu'on est en pleine nature. Un très bon rapport qualité-prix. Patron anglophone et sympa.
– Sinon, un bain public (gratuit) se trouve au niveau du Muang La Resort (avant le petit pont, sur la gauche). On se rince à l'eau froide de la rivière. Attention, les femmes se baignent habillées. Mieux vaut adopter une tenue couvrante pour ne pas choquer les villageois.

Très chic (plus de 500 000 kips / 62 $)

🛏 I●I *Namkat Yorla Pa* : village de *Faen*, à 15 km env au nord-est d'Oudom Xai. 🖥 020-555-64-359. ● namkatyorlapa.com ● En saison, doubles 100-120 $, petit déj inclus (également des suites et villas). Transfert depuis Oudom Xai payant, sur résa. Resto accessible aux non-résidents. Ce superbe établissement aurait pu inspirer à Baudelaire sa fameuse tirade « Luxe, calme et volupté ». Loin de tout, les hôtes privilégiés s'établissent dans des chambres et villas bâties en respectant au mieux l'environnement. La décoration, les matériaux, l'agencement (jardinets intérieurs dans certaines chambres, baies vitrées donnant sur la jungle, salons et grandes terrasses privées...), tout concourt à une seule envie : prolonger le moment autant que le porte-monnaie le supportera. Pour agrémenter le plaisir, les doigts de pieds pourront soit se déployer en éventail au bord de la magnifique piscine, soit partir en balade ou s'adonner à une des nombreuses activités (aussi accessibles aux non-résidents). Également spa, fitness, sauna, massages et soins...

Où manger ?
Où boire un verre ou prendre un café ?

De bon marché à prix moyens (moins de 60 000 kips / 7,50 $)

I●I *Souphailins Restaurant (plan A1, 30)* : *au nord du croisement central.* ☎ *21-11-47. « Prix moyens ».* Dans une impasse, cette pittoresque demeure abrite un adorable petit resto. La sémillante patronne concocte une délicieuse cuisine laotienne, carrément chez elle. Cadre chaleureux digne d'un mini musée des arts et traditions populaires. Mieux vaut avoir un peu de temps, car tout est frais et fait sur-le-champ. Petite terrasse. On vous conseille le poisson cuit dans une feuille de bananier, le *lap,* un bon gaspacho *(jam jen luam mid)* ou encore la viande grillée et séchée *(pbing siin sud nueng).* Une adresse attachante.

I●I *Kanya Restaurant (plan A-B1, 31)* : *dans une perpendiculaire à la rue principale.* ☎ *31-20-77. « Bon marché. » Tlj jusqu'à 22h.* Posters vrais, moulures fausses, des néons, des fleurs artificielles, des ventilos. Dans ce resto bien connu à Oudom Xai, on sert une grande variété de plats copieux que l'on déguste autour de grandes tables communes. Le midi, vous partagerez peut-être le couvert avec un employé de banque, un policier en uniforme ou un routard en escale. Service rapide et courtois. Une valeur sûre.

Ⴎ *Café Sinouk (plan A1, 17)* : *voir plus haut le* Charming Laos Hotel *dans « Où dormir ? ». Tlj 7h-20h.* Au rez-de-chaussée du chic hôtel, une poignée de tables basses et de fauteuils en rotin dans une salle moderne et chaleureuse. On aime aussi le petit jardin situé sur la partie arrière du bâtiment. Parfait pour laisser filer le temps devant un (bon) café ou un verre.

À voir

🗡 À la tombée du jour, faire un tour au sommet du *Phu That (plan A2),* véritable mamelon au milieu de la plaine. Le *that* perché tout en haut a été achevé en 1997, sur les ruines d'un ancien stûpa bombardé en 1975. Derrière s'élève une belle statue dorée du Bouddha, avec les rizières et les collines environnantes en toile de fond. Pour une pause pleine de sérénité.

🗡 *Oudomxay Museum (plan B1)* : *au centre-ville. Accès par les escaliers qui grimpent depuis la rue principale. Lun-ven 8h-11h, 13h30-16h. Entrée : env 5 000 kips.* Objets et vêtements traditionnels, nombreuses photos de guerre. Un musée qui a le mérite d'exister.

NONG KHIAW

IND. TÉL. : 071

● Plan *p. 449*

À 26 km à l'est de Pakmong et environ 200 km au nord de Luang Prabang, ce gros village s'étire de part et d'autre de la Nam Ou, dans un site naturel particulièrement beau. Des collines et des monts rocheux, aux contours usés et couverts de végétation luxuriante, composent cette vallée, souvent embrumée le matin, au fond de laquelle coule la Nam Ou. Par son site exceptionnel et son paysage tropical tempéré (et vert), Nong Khiaw est une de nos étapes préférées dans le nord-est du Laos. Une halte obligée pour ceux qui souhaitent poursuivre vers Muang Ngoi et Muang Khoua. On ne s'y attarde en général pas trop longtemps, car hormis quelques balades sur les hauteurs (splendides cela dit), les points d'intérêt restent limités.

Sur la rive droite, la partie ancienne du village (et la plus habitée) se compose d'un chemin de terre autour duquel se répartissent des dizaines de maisons en bois enfouies dans des jardins luxuriants. Le centre *(Ban Nong Khiaw)* se trouve en surplomb de la rivière. Il est relié par un pont moderne en béton (construit par les Chinois en 1973) à *Ban Sop Houne,* un autre quartier de la ville, situé sur la rive gauche, qui concentre aujourd'hui la plupart des adresses routardes.

Arriver – Quitter

En bateau sur la Nam Ou

À défaut de routes praticables, la Nam Ou sert encore de voie de communication économique aux régions enclavées du nord-est du Laos. Malheureusement, la construction de plusieurs barrages rend les liaisons de plus en plus difficiles. La navigation n'est plus possible entre Luang Prabang et Nong Khiaw. Et elle sera prochainement interrompue entre Muang Ngoi et Muang Khoua (à échéance 2019 ; se renseigner) : en attendant, à 45 mn en amont de Muang Ngoi, on assiste au massacre de la montagne par une entreprise chinoise qui bétonne peu à peu les rives pour ériger le barrage.

➾ *Embarcadère (plan B2) : sur la rive droite de la rivière Nam Ou.* Des bateaux à moteur (à fond plat) opèrent en direction de :
➤ *Muang Ngoi :* 2 départs/j., en fin de mat et début d'ap-m. Durée : 1h. Env 25 000 kips/pers. Paysage superbe.
➤ *Muang Khoua :* tant que la liaison

est maintenue, le bateau part avec un minimum de 10 passagers. Compter 125 000 kips/pers. Il est également possible d'affréter un bateau privé en se regroupant avec d'autres routards. Trajet en 5-6h.

Par la route

🚐 *Arrêt des minibus et camions bâchés (hors plan par A1) : à env 1,5 km du pont, face à l'hôpital (y aller en tuk-tuk ; on en trouve peu en ville, demander à votre hébergement d'en appeler un).*
➤ *Pour Luang Prabang :* 2 minibus ou camions bâchés/j., fin de mat et début d'ap-m. Durée : 3-4h. Se placer, de préférence, sur le côté gauche du bus, pour la vue.
➤ *Pour Oudom Xai :* en principe 1 minibus/j. en fin de mat, mais aléatoire. Mieux vaut prendre un minibus pour *Pakmong* où on trouve une correspondance pour Oudom Xai.
➤ *Houeisai :* 1 minivan en principe en fin de journée.

Adresses utiles

■ *Banque pour le Commerce Extérieur Lao (plan B1, 1) : sur la route qui mène à Pakmong, à 200 m du pont.* Lun-sam 9h30-15h30. Au guichet, change de devises (sans comm') et accepte la carte *Visa* (présenter son passeport), moyennant

3 % de comm'. Dispose aussi d'un distributeur de billets. Un *autre distributeur (ATM)* se trouve de l'autre côté du pont *(plan B2).* Mais attention, ils sont *souvent en panne.* Mieux vaut prévoir suffisamment de liquide avant d'arriver.

Où dormir ?

Très bon marché (moins de 80 000 kips / 10 $)

🛏 *Bamboo Paradise Guesthouse* (plan B2, **11**) : sur la rive gauche. ☎ 020-555-452-86. Doubles avec sdb et ventilo, thé et café gratuits. Quelques bungalows en bambou donnant sur la rivière, prolongés d'un balcon avec hamac. Également des chambres en dur plus confortables, avec une terrasse. Petite épicerie. Rapport qualité-prix correct, et un accueil jeune et sympa.

De bon marché à prix moyens (80 000-300 000 kips / 10-37 $)

🛏 *Meexai* (plan B2, **10**) : non loin de la rivière, rive gauche. ☎ 030-923-07-62 ou 020-955-593-05. ● meexaiguesthouse.com ● Doubles avec sdb et ventilo « bon marché ». Chambres en dur, propres et correctement équipées, au rez-de-chaussée ou à l'étage. Petite terrasse. Bon accueil du patron. Une adresse plébiscitée par les Routards.

🛏 *Vongmany Guesthouse* (plan B2, **12**) : rive gauche. ☎ 020-559-798-86 ou 030-923-06-39. Doubles « bon marché » avec sdb, petit déj en plus. Maison cossue face à la rivière aux chambres plutôt spacieuses et claires, sans fioriture. Demandez-en une à l'étage pour profiter encore mieux de la vue. Possède aussi un resto juste à côté, où est servi le petit déj (voir « Où manger ? »).

🛏 *Sengdao Chittavong Guesthouse* (plan B1, **13**) : rive droite. ☎ 81-00-01. ☎ 020-553-796-77. Bungalows avec sdb, ventilo ou clim « bon marché » ou « prix moyens » selon confort. Petit déj en plus. Dans un jardin qui domine la rivière Nam Ou, offrant une belle vue sur la vallée, la guesthouse propose 2 types de bungalows : les plus simples

conçus en bambou tressé et les plus « luxueux », en contrebas, à l'équipement plus complet. Resto avec terrasse.

🛏 *Nam Ou River Lodge* (plan A2, **14**) : sur la rive droite, au bout du village, à env 700 m du pont. ☎ 020-553-796-61. ● mangkvj@yahoo.com ● Doubles avec sdb, ventilo et moustiquaire, à « prix moyens », petit déj en plus. 2 maisons se répartissent les chambres avec terrasse, impeccables, donnant sur la rivière. Il y a même un petit effort de déco. Très bon rapport qualité-prix-calme.

Chic (300 000-500 000 kips / 37-62 $)

🛏 *Nong Kiau River Side* (plan B1, **15**) : petit chemin sur la gauche après le pont. ☎ 81-00-04. ● nongkiau.com ● Doubles avec sdb, ventilo et clim, petit déj-buffet inclus. Prix souvent plus intéressants si résa en direct sur leur site.
La quinzaine de vastes bungalows sur pilotis, étirés dans un cadre luxuriant entre la rivière et la montagne présente un bon confort : de l'espace et un grand lit à baldaquin avec moustiquaire. L'atout principal : la vue sur la rivière, que ce soit de la chambre et ses larges baies vitrées, du balcon ou de la salle de bains. Fait aussi resto.

🛏 *Mandala Ou Resort* (hors plan par A2, **16**) : sur la rive droite, un peu après le village, à env 1,5 km du pont (prêt de vélos). ☎ 030-537-73-32. ● mandala-ou.com ● Fermé en principe mai-juin. Prix limite « très chic ». Resto et bar pour les résidents seulement. 10 bungalows de style lao confortables et bien équipés (lits king size) soit avec terrasse donnant sur le jardin, soit avec un balcon face à la rivière. Piscine avec vue sur les monts karstiques de la vallée, sauna. Bon accueil. Une belle adresse de la région.

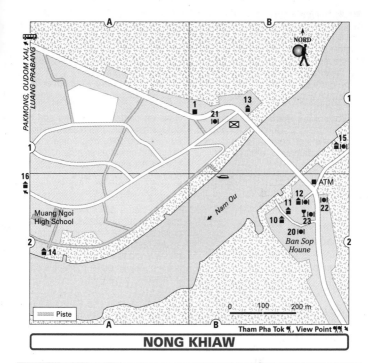

NONG KHIAW

Tham Pha Tok ≪, View Point ≪≪

Piste

■ **Adresses utiles**

⛴ Embarcadère (B2)
1 Banque pour le Commerce Extérieur Lao (B1)

🏠 **Où dormir ?**

10 Meexai (B2)
11 Bamboo Paradise Guesthouse (B2)
12 Vongmany Guesthouse (B2)
13 Sengdao Chittavong Guesthouse (B1)
14 Nam Ou River Lodge (A2)
15 Nong Kiau River Side (B1)

16 Mandala Ou Resort (hors plan par A2)

🍴 🍷 **Où manger ?**
🍸 **Où prendre le petit déj ?**
Où boire un verre ?

12 Vongmany Restaurant (B2)
15 Resto du Nong Kiau River Side (B1)
20 Alex (B2)
21 Delilah's (B1)
22 Deen (B2)
23 Q (B2)

Où manger ? Où prendre le petit déj ?
Où boire un verre ?

Bon marché (moins de 25 000 kips / 3 $)

🍴 **Alex** *(plan B2, 20) : rive gauche. Tlj 7h-22h.* C'est Mama Alex qui officie en cuisine et qui assure le service quand le fiston est absent. Elle concocte de bons petits plats laotiens bien riches en herbes et citronnelle qui relèvent le goût. Il y a même des spécialités allemandes pour satisfaire la nombreuse clientèle germanique. On les reçoit assis sur des coussins devant les tables basses ou plus classiquement installé. L'adresse routarde par excellence.

☕ 🍽 ***Delilah's*** *(plan B1,* ***21****)* **:** *sur la rive droite. Tlj 7h30-23h.* Un café qui sert le petit déj toute la journée (version anglo-saxonne ou israélienne) et de délicieuses pâtisseries. On se posera sur la terrasse de poche ou dans le salon garni de coussins pour s'affaler devant un film projeté tous les jours à 17h et 20h.

🍽 ***Vongmany Restaurant*** *(plan B2,* ***12****)* **:** *rive gauche.* Bonne cuisine lao à prix corrects et, comme toujours, préparée à la demande, d'où un service un peu long.

– Également plusieurs ***gargotes*** dans la rue du village parallèle à la rivière *(plan A-B1).*

Prix moyens (25 000-60 000 kips / 3-6 $)

🍽 ***Deen*** *(plan B2,* ***22****)* **:** *tlj jusqu'à 23h (22h pour la cuisine). Pas d'alcool. « Bon marché. »* Resto indien à la carte longue comme la Nam Ou. Plusieurs types de *naans, chapatis* et *rotis,* du *chicken korma* pour les palais sensibles, en version *masala, curry* ou *tikka* pour les plus aguerris.

🍽 ***Resto du Nong Kiau River Side*** *(plan B1,* ***15****)* **:** *à gauche après le pont (voir « Où dormir ? »). ☎ 81-00-04.* Dans un cadre plaisant, au son des coassements des grenouilles, on goûte au *tom yam* (pas trop épicé !), *laap,* sanglier et crevettes en saison, tous les classiques, plus des spaghettis et une bonne variété de desserts.

🍸 🍽 ***Q*** *(plan B2,* ***23****)* **:** *rive gauche. Tlj jusqu'à 23h.* Happy hour *17h-19h.* Bien à l'heure de l'apéro pour siroter une bière ou un cocktail dans la salle ouverte à l'étage. On migre ensuite vers un des restos du quartier, dont certains ne servent pas d'alcool. Le Q propose aussi quelques plats, mais plus chers qu'ailleurs.

LE LAOS

À voir. A faire

👁👁 ***View Point*** *(hors plan par B2)* **:** *sur la rive gauche, à env 500 m au sud du pont, chemin fléché sur la gauche. Accès : 20 000 kips. Compter env 1h30 pour grimper au sommet. Assez sportif, prévoir de bonnes chaussures.* Superbe au lever ou au coucher du soleil (prévoir une lampe de poche) avec une vue à 360°C qui porte loin sur les montagnes et la rivière. Au lever, on se retrouve souvent au-dessus d'une mer de nuages qui se dissipe plus ou moins rapidement selon les jours.

Il existe un autre point de vue sur la rive droite, mais plus difficile d'accès.

👁 ***Tham Pha Tok*** *(hors plan par B2)* **:** *à 2 km du centre, sur la rive gauche de la rivière Nam Ou. Accès en* tuk-tuk *ou à pied en suivant la route au-delà du pont, en direction de Phonsavan. Entrée : 5 000 kips.* Pendant la guerre, les Laotiens se réfugiaient dans cette grande galerie pour se protéger des bombardements. Attention au petit ravin au bout de la grotte, la lampe est utile ! Les autres grottes à proximité ne sont pas accessibles.

👁👁 Des agences, telles que les réputées *Green Discovery (● greendiscoverylaos.com ●)* et *Tiger Trail (● laos-adventures.com ●)* proposent de découvrir le secteur à ***vélo,*** en ***kayak*** ou ***à pied,*** sur un ou plusieurs jours. Leurs bureaux se trouvent sur la rive droite, non loin du pont et de la poste *(plan B1).*

MUANG NGOI

À 1h de bateau en amont de Nong Khiaw, sur la rive gauche de la Nam Ou, Muang Ngoi est un curieux mélange de bout du monde et de haut lieu de villégiature routarde tout en restant très tranquille. Peu d'animation sur

l'unique rue du village. Certains s'y sentent esseulés, d'autres apprécient cette immersion dans un temps qui semble suspendu et profitent du cadre majestueux de la rivière dans les brumes du petit matin.

Ceux qui aiment marcher partiront à la découverte de la campagne et des villages alentour. C'est tout. Ça peut être beaucoup... ou pas assez.

Arriver – Quitter

En bateau

⟸ Pour les départs, se rendre au bureau de la navigation, juste au-dessus de l'embarcadère. Ouv dès 8h.

➤ **Vers Nong Khiaw :** 1 fois/j., le mat. Compter 1h de navigation. Paysage superbe.

➤ **Pour Muang Khoua :** tant que la navigation n'est pas coupée par le barrage *(en 2019 ou avt, se renseigner),* 1 départ le mat s'il y a 10 passagers min, en dessous, le prix augmente. Inscrivez-vous sur la liste affichée au bureau de la navigation. Bateau privé possible. Compter 4h env de beau voyage avec quelques arrêts au niveau des villages. Si vous avez de la chance, vous verrez un marché installé à même les rives.

Infos utiles

– L'unique rue de ce petit village s'allonge parallèlement à la rivière.
– L'embarcadère se trouve à l'extrémité nord, d'où l'on escalade les berges pour rejoindre la rue qui part sur la droite.

– Possibilité de changer des dollars dans les *guesthouses,* mais le cours n'est pas terrible.
– Le village bénéficie de l'électricité et du wifi partout.

LE LAOS

Où dormir ?

Énormément de choix et le bonheur des petits budgets. Mais attention, le village étant devenu très touristique, les prix peuvent encore grimper et varier selon l'affluence et les saisons. Couvrez-vous bien la nuit, il peut faire frisquet en saison sèche à l'intérieur des bungalows (pas de chauffage).

Très bon marché (moins de 80 000 kips / 10 $)

🏠 **Nicka's :** sur la rue principale. 📱 020-597-160-10 ou 020-557-094-41. Bungalows avec sdb « Très bon marché ». Prix plancher pour des bungalows vraiment tout simples avec balcon et hamac face au bras de la rivière et à la montagne. Coin tranquille. En revanche, autour des bungalows, c'est un peu le bazar. Resto sur une agréable terrasse.

🏠 |●| **Lertkeo Sunset Guesthouse :** *au milieu de la rue principale, sur la droite.* 📱 020-773-050-41 ou 020-288-952-11. Doubles avec sdb, petit déj en plus. Cette adresse familiale propose des bungalows (parfois un peu humides), mais dotés de balcon donnant sur un bras du fleuve avec même une petite table pour prendre ses repas. Un endroit idéal pour assister au coucher de soleil. Petit potager dans le jardin. Resto à 20 m.

🏠 **Phetdavan Guesthouse :** *du débarcadère, monter les escaliers jusqu'à mi-hauteur, puis prendre le sentier à gauche.* Quelques chambres avec balcon et hamac, bien tenues. Également des bungalows simples avec vue sur la Nam Ou. Pas toujours d'accueil.

🏠 **Alounemai Guesthouse :** *prendre la rue principale, puis petit chemin à gauche sur 200 m et une ultime passerelle.* 📱 020-233-736-21. Doubles avec sdb. Au pied de la montagne, dans un bel environnement, avec un grand jardin, une longue maison en bois aux chambres basiques, pour amateurs de tranquillité et de nature. En retrait, mais une bonne adresse pour le prix.

🛏 *Saylom Guesthouse :* à droite en montant le petit chemin depuis l'embarcadère. ☎ 030-224-309-31. Doubles avec ventilo et sdb ; pas de petit déj. Coin un peu vieillot, mais chambres carrelées et propres avec une petite terrasse, correctes pour un prix plancher.

De bon marché à prix moyens (80 000-200 000 kips / 10-25 $)

🛏 *Ning-Ning :* à 50 m du débarcadère, côté gauche. Grosse structure en béton sur pilotis, immanquable depuis la rivière. ☎ 020-238-801-22. ● ningning_guesthouse@hotmail.com ● Bungalows avec sdb et ventilo à « prix moyens », petit déj inclus. CB acceptées. Sur l'arrière, des bungalows agréables et spacieux, avec salle de bains carrelée et eau chaude. Patron anglophone très sympa.

🛏 *River View Guesthouse :* ☎ 020-221-487-77. ● pdvbungalows@gmail.com ● Résas à la Phetdavan

Guesthouse *(voir plus haut)*. Chambres « bon marché », très bon petit déj en sus. Guesthouse tenue par Gabriel, un sympathique Suédois marié à une Laotienne dont la famille tient le *Phetdavan Guesthouse*. On a le choix entre des bungalows alignés face à la rivière et un bâtiment en dur aux chambres simples, mais impeccables et mieux isolées lors des nuits fraîches. Bonne literie dans les 2 cas. Possède un resto-bar sur la rue principale, près de l'embarcadère. De plus, Gabriel pourra vous indiquer plein de balades à faire dans le coin.

🛏 |●| *Lattanavongsa Guesthouse :* réception immédiatement en surplomb de l'embarcadère. ☎ 020-223-624-44 ou 020-238-636-40. ● touynoy.laos@gmail.com ● Bungalows « bon marché » avec sdb et ventilo, petit déj en plus. Les bungalows en bambou tressé sont répartis en 2 ensembles. Coin mieux entretenu et plus propret pour les plus « éloignés » du débarcadère, à l'intersection de la rue principale. Ils sont posés autour d'un jardin planté d'un ficus à son aise et d'un haut palmier, le tout fermé par un portail. Chambres basiques avec moustiquaire aux fenêtres et un petit balcon. Le resto possède une terrasse dominant le fleuve.

Où manger ? Où boire un verre ?

Quasi toutes les *guesthouses* nourrissent leurs hôtes. Mais rien ne vous empêche d'aller dans un des nombreux restos de la rue principale, en évitant ceux qui font travailler les enfants... Quant aux gargotes de rue, préférez y manger le midi pour plus de fraîcheur.

|●| 🍸 *Bee Tree :* tt au bout de la rue principale. Happy hour 18h-19h. Plats « bon marché » limite « prix moyens ». Dans un beau jardin, un bar-restaurant au calme, proposant de bons cocktails à siroter en goûtant aux fameuses algues (*khaiphean* ou *fried river weed*) et des plats de qualité (curries, *tom yamà*...).

|●| 🍸 *Gecko Bar :* dans la 2ᵉ partie de la rue principale, au début du chemin

qui part à gauche en direction de la grotte. Plats « bon marché » limite « prix moyens ». Tenu par un jeune très sympa. Plats traditionnels servis sur une terrasse aménagée de coussins, à l'ambiance tamisée le soir venu. Un lieu qui essaie d'être actif en proposant la vente de produits locaux (thé, tisane, miel...), des cours de cuisine, la location de vélos et des massages.

🍸 *Ning-Ning :* voir « Où dormir ? ». Le restaurant en terrasse (surdimensionnée) avec vue panoramique sur le fleuve est intéressant pour boire un verre, beaucoup moins pour la cuisine. Et pourquoi tant de béton qui rompt le charme des rives ?

À voir. À faire

🏹🏹 *Excursions sur la rivière :* rens au petit bureau de la navigation. Compter env 150 000 kips pour un **bateau** (jusqu'à 5 pers) et 30 mn de trajet en aval de la rivière. Possible aussi en **kayak** (env 80 000 kips/pers pour 4h). Prévoir ensuite 1h de marche pour rejoindre la cascade (Tad Mok) en passant par des villages. Sur le trajet, on admire toute la vie au bord de l'eau : les hommes qui pêchent au filet ou à la ligne, des buffles dont seule la tête reste émergée... Magnifique !

🏹🏹 *Balade dans la vallée :* Muang Ngoi se situe au confluent de la Nam Ou et d'une petite rivière venant de l'est. C'est l'occasion d'une superbe promenade.
➤ Prendre la piste à partir du café *Gecko* pendant 30 mn pour arriver à une grotte *(Tham Kang)* qu'on peut visiter *(moyennant 10 000 kips)*. C'est ici que se réfugiaient les habitants de la vallée pendant les bombardements américains. Certains ont fini par y vivre, des enfants y sont même nés entre 1965 et 1972. Quitter la piste et prendre le petit sentier à droite à l'intersection (pas toujours évident à repérer, l'application ● *maps.me* ● peut s'avérer utile). Il serpente à travers champs jusqu'à **Ban Na,** un intéressant village habité par des Khamu et des Lao. On y trouve quelques *guesthouses* et restos avec vue sur les rizières.
Reprendre ensuite le sentier des rizières, traverser un cours d'eau et rejoindre le village de **Hoy Bo,** plus authentique car éloigné de la piste. Toute petite cascade sympa pour faire trempette suivant la saison, et gargotes pour se rafraîchir.

LA PROVINCE DE PHONGSALY

LE LAOS

Région la plus septentrionale du Laos, bordée par la Chine et le Vietnam. Son relief particulièrement tourmenté d'une part, la menace liée à la présence de tribus guerrières descendues du Yunnan d'autre part, ont longtemps contribué à son enclavement. Il a fallu attendre la fin du XIXe s et une mission conduite par l'explorateur français Auguste Pavie, alors vice-consul de Luang Prabang aux côtés du roi Ong Kham, pour que l'on puisse enfin remonter la rivière Nam Ou à hauteur de Phongsaly, ce qui n'est malheureusement plus possible aujourd'hui en raison de la construction de barrages par une entreprise chinoise. Si bien que Phongsaly peine toujours à s'ouvrir vers le sud et reste à bien des égards plus proche de ses voisins du Nord que de Vientiane, comme le prouve le nombre croissant de Chinois qui s'installent dans la province. Mais ses paysages de montagne à la végétation généreuse et ses étonnantes plantations de thé font l'objet de beaux treks hors des sentiers battus.

MUANG KHOUA
IND. TÉL. : 081

Porte d'entrée de la province au confluent de la Nam Ou et de la Nam Pak, ce petit port fluvial commande aussi le passage vers le Vietnam, en direction de Diên Biên Phu. Le bourg s'étage sur la colline qui marque le confluent. Treks sympas à faire dans les environs.

LE LAOS

Arriver – Quitter

En bateau

➤ *Bureau des renseignements sur la navigation :* plutôt une cabane, à l'embarcadère. Ouv 8h30-9h30.
Départs théoriquement tous les matins, mais tout dépend du nombre de passagers. Mieux vaut se renseigner la veille.
➤ *Depuis et vers Nong Khiaw :* 10 passagers min, sinon le prix, plus élevé, est à négocier. Compter 5-6h au départ de Nong Khiaw et 4h en sens inverse.
➤ *Pour Muang Ngoi :* bateaux le mat. Env 3h30 de navigation.
➤ *Pour Hat Sa (Phongsaly) :* la construction d'un barrage en amont ne permet plus de remonter le fleuve. Il faut donc se rabattre sur le bus. En revanche, au départ de Hat Sa, il est possible de descendre la Nam Ou sur un tronçon, on s'arrête avant Muang Khoua.

Par la route

➤ *Gare routière :* à 3 km du centre ; mieux vaut réserver un tuk-tuk pour s'y rendre (car peu nombreux). Liaisons avec :
➤ *Oudom Xai :* 2-3 minibus/j., le mat, le midi, parfois l'ap-m. Compter 3-4h (100 km). Bonne route dans sa majorité.
➤ *Phongsaly :* de Muang Khoua, prendre le bus du mat pour Oudom Xai et descendre à Pak Nam Noy (45 mn). De là, correspondance pour Phongsaly (6h de route). Durée : 9h-10h en tout.
➤ *Diên Biên Phu (Vietnam) :* 4 bus/j., 11h-14h. Durée : 4h (106 km). Après le passage du pont, la route suit la rive gauche vers l'aval avt d'escalader les montagnes en direction de Diên Biên Phu. À l'heure où nous imprimons, les ressortissants français n'ont pas besoin de visa pour séjourner au Vietnam moins de 15 jours. Au-delà et pour les autres nationalités, il faut déjà avoir effectué les démarches dans un consulat car il n'est pas délivré à ce poste-frontière. Toujours se renseigner avant le départ sur les changements possibles.

Adresses utiles

🅸 *Office de tourisme :* dans la rue principale, perpendiculaire à la rue qui grimpe depuis le fleuve. ☏ 020-580-217-94. ● bounmakod@hotmail.com ● Lun-ven 8h-11h30, 13h30-16h30. Bounma, compétent et anglophone, peut fournir de bonnes infos sur la région. S'il n'est pas là, les horaires de bus et le calendrier des marchés qui ont lieu tous les 10 jours (rassemblement des tribus locales et des habitants du district) sont affichés sur la porte. L'office peut aussi vous conseiller des balades à faire seul ou accompagné (lire plus loin « À faire »).
◼ *Argent, change :* Lao Development Bank, au rond-point du village (lun-ven 8h30-15h30). *Distributeurs* devant la *Banque pour le Commerce Extérieur Lao,* tout à côté, et *change,* ainsi que *Western Union* à l'*Agricultural Promotion Bank,* au bout de la rue qui monte de l'embarcadère.

Où dormir ?

De très bon marché à bon marché (moins de 150 000 kips / 19 $)

🛏 *Manhchai Guesthouse :* dans la rue principale, à côté de l'office de tourisme. ☏ 020-567-521-59. Doubles « bon marché » avec sdb et ventilo. Cette belle maison abrite des chambres carrelées bien tenues. Accueil sympa. Une bonne adresse très centrale.
🛏 *Chaleunsouk Guesthouse :* dans la rue qui monte du débarcadère, sur la droite. ☏ 030-932-08-88. Doubles avec sdb, ventilo ou AC, TV ou pas. Pour quelques kips supplémentaires par rapport aux premiers prix dans l'ancienne bâtisse (salle de

bains vieillotte), préférez les chambres dans la maison la plus récente. Elles sont clinquantes et kitsch, mais bien équipées, avec du carrelage partout. Balcon commun offrant une belle vue sur la rivière ; on peut s'y servir gratuitement en thé et eau. Le meilleur rapport qualité-prix de la ville, dommage que l'accueil soit tout à fait indifférent.

▲ *Keophila Guesthouse :* en remontant depuis le débarcadère, sur la droite dans l'angle du 1er virage. 020-566-655-65. Doubles « très bon marché ». Les chambres doubles à l'étage sont assez grandes, avec salle de bains (eau chaude), w-c à la turque pour certaines et TV. Un rapport qualité-prix-propreté acceptable. Accueil aimable.

▲ |●| *Manotham Guesthouse :* à *Ban Natoun,* le village de l'autre côté du pont suspendu ; prendre à gauche, c'est encore sur la gauche après la maison jaune (signalé). 020-558-800-58.

Doubles avec douche (eau froide), sdb extérieures avec eau chaude, petit déj en plus : « très bon marché ». Dîner avec la famille à 18h, accessible à ts sur résa. Cette *guesthouse* familiale toute simple propose des bungalows en bois haut perchés sur pilotis le long de la Nam Pak. Les chambres possèdent bien une fenêtre (avec une vue sur le pont), mais pas de vitre, seulement des volets ! Peu fréquent, les proprios assurent une vraie table d'hôtes.

▲ *Nam Ou Guesthouse :* au bord de la Nam Ou. 020-588-79-78. Accessible depuis les berges par un long escalier de bois, ou à partir de la place centrale. Doubles sans ou avec sdb, ventilo et TV « très bon marché ». 2 séries de chambres avec moquette parfois, à la propreté limite et plus ou moins sombre. Ensemble un peu vétusté, mais agréable terrasse couverte face à la rivière. Accueil correct.

Où manger ? Où boire un verre ? Où prendre le petit déjeuner ?

|●| *Petites gargotes devant le marché :* l'offre est basique, des soupes, du poulet, parfois une bière, et voilà tout.

|●| 🍺 *Sayfon Restaurant :* dans la rue menant au port, sur la gauche. Tlj 7h-22h. « Bon marché. » Agréable terrasse avec vue sur la rivière, fréquentée par des routards du monde entier. Petit déj archi basique (mais pas vraiment le choix en ville), le reste de la journée

cuisine correcte et sans surprises, mais qui fait l'affaire.

🍷 |●| *Nam Ou Guesthouse :* voir « Où dormir ? ». Là encore, terrasse face à la Nam Ou pour boire un verre ou avaler un morceau (à condition de se cantonner aux basiques). En revanche, moins d'intérêt le soir.

|●| Voir aussi la table d'hôtes de la *Manotham Guesthouse* à condition de réserver et de dîner tôt. Voir « Où dormir ? ».

À faire

🎋🎋 *Pont suspendu (swinging bridge) :* au bout de la rue principale (quand on regarde l'office de tourisme, prendre à gauche), au niveau du rond-point, repérer la ruelle qui descend, indiquée par le panneau : « B. Salongsay ». Ceux qui n'ont pas le temps de faire une balade dans la région s'aventureront au moins sur cette passerelle qui balance, qui balance à mesure qu'on progresse vers Ban Natoun, le village en face de Muang Khoua. Sensations garanties quand on est sujet au vertige, mais les plus courageux qui se hasardent à zieuter la vue sur la Nam Pak seront récompensés.

🎋 *Randonnées guidées :* l'office de tourisme organise des marches d'un à plusieurs j. vers les villages akkha, loma, khamu... Essayer de se grouper, car c'est moins cher à partir de 7 pers. Résa au min la veille obligatoire.

BOUN TAI

Mérite une petite halte, au moins pour déjeuner, sur le trajet Oudom Xai-Phongsaly. Cet ancien fort français abrite les bureaux de l'administration du district. En face du fort, restes d'un four en brique. Malgré ses apparences de « village-rue », comme c'est souvent le cas au Laos, Boun Tai pourra vous faire prendre la clé des champs. En quittant la grand-route sur la droite en venant du sud, vous serez en 2 mn au bord de la rivière Nam Lan. Et sur la gauche, toujours en venant du sud, vous pouvez faire une balade de 3h aller-retour en direction du village leu de *Ban Naway* ; vue sur rivière, collines et rizières garantie.

Arriver – Quitter

Liaisons en bus avec :
➤ *Phongsaly :* 3h de trajet pour 92 km de mauvaise route, tronçonnée de bouts de piste.
➤ *Oudom Xai :* 140 km et 3h de route.

Adresses utiles

🛈 Office de tourisme : *dans le fort, à la sortie de la ville en allant vers Phongsaly, sur la droite.* ☎ 020-221-354-06. *Lun-ven 7h30-11h30, 13h30-16h.* Il organise des treks de 2 à 4 j. dans les villages akhas de la région.
– *Distributeur :* face à la Banque pour le commerce extérieur Lao.

Où dormir ? Où manger ?

🍴🏠 Senyord : *juste avt le pont sur la droite en venant du sud.* Comme dans tous les restos chinois, on choisit la victuaille dans le frigo avant de s'installer dans la grande salle donnant sur les rizières. Une bonne adresse mais grosses difficultés pour se faire comprendre. Loue aussi des chambres, au cas où...
🍴 Petite gargote : *après le pont sur la droite, près du marché.* Cuisine lao simple, type soupe de nouilles.

PHONGSALY

IND. TÉL. : 088

● Plan p. 459

Ancienne halte caravanière entre le Laos et la Chine, la ville fut construite sur les pentes du mont Phu Pha (1 625 m). Perchée à 1 430 m d'altitude, il s'agit de l'agglomération la plus haute du pays. Des années 1930 à 1950, c'était le dernier bastion de l'armée française dans le nord du pays (juste avant la frontière chinoise). Aujourd'hui, on y vient pour les nombreux treks à faire dans les environs. Marcher au cœur du paysage tourmenté et spectaculaire de la province, rencontrer les habitants d'un village qui vivent de leurs théiers centenaires justifient pleinement qu'on s'aventure dans ces confins.

La région est habitée par 15 ethnies différentes, et principalement les **Phounoy**, une ethnie d'origine tibéto-birmane, ainsi que par des immigrants chinois. On y cultive le pavot, qui demeure une source de revenus importante pour les habitants.
– *Info utile :* de novembre à mars, Phongsaly a parfois la mauvaise habitude de s'envelopper d'un cordon de brume. Avec l'altitude, il peut alors faire sacrément frisquet, le mercure pouvant descendre certaines nuits jusqu'à 5 °C.

Arriver – Quitter

Par la route

🚌 **Gare routière** *(hors plan par A2) :* à 3 km du centre, sur la route d'Oudom Xai. Pour s'y rendre, des tuk-tuk partent tôt le mat sur le parking, près de l'agence Amazing Lao *(plan A2)*. Sinon votre hôtel peut arranger un transport. Tous les départs (ou presque) de Phongsaly se font tôt le mat, en principe, 7h30-8h30. Les billets ne s'achètent que le jour même. Donc, venir tôt. Liaisons avec :
➤ **Oudom Xai** et **Luang Prabang :** 2 départs/j., le mat et en début d'ap-m. Compter respectivement 5-6h de trajet (215 km de mauvaise route), et 10-11h jusqu'à Luang Prabang. D'Oudom Xai, continuation possible, mais seulement le lendemain pour **Luang Nam Tha.**
➤ **Muang Khoua :** 1 bus tôt le mat ; changer à Pak Nam Noy. Compter 9-10h de route au total avec la correspondance.

En bateau

➤ **Hat Sa-Muang Samphan :** *Hat Sa se trouve à 23 km de Phongsaly. S'y rendre en bus depuis la gare routière à 1,5 km du centre (hors plan par B2).* En principe, départ des bus à 8h, du bateau à 9h (mais toujours se renseigner avant).
Suite à la construction d'un barrage, il est seulement possible de descendre la Nam Ou de Hat Sa à Muang Samphan pendant 2h, soit un peu plus du tiers du parcours initial. Ensuite, utiliser un transport collectif (minibus ou *tuk-tuk*) pour rejoindre Muang Khoua en 2h30-3h. Prévoir de l'attente, car pas de correspondance organisée. En dépannage, il existe un hébergement à Muang Samphan.

En avion

■ **Lao Skyway :** *jouxte le Viphaphone Hotel (plan B2, 13).* ☏ 020-555-882-58. ● *laoskyway.com* ● *Lun-ven 7h30-11h30, 13h30-17h.*
➤ **Boun Neua-Vientiane :** 4 départs/sem dans de petits coucous. Beun Nua est à env 45 km au sud de Phongsaly. Durée du vol : 1h40.

Orientation

La ville s'étire au sommet des collines dominées par le mont Phu Fa au nord. La rue principale fait de nombreux lacets en venant du sud. Le « centre-ville » se situe au niveau des hôtels *Viphaphone* et *Phongsaly*, à égale distance du marché et de la vieille ville. C'est ici que se concentrent hôtels, restos et commerces.

Adresses et info utiles

🛈 **Phongsaly Provincial Tourism Office** *(plan A2) :* dans la petite rue, face à la Nangtam Guesthouse, qui descend derrière l'arrêt des tuk-tuk. ☏ 020-542-846-00. ● *tourismlaos.org* ● *Tlj 8h-11h30, 13h30-16h.* Très compétent et aimable. Plan de ville. L'office propose ses propres treks au sud de Phongsaly vers les villages akha loma et kmmu.

LE LAOS

■ *Amazing Lao Travel (plan A2, 4) : après l'arrêt des tuk-tuk en descendant la rue principale. ☎ 21-05-94.* 🖳 *020-557-743-54.* ● *explorephongsalylaos. com* ● Agence spécialisée dans les treks au nord de Phongsaly de 1 à 5 jours à la rencontre des villages peuplés par les minorités ethniques.

■ *Agricultural Promotion Bank (plan B2, 2) : face à la poste et à côté du petit musée. Lun-ven 8h30-16h.* Change (même des euros) et distributeur en face.

■ *Lao Development Bank (plan B2, 3) : après le* coffee-shop. Même change, mêmes horaires. *ATM* à côté. 2 *autres distributeurs* devant la *BCEL Bank*, dans la rue qui monte du centre vers le mont *Phu Fa*, et devant la station de *tuk-tuk*.

– *Marché (plan A2) : en surplomb de la rue principale. Tlj 6h-17h.* Ensemble de bâtiments en brique avec couverture en tuiles vertes. On y trouve des fruits et légumes en provenance de Chine et du Laos, ainsi que du thé, mais mieux vaut l'acheter à Ban Komaen, le village des plantations (lire plus loin « À voir. À faire à Phongsaly et dans les environs »).

Où dormir ?

Pas vraiment le point fort de la ville. Aucun hôtel ne sert le petit déj.

De très bon marché à bon marché (moins de 150 000 kips / 19 $)

🛏 *Home Savang Guesthouse (plan A2, 10) : dans la petite rue qui part de l'arrêt des tuk-tuk et qui descend vers l'office de tourisme.* 🖳 *020-568-956-23. Doubles « bon marché » (fourchette basse) avec sdb.* En retrait, face à une école, cette petite *guesthouse* familiale aligne quelques chambres pas désagréables et propres, au bon rapport qualité-prix. On n'y parle pas l'anglais.

🛏 *Sen Saly Guesthouse (plan A2, 11) : une maison vert clair, en venant de l'arrêt des tuk-tuk, sur la droite de la rue après le virage. Pas de tél. Doubles « bon marché » avec sdb.* Chambres à l'arrière avec salle de bains, un peu vétustes et archibasiques (w-c à la turque avec casserole et douche d'où coule un filet d'eau chaude, pas de lavabo), mais il s'agit des moins chères de la ville, cela dit à peine moins que la *Home Savang Guesthouse*. Accueil correct. En dépannage.

Prix moyens (150 000-300 000 kips / 19-37 $)

🛏 *Viphaphone Hotel (plan B2, 13) : dans le centre. ☎ 21-09-99.* 🖳 *020-981-710-31.* ● *viphaphonehotelphong saly@gmail.com* ● *Doubles avec sdb, la plupart à « prix moyens », les* deluxe *atteignent la fourchette hte, certaines plus basiques et sans vue « bon marché ».* L'établissement est géré par une équipe américaine très sympa et surtout pleine de bons conseils et d'infos sur la région. Elle modernise peu à peu l'hôtel : les huisseries, les salles de bains (w-c à la turque pour les moins chères), les matelas, la déco... faut dire qu'ils partent de loin. Dès le début, ils ont misé sur une propreté exemplaire et un minimum de confort avec des couettes pour tout le monde. Ceux qui le peuvent opteront pour les chambres les plus chères avec vue sur les montagnes, splendide, qui donnent plein sud. Les *deluxe* possèdent la clim et le chauffage, une salle de bains (avec eau chaude) et une literie récente. Ne pas manquer de grimper sur le toit-terrasse pour admirer la vue à 360 °C et le coucher du soleil. Loue aussi des vélos.

Où manger ? Où prendre le petit déjeuner ?

Dans cette ville, vous ne trouverez que des restaurants populaires, souvent chinois : pas de carte, on choisit en cuisine ou dans le frigo. En voici, parmi les plus fréquentés par les locaux :

I●I *Loajhean Restaurant (plan A2, 20) : à 100 m en descendant après l'arrêt des tuk-tuk. Tlj 7h-22h. « De bon marché à prix moyens. »* Resto chinois qui cuisine des aubergines au

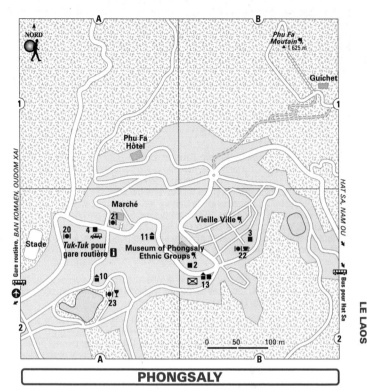

PHONGSALY

■ **Adresses utiles**

🛈 Phongsaly Provincial Tourism Office (A2)
   2 Agricultural Promotion Bank (B2)
   3 Lao Development Bank (B2)
   4 Amazing Lao Travel (A2)
   13 Lao Skyway (A2)

⌂ **Où dormir ?**

   10 Home Savang Guesthouse (A2)

   11 Sen Saly Guesthouse (A2)
   13 Viphaphone Hotel (B2)

|●| 🍺 **Où manger ?**
   Où prendre le petit déjeuner ?

   20 Loajhean Restaurant (A2)
   21 Laoper Restaurant (A2)
   22 Sone Coffee Lao Shop (B2)
   23 Restos autour du plan d'eau (A2)

LE LAOS

gingembre, pois gourmands, viande... tout est bon (ah ! il y a aussi des larves). Comme les portions sont généreuses, inutile de trop commander, car l'addition grimpe vite.

|●| *Laoper Restaurant (plan A2, 21) :* dans la petite rue qui monte face à l'arrêt des tuk-tuk. *« De bon marché à prix moyens. »* Resto chinois, avec au choix dans le frigo des légumes,

bidoche et larves (tofu pour les moins téméraires). Là encore, très correct et bien servi.

|●| 🍺 *Sone Coffee Lao Shop (plan B2, 22) :* à côté du Phongsaly Hotel, à droite en montant. Ouv dès 6h pour le petit déj. *« Bon marché ».* Quelques plats, des œufs, des crêpes. Patronne très sympa. Pour un petit déj plus sucré que salé, c'est là qu'on vient.

|●| ❢ *Restos autour du plan d'eau* *(plan A2, 23) :* « *prix moyens* ». Si les rues du centre sont désertes le soir, c'est que beaucoup de jeunes descendent s'encanailler dans les 3-4 restos qui entourent le bassin. Musique forte, parfois live, parfois sous forme de karaoké, plus bière à gogo, c'est l'ambiance ! On y mange correctement en zieutant les promeneurs tourner autour du plan d'eau.

|●| Sur le marché *(plan A2)*, des petits stands où l'on cuit de la viande devant vous.

À voir. À faire à Phongsaly et dans les environs

🏚 *Museum of Phongsaly Ethnic Groups* (plan A-B2) : à côté de l'Agricultural Promotion Bank. *Ouv aléatoire, mais en principe, lun-ven 8h-11h30, 13h30-16h30. Entrée : 10 000 kips.* Il faut prendre le temps de lire les commentaires, car ce musée est absolument essentiel à la compréhension des minorités du Laos. Richement illustré de photos et de cartes, les différents panneaux racontent l'histoire et le mode de vie des 15 ethnies qui peuplent la province. Qui sont les Kmu, les Bit, les Phounoy, les Lolo ou les Seng ? Parlent-ils la même langue ? Se marient-ils entre eux ? Quelles sont leurs activités principales, leurs croyances, leurs costumes ? Où habitent-ils ?... Une étape passionnante pour mieux apprécier la richesse de l'héritage culturel de la région !

🏚 *La vieille ville* (plan B2) : au cœur de la ville et à flanc de colline se cachent quelques ruelles pavées, bordées de petites maisons d'un autre âge, d'influence chinoise pour certaines. Le temps semble s'être arrêté.

🏚 *Le mont Phu Fa* (plan B1 ; 1 625 m) : un chemin empierré part sur la gauche, puis un sentier à travers la forêt grimpe en moins de 30 mn jusqu'au guichet. Droit d'accès : 5 000 kips. Une longue rampe d'escalier (431 marches) permet de négocier la section finale. Du stûpa, superbe perspective sur Phongsaly et sa vallée, si la brume ne recouvre pas tout.

🏚🏚 *Les plantations de thé de Ban Komaen* (hors plan par A2) : à 14 km au sud-ouest de Phongsaly. À la sortie de la ville, après la gare routière, fléché sur la gauche. Piste carrossable à flanc de montagnes avec une vue à couper le souffle tt du long. Pour s'y rendre, se renseigner auprès de l'office de tourisme ou de l'agence Amazing Lao. Ce village phounoy est connu pour ses théiers centenaires (jusqu'à 400 ans pour les plus vieux), qui poussent naturellement dans la région. Rien à voir avec les plantations cultivées ailleurs dans le monde, où les arbustes sont taillés pour ne pas excéder 1 m. Ici, certains arbres atteignent jusqu'à 6 m de haut ! En venant le matin, on peut parfois apercevoir les femmes récolter les feuilles en étant perchées dans les branches, retenues par des cordes. Le thé de Phongsaly est présenté sous sa forme ancestrale : compressé et ficelé en cylindre, parfois protégé dans un tube de bambou.
Pour en savoir plus, ne pas manquer la petite expo au bout du village consacrée au thé bien sûr : son histoire, ses vertus médicinales, le processus de la récolte au conditionnement.
– *Acheter du thé :* il s'agit d'un thé vert au goût légèrement fumé, dont les feuilles ne sont pas traitées chimiquement. On l'achète soit dans le village auprès des familles (souvent vendu par lot de 4 cylindres ficelés), soit auprès de la coopérative à l'entrée du village (feuilles issues de théiers plus anciens, conditionnées dans des cylindres en bambou ; plus cher).

🏚🏚 *Randonnée en solo :* de nombreux sentiers rayonnent autour de Phongsaly vers des *villages phounoy* à moins d'une journée de marche aller-retour. On peut reconnaître cette ethnie tibéto-birmane par l'habitude qu'ont les femmes âgées de porter des guêtres de coton pour se protéger des sangsues.

Certaines de leurs maisons sont encore recouvertes d'un toit de chaume descendant très bas et couvrant les quatre côtés.

L'itinéraire le plus facile consiste à rejoindre les deux villages phounoy de **Khounsouk Noy** (1h15 aller simple) et **Khounsouk Luang** (45 mn supplémentaires). Il suffit de prendre la route en terre qui s'engage au pied du *Phu Fa Hotel* avant de s'orienter plein nord. Le chemin, balisé de bout en bout, est accessible aux deux-roues (et même aux voitures en saison sèche). Champs de riz sur brûlis, quelques rizières en terrasses commencent à faire leur apparition en contrebas. Superbe coucher de soleil.

🥾🥾 *Randonnée guidée de plusieurs jours : l'idéal est d'être un groupe de 4 avec un guide pour négocier le meilleur rapport qualité-prix (env 45-50 $/j. et par pers) incluant les repas, l'hébergement, la donation aux villages traversés, le tuk-tuk pour rejoindre le point de départ. Le prix ne comprend pas les transports en bus et en bateau, ni les boissons. Rens auprès du* Phongsaly Provincial Tourism Office *(plan A2) et de l'agence* Amazing Lao Travel *(plan A2, 4).* La région comblera les amateurs de trekking : accidentée, peu de routes, mais beaucoup de sentiers, une couverture forestière encore importante, malgré les ravages de la déforestation et de la culture sur brûlis, nombreuses ethnies.

LE SUD

● **Thakhek**........................462
 • Wat Pha That Sikhottabong • Les karsts de Khammouane : les grottes et massifs karstiques entre Thakhek et Mahaxay, et la boucle des karsts de Khammouane, après Mahaxay et jusqu'à Vieng Kham
● **Savannakhet**................472
 • Bungva Lake • That Inheng • La forêt protégée de Dong Natad
● **Paksé**............................477

 • Ban Sapaï • L'île de Don Kho
● **Champsak**..................487
 • L'île de Don Daeng
 • Ban That • Oum Tomo
 • Le village de Ban Khiet Ngon
● **Vat Phou** 494
● **Le plateau des Bolavens**......................498
 • Tad Fane et environs
 • Paksong • De Paksong à Ban Beng Phou Kham : Tad Tayicsua et Tad Katamtok • De Ban Beng

Phou Kham à Thateng : Tad Faek, Sékong et Ban Kandone • Thateng : Ban Kok Boun Tai
 • Tad Lo : les trois chutes
 • Tad Phaxuam
Le district de Siphandone (les 4 000 îles) 506
● **L'île de Khong (Don Khong et Muang Khong)**......................508
● **L'île de Khône (Don Khône) et l'île de Det (Don Det)** 512
 • Phapeng Waterfalls

● Carte *p. 463*

Le sud du Laos affiche un caractère marqué, tout à fait différent de celui du reste du pays. Cela ne date pas d'hier puisque cette région, très tôt placée sous la domination khmère, est considérée comme le berceau de la civilisation pré-angkorienne. En atteste le site du Vat Phou, temple situé dans la province de Champasak... Autre particularité : jusqu'en 1947, c'est une colonie française, au même titre que Vientiane, relativement développée par rapport au reste du pays. L'activité économique se

(texte vertical :) **LE LAOS**

concentre essentiellement dans la plaine du Mékong, alors principale voie de communication et de transport dans cette région de l'Asie.

Au cœur de la saison sèche, la chaleur peut être étouffante dans la plaine qui prend des allures de savane jaunâtre, comme à Savannakhet. Ce n'est pas le cas des karsts de Khammouane, dans les environs de Thakhek, où l'on profite de la fraîcheur en partant à l'assaut des pics calcaires ou en explorant une des nombreuses grottes alimentées par des rivières souterraines. De même, sur le plateau des Bolavens, l'altitude garantit températures douces et pluies abondantes apportant une diversité agricole qui incitèrent les colons à y introduire notamment le caféier. Cette culture, qui produit un breuvage d'excellente réputation, voisine celle du thé, des arbres fruitiers (bananiers, litchis...), des légumes et du riz, sans oublier les exploitations d'hévéas et de tecks.

4 000... Nous n'avons pas compté ces îles luxuriantes qui s'égrènent juste avant la frontière cambodgienne, là où le Mékong se divise en de multiples bras... Que les voyageurs s'installent sur Don Khong, Don Det, ou Don Khône, ils profitent tous à leur manière de la magie unique de cette région amphibie.

Comment y aller ?

La vallée du Mékong reste l'épine dorsale du Sud. Elle est traversée par la route 13, toute droite et en très bon état, qui file à partir de *Vientiane* vers Thakhek, Savannakhet, Paksé, Champasak et les 4 000 îles.

On peut aussi rejoindre le Sud-Laos depuis le *Cambodge,* par la frontière de Trapaeng Kriel-Veun Kham (région des « 4 000 îles » ; au nord de Stung Treng), la *Thaïlande* (via Thakhek, Savannakhet ou Paksé) ou encore le *Vietnam* (par les frontières de Nam Phao, Na Phao et Dan Savan). Tous ces postes-frontières laotiens délivrent un *visa on arrival.*

Il existe aussi des liaisons aériennes internationales aux aéroports de Paksé et de Savannakhet.

THAKHEK   IND. TÉL. : 051

....

⸤ ● Plan *p. 465* ● La boucle des karsts de Khammouane *p. 469* ⸥

À 360 km au sud de Vientiane, Thakhek signifie le « quai des visiteurs ». C'est dans ce port fluvial que débarquaient autrefois les commerçants étrangers. Aujourd'hui, la ville, bien que modeste, conserve de vrais atouts : géographique d'abord, à mi-chemin entre Vientiane et Paksé, elle se situe à 12 km du pont de l'Amitié III, qui rejoint Nakhom Phanom en Thaïlande (et son aéroport relié à Bangkok). Historique, car adossé au Mékong, son centre charmant d'époque coloniale, avec sa petite place et les maisons alentour, lui confère un caractère désuet, plus animé qu'à Savannakhet. Et enfin touristique, pour la beauté de ses environs : les karsts de Khammouane offrent de fabuleux panoramas, des rivières traversent des grottes garnies de bouddhas, de la forêt dense, des villages paumés et des pics qui se hérissent jusqu'à devenir forêts. Autant de bonnes raisons d'y faire halte.

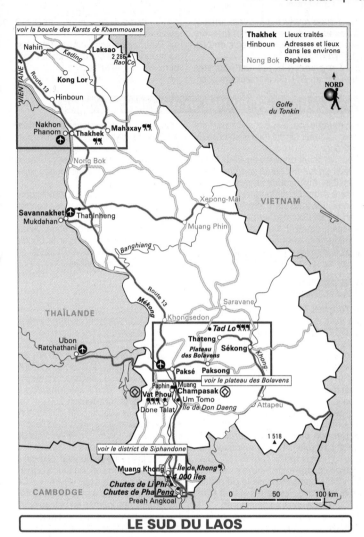

voir la boucle des Karsts de Khammouane

Thakhek	Lieux traités
Hinboun	Adresses et lieux dans les environs
Nong Bok	Repères

NORD

Nahin
Kading
Laksao
2 286 ▲ *Rao Co*

VIENTIANE
Route 13

Kong Lor

Hinboun

Golfe du Tonkin

Nakhon Phanom
Thakhek
Mahaxay

Nong Bok

Xepong-Mai

VIETNAM

Savannakhet
Mukdahan
That Inheng

Banghiang

Muang Phin

Route 13

Mékong

THAÏLANDE

Saravane

Khongsedon

Tad Lo

Thateng
Plateau des Bolavens
Sékong

Ubon Ratchathani

Khong

Paksé
Paksong

voir le plateau des Bolavens

Paphin
Muang
Champasak
Vat Phou
Um Tomo
Done Talat
Île de Don Daeng

Attapeu

1 518 ▲

voir le district de Siphandone

Muang Khong
Île de Khong
4 000 îles

CAMBODGE

Chutes de Li Phi
Chutes de Pha Peng
Preah Angkoal

0   50   100 km

LE SUD DU LAOS

LE LAOS

Arriver – Quitter

🚌 **Gare routière principale** *(plan B1) :* sur la route 13, à env 3 km du centre-ville, que l'on rejoint aisément en tuk-tuk. Les billets s'achètent le jour même (pas la veille).

➢ **Vientiane :** 5h30-12h, 7 bus/j., plus 1 bus VIP le mat. Compter 5-6h de route (360 km).

➢ **Paksé :** 10h30-23h, env ttes les heures, et 1 bus VIP plus tôt le mat. Durée : 7h (385 km).

➢ **Savannakhet :** 7h30-13h, minibus ttes les heures depuis la gare routière près du marché du km 2 *(plan B2)*. Mini 5 pers. Ils s'arrêtent dans le centre de Savannakhet. Les bus qui partent de la gare routière principale arrivent à l'extérieur de Savannakhet (prendre ensuite un *tuk-tuk*). Durée : env 2h (120 km).

➤ *Kong Lor :* 1 bus le mat pour Ban Nahin *(plan B1)*. De là, plusieurs bus/j.

pour Kong Lor, mais horaires aléatoires.

➤ Pour les *liaisons internationales,* se reporter en début de guide au chapitre « Arriver – Quitter ».

Se déplacer à Thakhek et dans les environs

La marche ou le vélo sont parfaits pour sillonner la ville, plate, au bord du Mékong.

Pour rayonner dans les environs, chartériser un *tuk-tuk* ou un *songthaew* est possible, mais autant se grouper pour faire baisser l'addition (négo pas évidente). Les transports réguliers ne desservent pas ou mal les petits sites ou villages, souvent éloignés des routes principales, à quelques exceptions près comme la grotte de Kong Lor (voir « Les karsts de Khammouane »). Pour

un max de liberté restent donc la moto ou le vélo, selon la distance à parcourir et l'endurance des participants. Consulter impérativement les rubriques « Vélo » et « Moto » dans « Laos utile ». Transports ».

Prévoir au moins 1 nuit à Thakhek, pour jouir de la ville et faire un tour à l'entrée des karsts de Khammouane, 2 nuits si vous voulez atteindre de beaux sites, et 3 à 4 jours pour négocier la boucle complète avec 1 nuit à Thakhek au début et à la fin du périple.

Adresses utiles

🛈 *Thakhek Tourism Information Centre (plan A1) :* pl de la Fontaine. ☏ 020-557-517-97. Tlj 7h30-11h30, 13h30-16h. Bons renseignements. Très bon accueil. Vente d'un plan de la ville et des environs. La région Auvergne-Rhône-Alpes participe ici au développement d'un tourisme éthique et solidaire. Organisation de tours et treks dans la région. Un peu plus cher qu'une initiative privée, mais louable et recommandé.

■ *Banque pour le Commerce Extérieur Lao (plan A1, 1) :* Vientiane Rd. Lun-ven 8h-11h30, 13h30-16h. Service de change et distributeur de billets 24h/24. Obtention possible de dollars au guichet avec les cartes *Visa* et *MasterCard,* moyennant commission.

■ *Autre distributeur de billets 24h/24 (plan A1, 3) : dans le centre historique, sur la place de la fontaine.* Pratique !

■ *Change (money changers ; plan B1, 2) :* au rond-point. Tlj 8h-17h. De nombreux bureaux font le change à taux un peu plus avantageux que dans les banques. Horaires plus étendus également.

■ *Police touristique :* ☏ 21-20-83.

■ *Location de motos :* compter 20 000-30 000 kips/j. pour un vélo selon le type. Petites motos 50 000-100 000 kips selon modèle, et durée

de loc ; 250 cm³ tout-terrain (à réserver aux conducteurs expérimentés, qui ont le permis chez eux bien sûr), 250 000 kips/j. Voici 3 adresses :

– *Mad Monkey Motorbike (plan A1, 3) :* pl. de la Fontaine. ☏ 020-599-399-09 ou 020-234-777-99. ● douangdavanh@ yahoo.com ● dcn66@hotmail.de ● Beaux engins tout-terrain 250 cm³ et scooters. Très adapté pour la boucle et ses rayonnements, si vous avez l'expérience de ces engins. L'agence propose aussi des guides, des transferts en minibus jusqu'à 6 personnes (comme à la grotte de Kong Lor), un tour à la journée pour les grottes des environs... Ce sont aussi les seuls à proposer, d'octobre à mars, une journée en bateau dans la jungle, dans une région préservée, incluant une partie marche jusqu'à une cascade et la visite d'un village.

– À la gare routière *(plan B1).* Pas cher et en bon état.

– *Wang Wang Motorbike (plan A1, 3) :* pl. de la Fontaine. ☏ 020-569-785-35. Tlj 7h-20h30. Petites motos et vélos. Très sympa.

– *Mr Ku's (plan B1, 10) : dans l'enceinte du* Thakhek Travel Lodge *(voir « Où dormir ? »).* Petites motos. Plus cher que ses concurrents, car il profite de la clientèle du *lodge,* excentré.

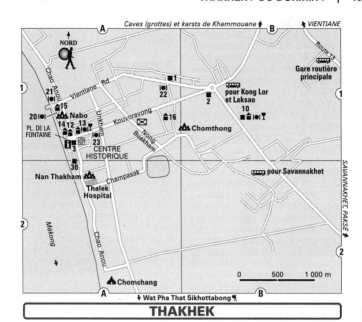

LE LAOS

■ **Adresses utiles**

🛈 Thakhek Tourism Information Centre (A1)
1 Banque pour le commerce extérieur Lao (A1)
2 Change (B1)
3 Distributeur de billets, Mad Monkey Motorbike et Wang Wang Motorbike (A1)
10 Mr Ku's (location de motos ; B1)
13 Green Discovery (location de vélos ; A1)

🛏 **Où dormir ?**

10 Thakhek Travel Lodge et Villa Thakhek (B1)
12 Southida Guesthouse (A1)

13 Inthira (A1)
14 Le Bouton d'Or (A1)
15 Hotel Riveria (A1)
16 Somsengsouk Guesthouse (A1)

🍽 🍷 **Où manger ?**
Où boire un verre ?

10 Resto du Thakhek Travel Lodge (B1)
13 Inthira et Soukmany (A1)
20 Sop Gnao (A1)
21 Sweet Home (A1)
22 Manyly (A1)
23 Gargote (A1)

■ **À faire**

30 Namfon Petang (A1-2)

■ **Location de vélos :** *auprès de* **Green Discovery,** *dans l'hôtel* **Inthira** *(plan A1,* **13***). Compter 40 000 kips/j.* *pour un VTT avec vitesses (indispensable compte tenu du relief !).*

Où dormir ?

De très bon marché à bon marché (moins de 200 000 kips / 25 $)

🛏 **Thakhek Travel Lodge et Villa Thakhek** *(plan B1,* **10***) :* à env 3 km *du Mékong et du centre historique, en retrait de la route ; entrée non loin d'un garage (panneau).* ☎ 21-29-31. 🖳 *020-582-153-15.* ● *thakhektravel lodge@gmail.com* ● *Au* Lodge *: dortoir « très bon marché », doubles allant jusqu'à « bon marché » au* Lodge *et dans* la Villa. *Résa à l'avance conseillée. Petit déj non compris.* Cette auberge très populaire dispose d'hébergements pour tous les budgets, du dortoir mixte (8 lits) aux chambres climatisées avec salle de bains. Aménagement rustico-minimaliste, mélange de sections de troncs d'arbres et de béton. Brut mais original ! Assez propre et bien tenu. Visiter avant de faire son choix. La *Villa Thakhek* est, quant à elle, arrangée dans un pavillon de plain-pied, donnant sur un espace gazonné. Équipement et confort garantis (AC), déco soignée. Seul hic : la situation excentrée, trop loin du centre historique et du Mékong pour envisager la marche. Comme les *tuk-tuk* demandent de 15 à 30 000 kips par personne selon le nombre de passagers, mieux vaut louer un vélo ou une moto. Le livre d'or contient de nombreux tuyaux concernant la boucle des karsts de Khammouane. Personnel attachant, parfois débordé en haute saison. Consigne à bagages peu chère.

🛏 **Southida Guesthouse** *(plan A1, 12)* : rue Chao Anou. ☎ 21-25-68. *Doubles « bon marché » avec sdb et AC. Pas de petit déj.* Derrière une façade peu avenante, une collection de chambres pour la plupart avec balcon, assez spacieuses. Ensemble perfectible mais vous êtes à 50 m du Mékong.

🛏 **Somsengsouk Guesthouse** *(plan A1, 16)* : dans une petite rue perpendiculaire à l'axe principale, à mi-chemin entre le centre-ville (à 10 mn à pied) et la gare routière. ☎ 030-561-49-69. *Doubles avec sdb (eau chaude), clim et TV « de très bon marché à bon marché ».* Le cadre assez quelconque est compensé par des chambres spacieuses, propres et au calme, ainsi que par l'accueil gentil, mais sans un mot d'anglais.

De chic à très chic (plus de 300 000 kips / 37 $)

🛏 **Inthira** *(plan A1, 13)* : à l'angle des rues Kouvoravong et Chao Anou. ☎ 25-12-37. ● inthira.com ● *Résa conseillée. Doubles avec sdb 30-50 $, petit déj inclus.* En plein centre, donnant quasi sur la place de la fontaine, cette demeure coloniale arbore un style contemporain et un bon degré d'équipement. Tournées vers la rue, les *deluxe* profitent du balcon à colonnades. Les *standard* ont également du charme : briques apparentes, tableaux, etc. Très bon rapport qualité-prix-charme. Voir aussi « Où manger ? Où boire un verre ? ».

🛏 **Le Bouton d'Or** *(plan A1, 14)* : face au Mékong. ☎ 25-06-78. ● boutondor-tk.wix.com/leboutondorthakhek ● *Doubles 45-70 $, petit déj inclus.* Cette belle bâtisse de type colonial qu'on croirait joliment restaurée est en fait une construction récente, idéalement située devant le fleuve. Sa petite vingtaine de chambres, impeccables, offrent tout le confort moderne, un charme cosy et une vue sur le Mékong à partir des *deluxe*. Mais il faut réserver les plus chères pour obtenir des pièces plus spacieuses. Fait aussi resto.

🛏 **Hotel Riveria** *(plan A1, 15)* : face au Mékong, dans le coude de la rue. ☎ 25-00-00. ● hotelriveriathakhek. com ● *Selon catégorie, doubles 60-100 $, petit déj compris.* Une cinquantaine de chambres à la déco classique, de bonne taille et agréables, équipement complet (AC, minibar, coffre, bouilloire). Tous les hôtes profitent de la vue. Accueil prévenant.

Où manger ? Où boire un verre ?

Très bon marché (moins de 25 000 kips / 3 $)

|●| **Petits restos de la berge du Mékong** *(plan A1)* : de part et d'autre de la pl. de la Fontaine. Les uns après les autres, ils s'égrènent le long du fleuve. Dans les gargotes situées au sud de la place et destinées aux touristes, évitez les grillades. Privilégiez plutôt les petits restos au nord de la place, qui, eux, approvisionnent les locaux. On a donc plus de garanties sur la fraîcheur. À accompagner d'une *Beerlao*, parfait pour un coucher de soleil d'anthologie sur le Mékong.

|●| **Sop Gnao** *(plan A1, 20)* : face au

Mékong, au pied de la Souksomboun Guesthouse. *Tlj 10h-23h.* Un petit resto au très bon rapport qualité-prix. On a aimé le *pat ka pao kaï* (poulet et riz, en principe épicé, sinon demander « bo phét » : sans piment) et le *kao pat kung* (riz parfumé et crevettes, non pimenté). Bon accueil.

●❙ **Soukmany** *(plan A1, 13) :* Chao Anou, *après* Inthira, *en face de la* Southida Guesthouse. *Tlj 10h-22h.* Ne pas se fier à cette grande salle impersonnelle, ce resto familial sert une cuisine lao-thaïe à la fois copieuse et parfumée. Petite terrasse également.

●❙ **Sweet Home** *(plan A1, 21) : en face du* Riviera Hotel. Au-delà des classiques riz et nouilles sautés, les *dim-sum,* soupes et salades d'œufs de 100 ans trahissent une essence chinoise et thaïe. Une adresse plutôt rustique et pittoresque.

●❙ **Gargote** *(plan A1, 23) : sur la rue principale, en face de l'*International Guesthouse. La plus grande des deux gargotes possède une grande terrasse couverte qui donne sur la rue. Elle propose d'excellentes soupes bien copieuses, à prix défiant toute concurrence.

Prix moyens (25 000-60 000 kips / 3-7,50 $)

Les restos ci-après préparent également des plats « très bon marché ».

●❙ ❢ **Inthira** *(plan A1, 13) : voir «* Où dormir ? » Le design contemporain-colonial de la salle (cuisine ouverte, bar avec comptoir, arcades) et la terrasse sur rue attirent inéluctablement les voyageurs. C'est aussi la seule adresse du centre où déguster un plat occidental : pizzas, hamburgers, viandes, bonnes frites maison. On y retrouve aussi les plats asiatiques et laotiens, comme les *lap,* soupe *or lam* et *mok* (à commander à l'avance). Large choix de boissons. Personnel bien rodé.

●❙ **Manyly** *(plan A1, 22) : dans une petite rue perpendiculaire à Vientiane Rd, en face de la* Banque pour le commerce extérieur Lao. *Tlj 17h-21h.* Si vous n'avez pas encore goûté au barbecue coréen, c'est l'occasion. Ce resto installé sous une halle aligne les grosses tables en bois autour desquelles les familles s'affairent : après avoir choisi un plateau de poisson ou de viande (ou les deux !), elles jettent les morceaux de viande sur la pierrade, les crevettes et calamars autour, dans un bouillon parfumé d'herbes et de salade. Un délice, qui plus est léger, sain et... non pimenté. Une adresse peu touristique où le personnel ne parle pas l'anglais.

●❙ ❢ **Resto du Thakhek Travel Lodge** *(plan B1, 10) : voir «* Où dormir ? ». Pratique pour ceux qui logent sur place et pour tous les routards qui veulent échanger les derniers tuyaux sur la boucle des karsts de Khammouane, ou les dénicher dans le livre d'or. Au menu, une foule de bons petits plats asiatiques et internationaux à engloutir sur la terrasse couverte.

❢ ●❙ **DD Bistro & Café** *(plan A1) : pl. de la Fontaine, en face de* Mad Monkey Motorbike. *Tlj 7h30-21h.* Cadre moderne, bien pour boire un verre face à l'animation de la place. On peut aussi y prendre son petit déj lao et avaler quelques plats.

À voir. À faire

🎬🎬 **Voir le Mékong et mourir :** non... mais ici, le fleuve est diabolique. L'orientation de la rive expose la vieille ville aux oranges surnaturels des couchers de soleil, que réverbèrent des milliards de molécules d'eau. Certaines nourrissent le fleuve depuis sa lointaine source himalayenne. On se prend à rêver.

Ceux qui abordent le Laos par cette région seront immédiatement frappés par la différence de rythme et d'environnement d'une rive à l'autre. Et pourtant, Nakhon Phanom, non loin, n'est pas ce qui se fait de plus moderne et de plus clinquant en Thaïlande. Ce sentiment d'être entré dans une parenthèse temporelle est illustré par le vieux centre colonial de Thakhek et sa croquignolette placette. Guère profond puisqu'il dépasse à peine la rue Chao Anou, il s'étire sur environ 1 km le long du fleuve.

LE LAOS

L'essentiel des maisons est plus ou moins décati, parfois ruiné et de récentes constructions rompent l'harmonie d'ensemble. Sans rêver au remplacement de toutes
les tôles rouillées par les tuiles rouges d'origine, espérons que le succès touristique
de la ville incitera des entrepreneurs à soutenir la recherche du temps perdu !

– **Namfon Petang** (Boun ; plan A1-2, **30**) **:** rue parallèle au Mékong, au sud de la
pl. de la Fontaine. Tlj 16h-22h. Gratuit, on paie juste pour les boissons et les plats.
Plusieurs terrains de pétanque en plein air pour se mesurer aux Laotiens, très bons
joueurs et sérieux adversaires, croyez-nous. On y a laissé notre tee-shirt !

DANS LES ENVIRONS DE THAKHEK

🗡 **Wat Pha That Sikhottabong** (hors plan par A2) : à env 5 km au sud du centre
par la route Unkham, toujours tt droit. Festival en fév. Érigé entre le VIe et le VIIIe s,
le stûpa conserve une relique du Bouddha. Il a été restauré au XVIe s, puis surélevé
d'un bourgeon de lotus dans les années 1950. Sa réplique thaïlandaise se dresse
juste en face. Le petit temple, quant à lui, abrite une statue du Bouddha surmontée
d'un beau plafond rouge décoré à la feuille d'or. À côté du complexe religieux, un
ensemble de maisons en bois témoigne de l'architecture régionale traditionnelle.
Des gargotes se sont installées sous la plupart d'entre elles.

LES KARSTS DE KHAMMOUANE

Une région gâtée par la nature

Filant vers l'est depuis Thakhek, il ne faut que quelques kilomètres à la route 12
pour entrer dans les massifs karstiques de la province de Khammouane. Formant une ceinture de 270 km de long sur environ 40 km de large, coincés entre le
Mékong et la cordillère annamitique, ils donnent naissance à des paysages remarquables et variés : amples panoramas dominés au loin par les moutonnements de
collines et pics calcaires, vallées perdues et cols entortillés, engoncés dans des
forêts de pierre, denses comme des murailles, grottes à profusion, rivières souterraines, forêts et jungles encore bien présentes malgré d'inévitables déforestations.
Profitant de leur cloisonnement, les plaines restent assez vertes en saison sèche
pour la culture du tabac qui succède à celle du riz.

À voir. À faire

La boucle complète, aujourd'hui entièrement goudronnée, longue d'environ
400 km (avec la grotte de Kong Lor), nécessite de passer au moins 1 nuit en route
(Kong Lor), ou mieux, 2 nuits (à Thalang pour la 1re) si vous visitez les grottes en
début de circuit. Prévoir un pull et/ou un coupe-vent, il peut faire froid sur les hauteurs). Prudence sur la nationale en fin de parcours entre Vieng Kham et Thakhek :
souvent pas mal de traffic.
Pour ceux qui auraient moins le temps, il est déjà possible de visiter des sites intéressants dans la journée. Nous avons donc scindé l'itinéraire en deux.

Les grottes et massifs karstiques entre Thakhek et Mahaxay

Par la route 12 qui file vers la frontière vietnamienne. Se grouper pour chartériser
un songthaew, ou louer une petite moto. Partir tôt le matin et pique-niquer en
route. Se munir d'une lampe frontale ou d'une bonne torche est indispensable.

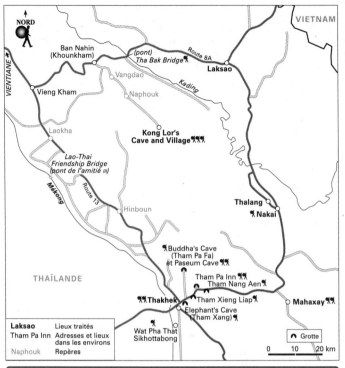

LA BOUCLE DES KARSTS DE KHAMMOUANE

LE LAOS

🎬 *Elephant's Cave (Tham Xang) :* *à env 5 km du centre de Thakhek, bifurcation sur la droite (panneau) et continuer sur 1,5 km de piste rouge. Entrée : 5 000 kips.* On vient ici surtout pour l'environnement. Il faut en effet traverser un village, qui pratique la culture sur sable sur les berges de la rivière, puis emprunter le pont avant de grimper les escaliers qui mènent à une petite grotte garnie de sculptures naïves et veillée par un bouddha. Il n'en a pas toujours été ainsi. En effet, la croyance populaire en avait fait la « grotte du diable », en raison d'une forme calcaire trouvée à l'intérieur, qui ressemblait à un monstre... jusqu'à ce qu'on découvre une nouvelle représentation, plus proche celle-là d'un éléphant (d'où son nom)... ouf ! Bien que modeste, elle est aujourd'hui vénérée par les villageois des alentours.

🎬 *Buddha's Cave (Tham Pa Fa) :* *bifurcation indiquée sur la gauche de la route, à env 6 km de Thakhek, puis 8 km (9 km indiqués sur le panneau) de mauvaise piste sur les deux tiers du trajet. Parking payant pour les motos. Tlj 8h-16h30. Entrée : 5 000 kips. Photos interdites. Jupes obligatoires pour les filles (en loc sur place, cher).* Depuis le parking, se diriger vers la falaise équipée d'une passerelle. Petite, cette grotte découverte en 2004 n'en dégage pas moins une impression à la fois sereine et sacrée. Elle fait d'ailleurs l'objet d'un pèlerinage. Par une petite ouverture, on pénètre dans une chambre où les formations calcaires forment de magnifiques drapés autour d'une collection de vénérables bouddhas en bronze. Elle est souvent occupée par des Laotiens qui viennent prier.

★★ Paseum Cave : *au bout du parking de Buddha's Cave, emprunter le chemin le plus à gauche. Compter 10 mn de marche en tt ; à la fourche, prendre à gauche. Possible aussi à moto jusqu'au pont, puis continuer à pied.* On débouche sur un lac majestueux où ne règnent que calme et sérénité, seulement perturbés par le chant des oiseaux et les bulles des poissons. Admirez le reflet des karsts dans cette eau claire turquoise où les rochers moussus et les plantes aquatiques affleurent. Féerique ! Pour faire une balade en bateau dans la grotte juste derrière, se renseigner à l'office de tourisme de Thakhek qui organise des excursions.

★ Tham Xieng Liap : *à env 13 km du centre de Thakhek, bifurcation sur la droite (panneau). Guide parfois présent sur place (compter env 10 000 kips). Sinon, depuis le parking, suivre le sentier pdt env 10 mn.* La première cavité est alimentée par une rivière souterraine que l'on distingue dans la pénombre. Ressortir et traverser la rivière (à l'extérieur), on débouche sur un cours d'eau que l'on remonte jusqu'à une nouvelle grotte aux belles dimensions, qui s'ouvre sous une haute falaise spectaculaire de 300 m de haut.

★★ Tham Pa Inn : *à env 15 km du centre de Thakhek, côté gauche, repérer une arche en brique et pierre (200 m avt Green Climbers). Prévoir une lampe.* Un chemin, puis une volée de marches envahies par les branchages mènent à cette petite grotte, tendue d'une kyrielle de fanions bouddhistes. Un escalier sur la gauche conduit à un autel garni de statues de bouddhas. De ce « balcon », belle vue sur la grotte et la rivière souterraine. Atmosphère apaisante.

■ ⚎ 🏠 |●| Green Climbers Home : *à env 15 km du centre de Thakhek ; chemin indiqué sur la droite.* ☎ 020-596-675-39 (Tanja). ● greenclimbers home.com ● Oct-mai. *Pour 2 : tente 60 000 kips (sac de couchage compris), bungalows sans ou avec sdb 130 000-180 000 kips. Dortoir 60 000 kips/pers. Plats bon marché. Résa des cours mini 1 j. avt.* Toutes ces falaises calcaires ne pouvaient qu'attirer les amateurs d'escalade. Un couple de grimpeurs allemands a monté ce centre, dans un environnement superbe. Cours, location de matériel. Débutants bienvenus. Voies équipées de 9 m à 120 m de long, allant du 3A au 8A+. Propose également 2 ensembles de bungalows plus un resto sur pilotis à 500 m l'un de l'autre. Ambiance très cool dans les grandes salles communes en bois (tables basses, coussins). Pas étonnant que les routards (principalement grimpeurs, mais tout le monde est bienvenu) s'y retrouvent.

★ Tham Nang Aen : *à env 20 km de Thakhek. Chemin d'accès sur la droite, clairement indiqué. Tlj 9h-17h. Entrée : 20 000 kips.* Le site est joli mais très aménagé : la grotte est traversée par un chemin bétonné et un éclairage totalement psychédélique. Balade en barque sur la rivière souterraine possible (compter 2h et 50 000 kips par personne). Restos sur place.

★★ Mahaxay Kuo (vieux Mahaxay) : *23 km après la grotte de Nang Aen (soit à 43 km du centre de Thakhek), au niveau d'un embranchement après un village, bifurquer à droite, puis à gauche vers New Mahaxay. Dans le village, tourner à droite jusqu'à une jonction en « T » et là, prendre à gauche jusqu'au vieux village. Depuis la route principale, plusieurs chemins permettent d'y pénétrer.* Le village a été bâti le long de la rivière, dans un cadre enchanteur. En longeant la berge en surplomb, on croise un très beau temple coloré, un autre, plus petit, avec une statue de bouddha ombragée par un vénérable banian. Quelques pirogues sur l'eau ; il est d'ailleurs possible de rejoindre l'autre rive un peu plus loin. Environnement très paisible. En revenant sur le goudron et en poursuivant un peu plus loin, on atteint le pont qui enjambe la *Ke Bangfai*. De là, belle perspective sur les karsts.

La boucle des karsts de Khammouane, après Mahaxay et jusqu'à Vieng Kham

✳ Le plateau de Nakai : *à 43 km au nord de Mahaxay et env 25 km avt Ban Thalang. Ça grimpe. Attention, à la fourche, prendre direction « Nam Theun Visitor Centre ».*

✳✳ De Thalang à Laksao : *env 60 km de bonne route.* Sur la route pour Laksao, tout d'un coup, c'est le choc : par milliers, des troncs blanchis émergent des ramifications de l'immense lac de retenue du barrage de Nam Theun II tandis qu'on navigue dans cet étrange univers (voir la rubrique « Environnement. La question des grands barrages hydroélectriques » en fin de guide). La petite ville de Laksao n'a aucun intérêt en soi, si ce n'est ses stations-service et restos.

â |●| Sabaidee Guesthouse & Restaurant : *à Thalang, juste avt le pont qui traverse la Nam Theun.* ☎ *020-554-299-50. Doubles « très bon marché » avec sdb. Également des dortoirs. Plats « de bon marché à prix moyens ».* Bungalows ventilés et avec eau chaude. Toujours en train de se marrer et doté d'une pêche d'enfer, le patron laotien bossa pour EDF lors de la construction du barrage. Du coup, il se débrouille un peu en français et... prépare des croissants et pains au chocolat pour le matin ! Grand pavillon resto, bonne cuisine. Feux de camp, petites sorties et pique-nique organisés à la demande. Terrain de pétanque. Une vraie oasis.

✳ Tha Bak Bridge : *à 38 km de Laksao.* Beaux panoramas après Laksao puis, après quelques montagnes russes supplémentaires, s'arrêter (17 km avant Ban Nahin) au pont franchissant une large rivière, où s'est fixé un petit village. Magnifique paysage, mais c'est aussi en contrebas qu'il faut regarder. Les drôles d'embarcations en métal brillant ont été confectionnées dans l'enveloppe de bombes américaines ! Rappelons que le Laos possède un triste record, celui du pays le plus bombardé de l'histoire. On pense que 2 millions de bombes à sous-munitions se sont abattues sur le pays, plus que pendant toute la Seconde Guerre mondiale ! Pour plus d'infos, lire plus loin, la rubrique « Histoire ».

✳✳✳ Kong Lor's Cave and Village : *à env 45 km de Vieng Kham ; embranchement env 3 km avt Ban Nahin (appelé parfois Khoun Kham sur les cartes), au niveau d'une station-service, puis env 45 km de route campagnarde jusqu'à la grotte et son village. De Thakhek (plan B1), 1 bus le mat pour Ban Nahin ; et de là, plusieurs bus/j.pour Kong Lor, mais horaires irréguliers. De Vientiane, 1 bus le mat (7-8h de route). Visite : tlj 8h-16h. Entrée du parc : 2 000 kips/pers et 10 000 kips/pers pour la grotte, plus env 110-130 000 kips la barque pour 1-3 passagers max. Compter 2h min de visite (si vous ne faites qu'une courte pause de l'autre côté). Lampes frontales et tongs prêtées. Essayez d'y aller tôt pour apprécier la balade en barque sans trop de monde. L'idéal étant de dormir la veille dans le secteur.*

Cette merveille de la nature ressemble à un tunnel d'environ 30 m de large, 20 à 100 m de haut et 7,5 km de long, où coule une rivière. Elle mérite un brin d'histoire. Située dans le secteur des pistes Hô Chi Minh, Kong Lor est utilisée comme planque pendant la deuxième guerre d'Indochine (1955-1975). Des villageois s'y terrent pendant 90 jours, jusqu'à ce qu'ils surprennent un canard voguant en sens inverse, preuve qu'une sortie existe ! Du coup, elle servira à acheminer armes et munitions. La visite se fait en barque : 45 mn de trajet aller dans la pénombre, incluant une marche de 10 mn au milieu des stalagmites et stalactites du *Palais du Naga* puis retour à la lumière, dans le paysage féerique de la vallée opposée où se sont installées des petites échoppes. De ce côté, il est également possible d'aller visiter le village de ***Ban Natane,*** 2 km plus loin. On peut même y loger en *homestay,* mais il faut prévenir de son intention à l'achat du billet et demander qu'on vienne vous chercher le lendemain en barque. Possibilité de se baigner avant l'entrée. Dans le sens inverse, navigation d'un trait jusqu'au point de départ. Notez qu'en saison sèche, il faut parfois pousser la barque, surtout à l'aller.

LE LAOS

Le village et la vallée de Kong Lor, c'est aussi un petit paradis dans son genre, rejoint par une route qui sinue paisiblement à travers une vallée très photogénique. Presque verticales, les formations karstiques qui la bordent se resserrent jusqu'à la grotte. Autant loger dans le village de Kong Lor, à deux pas du site, plutôt qu'à Ban Nahin où, si vous êtes coincé (plus de transport, la nuit qui tombe...), vous trouverez cependant plusieurs *guesthouses* et restos, et même un distributeur de billets.

🏠 I●I *Chantha House : au village de Kong Lor, 1,5 km avt l'entrée de la grotte.* ☎ *020-210-00-02.* ● *chantha house.com* ● *Doubles avec sdb « très bon marché ». Petit déj non compris. Plats « bon marché ».* Un grand chalet sur 2 niveaux. Chambres ventilées et avec eau chaude. Certaines sont assez petites et frisquettes à cause du carrelage. Vélos à louer. Bon accueil.

I●I *Kounmee Restaurant : au village de Kong Lor, peu avt le péage de la grotte. Tlj 6h30-22h. Plats « bon marché ».* Carte au ton acidulé et à l'orthographe créative ! Riz sautés, currys, soupes, *lap*, salades, petit déj, il y a tout ce qu'il faut. Avec en plus une atmosphère familiale et villageoise garantie.

🎥🎥 *La forêt de pierre : à env 18 km de Ban Nahin et 25 km avt Vieng Kham.* Soudain, les massifs calcaires s'effilent et se densifient jusqu'à former une véritable forêt, dans laquelle la route grimpe et se fraie un passage à grand-peine. Point de vue spectaculaire aménagé.

➤ De Vieng Kham, bifurquer à gauche sur la route 13 vers Thakhek, que l'on atteint au bout de 105 km. La circulation peut être dense. Être vigilant !

SAVANNAKHET

IND. TÉL. : 041

● Plan *p. 473*

Plantée au bord du Mékong, à près de 500 km de Vientiane, Savannakhet est la capitale de la province la plus peuplée du pays.
Depuis la mise en service du pont de l'Amitié II à 6 km au nord, Savannakhet a perdu le trafic frontalier qui générait l'essentiel de son animation. Du coup, la ville tente de redynamiser son centre historique et de restaurer ses demeures à l'architecture coloniale, Art déco et moderniste. Devant les façades décrépites et les rues arpentées le soir par les chiens, on se dit qu'il reste encore fort à faire. Mais Savannakhet retiendra à coup sûr les voyageurs sensibles au charme étrange de cette ville, empreint de nostalgie.

■ **Adresses utiles**

🛈 Savannakhet Tourism Information Centre (A3)
1 Banque Franco-lao (B1)
➕ 2 Hôpital provincial de Savannakhet (A4)
3 Consulat du Vietnam (hors plan par B2)
4 Consulat de Thaïlande (hors plan par B1)

🏠 **Où dormir ?**

10 Leena Guesthouse (hors plan par B2)
11 Joli Guesthouse (B2)
12 Avalon Residence (hors plan par B1)

13 Savanbanhao Hotel (B2)
14 Vivanouk Homestay (A3)

I●I 🍸 **Où manger ?
Où boire un verre ?**

14 Vivanouk (A3)
20 Gargotes du marché Savanxay (hors plan par B1)
21 Gargotes de Night Market (B3)
22 Lin's Café (B3)
24 Chez Boune (B1)
25 Souk Savanh (A3)

🎥 🎥 **À voir. À faire**

43 Bungva Lake, that Inheng et la forêt protégée de Dong Natad (hors plan par B1)

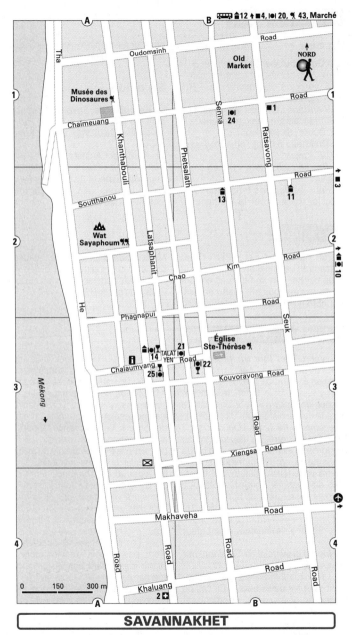

SAVANNAKHET

LE LAOS

Arriver – Quitter

En bus

🚌 *Gare routière (hors plan par B1) :* à env 2 km du vieux centre, à l'extrémité nord de Ratsavong Seuk Rd. ☎ 21-39-20.

➢ *Vientiane :* bus ttes les 40 mn env, 6h-11h30, ainsi qu'un car-couchette le soir. Durée : 8h (483 km).

➢ *Thakhek :* 5 bus/j., 8h-13h. Trajet : 3h (120 km).

➢ *Paksé :* 5 bus/j. Durée : 5h (265 km).

➢ Pour les *liaisons internationales* avec la Thaïlande et le Vietnam, se reporter au chapitre « Arriver – Quitter » au début du guide.

En avion

✈ *Aéroport de Savannakhet (hors plan par B4) :* à env 2 km au sud-est du centre-ville. Compter env 15 mn en tuk-tuk.

➢ Avec *Lao Airlines* (☎ 21-21-40 ; ● laoairlines.com ●), 5 vols directs/sem pour *Vientiane* et 1 vol/j. vers *Paksé.* Env 5 liaisons/sem avec *Bangkok* (compter 1h30 de vol).

Se repérer

La rue Ratsavong Seuk *(plan B1-4)* concentre l'essentiel de l'animation du vieux centre. Ses commerces en tout genre restent ouverts jusqu'en soirée, notamment aux alentours du *Old Market (plan B1).* Toutefois, beaucoup de l'activité urbaine s'est diluée vers l'est et au nord en direction du pont *(hors plan par A-B1).*

Adresses et infos utiles

ℹ *Savannakhet Tourism Information Centre (plan A3) :* Chalaumvang Rd. Lun-ven 8h-11h30, 13h30-16h30. On peut y récupérer la brochure « Savannakhet Downtown » pour une balade dans le centre historique.
– Le *Lin's Café* (voir « Où manger ? Où boire un verre ? ») dispose grosso modo de la même doc que l'office de tourisme et sa sympathique équipe pourra vous fournir des tuyaux utiles. Niko au *Vivanouk Homestay (plan A3, 14)* peut aussi fournir de bonnes infos.

■ *Banque Franco-lao (plan B1, 1) :* Ratsavong Seuk Rd. Lun-ven 8h30-16h. Service de change, distributeur 24h/24.

✚ *Hôpital provincial de Savannakhet (plan A4, 2) :* Khanthabouli Rd. ☎ 21-27-17. Urgences 24h/24. Valable uniquement pour les petits bobos. En cas de diagnostic plus sérieux, ils organisent une évacuation vers l'hôpital international de Mukdahan, en Thaïlande.

■ *Consulat du Vietnam (hors plan par B2, 3) :* 118, Sisavang Vong Rd. ☎ 21-24-18. Lun-ven 7h30-11h, 13h30-16h30. Renseignez-vous impérativement auprès du consulat pour savoir si un visa est nécessaire ou non. À l'heure où nous imprimons, les ressortissants français n'ont pas besoin de visa pour séjourner au Vietnam moins de 15 jours. Si cela change (et pour les autres nationalités), prévoir 45-75 $ pour un visa à entrée simple ou multiple et un délai de 3 jours ouvrables.

■ *Consulat de Thaïlande (hors plan par B1, 4) :* Kaysone Phomvihan, à 4 km du centre-ville. ☎ 21-23-73. ● thaisavannakhet.com ● Lun-ven 9h-11h pour le dépôt des passeports, 14h-16h30 pour le retrait (sauf j. fériés thaïs et laos). Les ressortissants occidentaux n'ont pas besoin de visa pour un séjour n'excédant pas 30 jours (arrivée par avion) ou 15 jours (entrée par une frontière terrestre). Si nécessaire, obtention ici d'un visa valable 60 jours. Pour un visa touriste, prévoir environ 1 000 bahts (environ 30 €) et 1 photo d'identité (possibilité de s'en faire faire dans la rue, à côté du consulat). Retrait du visa en principe le lendemain.

■ *Téléphone (plan B2) : Ratsavong Seuk Rd, entre Soutthanou et Phagnapui Rd.* Pour acheter une carte SIM locale, adressez-vous aux magasins rue Ratsavong Seuk, proche du vieux marché ou en face du marché Savanxay.

Où dormir ?

Bon marché (moins de 150 000 kips / 19 $)

🏠 |●| *Leena Guesthouse (hors plan par B2, 10) : Chao Kim Rd.* ☎ 21-24-04. ● *leenaguesthouse.blogspot. com* ● *Doubles avec sdb (eau chaude ou froide) ; petit déj non compris. Plats « bon marché ».* Au calme, en retrait de la rue (panneau), les chambres sont distribuées dans 3 bâtisses colorées. Préférer les étages, plus lumineux. Le carrelage omniprésent accentue l'impression de propreté de l'ensemble. Petit resto installé dans un pavillon coquet, pour le petit déj ou des repas simples. Loc de vélos mais en très mauvais état. Seul le patron parle l'anglais.

🏠 *Joli Guesthouse (plan B2, 11) : Soutthanou Rd.* ▯ 020-998-428-99. *Petit déj inclus.* À deux pas de l'animation de la rue commerçante, au bout d'un chemin, se dresse cette grande maison jaune très bien entretenue, aux chambres immenses pour la plupart (toutes au même prix). Carrelage partout. On profite aussi d'une large terrasse avec vue sur la ville d'un côté, la campagne de l'autre. Très bon rapport qualité-prix.

🏠 *Savanbanhao Hotel (plan B2, 13) : Senna Rd.* ☎ 21-22-02. *Doubles avec sdb ; petit déj non compris.* Plusieurs pavillons de 2 niveaux sont répartis sur un espace ressemblant à un parking. La collection de chambres est déclinée en 4 catégories, selon le confort et l'étage. Au 2e, elles ont droit au parquet, à un frigo et plus de clarté.

De prix moyens à chic (150 000-500 000 kips / 19-62 $)

🏠 *Vivanouk Homestay (plan A3, 14) : Latsaphanit Rd.* ▯ 020-916-060-30. ● *vivanouk.com* ● *Dans le centre historique. Doubles sans sdb à prix plutôt « chic » en hte saison.* De cet ancien entrepôt, Nicolas s'est amusé à réinventer l'aménagement intérieur. L'escalier en colimaçon distribue 3 chambres à la déco épurée aux tons blanc et bleu pâle, tommettes au sol. Notez les anciennes persiennes reconverties en tables ou sommiers. Les 2 salles de bains sont à l'extérieur ; au sens propre pour l'une d'elles, qui se retrouve en plein air, toilettes comprises ! On aime bien aussi le petit patio où l'on se pose tranquillou pour regarder les étoiles et même dormir si on le souhaite, il suffit de demander un matelas. Accueil zen.

🏠 *Avalon Residence (hors plan par B1, 12) : Sisavonvong Rd.* ☎ 25-27-70. ● *hotel.avalonbooking. com* ● *Non loin de la gare routière et du marché Savanxay. Doubles à « prix moyens » ; petit déj en sus.* Dans le bâtiment le plus moderne, les chambres standard n'affichent pas un charme renversant, mais se révèlent spacieuses et très bien équipées, surtout compte tenu du prix. Accueil serviable et pro. Un bon plan au final, à l'emplacement pratique.

Où manger ? Où boire un verre ?

Bon marché (moins de 25 000 kips / 3 $)

|●| *Les gargotes du marché Savanxay (hors plan par B1, 20) : à l'extrémité nord de Ratsavong Seuk Rd, tt proche de la gare routière (côté ouest).* On y engloutit les traditionnelles soupes de nouilles, brochettes de viandes, riz gluant et des spécialités régionales...

|●| *Les gargotes du Night Market (plan B3, 21) : pl. Talat Yen. Tlj 17h-22h.* Le soir, ces petites gargotes rendent au centre historique un peu de son

LE LAOS

animation. Plats chinois, laos ou thaïs, comme ce que propose *Xokhai,* petite cantoche qui officie depuis belle lurette sur la place. Mais il y en a d'autres.

Prix moyens (25 000-60 000 kips / 3-7,50 $)

|●| ⚑ Lin's Café *(plan B3,* **22***) :* à l'extrémité de la grande place, près de l'église. 🖥 020-998-816-30. *Tlj sauf mer 8h30-20h.* Superbes carreaux-béton d'époque coloniale au sol, expo consacrée au patrimoine menacé de la vieille ville au 1er, tout ça se combine parfaitement pour créer un lieu très plaisant. À la carte, un mélange de plats occidentaux et asiatiques, dont un choix végétarien. Les becs sucrés seront à la fête. Service adorable.

|●| Chez Boune *(plan B1,* **24***) : Chaimeuang Rd, face au Old Market.* 🕿 21-51-90. *Tlj sauf ven 7h-22h. Plats locaux à « prix moyens », un peu plus chers pour les produits importés.* Tenu par un couple francophone, mitonnant de bons plats et aussi des salades, pâtes, crêpes et parfois de la très réputée viande de Kobe. Mais le *local steak,* raisonnablement tarifé, est déjà très bien. Carte des vins, certains servis au verre et à la carafe. Cadre boisé et soigné, salle climatisée ou petite terrasse. Très bon accueil de Nang, la proprio.

|●| ⚑ Vivanouk *(plan A3,* **14***) : Latsaphanit Rd ; voir plus haut « Où dormir ? ». Seulement le soir jusqu'à 22h et le dim tte la journée.* Salle agréable largement ouverte sur la rue pour déguster une bonne cuisine lao-thaïe préparée par Joy. Fait aussi bar (pastis pour les nostalgiques). Juste à côté, le *Dao Savanh,* directement sur la place, est un resto français à la très bonne réputation. Pas donné toutefois.

⚑ |●| Souk Savanh *(plan A3,* **25***) : sur la place Talat Yen. Tlj 17h-23h30.* Ce bistrot vintage tenu par des Thaïs est un des endroits les plus animés le soir. Musique forte et parfois un chanteur qui assure l'ambiance. Quelques plats thaïs et chinois également.

À voir. À faire

🛉🛉 Le vieux quartier colonial *(plan A-B3) :* pour certains, le délabrement et la léthargie qui se sont abattus sur le quartier rendront la balade décevante, voire un peu déprimante. D'autres en nourriront leurs souvenirs et réflexions, en mariant la nostalgie à l'espoir, grâce à ces quelques bâtisses encore fières ou restaurées. Quoi qu'on en pense, la vieille ville reste, malgré sa taille modeste, un témoignage historique important. À commencer par la place *Talat Yen,* veillée par l'église Sainte-Thérèse, dont le dessin rectangulaire à la française continue à défier l'adversité, supportée par le nombre respectable de maisons à colonnades et compartiments chinois (commerce au rez-de-chaussée, logement au-dessus) alentour.

🛉 L'église Sainte-Thérèse *(plan B3) : Chalaumvang Rd.* Édifiée en 1914, cette étonnante église est surtout fréquentée par la communauté vietnamienne catholique.

🛉🛉 Wat Sayaphoum *(plan A2) : au bord du Mékong.* C'est le plus ancien temple de la province de Savannakhet, construit en 1896, 3 ans après l'arrivée des Français. Cette pagode est joliment décorée dans le style traditionnel laotien et abrite une intéressante fabrique de bouddhas (côté fleuve).

🛉🛉 Le marché *(hors plan par B1) : à l'extrémité nord de Ratsavong Seuk Rd, juste à côté de la gare routière.* À ne pas manquer. Immenses halles très animées, qui foisonnent de victuailles et produits divers. Très intéressant.

🛉 Le musée des Dinosaures *(ministère des Sciences et de la Technologie ; écrit en français ; plan A1) : Khanthabouli Rd.* 🕿 21-25-97. *Tlj 8h-11h30, 13h30-16h. Entrée : 10 000 kips. Panneaux en français.* Ce tout petit musée expose des ossements de 4 dinosaures retrouvés dans la région, dont un impressionnant sauropode. Le musée n'a visiblement aucun moyen, mais on y est toujours accueilli à bras ouverts.

DANS LES ENVIRONS DE SAVANNAKHET

– *Excursion combinant les trois sites plus bas :* faisable à vélo ou à petite moto. On peut aussi chartériser un *tuk-tuk*. Prévoir 4h, éviter les heures les plus chaudes. Se munir de la brochure *Savannakhet Outskirts* auprès de l'office de tourisme ou du *Lin's Café*.

Du centre-ville, monter au nord jusqu'à la *Avalon Residence* (un peu avant le marché et la gare routière) et prendre plein est en traversant la route 9. Après le lac, poursuivre la petite route sur environ 3 km jusqu'à une intersection en « T ». Prendre à gauche sur encore 3 km jusqu'à That Inheng. Itinéraire champêtre avec peu de circulation. De That Inheng continuer la petite route qui mène à la route 9 (direction nord-ouest, opposée au village). Au bout de 250 m, tourner dans la 1re rue à droite ; l'entrée de la forêt (portail ouvert) se trouve quelques centaines de mètres plus loin.

🏮 *Bungva Lake* (hors plan par B1, 43) : *à env 6 km de Savannakhet.* Plus ou moins étendu selon la saison, fréquenté par des pêcheurs à pied ou en barque, son périmètre est flanqué de nombreuses petites gargotes et restos, disposant d'annexes flottantes pour siroter une boisson locale ou manger un morceau. Typique et populaire, c'est le moment de faire une pause !

🏮🏮 *That Inheng* (hors plan par B1, 43) : à env 15 km de Savannakhet. Tlj 7h30-17h30. Entrée : 5 000 kips. Bâti au XVIe s, sa base est enrichie de bas-reliefs hindouistes de style khmer. Le stûpa est entouré de galeries remplies de centaines de bouddhas dorés. Chercher les sculptures érotiques et viser la porte d'entrée du *that,* ornée du dieu Shiva...

LES LOIS DE LA NATURE

L'estomac perturbé après avoir mangé du porc avarié, le Bouddha se serait arrêté d'urgence sur ce site qu'on dit sacré depuis 1 500 ans. Histoire de se soulager et de récupérer, il s'adossa à un arbre Hang. D'où ce stûpa, édifié en mémoire de cette auguste pause. Cette légende est prise au sérieux par les villageois du coin : encore aujourd'hui, ils n'élèvent pas de cochons !

🏮 *La forêt protégée de Dong Natad* (hors plan par B1, 43) : ses 8 500 ha sont dominés par de majestueux diptérocarpes. La résine *nyang* est extraite de ces géants de la forêt pour confectionner des torches. Avec un peu de chance, vous verrez des autochtones escalader des arbres pour collecter du miel. La zone, quadrillée par des chemins de gravillons ou de sable, cache également un lac serein.

LE LAOS

PAKSÉ

IND. TÉL. : 031   •   70 000 hab.

• Plan p. 480-481

À 265 km de Savannakhet, au confluent du Mékong et de la rivière Xe Don, cette ville commerçante, qui s'étale sur 16 km de long, est le chef-lieu tranquille de la province de Champasak. Le grand fleuve, large ici de 1,5 km, délaisse son rôle frontalier pour se réfugier en terre laotienne.
Les Français fondent Paksé au début du XXe s, pour servir de centre administratif du Sud et de point de contrôle de la navigation. C'est de nos jours un pôle économique majeur et une plaque tournante des importations du pays. Elle doit ce statut à sa proximité avec la Thaïlande, d'où l'on arrive par

le poste-frontière terrestre de Vang Tao, avant de franchir le Mékong par un pont construit dès 1975 par les Japonais.

Les destructions datant de la 2e guerre d'Indochine (1955-1975) privent Paksé des charmes désuets de Thakhek ou de Savannakhet. Malgré le manque d'homogénéité architecturale, sa situation en fait une étape stratégique pour rayonner aux alentours. Elle se trouve à une quarantaine de kilomètres de Champasak et du Vat Phou classé au Patrimoine de l'Unesco. C'est surtout le camp de base avant d'attaquer la boucle du plateau des Bolavens, réputé autant pour son café que pour ses chutes d'eau et ses innombrables possibilités de trek. Pas étonnant donc que Paksé soit facilement accessible grâce à un aéroport international.

Arriver – Quitter

En avion

✈ **Aéroport international de Paksé** (hors plan par A1) : sur la route 13 en direction de Savannakhet, à env 4 km au nord-ouest du centre-ville. Sur place, bureau d'informations, service de change (désavantageux) et distributeur de billets à l'extérieur. Pour rejoindre le centre, compter 80 000 kips en taxi.

Les destinations suivantes sont desservies par Lao Airlines (☎ 21-10-50 ou call center 1626).

➤ **Vientiane** (certains via Savannakhet) : 3 vols/j. dans les 2 sens. Durée : 1h15. 1 vol aussi assuré par Lao Skyway.

➤ Pour les vols vers **Siem Reap, Bangkok** et **Hô Chi Minh-Ville,** se reporter en début de guide au chapitre « Arriver – Quitter ».

En bus

La répartition des destinations desservies par les 4 gares routières principales de Paksé est un vrai casse-tête et peut changer d'année en année. Même les autochtones s'y perdent, l'office de tourisme compris ! Dans tous les cas, se renseigner avant de réserver et ne pas hésiter à passer par le service de réservation des hébergements : les prix sont sensiblement les mêmes, et vous évitez un déplacement. De plus, les agences incluent souvent le transfert jusqu'à la gare routière quand elles n'ont pas leur propre service de minivan ; les liaisons et les fréquences que nous signalons ne sont qu'indicatives.

Une solution simple et pratique :

🚌 **Bus et minivans touristiques :** s'adresser aux agences et hôtels ou chez le loueur de motos Miss Noy (plan A1-2, **9**). Ramassage à votre hôtel. Départ en principe à 8h. Pour **Champasak** (compter 1h) ou **Siphandone/4 000 îles** (compter 2h30 jusqu'aux quais d'embarquement).

➤ Pour le **passage de la frontière thaïlandaise** Vangtao-Chong Mek, à 45 km de Paksé, se reporter au chapitre « Arriver – Quitter » en début de guide.

🚌 **Station des bus VIP du centre** (plan A2, **3**) : rue 11. Dans le centre. Dessert **Thakhek** et **Vientiane** : départ à 20h30, respectivement 4h30 et 10h de trajet. Pratique, confortable et rapide... mais un peu plus cher que les autres.

🚌 **Gare routière de Kieng Kai** (hors plan par D3) : à 4 km du centre sur la route 38. Gare de bus internationaux. Pour le **Cambodge** (Siem Reap, Phnom Penh), la **Thaïlande** (Ubon Ratchathani et Bangkok) et le **Vietnam** (Hué), se reporter au chapitre « Arriver – Quitter » en début de guide.

🚌 **Gare routière du Nord** (Lak Chet ; hors plan par A1, **1**) : au nord-ouest du centre-ville sur la route 13, au km 7 en direction de Savannakhet. S'y rendre en tuk-tuk. C'est le point de départ des bus ordinaires (lents et moins chers) pour les villes situées au nord de Paksé (Savannakhet, Thakek, Vientiane). Les bus internationaux rapides s'y arrêtent en provenance de la gare du Sud.

Station Talat Lak Song (hors plan par D2, **4**) : au km 2 sur la route 13, en direction du sud.

➢ **Thakhek et Vientiane :** 1 bus ttes les heures env.

➢ **Siphandone :** 1 bus/j. le mat.

➢ **Vers la frontière thaïe :** bus locaux et songthaew, 6h-16h. Trajet : 1h-1h30.

Gare routière du Sud (Lak Pet ; hors plan par D2, **2**) : au km 8 sur la route 13, au carrefour de la route 16 en direction de l'est. Compter env 100 000 kips en taxi depuis le centre-ville. Départs pour les villes du Sud, la région des 4 000 îles et le plateau des Bolavens, en bus ou en songthaew (petite camionnette équipée de 2 rangées de bancs). La gare du Sud est le point de départ des bus internationaux qui font halte aussi à celle du Nord.

➢ **Savannakhet** (265 km) **:** 6h30-16h env, bus ttes les 40 mn env ; 3-4h de trajet.

➢ **Thakhek** (385 km), 6h de trajet ; **Vientiane** (736 km), env 16h de trajet ; **Luang Prabang** (980 km), 20h de trajet.

➢ **District de Siphandone** (4 000 îles) **:** pour **Don Khong** (130 km), compter 5 bus/j. à partir de 8h. Le bus va jusqu'à Muang Khong via le pont de Ban Hat, à 3 km au sud de Muang Khong (où se trouvent les hébergements). Env 2h30 de voyage. Pour **Don Khône** et **Don Det** (135 km), bus ttes les heures 7h-16h. Env 3h de trajet. Voir

dans « Le district de Siphandone » pour les bacs et les pirogues.

➢ **Plateau des Bolavens :** 3 bus le matin vers **Paksong** (env 1h30 de trajet) et **Attapeu** via **Thateng,** 3 bus/j. pour **Sékong** et 5 bus/j. pour **Saravane,** jusqu'à 16h env.

➢ **Siem Reap** et **Phnom Penh (Cambodge)** : 1 bus/j. le mat. Compter 12h de trajet pour Phnom Penh.

➢ **Bangkok (Thaïlande) :** 2 bus/j., départ dans l'ap-m. Compter 13h de trajet.

Un « terminal » de songthaew borde le marché du matin (Dao Heuang Market ; plan B3). Départs à 9h, 10h et 11h pour Paksong et Thateng sur le plateau de Bolavens, ainsi que la frontière de **Vang Tao.** Dans ce cas, le poste-frontière se traverse à pied.

En bateau

Trajet **Paksé-Champasak** sur un petit bateau touristique surtout pendant la saison sèche (novembre-avril). Résa impérative la veille, car il faut minimum 4 personnes pour que le bateau parte (billet env 70 000-80 000 kips). Renseignez-vous auprès de votre hôtel ou des agences. Départ à 8h30 de l'embarcadère voisin de la poste (plan A3), mais on peut venir vous prendre à l'hôtel. Trajet : 1h30, un peu plus long au retour (on est à contre-courant).

LE LAOS

Se déplacer

La marche convient au centre, et le Mékong n'est jamais qu'à 15 mn de la rue 13. Louer un vélo suffit pour élargir son rayon d'action. Réserver les petites motos à ceux qui en ont la maîtrise et

aux excursions vers le plateau des Bolavens. Pour une course en tuk-tuk ou en songthaew en ville, compter 10 000-15 000 kips. Problème, il n'y en a pas partout et encore moins à partir de 18h.

Adresses utiles

Paksé Tourism Information Centre (plan A2) : rue 11. ☎ 21-20-69. ● southern-laos.com ● Lun-ven 8h-11h30, 14h-16h30. Personnel parfois anglophone... Vente de billets de bus.

■ **Prolongation des visas** (plan A2) : auprès de l'immigration Office.

Lun-ven 8h-11h, 13h30-16h. Compter 20 000 kips/j. + 30 000 kips entre le service et le formulaire. Prévoir 2 photos d'identité et une photocopie du passeport (page avec photo + tampon d'entrée). Délai : 1 jour.

■ **Banque pour le commerce extérieur Lao** (BCEL ; plan A2, **5**) : rue 11.

LE LAOS

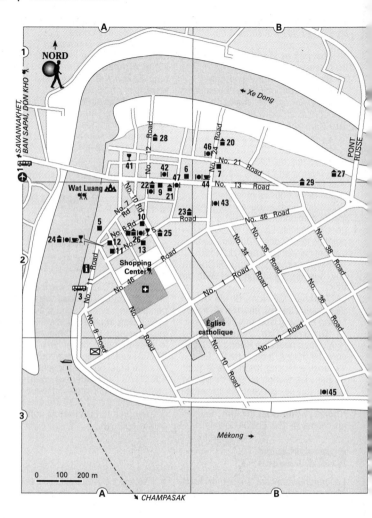

■ *Lao Development Bank (plan A1, 6) :* rue 13. Lun-ven 8h30-15h30. Mêmes services que la *BCEL.*

■ *Consulat du Vietnam (plan B1, 7) :* rue 24. ☎ 21-41-40. ● *vnconsulate-pakse.mofa.gov.vn* ● Lun-ven 7h30-11h30, 14h-16h30. Se renseigner impérativement auprès du consulat pour savoir si un visa est nécessaire ou non. Si oui, prévoir 50-120 $ pour

■ **Adresses utiles**

🛈 Paksé Tourism Information Centre (A2)
1   Gare routière du Nord (hors plan par A1)
2   Gare routière du Sud (hors plan par D2)
3   Station des bus VIP du centre (A2)
4   Station Talat Lak Song (hors plan par D2)
    Embarcadère (A2)
5   Banque pour le Commerce Extérieur
    Lao (A2)
6   Lao Development Bank (A1)
7   Consulat du Vietnam (B1)
9   Miss Noy location de vélos et motos (A1-2)
10 Avis (A2)
11 Monument Books (A2)
12 Vat Phou Cruises (A2)
13 Dok Champa Massage
    et Pho Kham massage (A2)
26 Wat Phou Travels (A2)

🛏 **Où dormir ?**

20 Sabaidy 2 Guesthouse (B1)

21 Alisa Guesthouse et Lankham Hotel (A2)
22 Hotel Phi Dao (A1-2)
23 Nang Noi Guesthouse (A2)
24 Résidence Sisouk (A2)
25 Sala Champa Hotel (A2)
26 Paksé Hotel (A2)
27 Champasak Palace Hotel (B1)
28 Sakhone Guesthouse (A1)
29 Athena Hotel (B1-2)
30 Le Jardin de Paksé (D3)

🍴🍷 **Où manger ? Où boire un verre ?**

24 Sinouk Coffee House (A2)
26 Le Panorama et Patio de Noy
    (Paksé Hotel ; A2)
41 124 Thaluang Coffee (A1)
42 Jasmin Indian Restaurant (A1)
43 Dokmai Restaurant (B2)
44 Daolin Restaurant (B1-2)
45 Lankham Noodle (B3)
46 La Terrasse (B1)
47 Athen restaurant (A1-2)

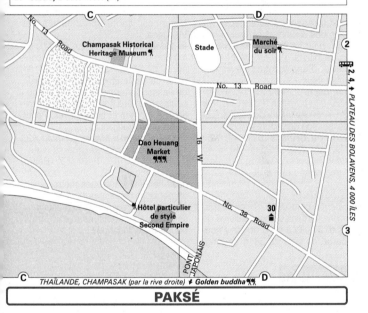

PAKSÉ

LE LAOS

---

un visa à entrée simple ou multiple
(valable 3 mois) et un délai de 2 jours
ouvrables.
■ *Location de vélos et petites
motos :* compter env 20 000 kips/j.
pour un vélo et 50 000-100 000 kips
pour une moto selon type et durée.

Service proposé par la plupart des
guesthouses et petites agences. Pour
les motos, consulter impérativement la
rubrique « Transports » – paragraphes
« Vélo » et « Moto », dans « Laos utile ».
■ *Agence de voyages, location de
vélos et motos :*

– **Miss Noy** (plan A2, **9**) : rue 13. 020-222-722-78. ● noy7days@hot mail.com ● Tlj 8h-20h. Pour la loc de motos, résa préférable 2-3 j. à l'avance. Réservation de tous types de transport et d'excursions, ainsi que location de vélos et motos avec un plan du plateau des Bolavens (très utile) fourni par Yves, un Belge installé ici depuis des années.

– **Wang Wang** (plan B1) : rue 24, à côté du resto La terrasse. 020-599-395-52. Tlj 7h-19h30. Loue aussi des motos à prix raisonnables. Une bonne alternative quand Miss Noy a loué toutes ses pétrolettes.

– **Wat Phou Travels** (agence de l'hôtel Paksé ; plan A2, **26**) : rue 5. 030-503-23-31. ● watphoutravels.com ● Tlj 8h-20h. Agence très sérieuse qui organise des circuits dans tout le sud du pays, peut se charger de la réservation de billets d'avion, de bus, de transferts, d'une location de voiture avec chauffeur.

■ **Avis** (plan A2, **10**) : rue 10. 020-592-470-91. Lun-ven 9h30-18h, w-e 9h-13h. Antenne locale de cette enseigne de location de voitures.

■ **Vat Phou Cruises** (plan A2, **12**) : 108, Sedonn Rd. ☎ 25-14-46. ● vat phou.com ● Oct-mars, 3 départs/sem (mar, jeu, sam) ; avr-sept, 2 départs/sem (mar et sam), service interrompu en juin. Selon période et nombre de participants, compter 520-740 $/pers, tt compris. Organise des croisières de 3 jours et 2 nuits à bord du Vat Phou, une barge en bois de 34 m de long,

transformée en hôtel flottant. En tout, 12 cabines doubles confortables, avec salle de bains et clim. Itinéraire : Paksé-Champasak-Vat Phou-région des 4 000 îles, et retour à Paksé en minibus.

✚ **Hôpital provincial de Paksé** (plan A2) : rue 46. ☎ 21-20-18. Valable pour les petits bobos. Mieux vaut directement aller juste derrière, à l'**International Hitech Polyclinic** (accès par la rue 1. ☎ 21-47-12 ; tlj 8h-17h ; consultations : 300 000 kips). Médecins vietnamiens compétents et anglophones. Pas de service de chirurgie. **Pharmacie** sur place. En cas de problème sérieux, évacuation vers l'hôpital d'Ubon Ratchathani, en Thaïlande (à 3h de route). Voir les rubriques « Santé » dans « Laos utile » et « Adresses utiles. Urgences, santé, pharmacies » à Vientiane.

■ **Monument Books** (plan A2, **11**) : en face du Champasak Plaza Hotel, côté nord. ☎ 21-42-19. Tlj 9h-20h (18h dim). La seule librairie internationale de Paksé. Cartes postales, plans, bouquins sur le Laos (tourisme, livres historiques), romans et beaux livres. Petite sélection en français.

■ **Dok Champa Massage** (plan A2, **13**) : rue 5, en face du Paksé Hotel. 020-541-887-78. Tlj 9h-22h. Beaucoup de monde, bien choisir son créneau horaire. À quelques mètres, on a apprécié les massages du **Pho Kham Massage** : personnel pro et prestations soignées à prix raisonnables. Parfait pour éliminer la fatigue !

Où dormir ?

De très bon marché à bon marché (moins de 150 000 kips / 19 $)

🏠 **Nang Noi Guesthouse** (plan A-B2, **23**) : rue 5. 095-625-44. ● boun thong1978@hotmail.com ● Lit en dortoir de 4 pers (cadenas et placards sécurisés) « très bon marché » ; doubles « bon marché » ; petit déj en plus. Grande maison familiale dans une rue tranquille. La réception comme les chambres, toutes carrelées, sont d'une

propreté irréprochable. À peine plus chères, celles du 2e étage ont clim et balcon. Accueillante terrasse couverte sur l'avant. Services de tickets de bus, laverie et échange de livres.

🏠 **Sakhone Guesthouse** (plan A1, **28**) : rue 12. 030-500-17-35. Doubles « très bon marché » et « bon marché » avec ventilo ou clim. Pas de petit déj mais café/thé gratuits. L'avantage du centre sans l'inconvénient du bruit : le chemin de terre jalonné de petites maisons est préservé du brouhaha, et l'accueil familial fait chaud au cœur.

Une poignée de chambres de plain-pied, sans fioritures, avec salle de bains sur le palier. Pour le petit déj, le *Vida bakery café*, en face, est tout indiqué pour des croissants et *cookies* maison.

≜ *Alisa Guesthouse* (plan A2, 21) : rue 13. ☎ 25-15-55. ● alisa-gues thouse.com ● *Résa conseillée. Doubles avec sdb et AC « bon marché ». Également des triples et quadruples. Pas de petit déj.* Rapport prix-qualité-situation convaincant : chambres nettes, propres et spacieuses même si la literie est un peu ferme et que les légers dormeurs se plaindront du bruit de la route. Déco standard un poil aseptisée, mais le tout impeccablement tenu pour cette catégorie. Location de motos et billets de transports.

≜ |●| *Hotel Phi Dao* (plan A2, 22) : 125, rue 13, dans un angle. ☎ 21-55-88. ● phidaohotel@gmail.com ● *Doubles « prix moyens » avec sdb et AC. Également des familiales (4-5 pers). Petit déj non compris.* De construction récente, cet hôtel propose des chambres un poil plus chères que ses concurrents bon marché, mais ce léger écart de prix est mérité. Chambres bien entretenues, le confort comme l'équipement (balcon pour certaines) sont irréprochables, seul manque un zeste de charme. Mieux vaut privilégier l'arrière pour le bruit. Le café-resto se répartit entre le vaste lobby et la terrasse, elle aussi soignée. Quelques plats européens étoffent une carte asiatique (oui, le spectre ratisse large).

≜ *Sabaidy 2 Guesthouse* (plan B1, 20) : rue 24. ☎ 21-29-92. *Nuit de « très bon marché à bon marché » ; pas de petit déj et couvre-feu à 23h...* Précédés par une cour, les vestiges de la villa coloniale hébergent le dortoir et les chambres les moins chères. Vu le prix plancher, on ferme les yeux sur l'état de délabrement... Pour un peu plus, mieux vaut opter pour les chambres avec salle de bains dans la bâtisse sur l'arrière, plus récente.

≜ *Sala Champa Hotel* (plan A2, 25) : à l'angle des rues 5 et 10. ☎ 21-22-73. *Bungalows « bon marché » avec sdb, et doubles « prix moyens » ; petit déj en plus.* Dans cette ancienne villa coloniale des années 1930, les chambres à l'étage ont un charme désuet. Notre préférence va à celles avec parquet, plafonds hauts, meubles d'antan et balcons. L'une d'elles, immense, peut accueillir 4 personnes. Moins chers et plus insipides, les « bungalows » se situent au rez-de-chaussée, dans un bâtiment annexe planté devant la villa. Jardin bien entretenu et fleuri.

≜ *Lankham Hotel* (plan A2, 21) : 133, rue 13. ☎ 21-33-14. *Lit en dortoir de 3 pers et doubles « très bon marché » avec ventilo, doubles « bon marché » avec clim ; petit déj non compris.* Des chambres avec ventilo) sur plusieurs niveaux, entre des escaliers peu reluisants. Celles avec clim, un poil plus chères, sont aussi plus confortables alors que d'autres, très basiques ont fenêtre sur couloir... Oubliez la grasse matinée pour celles donnant sur la rue. Néanmoins, les lits sont confortables. Ambiance plus impersonnelle que dans nos autres adresses et service indifférent. Au resto, spécialité de *phó* (soupe vietnamienne). Laverie et change à taux très correct.

De prix moyens à chic (150 000-500 000 kips / 19-62 $)

≜ |●| *Résidence Sisouk* (plan A2, 24) : à l'angle des rues 9 et 6. ☎ 21-47-16. ● residence-sisouk.com ● *Doubles de catégorie « chic », pouvant aller jusqu'à « très chic » pour certaines chambres à certaines périodes, petit déj à la française inclus.* Avec ses galeries de balcons, l'élégante façade de cette maison coloniale est revenue dans la famille après avoir été confisquée par le gouvernement en 1975. C'est aujourd'hui un boutique-hôtel plein de personnalité. Meubles cossus, textiles laotiens, parquets vernis, photos aux murs, madame Sisouk veille au confort de ses hôtes. Les chambres de catégorie supérieure gagnent en surface et profitent de balcons. Délicieux petit déj avec du bon pain, servi dans une salle intime au dernier étage, avec vue sur la rivière Xe Don. On peut aussi y dîner : bonne cuisine franco-laotienne du marché. Personnel attentif et francophone.

LE LAOS

LE LAOS

🛏️ I●I **Paksé Hotel** (plan A2, **26**) : rue 5. ☎ 21-21-31. ● hotelpakse.com ● Doubles de catégorie « moyens » (eco) à « chic », petit déj inclus. Grand hôtel central à la déco chaleureuse, faisant appel à des bois de qualité et au bambou pour la note locale. Desservies par un ascenseur, les chambres sont confortables et impeccables. Sans compter les suites et familiales, les différentes catégories se distinguent par leur taille et leur décoration. Dans les eco, les fenêtres donnent sur le patio intérieur, on préfère les standard. Au 6e, les plus chères (et plus grandes) jouissent d'une vue imprenable sur le Mékong. Petit déj varié et copieux. Fait aussi resto (voir plus loin). Excellent accueil, avec le sourire et en français.

🛏️ **Champasak Palace Hotel** (plan B1, **27**) : rue 13, près du pont russe. ☎ 21-22-63. ● champasakpalaceho tel.com ● Doubles à « prix moyens », petit déj inclus. Une curiosité : sur une éminence plantée de grands arbres, un bâtiment historique à l'architecture tarabiscotée, à l'origine un palais royal, construit pour le dernier souverain du Laos, qui n'a jamais pu en profiter. Il y avait pourtant mis les moyens : une centaine de colonnades, 1 900 portes et fenêtres, toutes encadrées de dorures... Reconverti en hôtel de 115 chambres, l'ensemble ne manque pas d'allure de l'extérieur, mais les chambres, malgré leur taille imposante, ne font pas d'étincelles. À réserver pour une expérience hors du temps, mais attention, le déclin a bel et bien commencé !

Très chic (plus de 500 000 kips / 62 $)

🛏️ **Athena Hotel** (plan B1-2, **29**) : rue 13. ☎ 21-48-88. ● athena-pakse. com ● Doubles 60-90 $, petit déj inclus. Un hôtel de charme à l'accueil pro et aux chambres cossues. On recommande les moins chères, qui profitent d'une terrasse ou d'un balcon avec vue sur la jolie piscine entourée de verdure. Les autres, certes plus spacieuses et avec baignoire, s'ouvrent sur la rue. Service de massages.

🛏️ **Le Jardin de Paksé** (plan D3, **30**) : à 2 km du centre, dans une rue adjacente à la rue 38. 📠 030-946-3324. ● lejardin depakse.com ● Double 70 $, petit déj inclus. Transfert possible vers l'aéroport. L'environnement verdoyant et le charme de cette adresse compensent le relatif éloignement du centre. Sur 2 étages, quelques chambres spacieuses, à la déco coloniale simple et soignée. Le luxe, c'est le beau jardin, le gazouillis des oiseaux et la petite piscine entourée de chaises longues. Des denrées rares et bien précieuses à Paksé. Personnel charmant et navette le soir pour dîner en ville.

Où manger ? Où prendre le petit déj ? Où boire un verre ?

Bon marché (moins de 25 000 kips / 3 $)

I●I Gargotes le long du fleuve, au marché du matin (Dao Heuang Market, plan C3), au marché du soir (horset, à l'est du stade), au marché central (Champasak Shopping Centre ; plan A2), en plein centre-ville. On y mange soupes, brochettes, nouilles sautées, etc., pour des clopinettes.

I●I **Lankham Noodle** (plan B3, **45**) : sur la rive du Mékong, côté ville. Tlj 6h-22h. Annexe du Lankham Hotel, une sorte de vaste hangar aux multiples tables débordant sur le trottoir et spécialisé dans le hot pot, une marmite fumante réchauffée sur des braises. Toujours aussi savoureux avec herbes, nouilles en sachet et lamelles de viande ou de poisson qu'on jette dans l'eau frémissante. À arroser de généreuses rasades de Beerlao, bien sûr.

I●I **Jasmin Indian Restaurant** (plan A1, **42**) : rue 13. Tlj 7h-22h. Une véritable cantine routarde, où l'on oublie le mobilier en alu et plastique pour apprécier, à leur juste valeur, les savoureux classiques de la cuisine indienne à petits prix. Plusieurs plats rassasieront ceux qui ont l'estomac dans les talons : *chicken tikka, biryani...* et nombreuses options pour les végétariens.

I●I 🍺 *Daolin Restaurant (plan B1-2, 44) : à l'angle des rues 13 et 24. Tlj 6h30-21h.* Un des QG des routards de toutes origines qui disposent d'un choix long comme le bras de plats occidentaux et asiatiques à prix démocratiques. Qualité inégale mais le petit déj est top. Connu aussi pour son café du plateau des Bolovens et ses glaces. En face, le *Sabaidee restaurant* est une alternative qui tient aussi la route (d'ailleurs, gare au bruit).

Prix moyens (25 000-60 000 kips / 6-7,50 $)

I●I 🍺 🍸 *Sinouk Coffee House (plan A2, 24) : à l'angle des rues 9 et 6.* ☎ 21-25-53. *Tlj 7h-21h.* Très prisé par les Occidentaux de passage, ce bistrot propose un beau choix de cafés (chaud, glacé, *espresso*, allongé...) qui viennent directement de chez le patron-producteur, dans les Bolavens. Également des jus de fruits frais, des viennoiseries et formules petit déj. Carte de sandwichs et salades. Terrasse agréable avec mobilier en rotin et salle soignée. Idéal pour goûter un moment de repos avant de prendre le bus de nuit pour Vientiane. Le restaurant du 4ᵉ étage, très chaleureux avec ses boiseries aux murs, jouit d'une belle vue sur la ville. Cuisine de qualité, plus créative qu'au café et parsemée de touches françaises. Accueil gentil.

I●I *Dokmai Restaurant (plan B2, 43) : rue 24. Tlj 11h-22h.* Un bon resto italien pour varier les plaisirs ! Traversez la jolie salle et laissez-vous conduire dans le jardin secret, sur l'arrière. Dans un cadre si serein, les excellentes pizzas sont encore plus appréciées ! Corrado, le patron chaleureux, loquace et amateur de blues, vient volontiers faire la conversation pendant que son chef laotien mitonne de jolis petits plats qui n'ont rien à envier

à ceux de la Botte. Un coup de cœur à Paksé.

🍸 *124 Thaluang Coffee (plan A1, 41) : dans un chemin parallèle à la route 13.* 🖥 *020-968-900-70. Mar-dim 9h-19h. Fermé lun.* Un adorable café, atypique et zen. Oh, pas grand-chose, juste quelques tables, un mobilier en rotin et une musique classique en fond sonore. Une bulle au calme pour boire un café serré et grignoter une pâtisserie. Accueil discret et serviable du patron japonais.

I●I *La Terrasse (plan B1, 46) : à l'angle des rues 24 et 21. Tlj 10h-22h.* À un croisement peu passant, cette large terrasse, qui prend le soir des allures de guinguette, est diablement sympathique. Les plats lao et asiatiques pas bien ruineux côtoient de généreuses pizzas cuites au feu de bois et quelques plats français de bon aloi (magret de canard, émincé de poulet, steaks avec frites).

I●I *Athen restaurant (plan A1-2, 47) : route 13. Tlj 9h-22h30.* Géré par les mêmes propriétaires que l'*Athena Hotel,* ce sympathique resto ne joue cependant pas dans la même cour. Savoureuse cuisine qui maîtrise les grands standards de la cuisine asiatique. Large déclinaison de riz frits, dont on choisit la taille (*small* ou *large*), bons *curries,* à déguster sous la tonnelle odorant le jasmin, un peu à l'écart de la circulation. Souvent des concerts le soir.

Chic (60 000-100 000 kips / 7,50-12,50 $)

I●I 🍸 *Le Panorama* et *Patio de Noy (plan A2, 26) : voir* Paksé Hotel *dans « Où dormir ? ». Au Patio, le midi seulement ; au* Panorama, *tlj 16h30-23h30 (restauration jusqu'à 22h).* Perchée sur le toit de l'hôtel, cette terrasse, aménagée de manière traditionnelle offre une vue imprenable sur le centre historique de Paksé, cerné par le Mékong et la rivière Xe Don. Dans l'assiette, d'excellentes spécialités asiatiques et françaises : grillades, filets de poisson, magret, pizzas. Service attentif. On peut aussi s'y contenter d'un bon cocktail au coucher du soleil. Un lieu

LE LAOS

plein de charme, où l'on échappe délicieusement à la touffeur de la ville. *Le Patio,* situé au rez-de-chaussée de l'hôtel, propose une carte succincte de plats asiatiques et végétariens. Mais pas de vue comme au *Panorama...*

À voir. À faire

🎭🎭 Wat Luang *(plan A2) : au bord de la rivière Xe Don, en plein centre-ville.* Richement décoré, le temple principal de la ville fut construit au tout début du XXᵉ s et héberge une école de moinillons. Jolie vue sur la rivière, que traversent souvent des groupes de bonzes dans un formidable contraste de couleurs !

🎭 Le marché central *(Champasak Plaza Shopping Centre ; plan A2) : en plein centre-ville.* Ce qui fut un temps le plus grand complexe commercial du Laos a en partie brûlé dans les années 1990. On y trouve fruits et légumes sur les étals à l'extérieur et, à l'intérieur, principalement des vêtements, dont pas mal de contrefaçons chinoises.

🎭🎭🎭 Dao Heuang Market *(marché du matin, plan C-D3) : tlj 7h-17h. À 2 km du centre. Compter 10 000 Kips/pers en tuk tuk.* Sans doute le plus vaste et le plus authentique du Laos. Le volume des marchandises alimentaires exposées est vraiment impressionnant, et on s'étonne que dès 14h la majorité des denrées ait été écoulée. Les étals de viande et les bassines de poisson fermenté *(padèk)* valent leur pesant de tripes ! En tout cas, n'oubliez pas de charger vos batteries, vous ferez le plein d'images fortes, et d'odeurs de même intensité !

🎭 Le marché du soir *(Talat Lak Song ; plan D2) : au km 2 sur la route 13 en direction du sud, côté gauche quand on vient du centre, et à proximité du stade. Tlj du mat au coucher du soleil (on l'appelle quand même « marché du soir » !).* Classiques stands de fruits et légumes, poisson séché et puis des étals de viande particulièrement odorants.

🎭 L'hôtel particulier de style Second Empire *(plan C3) : près du pont japonais.* On l'aperçoit très bien depuis le pont japonais. Avec son allure très XIXᵉ s, ses toitures bleues rehaussées de dorures, cette curiosité architecturale assez massive ne se visite pas mais suscite l'intérêt : il s'agit d'une lubie ruineuse d'une riche planteuse de café, amoureuse de Paris. Actuellement en travaux, il est difficile de s'approcher de la bâtisse.

🎭 Champasak Historical Heritage Museum *(plan C2) : au km 1 de la route 13, vers le sud, avt le stade. Tlj 8h-11h30, 13h-16h. Entrée : 10 000 kips.* Modeste musée présentant quelques objets rituels ou de la vie quotidienne et quelques éléments architecturaux provenant du Vat Phou et d'Oum Mouang, ainsi que des tambours de bronze appartenant à la mystérieuse culture Dong Son. À l'étage, quelques photos des leaders de Champasak et de la province.

🎭 Le temple chinois : *au bord de la route 13, vers le sud, après le stade.* Sa façade polychrome possède de belles décorations (bambous, paysages...) et des bas-reliefs multicolores. À voir en passant, car l'intérieur ne se visite pas.

🎭🎭 Golden Buddha *(hors plan par D3) : sur la colline au-delà du pont japonais.* On l'aperçoit de loin, sans se rendre compte de sa taille impressionnante. Il domine le Mékong et la ville du haut de ses 25 m. Pour s'y rendre, nul besoin d'entamer l'escalade à pied, à l'arrière une route en lacet a été construite (prendre un *tuk-tuk*) pour y acheminer les pèlerins. En effet, un temple l'a rejoint ainsi qu'une armée de centaines de bouddhas dorés luisant au soleil, fruit pour chacun d'une donation de fidèles. Si vous vous sentez l'âme généreuse et espérez améliorer votre karma, il vous en coûtera 500 $ pour avoir le vôtre.

DANS LES ENVIRONS DE PAKSÉ

⚘ **Ban Sapaï** *(village de tisserands ; hors plan par A1) : à 17 km au nord de Paksé. Sur la route 13 qui mène à l'aéroport, à env 15 km, prendre sur la gauche au niveau d'un temple ; c'est à 3 km (panneau).* La plupart des maisons du village de la minorité Lao Loum abritent, au rez-de-chaussée, un ou plusieurs métiers à tisser le coton ou la soie. En revanche, l'achat des tissus aux coloris vifs (à meilleur prix qu'à Paksé) n'est possible que dans un seul lieu, une sorte de halle, au bord du Mékong. Cette visite peut faire l'objet d'une excursion à vélo (route légèrement ondulante mais faisable même sans vitesse). Sur le trajet, remarquer l'étonnante succession de cimetières colorés. À gauche en venant de Paksé, cimetière pour les Laotiens (crémation essentiellement) ; à droite, cimetières catholique et vietnamien...

⚘ **L'île de Don Kho :** *en face de Ban Sapaï. Prévoir 40 000 kips A/R en barque.* Pour ceux qui ont un peu de temps, cette île de tisserands et de pêcheurs fut à une époque un port d'escale pour les bateaux français sur le Mékong. La tradition veut qu'elle ait été peuplée il y a 400 ans par des indigènes de la région d'Attapeu. Intéressant petit *wat* de plus de 200 ans. On peut même dormir en maison d'hôtes. Le Laos du temps jadis, comme on ne le voit plus.

CHAMPASAK

40 000 hab.   IND. TÉL. : 031

● Plan *p. 489*

◈ À une trentaine de kilomètres au sud de Paksé, sur la rive droite du Mékong, Champasak s'étire langoureusement entre fleuve et montagnes, sur 3 km le long d'une route qui mène au fameux Vat Phou. Le village a connu son heure de gloire au début du XXᵉ s, lorsque les Français chouchoutaient la famille royale. Autour du rond-point qui lui sert de centre de gravité, quelques belles villas princières rougies par la poussière en témoignent encore... Aujourd'hui, en dehors de l'effervescence annuelle du festival du Vat Phou (fin janvier), Champasak se complaît dans une douce tranquillité. Dès lors, pourquoi ne pas poser son sac, y consacrer plus qu'une nuit et profiter de cette atmosphère paisible, en partageant les délices de la vie rurale avec le majestueux Mékong en guise d'horizon ? Autant préciser que les fêtards n'y trouveront pas leur compte.
Mais il y a encore plus calme en face de vous: l'île de Don Daeng ! Une poignée de villages, pas une voiture, juste des deux-roues et des tracteurs, des immenses plages de sable, une poignée de chambres chez l'habitant ou un *resort* de luxe, avis aux amateurs...

Arriver – Quitter

En *songthaew* et en bus

➤ **Paksé** *(28 km) :* la plupart des *songthaews* quittent Champasak entre 7h et 8h (arrivée au marché du matin). Ils empruntent la nouvelle route, impeccable, qui suit la rive droite du Mékong, puis traversent le fleuve par le pont japonais. Depuis Paksé, *songthaews* depuis le marché du matin, 7h-15h. Compter environ 1h de trajet.
– Pendant la haute saison, des mini vans assurent de manière aléatoire

LE LAOS

la liaison avec Paksé. Se renseigner auprès de son hébergement ou au ▦ 020-553-390-08.

En bateau

➤ **Paksé :** quelques liaisons en bateau affrétées par *Miss Noy* (voir à Paksé, « Adresses utiles »). Depuis Champasak, se renseigner auprès de *Kamphouy Guesthouse* (voir ci-dessous « Où dormir ? »). Jacques, du *Nakorn Cafe* organise aussi cette liaison en bateau.

En bac

▰ Pour rejoindre la route 13 de l'autre côté du fleuve, un **bac** traverse le Mékong entre Ban Paphin (rive droite, à 2 km au nord de Champasak) et Ban Muang (rive gauche), 6h-18h, et coïncide avec le passage des bus en provenance de Paksé ou de Siphandone sur la route 13. Il transporte voitures, minibus et motos. Fréquence et tarifs en fonction de l'affluence.

Adresses utiles

🛈 **Champasak Visitor Information Centre :** *dans le centre, env 50 m au nord du rond-point central (celui de la fontaine), côté fleuve.* ☎ 21-20-21. *Lun-ven 8h-12h, 13h30-16h ; w-e 9h-12h, 14h-16h.* Pas mal d'infos en anglais, sur les transports du coin, les balades à faire dans la région. On y trouve la brochure très bien conçue sur les randonnées à faire dans la région avec ou sans guide (lire plus loin les treks sur le site de Vat Phou). Pour certains treks dans des villages alentour authentiques, toujours dans le respect des populations locales, ils peuvent mettre en relation avec des guides du site de Vat Phou. Vente de billets de bus.

■ **Lao Development Bank** *(plan, 1) :* *au niveau du rond-point, à 100 m côté campagne. Lun-ven 8h30-15h30.* Service de change et de transfert d'argent *Western Union.* Distributeur de billets. Également un distributeur de billets de la BCEL face à l'office de tourisme.

■ **Pharmacie** *(plan, 2) :* à 1 km au nord du bourg. ▦ 020-292-651-32. *Tlj 6h-18h.*

■ **Location de vélos :** la plupart des *guesthouses* en proposent. Le vélo est la solution la plus pratique pour se balader sur l'île de Don Daeng, et il n'est pas évident d'en trouver sur place. On vous conseille donc de louer votre vélo à Champassak auprès de votre hébergement et de traverser avec sur les barques à moteur.

■ **Champasak Spa** *(plan, 3) :* à 800 m au nord du rond-point, côté fleuve. ● champasak-spa.com ●

▦ 020-564-997-39. *Tlj 10h-12h, 13h30-19h (17h lun).* Fermé lun en basse saison et en juin. Soins à la ½ journée ou à la journée (avec menu végétarien), sur résa via le site internet. Retraites bien-être et méditation de 3-7 j. (avec nuit dans l'hôtel de votre choix). CB refusées. Centre de bien-être aménagé dans une superbe maison traditionnelle et géré par Nathalie qui a formé des jeunes femmes lao aux différentes techniques de massage. Le lieu est un véritable havre d'harmonie. Tous les ingrédients utilisés sont garantis naturels et locaux. On plébiscite d'autant plus que les prix sont très raisonnables pour des soins d'une grande qualité. Par ailleurs, David, son mari, s'occupe du *club de badminton* de la ville, qui permet à tous de pratiquer ce sport. Joueurs en herbe ou confirmés, n'hésitez pas à relever le défi en vous confrontant aux champions locaux ! Nathalie et David habitent depuis de nombreuses années à Champasak et mènent des actions permanentes pour améliorer les conditions de vie des habitants. Leur projet actuel : la réfection de l'école primaire de Ban Phoxay. Vos dons sont les bienvenus.

■ **Chez Maman** *(plan, 4) :* sur la route principale, 4 rues après le rond-point en direction du Vat Phou. ▦ 020-911-555-45. *Tlj 8h (10h en basse saison)-18h en hte saison.* Ghislaine accueille les visiteurs avec générosité dans sa jolie boutique où tous les produits ont été sélectionnés avec soin pour promouvoir l'artisanat local et faire travailler autant que possible les artisans

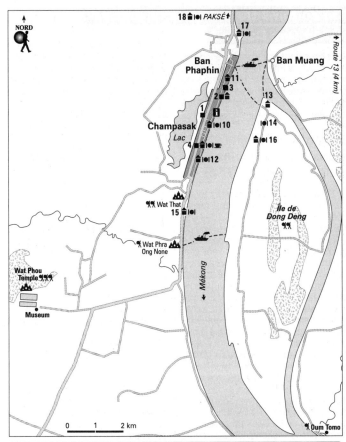

CHAMPASAK ET SES ENVIRONS

LE LAOS

■ **Adresses utiles**

🛈 Champasak Visitor Information
Centre
1 Lao Development Bank
2 Pharmacie
3 Champasak Spa
4 Chez Maman

🏠 |●| **Où dormir ? Où manger ?**

2 Champasak with Love
4 Inthira Champasak, Homemade
(chez Bunmi) et Chez Maman

10 Kamphouy Guesthouse
et Saithong restaurant
11 Anouxa guesthouse
12 Nakorn Cafe
Guesthouse & Restaurant
13 Community Lodge
14 Mr Mee
15 The View
16 La Folie Lodge
17 The River Resort
18 Wopakok
Hotel & restaurant

de la région. Que ce soit les tissus, les sacs ou les paniers, tous les objets sont liés à une histoire, une famille, que Ghislaine connaît. Elle-même dessine et coud des vêtements, du coup uniques ! Et comme on se sent bien, on en profite pour s'attabler au salon de thé.

Où dormir ? Où manger à Champasak et sur Don Daeng ?

Avertissement : pendant la période du festival du Vat Phou (souvent en février, voir plus loin) réserver bien à l'avance sous peine de devoir payer sa chambre 3 fois plus cher. Ou alors se rabattre sur Paksé.

De très bon marché à prix moyens (moins de 300 000 kips / 37 $)

🏠 *Kamphouy Guesthouse* (plan, 10) : à 100 m au sud du rond-point, côté campagne. ☎ 020-222-799-22. *Doubles « très bon marché » avec sdb et eau chaude ; petit déj en plus.* Une quinzaine de chambres bien ventilées, réparties dans une grande villa orangée et ses 2 annexes, plantées dans le jardin. Propre et bien tenu pour le prix, mais literie assez dure. Loue scooters et vélos et propose un transfert en bateau vers Paksé. Petite épicerie. Une bonne adresse malgré le peu d'anglais parlé.

🏠 ◉ *Anouxa Guesthouse* (plan, 11) : à 1 km au nord du 1er rond-point, côté Mékong. ☎ 51-10-06. ● anouxa champasak@gmail.com ● *Doubles « très bon marché » avec sdb et ventilo, « bon marché » avec clim. Petit déj non compris.* Dans un petit jardin bordé par le Mékong, on a le choix entre des chambres dans des bungalows en dur, climatisées, avec petite terrasse privée donnant sur le fleuve et d'autres dans 2 maisons en bois avec terrasse. Si l'entretien laisse parfois à désirer, le cadre et la vue sont au top. Fait aussi resto et loue des motos et des vélos. Depuis leur ponton, transfert possible vers l'île de Don Daeng et les 4 000 îles.

🏠 ◉ *Nakorn Cafe Guesthouse & Restaurant* (plan, 12) : en face du wat Nakorn, au sud du rond-point. 🖥 030-947-31-07. ● nakorn-cafe-river-view.com ● *Doubles avec sdb, AC et ventilo à « prix moyens ».* Tenue par un couple belgo-lao, la *guesthouse* propose des chambres décorées avec beaucoup de soin et bien équipées

avec vue sur le Mékong, le jardin bien entretenu ou le temple. Dans l'annexe récente, le *Nakorn River View*, les chambres spacieuses et ultra-confort (dont 2 familiales) sont face au Mékong elles aussi. Merveilleux ! Côté resto, délicieuse cuisine locale, thaïe et européenne. On profite autant de l'aurore pour le petit déj que d'un flamboyant coucher de soleil au dîner, dans la chaleureuse salle ouverte ou sous une paillote dans le jardin, encore plus près du fleuve. Nombreux livres en français dans la bibliothèque et infos à gogo sur la région. Une adresse pleine de charme, qui organise aussi un transfert en bateau vers Paksé *(compter 400 000 kips, 8 pers max).*

🏠 ◉ *Champasak with Love* (plan, 2) : à 800 m au nord du rond-point, côté Mékong. 🖥 309-78-67-57. La belle terrasse en bois donnant sur le fleuve en jette ! C'est l'atout majeur de cette adresse tenue par des Thaïlandais qui accueillent les clients avec une grande gentillesse. Cuisine correcte et variée avec quelques plats végétariens. Côté douceurs, gaufres et glaces maison. À l'étage, 3 chambres petites mais très bon marché et bien propres (ventilo ou clim) avec salles de bains à partager (non mixtes). Location de vélos et de scooters.

🏠 ◉ *Community Lodge* (plan, 13) : sur l'île de *Don Daeng,* dans le village de Hua Don Daeng, pointe nord de l'île, là où l'on débarque. 🖥 020-552-752-77. *Hébergement et repas « très bon marché ».* Des maisons en bois très sommaires, avec logement en dortoir ou en chambre pour 2 personnes. Également la possibilité de loger chez l'habitant. Confort rustique avec dépaysement garanti.

◉ *Saithong Restaurant* (plan, 10) : à 100 m au sud du rond-point. 🖥 020-222-062-15. Tlj 6h30-21h. Plats à « prix moyens ». La salle qui s'ouvre sur le Mékong accueille des visiteurs (souvent des groupes) venus se régaler de poulet ou de poisson vapeur cuits dans une feuille de bananier, d'excellents nems et rouleaux de printemps et d'autres bons plats à glaner dans une carte appétissante, mais gare aux épices. Une bonne adresse du secteur. Les chambres, dans le passage, nous ont moins tapé dans l'œil.

🍽 **Chez Maman** (plan, 4) : route principale. Tlj 8h-18h. Entre 2 achats, ne pas manquer de siroter un café ou un thé bio en provenance d'une petite coopérative du plateau des Bolavens, ou d'autres provinces du Laos pour élargir ses découvertes. Installé dans un confortable canapé chesterfield ou au comptoir, on se régale des délicieux gâteaux maison de l'adorable Ghislaine, toujours prête à renseigner les routards de passage.

🍽 **Homemade (chez Bunmi ; plan, 4) :** sur la route principale. Juste au sud de Chez Maman, un peu avt Inthira. Tlj 6h30-22h. Bunmi, parfaitement anglophone, propose une carte variée à prix doux. On a un faible pour les brochettes de citronnelle au poulet (oua zing kai), mais tout est savoureux ! Quant au cadre, rustique et informel, il est extra. Pour ne rien gâcher, accueil charmant.

🍽 **Mr Mee** (plan, 14) : sur l'île de Don Daeng, à env 1 km au nord de la Folie Lodge. Plats à « prix moyens ». Une maison familiale au bord du chemin, qui décline des spécialités locales servies en extérieur sur de grandes tablées en bois. Soupe tom yam, noodles, poisson grillé... Simple et pittoresque, comme on aime !

De chic à très chic (plus de 300 000 kips / 37 $)

🏠 🍽 **Inthira Champasak** (plan, 4) : à env 500 m au sud du rond-point. ☎ 51-10-11. ● inthira.com ● Doubles 50-70 $ selon type et saison, petit déj compris. Une ancienne maison de marchand chinois qui propose des chambres de confort différent : les bungalows spacieux sont les plus confortables : baignoire en pierre et douche extérieure, les plus chers sont aménagés en duplex. Cependant, la vue sur cour manque de dégagement. On aime tout autant les chambres

plus typiques situées dans l'annexe de l'autre côté de la route. Déco soignée au resto où l'on privilégiera les plats locaux. Bon petit déj avec crêpes et viennoiseries. Location de vélos et de motos.

🏠 🍽 **The View** (plan, 15) : à env 4 km au sud du rond-point, en direction de Vat Phou. ☎ 020-996-877-76. Resto ouv aux non-résidents midi et soir. Doubles 30-70 $, petit déj inclus. Un charmant hôtel aux chambres bien nettes au bord du Mékong, avec clim pour les plus chères. Le jardin offre un dégagement agréable, et la terrasse a un emplacement de choix pour une pause déjeuner paisible en revenant du Vat Phou. Location de vélos.

🏠 🍽 **La Folie Lodge** (plan, 16) : sur l'île de **Don Daeng**. ☎ 020-555-320-04. ● lafolie-laos.com ● Tél pour la traversée du fleuve. Selon saison et type, compter 90-160 $, petit déj et traversée compris. Depuis la large plage longeant le Mékong, un long chemin bordé de lanternes mène à cette petite folie. 12 bungalows de 2 chambres chacun avec terrasse donnant sur le fleuve, ses pêcheurs et les montagnes au-delà. Construction traditionnelle et luxueuse en bois verni, lits ultra-larges, tissages et grand ventilo au plafond. Le resto, proche de la piscine, est installé dans un majestueux pavillon. Il sert une cuisine occidentale et asiatique raffinée. Base paradisiaque pour explorer l'île et visiter le Vat Phou, ce lodge est écoresponsable et impliqué dans le soutien de la communauté et de l'infrastructure locales. Vélos à disposition pour arpenter l'île.

🏠 🍽 **The River Resort** (plan, 17) : piste en terre à gauche, 1 km au nord du bourg. ☎ 020-568-501-98. ● theriverresortlaos.com ● Doubles 104-160 $, petit déj inclus. Magnifique établissement composé de maisons abritant 2 chambres (rez-de-chaussée et étage) avec vue sur le Mékong ou sur les jardins, l'étang et la rizière. Somptueux aménagements. 2 piscines au bord du fleuve, avec terrasse en bois. Ils ont même leur propre rizière, en plus du jardin potager, pour leur grand restaurant sur le fleuve.

LE LAOS

Où dormir ? Où manger dans les environs de Champasak ?

🏠 🍽 *Wopakok Hotel & restaurant (hors plan, 18)* : *route 14A, à 12 km au nord de Champasak et à 17 km au sud de Paksé. L'accès le plus facile reste la moto.* ☎ 020-971-912-69. ● *nanana_ thailand@hotmail.com* ● *Lit en dortoir 10 $, doubles 20-25 $, sdb commune. Resto à « prix moyens ».* Au bord du Mékong, à mi-chemin entre Paksé et Champassak et loin de son Irlande natale, Sean a déployé ses talents d'architecte pour bâtir de ses mains cette belle maison entourée d'une nature luxuriante. À l'étage, 2 confortables dortoirs de 8 lits prolongés par une grande terrasse. Face aux montagnes, de plain-pied, 6 doubles bien nettes avec matelas au sol, équipées d'un frigo. Ce qu'on préfère, c'est l'immense terrasse face au fleuve, le jardin à perte de vue, les repas délicieux et le fameux *fish n'chips* ! Une adresse de charme et un accueil jovial : idéal pour se ressourcer.

À voir. À faire

🔱 *Les villas princières* : *à 150 m au sud du rond-point, côté campagne.* Il s'agit de deux belles villas coloniales témoignant des fastes passés du roi de Champasak et de son frère, et toujours habitées par la famille. Dans l'une d'elles se trouve une stèle du Ve s écrite en sanskrit, provenant du Vat Phou.

🔱🔱 *Wat That* : *à env 2,5 km au sud du bourg, sur la droite après le pont.* Ce temple possède un curieux sanctuaire construit dans le style colonial. Y sont conservés des *nang sao phouk,* de très anciens manuscrits en langue pali, gravés sur des feuilles de latanier (une sorte de palmier), malheureusement pas visibles. Les immenses pirogues colorées derrière la tour du tambour sont utilisées pour des courses rituelles.

🔱 *Wat Phra Ong None* : *à env 4 km au sud de Champasak après le 2e pont, côté Mékong, derrière le portail coulissant.* Un temple tout simple où les offrandes s'accumulent auprès du bouddha couché sous un baldaquin, sous la garde de moines.

SANG POUR SANG

Le petit temple Phra Ong None abrite un bouddha couché auquel est rattachée une étrange légende. Un jour, un pêcheur sur le Mékong aiguisa son couteau sur un rocher affleurant à la surface de l'eau. Le rocher se mit à saigner. Effrayé, l'homme courut ameuter le village. On sortit alors le rocher de l'eau pour s'apercevoir qu'il s'agissait d'une statue du Bouddha, qui aussitôt se mit à parler : « Emmenez-moi au temple royal, le wat Vuang Kao. » Ce qui fut fait, et le wat Vuang Kao devint ainsi le wat Phra Ong None (le « temple du Bouddha couché »).

🔱🔱 🎭 *Théâtre d'ombres* : *près du rond-point à la fontaine, derrière l'office de tourisme.* ☎ 020-550-811-09. ● *ciam.laos@gmail.com* ● *Ts les mar et ven pour le théâtre d'ombres et mer et sam à 20h30 pour le cinéma. Entrée : 50 000 kips. Durée : 1h15.* Un Français, Yves Bernard, amoureux du Laos, a monté un projet artistique original en faisant revivre les marionnettes traditionnelles qui interprètent de manière burlesque les légendes du *Râmâyana,* accompagnées de musique et de chants. Autre divertissement captivant : la projection sur grand écran d'un film muet culte de 1924, *Chang,* tourné au Nord-Laos et restituant la vie quotidienne d'une famille dans l'environnement souvent hostile de la jungle. Le film, accompagné par les musiciens du théâtre d'ombres, est magnifique. À la belle étoile, sous les arbres au bord du Mékong, on s'attendrait presque à voir surgir une panthère !

LE LAOS

DANS LES ENVIRONS DE CHAMPASAK

🍴🚶 *L'île de Don Daeng :* accès en bateau depuis l'embarcadère de Ban Paphin (à 2 km au nord de Champasak), ou Ban Muang (sur la rive gauche, en face) ou Champasak (embarcadère avt le 2e pont sur la route de Vat Phou). Traversées tte la journée depuis Ban Paphin ; sinon, se renseigner auprès de sa guesthouse. Prévoir 80 000-100 000 kips/embarcation A/R. En forme d'amande étirée, longue de 8 km, l'île occupe un renflement du Mékong. Chemins ombragés, plage de sable dans le nord et vie traditionnelle, encore plus ralentie que d'habitude, attireront les aficionados du farniente. On peut très bien se baser ici pour explorer la région (voir « Où dormir ? Où manger ? ») ou visiter l'île à vélo (pas de voitures ici) le temps de quelques heures. À ce sujet, on vous conseille de le louer à Champasak, à moins que vous ne logiez à *La Folie.*

🚶 *Ban That :* à env 30 km au sud de Champasak. *Au niveau de Done Thalat, passer le village et tourner à droite 3 km plus loin, puis faire encore 6 km sur une mauvaise piste.* Il s'agit d'un site khmer du XIIe s, de la même époque donc que son illustre voisin, construit sur la voie qui reliait jadis Angkor au Vat Phou. Il est composé de 3 sanctuaires en grès en assez bon état, ainsi que d'une stèle portant des inscriptions. Voir aussi le grand *baray* (bassin) à l'est du site.

🚶 *Oum Tomo :* à 20 km au sud-est de Champassak, sur la rive gauche du Mékong, face à l'extrémité sud de l'île Don Daeng. Plusieurs accès : en voiture depuis la route 13 (rive gauche, donc bac à prendre), juste à la sortie du village de Tomo Nawk (au km 40), juste après le passage de la rivière Tomo, tourner à droite et faire encore 4,5 km sur une piste. Pirogue à moteur pdt les hautes eaux au départ de l'embarcadère de Champasak (compter 350 000 kips A/R pour 1h de trajet). Tlj 8h-18h30. Entrée : 10 000 kips. Datées du IXe s de notre ère, ces ruines khmères, qui devaient avoir un lien avec Vat Phou, sont dispersées dans une forêt dense en bordure de la rivière Tomo. On aperçoit au pied des arbres qui craquent sous la brise quelques vestiges. Seul est encore debout un petit édifice en latérite, où l'on découvre un beau bas-relief représentant Brahma... Un site poétique en bordure de rivière, et très peu fréquenté.

🚶 *Le village de Ban Khiet Ngon :* à 40 km env de Champassak et à 10 km de la route 13. Péage pour accéder au village. Si l'on vient s'aventurer dans cette contrée reculée, c'est pour les *eco-trails* qui rayonnent autour du village. Signalisation et explications très bien faites sur la végétation locale. On peut aussi faire du canoë sur l'étang. Mais le village est surtout connu pour le *Phou Asa,* un plateau d'origine volcanique à l'aspect lunaire, situé à 642 m d'altitude. Depuis le village, on l'atteint à dos d'éléphant (environ 200 000 kips pour 1 ou 2 personnes et 1h30 de balade) ou à moto. Prendre la piste à droite à l'entrée du village (panneau). Ce vaste site archéologique est délimité par un enclos de 180 m sur 50 m fait de murs et de colonnes de 2 m en ardoises empilées sans mortier. Au fond, un temple en ruine et une tour. Vue époustouflante sur toute la région.

Au centre du village, *petit centre d'information* dépendant de la municipalité *(tlj 7h-16h).* Panneaux explicatifs sur les activités et le mode de vie local. Réservations de guides. Propose aussi des hébergements chez l'habitant *(community lodge)* pour environ 40 000 kips la nuit.

Où dormir à Ban Khiet Ngon ?

🏠 🍴 *Toui Phoupaseuth Restaurant & Trekking :* à l'entrée du village, sur la droite. ☎ 030-991-81-55. ● *toui_ps@hotmail.com* ● *Doubles « bon marché »* avec ventilo et eau chaude. De simples bungalows sur pilotis face à un étang dans un village pittoresque, tenus par un jeune couple plein d'enthousiasme. Lui parle l'anglais, et sa femme est aux fourneaux pour

LE LAOS

préparer les repas. Toui a plus d'une corde à son arc pour vous faire découvrir le coin (treks, balade à dos d'éléphant).

🛏 🍽 ***Kingfisher Eco-Lodge :*** *à env 700 m du village, en bordure d'un marais.* 📞 *020-557-263-15.* ● *kingfishe recolodge.com* ● *Fermé mai-juin. Résa indispensable en saison. En hte saison, doubles « eco » 250 000 kips et bunga-lows « confort » 750 000 kips, avec petit déj.* Un magnifique *lodge* très confortable, voire chic pour les maisonnettes en matériaux traditionnels réparties autour d'une mare où viennent s'abreuver les buffles et se baigner les éléphants. Au resto, situé à l'étage, plats laos et italiens. Les 7 bungalows individuels sur pilotis disposent d'une grande baie vitrée en façade pour profiter du spectacle depuis le lit et d'une véranda avec hamacs pour se prélasser. Les 4 *eco-rooms* (elles vont par paires) ne sont pas en reste et bénéficient également d'une petite terrasse. L'eau est chauffée par panneaux solaires. Laverie et VTT à dispo.

VAT PHOU

● Plan *p. 496-497*

◉ Classé au Patrimoine mondial de l'humanité par l'Unesco, c'est le site archéologique le plus intéressant et le plus important du Laos. Pour les amoureux des vieilles pierres, sa visite justifie à elle seule un voyage dans le sud du pays. Ceux qui ont visité les temples d'Angkor au Cambodge trouveront sûrement le site modeste, mais sa configuration de temple-montagne et son atmosphère viennent enrichir l'expérience.

Le Vat Phou, littéralement « temple de la Montagne » en lao, serait le berceau de la civilisation khmère, bien avant la fondation d'Angkor. Les premières recherches scientifiques sur le site ont été entreprises au début du XXe s par le Français Henri Parmentier, de l'École française d'Extrême-Orient. Encore aujourd'hui, des missions internationales d'études (notamment françaises), de fouilles archéologiques et de restauration continuent de travailler en partenariat avec les autorités laotiennes dans un souci de formation et de transfert des compétences.

PETIT PRÉAMBULE ORTHOGRAPHIQUE

Dans sa transcription latine, le site apparaît sous trois formes : les Thaïs préfèrent *Wat Phou* quand ils écrivent en latin, les Français *Vat Phu,* la lettre « u » traduisant un « ou » long, comme dans *Vat Phououou.* Les Laotiens (et les Anglos-Saxons) ont quant à eux opté pour *Vat Phou :* c'est donc la version que nous avons retenue.

UN PEU D'HISTOIRE

On connaît assez précisément le passé du Vat Phou, grâce aux descriptions issues d'annales chinoises « l'histoire des Souei », datant du IVe s. À cette époque, il existe un pays dans le delta du Mékong, le ***royaume de Funan,*** qui est vassal de la Chine. À la fin du VIe s, les royaumes des pré-Khmers et des Chams qui peuplent le sud du Laos actuel s'allient et parviennent à vaincre le Funan. Ce nouvel État prend le nom de Chenla. Puis les habitants du Cambodge s'attaquent à leurs alliés chams, qui sont battus à leur tour. Dès lors, les ***ancêtres des Khmers font du site*** *actuel du Vat Phou leur principal centre de culte.* Pourquoi ? Parce qu'à une époque très reculée, des religieux, sans doute venus d'Inde, avaient reconnu dans les formes généreuses de la montagne verdoyante dominant le temple la forme phallique représentant le *dieu Siva,* le *lingam Parvatha* (en sanskrit), « le lingam de la Montagne », appelé aujourd'hui Phou Kao !

Toute une société s'était donc organisée autour de ce lieu sacré. On y trouvait le temple du Lingam sur l'actuel site du Vat Phou, où vivaient prêtres et brahmanes, sans oublier la ville de *Sresthapura,* fondée par le roi Devanika au Ve s. Cette dernière se situait à l'emplacement du village que l'on traverse après le deuxième pont sur la route menant de Champasak au Vat Phou. Sresthapura s'étendait ainsi sur plus de 2 km de côté, et ses vestiges, actuellement sous terre, ont fait l'objet de fouilles à l'emplacement d'anciens temples. Selon les archéologues, cette ville pourrait avoir compté plusieurs milliers d'habitants...

Les ruines que l'on peut voir sur le site du Vat Phou sont considérées comme angkoriennes et datent, elles, du *X^e au XIIe s* de notre ère. Elles sont impressionnantes.

Rappelons que le Vat Phou est aussi un site sacré pour les bouddhistes, vraisemblablement depuis le XVIe s. Mais des recherches ont prouvé que le bouddhisme cohabitait avec l'hindouisme dans la zone proche du Vat Phou dès le VIIe s.

Arriver – Quitter

➤ **En tuk-tuk ou à vélo :** situé à 12 km au sud de Champasak, il est facile de faire l'A/R en *tuk-tuk* (compter 20 mn et env 100 000 kips l'aller-retour pour 2). On les trouve principalement en s'adressant aux *guesthouses* et restos de Champasak. Si jamais un *songthaew* déjà chargé passe, un trajet simple devrait vous revenir à 10 ou 20 000 kips. Le plus agréable reste le vélo, même s'il n'y a guère d'ombre en chemin.

LE LAOS

À voir

🎯🎯🎯 *Infos sur ● vatphou-champassak.com ● Site ouv tlj 8h-16h30. Entrée : 50 000 kips + parking 5 000 kips. Transfert en voiturette électrique compris. Visites possibles hors horaires (overtime) 6h-8h et 16h30-18h : 55 000 kips mais le musée est alors fermé. Visites guidées possibles, compter 25-35 $ le groupe selon le nombre de pers.*

– *Treks possibles* avec une thématique culturelle, nature ou archéologique (particulièrement intéressants). Durée et difficultés variables (1-5h). *Certains sont guidés, compter dans ce cas 25-70 $ jusqu'à 5 pers ; d'autres peuvent se faire de manière autonome et sont gratuits. Résa de préférence au moins la veille.* Une belle initiative pour découvrir toute la richesse de la région. Brochure disponible auprès des offices de tourisme de Champasak et Paksé, des hébergements de la région et sur le site internet de Vat Phou (« Info et contacts »).

Le musée

Commencer par visiter le *musée* bien conçu situé en face de l'entrée qui constitue une introduction recommandée à la découverte du site et de ses environs. La 1re salle est didactique, avec panneaux explicatifs, schémas et photos consacrés à la découverte et à l'histoire du site. On verra dans l'autre salle des stèles en sanskrit, des statues de Vishnou, Garuda, Shiva en compagnie de linteaux ouvragés, de remarquables fûts de colonnettes ciselées, ainsi que des « trésors » découverts lors des fouilles.

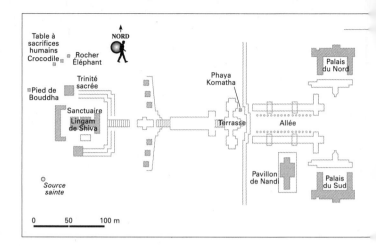

Le site

Le Vat Phou étant orienté sur un axe est-ouest, il est préférable de le visiter en début de matinée, quand la lumière est vraiment favorable. ***En pleine journée, sous un soleil de plomb, prévoir chapeau, lunettes noires, crème solaire,*** et même une ombrelle, comme c'est la mode ici ! Compter environ 2h de visite. Des voiturettes électriques vous mènent jusqu'à l'entrée de la chaussée plantée de bornes, après le grand bassin central.

– ***Les baray :*** à l'extrémité est, de chaque côté de la grande allée, ces bassins servaient aux joutes et défilés nautiques mais aussi pour les ablutions avant d'accéder au complexe religieux. L'eau est symbole de vie et de sacré, d'où l'importance de ces bassins dans l'organisation du temple... Aujourd'hui, les 2 plus grands sont en eau toute l'année et font le bonheur des buffles.

– ***La grande chaussée :*** débute derrière les *baray* et mène aux ruines des deux principaux palais. Sur toute sa longueur, environ 200 m, elle est bordée de bornes en pierre en partie restaurées.

– ***Le palais du Nord*** *(appelé localement palais des femmes) :* planté sur la droite au bout de la grande allée, il s'agissait d'un lieu de culte utilisé pour certains rituels. Construit en latérite et grès, il s'orne de sculptures hindoues, qui ont largement survécu malgré la conversion du Vat Phou au bouddhisme. Ainsi, cette fausse porte ornée de bas-reliefs, où l'on voit Shiva et son énergie féminine Parvati (également nommée Uma) sur leur taureau Nandi... Le palais dispose aussi de fenêtres à balustres qui ont inspiré l'architecture laotienne.

– ***Le palais du Sud*** *(appelé localement palais des hommes) :* juste en face du précédent, il a aussi été édifié en grès et en latérite. Il est orné de motifs décoratifs hindous similaires. À l'ouest de ce palais, le ***pavillon de Nandi*** est très dégradé. De ce temple dédié au fameux taureau, construit en blocs de grès, partait vers le sud la route d'Angkor rejoignant la célèbre cité distante de 240 km à vol d'oiseau.

– Les ***escaliers*** montant vers le sanctuaire se situent dans l'axe de l'allée centrale, après les deux palais. Ils sont bordés tout du long de très beaux frangipaniers aux fleurs odorantes. Sur la ***première terrasse,*** partiellement dallée, on admire à droite une statue qui fait toujours l'objet d'un culte assidu (nombreuses

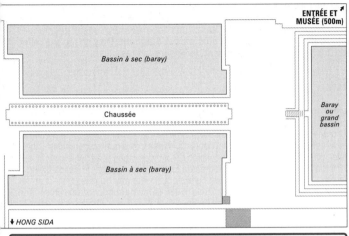

ENTRÉE ET
MUSÉE (500m)

Bassin à sec (baray)

Chaussée

Baray
ou
grand
bassin

Bassin à sec (baray)

↓ HONG SIDA

VAT PHOU

LE LAOS

offrandes !). Selon les Laotiens, elle représenterait Phaya Kamatha, le roi et fondateur du temple. Une légende tenace veut qu'une course ait opposé les deux architectes du Vat Phou et d'un temple près de Thakhek. Celui de Thakhek termina son œuvre en premier et fit résonner le gong, dont le son, selon la légende, pétrifia Phaya Kamatha dans la position où l'on peut encore le contempler... Il existe de nombreuses variantes que les guides locaux pourront vous conter... Belle vue sur le site et la vallée depuis chaque terrasse.

– Le *sanctuaire,* à l'origine brahmanique, s'élève au sommet d'une sorte de pyramide à 7 degrés de 11 marches chacun (ouf !). Il s'agit d'un petit bâtiment en forme de croix, richement orné de sculptures représentant différentes divinités du panthéon hindou. Sur le linteau de la façade de gauche, un bas-relief montre Krishna dansant sur le démon-serpent Kaliya. Des ascètes en prière *(rsis)* sont représentés au bas de chaque pilier. Toujours à l'extérieur, de chaque côté, deux belles *devatas* (servantes des dieux) et deux *dvarapalas* (gardiens) protègent l'entrée du sanctuaire. À l'intérieur, sur le magnifique linteau de la porte centrale, Indra chevauche Airavata, l'éléphant à trois têtes...

Le saint des saints abritait autrefois un lingam arrosé en permanence par l'eau provenant de la source sacrée descendant de la montagne et acheminée jusqu'à la salle intérieure du sanctuaire par des canalisations en grès. La *source* se trouve derrière le bâtiment, jaillissant de la falaise, et sa canalisation a été mise au jour par des fouilles archéologiques récentes. Depuis le XIIIe-XIVe s, plusieurs statues du Bouddha sont installées dans le sanctuaire.

– Derrière le sanctuaire, côté nord, un bas-relief sculpté dans un rocher montre la *Trinité sacrée (Trimurti)* sur laquelle repose la religion hindoue : Shiva au milieu, entouré de Brahma à gauche et de Vishnou à droite.

– En continuant vers le nord, avec la montagne sur la gauche, on tombe sur un petit lieu de cérémonie moderne et un monastère. À l'arrière de celui-ci, dans une caverne rocheuse, quelques beaux bouddhas antiques... Passer alors sous le monastère et longer encore la falaise sur environ 50 m pour atteindre la *table à sacrifices humains* ! Sur cette pierre taillée en forme de crocodile qui rappelle celle d'un corps humain, on pratiquait, selon la légende locale, des sacrifices de jeunes filles vierges... À côté, une étrange sculpture représente un serpent à deux têtes sur des escaliers.

Passer ensuite devant un amoncellement de blocs brisés qui devaient composer une chambre de méditation entièrement en grès (admirer ces énormes blocs architecturaux et vous aurez une idée des prouesses techniques d'autrefois). On arrive, enfin, au gros **rocher Éléphant**. On y observe en effet, grâce aux yeux peints, un éléphant, taillé dans le grès...

Fête

– Durant 3 jours, la grande fête bouddhique et populaire du **Mahkhabousa** commence 3 jours avant la 3e pleine lune du 3e mois lunaire (souvent en février). Il s'agit d'une fête-pèlerinage prenant des allures de foire commerciale, agrémentée de tournois sportifs, loteries, manèges, concerts, danses, musique et spectacles. L'inauguration officielle du festival est l'occasion de parades organisées par les principaux districts de la province. Au prix d'entrée du festival, il faut ajouter le péage (selon le véhicule). Le dernier jour est souvent gratuit. La quête des bonzes a lieu dans les ruines, le jour de la pleine lune, vers 7h du matin. Le même soir, lors d'une procession menée par le moines, des milliers de bougies sont allumées en l'honneur du *vat*.

LE PLATEAU DES BOLAVENS

● Carte *p. 502-503*

Le plateau des Bolavens, qui a une lointaine origine volcanique, est situé à environ 1 000 m d'altitude et sa population est estimée à 120 000 habitants. C'est l'une des principales régions agricoles du Laos. Elle est recouverte de rizières, de plantations d'hévéas et de thé, de teck, bananiers, litchis, et de cultures maraîchères, qui façonnent les paysages et le rendent si attachant. Quant à la couleur rouge de la terre, elle est due à la décomposition de coulées de lave vieilles de 500 000 ans. Mais le territoire a acquis une renommée internationale grâce à son café, que les connaisseurs considèrent comme l'un des meilleurs du monde. Pour découvrir tout le processus de l'arbre au breuvage, allez voir comment ça se passe dans les plantations que nous recommandons. À voir aussi, des chutes d'eau spectaculaires, qui font partie des sites les plus visités. Ce secteur a été très éprouvé par la guerre du Vietnam et ses nombreux bombardements américains sur la piste Hô Chi Minh, qui le parcourait du nord au sud... Des communautés ethniques, telles que les Katu, Alak, Tahoy et Ngaï s'y sont installées, fuyant la guerre, et vivent toujours selon leurs coutumes ancestrales. On peut leur rendre visite à condition de respecter leur mode de vie.
Comme c'est un plateau d'altitude luxuriant, humide et frais (en moyenne, 10 °C de moins qu'à Paksé), il faut savoir que les températures nocturnes peuvent descendre très bas en hiver. S'équiper donc en conséquence pour passer la nuit dans les hébergements non chauffés.
– Depuis Paksé, on accède facilement au plateau des Bolavens par la route. Voir « Arriver – Quitter » à Paksé.

Organiser son tour du plateau

Une région pour amoureux de sites grandeur nature et de petits villages. On y consacre entre 1 et 4 jours, à organiser seul, avec l'aide de son hébergement ou des agences de voyages de Paksé.

– *La petite boucle des Bolavens :* *prévoir 2 j. pour parcourir env 170 km au départ de Paksé.* Passant par Paksong, Thateng et Tad Lo, elle couvre les principaux points d'intérêt du plateau. La route est goudronnée tout du long, mais en travaux entre Paksong et l'embranchement du km 21, ce qui rend la conduite pénible entre Paksé et Paksong.

– *La grande boucle :* *compter 3 j. pour 320 km.* 150 km de plus que la boucle précédente, entre Paksong et Thateng, via Sékong. Certains villages et sites comme Tad Tayicsua se rejoignent encore par la piste.

– *Quel transport ?* Il n'existe pas de transport public entre Paksong et l'intersection de Ban Beng Phu Kham (se renseigner, cela peut évoluer). En dehors de cette portion et… moyennant un peu (voire beaucoup) de patience, il est possible de réaliser ces boucles en panachant les transports publics et les chartérisations de *tuk-tuk* et autres véhicules. Toutefois, l'idéal consiste, si l'on s'en sent capable, à louer une petite moto (100-125 cm^3, semi ou complètement automatique). À Paksé, s'adresser à *Miss Noy* (service francophone de qualité ; coordonnées dans les « Adresses utiles » de Paksé), ou d'autres loueurs établis sur la rue principale. Toujours bien lire le contrat et vérifier l'état de la machine.

TAD FANE ET ENVIRONS

Au km 21 en venant de Paksé, la route bifurque soit au nord vers Tad Lo et Thateng, soit à l'est vers Paksong. C'est dans cette seconde direction que nous partons.

LE LAOS

Où dormir ? Où manger ?

🏠 |🍴| **E-Tu Waterfall :** *km 35.* ● *etuwaterfall.com* ● *Doubles 30-50 $, petit déj (pas terrible) inclus.* 📱 *020-283-477-66.* Dans le jardin pentu, un alignement de chalets récents et confortables avec terrasse, donnant sur la belle végétation. Les chambres les plus chères sont proches de la rivière, mais ne valent pas la différence de prix. Grands volumes, TV, frigo et salles de bains nickel. Fait aussi resto.

🏠 |🍴| **Tad Fane Resort :** *sur la route 23, au km 38.* 📱 *020-566-933-66.* ● *tadfaneresort.com* ● *35-50 $, petit déj inclus. Plats « prix moyens ».* Le seul hébergement sur le site des cascades est forcément très fréquenté. Il n'empêche qu'on apprécie à être bercé par le bruit des chutes d'eau depuis les charmantes maisonnettes en bois sur pilotis. Quand-même une réserve sur la propreté approximative des chambres. Cuisine sans relief au resto et service lent.

🏠 **Tad Yuang Guesthouse :** *au km 40, à l'entrée des chutes.* 📱 *020-979-888-58.* ● *southida112@gmail.com* ● *Doubles 400 000 kips, petit déj et accès aux chutes inclus.* Une *guesthouse* flambant neuve entourée d'un jardin fruitier. Grandes chambres modernes avec une baie vitrée et terrasse donnant sur cette belle nature. Salle de bains privée, clim, TV écran plat… Pas d'impasse sur le confort.

À voir. À faire

🏞 **Tad Itou :** *au km 35, puis 700 m de bonne piste.* Une cascade assez méconnue et sauvage, qui mérite une halte, même si ce n'est pas la plus impressionnante. Pour descendre au pied de la chute d'eau, emprunter prudemment l'escalier (c'est parfois glissant). Avec un peu de chance, vous serez seul pour vous baigner ! Serein et tranquille. Possibilité de loger sur place (voir plus haut « Où dormir ? »).

🎿🎿🎿 ⬅ *Les chutes de Tad Fane : entrée 10 000 kips (parking : 5 000 kips).* 2 chutes jumelles spectaculaires, considérées comme les plus hautes du Laos et, à notre avis, les plus belles. Facilement accessibles, elles sont incontournables ! Elles dégringolent en parallèle dans une gorge vertigineuse de 120 m de profondeur, au cœur de la jungle luxuriante de Dong Hua Sao, l'une des réserves naturelles les plus riches en biodiversité du pays... On les admire depuis la plateforme située dans le *Tad Fane Resort* (voir plus haut) sans avoir à marcher.

– **Tyrolienne :** *au départ de la terrasse du Tad Fane resort. Compter 40 $ (4 tyroliennes).* Pour approcher au plus près des chutes, voilà le plus court chemin, mais aussi le plus vertigineux ! Les amateurs de sensations fortes se lanceront sur un enchaînement de 1,5 km de câbles suspendus au-dessus du vide ! La 1re tyrolienne, longue de 470 m, est la plus impressionnante, et la 2de nous suspend juste au-dessus des chutes. Grand frisson garanti, mais les mesures de sécurité semblent respectées (personnel à chaque plate-forme, casque...).

🎿🎿🎿 *La chute de Tad Champi :* en face de Tad Fane, au km 38. À 2 petits km de la route. Accès difficile sur une mauvaise piste à travers les plantations de cafés. Entrée : 5 000 kips + petit droit de parking. Pas la cascade la plus accessible, mais un cadre enchanteur ! Du parking, compter environ 10 minutes de descente, parfois escarpée. En surplomb, panorama grandiose, et au pied des cascades, une piscine naturelle qui mérite un plongeon ! La chute forme 3 cascades dans un magnifique cirque de verdure. Très bien pour un pique-nique ou pour se restaurer à l'une des gargotes. Coin vraiment tranquille.

🎿 ⊛ ☕ *Café et thé Lak 40 Suan Sackda :* au km 40, juste avt l'embranchement pour Tad Yuang. ☎ 020-545-953-45. Tlj 7h-18h. Dégustation payante pour le café, gratuite pour le thé. Une plantation bio de 4 ha gérée par South, la charmante propriétaire franco-laotienne. Si elle a le temps, elle vous fera faire le tour de sa plantation où café et thé prospèrent à l'ombre des arbres fruitiers. En tant que membre actif de la *Coopérative des producteurs de café du plateau des Bolavens,* elle doit répondre à un cahier des charges qui assure une qualité optimale. Ne manquez pas de vous attabler pour déguster un excellent café (arabica, robusta ou libérica) ou l'un des 5 types de thé, dont le fameux thé blanc. En plus des cafés et des thés en vente au détail, des tisanes, épices et tissus dans un coin boutique, à prix raisonnables. Accueil francophone aimable.

🎿🎿 *La chute de Tad Yuang* (la cascade des Chamois) : *par un embranchement situé 2 km après Tad Fane en allant vers Paksong. Entrée : 10 000 kips + parking 10 000 kips.* Majestueuse et populaire, cette cascade de 40 m se divise en deux bras. On s'en approche en descendant un escalier un peu raide. Pause photo depuis le belvédère avant de piquer une tête dans le bassin naturel en contrebas. Les femmes gardent leur sarong pour faire trempette. Le week-end, c'est un endroit très fréquenté pour pique-niquer au bord de la rivière, sous les paillotes. Également un agréable resto. La concession et l'exploitation du site ont été confiées par l'État à un retraité (M. Inpong) qui a passé une partie de sa vie en France dans la région de Châteauroux. Il en a hérité le surnom de « Berrichon du Mékong ». Personnage haut en couleur, très communicatif, il viendra certainement vous saluer.

PAKSONG

À env 50 km de Paksé. Rayée de la carte par les bombardements américains, Paksong dut être entièrement reconstruite. C'est aujourd'hui un carrefour important pour les bus et *songthaew* qui desservent la région. La ville constitue aussi le **point de jonction entre la petite et grande boucle.** Mais pour continuer par la grande boucle, il n'y a pas de bus pour rejoindre Ban Beng Phou Kham et il est difficile de trouver une location de deux-roues. Mieux vaut avoir prévu son transport avant le départ. Son marché, avec des gargotes pour casser la croûte, est très animé.

Où dormir ?

🛏 **Savanna Guesthouse :** *au nord-est du marché.* ☎ 020-557-906-13. *Doubles « bon marché » ; pas de petit déj.* En bordure d'un bras de rivière, 2 bâtiments abritent des chambres propres de plain-pied, mais sans apprêt particulier, avec douche chaude et TV. Les plus calmes se trouvent à l'arrière (karaoké en face, mais fin des festivités vers 22h). Accueil francophone plein de gentillesse.

À voir. À faire

🗿🗿🗿 **En route pour la grande boucle à partir de Paksong :** elle se déploie d'abord sur 70 km vers l'est jusqu'à l'intersection de Ban Beng Phu Kham. Depuis ce village, remontée vers le nord par la bonne route 11 venant d'Attapeu en direction de Sékong (30 km), puis cap vers l'ouest et Thateng (environ 50 km supplémentaires) où elle retrouve la petite boucle.

DE PAKSONG À BAN BENG PHOU KHAM

Environ 30 km après Paksong, près du village de Nong Oy, repérer sur la droite le panneau « Tad Tayicsua », qui pointe vers l'ancienne piste de terre, plus ou moins parallèle au sud de la nouvelle route.

🗿🗿🗿 **Tad Tayicsua** est le nom générique d'une série de cascades magnifiques, et un des plus beaux sites du plateau, même si des travaux d'aménagement risquent de le défigurer. *Accès + parking : 10 000 kips.* L'accès en voiture est possible, même si les chauffeurs renâclent à s'aventurer sur la piste. La beauté du site justifie à elle seule le détour par la grande boucle, mais c'est l'aventure ! Peu d'informations pour cheminer jusqu'aux cascades. Sur place, hébergement « bon marché » dans des bungalows.

🗿 10 km au-delà du point où la piste retrouve la route principale, soit à environ 50 km de Paksong, **Tad Katamtok** partage avec Tad Fane le record de hauteur du pays. Ne vous éternisez pas, des vols de scooters nous ont été signalés.

DE BAN BENG PHOU KHAM À THATENG

🗿 20 km après la cascade de Katamok, on trouve Ban Beng Phu Kham, d'où l'on bifurque vers le nord par la route 11 en direction de Sékong. À environ 15 km, 3 km de piste sur la droite mènent à la cascade de **Tad Faek,** modeste mais très populaire le week-end auprès des autochtones. Entrée : 5 000 kips. Baignade, pique-nique (petits restos), sono... Animation garantie !
🛏 Sur place, hébergement possible dans des bungalows au toit de chaume, installés au bord de la rivière. Rudimentaires (toilettes à la turque et pas de douche), mais très bon marché. Se renseigner au snack près de la cascade.
Encore 20 km plus loin, **Sékong,** capitale de la province éponyme, n'a rien d'excitant mais compte quelques banques, hôtels et *guesthouses*. Il reste alors 45 km jusqu'à Thateng. De nombreux villages ponctuent la route, dont Ban Kandone.

🗿 **Ban Kandone :** *à 29 km au nord de Sékong et 17 km avt Thateng, un panneau indique la bifurcation côté nord de la route. Il reste 4 km de piste.* Beau et grand village peuplé par l'ethnie katu. Il est organisé autour de sa Maison des esprits, qui bénéficie d'un programme d'aide de la communauté internationale. À visiter avec humilité, comme d'hab'. Petite contribution parfois demandée.

LE LAOS

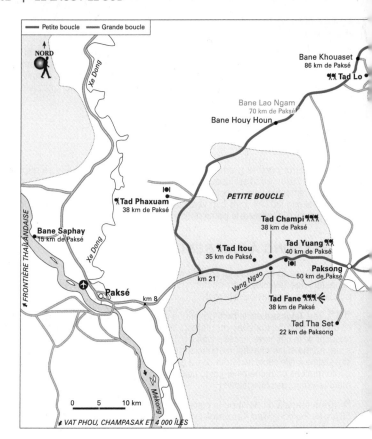

LE LAOS

THATENG

À 35 km au nord-est de Paksong, en suivant la route principale. Croisement routier entre Salavan (ou Saravane), Paksong, Paksé et Sekong. À part des banques pour tirer de l'argent ou faire du change, peu d'intérêt en soi mais proche d'un village ethnique intéressant.

Où dormir ? Où manger dans les environs ?

🏠 🍽 ***Sinouk Garden :*** *au km 32 après Paksong et à 6 km de Thateng.* 📱 *030-955-89-60.* ● *sinoukcoffeeresort.com* ● *Doubles 70-100 $, petit déj compris. Au resto (ouv aux non-résidents), plats à « prix moyens ».* Au milieu d'une vaste plantation de café, un héberge-ment digne d'un manoir enchanteur. Le logement se fait dans les chalets aux balcons de bois qui ont été autrefois la résidence familiale des planteurs. Une vingtaine de chambres à la déco digne

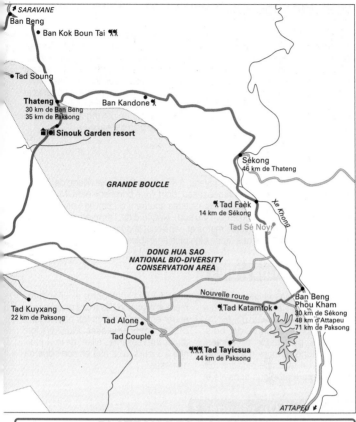

PLATEAU DES BOLAVENS

d'un magazine. Plancher et meubles en bois sombres, textiles fins et voilages aux fenêtres. Même plaisir des yeux dans le parc fleuri à la végétation luxuriante, traversé par une rivière ponctuée de roches volcaniques. Piscine à l'eau de source. Un vrai paysage d'aquarelle. Bonne cuisine servie avec attention et café en vente, bien sûr, pour clore le tout. Un vrai coup de cœur aux prix raisonnables pour la qualité.

🏠 ⊗ *Captain Hook :* à *Ban Kok Boun Tai. Petit droit d'entrée au village avt de poursuivre sur un chemin de terre bien accidenté.* ☎ *020-989-304-06.*

● *captainhooklaos23@gmail.com* ● *Nuitée 50 000 kips/pers, dîner et petit déj inclus. Également des tours de la plantation et du village.* Au détour des pistes de terre rougeoyante, Mr. Hook gère 21 ha de café : robusta, arabica et tipica, cette dernière variété étant la plus ancienne. Il accueille les visiteurs de passage dans sa maison traditionnelle en bois, à l'instar de celles du village et propose des visites *(payantes).* Sur place, vous pourrez observer les femmes qui torréfient le café. Des bungalows à l'arrière abritent des chambres ultra-simples. Une étape instructive et hors du temps !

À voir dans les environs de Thateng

🏃🏃 Ban Kok Boun Tai : *à env 15 km au nord de Thateng, sur la route 23 qui mène à Salavan.* Étalé de part et d'autre de la route, ce village est habité par des Protomalais animistes de l'ethnie katu. Ils ne s'habillent plus en costume traditionnel mais ont conservé leur principale coutume qui consiste à confectionner leurs cercueils de leur vivant, traditionnellement stockés sous les greniers à riz... Dans le village, les enfants sont souvent nus et se promènent parmi les poules et les cochons. Certains habitants fument encore le tabac dans des pipes à eau en bambou. Attention aux comportements qui risqueraient de déranger : manque de discrétion, photos sans autorisation et tenue un peu trop déshabillée.

TAD LO

Situé en bordure du plateau des Bolavens, à 85 km de Paksé, le village de Tad Lo est réputé pour ses trois belles chutes d'eau, dont l'une porte son nom. Mais débit parfois famélique, eau boueuse... les cascades souffrent du barrage de la Xe Xet, situé à quelques kilomètres en amont (au sud). Néanmoins, l'ambiance villageoise est dépaysante, le choix de petits restos et pensions, la possibilité de baignade et de randonnées en font une des étapes les plus agréables des Bolavens.

Adresse et infos utiles

■ **Info Centre :** *dans le centre du village principal.* ● salavantourism.org ● 🖥 020-544-559-07. *Lun-ven 8h-16h30.* Dans sa grande cabane de bois, tapissée de panneaux et cartes, M. Kouka, jeune homme dynamique, a développé un tourisme responsable dans sa région. Il prodigue conseils et infos sur les transports et l'hébergement et organise des tours guidés pour entrer en contact avec les populations des minorités ethniques. Plusieurs formules intéressantes allant de la ½ journée à 3 jours avec nuit en *ecolodge* ou *homestay.*

Où dormir ? Où manger ?

🏠 |●| **Sailomyen guesthouse :** *juste avt le pont qui enjambe la rivière.* 🖥 020-916-879-75. *Bungalows « bon marché », sdb extérieure.* Au bout du village, face à la rivière, une adresse charmante malgré la simplicité des lieux. Les bungalows donnent sur la rivière, et on ne se lasse pas de la vue depuis la terrasse, allongé dans un hamac ! Repas à prix serrés, et accueil gentil comme tout.

🏠 |●| **Palamei Guesthouse :** *au carrefour des 2 rues principales.* 🖥 000-956-753-11. *Doubles « très bon marché » ; petit déj en sus. Plats à « prix moyens ».* Une adresse familiale où l'on se sent tout de suite comme chez soi. 9 chambres et bungalows en paille tressée, spacieux et propres, avec douches (à partager pour les moins chers). Le plus : les petites terrasses qui donnent directement sur les champs et les rizières. Et chaque soir, vers 18h, le dîner est préparé et partagé en famille autour d'une grande table. Poissons, herbes, riz, soupe, dessert, un régal pour les yeux et les papilles. Possibilité de découvrir les environs en compagnie de Po, le chaleureux patron. Anglais balbutié.

🏠 |●| **Tim's Guest House & Restaurant :** *avt le pont sur la droite.* 🖥 020-553-430-71. *Doubles avec ventilo, sdb à partager, « très bon marché » ; petit déj en sus.* Tenu par un couple laotien parlant le français et l'anglais. Les chambres, simples, donnent sur un petit jardin mais peu de dégagement. Ambiance conviviale et sympathique resto ouvert jusqu'à 22h.

🛏 🍽 *Mama Pap's Restaurant :* *dans la rue principale. Lits en dortoir « très bon marché ».* Madame est la plus ancienne et la plus joyeuse des restauratrices de Tad Lo. Son slogan : *« Big food for small kips »* ! Elle est invariablement débordée dès qu'il y a de l'affluence. Cuisine sans finesse, mais *banana pancakes* et sandwichs géants ont la cote. À l'étage, dans une pièce commune, une dizaine de matelas doubles à même le sol, surmontés de moustiquaires. Prix plancher.

🛏 🍽 *Fandee Guesthouse :* *en face du centre d'infos.* ● *fandee-guesthouse. webs.com* ● *Bungalows « très bon marché » avec sdb (eau chaude), ventilo et hamac en terrasse.* Créée par un Français, la *guesthouse* dégage une atmosphère conviviale avec son accueillante terrasse en bois où, selon les heures, flotte une familière odeur de fromage gratiné ! Bon resto, qui propose, histoire de varier les plaisirs, une planche de charcuterie et du vin au verre en plus d'une cuisine lao. Confortables bungalows en bois avec salle de bains et moustiquaire.

🛏 🍽 *Tad Lo Lodge :* *en bordure de la forêt et de la principale cascade.* ☎ *030-459-92-72.* ● *souriyavincent@ yahoo.com* ● *Double 50 $, petit déj compris.* Au bord de la rivière, ces charmantes cabanes en bois et en dur abritent des chambres – toutes avec salle de bains, ventilo, moustiquaire et petite terrasse – plus ou moins proches de la rivière. Fait aussi resto dans une grande paillote surplombant la rivière. Les 2 éléphants viennent régulièrement s'y abreuver ou prendre un bain (vers 16h30). Véritable cachet, mais, le prix nous a semblé exagéré.

Où dormir ? Où acheter du bon café entre Tad Lo et Paksé ?

🛏 🍽 ⊛ *Katu Homestay :* *à Ban Houy Houn (entre Tad Lo et Tad Phaxuam), à 25 km de Tad Lo et env 60 km de Paksé.* 🖫 *020-998-372-06. Doubles « très bon marché », sanitaires communs. Visite de la plantation (env 20 mn) : 15 000 kips.* Le jeune monsieur Vieng, situé au bord de la route principale, fait visiter à la demande sa plantation de café. Sur 3 ha, il produit une majorité de robusta, mais aussi de l'arabica et du liberica. Évidemment, il est toujours plus intéressant de visiter la plantation pendant la récolte du café, de novembre à avril. Dégustation sous une grande paillote conviviale et, pour prolonger la halte, 4 chambres spartiates dans des bungalows en bambou.

À voir. À faire à Tad Lo et dans les environs

🎋 *Les trois chutes :* Attention : suite à la construction du barrage en amont, méfiez-vous des éventuels lâchers d'eau, potentiellement dangereux.
– La belle *Tad Hang* jouxte le village, après avoir traversé le pont ; 1 km en amont, au niveau du *Tad Lo Lodge*, on s'approche de *Tad Lo* grâce à des escaliers et des passerelles en bambou qui surplombent les chutes. On est alors au plus près de l'eau et l'effet brumisateur est des plus rafraîchissants ! À 8 km, toujours en amont, *Tad Soung* *(accès payant)* est la plus impressionnante (environ 80 m de haut) quand elle n'est pas à sec. En faisant bien attention de ne pas s'approcher du vide, on peut s'y baigner dans un bassin de la partie supérieure (accessible par la route qui grimpe depuis l'ouest du village).

TAD PHAXUAM

🎋 *À env 45 km de Tad Lo et 38 km de Paksé. Entrée : 10 000 kips + parking 5 000 kips. À visiter de préférence tôt le mat et hors w-e pour éviter les cars en provenance de Thaïlande.* Au cœur d'une nature luxuriante, un village touristique

aménagé par un Thaïlandais, en bordure de belles chutes d'eau avec un joli petit pont en bambou à traverser pour la photo. Ensuite, le côté carte postale prend une tournure discutable : un village regroupe les habitations typiques de sept ethnies différentes où les habitants posent en costume pour la photo. Rien de très authentique, contrairement aux autres villages du plateau...
– Snack avec vue sur la rivière.

LE DISTRICT DE SIPHANDONE
(LES 4 000 ÎLES)

> ● Carte *p. 507*

 Dans l'extrême sud du Laos, le Mékong semble renâcler à l'idée d'affronter les rapides et chutes d'eau spectaculaires qui marquent la frontière cambodgienne. Puis, son fil se dénoue subitement en de multiples brins et s'entortille autour d'une myriade d'îles luxuriantes. Cet archipel fluvial donne son nom au district : Siphandone signifie « les 4 000 îles » en lao.

La région fut un cauchemar, ou plutôt la fin d'un rêve, pour les Français, qui rêvaient de faire du Mékong l'artère commerciale de leurs terres indochinoises. Les îles de Khône et de Det portent encore les marques d'un véritable coup de poker, une ligne de chemin de fer destinée à bluffer les chutes du Mékong.

Ce monde étonnant et submersible au gré des saisons est également célèbre pour sa poignée de dauphins d'eau douce dits « de l'Irrawaddy », une espèce en voie de disparition, aujourd'hui protégée. Tout comme dans la région de Kratie au Cambodge, on pourra, avec un peu de chance, les observer en pirogue.

De nos jours, les 4 000 îles attirent pas mal de monde, dont beaucoup d'adeptes du farniente contemplatif. Mais pas seulement, puisque chutes, vestiges historiques et activités plus ou moins sportives y sont faciles à organiser.

Avant de vous laisser happer par ces rivages si particuliers, un avertissement s'impose ! Il faut choisir son île... Don Khong, c'est la grande paisible aux centres d'intérêt toutefois limités, Don Det, plus dense en termes d'hébergement et plus jeune, et Don Khône, reliée à la précédente par le pont de l'ancien chemin de fer, est la plus proche des sites à voir.

– *Avertissement :* des vols à l'intérieur des chambres nous ont été signalés dans certains bungalows premiers prix, pas vraiment sécurisés. Autant garder votre argent et vos papiers sur vous, et si un cadenas ferme la porte, l'échanger contre le vôtre, si vous en avez un... Pas de parano non plus !

Arriver – Quitter (pour toutes les 4 000 îles)

– Il n'existe plus de service public de bateau entre Siphandone et Champasak-Paksé. Toutefois, il peut arriver qu'un bateau soit affrété par une agence privée. Se renseigner à Paksé et à Siphandone.
– Attention, phonétiquement Don Khong et Don Khône sont très proches, et il arrive que des routards se retrouvent sur l'autre île sur une simple erreur de prononciation. Voilà pourquoi de nombreux chauffeurs de bus utilisent l'appellation **Muang Khong (du nom de la ville principale) pour désigner Don Khong** et éviter de la confondre avec Don Khône.

En bus public, touristique ou *songthaew*

Rappelons que les hôtels et agences de voyages de Paksé organisent 1 liaison/j. en minibus climatisé. Confortable et pas plus cher.

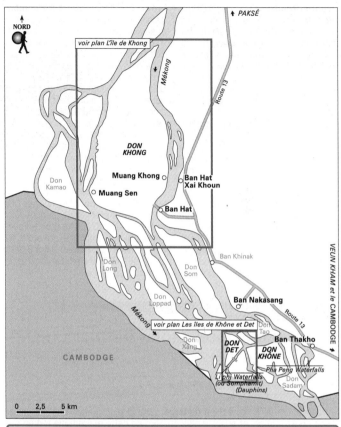

LE DISTRICT DE SIPHANDONE

➤ **Paksé-Don Khong** *(130 km)* **:** pour la partie route, voir cette rubrique à Paksé. Pour le retour, s'adresser à son hébergement, c'est le plus simple, ou rejoindre les intersections avec la route 13, où circulent les bus et taxis collectifs, mais plus de risques qu'ils soient complets et qu'ils ne s'arrêtent pas. Inutile d'acheter un billet *open* à Paksé : il ne permet de monter dans le bus que s'il y a de la place.

➤ **Champasak-Don Khong** *(95 km)*, **Champasak-Don Khône et Don Det** *(105 km)* **:** trajet à réserver la veille auprès des *guesthouses* de Champasak ou des îles. De Champasak, le bateau rejoint Ban Muang sur l'autre rive du Mékong, d'où l'on récupère le bus parti plus tôt de Paksé qui assure le trajet jusqu'aux 4 000 îles (minivan prévu si le bus est complet). Idem dans le sens inverse.

➤ **Paksé-Don Khône et Don Det** *(140 km)* **:** pour la partie route, voir cette rubrique à Paksé. Arrivée au village de *Ban Nakasang,* où l'on traverse le Mékong sur des pirogues à moteur (7h-17h) ; compter 15 000 kips/pers l'aller pour Don Det et 20 000 kips/pers pour Don Khône. Pour le retour, mêmes conditions que pour Don Khong (voir plus haut).

➤ *Siphandone (4 000 îles)-Cambodge (frontière de Veun Kham, à 30 km) :* ouv 6h-18h. *Visa on arrival* disponible pour les 2 pays. Plusieurs bus au départ de Paksé, via Don Khong et Don Khône, ont pour terminus Veun Kham. Également des liaisons Don Khône-Siem Reap (compter 12h de trajet ; renseignements auprès des agences).
– *Avertissement :* si l'on peut se faire déposer à la frontière lao-cambodgienne *Veun Kham/Trapaeng Kriel,* celle-ci est un peu au milieu de nulle part. Très peu de véhicules y attendent les voyageurs. Du coup, on n'a guère d'autre choix que de s'adresser aux agences et hébergements de Paksé ou des 4 000 îles (et idem depuis les villes du Cambodge), qui proposent des transports passant d'un pays à l'autre. Les horaires et temps de transport donnés sont complètement fantaisistes, le nombre de bus est insuffisant (tout le monde s'entasse dans un seul véhicule).

Enfin, un préposé badgé fait le grand tralala pour récupérer les passeports et se charger de tout, dans le seul but d'extorquer 2-3 $, sachant que les prix des visas sont déjà gonflés à ce passage d'environ 5 $. Parfois, c'est carrément le chauffeur de bus qui a mis au point son petit racket... On peut passer outre (garder son passeport et entreprendre les démarches seul), mais tout devient très vite compliqué, et le bus ne vous attendra pas... Pour entrer dans le pays voisin, il faut impérativement le tampon de sortie du pays quitté.
➤ *Liaisons inter-îles, entre Don Khong, Don Det et Don Khône :* au départ de Muang Khong, bateau en principe à 8h30 pour Don Det et Don Khône. Compter 1h30 jusqu'à Don Khône et env 40 000 kips/pers l'aller. Sinon, il est toujours possible de « chartériser » un bateau (max 8 pers) pour env 250 000 kips. Se renseigner auprès de son hôtel.

L'ÎLE DE KHONG (DON KHONG et MUANG KHONG)

IND. TÉL. : 031

● Plan *p. 509*

Avec ses 16 km de long et 8 km de large, voici la plus grande île du Mékong sur son cours laotien, et aussi la plus au nord de cette magnifique région des « 4 000 îles ». L'île est désormais reliée à la route 13 par un pont. À la retraite depuis 2006, l'ancien président du pays est né ici et porte d'ailleurs le nom de la région... Moins paradisiaque que ses jumelles, Don Det et Don Khône, Don Khong est aussi plus calme. Ses petits villages se relient à vélo (mais peu d'ombre), un bon moyen de partir à la rencontre d'une population locale plus accueillante, peut-être parce qu'elle ne dépend pas exclusivement du tourisme.

Adresses utiles à Muang Khong

@ *Internet :* l'accès wifi est proposé par la majorité des hébergements. Sinon, quelques ordinateurs devant la *guesthouse V. Mala.*
■ *Agricultural Promotion Bank (plan, 5) : au sud du village.* Lun-ven 8h30-12h, 13h-15h30. Service de change, *Western Union* et distributeur automatique de billets. Change également possible auprès des hébergements, vérifier les taux.

■ *Location de vélos et motos :* auprès des *guesthouses.*
■ *Résas d'excursions, de transports :* il n'y a pas d'agence à proprement parler, mais tous les hébergements proposent ce service. Pour les bus à destination du Cambodge, lire l'avertissement dans « Arriver – Quitter ».

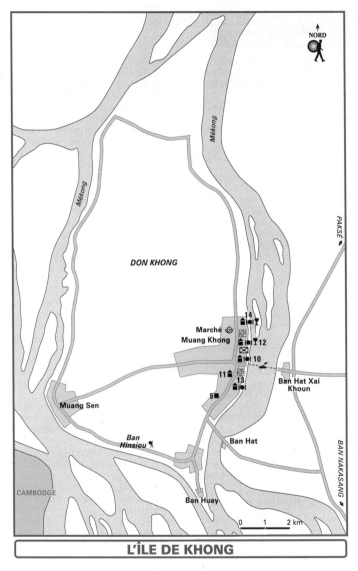

NORD

Mékong

Mékong

Mekong

DON KHONG

PAKSÉ

LE LAOS

Marché
Muang Khong

14

12

10

11

13

Ban Hat Xai
Khoun

5

Muang Sen

Ban
Hinsiou

Ban Hat

BAN NAKASANG

CAMBODGE

Ban Huay

0   1   2 km

L'ÎLE DE KHONG

■	**Adresses utiles**	**11** V. Mala
	@ Internet	**12** Pon's
	5 Agricultural Promotion Bank	Riverside
		Guesthouse
⌂ |●|	**Où dormir ? Où manger ?**	**13** Mékong Inn
☖	**Où boire un verre ?**	**14** Pon's Arena
	10 Don Khong Guesthouse	

Où dormir ? Où manger ? Où boire un verre ?

Toutes nos adresses se situent dans le village de *Muang Khong*, 2 km au nord de *Ban Hat* et en face de *Ban Hat Xai Khoun*.

De très bon marché à bon marché (moins de 150 000 kips / 19 $)

🏠 |●| *Don Khong Guesthouse* (plan, **10**) : *la 1re de la rangée, là où la petite route rejoint la berge du Mékong.* ☎ 21-40-10. *Doubles avec sdb (eau chaude, AC et ventilo) « bon marché » ; petit déj en plus. Plats à « prix moyens ».* L'aménagement de cette *guesthouse* commence peut-être à dater, mais l'ensemble est bien entretenu et propre. Les chambres, petites et simples, possèdent pour certaines une vue sur le fleuve au 1er étage. Sinon, tout le monde peut en profiter depuis la belle terrasse collective. Resto-terrasse au-dessus de l'eau, avec, en spécialité, le *mok pa*, à commander à l'avance, hmm ! Accueil aimable ; la patronne, ancienne institutrice, parle le français.

🏠 *V. Mala* (plan, **11**) : *sur la route principale.* 🖥 020-975-457-87. *Doubles « très bon marché » avec sdb commune ; petit déj en plus.* La maison traditionnelle en bois sur pilotis est précédée d'un beau jardinet fleuri, aussi bien entretenu que les chambres. Celles-ci sont simples mais impeccables, équipées d'une moustiquaire aux fenêtres et autour des lits. Loue vélos et motos.

De prix moyens à chic (150 000-500 000 kips / 19-62 $)

🏠 |●| ℞ *Pon's Riverside Guesthouse* (plan, **12**) : *au cœur du village.* ☎ 21-40-37. 🖥 020-554-067-98. ● *ponarenahotel.com* ● *Résa*

conseillée, car souvent complet. Doubles à « prix moyens » avec sdb, petit déj compris. Plats à « prix moyens ».* Toutes les chambres disposent de la clim et de l'eau chaude. Celles à l'étage sont plus agréables et spacieuses, et profitent d'un balcon commun. Comme ses voisins, le resto-bar-terrasse peut se targuer d'une vue sublime sur le Mékong. *Mok* sur commande, choix de viandes honorables et toutes spécialités locales. Accueil dynamique.

🏠 |●| *Mékong Inn* (plan, **13**) : *au sud du village, côté Mékong.* ☎ 21-36-68. ● *gomekonginn.com* ● *Doubles à « prix moyens », petit déj compris. Également des chambres « très bon marché » (petit déj en plus).* On est accueilli par le patron francophone, toujours prêt à distribuer ses bons conseils. Sur les 3 bâtisses qui encadrent la piscine, 2 font face au Mékong avec quelques chambres qui ont vue sur le fleuve (au même prix que les autres, autant en profiter). Toutes ont la clim et l'eau chaude, hormis quelques-unes à l'arrière pour les petits budgets. Tenue impeccable. Fait aussi resto.

🏠 |●| ℞ *Pon's Arena* (plan, **14**) : *notre adresse la plus au nord du village.* ☎ 51-50-18. ● *ponarenahotel.com* ● *Doubles à prix « chic » (fourchette haute), plus des suites ; petit déj compris.* Il s'agit d'un hôtel moderne, d'un très bon niveau de confort, conçu en 2 parties, côté rue et côté Mékong. Les chambres *Mekong View*, les plus chères, font face à la piscine, qui visuellement se prolonge par le fleuve. Une réussite esthétique. Les *Mountain View* (avec une faible différence de prix) donnent vers l'intérieur de l'île, ce sont évidemment les premiers prix, mais elles bénéficient également d'un panorama si on les choisit à l'étage. Balcon et équipement complet pour toutes les options. Espace resto soigné en terrasse sur le Mékong et accueil très aimable.

À voir. À faire

🛕 *Wat Xieng Vang* (ou *Wat Jom Thong*) : *au nord du village de Muang Khong, au bout de la piste qui longe le Mékong.* Construit sur un plan cruciforme et largement influencé par le style colonial, ce temple est unique en son genre. Il profite aussi de son emplacement planté d'arbres, au bord du fleuve. Il a été en partie restauré grâce à l'argent d'une fondation américaine.

🦌 *Wat Phouang Keo : sur la place centrale de Muang Khong.* Impossible de manquer son bouddha gigantesque qui veille à l'extérieur avec sa tête couronnée d'un naga à sept têtes. Sur le mur d'enceinte, comme partout ailleurs, remarquer la liste des familles donatrices. Ici, les sommes se chiffrent en dollars... À l'intérieur, un stûpa émouvant, un peu particulier car consacré à un Français, Claude Vincent, initiateur du tourisme au Laos.

🦌 ⊕ *Le marché : petit marché local qui vaut la visite, surtout très tôt le matin* (6h-7h30). Au beau milieu d'une myriade de couleurs et d'odeurs, on découvre de beaux fruits et légumes, des poissons de taille « mékonguesque », du sucre de palme, et des pharmacies où acheter des médicaments à l'unité.

🦌 *Le sucre de palme – Ban Hinsiou :* rencontré partout au Cambodge, le palmier à sucre est également présent à Don Khong, surtout dans ce village de l'extrémité sud de l'île. La fabrication du sucre a lieu de novembre à mai. De longues tiges de bambou fixées au tronc permettent d'accéder au sommet des palmiers. Les fruits sont décrochés, puis pressés. Le jus ainsi obtenu est chauffé pendant 3h, jusqu'à l'obtention d'une pâte épaisse, versée dans de petits moules ronds en feuille de palmier. Après refroidissement, on obtient des pavés d'environ 6 cm de diamètre et pesant 200 g. Vendus sur les marchés de la région, ils représentent pour Don Khong une source non négligeable de revenus...

🦌🦌🦌 *Excursion en bateau vers Don Det et Don Khône : départ tlj vers 8h30, env 40 000 kips/pers A/R (pour 6 pers), sinon au prorata du nombre de pers sur la base de 250 000 kips l'aller pour le bateau, plutôt 300 000 kips dans l'autre sens. Pour tt rens, s'adresser à sa* guesthouse. 1h30 de descente du fleuve jusqu'à Don Khône. La visite de la chute de Li Phi est à payer en sus (voir plus bas). Retour vers Don Khong aux alentours de 14h30 pour 2h30 de navigation, contre-courant oblige. Indispensable !

🦌🦌 *Balade à vélo :* certainement le meilleur moyen pour découvrir l'île. Mais il n'y a pas d'ombre, et compte tenu de la taille (environ 40 km), difficile d'éviter les grandes chaleurs. La balade la plus simple consiste à faire le tour de la partie sud de l'île. Compter alors minimum 2h sans les arrêts. Prendre la route partant de la place du village de Muang Khong, vers l'ouest, pour traverser l'île dans un paysage de rizières, sur 8 km de terrain plat. La partie la plus intéressante du trajet se trouve le long de la rive ouest de l'île. Autre option, partir vers le nord depuis Muang Khong. Cet itinéraire plus long que la boucle sud, entre fleuve et rizières au vert tendre, permet de découvrir les habitations simples d'autochtones, toujours souriants et contents de saluer un étranger... Pour le tour complet de l'île, prévoir une bonne partie de la journée avec les arrêts.

Fête

🦌🦌🦌 *Suang Heua (ou Boun Xouang Heua) : dernière pleine lune d'oct ou première de nov.* Une spectaculaire course de bateaux. Plusieurs jours avant la manifestation, les habitants de la région affluent dans une ambiance fébrile de kermesse et envahissent la place centrale de Muang Khong, au beau milieu d'un petit parc d'attractions avec manèges et grande roue... Sur l'eau, ce ne sont que pirogues décorées et équipages synchronisés. Les terrasses des restos au nord du village demeurent les meilleurs endroits pour assister aux courses. Ambiance moins coincée que sur la Tamise, on vous l'assure !

LE LAOS

L'ÎLE DE KHÔNE (DON KHÔNE) ET L'ÎLE DE DET (DON DET)

IND. TÉL. : 030

● Plan *p. 513*

Longtemps, les visiteurs passaient ici des jours indolents, entrecoupés de quelques balades, l'âme apaisée par la combinaison de l'élément liquide et de la luxuriance. On se passa le mot et Don Det attira un petit tsunami de routards, trop contents de l'aubaine. La petite île se couvrit d'une file quasi ininterrompue de *guesthouses* et de bars, déclinés sur le même modèle : le style Vang Vieng d'autrefois, en moins tapageur. Mais ce mode d'éclate grégaire n'aura duré qu'un temps, d'abord suite à la réaction des autorités laotiennes, soucieuses d'éviter les dérives, et peut-être aussi par lassitude des participants. Aujourd'hui, à chaque île ses avantages : Don Det garde une ambiance plus jeune et plus vivante le soir, ainsi que des hébergements un peu moins chers que sa voisine. Don Khône concentre moins d'adresses et recense les principaux centres d'intérêt de la région.

Adresses et infos utiles

■ *Change :* à Ban Nakasang (sur la terre ferme), service de change et distributeur automatique (souvent en panne). Sur les îles, s'adresser aux petites agences et *guesthouses*. Le taux n'est pas forcément mauvais (vérifier et comparer). Garder plutôt cette option en dépannage.
■ *Location de vélos et de motos :* la plupart des *guesthouses* et petites agences en proposent. Compter 10 000 kips/j. pour un vélo et 70-80 000 kips pour une moto 100 cc. Pas évident toutefois de circuler à vélo : les pistes sont très caillouteuses et certaines portions sableuses. Et pour couronner le tout, gare aux crevaisons sur les pierres pointues !

Où dormir à Don Khône ?

Hébergements et restos se concentrent entre le pont et la pointe nord de l'île, face à Don Det. C'est bien sûr plus calme aux extrémités, même si les moteurs des bateaux rugissent dès l'aube et n'épargnent personne. Le reste de l'île est uniquement occupé par les habitants.

De très bon marché à prix moyens (moins de 300 000 kips / 37 $)

🏠 *Mr Boune Phan* (plan, 10) : doubles avec sdb « très bon marché ». Chambres riquiqui et totalement basiques, ventilées et face au Mékong, où l'on ne s'attarde pas trop pour profiter au max de la terrasse collective au-dessus du fleuve. Parmi les chambres avec vue les moins chères de Don Khône. D'autres bungalows, plus grands, carrelés (encore moins chers) donnent sur le jardin.
🏠 |●| *Pan's Guesthouse* (plan, 11) : ☎ 020-236-551-51. Doubles « prix moyens » avec sdb ; petit déj en sus. Rangée de bungalows donnant sur le jardin ou le Mékong. Clim et eau chaude pour les plus chers. Hamacs en terrasse. Pas mal et assez agréable. Resto. Plus loin, des annexes en bambou ont été repeintes en bleu pétant. Elles ont moins de charme mais profitent d'une vue face au fleuve tout aussi

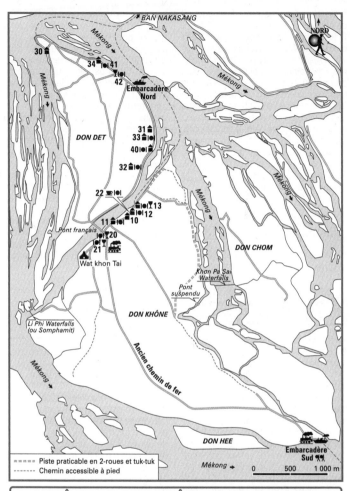

LE LAOS

LES ÎLES DE DON KHÔNE ET DE DON DET

🏠 **Où dormir à Don Khône ?**

10 Mr Boune Phan
11 Pan's Guesthouse
12 Pakha Guesthouse
13 Auberge Sala
   Done Khône

🍴🍷 **Où manger ? Où prendre
le petit déj ? Où boire
un verre à Don Khône ?**

13 Resto de l'Auberge
   Sala Done Khône
20 Sengaloun Restaurant
21 Fleur du Mékong

22 Chez Fred et Lea

🏠 **Où dormir à Don Det ?**

30 Sunset View
31 Mr Vai
32 Mr Boun Hom Bungalows
33 Mr Phao Riverview Guesthouse
34 Baba Guesthouse

🍴🍷 **Où manger ? Où boire un verre
à Don Det ?**

40 Mama Leuah
41 Crazy Gecko
42 Smiling Lao

fantastique (même prix). Bon accueil de M. Pan !

🛏 |●| *Pakha Guesthouse* (plan, 12) : 🖥 020-558-475-22. Doubles avec sdb « bon marché » ; petit déj en sus. Également des familiales. Installée des 2 côtés du chemin. Sur la berge, les chambres les moins chères, rudimentaires et ventilées, sont installées côte à côte dans une bâtisse au-dessus du fleuve, avec terrasse commune. Attention, cloisons extra-fines. Côté terre, on trouve le resto sous paillote et d'autres bungalows, pour certains climatisés. Bonne cuisine. Tenu par une famille très gentille ; la patronne se débrouille en français.

De chic à très chic (plus de 300 000 kips / 37 $)

🛏 |●| *Auberge Sala Done Khône* (plan, 13) : ☎ 26-09-29.

● salalaoboutique.com ● Doubles avec sdb 60-80 $ en hte saison, petit déj compris. Résa seulement sur Internet. Promos régulières. Au cœur d'un joli jardin planté de palmiers, bougainvillées, hibiscus, etc., une superbe maison coloniale, l'ancien siège des Messageries maritimes, abrite des chambres de charme avec beaux meubles en bois exotique, carrelage à motifs rétro et balcon. Un cachet fou ! D'autres chambres plus petites, moins chères mais de même confort, sont installées dans une grande maison laotienne en bois sur pilotis, avec terrasse privée sur le jardin. Et ce n'est pas fini... Surprise avec ces maisons flottantes en bambou, dotées de belles chambres ventilées dont les mignonnettes terrasses sont au fil de l'eau. L'ensemble de l'auberge est très bien tenu. Resto (voir « Où manger ? Où boire un verre à Don Khône ? »).

Où manger ? Où prendre le petit déj ? Où boire un verre à Don Khône ?

|●| 🍷 *Sengaloun Restaurant* (plan, 20) : au sud du pont, côté fleuve. Une agréable terrasse couverte en bambou, surplombant le Mékong, avec vue imprenable sur le pont de l'ancien chemin de fer français. Côté fourneaux, plats classiques et hot pot. Idéal aussi au petit déj ou pour boire un verre au soleil couchant ; et là, un cocktail laolao viendra parachever la magie du fleuve mythique... 2 autres adresses plus au nord ; même carte, mais moins bien situés.

|●| 🥤 *Chez Fred et Lea* (plan, 22) : non loin de l'auberge Sala Done Khône. 🖥 020-221-288-82. Tlj tôt le mat au soir. Prix moyens. Résa conseillée. Petite adresse franco-lao qui prépare le matin d'excellents petits déj à base de confitures maison, thé et café du plateau des Bolavens, et concocte en journée de bons petits plats et desserts, ainsi que des sandwichs à emporter. Fred

est une mine d'infos sur la région et peut s'occuper de résa de transports.

|●| 🍷 *Fleur du Mékong* (plan, 21) : au sud du pont, après Sengaloun, côté opposé du chemin. 🖥 020-965-442-93. Plats « de bon marché à prix moyens ». Le patron est un guide francophone, peu avare de bons tuyaux s'il est dans le coin. La patronne a fait du curry de canard (ou de poulet) aux patates douces et épices sa spécialité. Ça change. Salle au rez-de-chaussée avec petite terrasse ou grande pièce ouverte au-dessus.

|●| 🍷 *Resto de l'Auberge Sala Done Khône* (plan, 13) : voir « Où dormir à Don Khône ? ». À l'image de l'auberge, le resto-terrasse est décoré avec beaucoup de goût et perché en surplomb du Mékong... romantique à souhait. Choix restreint, mais cuisine laotienne fine et de qualité.

Où dormir à Don Det ?

La rive est de l'île s'est habillée d'une succession quasi ininterrompue

de guesthouses et restos. L'extrémité nord (là où l'on débarque) est particulièrement congestionnée et la rive ouest commence elle aussi à se densifier. Là encore, les bateaux à moteur sont susceptibles de réveiller les sommeils légers.

Très bon marché (moins de 80 000 kips / 9,50 $)

🛏 *Sunset View (plan, 30) : à l'extrémité nord de l'île.* 📞 *020-978-829-78. Double avec sdb (eau chaude) ; petit déj en plus.* Une poignée de chambres simples, certes, mais avec un ventilo et surtout un balcon privé et une vue imprenable sur le fleuve et le coucher de soleil. Possibilité de se baigner devant la *guesthouse,* et même de faire du *tubing.* Le proprio organise aussi des petites excursions pour admirer le soleil couchant.

🛏 *Mr Vai (plan, 31) :* 📞 *020-554-999-69. Doubles avec sdb. Résa conseillée, car peu de bungalows.* Dans un coin tranquille de Don Det, le jardin bien entretenu entoure une poignée de bungalows tout simples avec moustiquaires. Petit déj possible chez Mrs Sai, juste à côté (cuisine un peu grasse, mais très bons jus de fruits).

🛏 I●I *Mr Boun Hom Bungalows (plan, 32) :* 📞 *020-225-218-20. Doubles sans ou avec sdb ; petit déj en plus.* Quelques maisonnettes spartiates en bois ou en bambou, équipées de moustiquaire, terrasse privée sur le Mékong, et d'une salle d'eau pour les plus chères (douche au-dessus des toilettes). Pour dormir l'oreille bercée par le clapotis langoureux du fleuve... Propreté acceptable vu le prix. Joli resto-terrasse sur le fleuve.

🛏 I●I *Mr Phao Riverview Guesthouse (plan, 33) : au bord du Mékong.* 📞 *030-499-27-11. Doubles sans ou avec sdb.* Dans un espace jardiné, plusieurs bungalows sommaires en bois avec moustiquaire et petite terrasse ombragée pour buller, les yeux perdus dans les myriades d'îles flottantes. Sanitaires communs à peu près corrects, ou privés. Pour les repas, resto-terrasse sur le fleuve. Accueil chaleureux et familial. Mr Phao organise aussi des excursions, notamment aux chutes de Phapeng (voir plus loin).

Prix moyens (150 000-300 000 kips / 19-37 $)

🛏 *Baba Guesthouse (plan, 34) :* 📞 *020-988-939-43.* ● *dondet.net* ● *Doubles à « prix moyens » (fourchette haute) avec sdb, AC, ventilo et petit frigo ; petit déj en plus, devant le Mékong.* Basile, un Français artiste-peintre, a conçu avec Phouvanh, sa femme laotienne, une belle adresse, face à une île d'où s'élance un *rain tree* absolument majestueux. Ça tombe bien, chaque chambre possède un balcon d'où on peut l'admirer. On a un faible pour celles de l'étage, pour le panorama bien sûr, mais aussi pour le petit charme supplémentaire. Agréable terrasse au-dessus de l'eau où est servi le petit déj. L'ensemble est impeccablement tenu, toujours dans un souci d'améliorer en permanence le confort et de préserver la vue sur le fleuve. Très bon accueil de Basile qui pourra vous donner plein de conseils pour profiter de la région.

Où manger ? Où boire un verre à Don Det ?

I●I 🛏 *Mama Leuah (plan, 40) : plats 20 000-30 000 kips. Fermé en principe en juin et oct.* Une belle terrasse au-dessus du Mékong pour une des meilleures cuisines de Don Det (excellents *spring rolls,* entre autres). À la manœuvre, un couple lao-germanique, qui loue aussi des bungalows tout simples avec un balcon pour zieuter le fleuve *(« très bon marché »).*

I●I *Crazy Gecko (plan, 41) : au bord du Mékong, au nord de l'île. Plats env 25 000 kips.* Terrasse à la fois cossue et cosy qui dénote par rapport aux adresses voisines. On s'y cale pour s'aventurer vers des plats suisses-allemands, type *schnitzel* et *rösti,* ou plus en rapport avec la région. Un des QG de routards. Loue aussi des chambres.

🍷 I●I *Smiling Lao (plan, 42) : près du Crazy Gecko, au nord-est de l'île.* Ambiance rasta pour boire un verre ou manger un morceau en toute « coolitude ».

À voir. À faire

Attention, parfois, des individus postés sous ou sur le pont français font payer « en avance » les 35 000 kips d'accès aux chutes de Li Phi. C'est valable aussi bien quand on loge à Don Khône qu'à Don Det. Si c'est le cas, dites que vous vous rendez à un endroit précis, un resto, un autre site... Pour ceux qui visitent les chutes, autant payer le ticket d'entrée au pont (pas d'arnaque une fois aux chutes, il semblerait que les deux appartiennent au même propriétaire). Les vendeurs, plutôt physionomistes, ne vous feront pas payer deux fois la traversée du pont... en principe. Mieux vaut conserver son ticket.

🚶 ***Les anciennes maisons coloniales :*** en venant du pont, prendre à gauche, vers le nord. Une bâtisse blanche aux volets bleus, en fait l'ancien bureau de poste et, quelques dizaines de mètres plus loin, une maison d'habitation pour les colons français. Tout ça en ruine, sur un terrain occupé aujourd'hui par l'école primaire et le collège secondaire de l'île.

– Pour rejoindre les quatre sites suivants, prendre à droite (vers le sud) en venant du pont.

🚶🚶 ***Le chemin de fer*** *(Railway ; quai sud) :* à *Don Khône, à 6 km env du pont.* Construite à la fin du XIXe s pour contourner une zone où le Mékong n'est pas navigable, cette petite ligne mesurait 14 km et reliait Don Khône à Don Det par le superbe pont de 150 m de long pour 3 m de large. Il tient toujours bon et fait le bonheur des voyageurs, qui affluent au coucher du soleil... magique ! Il faut imaginer les conditions de travail à l'époque, particulièrement rudes compte tenu de l'environnement, du climat insalubre, de la météo et de l'équipement basique. Les 500 travailleurs locaux réquisitionnés pour la construction sont peu qualifiés, mal nourris et mal soignés ; beaucoup tombent malades ou meurent sur le chan-

LA VOIE DU RAIL

Au temps du protectorat français, étendre le commerce avec les pays voisins supposait de maîtriser la navigation sur le Mékong. Toutefois, les chutes, écueils et autres rapides constituaient autant d'obstacles infranchissables proches de la frontière cambodgienne. Pour les contourner, une ligne de chemin de fer de 14 km de long fut donc construite en 1893, d'abord à travers l'île de Don Khône, puis à partir de 1910 à travers celle de Don Det. Les deux îles furent reliées par un pont, qui existe toujours, tout comme les quais qui servaient à haler les bateaux. Un pari fou, une réalisation titanesque qui fut exploitée jusqu'à ce que la route 13 finisse par supplanter le chemin de fer en 1937.

tier. Il faudra 5 mois de travaux pour réussir le premier transbordement. Le train comptait 12 wagons. Passagers et marchandises débarquaient au sud de l'île pour rembarquer au nord, et vice versa. Les embarcadères en béton sont toujours là : au village de Ban Hang Khône pour celui du sud et sur la côte est de Don Det pour celui du nord. On peut voir deux locomotives rouillées, découvertes dans la jungle en 1989 par Jean-Michel Strobino, un Français passionné par l'histoire du Laos : l'une dans le prolongement sud du pont et l'autre au village de Ban Hang Khône. De grands panneaux en anglais et de très intéressantes photos d'époque expliquent l'histoire du chemin de fer, abandonné après la construction de la route 13 longeant les 4 000 îles. Les rails ont été récupérés et la voie de chemin de fer est devenue une excellente piste. Lire aussi plus haut l'encadré « la voie du rail » consacré à cette histoire.

🚶🚶🚶 ***Li Phi*** *(ou* ***Somphamit****) Waterfalls et la plage de Don Khône :* à la pointe sud-ouest de Don Khône, à env 1,5 km du pont. Ferme à 17h30. Entrée :

35 000 kips. Li Phi signifie en lao quelque chose comme « le gouffre aux mauvais esprits ». Les Lao pensent que les chutes captent les *phi* (mauvais esprits), si bien qu'ils ne se baignent jamais à cet endroit. Les chutes ne sont pas très hautes, mais le cadre est sauvagement beau, peut-être même plus que celui des chutes de Phapeng... Au-delà des chutes, un chemin mène à une plage, où certains se trempent, mais attention à ne pas vous écarter de la berge en raison du courant. Bref, ne pas rejoindre le petit village en maillot de bain. Question de respect pour les coutumes locales.

|O| ❢ Un grand resto sur place, avec une terrasse et des tables sous des paillotes en chaume de riz, histoire de ne pas mourir de soif et de faim après la petite marche, et même un billard.

❦❦ Khon Pa Sai Waterfalls : *prendre à gauche à la sortie du pont et aller jusqu'à l'extrémité nord de l'île (village de Ban Khon Nua), en admirant au passage les îles et les buffles qui viennent parfois se rafraîchir dans le fleuve en fin de journée. Continuer vers le sud jusqu'à un grand panneau jaune « Khon Pai Sa Waterfalls » indiquant un chemin à gauche. On arrive devant un petit pont suspendu (au passage, bon resto avec terrasse en surplomb). Traverser le pont et suivre le chemin.* On débouche sur un site spectaculaire de chutes et rapides. Au milieu, on découvre des structures uniques, de gigantesques nasses à poissons en bois et bambou de plus de 10 m de longueur. En période de hautes eaux, ces nasses peuvent attraper chacune jusqu'à 500 kg de poissons !

❦❦ Les dauphins d'eau douce : *à partir de Don Khône. Il est possible de les observer en pirogue au départ de 2 sites. Le 1er se trouve à* **Ban Hang Khône,** *là où se situe l'ancien embarcadère sud du train (voir plus haut). D'ici, le panorama est magnifique sur le Mékong et la frontière cambodgienne. C'est aussi de là qu'on a le plus de chance d'apercevoir les mammifères. Le 2^{d} se situe à* **Hat Sai Kong** *(Tha Sanam, mot à mot « port fait de sable » ; à env 3 km du pont) ; navigation plus longue et très belle. Compter 1h15 de sortie en pirogue (25 mn de trajet dans chaque sens et 30 mn d'observation). Prix de Ban Hat Khône : 70 000-120 000 kips, pour 4 ou 5 pers max. Noter qu'on peut coupler la sortie avec la visite des chutes de Phapeng. De Hat Sai Kong : env 90 000 kips (3 pers/bateau).*
– Nous conseillons de faire l'excursion avant 9h ou après 16h. Les dauphins se montrent peu aux heures chaudes.
On les appelle dauphins de l'Irrawaddy, car on les trouve également dans ce grand fleuve birman. Sur les quelques dizaines de spécimens qui restent en Asie, on en compte six dans cette partie du Mékong. Avec un peu (beaucoup) de chance, vous pourriez vous émerveiller de leur discrète apparition, car la plupart du temps on aperçoit juste leurs ailerons et museau au moment où ils respirent. Votre visite et ce qu'elle rapporte à la population locale demeurent le meilleur moyen de préserver cette espèce. Ce n'est pas que les dauphins soient exterminés volontairement. Au contraire, ils sont considérés comme des animaux sacrés. Mais les mailles des filets des pêcheurs laotiens et les explosifs des braconniers cambodgiens leur ont, par le passé, fait beaucoup de mal. En saison sèche, les sympathiques mammifères marins préfèrent souvent les eaux cambodgiennes, juste en face. Même si vous ne les apercevez pas, la balade au fil de l'eau, entre les rochers, le long de collines recouvertes d'arbres élancés, mérite le détour.

❦❦ Sorties en kayak et visites combinées : *résa auprès de ttes les guesthouses et agences. Compter env 160 000-200 000 kips/pers pour la journée ; petit déj vers 8h30 et sur l'eau dès 9h45, retour vers 17h. Difficulté : 1 à 2 selon le niveau du Mékong.* Elles sont organisées aussi bien au départ de Don Khône que de Don Det et incluent un rapide apprentissage du kayak, un guide, le déjeuner, les visites des chutes de Li Phi et de Phapeng (ou de Khon Pa Sai), et l'observation des dauphins. Faisable par toute personne en bonne santé, cette formule, bien organisée, remporte un succès mérité. En saison des pluies, le courant peut être fort et la sortie s'avérer bien plus sportive. Renseignez-vous avant.

LE LAOS

🎥🎥 **Sunset cruises :** *départ à 16h, pour 2h de navigation en pirogue. Tarif :
150 000 kips/pirogue, 4 pers max.* Pour profiter de l'embrasement des heures
dorées. Amis de la poésie, bonsoir.

DANS LES ENVIRONS DE DON DET
ET DON KHÔNE

🎥🎥 **Phapeng Waterfalls :** *à proximité de la route 13, à 10 km au sud de Ban
Nakasang. Pour s'y rendre, prendre une moto-taxi au départ de Ban Nakasang,
en principe le mat avt 9h30 (A/R avec attente comprise). Ou s'adresser à la guesthouse de Mr Phao (📱 030-499-27-11 ; lire plus haut « Où dormir à Don Det ? ») qui
organise cette balade en pirogue depuis Don Det, le plus souvent l'ap-m. Compter 70 000-80 000 kips/pers pour 2 à 8 pers. Tlj 6h-17h (overtime jusqu'à 18h en
payant un supplément). Entrée : 55 000 kips.* Voici donc le fameux « Niagara du
Mékong », entendez les plus grandes chutes d'Asie du Sud-Est (15 m de haut et...
1 km de large). Avec leur bruit d'enfer, elles sont vraiment spectaculaires, et l'on
jouit d'un beau panorama en montant jusqu'au kiosque qui les surplombe. En descendant au pied des chutes, l'atmosphère est encore plus impressionnante avec
la vapeur d'eau en suspension dans l'air...

LAOS : HOMMES, CULTURE, ENVIRONNEMENT

BOISSONS

– Avant toute chose, ne jamais consommer d'*eau* du robinet non bouillie. Privilégier l'eau minérale capsulée, que l'on achète dans tous les commerces et épiceries de rue. En dehors des endroits à fréquentation touristique, attention aussi aux glaçons. On reconnaît les glaçons « industriels » (consommables) à leur forme cubique et au trou cylindrique au milieu. Évitez la glace pilée.

– **Les jus de fruits :** nombreux, frais et savoureux. Ananas, mangue, banane, orange et citron sont les plus courants. Sauf indication contraire de votre part, ils sont souvent servis sucrés au sucre de palme.

– **Le thé :** dans ce pays producteur, c'est une boisson largement répandue, qui consiste le plus souvent en quelques feuilles de thé vert jetées dans un verre d'eau chaude (purifiée, bien sûr). D'ailleurs, pour ne pas se retrouver avec un simple sachet de thé noir de marque internationale, toujours demander un « traditionnal lao tea » ou un « green tea ».

– Le **café,** dont les plantations ont été introduites par les Français sur le plateau des Bolavens, est très bon, quoique plus torréfié (léger goût de brûlé) qu'en Europe. En général, il est servi avec du lait concentré sucré. Pour un café noir, il faudra préciser à la commande « *kafé dam* ». Il se sert également froid, avec des glaçons. On trouve également sans problème des cafés expresso à la mode européenne.

– La **bière** la plus connue est la *Beerlao,* brassée près de Vientiane. Honorable et sage, l'originale titre à 5°. Très abordable pour une grande bouteille de 66 cl dans les gargotes et restos, elle est généralement servie suffisamment fraîche. On la trouve aussi en petites bouteilles et canettes de 33 cl, ou, plus rarement, à la pression (pas toujours top).

– Le **lao-lao,** alcool national, est distillé à base de riz et titre de 40 à 50°. Il se consomme dans toutes les gargotes sur son prix est dérisoire. Attention quand même, il a la réputation de rendre un peu fou. Dans les endroits fréquentés par les touristes, le *lao-lao cocktail,* préparé avec du miel, du jus de citron et des glaçons, fait un peu office de ti-punch local.

CUISINE

La nourriture laotienne ressemble un peu à la cuisine thaïlandaise. Elle se caractérise par l'utilisation plus abondante de piments et d'herbes aromatiques (au moins 120) appartenant à la pharmacopée traditionnelle. Le riz gluant cuit à la vapeur est la base de l'alimentation (un proverbe affirme même « Le vrai Laotien est celui qui mange du riz gluant », le décor est planté !). Les soupes parfumées sont aussi très populaires, surtout dans les villes. Pour le reste, la cuisine laotienne aligne un joli nombre de spécialités, même si les recettes similaires à celles de la cousine thaïe floutent un peu le jugement. Enfin, Vientiane et surtout Luang Prabang proposent quelques tables de (très) belle tenue, dont les chefs, formés à la mode occidentale, savent métisser les saveurs.

D'ailleurs, il suffit de se rendre sur un marché pour entrevoir l'infinie variété des produits, qui impactent évidemment l'alimentation. Côté fruits et légumes, on trouve en abondance salades, choux, navets, tomates, navets sucrés, ananas, noix de coco, papayes, plusieurs variétés de bananes (banane plantain, banane à pépin, etc.), fleurs de bananiers, haricots de soja, pommes de terre, taros, durians, etc.

Les repas

Les Laotiens prennent leurs repas assez tôt : on déjeune de 11h30 à 13h et on dîne dès 17h-17h30. Dans les restos traditionnels, vous aurez du mal à vous faire servir après 21h. Dans les villes et sites touristiques, comme à Vientiane, Luang Prabang ou Paksé les horaires sont plus souples.

Le matin, les Laotiens prennent un vrai repas composé le plus souvent de riz gluant avec quelques morceaux de viande séchée. Dans les villes, il est parfois remplacé par une soupe (le *phó*) à base de blé ou de riz : le *mi* (jaune), le *phó* (blanc) ou le *khao pirksen* (blanc et épais). On trouve aussi le *khao tchi paté,* un sandwich de pâté vietnamien assorti de quelques rondelles de concombre et de persil.

Sinon, vous pouvez essayer la baguette de pain, héritage français très populaire dans les villes, arrosée de lait concentré sucré, à accompagner d'un café ou d'un thé à la manière laotienne. On trouve, enfin, de bons croissants à Vientiane et à Luang Prabang.

Spécialités

– Le **khao niao,** ou *riz gluant,* cuit à la vapeur et servi dans des petits paniers en bambou ou rotin tressé, est la forme la plus courante du riz. Il se malaxe dans la main en boulettes que l'on trempe dans les plats comme on sauce avec le pain. Ce riz se consomme également sucré, comme friandise, le *khao lam* (voir plus loin).

– Le **laap** est une salade traditionnelle laotienne composée de viande (bœuf, porc ou canard) ou de poisson haché et cuit, assaisonnée au citron vert et au piment, servie avec du concombre et beaucoup d'herbes aromatiques. Accompagné de riz gluant, c'est LE repas laotien emblématique. Simple et toujours bon.

– Le **tam mak houng,** ou *salade de papaye verte,* est une institution culinaire laotienne. C'est l'équivalent du *somtam* thaïlandais. Les papayes vertes sont pilées avec de l'ail, du citron, du *padek* (résidus de poissons fermentés, souvent cru, à éviter si possible pour question d'hygiène) et du piment. Estomacs sensibles, s'abstenir, à moins de le commander sans piments *(bo phèt)* et sans *padek* (poisson fermenté).* Même les estomacs en béton auront intérêt à ne pas dépasser les deux piments *(song mak phèt)*.

– Le **mok** est tout d'abord un mode de cuisson à la vapeur dans une feuille de bananier, d'une préparation plus ou moins émincée, voire de la consistance d'un pâté. C'est un cousin germain de l'emblématique **amok** cambodgien ou du **hok mok** thaïlandais. Les *mok* de poisson au lait de coco sont particulièrement délicieux. On trouve aussi des *mok* à la viande, et des *mok mot* d'œufs de fourmis (vous avez bien lu !), que l'on trouve, durant la mousson, plus en vente au marché qu'à la carte des restos.

– Les **saucisses de porc** sucrées à la chinoise sont servies grillées ou frites. Le **sai oua Luang Prabang** est une saucisse de porc que l'on trouve dans cette ville. Elle est souvent offerte comme cadeau par les Laotiens lorsqu'ils rendent visite à la famille. Les saucisses de viande de buffle mélangée à du riz méritent également d'être goûtées.

– L'**or lam** est encore l'une des spécialités de Luang Prabang. Il s'agit d'un ragoût à base d'aubergines miniatures, de champignons gluants, de couenne de porc et de poule sauvage, parfumée à l'aneth et à l'écorce de *sakham,* au goût anisé.

– Les **som mou** sont des morceaux de viande de porc cru, marinés dans du vinaigre et du piment à l'intérieur de feuilles de bananier. C'est délicieux, mais ils présentent tout de même un risque, même pour les estomacs aguerris. Le **som pa** est la même recette avec du poisson.

– Le **khao poun** est un plat populaire composé de nouilles de riz, qui peuvent être servies en soupe, accompagnées d'un bouillon de lait de coco épicé, de germes de soja et de feuilles de menthe. On le trouve également comme accompagnement servie avec le **tam som** (salade vinaigrée) ou dans les plats vietnamiens.

– Également la **viande de buffle séchée au soleil** puis grillée : c'est assez fort, et il vaut mieux avoir de bonnes dents.

– Le **phó** (prononcer « feu »), d'origine vietnamienne, est l'un des plats les plus populaires du Laos : soupe de nouilles et de viande en lamelles ou en boulettes (souvent les deux), accompagnée de petits piments, de menthe, de germes de soja, de coriandre et de basilic, que chacun accommode à sa guise.

– Sur chaque table de resto, à la disposition du client, un assortiment de piment en poudre, de sauce de soja, de vinaigre et de sucre, de même que l'indispensable **nam pa,** une sauce de poisson fermenté que les Vietnamiens appellent *nuoc-mâm*. Préparé avec les mêmes ingrédients, le **padek** se présente sous forme de pâte, mais il est préférable de s'en méfier dans les campagnes, pour raisons d'hygiène.

– Le **tom yam** est une soupe d'origine thaïlandaise composée de viande ou de poisson, agrémenté de feuilles de citronnelle, lait de coco, coriandre... Le mélange est en général assez relevé. Elle est traditionnellement cuisinée – et parfois directement servie – dans un réchaud circulaire alimenté par du charbon de bois.

– Si les produits de la mer sont absents pour d'évidentes raisons géographiques, le Mékong regorge en revanche de **poissons...** d'élevage, les barrages et la pollution ayant fortement diminué le nombre de poissons sauvages. Celui-ci, devenu rare, est réservé pour les grandes occasions.

Bizarreries

Les amateurs d'expériences gastronomiques seront comblés, les Laotiens ayant pris l'habitude de manger tout ce qui bouge (ou presque). En effet, la population rurale vivant loin des marchés continue de vivre en grande partie de chasse et de cueillette avec un goût pour les viandes de la forêt. Ils mangent chauve-souris, écureuils, civettes, serpents, varans, mais aussi les rats des bambous et des rizières (pas ceux des villes). On en trouve sur certains étals de marché. La viande de chien est appréciée et se mange dans des restos spécialisés. Les cigales et les sauterelles, quant à elles, sont frites. C'est assez fin, croustillant et ça a un arrière-goût de noisette. Le **porc-épic en ragoût** a une chair tendre sans goût de gibier prononcé. Le **buffle** ressemble beaucoup au bœuf, en un peu plus fort et un peu plus coriace. On peut aussi goûter à la **peau de buffle séchée** et frite ou aux **algues frites du Mékong** *(khaiphean)* au léger goût d'oseille, parsemées de sésame et parfois d'ail et de tomates, que l'on sert surtout dans les restos de Luang Prabang (on en trouve aussi sur le marché). Les restos chinois proposent des **larves.** Abstenez-vous du pangolin, un petit mammifère à écailles insectivore, c'est une espèce en voie de disparition. Bon appétit !

Les en-cas sucrés

Il existe une ribambelle de douceurs à déguster, souvent en dehors des repas. On les trouve sur les marchés ou à même la rue, auprès des marchands ambulants. La période coloniale a également légué au pays une tradition de pâtisseries : pas de quoi se damner, mais on arrive à se caler la dent sucrée.

– Le **khao tom,** du riz gluant avec de la banane ou de la patate douce, cuit dans des feuilles de bambou, soit à la vapeur, soit grillé. Ça vous rassasie un éléphant en moins de deux !

– Le **khao lam** : du riz gluant à la noix de coco présenté dans un segment de bambou. Facile à emporter.

– Le **nam van**, littéralement « eau sucrée », est un mélange de fruits noyés dans du lait de coco sucré, que l'on déguste comme dessert. Il existe de nombreuses variantes avec des haricots rouges, des patates douces, du maïs, des gelées d'herbe, des billes de tapioca, du manioc, etc.

– Le **roti** est une crêpe d'origine indienne aux œufs ou fourrée à la banane, arrosée de lait concentré sucré. On la trouve seulement le soir dans les rues de Vientiane et de Luang Prabang.

– Les **tuiles au lait de coco** sont délicieuses. On les achète fraîchement préparées dans les étals de rue, à Luang Prabang en particulier.

CURIEUX, NON ?

– On goûte aux œufs de fourmis, crus ou cuits. Attention, ils contiennent de l'acide formique, celui qui vous brûle en cas de morsure d'une fourmi rouge. Hormis cette particularité, ce n'est pas mauvais. Ils sont d'ailleurs parfois incorporés dans les omelettes. On est sympa de vous prévenir !

– Le lao kap ké est un alcool de riz dans le lequel macère un gecko, sorte de petit lézard.

– Les plus aventuriers goûteront au fameux durian, un fruit qui ressemble à une pomme de pin géante, dont les senteurs oscillent entre le camembert sur le retour et la crème de purin. Il faut alors faire preuve d'une profonde zénitude devant cette chair blanche pestilentielle, dont les arômes se révèlent au final plus subtils que son odeur.

– Dans les campagnes, vous croiserez sans doute des femmes au sourire rouge sombre et aux dents aussi noires que la suie. S'en dégage l'inquiétante impression qu'elles saignent des lèvres. Elles chiquent en fait une feuille de bétel accompagnée de chaux et de noix d'arec. Une tradition ancestrale qui colore la bouche et la salive.

– Outre la baguette et les croissants chauds, la pétanque est un héritage français. On trouve des boulodromes partout, jusque dans les villages les plus paumés. L'occasion de se mesurer aux Laotiens, souvent excellents joueurs.

– Le Laos compte 2 000 licenciés de rugby, la moitié sont des femmes. Mais ce sont les hommes qui se préparent pour la coupe du monde au Japon en 2019.

– Selon la croyance animiste, les lokapâlas sont les génies protecteurs des villages et provinces. Ils apparaissent généralement la nuit, parfois sous la forme d'un animal. Fuir devant eux porte malheur ; il faut, au contraire, faire preuve de courage en avançant et en les regardant droit dans les yeux, puis revenir en leur tournant le dos pour leur exprimer son mépris.

– Si vous désirez vous faire tirer le portrait aux côtés d'un moine plus petit que vous... faites en sorte de vous baisser pour qu'il vous dépasse.

– Si les couples s'abstiennent d'exprimer de façon voyante leur passion en public (les bisous sont relégués aux secrets d'alcôve), il n'est pas rare que deux hommes se baladent main dans la main, signe de complicité.

DROITS DE L'HOMME

Alors que les inégalités s'accentuent avec l'ouverture économique du Laos au commerce mondial, le système politique demeure, lui, de plus en plus hermétique. Le Laos reste plus que jamais l'un des régimes les plus répressifs de la planète, avec un Parti monolithique et un contrôle absolu du pouvoir sur les médias et sur Internet. Deux hommes et une femme qui avaient participé à une manifestation en Thaïlande, lors d'un voyage, et posté alors des propos négatifs à l'encontre du gouvernement en ont fait les frais. Arrêtés à leur retour au pays, alors qu'ils venaient refaire leur passeport, ils ont été forcés à effectuer une séance humiliante d'aveux télévisés, et condamnés en mai 2017 à des peines allant de 12 à 20 ans de prison pour « atteinte à la sécurité ». Une affaire symptomatique, dénoncée par les Nations unies comme une détention arbitraire, qui illustre bien la situation de contrôle absolu du régime laotien sur Internet. Les réseaux sociaux sont devenus l'un des principaux outils de surveillance et de répression du régime, et mieux vaut réfléchir à deux fois avant d'y publier un commentaire sensible.

De l'extérieur, les ONG se mobilisent pour la libération des quelques rares Laotiens courageux qui ont tenté de s'opposer à des décisions gouvernementales ou d'obtenir des réformes en organisant des manifestations, en vain. Deux d'entre eux croupissent en prison depuis 1999, sans que l'on ait plus de nouvelles de leur état de santé. D'autres, comme le militant écologiste Sombath Somphone, enlevé en 2012, sont considérés comme « disparus ».

En août 2017, un décret gouvernemental sur les associations impose désormais des contraintes de fonctionnement supplémentaires aux ONG et aux autres groupes de la société civile, au risque de se voir infliger des sanctions pénales. Des associations concentrent surtout leurs activités sur les immenses projets d'infrastructures, qui menacent l'environnement et les droits des populations autochtones. Dans le cadre de la construction de barrages sur le Mékong, comme celui de Don Sahong, par exemple, des milliers de personnes ont été déplacées et officiellement relogées, selon les autorités. Mais leur sécurité alimentaire est aujourd'hui compromise. Selon les estimations, 50 millions de personnes dépendent des ressources du Mékong, et ces bouleversements risquent de transformer leurs vies, sans compter les espèces sauvages endémiques en voie de disparition.

Les entreprises de déforestation, souvent liées au pouvoir en place, menacent aussi gravement les zones d'habitat. Malgré la tentative du pouvoir d'intégrer de force les minorités ethniques (Hmong, Mien, Kamu, Oïe...), elles demeurent victimes d'atteintes aux libertés religieuses.

Pour plus d'informations, contacter :

■ **Fédération internationale des Droits de l'homme :** 17, passage de la Main-d'Or, 75011 Paris. ☎ 01-43-55-25-18. ● fidh.org ● Ⓜ Ledru-Rollin.

■ **Amnesty International :** 76, bd de la Villette, 75940 Paris Cedex 19. ☎ 01-53-38-65-65. ● amnesty.fr ● Ⓜ Belleville ou Colonel-Fabien.

N'oublions pas qu'en France aussi les organisations de défense des Droits de l'homme continuent de se battre contre les discriminations et le racisme, et en faveur de l'intégration des plus démunis.

ÉCONOMIE

Le Laos est l'un des pays les plus pauvres de la planète avec un salaire minimum de 1 200 000 kips/mois (environ 120 €) pour 48h de travail hebdomadaires. Concrètement, près du quart de la population vit sous le seuil de pauvreté, mais la situation s'améliore depuis le début des années 2000. L'économie du pays est largement tributaire de l'aide internationale et de l'exportation des ressources naturelles (hydroélectricité, bois et mines) vers les pays voisins. Peu peuplé et enclavé, le Laos souhaiterait devenir un carrefour routier et ferroviaire entre la Chine et l'Asie du Sud-Est. Autre ambition, *sortir de la liste des pays les moins avancés d'ici à 2020,* grâce à une croissance économique forte et régulière (autour de 7,4 % en 2016) et un taux d'inflation contenu (3,3 % en 2016 et évalué à 2,3 % pour 2017). Avec une gouvernance archaïque et largement corrompue et une dette publique forte (durablement installée autour de 63 % du PIB), la pente reste rude.

Entre communisme et libéralisme

L'économie du Laos se caractérise par *d'énormes disparités entre les régions.* L'essentiel de l'activité économique se situe à proximité des zones frontalières, se nourrissant des échanges avec ses voisins, Chine, Vietnam et Thaïlande, d'où sont importés la plupart des produits finis et nombre de produits frais. Même si les exportations ont progressé, le déficit commercial demeure stable à - 10 % du PIB depuis plusieurs années. Peu industrialisé, le Laos continue d'importer deux fois plus qu'il n'exporte.

Jusqu'à la révolution de 1975, c'était un pays aux structures féodales. Les terres les plus riches se concentraient entre les mains de quelques familles, et le niveau de vie était extrêmement bas. La révolution communiste en 1975 n'a malheureusement pas changé grand-chose. L'expropriation des terres, la socialisation de l'économie et la collectivisation des méthodes de travail ont, au contraire, aggravé la situation économique. Dès 1979, le régime a mis de l'eau dans son vin en cessant la collectivisation des campagnes, avant de libéraliser entreprises et commerce dès 1986.

Le Laos est d'ailleurs aujourd'hui l'un des pays d'Asie doté de la *réglementation la plus libérale pour l'entrée et la sortie des capitaux.* Ce revirement complet a été renforcé par l'adhésion du Laos à l'ASEAN (Association des nations du Sud-Est asiatique) en 1997. En 2010, la Bourse de Vientiane a été créée. Une révolution pour un pays à l'économie planifiée (même les drapeaux rouges avec faucille et marteau des bâtiments publics en rigolent encore !). Puis, en 2013, le pays a adhéré à l'OMC (Organisation mondiale du commerce). Au titre des échanges commerciaux, la France arrive en 5e position, mais ne représentait en 2015 que 0,2 % de part du marché laotien.

La poursuite des réformes, accélérée par l'entrée dans l'OMC et son cortège de conditions, reste nécessaire pour permettre au pays de s'installer durablement au sein des pays émergents et de quitter la zone de PMA (Pays les moins avancés) d'ici 2020 selon l'objectif affiché. Si la présence d'un parti unique d'inspiration communiste (PPRL) assure la stabilité politique du pays, des problèmes de gouvernance subsistent : en 2013, l'Assemblée nationale a ainsi révélé des niveaux élevés de corruption (en 2017, l'ONG Transparency International classait le pays au 135e rang mondial sur 180) et d'évasion fiscale au sein des organismes étatiques. Sans compter la situation de forte dépendance par rapport aux pays voisins, qui mettent un peu les coudes sur la table.

Agriculture

Avec l'exploitation des forêts et la pêche, le secteur agricole génère environ 27 % du PIB, en occupant 70 % de la population active. Si l'agriculture est encore dominée par une *activité de subsistance traditionnelle,* sans engrais ni technologies, elle n'occupe que 8 % des terres cultivables (qui représentent seulement 10 % de la surface du pays en raison du relief tourmenté). *Le riz* pousse, à lui seul, sur 70 % des terres cultivées, et les plaines centrales du pays (régions de Vientiane, Savannakhet et Champasak), irriguées par les eaux du Mékong, produisent la moitié de la récolte nationale. Riz humide en plaine, riz sec en montagne. Les paysans cultivent également maïs, fruits et légumes, manioc, arachides, canne à sucre, sésame, etc.

L'exploitation des forêts – tant convoitées par la Thaïlande, le Vietnam, la Malaisie et la Chine – représente une importante source de revenus pour le pays. Pour le volet économique, on retiendra que des quotas d'abattage et d'exportation d'arbres ont été instaurés par le gouvernement laotien en 2004. Or, le trafic sévit avec les pays limitrophes (Chine, Vietnam...) sur fond de corruption. Pour le volet écologique de ce carnage, voir plus bas la rubrique « Environnement ».

Tourisme

Figurant *parmi les secteurs les plus dynamiques,* le tourisme (environ 6 % du PIB) affiche chaque année des hausses de fréquentation. Le pays serait passé de 200 000 touristes en 2000 à un peu plus de 4,3 millions en 2015, en très grande majorité des pays limitrophes. Un chiffre artificiellement gonflé par les autorités qui comptabilisent certains travailleurs frontaliers. Pour les Occidentaux, l'atout majeur du Laos tient à ses communautés ethniques, sa nature et son riche patrimoine. Mais les tentations d'un tourisme consumériste brouillent les cartes, à l'image des projets pharaoniques initiés par les Chinois, notamment à Vientiane et dans les environs de Luang Prabang. Sans compter l'écologie mise en péril par la surexploitation (déforestation, multiplication des barrages sur les cours d'eau, agriculture intensive...). Bref, si le Laos a encore bien des charmes touristiques, il faudra qu'il évite, comme partout ailleurs, les sorties de route dans les virages économiques en cours...

Ressources minières et hydroélectricité

Le secteur industriel génère près de 35 % du PIB.
Très riche en gisements de cuivre, zinc, plomb, charbon et or, le *sous-sol* n'avait jamais vraiment été exploité avant les années 2000. Depuis, les investissements étrangers affluent, et l'exploitation du sous-sol connaît une forte croissance. Aujourd'hui, l'industrie minière est devenue l'un des piliers de l'économie. Les Chinois ne s'y sont pas trompés, ils ont proposé aux Laotiens de financer une grande partie de la ligne de chemin de fer, sur 400 km à travers le pays et ses montagnes pour relier le Yunnan à Vientiane, à condition de disposer de la libre exploitation des sols et sous-sols de part et d'autre du tracé de la voie. Après avoir hésité, le gouvernement laotien a sagement refusé l'offre à ces conditions.
Mais le fer de lance de l'économie du pays, c'est *l'énergie hydroélectrique* ! Dans ce véritable château d'eau régional qu'est le Laos, on compte aujourd'hui une quinzaine de barrages en activité. D'autres sont en construction (voir plus loin la rubrique « Environnement », mais aussi « Droits de l'homme » plus haut). Les trois quarts de l'électricité produite sont exportés vers la Thaïlande, qui apporte d'ailleurs son soutien financier aux projets, tout comme d'autres pays de l'ASEAN. Les exportations vers la Chine et le Vietnam ont débuté en 2013. À l'horizon 2020, près de 90 % des foyers laotiens devraient être alimentés en électricité. L'ambition des autorités est claire : développer l'hydroélectricité en tant que source d'énergie principale, propre et renouvelable, tout en s'imposant comme un centre de production régional.
Enfin, *l'industrie textile* demeure un secteur important de l'économie. L'activité génère de nombreux emplois et près de 25 % des exportations du pays.

Aide internationale

Très importante (5 à 7 % du PIB), l'aide internationale finance principalement les programmes de réduction de la pauvreté et de développement des infrastructures. Le Japon, la Suède et la France figurent parmi les principaux créanciers... Certaines agences spécialisées de l'ONU comme le PNUD (Programme des Nations unies pour le développement) ont contribué aussi au développement du pays. Des ONG sont en place, une centaine au total, dont *Médecins sans frontières, Action contre la faim* et *Handicap International* pour les plus connues, ou encore le *Comité de coopération avec le Laos,* plus spécifique... Beaucoup viennent en aide aux populations victimes de déplacements forcés à l'occasion des grands chantiers.
Quant à *la Chine, elle investit* (plantations extensives, projets industriels, construction et exploitation de barrages...) *plus qu'elle n'aide.* Certains analystes renvoient l'attitude de la Chine au Laos à une forme de colonisation par l'argent : dans le nord du pays, une prime de 100 000 dollars serait offerte à tout Chinois qui quitte le pays pour s'implanter au Laos durablement (interdiction de retour au bercail pendant plusieurs années !).

ENVIRONNEMENT

Végétation

Outre des kapokiers, des bambous géants et de nombreux résineux, comme le benjoin et le pin, il existe toutes sortes d'arbres fruitiers. Manguiers, papayers, jacquiers, bananiers, cocotiers, palmiers à huile, arbres à durian se trouvent surtout dans la moitié sud du pays. Il y a encore des caféiers et des théiers en abondance dans la région du plateau des Bolavens (et dans la région de Phongsaly, au nord pour les théiers), plus des pêchers aux alentours de la plaine des Jarres. Les orchidées, elles, poussent dans les régions tempérées par l'altitude.

Or, dans les régions du Sud et du Nord-Est, exploitation forestière rime avec catastrophe écologique, car rien n'est vraiment mis en œuvre pour renouveler les pans de forêt abattus. Si celle-ci occupait 70 % du Laos en 1940, le chiffre est aujourd'hui tombé autour des 40 % ! Et au rythme où sont exportées les essences précieuses comme le teck ou le palissandre (bois de rose), il y a danger...

Depuis 2004, le gouvernement a réglementé l'exploitation de la forêt tropicale. Mais si *le couvert forestier reste assez stable* au niveau national, *sa qualité se dégrade.* La forêt dense est inexorablement remplacée par des forêts dites « ouvertes », mêlant arbres, buissons et prairies.

Pour se dédouaner, les autorités fustigent la culture sur brûlis pratiquée par certains agriculteurs pour nettoyer leurs plantations à moindre effort, comme étant une des causes de la déforestation. Or, que pèsent réellement ces exploitations traditionnelles face aux énormes concessions faites aux entreprises industrielles, autorisées à dépasser allègrement les quotas par le gouvernement qui les a instaurés ? Certes, ce sont chaque année 2,5 à 3,5 milliards de US$ qui sont en jeu ! Dans le nord, les exploitations d'hévéas (l'arbre produisant le latex) et de bananiers, confiées pour beaucoup à des compagnies chinoises, se font *au détriment de toute considération écologique et humaine.* En particulier de par l'utilisation massive de pesticides extrêmement nocifs, entraînant parfois le décès par empoisonnement surtout d'enfants, plus vulnérables, et rendant les terres tout à fait stériles.

Faune

Compte tenu de la faible densité de sa population et de son réseau de communication sommaire, le Laos est sans doute *le pays d'Asie qui possède encore la faune la plus abondante et la plus variée.* Les espèces les plus spectaculaires sont l'éléphant sauvage (en voie de disparition), le léopard, le gibbon et l'ours noir. Le rhinocéros de Sumatra d'Asie aurait pratiquement disparu, tout comme le dauphin d'eau douce (ou dauphin d'Irrawady). En revanche, on peut toujours rencontrer l'ours à collier et quelques centaines de tigres indochinois, malheureusement braconnés pour combler les envies culinaires de certains touristes Chinois. On croise encore plusieurs espèces de singes (macaques), des pangolins (eux aussi cruellement traqués pour la qualité de leur chair, appréciée par les Chinois, encore !), des sangliers, de nombreuses espèces d'écureuils ou de civettes et des cervidés. Les variétés d'insectes et de papillons sont innombrables, et les cigales animent le décor sonore de la forêt. Les serpents sont nombreux dans tout le pays, en particulier les cobras et la vipère de Russell.

Laos, cimetière des éléphants ?

On le surnomme le « pays au million d'éléphants »... il le fut un temps, sans doute. Pourtant, aujourd'hui, au Laos comme dans tous les pays d'Asie ou d'Afrique, la population globale de ces pachydermes (sauvages et domestiques) menace de s'éteindre. Alors qu'on parlait de 40 000 éléphants au début du XXe s, seuls 300-400 individus subsistent à l'état sauvage, et 450 domestiqués.

Or, *il meurt 5 fois plus d'éléphants qu'il n'en naît* et ce, pour plusieurs raisons : avec la détérioration de leur habitat naturel (déforestation liée à l'extension des terres agricoles et à l'exploitation du bois), les éléphants sauvages ne trouvent plus dans la nature les ressources nécessaires à leur survie, sans compter le braconnage dont ils font l'objet. Quant aux éléphants domestiques, ils vivent moins longtemps et se reproduisent peu.

UN PROCESSUS BIEN CRUEL

Quelque 450 éléphants font partie de la vie quotidienne des Laotiens. Ils charrient le bois en forêt, promènent les touristes et possèdent un caractère quasi sacré. Pour les domestiquer, les dresseurs leur font subir un rituel, dont le but est de briser l'esprit de l'animal. Par la violence (mise en cage, chaînes, lances en métal, privation de nourriture...), ils le forcent à se soumettre. Une fois le rituel terminé, l'éléphant est ensuite dressé et prêt à obéir à l'homme.

En effet, rares sont les propriétaires (de simples cornacs pour la plupart) qui peuvent se permettre d'avoir une femelle prégnante, car entre la gestation de 22 mois et la période de sevrage, c'est 4 ans d'inactivité pour l'éléphante, et l'éléphanteau ne pourra travailler qu'à partir de l'âge de 13 ans. Sans compter le coût des soins. *L'urgence consiste donc à créer des conditions favorables à la procréation pour la survie de l'espèce.* À Sayaboury, le Centre de conservation des éléphants, qui accueille les animaux, propose le seul hôpital du pays qui leur soit dédié et assure un revenu aux propriétaires tant que la femelle et son petit demeurent inactifs. Ceux qui passent par Luang Prabang ne manqueront pas de se rendre à leur bureau (voir les « Adresses utiles » de la ville) et de consulter leur site ● *elephantconservationcenter.com* ●

Outre la survie de l'espèce, un autre problème se pose : *que faire, à terme, des mammifères « au chômage » ?* Les propriétaires d'éléphants s'inquiètent pour l'avenir. La déforestation et la diminution progressive des quotas de bois vont entraîner la fermeture de nombreuses scieries. Comment continuer à entretenir les pachydermes ? Parfois, faute de moyens, les animaux sont vendus à des structures touristiques peu scrupuleuses en Thaïlande ou en Chine.

L'Elephant Conservation Center étudie la possibilité de *relâcher une partie des mammifères dans la nature.* Mais l'opération n'est pas simple. Le gouvernement de la province de Sayaboury montre de l'intérêt au programme, si bien que le centre pourrait à plus ou moins long terme relâcher des éléphants dans le parc national de Nam Phouy où vivent déjà entre 50 et 80 individus à l'état sauvage. La survie de l'espèce au Laos dépend de cette interaction.

En attendant, la *reconversion dans les activités touristiques* apparaît comme une autre piste, mais *à quelles conditions* ?

On entend des échos de maltraitance dans certains camps, mais pas tous. Or, si tous étaient boycottés, que deviendraient ces éléphants ? Déjà, de grâce, fuyez les spectacles. Pour les approcher, choisissez plutôt une structure qui met l'accent sur la bientraitance et instaure des règles : le bain doit être un moment de socialisation et de jeu pour les animaux, sans que les visiteurs n'interviennent ; le cornac ne doit utiliser son cruel et traumatisant crochet de dressage qu'en cas de danger immédiat ; parfois, les balades à dos d'éléphants s'effectuent à cru, sans nacelle, pour une durée limitée, dans un environnement où ils peuvent se nourrir de la façon la plus adéquate et diversifiée possible (un adulte mange entre 30 et 40 variétés végétales différentes). Mais, d'une façon générale, on recommande vraiment les structures qui privilégient *l'observation à la participation.*

Le problème est loin d'être réglé, au Laos comme dans tous les pays où survivent encore des groupes. Il exige un juste équilibre entre préservation de l'espèce, défense (sans jeu de mots) de l'animal et intérêt de leurs propriétaires.

La question des grands barrages hydroélectriques

La Thaïlande, le Laos, le Cambodge et le Vietnam ont signé un accord qui stipule que chacun de ces pays doit consulter ses voisins pour tout projet de barrage sur le Mékong ou sur l'un de ses affluents. Une procédure purement consultative qui n'empêche aucun de ces États de construire ce qu'il veut. Les dés sont d'ailleurs déjà en partie pipés, vu que le grand voisin chinois a déjà érigé ce qu'il faut de barrages en amont pour ouvrir ou fermer le robinet à sa convenance...

Au Laos, l'industrie hydroélectrique est en plein essor, et les autorités ne lésinent pas sur les projets : les moyens, ce sont les autres qui les apportent.

En 2010 fut entrepris le barrage hydroélectrique controversé de Nam Theun II, le plus grand d'Asie du Sud-Est. Depuis, les ouvrages se multiplient. Le barrage de Xayabouri, le premier implanté sur le cours inférieur du Mékong, produira près de 1 300 mégawatts dès 2019. Celui de Don Sahong, sur le Mékong aussi, a été confié à une entreprise chinoise, comme les 7 barrages situés sur la rivière Nam Ou, affluent du Mékong, dont les constructions ont commencé en 2016. En tout, 45 barrages sont actuellement en chantier ! Chacune de ces constructions fait frissonner les associations de défense des Droits de l'homme et de l'environnement. Sans omettre les riverains. Ces projets s'accompagnent de déplacements forcés de la population, de villages et de terres noyés en amont. Quant aux conséquences écologiques en aval, elles ont un impact direct sur la raréfaction du poisson et des algues, dont les villageois tirent leurs revenus, la modification du pH de l'eau, la sédimentation du fleuve, le niveau des eaux et donc les zones humides et agricoles. Si la Thaïlande et la Chine encouragent et investissent dans les barrages, le Cambodge et le Vietnam freinent, quant à eux, des quatre fers : 90 % du riz exporté par le Vietnam est issu de plantations dans le delta du Mékong et 12 % du PIB du Cambodge est lié au fleuve.

Dans cette course, le Laos n'est pas seul. La Thaïlande et le Cambodge ont également leurs projets : au total, 70 ouvrages pourraient barrer le fleuve d'ici 2030.

FÊTES ET JOURS FÉRIÉS

En lao, « fête » se dit *boun,* et s'il y a un mot qu'il faut connaître, c'est bien celui-là. Toutes les occasions sont bonnes pour « faire le *boun* » : départ ou retour d'un parent, mariage, funérailles, achat d'un téléviseur, et, bien sûr, fêtes religieuses. Le *boun* se confond souvent avec la cérémonie de *soukhouan,* d'origine animiste, qui se célèbre pour souhaiter la bienvenue à un hôte.

Chaque Laotien possède, dans les 32 parties de son corps, une âme qui a la fâcheuse tendance à vouloir se promener dans la nature, au risque de se faire avaler par un esprit. Outre ce besoin d'indépendance, le moindre choc ou événement peut provoquer leur fugue : désastreux si la personne veut, juste ce moment-là, accomplir un projet important. Il devra alors procéder à une cérémonie de rappel des âmes, le *soukhouan.* Élément clé de la culture locale, le *soukhouan* s'est adapté. Également appelé *baci,* on le pratique pour l'ouverture d'une boutique ou le lancement d'un hôtel... tout en invitant les bonzes.

Malgré ces restes de croyances animistes, au Laos ce sont bien les fêtes religieuses bouddhiques qui ponctuent l'année. Celle-ci, commencée à la mi-avril, est régie selon le calendrier solaire, mais les mois sont lunaires. De plus, le calendrier bouddhique commence 638 ans avant l'ère chrétienne.

Avril

– **Nouvel An bouddhique** (le *Pii mai* ou *Pimai*) : du 13 au 18 avr. La plus importante fête est basée sur le calendrier solaire, sa date est fixe. Bien qu'il n'y ait officiellement que 3 jours chômés successifs (le dernier jour de l'année qui s'achève, le premier de l'année à venir et un jour entre les deux), la fête dure près d'une semaine. Toutes les activités du pays sont alors concentrées autour des pagodes. On revêt la tenue traditionnelle et on ripaille. Les statues du Bouddha sont sorties et aspergées de l'eau lustrale consacrée. Ce ne sont pas les seules... puisque toute la population s'arrose copieusement, de manière quand même moins systématique et chaotique que lors des Songkran urbains de Thaïlande (même période).

Mai

– **Le 1er mai :** tradition socialiste oblige, le 1er mai est officiellement férié et chômé. Mais sa célébration ne donne lieu qu'à quelques manifestations protocolaires dans la capitale.
– **Visakha Bouça** et **Boun Bangfay** (fête des Fusées) : *pleine lune de mai.* Elles coïncident, bien qu'étant d'essence très différente. La première est une fête bouddhique qui commémore à la fois la mort et la naissance du Bouddha. La seconde est une fête païenne qui célèbre la fécondité et le culte du phallus. C'est une sorte de carnaval débridé qui donne lieu à toutes sortes d'excès (grande consommation de *lao-lao*). Chaque village met un point d'honneur à construire la plus grande fusée en bambou chargée de poudre noire, selon un procédé connu des seuls bonzes !

Juillet

– **Khao Phansa :** fête strictement religieuse. Elle marque le début de la traditionnelle retraite des moines au monastère pendant les 3 mois de mousson. C'est aussi le moment que choisissent les familles pour raser le crâne des jeunes garçons qui vont entrer au monastère pour 3 jours, 3 mois, 3 ans ou toute leur vie.

Août-septembre

– **Ho Khao Padap Din :** *la fête des Morts a lieu à la première nouvelle lune d'août ou de sept, tôt le matin.* Le même jour, course de pirogues sur la Nam Khane à Luang Prabang.

Octobre-novembre

– Deux fêtes qui coïncident dans le calendrier lunaire. Elles ont lieu à la dernière pleine lune d'octobre ou à la première de novembre. **Boun Ok Phansa** marque la fin de la retraite de 3 mois des moines, et **Boun Xouang Heua,** dite aussi *Loy Krathong,* est la fête des Eaux, qui donne lieu à de spectaculaires courses de pirogues sur le Mékong. On lance aussi de petits radeaux illuminés faits de bambou sur les rivières, en guise d'offrandes pour remercier nagas et génies tutélaires, afin d'accorder santé et prospérité dans l'année à venir.
– La **fête du That Luang** : *au wat That Luang de Vientiane, pdt la pleine lune de nov.* Des moines venus de tout le pays se rassemblent dans les galeries autour du stûpa et reçoivent les offrandes des fidèles sous forme de guirlandes de fleurs. Depuis quelque temps, cette fête prend un tour de plus en plus profane. À l'extérieur du temple se tiennent toutes sortes d'attractions qui n'ont rien de religieux. La fête débute par une retraite aux flambeaux jusqu'au wat Simuang.

Décembre-janvier

– **La Fête nationale :** *2 déc.* Elle commémore la révolution de 1975 et donne lieu à plusieurs cérémonies protocolaires.
– **Boun Pha Vet :** *lors de la pleine lune fin déc-début janv.* On célèbre l'une des incarnations du Bouddha en ordonnant des moines. C'est l'occasion de nombreuses réceptions en famille et dans les monastères.
– Le **Nouvel An hmong** : *dans les villages hmong à la nouvelle lune de déc ou janv (le 12e mois lao).* C'est une fête joyeuse, au cours de laquelle les habitants sortent leurs costumes de fête et (parfois) fument de l'opium. Les jeunes des deux sexes se placent en ligne face à face et se lancent et relancent inlassablement une balle en osier.

Février

– **Makha Bouça :** *pdt 1 ou 2 j.* On commémore la prédication du Bouddha établissant les règles de la vie monastique. Importantes célébrations à Champasak et à Thakhek. Cette fête religieuse donne lieu à des retraites aux flambeaux.
– **Le Têt vietnamien et le Nouvel An chinois :** *fin janv-début fév, dans les villes principales.* Feux d'artifice et explosions de pétards. La plupart des commerces chinois ou vietnamiens ferment à cette occasion, ce qui permet de prendre la mesure de l'importance économique de ces deux communautés.
– **Le festival de l'Éléphant :** *dans le district de Sayaboury, pdt 3 j.* Processions, numéros d'adresse, bains, concours de dessins... L'occasion de sensibiliser le plus grand nombre à la sauvegarde de l'espèce.

GÉOGRAPHIE

D'une superficie de 236 800 km², environ celle de la Grande-Bretagne, le pays s'étend du nord au sud sur près de 1 500 km. Bordé au nord-est par la **cordillère Annamitique** (point culminant, le Phou Bia entre Xieng Khouang et Vientiane, à 2 850 m d'altitude) et à l'ouest par le Mékong, le Laos a des frontières avec la Chine, le Myanmar, la Thaïlande, le Cambodge et le Vietnam. Près de 80 % de sa superficie sont répartis entre plateaux et mon-

UN PEU LOUCHE !

Alors que ce pays ne dispose d'aucun accès à la mer, le Laos fit en 2007 une demande d'adhésion à la commission internationale de la pêche à la baleine... On soupçonna (à juste titre) le Japon d'avoir soudoyé grassement le gouvernement laotien pour profiter d'une voix amie lors des délibérations de cette commission.

tagnes. La principale caractéristique du Laos est de ne pas posséder d'accès à la mer. Le **Mékong** arrose le pays sur 1 800 km. Il est théoriquement navigable toute l'année mais, de plus en plus, le niveau des eaux devient trop bas à la fin de la saison sèche. Notamment dans le Nord, quand les barrages chinois, en amont, restent fermés. Dans le Sud, il n'est plus que rarement utilisé depuis l'amélioration du réseau routier. Le même sort l'attend probablement dans le Nord, au fur et à mesure que s'ouvrent de nouvelles routes. La presque totalité des terres cultivables se situe aux abords du fleuve, où se concentre plus de la moitié de la population. Le centre du pays est occupé par des plateaux calcaires ou gréseux. Au sud, le **plateau des Bolavens** compose une région fertile et tempérée, propice aux cultures d'altitude, comme le café. À l'extrême sud du pays, à la frontière du Cambodge, le Mékong se divise en une multitude de bras qui enserrent plusieurs centaines d'îles. La plus grande est l'île de Khong, dans la province de Champasak. Des rapides et chutes d'eau interdisent la navigation entre les deux pays, au grand dam des explorateurs français du XIXe s (voir plus loin, « Histoire. Protection de la France »)...

HISTOIRE

Durant les premiers siècles de notre ère, le sud du Laos constitue le pays d'origine des Khmers et développe une civilisation avancée, comme en témoignent les ruines du Vat Phou.

Au IXe s, le Laos est peuplé par des migrations successives de Thaïs, venus du sud de la Chine. Ils s'établissent dans les plaines et le long de la vallée du Mékong, et s'organisent en communautés autonomes appelées *muang.* Voilà pourquoi, la composante ethnique dominant le pays, les *Lao Loum,* appartient au groupe thaï, présent dans toute l'Asie du Sud-Est : Thaïlande bien sûr mais aussi Birmanie, Vietnam et Yunnan (sud-ouest de la Chine).

Le royaume du Million d'éléphants

Au cours de son histoire, le Laos fut souvent tributaire des relations tumultueuses entre Thaïs et Khmers. Au XIVe s, c'est Fa Ngum, un prince qui avait vécu à la cour d'Angkor et épousé une princesse khmère, qui reprend Viangchan (Vientiane) et fonde en 1353 le royaume de Lane Xang, le royaume du « Million d'éléphants ». Plaçant son royaume sous l'influence politique des Khmers, Fa Ngum impose le bouddhisme theravada comme religion officielle. Toutefois, en 1373, Fa Ngum est déposé par ses ministres pour excès de pouvoir et remplacé par son fils Samsenthai. Le royaume bascule alors sous l'influence du voisin siamois, dont le style architectural inspire de nombreux temples. Le pays connaît une période de prospérité avant de sombrer dans les guerres de succession et le chaos.

De 1480 à 1520, entre les rois Suvannabalang et Phothisarat, le pays est calme. Ce dernier fait de Vientiane la capitale du pays et annexe le royaume de Chiang Mai, dans le nord de la Thaïlande. Son fils, Sai Setthathirat, fait fortifier Vientiane. Il ordonne la construction du wat That Luang pour héberger un cheveu du Bouddha, ainsi que celle du wat Phra Keo pour accueillir le fameux bouddha d'Émeraude, réplique du bouddha d'Or de Luang Prabang. Après la mort du fils, disparu au cours d'une expédition contre les tribus des hauts plateaux, le royaume passe sous l'influence birmane, et sombre à nouveau dans une période troublée jusqu'en 1654 et la venue sur le trône du roi Souligna Vongsa, qui règne durant 57 ans. Cette période d'expansion territoriale et de prospérité est considérée comme l'âge d'or du Laos indépendant, avant que le pays ne se désagrège et ne passe sous l'influence étrangère pour près de trois siècles.

Grandeur et décadence

Le dernier roi étant sans héritier, diverses factions partagent le royaume en trois : celui de Luang Prabang au nord, de Vientiane au centre et de Champasak au sud. Chacun des royaumes est divisé en de multiples chefferies et inféodé aux royaumes étrangers : Chinois et Siamois dans le Nord, Vietnamiens dans le Centre, Siamois et Cambodgiens dans le Sud. En 1778, les Siamois se livrent à un premier sac de Vientiane et emportent les deux bouddhas sacrés du pays. Seul le bouddha d'Or de Luang Prabang sera restitué ultérieurement... En 1827, le prince Anou de Vientiane essaie de secouer le joug siamois. Mal lui en prend. Non seulement il est battu, mais les Siamois brûlent Vientiane et déportent sa population en Thaïlande. Tous les temples de Vientiane sont détruits, à l'exception du wat Sisaket.

Protection de la France

Dans la seconde moitié du XIXe s, la France, déjà présente au Tonkin, profite de l'envoi de missions d'exploration pour étendre son influence. Le géographe et aventurier *Henri Mouhot* est le premier à se dresser un état du Laos. Suivent ensuite les missions de *Doudard de Lagrée* et *Francis Garnier,* puis d'*Auguste Pavie.* En 1893, le roi de Luang Prabang demande la protection de la France, pensant que celle-ci vaut mieux que la suzeraineté siamoise. Entre 1893 et 1904, le Siam accepte donc de céder à la France, au terme de plusieurs traités, la totalité des territoires qui forment le Laos moderne, à l'exception de la région de Champasak.

Le bilan du protectorat français est fortement contrasté. Si les Français ont à leur actif la reconstruction de Vientiane, le tracé de deux ou trois routes nationales et l'aménagement de la navigation sur le Mékong, on ne peut pas dire qu'ils se soient véritablement intéressés au pays. À l'inverse de l'Annam et du Tonkin, le Laos ne présente pas un grand attrait économique pour les autorités coloniales. Ses richesses naturelles sont difficilement exportables. En réalité, la présence française est en partie motivée par la volonté de stopper les prétentions territoriales du rival anglais et... d'organiser un trafic d'opium, cultivé sur place et au Yunnan, afin de contrer celui issu des pavots de l'Inde, contrôlé par la perfide Albion. Le côté négatif de la présence

QUAND LA FRANCE ENFUMAIT SES COLONIES

À l'instar de la Grande-Bretagne, le gouvernement français se lança dans le lucratif commerce de l'opium dès la fin du XIXe s en Indochine. La production à grande échelle se révélant un échec, les colons misèrent sur le contrôle et la fiscalisation de la consommation locale. Si, officiellement, il s'agissait de réduire, voire d'éliminer la drogue sur le territoire, en réalité, les objectifs étaient moins avouables : obtenir le monopole de l'approvisionnement des fumeries pour augmenter ses recettes fiscales. Et tous les moyens étaient bons pour élargir la clientèle, quitte à offrir l'opium couplé à de l'alcool pour créer une dépendance dévastatrice. Si bien que dans les années 1920, la très officielle Régie de l'opium représentait près de la moitié du budget du gouvernement général !

française au Laos réside surtout dans l'absence de compréhension de l'identité laotienne : le découpage administratif opéré par les fonctionnaires français ne correspond à rien et fait fi des différences culturelles entre les ethnies. Enfin, le plus gros tort de la France est l'absence de formation d'élite locale, le recrutement d'un corps de fonctionnaires presque exclusivement annamites et le soutien, même après l'indépendance, à une aristocratie féodale corrompue. Durant la Seconde Guerre mondiale, le Laos est administré par le régime de Vichy en collaboration avec les Japonais qui occupent l'Indochine après 1941. Ceux-ci vont clairement se poser en champions de la décolonisation, par intérêt tactique sans doute. De leur côté, les nationalistes thaïlandais, très antifrançais, soutiennent les revendications indépendantistes en nourrissant le secret espoir d'une « grande Thaïlande » incluant le Laos.

Marche vers l'indépendance

Fort de l'appui des Japonais et des Thaïlandais, **le prince Petsarath, leader nationaliste** et chef du mouvement Lao Issara (« les Laotiens libres »), **déclare unilatéralement l'indépendance en octobre 1945.** Indécis, le roi de Luang Pra-bang, **Si Savang Vong,** passe alternativement du refus de l'indépendance au soutien au nouveau gouvernement, avant que **les Français ne reprennent les choses en main.** Petsarath, son frère Souvanna Phouma et son demi-frère Souphanouvong s'exilent en Thaïlande en 1946, suite à un bref combat contre les troupes françaises à Thakhek, le seul affrontement armé entre Français et Laotiens de toute l'histoire du pays.

Alors que **Souphanouvong,** partisan de l'indépendance totale et d'une alliance avec le Viet-minh, prend le maquis, **Souvanna Phouma** rentre en 1949 pour prendre les rênes du Laos, jouissant d'une large autonomie après avoir parachevé sa réunification. **L'indépendance est déclarée en 1953.**

Période troublée

Le bras armé du parti communiste, le **Pathet Lao,** rebaptisé plus tard « Armée populaire de libération du peuple lao », réussit à contrôler plusieurs provinces du nord du pays, faiblement peuplées. Au lendemain d'une éphémère tentative de gouvernement d'union nationale en 1957, la droite regagne le pouvoir et fait arrêter le prince **Souphanouvong.** Ce dernier s'évade en 1960 et reprend la lutte clandestine, tandis que le gouvernement de Vientiane bénéficie du soutien croissant des Américains. **En 1960,** l'officier Kong Le déclenche un **coup d'État** visant à imposer un régime neutraliste. C'est vouloir la quadrature du cercle. Débarqué par les pro-Américains moins d'un an plus tard, Kong Le rejoint le Pathet Lao avant de s'en démarquer. En juin 1962, une nouvelle tentative de gouvernement d'union nationale, formé par les communistes, les neutralistes et la droite, est aussi infructueuse que la précédente. À partir de 1964, les communistes, qui contrôlent la quasi-totalité du nord et de l'est du pays, agissent seuls, avec le soutien vietnamien. Pour lutter contre la guérilla et perturber la piste Hô Chi Minh qui passe par l'est du pays, **les Américains bombardent le nord et l'est du Laos.**

Révolution

Finalement, **en 1973, un accord de cessez-le-feu** intervient dans le cadre global des négociations américano-vietnamiennes de Paris. **Les communistes contrôlent alors 11 des 13 provinces** du pays et peuvent se permettre d'accepter, pour la forme, leur participation à un nouveau gouvernement d'unité nationale. Celui-ci dure jusqu'à la démission forcée de tous les ministres non communistes, en 1975. Les mois suivants voient **l'exode massif des opposants politiques,** de l'ancienne aristocratie et des forces vives économiques du pays. 300 000 Laotiens émigrent vers la Thaïlande, la France, le Canada et les États-Unis.
En décembre 1975, le **Parti révolutionnaire du peuple lao** (PRPL) **règne sans partage sur le Laos,** avec à sa tête Kaysone Phomvihane, un vétéran de la guérilla pro-vietnamienne. Les premières années du nouveau régime sont marquées par une collectivisation intensive des campagnes, un appauvrissement général de la population et une dépendance quasi totale vis-à-vis du bloc communiste et des Vietnamiens. Si la répression est mesurée à l'égard de la religion, elle est beaucoup plus féroce envers les opposants, qu'ils soient de droite, neutralistes, ou même communistes dissidents. Bien que le régime ne se soit jamais clairement prononcé à ce sujet, on sait que le roi Si Savang Vong et sa famille, arrêtés en 1977, sont morts des suites de mauvais traitements dans les années 1980, après avoir été déportés dans le nord du pays.

Nouvelle voie

Dès le début des années 1980, des signes d'assouplissement se font sentir, sur le plan économique et religieux notamment. Pragmatique, la direction du parti comprend que l'on ne peut pas plaquer un modèle étranger sur un pays contre ses propres traditions. Et surtout qu'il est difficile de répartir équitablement les richesses d'un pays qui n'en produit pas.
– **Sur le plan politique,** la situation reste quasi inchangée. Le Laos demeure un pays au régime de parti unique, où l'opposition n'est pas tolérée. Même si des non-communistes participent au gouvernement, ils doivent entériner les décisions du parti.
– **Sur les plans social et sanitaire,** en dépit d'une bonne volonté affichée, le pouvoir éprouve de grosses difficultés à tirer parti des richesses produites par le secteur privé pour en faire bénéficier le plus grand nombre. Peut-on concilier prospérité économique et absence de démocratie politique ? Le niveau sanitaire du pays reste très bas.

– **Sur le plan diplomatique,** le Laos a normalisé ses relations avec tous ses voisins, y compris la Thaïlande, l'ancien ennemi. Quatre ponts de l'Amitié jetés sur le Mékong scellent aujourd'hui la bonne entente entre les deux pays.

– La **crainte principale du Laos** est de se faire culturellement envahir par la Chine, le Vietnam et la Thaïlande. Les vidéos, chaînes de télévision et la musique thaïe sont omniprésentes dans le pays, pour des raisons évidentes de communauté de langue. La Chine et le Vietnam affichent une très grosse présence économique mais aussi humaine. Selon certains chiffres, ces deux communautés compteraient pour presque 50 % de la population réelle du pays.

Les bombes américaines : enfin du nouveau ?

Le Laos est le pays le plus bombardé de l'histoire, un « dommage collatéral » de la guerre du Vietnam. En effet, pour couper la piste Hô Chi Minh qui ravitaillait les Nord-Vietnamiens et pour ne pas revenir à leur base chargés d'explosifs qu'ils ne parvenaient pas toujours à lâcher, les États-Unis ont largué sur le Laos une bombe toutes les 8 mn pendant

TRISTE RECORD

On évalue à 2 millions le nombre de bombes lâchées par les Américains sur le pays entre 1964 et 1973. Plus que pendant toute la Seconde Guerre mondiale ! Un record mondial, alors que le Laos n'était même pas en guerre contre les États-Unis.

9 ans (1964-1973). Une partie des 200 sous-munitions contenues dans chaque engin n'explose pas en touchant le sol, mais, une fois enterrée, se transforme en mines antipersonnel. Selon l'ONG *Handicap International,* depuis 1964, plus de 50 500 personnes ont été blessées, dont près de 30 000 sont décédées. « 80 millions d'engins non explosés, principalement des sous-munitions, contaminent 15 des 17 provinces du Laos ». Ces projectiles (de la taille de boules de pétanque) peuvent exploser lorsque les gamins jouent avec, ou quand un paysan pratique la culture sur brûlis (la bombe chauffe et explose), ou encore lors de maniements pour recycler le métal. Une tragédie aggravée par un accès difficile aux soins dans les zones rurales.

Le déminage, long et coûteux, est loin d'être terminé. En 1996, le gouvernement laotien a lancé un programme de nettoyage et de sensibilisation, surtout auprès des enfants, soutenu par plusieurs ONG, telle que *Handicap International.*

Quant au Congrès américain, il a commencé à débloquer tardivement quelques millions de dollars pour déminer le pays (3 millions en 2010 ; 15 millions en 2016). Cette aide a permis de réduire significativement le nombre de décès par an. En septembre 2016, **Barack Obama est le premier président américain en fonction à se rendre au Laos.** À l'occasion du sommet de l'AESAN, il a reconnu les dommages subis par ce pays dans une guerre non déclarée, et a promis le doublement des aides pour le déminage, soit 90 millions de dollars répartis sur 3 ans. Avec la nouvelle présidence Trump, la promesse sera-t-elle tenue ?

Attention, il est important de ne pas sortir des sentiers balisés, notamment dans le nord et l'est du pays (plaine des Jarres), régions les plus touchées pendant la guerre.

MÉDIAS

Les médias nationaux sont étroitement contrôlés et les journalistes se bornent à recopier religieusement les dépêches de l'agence gouvernementale *Khaosan Pathet Lao (KPL)*...

Votre TV en français : TV5MONDE, la première chaîne culturelle francophone mondiale

Avec ses 11 chaînes et ses 14 langues de sous-titrage TV5MONDE s'adresse à 360 millions de foyers dans plus de 198 pays du monde par câble, satellite et sur IPTV. Vous y retrouverez de l'information, du cinéma, du divertissement, du sport, des documentaires...

Grâce aux services pratiques de son site voyage ● *voyage.tv5monde.com* ●, vous pouvez préparer votre séjour et une fois sur place, rester connecté avec les applications et le site ● *tv5monde.com* ● Demandez à votre hôtel le canal de diffusion de TV5MONDE et contactez ● *tv5monde.com/contact* ● pour toutes remarques.

Presse

Le pays compte environ 25 journaux, tous sous contrôle de l'État.

Dans les kiosques des grandes villes, vous trouverez l'hebdomadaire francophone *Le Rénovateur.* Rédigé par une équipe franco-laotienne, son contenu diffère peu de celui du quotidien anglophone, *Vientiane Times.* Dans ces deux publications, on peut donc lire des articles culturels, historiques, économiques et touristiques. L'actualité locale comme les nouvelles internationales y sont traitées autant que possible, mais le ton est vieillot et les sujets sont passés à la moulinette de la censure.

Les trois quotidiens du parti – *Paxaxon, Pathet Lao* et *Vientiane May* – pratiquent en lao la politique de la langue de bois. Leurs éditions économiques ne sont pas meilleures, et le journal du Parti, *Paxaxon* (Peuple), continue à se présenter comme une « publication révolutionnaire élaborée par le peuple et pour le peuple, et qui rend service à l'action politique de la Révolution »... Parallèlement, on trouve – essentiellement à Vientiane et à Luang Prabang – une foule de journaux et magazines étrangers en anglais et en français... Et pour se tenir au courant de l'actualité internationale, on peut aussi ouvrir *The Nation* et le *Bangkok Post,* des quotidiens thaïlandais en anglais, très lus au Laos.

Radio

Lao National Radio (FM 103.7 à Vientiane), ancien vecteur de la propagande communiste du genre « la voix de son maître », diffuse chaque jour sur à peu près 75 % du pays un journal en français d'assez bonne qualité, avec des infos internationales fournies, au détriment des nouvelles locales... Les radios thaïlandaises, écoutées massivement par les Lao, débitent, quant à elles, un flot ininterrompu de musiques occidentales et pop thaïes, entrecoupées d'émissions légères ! Également quelques radios internationales émettent en lao, notamment *Radio Free Asia* et *RFI* (100.5 FM à Vientiane et ailleurs en ondes courtes). Si la proximité linguistique explique la popularité des médias thaïlandais, *Radio Free Asia, Voice Of America* et *SBS Lao* (webradio australienne) demeurent les seuls diffuseurs « occidentaux » fournissant du contenu en lao.

Télévision

Le réseau satellite thaïlandais *UBC* arrose le pays de ses 40 chaînes régionales et internationales. Les Laotiens en sont de grands fans, et l'on voit fleurir partout des antennes satellite, même jusque dans certains villages reculés disposant tout juste de l'électricité ! Depuis l'instauration de la loi sur les médias en 2011, le gouvernement accorde un nombre croissant de licences au secteur privé. Une trentaine de chaînes sont désormais accessibles et diffusent des programmes à l'échelon local, provincial ou national.

La *Télévision Nationale Lao* compte deux chaînes nationales : *TNL1* (généraliste, actualités, journal en français tous les jours à 19h30 et 23h) et *TNL3* (principalement des séries et films thaïlandais). Elles demeurent le meilleur moyen d'avoir des infos en images sur le Laos.

Depuis quelques années cependant, *Lao Digital TV* diffuse une trentaine de chaînes, essentiellement issues des trois grands voisins mais incluant également des diffuseurs internationaux *(CNN, BBC, TV5...)*. Notons encore les ambitions du groupe privé *Lao Star Channel*.

Médias en ligne

Selon les estimations récentes, 18 % de la population utilisent Internet. L'accès en ligne à la presse et aux sites d'informations, locaux ou internationaux, est limité mais toujours croissant, en particulier chez les jeunes issus de l'élite politique et économique du pays. Les réseaux sociaux (notamment Facebook) constituent de plus en plus une source d'informations pour cette frange de la population, méfiante envers la presse officielle et son autocensure. Par ailleurs, le nombre d'utilisateurs de téléphones portables est en augmentation ; presque toute la population urbaine dispose d'un abonnement.

Depuis fin 2014, un décret punit d'emprisonnement tout internaute qui critiquerait le régime. Ce décret menace l'essor des plateformes d'information en ligne. De plus, les fournisseurs d'accès à Internet doivent soumettre des rapports trimestriels aux autorités détaillant le nombre d'utilisateurs d'Internet, leur nom, leur profession et les sites web qu'ils visitent. Dans la pratique, ces rapports ne sont pas systématiquement remis. D'ailleurs, la censure du Web est quasi inexistante. Certains experts estiment que les autorités ne disposent pas des outils ni des ressources suffisantes pour bloquer l'accès aux sites qu'elles jugeraient politiquement ou culturellement « sensibles ».

Liberté de la presse

Le pays figure au 170ᵉ rang sur 180 pays au classement mondial de la liberté de la presse publié en 2017 par *Reporters sans frontières*. Les médias laotiens sont étroitement surveillés par le Parti révolutionnaire populaire lao (PPRL), au pouvoir. Critiquer le gouvernement est un crime. Le Parti unique fait une grande place au népotisme, et nombreux sont les « cronies » au pouvoir descendant de l'ancienne aristocratie. Malgré des progrès réalisés dans les infrastructures des télécommunications et un meilleur accès à Internet dans le pays, la liberté de l'information demeure très limitée. Le contrôle du gouvernement de toute la presse écrite et audiovisuelle rend impossible la création de médias indépendants. La politique liberticide du parti au pouvoir va de pair avec son refus de transparence démocratique, et la répression de toutes formes d'expression collective libre, qu'elles soient politiques, religieuses ou culturelles. L'autocensure s'opère directement dans les rédactions. En effet, le Code pénal du Laos permet l'emprisonnement de journalistes pour la publication de documents qui « affaibliraient l'État » et pour l'importation de médias « contraires à la culture nationale ». Le silence et le manque d'informations concernant le pays en général et certains sujets sensibles continuent malheureusement d'être les principaux indicateurs du manque de liberté de la presse. Les chiffres concernant la distribution de la presse écrite demeurent très bas.

La presse étrangère entre au compte-gouttes et est régulièrement surveillée une fois à l'intérieur du pays. En janvier 2016, un décret autorise l'installation de médias étrangers dans le pays, mais à condition qu'ils acceptent de soumettre leurs contenus à la censure du Parti.

■ ***Reporters sans frontières :*** *CS 90247, 75083 Paris Cedex 02.* ☎ *01-44-83-84-84.* ● *rsf.org* ●

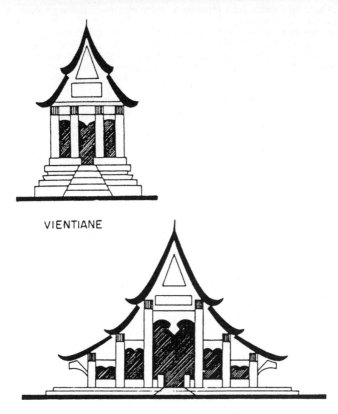

VIENTIANE

LUANG PRABANG

PATRIMOINE CULTUREL

Temples bouddhiques

Les temples, appelés *wat*, tiennent une place importante dans la société laotienne. Autrefois, ils servaient d'auberge où le voyageur pouvait se reposer. Aujourd'hui, c'est aussi bien un lieu de culte qu'un lieu de rencontre. Chaque village possède son temple, construit avec les dons des fidèles. Le *wat* est un ensemble architectural complexe centré sur le *vihan* ou *sim* qui signifie « sanctuaire » : c'est l'édifice principal. Celui-ci est entouré par des *thats*, c'est-à-dire des stûpas à caractère votif ou funéraire. Des autels à offrandes *(hos)*, des chapelles *(chedis)*, des bibliothèques *(ho tays)*, des puits et les logements des moines *(koutis)* font partie de cet ensemble. De nombreuses cérémonies s'y déroulent toute l'année : le Nouvel An, les commémorations de la naissance et de la mort du Bouddha ainsi que celle de son illumination, etc.

Contrairement aux temples thaïlandais, très décorés, les temples laotiens ont des lignes simples et légères, tout en étant raffinés et élégants.

Au Laos, on compte deux principaux styles d'après la forme générale du bâtiment et de la toiture :

– **Le style de Vientiane :** de forme compacte, l'édifice est élancé et la toiture se compose de plusieurs décrochements successifs. La plupart des sanctuaires sont rectangulaires, et certains, comme le wat Phra Kéo de Vientiane, sont entourés d'un portique à colonnes sur les quatre côtés. Les escaliers qui mènent à la porte d'entrée sont gardés par des nagas, serpents des eaux et des airs censés protéger la ville.

– **Le style de Luang Prabang :** semblable au style de Vientiane, mais les décrochements sont étroitement imbriqués les uns dans les autres et l'ensemble tombe jusqu'à quelques mètres du sol. Cette caractéristique leur procure une élégance indéniable. Le wat Xieng Thong à Luang Prabang en est l'exemple typique. Les *wat* de Luang Prabang sont aussi admirés pour leurs bas-reliefs des portes et des murs, dorés sur fond noir ou rouge, ainsi que pour leurs frontons de bois sculpté.

Musique, chant et danse

Malgré l'arrivée en masse de la techno et des karaokés pop thaïs dans les villes, les musiques et danses ancestrales n'ont pas disparu. Elles se modernisent évidemment, tout en restant fidèles à leurs traditions...

La musique populaire laotienne est restée vivante et riche, notamment dans les campagnes. Le chant reflète les traditions et l'âme des différentes ethnies. Les morceaux commencent par une longue incantation qu'on croirait sortie des steppes d'Asie centrale (la terre d'origine des ethnies thaïes) avant qu'un rythme un peu bossa ne démarre, autour duquel se tissent des ritournelles entêtantes. C'est carrément prenant, même quand les instruments synthétiques ont largement remplacé les traditionnels.

L'instrument lao emblématique est le *khêne,* une sorte d'orgue à bouche en roseaux et à double anche. Le son produit, fascinant, ressemble un peu à celui d'un harmonica ou d'un orgue aigrelet. Les autres instruments traditionnels sont le *khong wong,* une sorte de batterie de gongs, le tambour ou *khong seng,* le *so,* sorte de violon à cordes verticales, et le xylophone ou *rang nat.*

Il existe aussi une forme de musique académique, accompagnée de danses, d'inspiration religieuse, qui a pour thème récurrent le *Râmâyana* lao, une des variantes. C'était un spectacle de cour. Aujourd'hui, il ne se donne plus qu'à l'occasion des fêtes et... dans certains hôtels.

Presque exsangue il y a encore peu, la danse semble renaître. À Luang Prabang, lors des fêtes du Nouvel An, le ballet du *Râmâyana* a été ressuscité, et à Vientiane des spectacles ont régulièrement lieu.

Théâtre

La tradition du théâtre populaire, ou *mo lam,* a longtemps été l'exutoire des populations, qui exprimaient ainsi leurs sentiments profonds. Il existe quatre types de *mo lam* selon le nombre de participants. Le texte, à thème, est souvent plein d'humour et de jeux de mots grivois, voire franchement paillards.

POPULATION

Le Laos est le pays le moins peuplé d'Asie, avec 7 millions d'habitants, une croissance démographique tournant autour de 1,8 % et une densité d'un peu moins de 30 hab./km². Alors que l'espérance de vie moyenne est de 66 ans, le Laos se caractérise par une population jeune, constituée à 40 % environ de moins de 15 ans. La taille moyenne d'une famille est de six personnes. Plus de 65 % des Laotiens vivent à la campagne, essentiellement dans les plaines baignées par le Mékong. Un quart habite dans les zones montagneuses. Les provinces les plus peuplées sont, dans l'ordre : Savannakhet, Vientiane, Champasak et Luang Prabang. Les villes de Vientiane, Luang Prabang et Savannakhet, principales plateformes économiques du pays, assistent actuellement à un gonflement sensible de leur population...

Multitude de groupes ethniques

Le pays compte entre 40 et 100 groupes ethniques différents... selon les classifications. C'est la province de Luang Namtha, dans le Nord-Laos, qui en compte le plus. Le découpage ethnique du Laos est reconnu par le pouvoir, qui divise le pays en trois groupes. Cette classification géographique ne répond pas à des critères ethnologiques.

– Les **Lao Loum** représentent 70 % de la population du pays et vivent dans les plaines du Sud ou sur les bords du Mékong. Ils constituent le groupe dominant culturellement et économiquement. Essentiellement producteurs de riz, ils parlent le lao, une langue du groupe thaï et sont majoritairement bouddhistes. Étroitement liés à la famille des *Lao Loum* mais avec une plus grande indépendance face à la culture laotienne, les *Lao Taï* ont gardé leurs croyances animistes et leurs coutumes. Les plus résilients sont les *Taï dam* (Thaïs noirs) qui vivent sur les plateaux du nord et de l'est du Laos.

– Les **Lao Sung,** peuples montagnards animistes de souche tibéto-birmane, représentent 10 % de la population. Ils vivent surtout dans les montagnes du Nord-Laos et se répartissent en deux groupes distincts : les **Hmong** et les **Mieng** correspondant aux peuples Miao et Yao de Chine. Les premiers sont les plus nombreux et se subdivisent en plusieurs groupes tribaux en fonction de

L'ENFER DE LA DROGUE

Depuis le XVIIe s, les Hmongs cultivent traditionnellement le pavot. Connaissant le danger de l'opium, la consommation personnelle en est interdite. Une seule exception : les personnes âgées et malades peuvent en fumer mais à condition que les fils (qui vivent sous le même toit) soient mariés et subviennent aux besoins de la famille.

leurs costumes : Hmong « rayés », Hmong « blancs »... Ce sont des nomades, aujourd'hui largement sédentarisés mais qui continuent à pratiquer la culture du riz de montagne sur brûlis et la culture du pavot. Récemment, on a assisté à un retour, encore timide, de l'émigration hmong, notamment des États-Unis. Ils reviennent au pays en touristes et n'ont pas de mal à se faire passer pour de richissimes « tontons d'Amérique » !

– Les **Lao Theung** constituent 20 % de la population et demeurent incontestablement le groupe ethnique le plus défavorisé du pays. D'origine protomalaise ou môn-khmère, ces peuples animistes se subdivisent en une multitude de tribus *(Katu, Katang, Khamu...)*. Surtout présents dans le centre et le sud du pays, ce sont les plus anciens habitants du Laos. Ils ont été repoussés vers les zones les moins fertiles et la forêt par les « envahisseurs » d'origine thaïe.

RELIGIONS ET CROYANCES

Bouddhisme

La religion majoritaire et presque officielle du Laos est le bouddhisme theravada, appelé aussi « Petit Véhicule » ou hinayana, qui rassemble près de 67 % de la population du pays. Il est du même type que celui rencontré dans les autres pays du Sud-Est asiatique, à l'exception du Vietnam. Le bouddhisme theravada s'est propagé au Laos entre les XIVe et XVIIe s. Il s'est progressivement imposé face à l'animisme et le brahmanisme auxquels les populations du Sud avaient été converties dès le début de notre ère. Il se base sur les quatre vérités premières enseignées en Inde par Siddharta Gautama au VIe s av. J.-C. Le bouddhiste laotien croit à la réincarnation. L'idéal étant d'atteindre directement le nirvana (ou *nibbana*) sans passer par la réincarnation. Dans la pratique, beaucoup de Laotiens pensent que faire le bien et non le mal suffit à assurer son salut. Faire le bien permet d'acquérir les mérites ou *boun*. Comme ce mot signifie aussi « fête », certains Laotiens pensent qu'il suffit de faire la fête pour acquérir des mérites...

L'essentiel de la vie religieuse se déroule autour du monastère. Les moines jouissent d'un grand prestige et sont très respectés.

En théorie, ils ne peuvent posséder que huit objets : les trois robes jaune safran, le rasoir, le bol, la tasse, le bâton et le filtre à eau, pour ne pas avaler des insectes par mégarde. Mais dans la pratique, lors des cérémonies de *soukhouani,* les bonzes reçoivent toutes sortes de cadeaux de la part de la famille invitante, en signe de remerciement. Tout Laotien doit endosser l'habit de moine une fois dans sa vie, à condition de n'avoir ni tué ni volé et d'être exempt de maladie de peau. L'ordination commence avant l'âge de 8 ans et se poursuit vers l'âge de 20 ans. Avant, c'était la seule opportunité pour un garçon d'avoir une éducation

MISOGYNES, LES BOUDDHISTES ?

Pour « avancer » dans l'échelle des réincarnations, une femme devra d'abord se réincarner en... homme ! Elles ne sont pas autorisées à toucher les bouddhas sacrés, notamment pour aller coller les petits carrés d'or. Elles ne peuvent pas non plus toucher les moines, et leurs oboles doivent être enveloppées d'un papier ou d'un tissu. En général, les espaces interdits aux femmes sont indiqués par des rangées de pots de fleurs. Mesdames, si vous transgressez un espace réservé, on vous le fera vite comprendre d'un regard réprobateur !

et d'apprendre à lire et à écrire. La plupart des garçons ont la tête rasée et sont ordonnés au moins une fois pour quelques semaines. Beaucoup d'hommes reprennent la robe pour des périodes limitées afin d'acquérir des mérites. Les femmes, elles, peuvent également vivre une existence monastique, elles ont alors la tête rasée et portent une robe blanche...

Contrairement à ce qui a pu être prétendu, le bouddhisme n'a pas souvent fait l'objet de persécutions au Laos après la révolution de 1975, même si à un moment le pouvoir tenta de limiter à deux ou trois le nombre de moines par pagode. Sur le plan de la religion, le pouvoir a toujours affirmé que le bouddhisme faisait partie intégrante de l'identité laotienne. S'il est exact que dans les années qui suivirent la révolution des moines furent contraints de travailler la terre, ce qui leur est interdit par la religion, c'est que certains politiques pensaient que les religieux devaient donner l'exemple du travail. De plus, certains courants religieux bouddhiques étaient trop ouvertement sous l'influence thaïlandaise, aux yeux du pouvoir. Enfin, il existait un autre contentieux entre le pouvoir et la religion : beaucoup de jeunes gens se faisaient moines pour échapper au service militaire. Aucun témoignage, cependant, ne permet d'affirmer qu'il y eut des profanations de temples ou des arrestations de moines ès qualités.

Mudras : gestes et attitudes du Bouddha

Chaque image du Bouddha est représentée dans une attitude particulière ou **mudra.** Le Bouddha peut être représenté assis, couché (position du paranirvâna) ou debout et plus rarement en position de marche. Les *mudras* sont au nombre de 40. Il existe deux types de *mudras* debout typiquement laotiens : le premier, unique dans tout le Sud-Est asiatique, s'appelle la posture de « l'appel de la pluie ». Le Bouddha est debout avec ses deux bras tendus sur chaque côté, les doigts pointant vers le sol. On le rencontre dans plusieurs temples de Vientiane et à Luang Prabang. Le second type correspond à l'image du Bouddha qui « contemple l'arbre de la *bodhi* » ; il est debout les mains croisées au niveau de la poitrine.

Animisme, culte des ancêtres et autres croyances

Si 30 % de la population y adhèrent pleinement, la grande particularité du Laos est de faire cohabiter le bouddhisme avec des pratiques animistes omniprésentes. Tous les Laotiens croient aux **phis** (prononcer « pi »). Un mot qui signifie à la fois « esprit », « âme », « fantôme » et « revenant ». En théorie, cette croyance est mal vue par le régime. Mais comment interdire un ensemble de pratiques partagées par tout

LE NEUF FAIT CHIC

Comme dans toute l'Asie, la numérologie tient une place importante. Au Laos, le chiffre 9 est assimilé à la réussite et à la prospérité. Aussi les plaques minéralogiques contenant plusieurs 9 se vendent à prix d'or. Si vous apercevez une voiture au quadruple 9, il y a beaucoup de chance que ce soit un gros 4x4 voyant et flambant... neuf.

le monde ? À l'instar des *nats* birmans, les *phis* sont partout. Génies bienfaisants, malfaisants ou facétieux, ils peuvent se nicher dans un arbre, un animal, une maison, ou prendre possession d'une personne. En principe, il suffit de construire une sorte de petit autel où l'on apporte de la nourriture pour que les *phis* se tiennent tranquilles. C'est en quelque sorte leur « maison », que l'on place en général dans le jardin.

Chaque village, mais aussi chaque province, le pays lui-même, possède ses génies protecteurs, les *lokapâlas,* tellement enracinés qu'ils sont même reconnus et célébrés par le bouddhisme. Généralement nocturnes, leurs apparitions peuvent prendre une forme animale : tigre, éléphant, cheval, chien ou chat. Malheur à celui qui voudrait fuir, il serait sûr de mourir ! La tactique, amis routards, est tout autre ; il faut montrer son courage, mais pas de n'importe quelle façon : il faut avancer doucement vers l'animal, s'arrêter juste en face de lui, le fixer droit dans les yeux, puis se retourner pour revenir sur ses pas, lentement, tout en lui présentant ses fesses, montrant par là même à quel point on le méprise.

Tous les Laotiens, même ceux qui ont fait des études en Occident, croient plus ou moins aux *phis*. N'essayez pas de vous en moquer. Vous choqueriez vos amis laotiens, et on ne sait pas ce qui pourrait arriver...

Christianisme

La petite communauté catholique représente 1,5 % de la population. Elle se compose de Laotiens et de Vietnamiens. Ils ont leurs églises à Vientiane et à Savannakhet...

Islam

Le nombre de musulmans est très réduit, à peine 1 % de la population. La mosquée de Vientiane est essentiellement fréquentée par des Pakistanais.

SAVOIR-VIVRE ET COUTUMES

En règle générale, il convient d'observer au Laos les règles de politesse et de savoir-vivre universelles. Ne pas s'imposer ni abuser de la gentillesse de ses interlocuteurs, ne pas se montrer capricieux et exigeant. Bref, soyez respectueux et on vous respectera. En Asie et au Laos en particulier, cela passe par un certain nombre d'attitudes de base.

● *Bhumi-Sparsa ou « Geste de la prise de la terre à témoin »*

Position assise du lotus, la main droite
touche le sol, tandis que la gauche
repose sur les jambes, paume
tournée vers le ciel. Ce geste
représente
l'Éveil de Bouddha.
Appelé aussi maraisijaya-mudra
(victoire sur Mara).

● *Dhyana ou « Attitude de méditation »*

Les deux mains reposent l'une sur
l'autre, paumes vers le ciel, la
main droite sur la main gauche.
Les jambes sont pliées en
tailleur, dans la position
du lotus.

● *Vitarka et Dharma-tchakra ou « Geste de tourner la roue »*

Position debout ou assise, le bras droit est
levé, main à demi ouverte pour que
le pouce et l'index se joignent
et forment un cercle (la roue,
symbole de l'enseignement).
Fait avec une seule main,
ce geste s'appelle Vitarka ;
fait des deux mains,
il se nomme Dharma-tchakra.
Ce geste rappelle le premier
sermon de l'enseignement
du Bouddha.

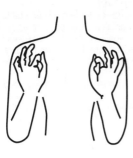

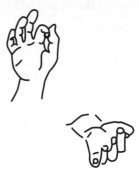

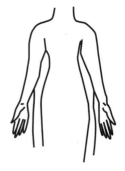

● *Varada ou « Geste du don »*

Assis ou debout, main droite ouverte
et offerte, bras allongés, ce geste
est celui du don, de la charité,
des faveurs répandues.

● *Abhaya ou « Apaisant les querelles »*

Position debout ou en marche, une ou
deux mains levées, paume en avant.
C'est le geste de l'absence de crainte et
de l'apaisement.

– *Ne jamais se mettre en colère* ni montrer que l'on perd patience. Toujours garder son calme, éviter de crier ou de parler trop fort.

– *Se vêtir correctement.* Pour les hommes, pas de torse nu. Bermuda longueur genoux possible, mais il vaut mieux être en pantalon. Pour les femmes, ni short ni minijupe ; jupe longue de préférence ou pantalon. Éviter d'avoir les épaules nues, des décolletés plongeants et toute tenue provocante. Sans jouer les culs-bénits, lors de la visite des temples, Mesdames, le port de la jupe est obligatoire. Si elle est trop courte, on vous prêtera ou louera un sarong sur place.

– *Éviter de toucher la tête,* considérée comme sacrée. Éviter de désigner quelqu'un ou quelque chose avec le pied et de monter sur les statues du Bouddha. Dans les temples, il convient de se déchausser et de se découvrir la tête. Les femmes ne doivent pas tendre la main aux moines, ni les toucher. Si elles veulent leur faire un présent, elles doivent le déposer sur un support comme une table. Les entrées aux temples leur seront interdites si elles portent jupe courte et épaules nues.

– *Se déchausser avant de pénétrer dans une maison.*

Conseils de savoir-vivre auprès des villageois

– *Si vous vous rendez dans un village,* l'usage veut que vous vous présentiez au chef pour lui demander formellement la permission de visiter les lieux et lui expliquer l'objet de votre visite. Il s'agit moins de demander une autorisation que de reconnaître l'importance de l'autorité locale.

– *Si vous ne faites que passer* dans un village ethnique, marquez-y par courtoisie un arrêt de quelques minutes, sinon les villageois vous prendront pour de « mauvais esprits ».

– *Avant d'entrer dans une maison* villageoise, demandez toujours la permission aux habitants, et présentez-vous.

– *Ne touchez pas de la main et ne photographiez pas* les symboles des esprits villageois et la porte des Esprits (à l'entrée des villages) : les villageois pensent que vous blessez ou volez leurs esprits.

– *N'achetez pas d'objets anciens* appartenant aux familles depuis des générations, car c'est leur patrimoine. Essayez d'encourager l'économie villageoise en achetant leurs fabrications artisanales destinées à la vente. C'est une source légale de revenus pour eux.

– *Porter autant que possible des vêtements propres* et qui, en tout cas, couvrent bien le corps.

– *Dans les villages akha,* il est interdit de casser ou d'arracher les branches des arbres.

– *Si du whisky laotien* vous est offert, ne vous enivrez pas et évitez toute agressivité.

– *N'encouragez pas la mendicité* des enfants en leur donnant de l'argent. Préférez les petits cadeaux : petits jouets, stylos, etc.

– *Si vous logez dans une famille,* proposez-lui de payer votre logement et votre nourriture, c'est la moindre des politesses.

– *Ne faites pas de propagande* religieuse ou politique aux villageois : vous auriez des ennuis avec la police, et les habitants n'en ont pas besoin.

– *Évitez de parler trop fort* dans les villages : c'est une pratique impolie.

– *Ne marchez pas seul hors du village,* si vous voyez que cela gêne vos hôtes, parce qu'ils se sentent responsables de votre sécurité.

SEXE

Le Laos n'a rien à voir avec la Thaïlande du point de vue du débridement sexuel. Soucieux de respectabilité, le nouveau régime n'a pas été tendre avec les prostituées. Celles qui ne sont pas parties travailler dans les bordels thaïlandais ont été envoyées dans des camps de rééducation pour une période plus ou moins longue. Cependant, depuis les années 1990, avec l'ouverture du pays au tourisme, les choses évoluent... La prostitution est en plein développement, sans que cela atteigne les ravages du pays voisin. Dans la plupart des boîtes laotiennes et dans certains bars, les belles-de-nuit sont bel et bien présentes. Les prostituées sont généralement de jeunes femmes issues de milieux défavorisés, orphelines, mères célibataires ou sans famille proche, déjà en marge de la société traditionnelle.

Que faire si l'on est abordé ? À vous de voir. Mais à notre avis, il vaut mieux s'abstenir. Il serait désolant qu'en raison du comportement de quelques-uns le gouvernement remette en cause l'ouverture touristique. De même, sans faire de cours de morale, avec la propagation du sida, il est bien évident qu'il faut absolument sortir couvert. Le sida touche surtout le nord du Laos, où la maladie est véhiculée par les héroïnomanes et les ouvriers travaillant sur les chantiers chinois, qui fréquentent des prostituées. Également de nombreux cas à la frontière avec la Thaïlande, liés eux aussi à la prostitution... Heureusement, le préservatif est entré progressivement dans les mœurs, au moins dans les villes.

Cela dit, les Laotiens ne sont pas bégueules. Les rencontres sont toujours possibles. Et rien n'interdit de vivre une belle histoire d'amour ; mais attention, on vous demandera peut-être de célébrer très vite le mariage... d'autant que, du point de vue légal, les relations hors mariage avec un(e) Laotien(ne) ne sont pas admises. En cas d'infraction, il est prévu la confiscation du passeport, une amende (minimum 1 000 $) ainsi qu'une peine de prison.

SITES INSCRITS AU PATRIMOINE MONDIAL DE L'UNESCO

En coopération avec le

Organisation des Nations Unies pour l'éducation, la science et la culture

Centre du patrimoine mondial

Pour figurer sur la liste du Patrimoine mondial, les sites doivent avoir une valeur universelle exceptionnelle et satisfaire à au moins un des 10 critères de sélection. La protection, la gestion, l'authenticité et l'intégrité des biens sont également des considérations importantes.

Le patrimoine est l'héritage du passé dont nous profitons aujourd'hui et que nous transmettons aux générations à venir. Nos patrimoines culturel et naturel sont deux sources irremplaçables de vie et d'inspiration. Ces sites appartiennent à tous les peuples du monde, sans tenir compte du territoire sur lequel ils sont situés. Pour plus d'informations : ● whc.unesco.org ●

– La ville de **Luang Prabang** (1995).

– Le **Vat Phou** et les anciens établissements associés du paysage culturel de **Champasak** (2001).

SPORTS ET LOISIRS

Volley-ball et *katow*

Le volley-ball est le sport le plus populaire au Laos. On trouve des terrains de volley jusque dans les villages les plus reculés de la brousse, et même dans les monastères. Le *katow* se joue avec un ballon ou une balle en rotin ou en bambou, que l'on peut toucher avec les pieds ou toutes les parties du corps sauf les mains et les bras.

Pétanque

Cet héritage de la présence française perdure avec une popularité étonnante. On trouve des boulodromes jusque dans les villages paumés. Les Laotiens s'y retrouvent en fin d'après-midi et se prennent pour Marius, ponctuant leurs commentaires d'expressions françaises du genre « c'est bon ! ». Ils sont aussi ravis de partager des parties avec les touristes français. Au besoin, on peut acheter des boules sur les marchés...

Football

La jeunesse laotienne en est folle ! Les maillots à l'effigie de joueurs japonais ou coréens sont légion, et les terrains vagues, les cours de récré ou les bancs de sable du Mékong se transforment le soir en terrains improvisés. Souvent, les matchs ont lieu le samedi à 15h pendant la saison sèche.

Combats de coqs

Très populaires, surtout dans la région de Luang Prabang et plus au nord, à Nong Khiaw. Ils sont officiellement interdits depuis 1993, mais l'application de cette loi est toute symbolique. Ils ont lieu en général le week-end ou à l'occasion de certaines fêtes religieuses. Des paris sont organisés, même si officiellement, là encore, les jeux d'argent sont interdits au Laos. Violent et cruel. Toutes les traditions ne sont pas si bonnes à garder.

les ROUTARDS sur la FRANCE 2019-2020

(dates de parution sur • *routard.com* •)

Découpage de la FRANCE par le ROUTARD

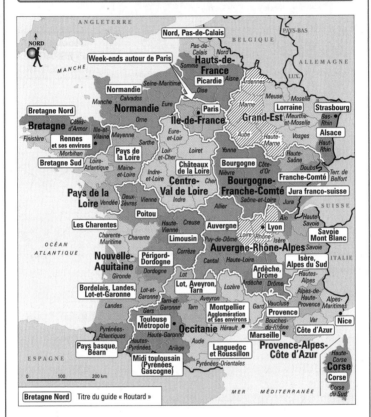

Bretagne Nord   Titre du guide « Routard »

Autres guides sur la France

- Hébergements insolites en France
- Canal des 2 mers à vélo
- La Loire à Vélo
- Paris Île-de-France à vélo
- La Vélodyssée (Roscoff-Hendaye)
- Nos meilleurs campings en France
- Nos meilleures chambres d'hôtes en France
- Nos meilleurs restos en France
- Les visites d'entreprises en France

Autres guides sur Paris

- Paris
- Paris balades
- Paris exotique
- Restos et bistrots de Paris
- Le Routard des amoureux à Paris
- Week-ends autour de Paris

les ROUTARDS sur l'ÉTRANGER 2019-2020

(dates de parution sur • routard.com •)

Découpage de l'ESPAGNE par le ROUTARD

Découpage de l'ITALIE par le ROUTARD

Autres pays européens

- Allemagne
- Angleterre, Pays de Galles
- Autriche
- Belgique
- Bulgarie
- Crète

- Croatie
- Danemark, Suède
- Écosse
- Finlande
- Grèce continentale
- Hongrie
- Îles grecques et Athènes
- Irlande
- Islande
- Madère

- Malte
- Norvège
- Pays baltes : Tallinn, Riga, Vilnius
- Pologne
- Portugal
- République tchèque, Slovaquie
- Roumanie
- Suisse

Villes européennes

- Amsterdam et ses environs
- Berlin

- Bruxelles
- Budapest
- Copenhague
- Dublin
- Lisbonne
- Londres
- Moscou

- Naples
- Porto
- Prague
- Saint-Pétersbourg
- Stockholm
- Vienne

les ROUTARDS sur l'ÉTRANGER 2019-2020

(dates de parution sur • routard.com •)

Découpage des ÉTATS-UNIS par le ROUTARD

Autres pays d'Amérique

- Argentine
- Brésil
- Canada Ouest
- Chili et île de Pâques
- Colombie
- Costa Rica
- Équateur et les îles Galápagos
- Guatemala, Belize
- Mexique
- Montréal
- Pérou, Bolivie
- Québec et Ontario

Asie et Océanie

- Australie côte est + Red Centre
- Bali, Lombok
- Bangkok
- Birmanie (Myanmar)
- Cambodge, Laos
- Chine
- Hong-Kong, Macao, Canton
- Inde du Nord
- Inde du Sud
- Israël et Palestine
- Istanbul
- Jordanie
- Malaisie, Singapour
- Népal
- Shanghai
- Sri Lanka (Ceylan)
- Thaïlande
- Tokyo, Kyoto et environs
- Turquie
- Vietnam

Afrique

- Afrique du Sud
- Égypte
- Kenya, Tanzanie et Zanzibar
- Maroc
- Marrakech
- Sénégal
- Tunisie

Îles Caraïbes et océan Indien

- Cuba
- Guadeloupe, Saint-Martin, Saint-Barth
- Île Maurice, Rodrigues
- Madagascar
- Martinique
- République dominicaine (Saint-Domingue)
- Réunion

Guides de conversation

- Allemand
- Anglais
- Arabe du Maghreb
- Arabe du Proche-Orient
- Chinois
- Croate
- Espagnol
- Grec
- Italien
- Japonais
- Portugais
- Russe
- G'palémo (conversation par l'image)

Livres-photos Livres-cadeaux

- L'éphéméride du Routard (septembre 2018)
- Voyages
- Voyages : Italie (octobre 2018)
- Road Trips (40 itinéraires sur les plus belles routes du monde ; octobre 2018)
- Nos 120 coins secrets en Europe
- Les 50 voyages à faire dans sa vie
- 1 200 coups de cœur dans le monde
- 1 200 coups de cœur en France
- Nos 52 week-ends dans les plus belles villes d'Europe
- Nos 52 week-ends coups de cœur en France (octobre 2018)
- Cahier de vacances du Routard (nouveauté)

Routard Assurance

**adaptée à tout vos voyages,
seul, à deux ou en famille,
de quelques jours à une année entière !**

* ✵ Une application mobile.
* ✵ Pas d'avance de frais.
* ✵ Un vaste réseau médical.
* ✵ À vos côtés 24h/24.
* ✵ Dès 29 € / mois.
* ✵ Reconnues pour tous les visas.

RÉSUMÉ DES GARANTIES*	MONTANT
FRAIS MÉDICAUX (pharmacie, médecin, hôpital)	100 000 € U.E. 300 000 € Monde
RAPATRIEMENT MÉDICAL	Frais illimités
VISITE D'UN PARENT en cas d'hospitalisation de l'assuré de plus de 5 jours	2 000 €
RETOUR ANTICIPÉ en cas de décès accidentel ou risque de décès d'un parent proche	Billet de retour
ASSURANCE RESPONSABILITÉ CIVILE VIE PRIVÉE	750 000 € U.E. 450 000 € Monde
ASSURANCE BAGAGES en cas de vol ou de perte par le transporteur	2 000 €
AVANCE D'ARGENT en cas de vol de vos moyens de paiement	1 000 €
CAUTION PENALE	7 500 €

* Les garanties indiquées sont valables à la date d'édition du Routard. Par conséquent, nous vous invitons à prendre connaissance préalablement de l'intégralité des Conditions générales à jour sur www.avi-international.com.

Souscrivez dès à présent sur
www.avi-international.com
ou par téléphone au **01 44 63 51 00**

AVI International (Groupe SPB) - S.A.S. de courtage d'assurances au capital de 100 000 euros - Siège social : 40-44, rue Washington (entrée principale au 42-44), 75008 Paris - RCS Paris 323 234 575 - N° ORIAS 07 000 002 (www.orias.fr). Les Assurances Routard Courte Durée et Longue Durée ont été souscrites auprès d'un assureur dont vous trouverez les coordonnées complètes sur le site www.avi-international.com.

Nous tenons à remercier tout particulièrement Loup-Maëlle Besançon, Thierry Bessou, Gérard Bouchu, François Chauvin, Grégory Dalex, Fabrice Doumergue, Cédric Fischer, Carole Fouque, Guillaume Garnier, Nicolas George, Michelle Georget, David Giason, Claude Hervé-Bazin, Emmanuel Juste, Dimitri Lefèvre, Fabrice de Lestang, Romain Meynier, Éric Milet, Pierre Mitrano, Jean-Sébastien Petitdemange et Thomas Rivallain pour leur collaboration régulière.

Jean-Jacques Bordier-Chêne
Laura Charlier
Agnès Debiage
Coralie Delvigne
Jérôme Denoix
Tovi et Ahmet Diler
Clélie Dudon
Sophie Duval
Alain Fisch
Bérénice Glanger
Adrien et Clément Gloaguen
Bernard Hilaire et Pepy Frenchy Kupang

Sébastien Jauffret
Alexia Kaffès
Jacques Lemoine
Caroline Ollion
Martine Partrat
Odile Paugam et Didier Jehanno
Céline Ruaux
Prakit Saiporn
Jean-Luc et Antigone Schilling
Jean Tiffon
Caroline Vallano

Direction: Nathalie Bloch-Pujo
Contrôle de gestion: Jérôme Boulingre et Adeline Cazabat Barrere
Secrétariat: Catherine Maîtrepierre
Direction éditoriale: Hélène Firquet
Édition: Matthieu Devaux, Olga Krokhina, Gia-Quy Tran, Julie Dupré, Emmanuelle Michon, Pauline Janssens, Amélie Ramond, Margaux Lefebvre et Elvire Tandjaoui
Ont également collaboré: Dorica Lucaci, Clémence Toublanc, Michèle Bondu et Jeanne Labourel
Cartographie: Frédéric Clémençon et Aurélie Huot
Fabrication: Nathalie Lautout et Audrey Detournay
Relations presse France: COM'PROD, Fred Papet. ☎ 01-70-69-04-69.
● *info@comprod.fr* ●
Direction marketing: Adrien de Bizemont, Clémence de Boisfleury et Charlotte Brou
Informatique éditoriale: Lionel Barth
Couverture: Clément Gloaguen et Seenk
Maquette intérieure: le-bureau-des-affaires-graphiques.com, Thibault Reumaux et npeg.fr
Relations presse: Martine Levens (Belgique) et Maureen Browne (Suisse)
Contacts partenariats et régie publicitaire: Florence Brunel-Jars.
● *fbrunel@hachette-livre.fr* ●

INDEX GÉNÉRAL

4 000 îles (les ; LE DISTRICT DE SIPHANDONE).............. 506

ABC du Cambodge 64
ABC du Laos 313
Achats (Cambodge).................. 70
Achats (Laos)........................... 315
Aide humanitaire (Cambodge)........................ 282
An Thời 197
ANGKOR 242
Angkor Borei............................ 134
Angkor Thom 258
Angkor Wat.............................. 254
Argent, banques, change (Cambodge)............... 68
Argent, banques, change (Laos) 314
Avant le départ (Cambodge) 64
Avant le départ (Laos).............. 313

Bãi Dài (plage) 194
Bãi Khem (plage) 197
Bãi Sao (plage) 197
Bai Thom 194
Baksei Chamkrong 258
Bamboo Train 209
Ban Ang (site de) 383
BAN BENG PHOU KHAM 502
BAN DONE XAY 440
Ban Hang Khône (dauphins d'eau douce de)... 517
BAN HINSIOU (sucre de palme)............................ 511
BAN HONG LEUAI 440
BAN HOUY HOUN 505
BAN KANDONE....................... 502
BAN KHIET NGON 493
BAN KOK BOUN TAI 504
BAN KOMAEN (plantations de thé)............... 460
BAN NA 453
BAN NAM NGEN 441
BAN NATOUN........................... 455
BAN PHIENG NGAM 441
BAN PHIN HO 440
BAN SAPAÏ (village de tisserands)...................... 487

BAN THAPENE...................... 421
Ban That 493
BAN XAN HAI 418
BAN XIENG MEN.................... 415
Banteay Chmar........................ 270
Banteay Kdei 262
Banteay Samrè........................ 265
Banteay Srei 265
Baphuon (le)............................ 260
Baray occidental (le)............... 265
Bati (lac ; Tonlé Bati)............... 130
BATTAMBANG 200
Bayon (le)................................ 258
BBC.. 241
Beng Mealea 268
Blue Lagoon (lac).................... 374
Boissons (Cambodge)............. 285
Boissons (Laos)...................... 519
BOKEO (province de) 430
Bokor (le) 154
BOLAVENS (plateau des) 498
BOTEN 441
Boucle des karsts de Khammouane 471
BOUN TAI 456
Buddha Park (wat Xieng Khuan).................................. 362
Buddha's Cave (Tham Pa Fa)... 469
Budget (Cambodge) 70
Budget (Laos) 316
Bungva Lake............................ 477

CAMBODGE (le) 91
CENTRE (le ; Laos) 338
CHAMPASAK 487
Chau Say Tevoda 261
CHHLONG................................ 281
CHI PAT 182
CHIRO 276
Choeung Ek (camp d'extermination de ; Killing Fields)..................................... 130
Chup Rubber Plantation (usine de traitement du caoutchouc) 276
Climat (Cambodge) 71
Climat (Laos)........................... 317
Coconut Prison........................ 197

Coups de cœur (nos).................. 14
Cuisine (Cambodge)................. 286
Cuisine (Laos)......................... 519
Curieux, non ? (Cambodge) 287
Curieux, non ? (Laos) 522
Cửa Cạn 194

Dan Pha.................................. 363
Dangers et enquiquinements
   (Cambodge)............................ 73
Dangers et enquiquinements
   (Laos)................................... 319
DET (île de ; DON DET)........... 512
Don Daeng (île de) 490, 493
DON DET (île de Det)............... 512
Don Kho (île de)....................... 487
DON KHÔNE (île de KHÔNE)... 512
Don Khône (plage de)............... 516
DON KHONG (île de KHONG)... 508
Dong Natad
   (forêt protégée de)................. 477
Droits de l'homme
   (Cambodge)........................... 287
Droits de l'homme (Laos) 522
DƯƠNG ĐÔNG 186

Économie (Cambodge)......... 288
Économie (Laos)..................... 523
Électricité (Cambodge)............. 73
Électricité (Laos)..................... 320
Éléphants (terrasse des).......... 261
Elephant's Cave (Tham Xang) ... 469
Elephant Village...................... 419
Environnement (Cambodge).... 290
Environnement (Laos)............. 526

FAEN.................................... 445
Fêtes et jours fériés
   (Cambodge)............................ 73
Fêtes et jours fériés (Laos) 528
Forêt de pierre 472

Gành Dầu (cap) 194
Géographie (Cambodge)......... 291
Géographie (Laos) 530
Gibbon Experience (The)......... 434
Golden Flower Cave (grotte).... 374

Hat Sai Kong (dauphins
   d'eau douce de) 517
Hébergement (Cambodge)........ 74
Hébergement (Laos) 320
Hévéas (plantations d')............ 275
Histoire (Cambodge)................ 292
Histoire (Laos)........................ 531

HOUEISAI.............................. 430
HOY BO.................................. 453

Itinéraires conseillés
   (Cambodge)............................ 28
Itinéraires conseillés (Laos) 30

Jarres (plaine des)............... 383

Kaeng Nyui Waterfall........... 375
Kampi (rapides de) 281
KAMPONG KHLEANG 199
KAMPONG PHLUK 199
KAMPONG TRACH 140
KAMPOT................................. 143
Kbal Romeas (grotte de).......... 142
Kbal Spean 267
KEP.. 135
KHAMMOUANE (karsts de)..... 468
Khmer Bridge
   (Kompong Kdei)..................... 213
Khon Pa Sai Waterfalls 517
KHÔNE
   (île de ; DON KHÔNE)........... 512
KHONG
   (île de ; DON KHONG) 508
KHOUNSOUK LUANG
   (village de) 461
KHOUNSOUK NOY
   (village de) 461
Kien Svay (Koki Beach) 130
Killing Fields (Choeung Ek ;
   camp d'extermination) 130
Kirirom National Park.............. 131
Koh Dach (île de la Soie) 129
Koh Ker.................................. 269
KOH KONG (KRONG KOH
   KONG) 178
Koh Kong Island 182
Koh Pos.................................. 171
KOH RONG............................. 171
KOH RONG SAMLOEM 171
Koh Russei 171
Koh Ta Kiev............................ 169
KOH TONSAY
   (îles des Lapins).................... 141
Koh Trong 279
Koki Beach (Kien Svay) 130
KOMPONG CHAM 271
KOMPONG CHHNANG 210
KOMPONG KDEI.................... 213
KOMPONG LUONG 211
KOMPONG SOM
   (SIHANOUKVILLE)................ 155
KOMPONG THOM 211

KONG LOR
(grotte et village de) 471
KRATIE 276
KRONG KOH KONG
(KOH KONG) 178

Lak 40 Suan Sackda
(café et thé) 500
Lak Ha Sip Sawg Market 363
LAK KHAMMAI 440
LAKSAO 471
Langue (Cambodge) 75
Langues (Laos) 321
LAOS (le) 338
Laos Buffalo Dairy 421
LAPINS
(île des ; KOH TONSAY) 141
Li Phi Waterfalls
(Somphamit Waterfalls) 516
Livres de route (Cambodge) 77
Livres de route (Laos) 325
LUANG NAM THA 435
LUANG PRABANG 385
Lu sur Routard.com 33

MAHAXAY KUO 470
Mébon oriental (le) 264
Médias (Cambodge) 302
Médias (Laos) 534
Mékong (excursions en bateau) .. 415
MÉKONG (navigation sur le) 422
Mékong (pêcheurs
et orpailleuses du) 419
Mine Museum 241
Mines (Cambodge) 304
Móng Tay 196
MUANG KHONG 508
MUANG KHOUA 453
MUANG KHOUNE (Old
Capital) 384
MUANG LA 445
MUANG NGOI 450
MUANG SAI (OUDOM XAI) 442
Mũi Gành Dầu (cap) 194

Nakai (plateau de) 471
Nahm Dong Park 420
Nam Dee Waterfall (chutes) 439
Nam Ou (rivière) 419
Nam Po (canyon de la) 375
Nam Song (rivière) 375
Nam Tha (réserve naturelle
de la) 441
Nancout
(site de ; Phou Sala Tau) 384

Neak Pean 264
NONG KHIAW 446
NORD (le ; Laos) 422

OCHAR 208
Offrandes et dons (Cambodge) ... 304
ONDOUNG ROSSEY 211
Ông Lang (plage) 194
OUDOM XAI (MUANG SAI) 442
OUDONG 134
Oum Tomo 493

Pak Ou Caves (grottes de) 418
PAKBENG 423
PAKSÉ 477
PAKSONG 500
Paseum Cave 470
Patrimoine culturel
(Cambodge) 305
Patrimoine culturel (Laos) 537
Personnages (Cambodge) 307
Pha Ngeun (piton) 374
Phapeng Waterfalls 518
Phapouak (piton) 373
PHATANG 375
Phimeanakas (temple de) 261
Phnom Bakhèng 258
Phnom Chhnork (grotte de) 142
Phnom Chisor 131
Phnom Da 133
Phnom Kulen
(rivière aux mille lingams) 267
PHNOM PENH 91
Phnom Sampeu 209
Phnom Santuk 214
Phnom Sorseha (grottes de) 142
PHONGSALY 456
PHONGSALY (province de) 453
PHONSAVAN 377
Photos (Cambodge) 81
Photos, vidéo (Laos) 326
Phou Asa 493
Phou Fa (mont) 460
Phou Sala Tau
(site de ; Nancout) 384
PHU QUỐC (île de) 183
Phú Quốc (parc national de) 196
Plantations de poivre 142
Population (Cambodge) 307
Population (Laos) 538
Poste (Cambodge) 82
Poste (Laos) 326
Prasat Banan 209
Prasat Kravan 263
Prasat Suor Prat 261

Pre Rup.................................264
Preah Khan (Angkor ; à l'est)... 269
Preah Khan
    (Angkor ; grand circuit) 263
Preah Khan (Kompong Thom)... 214
Preah Vihear 270
Prek Kampi
    (dauphins d'eau douce de)... 280
PREK TOAL 200

Questions qu'on se pose
    avant le départ (les) 34

Ream National Park 170
RÉGION CÔTIÈRE
    (la ; Cambodge)....................135
Rach Vem (village
    de pêcheurs).........................194
Religions et croyances
    (Cambodge)..........................309
Religions
    et croyances (Laos) 539
Roi lépreux (terrasse du)..........261
Roluos (groupe de) 266
Royal Palace............................261

Sakarindh (grotte
    sacrée de ; Wat Tham) 416
Sambok Mountain 280
SAMBOR..................................281
Sambor Prei Kuk (temples)......213
Santé (Cambodge) 82
Santé (Laos)............................327
SAVANNAKHET 472
Savoir-vivre et coutumes
    (Cambodge)..........................310
Savoir-vivre et coutumes
    (Laos)...................................541
Secret Lake 142
SÉKONG...................................503
Sexe (Cambodge)......................311
Sexe (Laos)..............................544
Siang De (site de) 384
SIEM REAP...............................214
SIHANOUKVILLE
    (KOMPONG SOM)................155
SIPHANDONE
    (district de; Les 4000 îles).....506
Sites inscrits
    au Patrimoine mondial
    de l'Unesco (Cambodge) 312
Sites inscrits au Patrimoine
    mondial de l'Unesco (Laos)... 545
Sites internet (Cambodge).........85
Sites internet (Laos)................328

SKUN (mygales frites de) 275
Soie (île de la ; Koh Dach) 129
Somphamit Waterfalls
    (Li Phi Waterfalls)..................516
Sports et loisirs (Laos).............545
Sras Srang................................263
Suan Sackda (Lak 40 ;
    café et thé)............................501
SUD (le ; Laos)........................461
SUD-EST (le ; Cambodge).......271
Suối Tranh (cascade de) 196

Ta Keo 261
Ta Prohm (Angkor) 262
Ta Prohm (Phnom Penh) 130
Ta Som 264
Tad Champi (chute) 500
Tad Faek (chute) 501
TAD FANE 499
Tad Fane (chutes de) 500
Tad Hang (chute) 505
Tad Itou...................................499
Tad Katamtok (chute) 501
Tad Kouang Si (cascade).........420
TAD LO 504
Tad Lo (chute)..........................505
Tad Phaxuam (chutes) 505
Tad Sae (cascade) 420
Tad Soung (chute) 505
Tad Tayicsua (chutes) 501
Tad Thong (chutes) 420
Tad Yuang (cascade
    des Chamois) 500
TAKEO 132
Téléphone, Internet
    (Cambodge)............................85
Téléphone, Internet (Laos) 329
Teuk Chhou 154
Tha Bak Bridge........................471
THAKHEK 462
THALANG 471
Tham Chang (grotte)................373
Tham Lusy (grotte) 373
Tham Nam (grotte) 375
Tham Nang Aen (grotte) 470
Tham Pa Fa (Buddha's Cave)... 469
Tham Pa Inn (grotte) 470
Tham Pha Tok (grotte) 450
Tham Poukham (grotte)............374
Tham Xang (Elephant's Cave ;
    grotte de ; Thakhek) 469
Tham Xang (grotte ;
    Vang Vieng)..........................375
Tham Xieng Liap (grotte) 470
That Inheng 477

That Luang Namyha 440
That Phum Phuk 440
THATENG 502
Thmor Kre 280
Thommanon 261
Tonlé Bati (lac Bati) 130
TONLÉ SAP (le) 198
TONLÉ SAP (région du) 198
Transports (Cambodge) 87
Transports (Laos) 330

Urgences (Cambodge) 89
Urgences (Laos) 336

Vang Song 363
VANG VIENG 365
VAT PHOU 494
VIENG KHAM 471
VIENTIANE 338
Vũng Bầu (hameau) 194
Vũng Bầu (plage) 196

Wat Chomphet 416
Wat Ek Phnom 208
Wat Kirisan (wat Kirisela) 140
Wat Long Khoun 416
Wat Jom Thong
   (Wat Xieng Vang) 510
Wat Pha That Sikhottabong 468
Wat Phouang Keo 510
Wat Phra Ong None 492
Wat Sampov Pagoda 155
Wat Samrong Knong 209
Wat Tham (grotte sacrée
   de Sakarindh) 416
Wat That 492
Wat Xieng Khuan
   (Buddha Park) 362
Wat Xieng Vang
   (Wat Jom Thong) 510
Wat Xiengmene
   Saiyasetharam 416

LISTE DES CARTES ET PLANS

- Angkor 244-245
- Angkor Thom 259
- Angkor Wat 256-257
- Battambang 203
- Bolavens
   (le plateau des) 502-503
- Cambodge (le) 8-9
- Champasak 489
- Coups de cœur Cambodge
   et Laos (nos) 14
- Distances par la route 2
- Dương Đông 187
- Houeisai 431
- Itinéraires conseillés
   au Cambodge 28
- Itinéraires conseillés au Laos 30
- Kampot 145
- Karsts de Khammouane
   (boucle des) 469
- Kep 137
- Khong (l'île de) 509
- Khône et Det (les îles de) 513
- Kompong Cham 273
- Kompong Som
   (Sihanoukville) 156-157,159
- Kratie 277
- Laos (le) 10-11
- Luang Nam Tha 437
- Luang Prabang – Plan
   d'ensemble 386-387
- Luang Prabang – Zoom
   (centre-ville) 388-389
- Luang Prabang (les
   environs de) 417
- Muang Sai (Oudom Xai) 443
- Nong Khiaw 449
- Nord du Laos (le) 424-425
- Oudom Xai (Muang Sai) 443
- Pakbeng 427
- Paksé 480-481
- Phnom Penh (nord) 94-95
- Phnom Penh (sud) 98-99
- Phongsaly 459
- Phonsavan 378-379
- Phú Quốc (île de) 185
- Savannakhet 473
- Siem Reap 217
- Sihanoukville –
   plan d'ensemble
   et zoom Otres 156-157
- Sihanoukville – zoom centre... 159
- Siphandone (le district de)... 507
- Sud du Laos (le) 463
- Thakhek 465
- Vang Vieng 367
- Vang Vieng (les environs de)... 373
- Vat Phou 496-497
- Vientiane –
   Plan d'ensemble 340-341
- Vientiane – Le centre (zoom) .. 343

Remarque importante aux hôteliers et restaurateurs

Les enquêteurs du *Routard* travaillent dans le plus strict anonymat. Aucune réduction, aucun avantage quelconque, aucune rétribution n'est jamais demandé en contre-partie. Face aux aigrefins, la loi autorise les hôteliers et restaurateurs à porter plainte.

Avis aux lecteurs

Le Routard, ce n'est pas comme le bon vin, il vieillit mal. On ne veut pas pousser à la consommation, mais évitez de partir avec une édition ancienne. Les modifications sont souvent importantes.

Les réductions accordées à nos lecteurs ne sont jamais demandées par nos rédacteurs afin de préserver leur indépendance. Les hôteliers et restaurateurs sont sollicités par une société de mailing, totalement indépendante de la rédaction, qui reste donc libre de ses choix. De même pour les autocollants et plaques émaillées.

Avec routard.com, choisissez, organisez, réservez et partagez vos voyages !

✓ Rejoignez la plus grande communauté francophone de voyageurs : **plusieurs millions d'internautes.**

✓ Échangez avec les routarnautes : forums, photos, avis d'hôtels.

✓ Retrouvez aussi toutes les informations actualisées pour choisir et préparer vos voyages : plus de 300 guides destinations, une centaine de dossiers pratiques et un magazine en ligne pour découvrir tous les secrets de votre destination.

✓ Enfin, comparez les offres pour organiser et réserver votre voyage au meilleur prix.

Les **Routards** *parlent aux* **Routards**

Faites-nous part de vos expériences, de vos découvertes, de vos tuyaux et de vos coups de cœur. Aidez-nous à remettre l'ouvrage à jour. Indiquez-nous les renseignements périmés. Faites profiter les autres de vos adresses nouvelles, combines géniales... On adresse un exemplaire gratuit de la prochaine édition à ceux qui nous envoient les meilleurs courriers, pour la qualité et la pertinence des informations. Quelques conseils cependant :
– Envoyez-nous votre courrier le plus tôt possible afin que l'on puisse insérer vos tuyaux sur la prochaine édition.
– N'oubliez pas de préciser l'ouvrage que vous désirez recevoir, ainsi que votre adresse postale.
– Vérifiez que vos remarques concernent l'édition en cours et notez les pages du guide concernées par vos observations.
– Quand vous indiquez des hôtels ou des restaurants, pensez à signaler leur adresse précise et, pour les grandes villes, les moyens de transport pour y aller. Si vous le pouvez, joignez la carte de visite de l'hôtel ou du resto décrit.
En tout état de cause, merci pour vos nombreux mails.

122, rue du Moulin-des-Prés, 75013 Paris

● *guide@routard.com* ● *routard.com* ●

Routard Assurance *2019*

Enrichie année après année par les retours des lecteurs, *Routard Assurance* est devenue une assurance voyage incontournable. Tout est compris : frais médicaux, assistance rapatriement, bagages, responsabilité civile... Vous avez besoin d'un médecin, d'un conseil médical ou d'une prise en charge dans un hôpital ? Appelez simplement le plateau *AVI Assistance* disponible 24h/24, leur réseau est l'un des plus complets actuellement. Vous avez eu des frais de santé en voyage ? Envoyez les factures à votre retour, *AVI* vous rembourse sous une semaine. Avant votre départ, n'hésitez pas à les appeler pour des conseils personnalisés. Et téléchargez l'appli mobile pour garder le contact avec l'assistance 24h/24 et disposer de l'un des meilleurs réseaux médicaux à travers le monde. *40, rue Washington, 75008 Paris.* ☎ *01-44-63-51;00.* ● *avi-international.com* ● Ⓜ *George-V.*

Édité par Hachette Livre (58, rue Jean-Bleuzen, CS 70007, 92178 Vanves Cedex, France)
Photocomposé par Jouve (rue de Monbary, 45140 Ormes, France)
Imprimé par Lego SPA Plant Lavis (via Galileo Galilei, 11, 38015 Lavis, Italie)
Achevé d'imprimer le 2 août 2018
Collection n° 13 - Édition n° 01
20-2976-0
I.S.B.N. 978-2-01-626705-9
Dépôt légal : août 2018

PAPIER À BASE DE
FIBRES CERTIFIÉES